PRÓLOGO: MICHAEL HORTON

FUNDAMENTOS TEOLÓGICOS

DE LA REFORMA

(UN ANÁLISIS SISTEMÁTICO)

EDITOR GENERAL

MATTHEW BARRETT

PUBLICACIONES
KERIGMA

Ἐν ἀρχῇ ἦν ὁ Λόγος

Traducción y Edición: Publicaciones Kerigma

Diseño de Portada: Publicaciones Kerigma

2018 Publicaciones Kerigma
Salem Oregón
All rights reserved

Pedidos: 971 304-1735

www.publicacioneskerigma.org

ISBN: 978-1-948578-15-8

Impreso en Estados Unidos
Printed in United States

PRÓLOGO: MICHAEL HORTON

FUNDAMENTOS TEOLÓGICOS

DE LA REFORMA

(UN ANÁLISIS SISTEMÁTICO)

EDITOR GENERAL

MATTHEW BARRETT

PUBLICACIONES
KERIGMA
Ἐν ἀρχῇ ἦν ὁ Λόγος

"El Dr. Barrett ha reunido un sólido y completo grupo de teólogos de alta calidad para este volumen ganador. Todos los ensayos están cuidadosamente contextualizados, los reformadores juiciosamente seleccionados y las bibliografías cuidadosamente reunidas. Algunos capítulos son especialmente notables por la amplitud y profundidad de la investigación del autor, otros por sus maravillosos resúmenes de temas complejos. Hay pocas dudas de que *Fundamentos teológicos de la Reforma* servirá a la iglesia y la academia como un libro de texto para los estudiantes y un trabajo de referencia para los eruditos. Ya se está remodelando mi propia enseñanza sobre los últimos años de la teología medieval y comienzos de la moderna, y lo recomiendo sinceramente."

Chad Van Dixhoorn, profesor de Teología Histórica, Reformed Theological Seminary–Washington, DC

"Este excelente volumen es un fresco respiro en los estudios de la Reforma, colocando a la teología nuevamente en el centro. Muestra claramente cómo los reformadores expusieron el corazón de la fe cristiana, y por qué estas doctrinas evangélicas todavía importan tanto."

Andrew Atherstone, investigador Latimer, Wycliffe Hall, Universidad de Oxford

"Este enriquecedor libro acepta el desafío de pensar más allá del 2017 y lo hace de una manera muy estimulante. Cada uno de los colaboradores es un experto en su campo y sabe que la Reforma es un tesoro muy valioso tanto para la iglesia como para la teología. Animan convincentemente a los lectores para que piensen en este tesoro y lo adopten. Estamos entusiasmados no sólo de mirar hacia atrás quinientos años de reforma, sino también de esperar encontrar aquí el material perfecto."

Herman Selderhuis, director, Refo500; profesor y director del Institute for Reformation Research, Theological University Apeldoorn, Países Bajos; autor de *Calvin's Theology of the Psalms*

"El Dr. Matthew Barrett ha reunido un equipo de pastores y eruditos de primer nivel para escribir un volumen aniversario de la Reforma que promete recibir acogedoramente a lectores en un amplio espectro de la comunidad evangélica. En un momento en que algunos sugieren que para todos los propósitos prácticos la Reforma 'ha terminado', *Fundamentos teológicos de la Reforma* de Barrett ofrece un correctivo necesario al mostrar la relevancia de la Reforma para el ministerio de la iglesia saludable y la vida cristiana de hoy."

Philip Graham Ryken, presidente, Wheaton College; autor de *Loving the Way Jesus Loves*

"Esta colección de ensayos es tanto necesaria como apropiada. Necesaria porque los problemas abordados han sido importantes antes y ahora. Es apropiada porque así es como mejor recordamos nuestro pasado y honramos a los reformadores. La Reforma es nuestro punto central en el pasado, y los problemas que abordó siguen siendo el punto central para la vida de la iglesia y el discipulado."

Stephen J. Nichols, presidente, Reformation Bible College; director académico, Ligonier Ministries; autor de *Martin Luther: A Guided Tour of His Life and Thought* y *The Reformation: How a Monk and a Mallet Changed the World*

"Una excelente colección de ensayos de primera calidad sobre la teología de la Reforma, uno de los mejores que he visto. Una adición bienvenida a la oleada de literatura en este año de conmemoración de la Reforma."

Timothy George, Decano fundador, Beeson Divinity School; editor general, *Reformation Commentary on Scripture*

"Un aniversario es un gran momento para hacer un libro como *Fundamentos teológicos de la Reforma*. Y con el paso del tiempo, las verdades de la Reforma y su importancia como una marca en la historia que la iglesia ha olvidado, por increíble que parezca. Pero es verdad. Quizás no deberíamos sorprendernos. ¿Cuántas veces en el Antiguo Testamento leemos que los israelitas 'olvidaron'? Así que estoy animado con *Fundamentos teológicos de la Reforma*."

David F. Wells, profesorinvestigador, Gordon-Conwell Theological Seminary; autor de *The Courage to Be Protestant: Truth-Lovers, Marketers and Emergents in the Postmodern World*

"Obviamente, debemos felicitar a Matthew Barrett por reunir a este destacado grupo de teólogos de primer nivel y eruditos, para producir este maravilloso recurso. No sólo los lectores reciben un estudio magistral de teología histórica que ilumina los temas clave de la reforma del siglo XVI, sino que también se les proporciona una guía reflexiva y perspicaz para lidiar con los importantes problemas teológicos que enfrenta la iglesia en el siglo XXI. Estoy complacido de recomendar este trabajo integral."

David S. Dockery, presidente, Trinity International University

"*Fundamentos teológicos de la Reforma,* en efecto promete ser un libro influyente. Escrito por reconocidos historiadores y teólogos, este volumen pretende articular claramente la enseñanza de los reformadores según las categorías teológicas tradicionales. Es una contribución genuina y una gran lectura, además."

Fred G. Zaspel, pastor, Reformed Baptist Church, Franconia, Pensilvania; autor de*The Theology of B. B. Warfield: A Systematic Summary* y *Warfield on the Christian Life: Living in Light of the Gospel*

"Nada beneficiaría a los evangélicos más que un redescubrimiento real de la Reforma, no un trato superficial en conversaciones familiares sino un poderoso encuentro de experiencia con la profundidad, la sabiduría, la humildad, la piedad y los conocimientos prácticos de nuestros antepasados de la Reforma. Un volumen como el que el Dr. Matthew Barrett ha reunido es un gran paso en la dirección correcta."

Greg Forster, director, Oikonomia Network en el Center for Transformational Churches, Trinity International University; autor de *The Joy of Calvinism*

"La lista de autores de *Fundamentos teológicos de la Reforma* y sus respectivos temas reflejan lo mejor de la erudición evangélica reformada. El libro debería ser de amplio interés. No sólo los estudiantes de seminario y universidad encontrarán el volumen fructífero para sus estudios, sino que todos los cristianos se beneficiarían de estos ensayos."

W. Andrew Hoffecker, Profesor emérito de Historia de la Iglesia, Reformed Theological Seminary–Jackson; autor de *Charles Hodge: The Pride of Princeton*

"Una articulación clara de la propia fe reformada requiere familiaridad con las ideas y eventos en los que esa fe está arraigada. Desafortunadamente, hay pocos libros impresos sobre el tema actualmente, que sean tanto instruidos como accesibles. Agradecidamente, este volumen ofrece una excelente solución a este problema."

Chris Castaldo, Pastor, New Covenant Church, Naperville, Illinois; autor de *Talking with Catholics about the Gospel;* coautor de *The Unfinished Reformation: What Unites and Divides Catholics and Protestants after 500 Years*

Este libro está dedicado a mi padre, Michael Barrett. Siempre has estado muy orgulloso de mí por convertirme en teólogo. Espero que este libro te haga sentir aún más orgulloso. Gracias por tu amor y aliento de principio a fin.

Contenido

Prólogo 11
    ¿Qué estamos celebrando? Haciendo una evaluación después de cinco siglos
    Michael Horton

Abreviaturas 29

INTRODUCCIÓN

1   La Esencia de una Genuina Reforma 33
    Matthew Barrett

PARTE 1: ANTECEDENTES HISTÓRICOS
DE LA REFORMA

2   Teología de la Baja Edad Media 51
    Gerald Bray

3   Los Reformadores y sus Reformas 83
    Carl R. Trueman y Eunjin Kim

PARTE 2: TEOLOGÍA DE LA REFORMA

4   *Sola Scriptura* 107
    Mark D. Thompson

5   La Santa Trinidad 137
    Michael Reeves

6   El Ser y los Atributos de Dios 159
    Scott R. Swain

7   Predestinación y Elección 177
    Cornelis P. Venema

8   Creación, Humanidad y la Imagen de Dios 207
    Douglas F. Kelly

9   La Persona de Cristo 229
    Robert Letham

10 La Obra de Cristo 253
    Donald Macleod

11 El Espíritu Santo 285
    Graham A. Cole

12 Unión con Cristo 307
    J. V. Fesko

13 La Esclavitud y la Libertad de la Voluntad 327
    Matthew Barrett

14 Justificación por la fe sola 371
    korey D. Maas

15 Santificación, Perseverancia y Seguridad 399
    Michael Allen

16 La Iglesia 419
    Robert kolb

17 Bautismo 441
    Aaron Clay Denlinger

18 La Cena del Señor 467
    Keith A. Mathison

19 La Relación Iglesia-Estado 489
    Peter A. Lillback

20 Escatología 523
    Kim Riddlebarger

Colaboradores 549

Prólogo

¿Qué Estamos Celebrando?

Haciendo una Evaluación después de Cinco Siglos

Al iniciar las festividades para la celebración del quinto centenario de la Reforma, se planea un servicio conjunto en Lund, Suecia, el 31 de octubre de 2016, dirigido por el Papa Francisco y el presidente de la Federación Luterana Mundial, el obispo Munib Younan. En el período previo a una conmemoración oficial en Gutenberg exactamente un año después, se agendó una convención ecuménica e internacional para mayo, según un informe del Consejo Mundial de Iglesias, con cien mil asistentes previstos para el evento de Berlín. "La Reforma significa buscar con valentía lo nuevo y alejarse de las costumbres antiguas y familiares", según la presidente de la convención, Christina Aus der Au, de Suiza.[1]

Comentarios como éste, muy comunes en el mundo protestante histórico, ilustran las amplias variaciones en la interpretación de la Reforma y su significado continuo. Muchos de estos antiguos herederos de la Reforma han movido desde hace tiempo los credos y las confesiones a la sección de "Documentos Históricos" del himnario. Como el poderoso río se ha convertido en un cauce prácticamente seco, uno se pregunta cómo se pueden congregar esas multitudes para celebrar un movimiento cuyas enseñanzas hoy son menos significativas para los habitantes de Gutenberg y Ginebra que para muchos en Indonesia, Nigeria y Seúl.

¿Pero qué hay del testimonio evangélico histórico? Surgido de varios movimientos protestantes de avivamiento en el siglo XVIII, las sociedades misioneras evangélicas se formaron en los antiguos capitolios de la Reforma y por un tiempo dieron vida nueva a iglesias e instituciones que, en gran medida, habían sucumbido al racionalismo de la Ilustración y la indiferencia doctrinal. En muchos casos, la teología luterana y reformada se combinó con el pietismo para formar una mezcla creativa, no obstante, a veces volátil. Aunque una parte evangélica relativamente pequeña pero vigorosa prospera hoy en la Iglesia de Inglaterra (y otras más pequeñas en las iglesias episcopales de los Estados Unidos y Canadá), la fuerza del anglicanismo evangélico se ha desplazado al Sur Global.[2]

---

[1] Citado en Stephen Brown, "las celebraciones de la Reforma serán ecuménicas e internacionales, dice el líder protestante alemán", Consejo Mundial de Iglesias, 12 de mayo de 2016, https://www.oikoumene.org/en/press-centre/news/reformation-celebrations-will-be-ecumenical-and-international-says-german-protestant-leader.

[2] [**Nota del editor de esta edición en español**: *Sur Global* es un término generalmente intercambiable con otros términos como "países en vía de desarrollo", "países subdesarrollados" y, aunque menos usado actualmente, "países de tercer mundo" o simplemente "Tercer mundo"].

Para estar seguros, hay una presencia sustancial de iglesias de la Reforma en los Estados Unidos, incluyendo, por ejemplo, más de 2 millones de luteranos del Sínodo de Missouri, 350.000 miembros de la Iglesia Evangélica Luterana de Wisconsin, y aproximadamente el mismo número que pertenece a la Iglesia Presbiteriana en América. Sin embargo, estos números son eclipsados por sus compañeros del Sur Global. Para ofrecer sólo algunos ejemplos, la Iglesia Presbiteriana en Nigeria cuenta con 4 millones, y las Iglesias Evangélicas Reformadas de Cristo, centradas en la región de Plateau, cuentan con alrededor de 1.5 millones de miembros comulgantes. La Iglesia Nacional Presbiteriana de México reporta 2.8 millones de miembros, y hay 10 millones de presbiterianos en Corea del Sur, la mayoría de los cuales son mucho más conservadores que la principal Iglesia Presbiteriana (USA). Es una historia similar en el todo el mundo mayoritario. En muchos, si no en la mayoría de estos casos, el crecimiento se ha debido a la mezcla del confesionalismo y el pietismo que trajeron los misioneros y ahora prospera en los seminarios e iglesias.

Doctrina: Del Minimalismo a la Indiferencia[3]

El evangelicalismo británico y norteamericano siempre ha sido una capa de muchos colores en términos de doctrina y práctica. Además de las antiguas tradiciones de la Reforma y el pietismo, han sido moldeadas por el resurgimiento y la convulsión masiva en el protestantismo histórico que finalmente se dividió en campos modernistas y fundamentalistas. Muchos luteranos confesionales, así como las iglesias presbiterianas, reformadas y anglicanas se encontraron divididas unas de otras. Por un lado, encontraron aliados entre aquellos que estaban dispuestos a tomar posiciones inequívocas sobre la autoridad de las Escrituras y la salvación solamente por gracia en Cristo por medio de la fe. Estuvieron hombro a hombro en su defensa y proclamación de la deidad de Cristo, muerte vicaria por los pecadores, resurrección y regreso corporal. Por otro lado, las iglesias confesionales se sentían algo alienadas por el oscurantismo fundamentalista, el legalismo y los escenarios del fin de los tiempos. Cuando se iba a tomar una posición evangélica unida, siempre parecía que eran las iglesias confesionales más que las de orientación avivacionalista, que tenían que suprimir distintivos confesionales que para ellos eran asuntos apenas periféricos.

Y, sin embargo, parece que en estos círculos evangélicos más amplios, es donde el renovado interés en la Reforma estalla periódicamente. El ejemplo más reciente, al menos en los Estados Unidos, es el enorme éxito de *Coalición por el Evangelio*, fundado por Tim Keller y D. A. Carson. Aunque lejos de ser el único, *Coalición por el Evangelio* ha despertado un amplio interés global en la autoridad de las Escrituras, la proclamación centrada en Cristo y la gracia de Dios al justificar y santificar a los pecadores. Sin embargo, incluso este prometedor movimiento exhibe algunas de las debilidades, así como fortalezas, del evangelismo estadounidense. Al leer el *Libro de la Concordia*, las *Tres Formas de Unidad*, los *Estándares de Westminster* y los *Treinta y Nueve Artículos*, uno aprecia la preocupación de confesar la plenitud de la fe ecuménica, católica y evangélica en vez de reducir lo esencial a unas pocas proposiciones.

---

[3] Esta y la siguiente sección toman prestado y adaptan material de Michael S. Horton, "To Be or Not to Be: The Uneasy Relationship between Reformed Christianity and American Evangelicalism", *Modern Reformation* 17, no. 6 (2008): 18-21. Usado con el permiso de *Modern Reformation*.

La *fuerza* del evangelicalismo es su minimalismo. Mientras que a veces mueve asuntos periféricos al centro y convicciones más esenciales a la realidad no esencial, el enfoque en las Escrituras, la persona y obra de Cristo, la necesidad del nuevo nacimiento y el regreso de Cristo, ha permitido no solo un amplio espacio para la cooperación, sino también un enfoque en puntos disputados. La *debilidad* del evangelicalismo es también su minimalismo. El minimalismo doctrinal en una generación puede ser una forma de enfocar la lucha; en otro, el camino a la indiferencia doctrinal.

En 1920, se presentó un "plan de unión para las iglesias evangélicas". El teólogo de Princeton B. B. Warfield evaluó el "credo" de este plan, a medida que era estudiado por los presbiterianos. Warfield observó que la nueva confesión propuesta "no contiene nada que los evangélicos no crean" y, sin embargo, "nada de lo que no se cree... por los adherentes de la Iglesia de Roma, por ejemplo". Mientras lo resumía,

> No hay nada sobre la justificación por la fe en este credo. Y eso significa que todas las ganancias obtenidas en ese gran movimiento religioso que llamamos la Reforma son echadas por la ventana.... No hay nada acerca de la expiación en la sangre de Cristo en este credo. Y eso significa que toda la ganancia de la larga investigación medieval tras la verdad se descarta sin más.... No hay nada sobre el pecado y la gracia en este credo.... No necesitamos confesar nuestros pecados nunca más; no necesitamos reconocer la existencia de tal cosa. Necesitamos creer en el Espíritu Santo sólo "como guía y consolador". ¿No hacen lo mismo los racionalistas? Y esto significa que toda la ganancia que el mundo entero ha cosechado del gran conflicto agustiniano se tira por la ventana con el resto.... Es igualmente cierto que los logros de los debates aún más tempranos que ocuparon la primera edad de la vida de la Iglesia, a través de los cuales alcanzamos la comprensión de las verdades fundamentales de la Trinidad y la Deidad de Cristo, también son descartadas por este credo. No hay Trinidad en este credo; ninguna Deidad de Cristo o del Espíritu Santo.[4]

Si la justificación por la fe es el corazón del Evangelio, ¿cómo pueden los "evangélicos" omitirlo de su confesión común? "¿Es este el tipo de credo", continuó Warfield, "que el presbiterianismo del siglo XX encontrará suficiente como base para la cooperación en actividades evangelísticas? Entonces puede llevarse bien en sus actividades evangelísticas sin el evangelio. Porque es precisamente al evangelio que este credo descuida por completo". Warfield concluyó: "La fraternidad es una buena palabra y un gran deber. Pero nuestra comunión, según Pablo, debe ser para 'el progreso del evangelio'."[5]

La actual declaración doctrinal de la Asociación Nacional de Evangélicos (NAE, por sus siglas en inglés) al menos mejora al "credo" que criticó Warfield. Sin embargo, al igual que la declaración de 1921, la base de la NAE no incluye nada a lo que un católico romano no podría dar su consentimiento con buena conciencia:

> Creemos que la Biblia es la única Palabra de Dios inspirada, autoritativa e infalible.
>
> Creemos que hay un sólo Dios, eternamente existente en tres personas: Padre, Hijo y Espíritu Santo.

---

[4] B. B. Warfield, "In Behalf of Evangelical Religion", en *Selected Shorter Writings of Benjamin B. Warfield* (Nutley, NJ: Presbyterian and Reformed, 1970), 1:386.

[5] Ibid., 1:387.

Creemos en la Deidad de nuestro Señor Jesucristo, en Su nacimiento virginal, en Su vida sin pecado, en Sus milagros, en Su muerte vicaria y expiatoria a través de Su sangre derramada, en Su resurrección corporal, en Su ascensión a la diestra de la Padre, y en Su retorno personal con poder y gloria.

Creemos que, para la salvación de las personas perdidas y pecaminosas, la regeneración por el Espíritu Santo es absolutamente esencial.

Creemos en el presente ministerio del Espíritu Santo por cuya morada el cristiano está capacitado para vivir una vida piadosa.

Creemos en la resurrección de ambos, los salvos y los perdidos; los que son salvos para la resurrección de la vida y los perdidos para la resurrección de la condenación.

Creemos en la unidad espiritual de los creyentes en nuestro Señor Jesucristo.[6]

No hay nada acerca de los sacramentos, por supuesto. Podemos lamentar el fracaso de los reformadores para encontrar la unidad en la doctrina bíblica, pero como observó J. Gresham Machen, todas las partes al menos pensaron que la eucaristía era lo suficientemente central como para provocar el debate. Pero la tendencia en el evangelicalismo ha sido concluir que lo que no está contenido en sus "declaraciones de fe" es de importancia secundaria y "no es un asunto del Evangelio".

En contraste con las confesiones y los catecismos producidos por la Reforma magisterial, la declaración de la NAE no sólo excluye por completo el artículo central de justificación (aunque incluye el nuevo nacimiento), sino que tampoco expresa el corazón *católico* de la fe evangélica. Tiene las marcas de un minimalismo doctrinal que ha acomodado cada vez más una indiferencia doctrinal en los círculos evangélicos.

Por alguna razón, adquirimos la suposición de que, si entregábamos la confesión, podíamos mantener el credo; entonces, si entregáramos el credo, podríamos mantener algunos fundamentos. Al final de la línea llega una generación que ni siquiera sabe lo suficiente de su legado como para saber cuándo se está desviando de o rechazando a dichos fundamentos. El fundamentalismo se convirtió en un espíritu de controversia sin sus coordenadas adecuadas; el evangelicalismo buscó corregir el desequilibrio, pero lo hizo minimizando aún más la riqueza de las confesiones de la Reforma, incluso en sus diferencias

"Protestantismo sin la Reforma"

Finalizando su gira de conferencias en los Estados Unidos antes de regresar a Europa, donde se encontraría con la muerte en un campo de concentración nazi, Dietrich Bonhoeffer (1906-1945) describió a Estados Unidos como un "protestantismo sin Reforma."[7] Aunque la influencia de la Reforma en la historia religiosa de Estados Unidos ha sido profunda (especialmente antes de mediados del siglo XIX), y sigue siendo un contrapeso al predominio de la herencia avivacionalista, el diagnóstico de Bonhoeffer parece justificado:

Dios no le ha concedido al cristianismo norteamericano ninguna Reforma. Él le ha dado fuertes predicadores de avivamiento, eclesiásticos y teólogos renovadores, pero ninguna

---

[6] "Statement of Faith", *National Association of Evangelicals*, consultado el 2 de junio, 2016, http://nae.net/statement-of-faith/

[7] Dietrich Bonhoeffer, "Protestantism without the Reformation", en *The Collected Works of Dietrich Bonhoeffer*, vol. 1, *No Rusty Swords: Letters, Lectures and Notes, 1928–1936*, ed. Edwin H. Robertson, trad. Edwin H. Robertson y John Bowden (London: Collins, 1965), 92–118.

Reforma de la iglesia de Jesucristo por la Palabra de Dios.... La teología y la iglesia estadounidense en conjunto nunca han sido capaces de entender el significado de "crítica" por la Palabra de Dios y todo lo que eso significa. Hasta el presente no entienden que la "crítica" de Dios toca incluso la religión, el cristianismo de la iglesia y la santificación de los cristianos, y que Dios ha fundado su iglesia más allá de la religión y más allá de la ética.... En la teología estadounidense, el cristianismo sigue siendo esencialmente religión y ética.... Debido a esto, la persona y la obra de Cristo deben, para la teología, hundirse en un segundo plano y, a la larga, ser incomprendidas, porque no se reconoce como el único fundamento del juicio y el perdón radical.[8]

La carrera de Charles G. Finney (1792-1875) ilustra la medida en que el resurgimiento evangélico puede alejarse de las convicciones evangélicas de la Reforma. Dejando de lado la suficiencia de las Escrituras para el mensaje y los métodos de alcance, Finney ideó nuevos métodos basados en su convicción de que el nuevo nacimiento era tan natural como cualquier conversión de una forma de comportamiento a otra. Rechazando las doctrinas de la expiación vicaria de Cristo como contrarias a la razón y la moralidad, llamó a la doctrina de la justificación por la justicia imputada de Cristo "otro Evangelio". Refiriéndose a la declaración de justificación de la Confesión de Westminster, Finney declaró: "Si esto no es antinomianismo, no sé lo que es". La justificación por la justicia imputada de Cristo no sólo es "absurda" sino que también socava toda motivación para la santidad personal y social. De hecho, "la plena obediencia presente es una condición de justificación". Nadie puede ser justificado "mientras el pecado, o cualquier grado de pecado, permanezca en él". La enseñanza de que los creyentes son "simultáneamente justificados y pecadores", juzgó él, "ha matado más almas, me temo, que todo el universalismo que alguna vez maldijo al mundo". "Representar la expiación como el fundamento de la justificación del pecador ha sido una triste ocasión de tropiezo para muchos."[9] El sistema de Finney, con sus tendencias pelagianas, fue mucho más allá de todo lo que los reformadores enfrentaron desde el Concilio de Trento. Si el Pelagianismo es la religión natural del corazón caído, es especialmente evidente en la historia religiosa de una nación dedicada al individuo hecho a su propia imagen.

El cristianismo estadounidense no ha carecido de sus heroicos defensores de la fe. De hecho, los evangélicos británicos y estadounidenses han contribuido con los esfuerzos más enérgicos en nombre del Evangelio en la era moderna, así como en sus detracciones. En el Sur Global, la antorcha la lleva el arzobispo Henry Luke Orombi de Uganda, Stephen Tong en Indonesia, Nam-Joon Kim en Seúl, Paul Swarup en Delhi y muchos otros que, sin mucho estruendo ni prestigio, proclaman a Cristo como la única esperanza para los pecadores de las naciones. No todos los "credos evangélicos" son minimalistas como el evaluado por Warfield.

Sin embargo, al examinar el paisaje del cristianismo global, parecería que corrientes diversas e incluso contradictorias se entrelazan una con otra bajo el nombre de *evangélico*. Me persigue la advertencia de Juan Stott de que el evangelicalismo está "creciendo, pero es superficial". Todo lo que he dicho a favor del crecimiento del cristianismo evangélico en el Sur Global, debe ser calificado por la observación de Stott, informado por un largo ministerio que ha contribuido en gran parte a ese éxito.

---

[8] Ibid., 117–18.

[9] Todas las referencias de Charles G. Finney, *Systematic Theology* (1846; reimpr., Minneapolis: Bethany Fellowship, 1976), 46, 57, 321–22.

Como se destacó en el evento de Lausana en 2010 en Ciudad del Cabo, una de las mayores amenazas para el cristianismo, especialmente (pero de ninguna manera exclusivo) en África, es el evangelio de la prosperidad. Además, dondequiera que las academias del Atlántico Norte (incluyendo algunos seminarios evangélicos) continúen su influencia, el Sur Global estará cada vez más infectado por las tendencias que han corrompido nuestras propias escuelas e iglesias.

Sola: ¿Deberíamos protestar todavía?

Alimentando la disensión, un falso maestro "está envanecido, nada sabe, y delira acerca de cuestiones y contiendas de palabras, de las cuales nacen envidias, pleitos, blasfemias, malas sospechas", advierte Pablo (1 Timoteo 6:4). Pero a veces una palabra marca la diferencia; de hecho, como observó el Cardenal Newman, la línea entre la herejía y la ortodoxia con respecto al debate sobre *homoousion* era tan delgada como una sola vocal. Del mismo modo, toda la controversia de la Reforma se convirtió en el calificador *sola* —"sólo".

Esto también sería sólo otra forma de minimalismo si la Reforma hubiera reducido su confesión a "las cinco solas". Sin embargo, esto no fue así. Después de todo, no era sólo un movimiento; era una tradición cristiana continua —una iglesia católica reformada, a pesar de sus propias disputas y disensiones. Las confesiones evangélicas y los catecismos que surgieron de esa época incorporaron todos los grandes logros del consenso patrístico, cuidadosa y discerniblemente incluyeron ideas sólidas de la teología medieval, y abarcaron las verdades esenciales de las Escrituras que comprenden desde la creación hasta la consumación. Así, las iglesias de la Reforma fueron definidas no sólo por lo que las distinguía de otras iglesias profesantes, sino también por lo que compartían como un tesoro común.

Habiendo dicho eso, *sola* era —y sigue siendo— una palabra importante. Por supuesto, todas las partes en esa época estuvieron de acuerdo en que la Escritura es la revelación infalible de Dios. Sin embargo, además de la letra de las Escrituras, estaba la "voz viva" del magisterio que podía establecer nuevos artículos de fe y práctica. Por supuesto, todos creían en la necesidad de la gracia, la fe y Cristo. Pero el libre albedrío debe cooperar con la gracia, y la fe debe convertirse en amor, expresada a través de buenas obras, para justificarse, y para los méritos de Cristo hay que agregar sus propios méritos, así como los de María y los santos. Para estar seguros, Dios recibe la gloria por hacer todo esto posible, pero no recibe *toda* la gloria porque la salvación viene "a los que hacen lo que en ellos hay", como enseñó la Contrarreforma.

Solo Christo, Sola Fide[10]

Aunque los reformadores lo habían dicho de otras formas, fue el teólogo reformado del siglo XVII Johann Heinrich Alsted (1588-1638) quien identificó la doctrina de la justificación como "el artículo de una iglesia en pie o caída."[11] Muchos responden hoy, como lo hicieron en el momento de la Reforma, al decir que una doctrina que es tan ampliamente disputada dentro de la cristiandad difícilmente puede mantener ese tipo

---

[10] Breves porciones de esta sección son descritas y adaptadas de Michael S. Horton, "Does Justification Still Matter?" *Modern Reformation* 16, no. 5 (2007): 11–17. Usado con permiso de *Modern Reformation*.

[11] Johann Heinrich Alsted, *Theologia scholastica didactica* (Hanover: Conradi Eifridi, 1618), 711, citado en Alister E. McGrath, *Iustitia Dei: A History of the Christian Doctrine of Justification* (Cambridge: Cambridge University Press, 1986), 2:193n3.

de estatus. Sin embargo, el problema sólo puede solucionarse sobre la base de las Escrituras. Después de todo, la doctrina ya había sido desafiada dentro de las iglesias plantadas por los apóstoles, incluyendo a Pablo.

Desde el Concilio Vaticano II, el diálogo entre Protestantes y Católicos Romanos sobre la justificación ha abierto la puerta a una mayor comprensión, y este proceso en sí mismo sigue siendo vital. Se afirma repetidamente que la Declaración Conjunta sobre la Doctrina de la Justificación (2000) resolvió el debate central de la Reforma.[12] Firmada por representantes del Vaticano y la Federación Luterana Mundial, la Declaración Conjunta anunció que los anatemas de Trento ya no eran obligatorios porque ya no se referían a las opiniones sostenidas por la copartícipe luterana principal en la actualidad.

Otras iniciativas, incluida (en los Estados Unidos) la declaración "Evangélicos y Católicos juntos" (ECT, por sus siglas en inglés), seguida de "El regalo de la salvación", han sido consideradas por muchos como avances significativos no sólo en la comprensión sino también en el mensaje básico del Evangelio.[13] En estas declaraciones comunes, se dice que la aceptación divina es por la gracia de Dios en lugar del mérito humano,[14] aunque "Evangélicos y Católicos juntos" colocaron esta pregunta en la lista de desacuerdos continuos mientras expresaban su acuerdo sobre el Evangelio.

Quizás la declaración de advertencia más clara contra los impacientes anuncios de éxito en este punto ha sido ofrecida por el teólogo principal del lado católico de ECT, el Cardenal Avery Dulles. Él comienza reconociendo la importancia de la doctrina de la justificación como "una cuestión de vida o muerte eterna". "Si esto no es importante", dice, "nada lo es".[15] Sin embargo, las siguientes son diferencias aún por resolver:

> 1) ¿Es la justificación la acción de Dios solamente, o los que la recibimos cooperamos con nuestra respuesta a la oferta de gracia de Dios? 2) ¿Dios, cuando nos justifica, simplemente nos imputa los méritos de Cristo, o nos transforma y nos hace intrínsecamente justos? 3) ¿Recibimos la justificación sólo por la fe, o sólo por una fe avivada por el amor y fructífera en las buenas obras? 4) ¿Es la recompensa de la vida celestial un regalo gratuito de Dios para los creyentes, o la merecen por su fidelidad y buenas obras?[16]

A pesar de todo el progreso en el entendimiento mutuo representado por la *Declaración Conjunta*, dice Dulles, al menos por su parte, Roma continúa afirmando frente a los reformadores la segunda respuesta a cada una de estas preguntas. Dulles observa primero que, según el "Decreto sobre la justificación" del Consejo de Trento (1547), "la cooperación humana está involucrada" en la justificación. "En segundo lugar, enseñó que la justificación consiste en una renovación interna provocada por la gracia divina; en tercer lugar, que la justificación no tiene lugar por fe sin esperanza,

---

[12] La Federación Luterana Mundial y la Iglesia Católica Romana, *Joint Declaration on the Doctrine of Justification* (Grand Rapids, MI: Eerdmans, 2000).

[13] Estas dos declaraciones aparecieron en *First Things*.

[14] *Joint Declaration*, par. 15.

[15] Avery Cardinal Dulles, "Two Languages of Salvation: The Lutheran-Catholic Joint Declaration", *First Things* 98 (diciembre 1999): 25.

[16] Ibid.

caridad y buenas obras; y finalmente, que los justificados, al realizar buenas obras, merecen la recompensa de la vida eterna".[17]

Nada en la *Declaración Conjunta* se puede interpretar como una contradicción de Trento o cualquier enseñanza magisterial posterior. Además, Dulles continúa: "Debido a que la Santa Sede había estado fuertemente involucrada en la composición" de la *Declaración Conjunta* de 1994, "su aceptación se dio por sentada". "Pero para sorpresa de muchos observadores", relata Dulles, "el Consejo para la Promoción de la Unidad de los Cristianos, el 25 de junio de 1998, emitió una 'Respuesta Oficial' que expresa una serie de críticas severas y aparentemente cuestiona el consenso expresado por la *Declaración Conjunta*."[18]

Después de reconocer las declaraciones de consenso más sostenibles, Dulles señala el motivo de la desaprobación inicial del Vaticano. Entre otras cosas, la "Respuesta Oficial" desafió "su falta de atención al sacramento de la penitencia, en el que la justificación se restaura a quienes la han perdido". Dulles continúa:

> Además, esto impugna la visión luterana de que la doctrina de la justificación es la piedra suprema de la doctrina correcta.... Lo más importante para nuestros propósitos, la Respuesta Católica plantea la cuestión de si las posiciones luteranas como se explica en la *Declaración Conjunta* realmente escapan a los anatemas del Concilio de Trento.

Trento claramente niega que seamos justificados únicamente sobre la base de la justicia de Cristo imputada, observa Dulles. Los católicos romanos están obligados a afirmar que los creyentes realmente merecen la vida eterna. Dulles concluye que, en estos y otros asuntos relacionados, "no se ha llegado a un acuerdo."[19]

Por lo tanto, es difícil resistir la conclusión de que las conversaciones ecuménicas que alcanzaron su apogeo en la *Declaración Conjunta* no son más que un consejo piadoso desde el punto de vista de la Iglesia Católica Romana. Para los luteranos históricos (y los otros cuerpos Protestantes históricos que lo respaldaron), era un asunto bastante diferente. De hecho, habían alterado su visión de la justificación. De acuerdo con la *Declaración Conjunta*, la fe en su recepción de la justificación es lo mismo que el amor.[20] Sin embargo, este fue el corazón de la diferencia entre los reformadores y Roma. Es difícil saber cómo una doctrina evangélica de justificación puede salvarse de tal concesión. Mientras que *la fe que justifica* es activa en el amor, crucial para el argumento evangélico ha sido la insistencia de que la fe *en el acto de justificación* es meramente una recepción pasiva. Como el amor es el cumplimiento de la ley, la justificación por el amor equivale a la justificación por la ley.

Para muchos en todo el espectro eclesiástico, ya sea Católico o Protestante, liberal o evangélico, existe la tentación de querer conservar la influencia cultural que el cristianismo ha ejercido al menos nominalmente en Occidente. Al igual que un cónyuge abandonado, las iglesias a menudo hacen todo lo posible para demostrar que el cristianismo sigue siendo relevante para nuestras crisis morales, sociales, económicas y políticas. Por lo tanto, la división real, se nos dice, es entre el secularismo y la fe, la inmanencia y la trascendencia. Sin embargo, al menos en la perspectiva clásica de la Reforma, no está claro en qué tipo de trascendencia valdría la

---

[17] Ibid.
[18] Ibid., 26.
[19] Ibid., 27–28.
[20] *Joint Declaration*, par. 25.

pena creer si Dios no justifica a los malvados sólo mediante la gracia gratuita. Incluso aquí reconocemos la división entre teologías sinérgicas y monergísticas, independientemente de si la primera es de carácter Católico o Protestante. La división real no es, por lo tanto, entre el secularismo y la espiritualidad o incluso entre los que están dentro y fuera de la iglesia, sino entre el evangelio de Cristo y otros evangelios. Si bien existen diferencias sustanciales en nuestra definición de ese Evangelio, esos problemas siguen siendo, trágicamente, la división de la iglesia.

La justificación no es sólo una doctrina entre muchas. Tampoco es una *sola* aislada de los "cinco puntos" de los Protestantes. El juicio del teólogo católico Paul Molnar es exactamente correcto: "Pese a todo el supuesto acuerdo de la *Declaración Conjunta*, el hecho es que la teología reformada y la católica romana todavía están separadas en la práctica por esta forma básica de pensar acerca de nuestra relación con Dios."[21] Lo que está en juego es *solo Christo*, ya sea que seamos salvos únicamente por los méritos de Cristo o si es gracias a nuestra cooperación empoderada por la gracia, podemos verdaderamente merecer la vida eterna. Es una pregunta acerca de si Dios es justo y misericordioso; si los seres humanos caídos están espiritualmente muertos o sólo son moralmente débiles; si la vida obediente de Cristo, la muerte sacrificial y la resurrección victoriosa son suficientes para la redención de los pecadores; y si el Dios trino debería, por lo tanto, recibir toda la alabanza y acción de gracias por la salvación de principio a fin. Por lo tanto, también es una pregunta sobre si la Iglesia es la madre de las Escrituras, si puede promulgar nuevas doctrinas y formas de adoración, o si la Iglesia es la hija de la Palabra, rescatada y gobernada por una Palabra que no habla ni puede hablarse a sí misma.

Sin embargo, como he propuesto anteriormente, los asuntos tampoco están tan resueltos en el protestantismo. El teólogo de Yale George Lindbeck ha argumentado persuasivamente que la desconexión en muchas mentes con respecto a la justificación es fundamentalmente una incapacidad para comprender el significado de la expiación en sí misma. Refiriéndose al debate del siglo XI entre Abelardo y Anselmo, Lindbeck dice que al menos en la práctica, la visión de Abelardo de la salvación al seguir el ejemplo de Cristo (y la cruz como la demostración del amor de Dios que motiva nuestro arrepentimiento) ahora parece tener una clara ventaja sobre la teoría de satisfacción de Anselm de la expiación. "La expiación no ocupa un lugar destacado en las agendas contemporáneas de Católicos o Protestantes", supone Lindbeck. "Más específicamente, las versiones (y distorsiones) penales-sustitutivas están desapareciendo de la teoría de la satisfacción de Anselmo, que han sido dominantes en el nivel popular durante cientos de años."[22]

Esta situación es tan cierta para los evangélicos como para los Protestantes liberales, observa Lindbeck. Esto se debe a que la justificación a través de la sola fe (*sola fide*) tiene poco sentido en un sistema que hace central nuestra conversión subjetiva (entendida en términos sinérgicos como cooperación con la gracia), en lugar de la obra objetiva de Cristo:[23]

---

[21] Paul Molnar, "The Theology of Justification in Dogmatic Context" en *Justification: What's at Stake in the Current Debates*, ed. Mark A. Husbands y Daniel J. Treier (Downers Grove, IL: InterVarsity Press, 2004), 238.

[22] George Lindbeck, "Justification and Atonement: An Ecumenical Trajectory," en *By Faith Alone: Essays on Justification in Honor of Gerhard O. Forde*, ed. Joseph A. Burgess y Marc Kolden (Grand Rapids, MI: Eerdmans, 2004), 205.

[23] Ibid., 205–6.

Aquellos que continuaron usando el lenguaje *sola fide*, asumieron que estaban de acuerdo con los reformadores sin importar cuánto, bajo la influencia de los convertidos del pietismo y de los movimientos de avivamiento, ellos cambiaron la fe que salva en un buen trabajo meritorio del libre albedrío, una decisión voluntarista de creer que Cristo soportó el castigo de los pecados en la cruz *pro me*, por cada persona individualmente. Por muy improbable que parezca dada la metáfora (y el pasaje juanino del que proviene), todos son capaces de "nacer de nuevo" si sólo se esfuerzan lo suficiente. Así, con la pérdida de la comprensión reformada de la fe que justifica como un regalo de Dios, la teoría de la expiación de Anselmo se asoció culturalmente con una autojustificación que era a la vez moral y religiosa y, por lo tanto, más repugnante, pensaban sus críticos, que la autojustificación principalmente moral de los abelardianos liberales. Con el tiempo, para avanzar en nuestra historia, los liberales dejaron de ser incluso abelardianos.[24]

"Nuestra creciente cultura terapéutica para sentirse bien, es antiética al hablar de la cruz", y nuestra "sociedad consumista" ha convertido la doctrina en un marginado.[25] "Una característica más desconcertante de este desarrollo, ya que ha afectado a las iglesias confesionales", agrega Lindbeck, "es el silencio que la ha rodeado. Ha habido pocas protestas audibles."[26] Incluso la mayoría de las teologías contemporáneas de la cruz se ajustan al patrón de Jesús como modelo, pero la justificación misma rara vez se describe de acuerdo con el patrón de la Reforma, incluso por los evangélicos conservadores, sugiere Lindbeck. La mayoría de ellos, como ya se ha indicado, son conversionistas que sostienen versiones arminianas del *ordo salutis*, que están más alejadas de la teología de la Reforma que el Concilio de Trento.[27] "Donde una vez estuvo la cruz, ahora hay un vacío."[28]

Todo esto es importante para las discusiones ecuménicas, dice Lindbeck, quien ha sido un líder en el ecumenismo luterano y vaticano. Después de todo, concluye, incluso si pudiéramos llegar a algún acuerdo sobre la justificación, parece una victoria hueca si la expiación se ha deslizado de la vista a través de la división eclesial. "Parece que la retirada de las condenas bajo estas circunstancias no es incorrecta, sino tonta y necia."[29]

Si los argumentos anteriores están cerca de la verdad, sería prematuro concluir que la Reforma ha terminado. Por el contrario, sus verdades ricas y salvadoras son tan desesperadamente necesarias hoy en día en los círculos Protestantes como en los católicos y ortodoxos. Es muy posible que el protestantismo esté en su agonía como una tradición identificable dentro del cristianismo. Y sería grosero preservar un nombre que no significa nada más que "buscar valientemente lo nuevo y alejarse de las viejas costumbres familiares". Si "protestante" no se refiere a un conjunto específico de convicciones fundadas en la revelación de Dios, entonces es simplemente una actitud —y no una particularmente saludable— en busca de ocasiones para protestar. Si esto es lo que el protestantismo significa ahora, entonces no es más que otra secta cismática, un punto de reunión cultural, un grupo de autoayuda o un comité de acción política.

---

[24] Ibid., 207.
[24] Ibid.
[26] Ibid., 208.
[27] Ibid., 209.
[28] Ibid., 211.
[29] Ibid., 216.

SOLA SCRIPTURA[30]

Juan Calvino se quejó de ser atacado por "dos sectas": "el Papa y los anabaptistas". Obviamente muy diferentes entre sí, ambos sin embargo "se jactan extravagantemente del Espíritu" y al hacerlo "entierran la Palabra de Dios bajo sus propias falsedades."[31] Ambos separan al Espíritu de la Palabra al defender la voz viva de Dios con el discurso interno de la iglesia o del individuo piadoso. Por supuesto, la Biblia tiene su lugar importante, pero es la "letra" la que debe ser relevante y efectiva en el mundo hoy en día por los papas y profetas dirigidos por el Espíritu.

El líder radical anabaptista Tomás Müntzer se burló de Martín Lutero con su pretensión de superioridad por una palabra más elevada que la que "simplemente golpear el aire". Los reformadores llamaron a esto "entusiasmo" (lit., "Dios dentro"), porque hizo la Palabra de Escritura externa subordinada a la palabra interna supuestamente hablada por el Espíritu hoy dentro del individuo o la iglesia. En 2 Corintios 3, el contraste letra-Espíritu de Pablo se refiere a la ley, aparte del evangelio, como un "ministerio de muerte" y el evangelio como el medio del Espíritu para justificar y regenerar a los pecadores. Sin embargo, los gnósticos, entusiastas y místicos a través de las épocas han interpretado los términos del apóstol como un contraste entre el texto de la Escritura ("letra") y el conocimiento espiritual interno ("espíritu").

"Entusiasmo" moderno

Si tan sólo fuera tan fácil identificar las "dos sectas" en nuestros días. Trágicamente, el "entusiasmo" se ha convertido en una de las formas dominantes de socavar la suficiencia de la Escritura, y es evidente en todo el espectro. Roma siempre ha insistido en que la letra de las Escrituras requiere la presencia viva del Espíritu hablando a través del magisterio. Los Protestantes radicales han enfatizado una obra supuestamente inmediata, directa y espontánea del Espíritu en nuestros corazones, aparte de los medios creativos. Los filósofos de la Ilustración y los teólogos liberales —casi todos formados en el pietismo— resucitaron la interpretación anabaptista radical de "letra" versus "espíritu". "Letra" llegó a significar la Biblia (o cualquier autoridad externa), mientras que "espíritu" era equivalente no al Espíritu Santo sino a nuestro propio espíritu interno, razón o experiencia.

A mediados del siglo XX, los sínodos y asambleas generales, incluso de denominaciones históricamente vinculadas a la Reforma, comenzaron a hablar de las Escrituras como un registro indispensable de las experiencias piadosas, reflexiones, rituales, creencias y vidas de los santos en el pasado, mientras que lo que realmente necesitamos en este momento es "seguir al Espíritu" donde sea que él, ella o eso nos pueda llevar. Y ahora sabemos dónde este espíritu ha llevado a estas antiguas iglesias, pero es el espíritu de la época, no el Espíritu de Cristo, el que los ha llevado allí.

---

[30] Esta sección es una adaptación de Michael S. Horton, "The Gospel and the Sufficiency of Scripture: Church of the Word or Word of the Church?" *Modern Reformation* 19, no. 6 (2010): 25–32. Usado con permiso de *Modern Reformation.*

[31] John Calvin, *Reply by Calvin to Cardinal Sadolet's Letter,* en *Tracts and Treatises,* vol. 1, *On the Reformation of the Church,* trans. Henry Beveridge, ed. Thomas F. Torrance (1844; repr. Grand Rapids, MI: Eerdmans, 1958), 36.

Esta amplia tendencia en la fe y práctica modernas ha sido finamente descrita por William Placher como la "domesticación de la trascendencia."[32] En otras palabras, no se niega la revelación, la inspiración y la autoridad, sino que la voz sorprendente, desorientadora y externa de Dios finalmente se transforma en la voz interna "relevante", edificante y fortalecedora de nuestra propia razón, moralidad y experiencia.

Tal domesticación de la trascendencia significa que el yo —o la "comunidad" (sea cual sea el nombre que adopte)— está protegido del discurso sorprendente, desorientador y crítico de nuestro Creador. Sin embargo, esto también significa que no podemos ser salvos, ya que la fe viene por el oír a Dios hablar su Palabra de salvación en su Hijo (Romanos 10:17). Esto no es algo que brota dentro de nosotros, ya sea como personas piadosas o como la santa iglesia, sino como una Palabra que viene a nosotros. No es una Palabra familiar sino un discurso extraordinario e inquietante que nos quita nuestras pretensiones morales, revoca nuestras suposiciones más intuitivas, perturba nuestros programas activistas. Básicamente, se nos dice que dejemos de hablarnos a nosotros mismos como si estuviéramos escuchando la voz de Dios. A través de los labios de otros mensajeros pecadores, somos puestos en el extremo receptor de nuestra identidad. No descubrimos nuestro "yo superior", sino que nos dicen quiénes somos realmente: portadores engañosos de la imagen de Dios. Nosotros no encontramos nuestro rumbo "en Adán" hacia un sentido más completo de paz y seguridad interiores, sino que somos expulsados de nosotros mismos hacia Cristo, quien nos reviste de su justicia.

"Entusiasmo" —la tendencia a asimilar la Palabra externa de Dios a la palabra interna— es inseparable de la tendencia pelagiana de asimilar el evangelio salvífico de Dios a nuestros propios esfuerzos. Por el contrario, *sola Scriptura* (la suficiencia de la Escritura como la autoridad final para la fe y la práctica) está inseparablemente ligada a *solo Christo*, *sola gratia* y *sola fide* (el Evangelio de Cristo sólo por la gracia recibida sólo a través de la fe).

Hay un enfoque "fundamentalista" para *sola Scriptura* que se puede reducir a la pegatina o etiqueta que pegan en el parachoques de los autos, "Dios lo dijo. Yo lo creo. Eso lo resuelve". En esta expresión, no hay sentido alguno de que el *contenido* de lo que Dios dijo de alguna manera constituya su autoridad. Un musulmán puede usar la misma frase al hablar del Corán o un mormón del Libro de Mormón.

Sin embargo, un enfoque genuinamente evangélico sostiene que la Escritura es suficiente no sólo porque es divinamente inspirada (aunque eso es cierto) sino también porque estos sesenta y seis libros que forman nuestro canon evangélico proporcionan todo lo que Dios ha considerado suficiente para revelar su ley y su evangelio. La especulación no nos ayudará a encontrar a Dios, sino que sólo nos conducirá a algún ídolo que hayamos creado a nuestra propia imagen. Podemos sentirnos más seguros en nuestra autonomía cuando pretendemos que nuestra propia voz interior de razón, espiritualidad o experiencia es la voz del Espíritu. Podemos estar entusiasmados con un nuevo programa para actualizar nuestras iglesias y transformar nuestra nación, nuestras familias y nuestras vidas, pero no hay poder de Dios para la salvación en nuestras propias agendas y esfuerzos. Podemos encontrar todo tipo de consejos prácticos para nuestras vidas diarias fuera de la Biblia.

---

[32] William C. Placher, *The Domestication of Transcendence: How Modern Thinking about God Went Wrong* (Louisville: Westminster John Knox, 1996).

Al igual que con la justificación, la iglesia de hoy nunca ha tenido mayor necesidad de recuperar el sentido de los reformadores de ser asida a una Palabra externa "por encima de todos los poderes terrenales". Y, como con la justificación, el protestantismo generalmente muestra una confianza más débil en la autoridad de las Escrituras que la de los reformadores en la iglesia medieval.

En el libro mayor en ventas *Hábitos del Corazón*, Roberto Bellah y otros sociólogos estudiaron la religión en los Estados Unidos. Llegaron a la conclusión de que se describe mejor como "sheilaismo", que lleva el nombre de una persona a la que entrevistaron [Sheila Larson] y que dijo que ella sigue su propia vocecita. Cada estadounidense es el fundador de su propia religión, siguiendo los dictados de su propio corazón.[33]

Pero hace dos siglos, Immanuel Kant ya nos había dicho que el principio más cierto que él conocía era "la ley moral interna". Las religiones externas pueden tener diferentes formas de expresarlo, cada una con sus propios textos sagrados y afirmaciones milagrosas para reivindicar su autoridad, sus propias formas de adoración, y sus propios credos. A lo externo lo llamó "religiones eclesiásticas", en contraste con la "religión pura" de la moralidad práctica. Este último no necesitaba autoridad externa ni confirmación. Miramos dentro de nosotros mismos, no sólo por la ley inscrita en nuestra conciencia, sino también por el poder de salvarnos a nosotros mismos —y a nuestro mundo— de cualquier mal que compita con nuestra fidelidad. Kant insistió en que no necesitamos un evangelio externo porque no nacimos en el pecado original, incapaces de salvarnos a nosotros mismos. No necesitamos escuchar las buenas noticias de la operación de rescate de Dios porque ya tenemos todo lo que necesitamos dentro de nosotros mismos para manejar la situación sin problemas.[34]

Este legado "entusiasta" ha encontrado un terreno fértil en la experiencia religiosa estadounidense, particularmente en la historia de los movimientos de avivamiento. Escribiendo en el siglo XIX, Alexis de Tocqueville observó que los estadounidenses deseaban "escapar de los sistemas impuestos" de cualquier tipo, "buscar por sí mismos y en sí mismos la única razón de las cosas, buscar resultados sin enredarse en los medios hacia ellos". No necesitan una guía externa para descubrir la verdad, "habiéndolo encontrado en sí mismos."[35]

Situar la experiencia humana en el centro fue una tendencia más general en el romanticismo europeo, señala Bernard Reardon, con su "intenso egoísmo y emocionalismo."[36] El efecto del pietismo (especialmente culminando en el Gran Despertar), como observa William McLoughlin, fue cambiar el énfasis de "creencia colectiva, adhesión a los estándares de credo y la debida observancia de las formas tradicionales, al énfasis en la experiencia religiosa individual."[37] Al mismo tiempo, el efecto de la Ilustración fue cambiar "la máxima autoridad en la religión" de la iglesia a

---

[33] Robert Bellah, Richard Madsen, William M. Sullivan, Ann Swidler y Steven M. Tipton, *Habits of the Heart: Individualism and Commitment in American Life,* edición actualizada (Berkley, CA: University of California Press, 2008).

[34] Para citas e interacción con Kant sobre estos puntos, vea a Michael Horton, *The Christian Faith: A Systematic Theology for Pilgrims on the Way* (Grand Rapids, MI: Zondervan, 2011), 62–67.

[35] Alexis de Tocqueville, *Democracy in America*, ed. J. P. Mayer y Max Lerner, trad. George Lawrence (New York: Harper and Row, 1966), 429.

[36] Bernard M. G. Reardon, *Religion in the Age of Romanticism: Studies in Early Nineteenth-Century Thought* (Cambridge: Cambridge University Press, 1985), 9.

[37] William McLoughlin, *Revivals, Awakenings, and Reform: An Essay on Religion and Social Change in America,* 1607–1977, Chicago History of American Religion (Chicago: University of Chicago Press, 1980), 25.

"la mente del individuo."[38] Entonces, el romanticismo simplemente cambió la facultad (de la mente al corazón), al tiempo que retenía al sujeto (el yo, no una autoridad externa). Incluso el himnario evangélico se dibujó en esta marea romántica, como se ve en la línea familiar de la canción de Pascua: "¿Me preguntas cómo sé que él vive? Él vive dentro de mi corazón". Sin embargo, esta chispa interior, luz interna, experiencia interna y razón interna que guía el misticismo, el racionalismo, el idealismo y el pragmatismo en todas las edades es precisamente ese yo autónomo que, según el Nuevo Testamento, debe ser crucificado y sepultado con Cristo en el bautismo, para que se pueda resucitar con Cristo como un habitante de la nueva era.

El evangelio no es algo que fluye dentro de nosotros. No es un dictado de la conciencia moral o una doctrina universal de la razón. Como un sorprendente anuncio de que en Cristo pasamos de la muerte a la vida y de la ira a la gracia, sin embargo, el evangelio es contrario a la intuición. Entonces, si permitimos que la razón y la experiencia —lo que es inherente, familiar e interiormente cierto— no sólo guíen nuestro acceso sino también que determinen la realidad, nos quedaremos con Kant en "la ley moral interna". Las buenas nuevas han sido *contadas*, y en la medida en que se asimilen a lo que creemos que ya conocemos y experimentamos, no serán buenas noticias en absoluto: quizás un consejo piadoso, una buena instrucción y sugerencias prácticas, pero no serán buenas noticias.

¿La salvación viene a nosotros desde fuera de nosotros mismos, desde arriba, desde el cielo, a medida que el Dios trino actúa en la historia por nosotros? ¿O la salvación proviene de nuestros recursos internos, iluminación y experiencia? ¿La Palabra de Dios declara ser una nueva creación, o nos da principios útiles y motivaciones para nuestras propias actividades autotransformadoras y transformadoras del mundo? La forma en que respondemos estas preguntas determina nuestra visión no sólo de la suficiencia de las Escrituras, sino también de la naturaleza del evangelio mismo.

La raíz de todo el "entusiasmo" es la hostilidad hacia un Dios que está fuera de nosotros, en cuyas manos se ubica el juicio y la redención de nuestras vidas. Para protegernos de este asalto, tratamos de hacer de lo "divino" un eco de nosotros mismos y nuestras comunidades. La idea de ser fundada por otra persona ha sido tratada en la modernidad como un legado de una era primitiva. Hemos llegado a pensar que lo que experimentamos directamente dentro de nosotros es más confiable de lo que nos dice alguien más. Por lo tanto, siempre estamos listos para una nueva conciencia o nuevos consejos, pero no para nuevas noticias que sólo nos llegan como un informe que no sólo es contado por otra persona, sino que también está completamente relacionado con el logro de alguien más por nosotros.

Nuevas Visiones para la Teología Evangélica

En los círculos evangélicos de hoy, estas "dos sectas" convergen. Esto es explícito, por ejemplo, en el trabajo de Stanley Grenz, quien combinó su herencia anabaptista-pietista con argumentos de "alta iglesia". Esencialmente, la espiritualidad tiene prioridad sobre la doctrina, la experiencia personal y comunitaria sobre la autoridad externa, y la inspiración se extiende más allá de las Escrituras para incluir el Espíritu hablando a través de los creyentes y la comunidad, de hecho, incluso la cultura actual.

---

[38] Ned Landsman, *From Colonials to Provincials: American Thought and Culture*, 1680–1760 (Ithaca, NY: Cornell University Press, 2000), 66.

La razón, la tradición y la experiencia sirven junto a las Escrituras como las cuatro patas del taburete. En ninguna parte de esto, Grenz ubica el origen de la fe en un evangelio externo; más bien, la fe surge de una experiencia interna. "Debido a que la espiritualidad se genera desde dentro del individuo, la motivación interna es crucial", más importante, de hecho, que las "grandes declaraciones teológicas."[39] La vida cristiana no está definida por la acción de Dios a través de la Palabra y el sacramento. De hecho, "la vida espiritual es sobre todo la imitación de Cristo."[40] Vamos a la iglesia, dice, no para recibir "medios de gracia", sino simplemente para tener compañerismo e "instrucción y aliento."[41] Grenz reconoce que su interpretación cuestiona el énfasis Protestante confesional sobre "un principio material y formal", en otras palabras, *sólo Christo* y *sola Scriptura*.[42]

Esta convergencia del pietismo y el romanticismo comunitario ya se podía ver en la obra de Friedrich Schleiermacher (1768-1834), padre de la teología liberal moderna. El individuo y la comunidad parecen converger en la cuenta de Grenz (similar a la de Schleiermacher) en el nivel de la experiencia común. En consecuencia, una revisión de la teología evangélica implica considerar "la teología como la reflexión de la comunidad de fe sobre la experiencia de fe de aquellos que se han encontrado con Dios a través de la actividad divina en la historia y por lo tanto ahora buscan vivir como pueblo de Dios en el mundo contemporáneo."[43] La Escritura es esencialmente el registro de la iglesia de su experiencia religiosa.[44] "La fe es por naturaleza inmediata", afirma asombrosamente Grenz, y la Escritura es el registro del encuentro de la comunidad de fe con Dios.[45]

Por lo tanto, Grenz revierte la relación Palabra-fe. En lugar de que la fe sea creada por la Palabra de Dios, la Palabra misma es creada por las experiencias de la comunidad. Obviamente, esto requiere "una comprensión revisada de la *naturaleza* de la autoridad de la Biblia".[46] *Sola Scriptura* tiene una historia venerable en el evangelicalismo, él reconoce; "el compromiso con la contextualización, sin embargo, implica un rechazo implícito de la concepción evangélica más antigua de la teología como la construcción de la verdad sobre la base de la Biblia solamente."[47] Además del "método de correlación" de Paul Tillich, Grenz aprecia la creciente popularidad dentro de los círculos evangélicos del "cuadrilátero wesleyano" —Escritura, razón, experiencia y tradición— como normas compartidas.[48] La Biblia, nuestra herencia y el contexto cultural contemporáneo deben relacionarse recíprocamente más que jerárquicamente, e incluso aquí, agrega, "la Biblia *como fue canonizada por la iglesia*", como si la Iglesia autorizara más que recibir el canon.[49] "En contraste con el entendimiento que los evangélicos a menudo abrazan, nuestra Biblia es el producto de la comunidad de fe que la arrulló.... Esto significa que nuestra confesión del mover del

---

[39] Stanley J. Grenz, *Revisioning Evangelical Theology: A Fresh Agenda for the 21st Century* (Downers Grove, IL: InterVarsity Press, 1993), 46.

[40] Ibid., 48.

[41] Ibid., 54.

[42] Ibid., 62.

[43] Ibid., 76.

[44] Ibid., 77.

[45] Ibid., 80.

[46] Ibid., 88.

[47] Ibid., 90.

[48] Ibid., 91.

[49] Ibid., 93. Cursiva añadida.

Espíritu en el proceso de formación de las Escrituras, comúnmente conocida como inspiración, debe extenderse."[50]

No es sorprendente que Grenz sugiera que esto generará una mayor convergencia entre los Protestantes y los Católicos Romanos en la relación entre las Escrituras y la tradición.[51] Sin embargo, también incorpora una importante perspectiva carismática y pentecostal sobre la revelación continua: "De esta forma, los eventos paradigmáticos se convierten en una fuente continua de revelación, ya que cada generación siguiente se ve a sí misma en términos de los eventos de la historia pasada de la comunidad". Dichas conclusiones, "trazan el camino más allá de la tendencia evangélica de equiparar de manera simple la revelación de Dios con la Biblia, es decir, hacer una correspondencia uno a uno entre las palabras de la Biblia y la misma Palabra de Dios."[52]

Me he centrado en los principios formales (*sola Scriptura*) y materiales (*sólo Christo*) de la Reforma, porque ambos son mutuamente interdependientes y ambos están sometidos hoy a una tremenda tensión, como siempre lo han estado. Las Escrituras y el evangelio se mantienen en pie juntos o se caen juntos.

¿Qué Sigue?

Francamente, estoy un poco dudoso de este aniversario. Si es otra ocasión para que los liberales acudan al "¡aquí estoy!" de Lutero como precursor de la autonomía moderna, o para que los conservadores celebren los valores protestantes, o para que los confesionalitas vuelvan a mirar la película de Lutero y rescaten rencores polémicos, entonces será a lo mejor una pérdida colosal de tiempo. Si, por otro lado, es una ocasión para permitir que la Palabra de Dios una vez más rompa en nuestros círculos cerrados con una palabra de juicio radical y gracia radical, entonces de hecho será un feliz aniversario.

Este no es un momento para una celebración vaga ni para estrecharnos la mano, sino para un examen sobrio, una crítica y nuevas maneras de ocupar nuestro propio tiempo y lugar con el extraordinario discurso de Dios. Hay demasiada evidencia de la fidelidad de Dios a su iglesia. Con renovado interés en las verdades de la Reforma entre las generaciones más jóvenes no sólo en el mundo del Atlántico Norte sino también en la iglesia global, hay mucho que celebrar. Pero la verdadera reforma de nuestros días va a suceder, como siempre, en las *iglesias*. Y en algún momento, los "jóvenes, inquietos y reformados" van a tener que estudiar por sí mismos para ver la gran sabiduría de las confesiones y los catecismos de las iglesias que han luchado, contra grandes posibilidades, no sólo para "mantenerse con vida", sino también para llegar a sus vecinos, que son cada vez más ajenos a la línea argumental más básica, las creencias y las prácticas del cristianismo. Es posible que estemos ingresando a una nueva era oscura en Occidente. Pero Jesús les dijo a los discípulos al borde de la persecución: "No temáis, rebaño pequeño, porque la buena voluntad de vuestro Padre es daros el reino" (Lucas 12:32). Todavía nos entrega el reino, como un regalo, no a través de nuestro activismo ansioso sino a través de su Palabra y Espíritu: "Os he dicho estas cosas, que en mí tengáis paz. En el mundo tendréis tribulación. Pero animaos; Yo

---

[50] Ibid., 121–22.
[51] Ibid., 123.
[52] Ibid., 130.

he vencido al mundo" (Juan 16:33). Sólo la confianza en lo que Él ha logrado para nosotros puede alentarnos por nuestra abrumadora tarea: "Edificaré mi iglesia, y las puertas del infierno no prevalecerán contra ella" (Mateo 16:18).

Con todas estas esperanzas y sueños en mente, me uno al lector para explorar la riqueza de los capítulos que se desarrollan en esta tremenda colección de ensayos verdaderamente importantes. Muchos de ellos son sólo como manifiestos apasionados para el futuro. Independientemente de tu propia tradición o experiencia eclesial, bríndales oído atento. Ellos son —en el mejor sentido— Católicos y Evangélicos. Profundiza en una tradición que definitivamente "no ha terminado", como sugieren algunos, incluso si el movimiento evangélico mismo puede ir y venir. De todos modos, cualquier iglesia que busque prosperar y convertirse en parte del reino que Cristo está construyendo a través de su Palabra y Espíritu cantará con Martín Lutero,

> Deja que los bienes y parientes se vayan,
> Esta vida mortal también.
> El cuerpo, ellos pueden matar,
> La verdad de Dios permanece quieta.
> ¡El reino de Dios es para siempre!

Domingo de Pentecostés, 2016
Michael Horton

Abreviaturas

AHR	*American Historical Review*
APSR	*American Political Science Review*
BSELK	*Die Bekenntnisschriften der Evangelisch-Lutherischen Kirche.* Editado por Irene Dingel. Göttingen: Vandenhoeck & Ruprecht, 2014.
BSHPF	*Bulletin de la Société de l'histoire du Protestantisme français.*
BSRK	*Die Bekenntinsschriften der reformierten Kirche.* Editado por E: F. K. Müller. Leipzig: Deichert, 1903.
CH	*Church History.*
CHR	*Catholic Historical Review.*
CNTC	*Calvin's New Testament Commentaries.* Editado por David W. Torrance y Thomas F. Torrance. 12 vols. Grand Rapids, MI: Eerdmans, 1959-1972.
CO	*Joannis Calvini Opera Quae Supersunt Omnia.* Editado por Guilielmus Baum, Eduardus Cunitz, y Eduardus Reuss, 59 vols. *Corpus Reformatorum* 29-88. Brunswich and Berlin: Schwetschke, 1896-1900.
CR	*Corpus Reformatorum.* Editado por C. G. Brettschneider. Halle: Schwetschke, 1834-1860.
CSEL	*Corpus Scriptorum Ecclesiasticorum Latinorum.* Editado por Johannes Vahlen et al. Actualmente alojado en la Universidad de Salzburg y publicado por De Gruyter, Berlin. 1864–.
CTJ	*Calvin Theological Journal.*
CTM	*Concordia Theological Monthly.*
CTQ	*Concordia Theological Quaterly.*
DH	Denzinger, Heinrich. *Compendio de Credos, Definiciones y Declaraciones sobre Cuestiones de Fe y Moral.* Revisado y ampliado por Helmut Esperando. Editado por Peter Hünermann (edición bilingüe original) y por Robert Fastiggi y Anne Englund Nash (American ed.). 43ª ed. San Francisco: Ignacio, 2012.
EILR	*Emory International Law Review.*
EvQ	*Evangelical Quarterly.*
HTR	*Harvard Theological Review.*
Institución	Calvino, Juan. *Institución de la Religión Cristiana.* Editado por john T. McNeill. Traducido por Ford Lewis. 2 vols. Library of Christian Classics 20-21. edición de 1559. Philadelphia: Westminster , 1960. Las referencias a la Institución se refieren a esta edición a menos que se indique lo contrario.
Int	*Interpretación.*
JChSt	*Journal of Church and State.*
JEH	*Journal of Ecclesiastical History*
JETS	*Journal of the Evangelical Theological Society.*
JR	*Journal of Religion.*
LCC	Library of Christian Classic. Editado por John Baillie, John T. McNeill, y Henry P. Van Dusen. 26 vols. Philadelphia: Westminster, 1953-1966.
LQ	*Lutheran Quarterly*
LW	*Luther's Works.* Editado por Jaroslav Pelikan y Helmut T. Lehmann. American ed. 82 vols. (proyectado). Philadelphia: Fortress; St. Louis, MO: Concordia, 1955–.

MAJT	*Mid-America Journal of Theology.*
MQR	*Mennonite Quarterly Review.*
MS	*Mediaeval Studies.*
NPNF	Nicene and Post-Nicene Fathers.
OER	*Oxford Encyclopedia of the Reformation.* Editado por Hans J. Hillerbrand. 4 vols. New York: Oxford University Press, 1996.
PG	J-P Migne, ed. *Patrologiae cursus completus: Series Graeca.* 161 vols. Paris: Migne, 1857-1886.
PL	J-P Migne, ed. *Patrologiae cursus completus: Series Latina.* 221 vols. Paris: Migne, 1841-1864.
ProEccl	*Pro Ecclesia.*
R&R	*Reformation and Revival.*
RRR	*Reformation & Renaissance Review.*
SBET	*Scottish Bulletin of Evangelical Theology.*
SCJ	*The Sixteenth Century Journal.*
SJT	*Scottish Journal of Theology.*
WA	*D. Martin Luthers Werke, Kritische Gesamtausgabe.* 73 vols. Weismar: Hermann Böhlaus Nachfolger, 1883-2009.
WABr	*D. Martin Luthers Werke, Kritische Gesamtausgabe: Briefwechsel.* 18 vols. Weismar: Hermann Böhlaus Nachfolger, 1930-1983.
WADB	*D. Martin Luthers Werke, Kritische Gesamtausgabe: Deutshes Bibel.* 12 vols. Weismar: Hermann Böhlaus Nachfolger, 1906-1961.
WATr	*D. Martin Luthers Werke, Kritische Gesamtausgabe: Tischreden.* 6 vols. Weismar: Hermann Böhlaus Nachfolger, 1912-1921.
WCF	Westminster Confession of Fatih.
WTJ	*Westminster Theological Journal.*
ZSW	*Huldreich Zwinglis Sämtliche Werke.* Editado por Emil Egli, George Finsler, et al. *Corpus Reformatorum* 88-101. Berlin-Leipzig-Zurich, 1905-1956.

INTRODUCCIÓN

La Esencia de una Genuina Reforma

Matthew Barrett

Aquí, entonces, está el poder soberano con el cual los pastores de la iglesia, cualquiera que sea el nombre que se les llame, deben ser dotados. Es decir, que ellos pueden atreverse valientemente a hacer todas las cosas con la Palabra de Dios; ellos pueden obligar a todo poder mundano, gloria, sabiduría y exaltación a ceder y obedecer a su majestad; apoyados por su poder, pueden mandar a todos, desde el más alto hasta el último; pueden edificar la casa de Cristo y echar abajo a la de Satanás; pueden alimentar a las ovejas y ahuyentar a los lobos; pueden instruir y exhortar a los enseñables; pueden acusar, reprender y someter a los rebeldes y obstinados; pueden atar y desatar; finalmente, si es necesario, pueden lanzar rayos y relámpagos; pero hagan todas las cosas en la Palabra de Dios.

Juan Calvino[1]

Ningún otro movimiento de protesta o reforma religiosa desde la antigüedad ha sido tan difundido o duradero en sus efectos, tan profundo y penetrante en su crítica a la sabiduría recibida, tan destructivo en lo que abolió o tan fértil en lo que creó.

Euan Cameron[2]

La Reforma como Redescubrimiento del Evangelio

Innumerables historiadores han hecho grandes esfuerzos para explicar la Reforma a través de causas sociales, políticas y económicas.[3] Sin duda, cada uno de estos

---

[1] Calvino, *Institución de la religión cristiana*, 4.8.9.

[2] Euan Cameron, *The European Reformation* (Oxford: Oxford University Press, 1991), 1.

[3] He elegido usar la *Reforma* en singular. Sin embargo, otros (incluso en este volumen) han usado el plural *Reformas* para referirse a la diversidad y pluralidad que existió durante el siglo XVI y las múltiples Reformas que tuvieron lugar en toda Europa. Ver, Carter Lindberg, *The European Reformations* (Oxford: Blackwell, 1996). Estoy de acuerdo con esta observación; podemos hablar de una pluralidad de Reformas, cada una de las cuales difiere entre sí. Sin embargo, me quedo con el lenguaje tradicional, usando el singular, porque, como revela esta introducción, un centro teológico compartido caracteriza a todos los reformadores. No es sin justificación hablar de la Reforma como un todo. Si bien hay diversidad entre los reformadores, también hay unidad cuando se trata de su causa común en la restauración del evangelio de la gracia, lo cual es demasiado evidente en su ataque conjunto contra Roma.

Además, a veces el motivo detrás de enfatizar una pluralidad de Reformas es incluir la Reforma Católica. Sin embargo, desde una perspectiva protestante de la historia, es más apropiado calificar a Trento de una *Contra-Reforma*. No es sorprendente que algunos eruditos católicos quieran incluso deshacerse del término *Reforma*, ya que "va demasiado fácilmente con la idea de que una mala forma de cristianismo estaba siendo reemplazada por una buena".

desempeñó un papel durante la Reforma, y en ocasiones un papel importante.[4] Sin embargo, lo más fundamental, la Reforma fue un movimiento teológico, causado por preocupaciones doctrinales.[5] Aunque los factores políticos, sociales y económicos fueron importantes, observa Timothy George, "debemos reconocer que la Reforma fue esencialmente un evento religioso; sus preocupaciones más profundas, teológicas."[6] Lo que esto significa, entonces, es que debemos estar "preocupados con la autocomprensión teológica" de los Reformadores.[7]

Pero se puede decir más. Sí, la Reforma fue un "evento religioso" y su preocupación más profunda fue "teológica". Pero la historia está llena de movimientos de reforma religiosa y ética que se consideraban teológicos en su orientación. Lo que distingue a la Reforma, sin embargo, es que su preocupación teológica más profunda fue el evangelio mismo. En otras palabras, la Reforma fue un énfasis renovado en la doctrina correcta, y la doctrina que estuvo en el centro del escenario fue una comprensión apropiada de la gracia de Dios en el evangelio de su Hijo, Cristo Jesús. En parte, esto es lo que distinguió a Lutero de los precursores de la Reforma. Como señala Lindberg, refiriéndose a uno de los primeros sermones de Lutero, el "corazón de la verdadera reforma... es la proclamación del evangelio de la gracia solamente. Esto requiere la reforma de la teología y la predicación, pero en última instancia es solo obra de Dios."[8] Para Lutero, explica McGrath, una "reforma de la moral era secundaria a una reforma de la doctrina."[9] Mientras los precursores enfatizaban la necesidad de una reforma ética en el papado, Lutero reconoció que el problema real era dogmático.

Juan Bossy, *Cristianismo en Occidente*, 1400–1700 (Oxford: Oxford University Press, 1985), 91. Pero esto es exactamente lo que los Reformadores creían que era el caso —de ahí la necesidad que vieron para la reforma. McGrath señala esto al señalar la interpretación de Lutero de ciertos precursores de la Reforma: "Para Lutero, la reforma de la moral y la renovación de la espiritualidad, aunque importantes en sí mismas, tenían un significado secundario en relación con la *reforma de la doctrina cristiana*. Consciente de la fragilidad de la naturaleza humana, Lutero criticó tanto a Wycliffe como a Huss por limitar sus ataques al papado a sus deficiencias morales, donde deberían haber atacado la teología en la que se basó el papado. Para Lutero, una reforma de la moral era secundaria a una reforma de la doctrina". Alister E. McGrath, *Luther's Theology of the Cross: Martin Luther's Theological Breakthrough*, 2da ed. (Oxford: Wiley-Blackwell, 2011), 26.

[4] Por ejemplo, leer algunas de las biografías y tratamientos más recientes de las figuras de la Reforma nos dará una idea de cómo esos factores coincidieron con el éxito o el fracaso de la reforma. Ver, Scott H. Hendrix, *Martin Luther: Visionary Reformer* (New Haven, CT: Yale University Press, 2015); Jane Dawson, *John Knox* (New Haven, CT: Yale University Press, 2015); Scott M. Manetsch, *Calvin's Company of Pastors: Pastoral Care and the Emerging Reformed Church*, 1536–1609, Oxford Studies in Historical Theology (Oxford: Oxford University Press, 2013).

[5] También debemos tener cuidado de no mover el péndulo demasiado hacia el otro lado. Whitford nos recuerda que, en el siglo XVI, las creencias teológicas influyeron fuertemente en las creencias sociales y políticas: "Debido a que el mundo moderno no era aún un mundo secular, lo teológico afectaba a lo social y político tanto como a veces a lo estrictamente eclesiástico". Al mismo tiempo, Whitford reconoce que la Reforma Europea "fue principalmente un evento religioso impulsado por preocupaciones teológicas". David M. Whitford, "Estudiar y escribir sobre la Reforma", en *T&T Clark Companion to Reformation Theology*, ed. David M. Whitford (London: T&T Clark, 2012), 3. Además, McGrath observa que la nueva tendencia en la historia social es definir e interpretar la Reforma en categorías económicas y sociales, y señala cómo tal enfoque ha llevado a algunos a malinterpretar la Reforma, dando como resultado conclusiones "embarazosas". Sin embargo, argumenta, "si bien estas tonterías ahora pueden pasarse por alto sin problemas, cualquier intento de dar sentido a los orígenes, el atractivo popular y la transmisión del protestantismo exige un estudio cuidadoso de las estructuras e instituciones de la sociedad contemporánea". Alister McGrath, *Christianity's Dangerous Idea: The Protestant Reformation— A History from the Sixteenth Century to the Twenty-First* (New York: HarperOne, 2007), 8.

[6] Timothy George, *Theology of the Reformers* (Nashville: Broadman, 1998), 18. McGrath también advierte contra la tentación de tratar las ideas de la Reforma como un "fenómeno puramente social". Alister E. McGrath, *Reformation Thought: An Introduction*, 4th ed. (Oxford: Wiley-Blackwell, 2012), xv, xvi, 1

[7] George, Theology of the Reformers, 18.

[8] Lindberg, The European Reformations, 10

[9] McGrath, Luther's Theology of the Cross, 27.

La gran necesidad era teológica; el "corazón de la verdadera reforma" tuvo que ver con la recuperación del evangelio mismo.

Los Reformadores creían que este evangelio se había perdido (o al menos corrompido). Lutero estaba convencido de que el Pelagianismo y el semi-Pelagianismo se habían extendido como la peste, al menos a nivel popular, gracias a la influencia de ciertas corrientes del catolicismo medieval.[10] Cuando el conflicto de Lutero con Roma creció y eventualmente estalló como un volcán, a Lutero le quedó cada vez más claro que la corrupción del evangelio en su propio tiempo había resultado en el abandono de la justificación *sola gratia* y *sola fide*, y viceversa. Las consecuencias fueron graves. Lutero advirtió al comienzo de su comentario de Gálatas de 1535 que "si se pierde la doctrina de la justificación, se pierde toda la doctrina cristiana."[11] Y nuevamente, "si se pierde y perece, todo el conocimiento de la verdad, la vida y la salvación se pierde y muere al mismo tiempo."[12] Nada menos estaba en juego. Por lo tanto, aparte del redescubrimiento de doctrinas como *sola fide* y la imputación de la justicia de Cristo, una reforma duradera nunca se echaría a perder. Siendo ese el caso, era innegablemente obvio para Lutero que su enseñanza, predicación y escritos debían girar en torno al evangelio, específicamente sus ramificaciones para la justificación solamente por la fe. Como Lutero le escribió a Staupitz, "yo enseño que la gente debe confiar únicamente en Jesucristo, no en sus oraciones, sus méritos o sus buenas obras."[13] Esta frase, dice Scott Hendrix, resume "la esencia" de la "agenda reformista" de Lutero.[14]

Por supuesto, el redescubrimiento del evangelio por parte de Lutero —el cual llamó el "tesoro de la Iglesia"— fue una experiencia que Lutero conoció de primera mano. Al contar su propio *durchbruch* personal, o "gran avance", el testimonio de Lutero es poderoso:

> Aunque viví como monje sin reproche, sentí que era un pecador ante Dios con una conciencia extremadamente perturbada. No podía creer que mi satisfacción lo aplacara. No amaba, sí, odiaba al Dios justo que castiga a los pecadores, y secretamente, si no de manera blasfema, ciertamente murmurando mucho, estaba enojado con Dios, y dije: "Como si, en verdad, no es suficiente que los pecadores miserables, eternamente perdidos a través del pecado original, son aplastados por toda clase de calamidades por la ley del Decálogo, ¡sin que Dios añada dolor al dolor por el evangelio y también por el evangelio amenazándonos con su justicia e ira!" Así me enfurecí con una feroz y

---

[10] El "factor esencial que condujo a este cisma en primer lugar" fue "la convicción fundamental de Lutero de que la iglesia de su tiempo había caído en alguna forma de pelagianismo, comprometiendo así el Evangelio, y que la iglesia misma no estaba preparada para librarse de esta situación". Ibid. Algunos contenderán hoy una visión tan tradicional, creyendo que Lutero y Calvino se equivocaron seriamente en su comprensión tanto del período medieval tardío como del estado de Roma en el siglo XVI como teológicamente y moralmente corruptos. Además, según el argumento, la reforma católica no respondió a los reformadores protestantes sino a las críticas anteriores a la Reforma dentro de la Iglesia Católica. En respuesta, etiquetar como errónea la opinión de que la iglesia medieval tardía estaba teológicamente equivocada es en sí misma una evaluación teológica, una que va directamente en contra de la evaluación de los Reformadores. Además, si bien no queremos ignorar la importancia de las voces disidentes dentro de la Iglesia Católica, incluso antes de la protesta de Lutero, decir que Roma no estaba respondiendo a los ataques de los reformadores protestantes está fuera de lugar, como demuestran los anatemas explícitos y directos del Concilio de Trento sobre la doctrina de la Reforma.

[11] Martin Luther, *Lectures on Galatians* (1535), LW 26:9.

[12] Por otro lado, dijo, "si florece, todo lo bueno florece: la religión, la adoración verdadera, la gloria de Dios y el conocimiento correcto de todas las cosas y de todas las condiciones sociales". Ibid., LW 26: 3.

[13] Martín Lutero, *"Letter to Johann von Staupitz"* (Marzo 31, 1518), WABr 1:160.

[14] Hendrix, *Martin Luther*, 68.

atribulada conciencia. Sin embargo, le di una paliza a Pablo en ese lugar, deseando ardientemente saber lo que San Pablo quería.

Finalmente, por la misericordia de Dios, meditando día y noche, presté atención al contexto de las palabras, a saber: "En él se revela la justicia de Dios, como está escrito: 'El que por la fe es justo, vivirá'. Allí comencé a entender que la justicia de Dios es aquella por la cual el justo vive por un don de Dios, es decir, por la fe. Y este es el significado: la justicia de Dios es revelada por el evangelio, es decir, la justicia pasiva con la cual el Dios misericordioso nos justifica por fe, como está escrito, "El que por la fe es justo, vivirá". Aquí sentí que nací de nuevo y entré al paraíso a través de puertas abiertas.[15]

A la luz de la *durchbruch* de Lutero, si usáramos solo una palabra para caracterizar la Reforma, podría ser *redescubrimiento*, es decir, un redescubrimiento del *evangel*, el evangelio. Es correcto concluir, entonces, que la Reforma fue una reforma *evangélica* en su raíz.

Sin embargo, incluso la palabra *redescubrimiento* asume que los Reformadores no pensaron que estaban inventando algo nuevo (contra la acusación de novedad de parte de Roma). De hecho, estaban renovando, recuperando y reviviendo lo que creían que se había perdido. Este evangelio perdido fue enseñado por los autores bíblicos, así como por los apóstoles y los padres de la iglesia.[16] Y como insistieron en una reforma no solo externa sino también doctrinal, los Reformadores se caracterizaron por la teología detrás de ese eslogan *Ecclesia reformata, sempre reformanda*: "Iglesia reformada, siempre reformándose", incluso si el eslogan en sí fue un desarrollo posterior.[17]

La Vida de la Biblia en el Alma de la Iglesia

Ecclesia reformata, semper reformanda, sin embargo, no abordaba sólo asuntos soteriológicos (es decir, *sola fide*, *sola gratia*, *solus Christus*). Más bien, debajo de este lema de la Reforma estaba el fundamento mismo, el principio formal de la Reforma, *sola Scriptura*: la creencia de que *sólo las Escrituras, debido a que es la Palabra inspirada de Dios, son la autoridad inerrante, suficiente y final para la iglesia.*[18] En ninguna parte fue este principio formal más visible para la persona común que en la reorientación de la iglesia en torno a la Palabra predicada y proclamada.

Una de las declaraciones más impactantes que los reformadores hicieron en respuesta a Roma fue la reorganización de los muebles en la iglesia. Al entrar en un santuario, uno podría notar de inmediato la diferencia entre una iglesia todavía en las garras de Roma y una iglesia bajo la influencia del programa de la Reforma. Para Roma, el servicio giraba alrededor del altar, pero para los reformadores, al púlpito se le

---

[15] Martín Lutero, *"Preface to the Complete Edition of Luther's Latin Writings," LW* 34:336–37.

[16] Tal principio también se aplica a otras doctrinas de la Reforma, como *sola Scriptura*. Lindberg da un excelente ejemplo de Lutero: "Así, en el debate de Leipzig (1519) sobre la autoridad papal, Lutero declaró que las afirmaciones papales de superioridad son relativamente recientes. Contra ellos está la historia de los mil cien años, el texto de las Escrituras divinas y el decreto del Concilio de Nicea [325], el más sagrado de todos los concilios (LW 31: 318)." Lindberg, *The European Reformations*, 5.

[17] Desde el lado humanista de las cosas, este énfasis se puede ver en el lema del Renacimiento, *ad fontes*, "a las fuentes". Muchos de los reformadores fueron influenciados por el humanismo y así aplicaron este lema a las Escrituras, así como a los Padres de la iglesia primitiva. Por ejemplo, Philipp Melanchthon creía que Dios, en los días de la Reforma, "llamaba nuevamente a la iglesia a volver a sus orígenes". Véase Lindberg, *The European Reformations*, 6.

[18] Para una defensa del principio formal, vea a Matthew Barrett, *God's Word Alone: The Authority of Scripture* (Grand Rapids, MI: Zondervan, 2016).

dio la posición de prioridad.[19] Para Roma, la Misa latina fue el evento central, pero para los reformadores, fue la Palabra del Dios viviente predicada y proclamada en lengua vernácula para la salvación y la edificación de los santos.[20] Scott Manetsch proporciona información:

> El mensaje de Martín Lutero de que los pecadores eran justos ante Dios mediante la fe en Cristo solamente (*sola fide*) no solo socavó el sistema penitencial católico, sino que también cortó la raíz del papel sacro del sacerdote medieval como dispensador de gracia salvífica a través de los sacramentos de la iglesia. Los Reformadores Protestantes elevaron en cambio el oficio bíblico del ministro o pastor cristiano, cuya principal responsabilidad era predicar la Palabra de Dios y supervisar el comportamiento de la comunidad espiritual.... Eso no quiere decir que los católicos de finales de la Edad Media ignoraran el ministerio de la predicación, ni que la vida y la adoración protestantes estuvieran vacías de rituales religiosos. Los historiadores ahora reconocen un renacimiento significativo de la predicación del siglo anterior a la Reforma, más evidente en el trabajo de los frailes mendicantes y la creación de predicaciones municipales. Al mismo tiempo, a pesar de las críticas protestantes a las "ceremonias" y "supersticiones" católicas, y a pesar de los explosivos actos de iconoclasia contra las imágenes católicas, los reformadores evangélicos conservaron en forma modificada los ritos tradicionales que rodean la Eucaristía, el bautismo y la reconciliación. Sin embargo, el patrón general sigue siendo cierto: *para los católicos, el papel principal del clero siguió siendo sacramental y litúrgico; para los reformadores protestantes, era predicar la Palabra de Dios.*[21]

Dos teologías muy diferentes fueron descritas visiblemente. Y eran tan evidentes que los feligreses ya no se preguntaban si habían asistido a la misa, sino si habían asistido a la *prêche* ("la predicación").[22]

En el período de la Baja Edad Media, el sermón no era típicamente el punto de enfoque del servicio de adoración, aunque esto no significa negar la práctica de la predicación en la iglesia medieval por completo.[23] En cambio, los sermones solían predicarse en puntos específicos del calendario litúrgico, como semana santa o navidad, o en lugares específicos, como sitios de peregrinación dedicados a la veneración de María y los santos.[24] Pero normalmente, uno asistiría a la iglesia esperando escuchar la Misa hablada, no las Escrituras siendo proclamadas. Escuchar un sermón en el período de la Baja Edad Media a veces significaba dejar las paredes de la iglesia y en su lugar viajar al campo abierto donde uno podría escuchar a un predicador (quizás en secreto). Tal fue el caso del predicador franciscano Bernardino de Siena (1380-1444) y el fraile dominico Girolamo Savonarola (1452-1498), el último de los cuales fue excomulgado y luego ejecutado en 1498, justo en vísperas de la

---

[19] Para ver este punto demostrado en el ministerio de predicación de Calvino, véase, T. H. L. Parker, *The Oracles of God: An Introduction to the Preaching of John Calvin* (Cambridge: Lutterworth, 1947).

[20] Manetsch, *Calvin's Company of Pastors*, 5.

[21] Ibid, cursivas añadidas.

[22] Aquí tengo en mente a los hugonotes franceses específicamente. Ver a Timothy George, *Reading Scripture with the Reformers* (Downers Grove, IL: IVP Academic, 2011), 238.

[23] Para predicación en el período de la Baja Edad Media, véase Hughes Oliphant Old, *The Reading and Preaching of the Scriptures in the Worship of the Christian Church*, vol. 3, *The Medieval Church* (Grand Rapids, MI: Eerdmans, 1999).

[24] En lo que sigue usaré a George y Manetsch como socios de diálogo. Estoy en deuda con sus ideas. Ver George, *Reading Scripture with the Reformers*, 229–59; Manetsch, *Calvin's Company of Pastors*, 5–10.

Reforma.[25] Los terribles destinos de precursores y mártires como Savonarola fueron vívidos en la mente de Lutero mientras viajaba a Worms, preguntándose si regresaría vivo o no.[26]

Tal degradación, sin embargo, no se limitó a la Alemania de Lutero; Inglaterra también sufrió una sequía expositiva. Describiendo la vida en la iglesia antes de la Reforma, el historiador de la Reforma inglesa Philip Hughes explica cómo "la predicación había caído en tal descuido que prácticamente había dejado de ser una función de la Iglesia."[27] Hughes continúa explicando cuán mala se había vuelto la situación. Los clérigos no aparecían en sus parroquias, ni se podía suponer que un obispo se involucraría personalmente con su diócesis. Los títulos y los oficios podrían simplemente comprarse. Aparecer en persona para alimentar del evangelio a los feligreses espiritualmente hambrientos, era innecesario. ¿Es una sorpresa, entonces, que cuando la reforma real echó raíces, la Palabra autoritativa y el sermón expositivo se volvieron inseparables? Era inevitable que "el redescubrimiento de la Palabra de Dios implicó el redescubrimiento de la necesidad de la predicación."[28] Dada la "decadencia de la predicación" en Inglaterra, Thomas Cranmer lideró el camino al publicar los *Libros de Homilías*, los cuales "debían leerse regularmente en la iglesia por aquellos clérigos que eran incompetentes para predicar sermones."[29] Nunca diseñados para reemplazar los sermones, estas homilías, explica Hughes, fueron un "recurso temporal para ayudar a la Iglesia hasta el momento en que haya un ministerio espiritual e instruido."[30]

Lo que era tan radical, entonces, acerca de la Reforma fue cómo los reformadores recuperaron el sermón sacándolo de la oscuridad y el secreto de los campos para volver al servicio y la liturgia de la iglesia. Tal movimiento no se hizo en secreto, sino que fue sobresaliente, visiblemente manifestado en la elevación literal de un púlpito en lo alto, sobre la gente.

Por ejemplo, considere la famosa pintura de una iglesia Protestante francesa en Lyon con el nombre de *Temple de Paradis*.[31] Lo que llama la atención en esta pintura es el púlpito, que está en el centro y delante, levantado para que el predicador sea visto y escuchado por todos. Las personas no solamente están sentadas debajo, sino que están formando un círculo (o al menos un medio círculo) alrededor del predicador. El púlpito es la pieza central. También se representa a los niños sentados y escuchando, siguiéndolos y listos para aprender con sus libros de catecismo en sus regazos. El artista incluso coloca un perro en el servicio, sentado como si él también estuviera escuchando, con la cabeza fija hacia el predicador. Frente al púlpito hay una pareja

---

[25] George, *Reading Scripture with the Reformers*, 230.

[26] Lutero incluso llevó una foto de Savonarola con él en su camino a Worms. Ver Martin Brecht, *Martin Luther*, trad. James L. Schaaf, vol. 1, *His Road to Reformation*, 1483–1521 (Philadelphia: Fortress, 1985), 448.

[27] "Esto se debió a la ignorancia generalizada, la indolencia y la disolución general del clero, alentados por el demasiado común fracaso de los obispos para ejercer la debida supervisión en las diócesis por los que habían aceptado la responsabilidad". Philip E. Hughes, *Theology of the English Reformers* (Grand Rapids, MI: Eerdmans, 1965), 121. Sobre la ausencia de sermones en la vida parroquial local, también vea Kevin Madigan, *Medieval Christianity: A New History* (New Haven, CT: Yale University Press, 2015), 87–88, 308–9.

[28] Hughes, *Theology of the English Reformers*, 121.

[29] Ibid., 122.

[30] Ibid., 122–23.

[31] "The Protestant Church in Lyon, called 'The Paradise'", se encuentra en la Bibliotheque Publique et Universitaire,Ginebra, Suiza. Erich Lessing/Art Resource, NY. Disponible en línea: http://www.artres.com/C.aspx?VP3=ViewBox_VPage&VBID=2UN365C1DI1XO&IT=ZoomImageTemplate01_VForm&IID=2UNTWAEU1CNQ&PN=1&CT=Search&SF=0.

lista para casarse y, a la izquierda del púlpito, "se están haciendo preparativos para el bautismo de un bebé". El punto en estos detalles es que todas estas personas y todas estas actividades se centraron en torno a la proclamación de la Palabra de Dios.[32] Creían que la Biblia era el mensaje de Dios por ellos y para ellos, suficiente no sólo para salvar, sino también para guiar a uno en una vida de piedad. Como la Palabra de Dios, por lo tanto, tenía que ser proclamada, escuchada y obedecida. De hecho, debía ser la última palabra.

O considere la de San Pedro en Ginebra, la iglesia donde Calvino predicó y ministró, así como las iglesias de los alrededores en esa área. Calvino inició un programa que limpió el edificio de la iglesia de la distracción romana y la idolatría, buscando limpiar este espacio sagrado. Las estatuas de los santos, las reliquias consideradas santas, los crucifijos, el tabernáculo que albergaba la hostia consagrada y el altar donde se llevaba a cabo la Misa fueron descartados y destruidos.[33] La limpieza de cualquier cosa que pudiera llevar a la idolatría fue tan completa que incluso las paredes y los pilares se blanquearon, ocultando la iconografía que retrataba la teología no bíblica de Roma.[34] Con la iglesia desnuda, el espacio sagrado finalmente podría dar prioridad a la predicación de la Palabra de Dios. Se construyó un púlpito de madera y se fijó contra un pilar al frente del espacio sagrado. Los asientos, para hombres, mujeres y niños, se situaron a su alrededor, frente a él e incluso detrás.

Si bien la posición centralizada del púlpito era ciertamente práctica, permitiendo que grandes multitudes escucharan, su ubicación era descaradamente teológica. "La proclamación de las Escrituras en medio de la congregación", dice Manetsch, "fue un potente símbolo de que Cristo, la Palabra viviente, continuó hablando y habitando entre su pueblo."[35] Para Roma, el servicio fue fundamentalmente una experiencia visual. En contraste, mientras los reformadores creían que la Eucaristía desempeñaba un papel esencial en el servicio como un medio de gracia (al tiempo que afirmaban una teología sacramental muy diferente a la de Roma), el punto de enfoque era el Evangelio escrito, y ellos leían, oraban, cantaban y hacían exposición de sus páginas. No sólo fue la Palabra cantada por la congregación a través de los Salmos, sino que la Palabra también fue expuesta para que todos la escuchen, típicamente por medio del método de *lectio continua*. Cuando la congregación se reunió en San Pedro, Calvino estaba convencido de que era a través de la Palabra que el Espíritu creaba adoración —en espíritu y verdad— dentro de los corazones de los oyentes (Juan 4:24): "A través

---

[32] Esta pintura también es descrita por George, *Reading Scripture with the Reformers*, 231.

[33] Manetsch, *Calvin's Company of Pastors*, 33. Quedó un crucifijo: la cruz en la parte superior de San Pedro. Sin embargo, cuando fue alcanzada por un rayo, la iglesia no actuó para reemplazarlo. Manetsch también nota cómo las vidrieras no se destruyeron, sino que se dejaron en mal estado. Además, el órgano fue derretido en 1562 y se utilizó para hacer placas de estaño para el hospital de la ciudad y vasos de comunión para los templos. En otras palabras, nada quedó intacto. Uno podría sentirse tentado a pensar que Calvino tenía una aversión por lo físico. Sin embargo, Manetsch corrige tal concepto erróneo llamando nuestra atención a la centralidad de la Palabra en la predicación y la preocupación de Calvino por la adoración pura: "La insistencia de Calvino de que el contenido litúrgico y el espacio físico de la adoración verdadera fueran 'simples y desnudos' no fue principalmente el resultado de su austeridad personal o una aversión al mundo material. Más bien, reflejaba su convicción de que solo a través de la adoración pura y simple la belleza del evangelio brillaría resplandeciente". Y nuevamente, "En su estética de adoración, Calvino y sus colegas pastorales en Ginebra dieron prioridad a las virtudes de la sencillez y la modestia, y la gravedad para que la Palabra de Dios y el mensaje de salvación en Jesucristo puedan sonar en toda su claridad y belleza. Esta era una estética discernida por el sentido del oído en lugar de la vista". *Calvin's Company of Pastors*, 36. Para un retrato más completo de cómo estas "limpiezas" tuvieron lugar durante la Reforma, ver Carlos M. N. Eire, *War against the Idols: The Reformation of Worship from Erasmus to* Calvin (New York: Cambridge University Press, 1986).

[34] Manetsch, *Calvin's Company of Pastors*, 33.

[35] Ibid., 33.

del ministerio escrito y proclamado de la Palabra", dice Manetsch, "el Espíritu solidifica la fe del pueblo de Dios, convoca sus oraciones y alabanzas, purifica sus conciencias, intensifica su gratitud, en una palabra, los guía hacia la adoración espiritual."[36] Como dijo Calvino, "Dios sólo es adorado adecuadamente con la certeza de la fe, que necesariamente nace de la Palabra de Dios; y de ahí busca a todos los que abandonan la Palabra y caen en la idolatría."[37] Para Calvino, predicar la Palabra de Dios era un medio para la adoración verdadera y una protección contra la idolatría, específicamente la idolatría previamente realizada bajo Roma.[38]

En todo esto no podemos perder el punto crítico: la predicación era un medio de gracia, un sacramento, de hecho.[39] Para la iglesia medieval, explica George, predicar "estaba apegado al sacramento de la penitencia" y, por lo tanto, predicar "en sí mismo no se consideraba un sacramento, pero era, podríamos decir, un vestíbulo del sacramento de la penitencia."[40] La obra del predicador era mover a sus oyentes al arrepentimiento, la confesión, la absolución y luego a las obras de satisfacción.[41] Como Lutero vio en los ardientes sermones de Tetzel sobre el purgatorio, a nivel popular, la palabra oral estaba destinada a crear una ansiedad increíble para que la penitencia siguiera.[42] "¿Por qué estás ahí parado?", preguntó Tetzel. "¡Corre por la salvación de tu alma!... ¿No oyes la voz de tus difuntos padres muertos? y de otros que dicen: 'Ten misericordia de mí, ten piedad de mí, porque estamos en severo castigo y dolor. De esto podrías redimirnos con pequeñas limosnas y aun así no quieres hacerlo'."[43] Escuchar sermones como este impulsó a los oyentes a arrojar rápidamente su dinero en el cofre.

Este era el tipo de ansiedad que Lutero conocía demasiado bien antes de que sus ojos se abrieran al Dios de gracia. Lo que era tan diferente en los sermones de los reformadores no era que la ansiedad en el oyente estaba ausente, los reformadores creían en la ira y el juicio de Dios y la necesidad del pecador de arrepentirse. Más bien, lo que era tan diferente era cómo los reformadores proclamaban desde el púlpito al Dios *misericordioso*, alguien que justifica a los impíos solo por la gracia (*sola gratia*) a través de la fe solamente (*sola fide*). Proclamaron desde el púlpito no sólo la justicia de Dios sino también la justicia que viene de Dios. Los reformadores no dejaron a las almas ansiosas por sus propios méritos (o bolsas de dinero) sino que hicieron volver sus ojos a la cruz y a la tumba vacía. La respuesta no fue la penitencia, sino un Salvador crucificado y resucitado, un Salvador, que debemos recordar, cuya justicia fue imputada a cualquiera que confiara en Él únicamente para la salvación (*solus Christus*). En contraste con una teología de la gloria, los reformadores anunciaron una teología de la cruz.

---

[36] Ibid., 34–35.

[37] Juan Calvinosobre Juan 4:23, en CNTC 4:99.

[38] "El *sine qua non* de la verdadera adoración cristiana es la predicación de la Palabra de Dios y la respuesta sincera de la congregación al mensaje divino. En consecuencia, el adorno principal de la adoración pública debe ser siempre la preciosa Palabra de Dios y el hermoso mensaje del evangelio de Jesucristo, proclamado tanto en el sermón como en los sacramentos". Manetsch, *Calvin's Company of Pastors*, 36.

[39] Sobre las Escrituras como un medio de gracia, vea J. Todd Billings, *The Word of God for the People of God* (Grand Rapids, MI: Eerdmans, 2010); George, *Reading Scripture with the Reformers*, 28.

[40] George, *ReadingScripture with the Reformers*, 231.

[41] Ibid.

[42] Steven E. Ozment, *The Reformation in the Cities: The Appeal of Protestantism to Sixteenth-Century Germany and Switzerland* (New Haven, CT: Yale University Press, 1975), 24.

[43] "John Tetzel: A Sermon [1517]," en *The Protestant Reformation*, ed. Hans J. Hillerbrand, rev. ed. (New York: Harper Perennial, 2009), 20–21.

La postura de Lutero fue perspicaz en su "Sermón sobre el Sacramento de la Penitencia" de 1519. Se oponía a quienes "intentan asustar a la gente para que vayan frecuentemente a confesarse", y advirtió contra el cuestionamiento, como lo hizo una vez, donde la compunción de uno era suficiente: "Más bien deberías estar seguro de que después de todos tus esfuerzos tu contrición no es suficiente. Es por esto que debes arrojarte hacia la gracia de Dios, escuchar su suficientemente segura palabra en el sacramento, aceptada en fe libre y gozosa, y nunca dudes de que has venido a la gracia."[44] Este es el mensaje que el predicador proclamó, y fue un mensaje que vino de los labios de Dios, registrado en las Escrituras. Con este mensaje de buenas nuevas del mismo Dios, ¿cómo podría el sermón no estar en el centro de la adoración? Poner el sermón en el centro era poner las Escrituras en el centro, y poner las Escrituras en el centro era poner a Dios en el centro, con su evangelio de gracia gratuita para todos los que acuden a su Hijo en fe. Los reformadores predicaron miles de sermones porque estaban convencidos de que la Palabra proclamada era "indispensable" como un "medio de gracia."[45]

Las Escrituras fueron, como Calvino los llamó, "anteojos" que el Espíritu usó para abrir los ojos al evangelio.[46] Bullinger incluso pudo decir en la Segunda Confesión Helvética de 1566 que la "predicación de la Palabra de Dios *es* la Palabra de Dios."[47] Bullinger no quería decir que las palabras y los pensamientos del predicador fueran reveladores, como si el canon estuviera abierto y continuo. Con esta expresión, Bullinger quería decir que cuando el predicador proclama el verdadero significado de la Escritura, el pueblo de Dios se alimenta de la Palabra de Dios. Dios está presente, hablando con su pueblo. Aunque el predicador es falible, débil e indigno, la Palabra de Dios no lo es; es verdadera, objetiva, poderosa y suficiente. Trascendiendo al predicador, la Palabra trae a Dios a la habitación con las buenas nuevas de su Hijo a las almas aprisionadas e infestadas por la ley.[48] Calvino afirmó que el Espíritu utiliza la Palabra predicada (junto con la Cena del Señor) para elevar a la iglesia a los cielos donde Cristo se sienta para que ella pueda disfrutar de todos sus beneficios de la salvación.[49] Por lo tanto, la unión del creyente con Cristo, no está para nada desconectada con la proclamación de la Palabra de Dios.[50]

---

[44] Martín Lutero, "*Sermon on the Sacrament of Penance*" en LW 35:9–22. Cf. George, *Reading Scripture with the Reformers*, 233.

[45] George, *Reading Scripture with the Reformers*, 234.

[46] Véase, Randall C. Zachman, *Image and Word in the Theology of John Calvin* (Notre Dame, IN: University of Notre Dame Press, 2007); J. Todd Billings, *Calvin, Participation, and the Gift: The Activity of Believers in Union with Christ* (Oxford: Oxford University Press, 2007); Heiko A. Oberman, "Preaching and the Word in the Reformation," *Theology Today* 18, no. 1 (1961): 16–29.

[47] "*The Second Helvetic Confession*", cap. 1, en James T. Dennison Jr., ed., *Reformed Confessions of the 16th and 17th Centuries in English Translation*, vol. 2, 1552–1566, (Grand Rapids, MI: Reformation Heritage Books, 2010), 811.

[48] "El evento de la predicación, al igual que la Eucaristía en la teología católica medieval, tiene un carácter completamente objetivo que trasciende incluso el estado débil y pecaminoso del predicador. Dios verdaderamente habla y está verdaderamente presente en el juicio y la gracia cada vez que se proclama su Palabra. A pesar de las profundas y divisivas diferencias entre las teologías luterana y reformada sobre la Cena del Señor en el siglo XVI, encontraron un terreno común en la presencia *ex opere operato* de la Palabra de Dios en la Palabra predicada". Oberman, "*Preaching and the Word in the Reformation*", 26, citado en George, *Reading Scripture with the Reformers*, 252.

[49] Juan Calvino, *Tracts and Treatise*s, vol. 1, *On the Reformation of the Church,* trans. Henry Beveridge, ed. Thomas F. Torrance (1844; reimpr., Grand Rapids, MI: Eerdmans, 1958), 186.

[50] Martín Lutero, "*Sermons on John 4*" (1537), LW 22:526; Lutero, "*Sermons on John 15*" (1537), LW 24:218.

Una Confianza Sagrada

Lutero se sentiría perturbado (por decirlo suavemente) al ver pastores que hoy ingresan al púlpito con indiferencia. Para Lutero, el oficio de predicador era una "confianza sagrada."[51] "Quien no predica la Palabra", advirtió Lutero enfáticamente en *La cautividad babilónica de la Iglesia*, "no es sacerdote en absoluto."[52] La predicación conlleva un peso —de hecho, una autoridad. Predicar la Escritura era predicar la misma Palabra de Dios. La autoridad del predicador era derivada, surgiendo de la autoridad suprema de la iglesia, las Escrituras inspiradas por Dios. *Sola Scriptura*, en otras palabras, fue el motor que impulsó la teología de la predicación de los reformadores. Como observa Manetsch,

> La doctrina Protestante de *sola scriptura* —la convicción de que la Sagrada Escritura era la única y definitiva autoridad para la comunidad cristiana— tuvo importantes consecuencias para el ministerio pastoral. *El principio de las Escrituras dio gravitas al oficio del predicador* [cursivas añadidas]. También hizo que la formación educativa del clero protestante fuera una prioridad urgente, especialmente en aquellas disciplinas académicas más necesarias para la exposición bíblica, como la retórica clásica, la teología y la exégesis bíblica. Al transferir el lugar de autoridad del magisterio católico a la Palabra de Dios escrita, los reformadores mejoraron la autoridad personal del ministro, a quien ahora se le confió la responsabilidad especial de interpretar y proclamar el texto sagrado.[53]

La Palabra autoritativa, que requirió la proclamación, trajo consigo no solo la ley sino también el Evangelio. *Sola Scriptura* otorgó dones a las personas, obsequios llamados *sola gratia, sola fide* y *solus Christus*. Una vez que la Palabra de Dios estuvo en el centro, suprema en su autoridad e infalibilidad, dio a luz al evangelio. En la Palabra uno recibió *la* Palabra, Jesús el Cristo (Juan 1:1). Como dijo Lutero memorablemente, las Escrituras son los "pañales en los que Cristo yace."[54]

Por lo tanto, no fue suficiente que la Escritura fuera meramente leída; tenía que ser proclamada. "Los oídos solamente", dijo Lutero, "son los órganos del cristiano."[55] Y los "labios son los reservorios públicos de la iglesia":

> Sólo en ellos se guarda la Palabra de Dios. Verás, a menos que la palabra se predique públicamente, ésta se escapa. Cuanto más se predica, más firmemente se conserva. Leer no es tan beneficioso como escuchar, ya que la voz en vivo enseña, exhorta, defiende y resiste al espíritu de error.[56]

Lutero concluyó este pensamiento con una declaración sorprendente: "A Satanás no le importa mucho la Palabra escrita de Dios, pero huye cuando la Palabra es pronunciada."[57] Satanás no se preocupa por las Biblias en los estantes. Él comienza a preocuparse cuando esas Biblias son recogidas y llevadas a púlpitos. Él sabe que cuando se proclama la Palabra, el Espíritu Santo viene a su lado y penetra "corazones

---

[51] Martín Lutero, *Commentary on the Sermon on the Mount*, LW 21:9.
[52] Martín Lutero, *The Babylonian Captivity of the Church*, LW 36:113
[53] Manetsch, *Calvin's Company of Pastors*, 6.
[54] Martín Lutero, "*Prefaces to the Old Testament*", LW 35:236.
[55] Martín Lutero, *Lectures on the Epistle to the Hebrews* (1517–1518), LW 29:224.
[56] Martín Lutero, *Lectures on Malachi*, LW 18:401.
[57] Ibid., LW 18:401.

y conduce a los que se extravían", porque "la Palabra", dijo Lutero, "es el canal por el cual es dado el Espíritu Santo."[58] Y cuando el Espíritu Santo es dado, las almas se hacen vivas, se justifican y se encaminan hacia la glorificación.

Vemos este principio bíblico dramáticamente ejemplificado en el regreso de los exiliados marianos. Con la era Isabelina en marcha, la Palabra de Dios, y con ella el verdadero Evangelio, entró en los púlpitos una vez más, dejando a muchos cristianos muy contentos. Thomas Lever, por ejemplo, le escribió a Henry Bullinger el 8 de agosto de 1559 e informó que "predicaron el Evangelio en ciertas iglesias parroquiales, a las cuales acudió con entusiasmo una gran cantidad de público". Cuando "trataron solemnemente la conversión a Cristo por medio del verdadero arrepentimiento, muchas lágrimas de muchas personas dieron testimonio de que la predicación del Evangelio es más efectiva para el verdadero arrepentimiento y la reforma integral que cualquier cosa que el mundo entero pueda imaginar o aprobar."[59] Es apropiado que Hugh Latimer, uno de los mártires bajo la "*Bloody Mary*" (es decir, la reina Mary I de Inglaterra), podría etiquetar la predicación como el "instrumento de salvación de Dios" y concluir que "quitar la predicación" es "quitar la salvación."[60] Dada la autoridad de la Palabra, así como su poder salvador del evangelio, los reformadores no sólo hicieron del púlpito el centro, sino que también prescribieron y ejemplificaron un cierto método de proclamación: la predicación expositiva. Los reformadores expusieron el significado del texto bíblico, explicando la intención del autor bíblico, sólo para aplicar el texto a sus oyentes. El punto del pasaje se convirtió en el punto del sermón. Sin embargo, los reformadores no necesariamente eligieron textos al azar; predicaron a través de libros de la Biblia, a menudo capítulo por capítulo y versículo por versículo.

Calvino, por ejemplo, expuso su forma a través de libros enteros de la Biblia. Típicamente, los domingos estaban ocupados con el Nuevo Testamento (aunque sí predicaba una serie sobre los Salmos los domingos por la tarde), y los días de la semana estaban dedicados al Antiguo Testamento.[61] Observe el patrón:

1554-1555: 159 sermones sobre Job
1555-1556: 200 sermones sobre Deuteronomio
1558-1559: 48 sermones sobre Efesios
1560: 65 sermones sobre los Evangelios Sinópticos
1561-1563: 194 sermones sobre 1-2 Samuel[62]

Tan importante era el método de *lectio continua* que cuando Calvino regresó al púlpito en Ginebra en 1541, después de años de exilio, comenzó a predicar el mismo verso que había dejado antes de que lo echaran de la ciudad ¿Por qué exactamente? Porque la Reforma fue, antes que nada, tocante a la Palabra de Dios, que el pueblo de Dios necesitaba más que cualquier otra cosa. Como George señala sagazmente,

La Reforma no fue sobre Calvino o cualquier otra personalidad. Mucho menos se trataba de los altibajos de la política de la iglesia por la Palabra de Dios, que debía

---

[58] Ibid., LW 18:401.

[59] *The Zurich Letters*, 2da Series, 30; como se cita en Hughes, *Theology of the English Reformers*, 141.

[60] Hugh Latimer, *Works*, 1:178, 155, como se cita en Hughes, *Theology of the English Reformers*, 130

[61] Calvino predicó sin notas, teniendo solo su texto griego o hebreo con él. Pasó incontables horas estudiando el texto de las Escrituras en preparación cada semana.

[62] George, *Reading Scripture with the Reformers*, 241.

proclamarse fiel y concienzudamente al pueblo de Dios. Calvino se mantuvo en un alto nivel y exigió no menos de otros llamados al oficio de la predicación. El verdadero pastor, dijo, debe estar marcado por "persistencia implacable" (*importunitas*). A los pastores no se les da el lujo de elegir sus propios tiempos de servicio, o adaptar su ministerio a su propia conveniencia o predicar sermones "azucarados" que fueron removidos de su contexto bíblico.[63]

Los sermones de "azucarados", decía Calvino, eran aquellos sermones que tomaban las Escrituras "al azar" sin prestar atención al contexto; en tales casos, "no es de extrañar que surjan errores por todas partes."[64] En cambio, dijo Calvino, "me he esforzado, tanto en mis sermones como en mis escritos y comentarios, para predicar la palabra pura y castamente, y para interpretar fielmente sus Sagradas Escrituras."[65]

El enfoque de *lectio continua* asumió *sola Scriptura* en cada ocasión. Debido a que la Biblia fue inspirada por Dios, inerrante, clara y suficiente, cada libro, cada capítulo y cada verso importaban. Era Dios hablando después de todo. Y si su pueblo iba a ser nutrido, entonces debían tener las palabras autorizadas de la vida; nada más podría ser.[66]

Pero no fue solo el púlpito el que colocó a las Escrituras en el centro de la adoración; todo el servicio Protestante estuvo inmerso en las Escrituras, de principio a fin. La Biblia, en otras palabras, se convirtió en el ADN del tiempo de adoración, infiltrándose en todo, desde la llamada inicial a la adoración hasta el canto de los Salmos y la bendición final. Por ejemplo, considere esta muestra del servicio de la mañana del domingo que siguió Calvino:

Liturgia de la Palabra
Llamado a la adoración: Salmo 124:8
Confesión de pecados
Oración por el perdón
Canto de un salmo
Oración por la iluminación
Lectura de las Escrituras
Sermón

Liturgia del Cenáculo
Colección de ofrendas
Oraciones de intercesión y una larga paráfrasis del Padrenuestro
Canto del Credo de los Apóstoles (mientras se preparan los elementos de la Cena del Señor)
Palabras de la institución

---

[63] Ibid., 243.

[64] CO 36:277; Juan Calvino, *Calvin's Commentaries* (Grand Rapids, MI: Baker, 2003), 7:442

[65] Juan Calvino, "Calvin's Will and Addresses to the Magistrates and Ministers" (1564), en *John Calvin: Selections from His Writings*, ed. John Dillenberger, American Academy of Religion Aids for the Study of Religion 2 (Atlanta: Scholars Press, 1975), 35 Zuinglio sentía lo mismo, teniendo poca paciencia para los predicadores que usaban "charlas piadosas" que dejaban a la gente confundida y vacía. Palmer Wandel, "Switzerland", en *Preachers and People in the Reformations and Early Modern Period*, ed. Larissa Taylor, New History of the Sermon 2 (Leiden: Brill, 2001), 229.

[66] Hughes Oliphant Old, *The Reading and Preaching of the Scriptures in the Worship of the Christian Church*, vol. 4, *The Age of the Reformation* (Grand Rapids, MI: Eerdmans, 2002), 130. Cf. George, *Reading Scripture with the Reformers*, 238.

Instrucción y exhortación
Comunión (mientras se canta un salmo o se leen las Escrituras)
Oración de acción de gracias
Bendición: Números 6:24-26[67]

Para Calvino, era crucial que la Palabra fuera el principio controlador, ya que es en la Palabra donde Dios se encuentra con su pueblo y su pueblo se encuentra con él. Como dijo Calvino, "Dondequiera que los fieles, que lo adoran en forma debida y pura, de acuerdo con la designación de Su palabra, se reúnan para participar en actos solemnes de adoración religiosa, Él está misericordiosamente presente y preside en medio de ellos."[68] Sobre lo que se conocería como "el principio regulador de la adoración", Calvino enseñó que la Palabra de Dios debe regular el servicio, de modo que todo lo que la Palabra no ordena explícitamente no debe incorporarse al servicio de adoración.[69]

Calvino se habría horrorizado por la obsesión de la iglesia de hoy con "montar un espectáculo", impulsado ante todo por motivaciones pragmáticas y de consumo. "Para Calvino", dice W. Roberto Godfrey,

> la adoración no era un medio para un fin. La adoración no era un medio para evangelizar, entretener o incluso educar. La adoración era un fin en sí misma. La adoración no debía organizarse por consideraciones pragmáticas, sino que estaba determinada por principios teológicos derivados de las Escrituras. Las realidades más básicas de la vida cristiana estuvieron involucradas. En la adoración, Dios se encuentra con su pueblo.[70]

La Palabra, para Calvino, no era meramente el centro de la adoración; era el contenido mismo de la adoración, como se ve en la liturgia arriba, ya que en ella Cristo se inclina para escuchar las alabanzas de su novia, y luego los trae de regreso al cielo en la Cena del Señor.[71] A diferencia de tantos servicios de adoración hoy, Calvino se caracterizó por una notable simplicidad, sin símbolos, ceremonias y rituales, solo la predicación, el canto, la presencia de la Palabra y el sacramento. A través de la Palabra, la gente tenía comunión con Dios.

---

[67] William D. Maxwell, *An Outline of Christian Worship* (London: Oxford University Press, 1958), 114. Cf. W. Robert Godfrey, *John Calvin: Pilgrim and Pastor* (Wheaton, IL: Crossway, 2009), 71. Calvino habla sobre la intención de esta orden en su *Institución* (4.17.43). Lutero y sus seguidores también vieron la Palabra como central en la liturgia, ya que siguieron las prácticas de los primeros servicios de adoración en las sinagogas judías, lo que colocó la lectura de las Escrituras en el centro de sus reuniones. Ver Robert Kolb y Charles P. Arand, *The Genius of Luther's Theology: A Guttenberg Way of Thinking for the Contemporary Church* (Grand Rapids, MI: Baker Academic, 2008), 172. George agrega: "Como parte de su protesta contra el dominio clerical de la iglesia, los reformadores tenían como objetivo la plena participación en el culto. Su reintroducción de la lengua vernácula era discordante para algunos, ya que requería que la adoración divina se le ofreciera a Dios en el mismo lenguaje utilizado por los hombres de negocios en el mercado y por los esposos y las esposas en la intimidad de sus dormitorios. Sin embargo, la intención de los reformadores no era tanto secularizar la adoración como santificar la vida común. Para ellos, la Biblia no era simplemente un objeto de escrutinio académico en el estudio o la biblioteca; estaba destinado a ser practicado, representado y encarnado cuando el pueblo de Dios se reunía para la oración, la alabanza y la proclamación". *George, Theology of the Reformers*, 387.

[68] Juan Calvino, *Commentary on the Book of Psalms* (Grand Rapids, MI: Baker, 1979), 1:122.

[69] El principio regulador, por lo tanto, no es invención de los puritanos, sino que su semilla se puede encontrar en el mismo Calvino. Esto no quiere decir, sin embargo, que haya una continuidad total entre los dos. Véase, Calvino, *"On the Necessity of Reforming the Church,"* en *Selected Works of John Calvin*, ed. Henry Beveridge y Jules Bonnet (Grand Rapids, MI: Baker, 1983), 1:128–29; Godfrey, *John Calvin*, 78n24.

[70] Godfrey, *John Calvin*, 80.

[71] Ibid., 82–83.

La Reforma Hoy

Esta larga introducción hasta ahora tiene la intención de hacer un punto fundamental: en el centro de la Reforma se encontraba el regreso a una iglesia centrada en el Evangelio y centrada en la Palabra. No hay duda al respecto, esta fue la gran necesidad en la iglesia del siglo XVI.

En el siglo XXI, la necesidad de la iglesia no ha cambiado. Las palabras de James Montgomery Boice siguen siendo ciertas: mientras los puritanos buscaban continuar con la Reforma, hoy "apenas tenemos una para continuar, y muchos incluso han olvidado de qué se trataba esa gran revolución espiritual". Tenemos que "volver y comenzar de nuevo desde el principio. Necesitamos otra Reforma."[72]

Si Boice está en lo cierto, y creemos que lo está, entonces la Reforma está lejos de acabar. En el siglo XXI, no sólo quedan diferencias importantes y significativas entre Protestantes y Católicos, sino que también una gran cantidad de cuestiones doctrinales y eclesiásticas desafían una reforma moderna. A diferencia del siglo XVI, en otras palabras, los temas que los Evangélicos Protestantes deben abordar no se limitan a la conversación protestante-católica, sino que también incluyen desafíos dentro del propio evangelicalismo.[73] Como resultado, no sólo la Reforma no ha terminado, sino que también su alcance y amplitud hoy pueden necesitar ser mucho más extensos que los del siglo XVI, ya que buscamos responder a objeciones no sólo de aquellos que están fuera del protestantismo sino también de aquellos dentro de él. Desafortunadamente, en nuestras iglesias, universidades y seminarios, a muchos nunca se les ha enseñado la teología de la Reforma, ni tienen un conocimiento profundo de quiénes eran los Reformadores y cómo era su contexto histórico, y mucho menos el legado duradero que dejaron atrás. Ahí es donde entra en juego este libro. Este volumen reúne a destacados teólogos e historiadores evangélicos con el motivo de presentar a los lectores un resumen sistemático de la teología de la Reforma. Nuestra esperanza es que los lectores apliquen este patrimonio teológico a los problemas de nuestros días.

Acerca de este libro

Al comienzo de cualquier libro, siempre es útil saber algo sobre el autor (o autores), el impulso detrás del libro y su alcance e intención. *Fundamentos teológicos de la Reforma* está escrito por un grupo de teólogos e historiadores comprometidos con la teología de la Reforma. Y eso, en sí mismo, es bastante único.[74] Por supuesto, esto no significa que los autores estén de acuerdo con cada jota y tilde de lo que enseñaron los reformadores. De hecho, incluso los reformadores no estaban de acuerdo entre ellos (como lo atestiguan sus acalorados debates sobre la Cena del Señor). Pero sí significa

---

[72] James Montgomery Boice, *"Preface"*, en *Here We Stand: A Call from Confessing Evangelicals*, ed. James Montgomery Boice y Benjamin E. Sasse (Grand Rapids, MI: Baker, 1996), 12.

[73] En cuanto a lo que algunos de estos desafíos pueden ser, vea mi reseña *de Four Views on the Spectrum of Evangelicalism*, ed. Andrew David Naselli y Collin Hansen, *The Gospel Coalition*, noviembre 30, 2011, https://www.thegospelcoalition.org/article/four_views_on_the_spectrum_of_evangelicalism.

[74] Escribir historia nunca es una tarea neutral —y creerlo sería comprar en el pensamiento de la Ilustración. Como muchos han señalado, escribir historia, incluso si uno busca ser puramente descriptivo, es una tarea interpretativa. Para varias historias excelentes de la Reforma, vea Euan Cameron, *The European Reformation*, 2da ed. (Oxford: Oxford University Press, 2012); Lindberg, *The European Reformations*; Diarmaid MacCulloch, *Reformation: Europe's House Divided*, 1490–1700 (London: Allen Lane, 2003).

que los autores de este libro están comprometidos con la esencia de la teología de la Reforma como lo que es fiel al testimonio bíblico.

La ventaja de tal enfoque es que cada autor escribe con convicción. En lugar de estudiar y observar estas antiguas verdades como se haría con un artefacto antiguo en un museo, estos autores conocen de primera mano estas verdades, ya que no solo estudiaron la teología de los reformadores, sino que también la aplicaron en sus contextos pedagógicos y pastorales. Si bien muchos libros han sido escritos por historiadores que no profesan las verdades que están analizando, este libro está escrito por historiadores y teólogos que realmente creen en estas grandes doctrinas y se consideran herederos de los reformadores. Al igual que los reformadores, los autores que leerán están volviendo a articular la teología de la Reforma porque desean ver la reforma en nuestros días.

Además, *Fundamentos teológicos de la Reforma* proporciona un resumen sistemático del pensamiento de la Reforma. Si bien no todos los temas o reformadores pueden abordarse con gran profundidad en este volumen, el libro abarca, no obstante, los principales lugares de la teología sistemática.[75] En resumen, este volumen sirve como introducción a la teología de los reformadores. Además, si bien abordar el tema biográficamente tiene muchas ventajas, adoptar un enfoque sistemático permite al lector ver lo que los principales reformadores enseñaron acerca de cualquier doctrina única.[76] Tal enfoque es ventajoso ya que le permite al lector ver áreas de continuidad y discontinuidad entre los reformadores en cualquier doctrina en particular.

Además, este libro está escrito de tal manera que tanto el especialista como el no especialista lo disfrutarán. Los especialistas académicos encontrarán útil el libro porque proporciona una nueva perspectiva al abordar el pensamiento de la Reforma dentro del marco de la teología sistemática, y también aborda áreas del pensamiento de la Reforma que han recibido poca atención en el pasado (por ejemplo, la Trinidad, los atributos de Dios, la imagen de Dios, escatología). Los no especialistas, sin embargo, se beneficiarán aún más. Cada capítulo sirve como introducción a la doctrina en cuestión, explicando qué creían los principales reformadores, por qué lo creían y qué impacto tenían sus creencias. Al mismo tiempo, ningún capítulo se limita a lo básico, sino que penetra en los detalles doctrinales, las controversias y las distinciones teológicas que caracterizaron a los reformadores. Naturalmente, el libro tiene una sensación de libro de texto, aunque nos gusta pensar, especialmente dado el tema, que es sin la sequedad que con demasiada frecuencia se acompaña a dichos libros.

Una breve palabra de calificación también es necesaria. Un libro sobre teología de la Reforma fácilmente podría haber sido al menos cinco veces el tamaño de este. Pero sentimos que un libro masivo impediría su acceso a no especialistas y estudiantes.

---

[75] Debe reconocerse, por supuesto, que los reformadores no escribieron teologías sistemáticas como lo hacemos hoy. *Loci Communes* de Melanchthon y la *Institución de la religión cristiana* de Calvino son quizás lo más cercano que se encontrará a una teología sistemática, e incluso estas no son teologías realmente sistemáticas en el sentido moderno. Muchos de los escritos de los reformadores fueron ocasionales, motivados por las polémicas de su época, o surgieron de sus sermones, ya que el púlpito estaba en el centro del movimiento de la Reforma.

[76] Para obras que tienen un enfoque biográfico, más o menos, vea George, *Theology of the Reformers;* David Bagchi y David C. Steinmetz, eds., *The Cambridge Companion to Reformation Theology* (Cambridge: Cambridge University Press, 2004); Carter Lindberg, ed., *The Reformation Theologians: An Introduction to Theology in the Early Modern Period* (Oxford: Blackwell, 2002). Algunas obras tienen un enfoque teológico, como veremos en este libro. No obstante, por impresionantes que sean, no cubren necesariamente todo el alcance de los temas teológicos, por ejemplo, Jaroslav Pelikan, *Formation of Church and Dogma* (1300–1700), vol. 4 of *The Christian Tradition: A History of the Development of Doctrine* (Chicago: University of Chicago Press, 1984); McGrath, *Reformation Thought*. Este libro no pretende reemplazar estos excelentes estudios, sino proporcionar a los estudiantes de la Reforma un ángulo adicional.

Entonces, cada capítulo trata de ser lo más conciso posible. Desafortunadamente, esto significa que no todos los reformadores o movimientos de reforma podrían ser discutidos. Con el fin de premiar la accesibilidad, la mayoría de los capítulos se limitan a los principales reformadores que conocemos hoy en día y los principales puntos de reforma del siglo XVI, aunque esto no quiere decir que el libro nunca interactúe con los reformadores menos conocidos. Sin embargo, cada autor de cada capítulo ha recomendado algunos de los recursos clave, primarios y secundarios, a los que los estudiantes de la Reforma pueden recurrir para continuar estudiando. Nuestra esperanza es que los lectores encuentren cada capítulo como una entrada al mundo de la teología de la Reforma.

Que este libro sirva para resaltar la importancia, relevancia e indispensabilidad de la teología de la Reforma, tanto para entender la del siglo XVI como para pensar a través de su significado para el siglo XXI.

Parte 1

TRASFONDO HISTÓRICO DE LA REFORMA

2

Teología de la Baja Edad Media

Gerald Bray

RESUMEN

La teología de la Baja Edad Media (o Medieval Tardío) se caracterizó por dos principales discusiones que iban a influenciar a la Reforma Protestante. La primera fue el debate sobre la naturaleza y la recepción de la gracia divina. Pedro Lombardo había desarrollado el esquema de siete sacramentos, a través del cual la gracia salvadora era mediada por la iglesia a sus miembros. De estos, dos (la penitencia y la Eucaristía) debían repetirse con frecuencia, pero, aun así, la mayoría de las personas moría con una carga de pecados no perdonados que luego tenían que resolver en el purgatorio. Era posible disminuir este castigo obteniendo indulgencias, que la iglesia incluso ofreció en venta. Los cristianos podían obtener la gracia por su propio mérito, y recibir los sacramentos que impartían esta gracia era lo más cerca que un creyente podía estar seguro de su salvación. Detrás de este esquema sacramental se encuentra una jerarquía de autoridad, el segundo mayor debate de esta época. La iglesia afirmó que esta autoridad se derivaba de Dios y se le daba a la iglesia. En la práctica, esta autoridad era ejercida por el Papa y los obispos, pero se discutía si el Papa podía actuar por su cuenta o si tenía que seguir los dictados de los concilios de la iglesia. Los gobernantes seculares también desempeñaron un papel en esto, porque sólo los pronunciamientos de la iglesia con los que ellos estaban de acuerdo, eran los que implementaban. La Biblia era una fuente de autoridad, pero era interpretada por la jerarquía de la iglesia y complementada por cánones y decretos adicionales que formaban una "tradición" extrabíblica. Algunos comentaristas notaron cómo la iglesia había sido corrompida por el uso y abuso de este sistema, y defendieron el principio de *sola Scriptura* ("sólo la Escritura") como el fundamento de la autoridad de la iglesia. Los Reformadores Protestantes adoptaron este pensamiento, a menudo inconscientemente, y al rechazar las afirmaciones de la tradición no bíblica, buscaron establecer a la iglesia en lo que consideraban como su antigua base de sólo la Escritura.

La Perspectiva Medieval de la Salvación[1]

La Reforma Protestante comenzó como una disputa teológica sobre la naturaleza y la recepción de la gracia divina. Para entender cómo sucedió esto y por qué sus efectos fueron tan dramáticos, debemos remontarnos a los orígenes de la práctica sacramental de la iglesia de la Baja Edad Media, que se inspiró principalmente en las *Sentencias* de Pedro Lombardo (alrededor de 1090-1160).[2]

PEDRO LOMBARDO Y LOS SIETE SACRAMENTOS

Como Lombardo lo vio, había siete sacramentos. Cinco fueron destinados a cada cristiano —bautismo, confirmación, Santa Comunión, penitencia y extremaunción. Dos no eran para todas las personas y llegaron a ser vistos como mutuamente excluyentes —la ordenación y el matrimonio. Por lo que se sabe, Lombardo inventó este número. Siete a menudo se usaba para cosas santas, y representaba la perfección de los dones de Dios, así como la semana de siete días representaba la perfección de su creación.

El bautismo no necesitaba ninguna justificación especial ya que estaba claramente estipulado en el Nuevo Testamento. En la época de Lombardo, la confirmación se había convertido en un rito en el que los que habían sido bautizados en la infancia realizaban una profesión personal de fe, después de lo cual eran admitidos en la Santa Comunión. La Santa Comunión, para Lombardo, era la pieza central del sistema sacramental, el rito que tenía sentido para todos los demás y que unía a la iglesia de una manera que ninguna otra cosa podría hacerlo. Como él lo apuntó,

> El bautismo apaga el fuego de [nuestros] vicios, pero la Eucaristía [nos] restaura espiritualmente. Por eso es tan bien llamada la Eucaristía, que significa "buena gracia", porque en este sacramento no solo hay un aumento de la virtud y la gracia, sino que el que es la fuente y el origen de toda gracia es recibido por completo.[3]

No sabemos quién fue el primero en describir la Eucaristía en términos de sustancia e inventar el término *transubstanciación* para describir lo que sucedía con los elementos del pan y el vino. Varios libros de texto afirman que fue Hildebert de Tours (alrededor de 1055-1133), pero sin citar ningún texto de respaldo. Un candidato más probable sería Hugo de San Víctor (1096-1141), quien ahora se cree que escribió el *Tractatus Theologicus*, tradicionalmente atribuido a Hildebert. Aunque Hugo ciertamente sostuvo la doctrina, evitó usar la palabra misma en su gran tratado *Sobre los Sacramentos*. Por su parte, Pedro Lombardo rechazó la idea cruda de que los elementos eucarísticos se convertían en el cuerpo y la sangre de Cristo, pero se vio

---

[1] Esta sección está adaptada de *God Has Spoken: A History of Christian Thought*, de Gerald Bray, © 2014, pp. 469–70, 476–508, 513–23. Utilizado con el permiso de Crossway, un ministerio de publicaciones de Good News Publishers, Wheaton, IL 60187, www.crossway.org

[2] Pedro Lombardo, *Sententiae in IV libris distinctae*, ed. Ignatius Brady, 2 vols. (Grottaferrata: Editiones Collegii Sancti Bonaventurae ad Claras Aquas, 1971–1981); Lombardo, *The Sentences*, trans. Giulio Silano, 4 vols., *Mediaeval Sources in Translation* 42–43, 45, 48 (Toronto: Pontifical Institute of Mediaeval Studies, 2007–2010). Para un análisis e introducción, ver, Philipp W. Rosemann, *Peter Lombard* (Oxford: Oxford University Press, 2004), y Marcia L. Colish, *Peter Lombard*, 2 vols., *Brill's Studies in Intellectual History* 41 (Leiden: Brill, 1994). Ver también, *Medieval Commentaries on the "Sentences" of Peter Lombard*, vol. 1, Current Research, ed. G. R. Evans (Leiden: Brill, 2002), y vol. 2, ed. Felipe W. Rosemann (Leiden: Brill, 2009).

[3] Lombard, *Sententiae* 4.8.1.1.

obligado a admitir que sus fuentes decían cosas diferentes.[4] En la siguiente generación, Balduino de Forde (hacia 1125-1190) escribió que "aunque hay una considerable variedad de expresiones en esta confesión de fe, solo hay una creencia devota y una unidad de confesión indivisible."[5] A esto agregó,

> Por lo tanto, sostenemos, creemos y confesamos simplemente y con confianza, firme y constantemente, que la sustancia del pan se transforma en la sustancia de la carne de Cristo —aunque la apariencia del pan permanece— y que esto tiene lugar de una manera milagrosa y más allá de la descripción o comprensión.[6]

La transubstanciación se convirtió en enseñanza oficial de la iglesia en el Cuarto Concilio de Letrán en 1215, el primer canon declaró,

> Sólo hay una iglesia universal de fieles, fuera de la cual absolutamente nadie es salvo y en la cual Cristo mismo es a la vez sacerdote y sacrificio. En el sacramento del altar, su cuerpo y su sangre están verdaderamente contenidos en las especies de pan y vino, el pan siendo transubstanciado en el cuerpo y el vino en la sangre por el poder divino, de modo que, para perfeccionar el misterio de la unidad, recibimos de Él lo que recibió de nosotros. Además, nadie puede confeccionar este sacramento excepto un sacerdote que haya sido ordenado legítimamente según las llaves de la iglesia, que el mismo Jesucristo dio a sus apóstoles y sus sucesores.[7]

La extremaunción fue originalmente la unción de los enfermos mencionada en Santiago 5:14-15, que llegó a ser vista como una preparación para la muerte, probablemente porque comparativamente pocas personas se recuperaron de sus enfermedades, pero Lombardo dijo poco al respecto. Lo que más le interesó fue la penitencia, a la que dedicó más espacio que al bautismo, la confirmación y la Santa Comunión *combinadas*. Consideremos lo siguiente:

> La penitencia es necesaria para aquellos que están lejos [de Dios], para permitirles acercarse a Él. Como dice Jerónimo: "es la segunda tabla después del naufragio", porque si alguien ha manchado la túnica de inocencia que recibió en el bautismo al volver a pecar, puede limpiarla recurriendo a la penitencia.... Aquellos que han caído después del bautismo pueden ser restaurados por penitencia, pero no por el bautismo, porque está bien hacer penitencia con frecuencia, mientras que el rebautismo está prohibido. El bautismo es solo un sacramento, pero la penitencia es tanto un sacramento como una virtud de la mente. Hay una penitencia externa que es un sacramento, y una penitencia interna que es una virtud de la mente, pero ambas producen justificación y salvación.[8]

Se requería penitencia externa porque daba testimonio del cambio interno de corazón, que a su vez era la base de la justificación de uno ante Dios. Pero, ¿qué

---

[4] En particular, él yuxtapuso a Ambrosio y Agustín, señalando cómo diferían unos de otros.

[5] Balduino de Forde, *Liber de sacramento altaris*, en PL 204:662.

[6] Ibid., PL 204:679–80.

[7] Giuseppe Alberigo, ed., *Conciliorum oecumenicorum decreta* (Bologna: Istituto per le scienze religiose, 1973), 230; DH §802. La edición DH presenta los textos originales (generalmente en latín) con una traducción al inglés en las páginas opuestas.

[8] Lombard, *Sententiae* 4.14.1.1–2. La cita de Jerónimo es de *Epistula* 130.9.

pasaría si una persona lamentara por dentro pero no hubiera demostrado esa tristeza externamente? Lombardo aceptó esa posibilidad, pero a regañadientes:

> Así como se nos impone la penitencia interna, también la confesión de la boca como la satisfacción externa, si se da la oportunidad. Alguien que no tiene ningún deseo de confesarse no está verdaderamente arrepentido. Así como el perdón de los pecados es un regalo de Dios, así también la penitencia [externa] y la confesión por la cual se borra el pecado también deben ser de Dios.... El penitente debe por lo tanto confesar si tiene el tiempo para hacerlo, pero se le concede el perdón antes de su confesión oral si el deseo está presente en su corazón.[9]

Lombardo prefirió la confesión oral, usando como pretexto la autoridad del apóstol Santiago, quien dijo: "Confiesen los pecados los unos a los otros" (Santiago 5:16). Él dio por sentado que debería hacerse a un sacerdote: "Primero es necesario confesarse con Dios y luego con un sacerdote. De lo contrario, no es posible llegar al cielo si existe la oportunidad [de hacer tal confesión]."[10] Pero admitió que "si un sacerdote no está disponible, la confesión debe hacerse a un vecino o a un amigo."[11]

Lombardo era consciente, sin embargo, de que el perdón es un regalo de Dios. Jesús le había dado al apóstol Pedro las llaves del reino de los cielos (Mt. 16:19), pero Lombardo explicó este poder de la siguiente manera:

> Podemos decir y enseñar correctamente que sólo Dios perdona o no los pecados, a pesar de que le ha otorgado a la iglesia el poder de atar y desatar. Él ata y desata de una manera, y la iglesia de otra forma. Él perdona el pecado de una manera que limpia el alma de su mancha interior y la libera del castigo de la muerte eterna. Pero él no ha otorgado este poder a los sacerdotes. Por el contrario, les ha otorgado el poder de atar y desatar, lo que significa el poder de decirle a la gente si han sido atados o desatados.[12]

La teoría de la penitencia era una cosa, pero Lombardo sabía que estaba obstaculizada, no sólo por cierta falta de voluntad (o incapacidad) por parte de los miembros de la iglesia para confesar sus pecados, sino también por la falta de habilidades pastorales requeridas en aquellos cuyo deber fue administrar el sacramento.[13] Lo que se suponía que era un acto de amor desbordante con demasiada frecuencia se convirtió en un ritual que siguió desde la confesión del pecado a un sacerdote que tenía poca o ninguna idea de cómo responder, y este defecto acumuló problemas para el futuro.

Junto a los cinco sacramentos mencionados anteriormente estaban la ordenación y el matrimonio. Para cuando Lombardo estaba escribiendo, sólo los célibes podían ser ordenados para el ministerio de la iglesia, y aquellos que ya estaban casados no podían ingresar a las órdenes sagradas. Lombardo no dijo nada sobre el celibato obligatorio, posiblemente porque no estaba de acuerdo con él, pero sólo aquellos que ingresaron al sacerdocio debían ser célibes. Lombardo vio el oficio del obispo como sacramentalmente parte de la orden sacerdotal. En cuanto al Papa, dijo:

---

[9] Lombard, *Sententiae* 4.17.1.13.
[10] Ibid., 4.17.3.1, 4.17.3.8.
[11] Ibid., 4.17.4.2
[12] Ibid., 4.18.5.5–6.1.
[13] Ibid., 4.19.1.3.

El Papa es el príncipe de los sacerdotes.... Él es llamado el sumo sacerdote porque él es quien hace sacerdotes y diáconos; él dispensa todas las órdenes eclesiásticas.[14]

Lombardo luego habló de la institución del matrimonio. A diferencia de los otros sacramentos, el matrimonio no era de origen cristiano, sino que se remontaba al comienzo de la creación (Gen. 1:28). Lombardo tuvo que enfrentar la dificultad de que el apóstol Pablo hablara del matrimonio como lo segundo mejor para aquellos que no podían permanecer célibes (1 Co. 7:1-2, 6), pero logró demostrar que, correctamente entendido, era de hecho un sacramento y que Pablo había dicho suficiente en otros lugares (Ef. 5:31-32).[15]

PENITENCIA Y LA EUCARISTÍA

De los siete sacramentos, sólo la penitencia y la Eucaristía debían repetirse regularmente, y los dos se volvieron sacramentos estrechamente interconectados. Se suponía que una persona que quería recibir la Santa Comunión estaba en un "estado de gracia", lo que implicaba que se había arrepentido de sus pecados y había hecho las paces con Dios y con su prójimo haciendo la penitencia apropiada. Con el tiempo esto llevó a una industria completa del pecado, con teólogos compilando listas de pecados "mortales" y "veniales" (perdonables), cada uno de los cuales incluía un acto específico de penitencia. Todo se convirtió en un gran cálculo, con los pecados y penitencias uno contra el otro como crímenes y castigos. El pecador que había realizado su penitencia satisfactoriamente regresaría al sacerdote para pedirle la absolución y proceder a recibir la Santa Comunión.

El sistema sacramental fue desarrollado sobre el principio de que los siete sacramentos eran el medio por el cual el Espíritu aplicaba la obra de Cristo a la vida del creyente, de quien se esperaba que creciera en gracia y se transformara progresivamente en un verdadero hijo de Dios. Los sacramentos fueron una progresión a través de la vida, desde el bautismo al principio hasta la extremaunción al final, con la opción de las órdenes sagradas o el matrimonio en algún punto en el medio. Incluso la devoción eucarística, que era esencialmente corporativa, se privatizó cada vez más a medida que pasaba el tiempo. Las misas privadas se hicieron cada vez más comunes, y algunos sacerdotes incluso se ganaban la vida diciéndoles con "intenciones" específicas para la curación, para los difuntos, o para cualquier cosa que querían los que estaban dispuestos a pagar por ellos.[16] Un estudio reciente del fenómeno lo expresa de esta manera:

Los "frutos" de la misa —los beneficios que trajo— se entendían comúnmente en un sentido cuantitativo, de modo que se creía que dos misas aportaban el doble de beneficios que una sola misa, y esto llevó a un aumento dramático en el número de celebraciones. Pagarle un estipendio a un sacerdote para celebrar una o más misas en nombre de uno se convirtió en una de las formas aceptadas en que un pecador podría buscar expiar su falta, y hacer lo mismo en nombre de una persona fallecida para purgar sus pecados y asegurar su salvación también se generalizó. Los muy ricos dejarían

---

[14] Ibid., 4.24.16.1.

[15] Tenga en cuenta que Lombardo interpretó la palabra griega *mystērion* en el texto no como "misterio" sino como "sacramento".

[16] Ver, Gary Macy, *The Banquet's Wisdom: A Short History of the Theologies of the Lord's Supper*, 2da ed. (Akron, OH: OSL Publications, 2005), 144–51.

dinero en sus testamentos para que se les pueda hacer lo mismo después de su desaparición. Ofrecer el sacrificio para propósitos particulares —la misa "votiva"— fue lo que se pensó que era la Eucaristía.[17]

¿Haciendo lo mismo en nombre de una persona muerta para purgar sus pecados? Una cosa era que los vivos pidieran misas en su nombre, pero ¿podían alcanzar a los muertos y orar por ellos? La creencia de que los muertos aún necesitaban las oraciones de los vivos fue el catalizador para el siguiente desarrollo teológico importante, que transformaría el sistema sacramental en un camino de salvación por derecho propio.

Lo que les sucedía a las personas cuando morían fue siempre una gran preocupación de la iglesia. El evangelio cristiano prometió una recompensa celestial a todos los creyentes, independientemente de cualquier mérito de su parte, pero este mensaje resultó ser extremadamente difícil de aceptar. Hubo un sentimiento de que sólo el bueno se iba al cielo y que el propósito de la iglesia era dar a las personas la bondad que necesitaban para llegar allí. El bautismo eliminó la mancha del pecado original, que se ocupó de los bebés que morían antes de alcanzar la edad de la responsabilidad. Aquellos que pecaron después del bautismo recurrían a los sacramentos, y fue aquí donde la penitencia adquirió su importancia. Sólo el verdadero penitente podía ser admitido en la Comunión, que era el anticipo del banquete celestial. Por lo tanto, se puede suponer que aquellos que no llegaron tan lejos tampoco entraron en el cielo, pero, ¿a dónde fueron? Muchas personas morían antes de tener la oportunidad de arrepentirse y hacer la penitencia necesaria, pero ¿serían excluidas de la presencia de Dios simplemente por eso? Seguramente tenía que haber una segunda oportunidad, una opción para aquellos que básicamente tenían buenas intenciones pero que, por una razón u otra, no estaban preparados para el Novio cuando viniera por ellos (Mt. 25:1-13).

Pocos individuos realmente dedicados podrían tener éxito en llegar a ser perfectos, y generalmente se aceptaba que aquellos que eran martirizados por su fe habían pasado por el bautismo de sufrimiento mencionado por Jesús y habían sido limpiados de su pecaminosidad restante en el proceso (Mc. 10:38-40) Estos fueron los santos que estaban en condiciones de ir al cielo cuando murieron. La prueba de tal santidad no siempre fue fácil de obtener, pero si se pudiera demostrar que las oraciones a uno de ellos o a los huesos (u otras reliquias) que dejaron en la tierra habían producido un milagro o dos, la probabilidad de que hubieran calificado se incrementaba en gran medida. La iglesia establecería así su sello de aprobación al "canonizarlos" y permitirles a las personas orar para recibir sus ayudas. Con el tiempo, se pensó que algunos de estos santos tenían intereses particulares: Christofer era el santo patrón de los viajeros, por ejemplo, y Judas, de causas perdidas.

LAS LLAMAS DEL PURGATORIO

Desafortunadamente, la mayoría de las personas no tenían tanto éxito en esta vida como el pequeño grupo de "santos" —reales o imaginarios. ¿Qué pasó con ellos cuando murieron si no eran lo suficientemente buenos como para ir directamente al cielo? Al principio, la iglesia estuvo tentada de decir que todos se irían al infierno.

---

[17] Paul F. Bradshaw y Maxwell E. Johnson, *The Eucharistic Liturgies: Their Evolution and Interpretation* (London: SPCK, 2012), 219. También ver, Macy, *Banquet's Wisdom*, 114–20; David N. Power, *The Eucharistic Mystery: Revitalizing the Tradition* (New York: Crossroad, 1994), 226–30, 248–49.

Tenía una visión muy pesimista de la naturaleza humana y no encontró esto particularmente impactante, pero pronto se consideró que tal conclusión era demasiado extrema. Muchas personas hacían lo mejor y no eran particularmente malvadas, y parecía injusto excluirlas del cielo simplemente por unos pocos pecados que podrían haber sido pagados, pero que por algún motivo no se pagaron en esta vida. ¿Acaso la Biblia no sostenía al menos alguna esperanza para la eventual salvación de tales personas? Eventualmente, a los teólogos se les ocurrió la idea de que había un lugar donde los muertos que no pudieron confesar o pagar sus pecados en esta vida y podrían prepararse para la eventual entrada al cielo. Este lugar pasó a llamarse purgatorio, una invención medieval que extendió la interpretación bíblica hasta sus límites, aun cuando trajo un nuevo sentido de orden y propósito a nociones previamente vagas de lo que la vida después de la muerte realmente conllevaba.

Encontrar fuentes bíblicas para la existencia del purgatorio no fue fácil. El pasaje más frecuentemente citado fue en 1 Corintios, donde el apóstol Pablo habla de creyentes que construyen su vida espiritual sobre el fundamento establecido por Cristo. Él dice que, si el edificio resulta ser inadecuado, será destruido por el fuego, pero el creyente mismo será salvo (1 Cor. 3:11-15). Agustín (354-430) expuso este pasaje de una manera que les resultaría familiar a las generaciones posteriores:

> En cuanto al intervalo entre la muerte de este cuerpo presente y la venida del día del juicio y la recompensa en la resurrección general, se puede afirmar que es entonces cuando los espíritus de los difuntos sufren este tipo de fuego....No me preocupa refutar esta sugerencia, porque bien puede ser cierto. Incluso es posible que la muerte del cuerpo sea parte de esta tribulación.[18]

Agustín fue el primero en llamar a este fuego "purgatorio", aunque lo que quiso decir con eso no está claro. Que él creía que había dos tipos de fuego, uno que atormentaba y otro que limpiaba, parece bastante claro, pero es prácticamente seguro que en su mente el fuego purificador era parte del último juicio, no un proceso previo a ese evento. Aun así, él enseñó que había espacio para orar por los difuntos, especialmente si su modo de vida en la tierra lo justificaba:

> Entre la muerte y la resurrección final, las almas de los hombres se guardan en depósitos secretos, donde descansan o sufren, de acuerdo con sus obras.... Obtienen alivio por el servicio obediente de amigos que todavía están vivos, cuando el sacrificio del Mediador se ofrece en su nombre o se entregan limosnas a la iglesia. Pero estos actos sólo son útiles para aquellos que durante sus vidas se han mostrado merecedores de ellos. Algunas personas viven de una manera que no es lo suficientemente buena como para poder prescindir de dicha asistencia después de su muerte, pero tampoco lo suficiente como para dejarla sin sentido.... La ventaja que estos actos obtienen [para los muertos] es el perdón completo de su pecado, o al menos una mitigación de su castigo.[19]

Sin una clara guía de la Escritura o la tradición, los primeros teólogos medievales derivaron en la incertidumbre, tomando de vez en cuando ideas de los cultos precristianos de los muertos en los países celtas o germánicos recién convertidos del

---

[18] Agustín de Hipona, *De civitate Dei* 21.26.

[19] Agustín de Hipona, *Enchiridion* 109–10. El texto adquirió gran autoridad en la Edad Media porque estaba incluido en *Gratian's Decretum* (C. 13, q. 2, c. 23).

norte de Europa, pero principalmente repitiendo lo que podían recoger de Agustín y otros grandes teólogos del pasado.[20] No fue hasta el siglo XII que finalmente se comprendió el tema espinoso del estado intermedio y se hizo algún intento de sacar el orden conceptual del caos que hasta entonces había prevalecido. Graciano citó a Agustín como su autoridad y agregó una carta enviada por el Papa Gregorio II (669-731) a San Bonifacio (cerca de 672-754) alrededor del 730, en la que explicaba que las almas de los muertos son entregadas desde el castigo de cuatro maneras diferentes: por los sacrificios de los sacerdotes, por las oraciones de los santos, por las limosnas de los amigos íntimos y por el ayuno de los parientes.[21]

Al igual que sus fuentes, Graciano no dijo nada acerca del purgatorio como lugar, pero se puede encontrar una mayor claridad sobre este tema en los escritos de su contemporáneo, Hugo de San Víctor. Hugo lo explicó de la siguiente manera:

> Hay un castigo después de la muerte que se llama purgatorio. Aquellos que salen de esta vida con ciertos pecados pueden ser justos y destinados a la vida eterna, pero son torturados allí por un tiempo para ser limpiados. El lugar donde esto sucede no está definitivamente resuelto, aunque muchos casos en los que las almas afligidas han aparecido [como fantasmas] sugieren que el dolor se padece en este mundo, y probablemente donde se cometió el pecado.... Es difícil saber si tales dolores se infligen en otro lugar.[22]

Bernardo de Clairvaux (1090-1153) estuvo de acuerdo con este punto de vista, pero agregó una nota más personal y pastoral:

> Simpatizamos con los muertos y oramos por ellos, deseándoles la alegría de la esperanza. Tenemos que sentir pena por su sufrimiento en lugares purgativos, pero también debemos alegrarnos ante el acercamiento del momento en que "Dios enjugará toda lágrima de sus ojos, y la muerte no será más, ni habrá luto, ni llanto, ni dolor, porque las primeras cosas han pasado".[23]

Al igual que sus contemporáneos, Pedro Lombardo no sabía nada del purgatorio como un lugar particular, aunque aceptó la posibilidad de la penitencia después de esta vida y la preparó en *Libri Quattuor Sententiarum*.[24] La importancia de sus comentarios radica no tanto en lo que él mismo dijo, que era muy poco, sino en la forma en que los comentaristas posteriores usaron sus comentarios como la base sobre la cual construir sus propias teorías mucho más elaboradas.

Según Jacques Le Goff, el purgatorio como lugar fue identificado por primera vez por Peter Comestor (1100 a 1178), escribiendo poco después de 1170.[25] La transición de *ignis purgatorius* ("fuego purgatorio") o *locus purgatorius* ("lugar purgatorio") a *purgatorium* ("purgatorio") fue tan fácil y natural que es difícil saber si los que lo hicieron lo inventaron deliberadamente. En los casos oblicuos en latín, el *purgatorius* masculino y el *purgatorium* neutro se unen, y hay evidencia de que los copistas

---

[20] Ver, Jacques Le Goff, *The Birth of Purgatory* (Chicago: University of Chicago Press, 1984), 96–127.

[21] Graciano, *Decretum*, C. 13, q. 2, c. 22.

[22] Hugode San Víctor, *De sacramentis* 2.16.4.

[23] Bernardode Clairvaux, *Sermo de diversis* 16. La cita bíblica es de Ap. 21:4.

[24] Lombardo, *Sententiae* 4.21, 4.45.

[25] Le Goff, *Birth of Purgatory*, 155–58, 362–66. A Pedro se le dio el nombre de Comestor, o Manducator, que significa "el que come", ¡porque devoraba libros!

posteriores omitieron las formas acusatorias *ignem* y *locum* que les parecían innecesarias cuando iban acompañadas de *purgatorium*. Esta omisión dio la falsa impresión de que el purgatorio había sido identificado como un lugar particular algunos años antes.[26] Sea como fuere, no cabe duda de que para el año 1200, el purgatorio se estableció en la mente de las personas como un lugar definido, aunque seguía siendo incierto si estaba más cerca del cielo o del infierno. Aquellos que enfatizaban que era una preparación para la entrada al cielo naturalmente se inclinaban hacia la primera visión, mientras que aquellos que pensaban en términos de castigo ardiente preferían la última.

Fue alrededor de la época del Cuarto Concilio de Letrán en 1215 que el purgatorio se convirtió en una parte establecida del universo espiritual de la iglesia, como se puede ver en la importante guía para sacerdotes que fueron llamados a escuchar las confesiones de los pecadores penitentes, escrita a raíz del concilio por Tomás de Chobham (alrededor de 1160-1236). Tomás explicó que "la misa se celebra para los vivos y para los muertos, pero doblemente para los muertos, porque los sacramentos del altar son peticiones para los vivos, acciones de gracias para los santos [en el cielo], y propiciaciones para aquellos en el purgatorio, que resultan en la remisión de su castigo."[27] En lo que a él respectaba, nadie podía hacer nada por aquellos que estaban en el infierno, por lo que la misa como propiciación solo podía aplicarse a las almas del purgatorio, y por lo tanto ¡tenían que existir!

Por la misma época, Guillermo de Auvernia (1180-1249) también defendía lo necesario del purgatorio, basado en la necesidad de la penitencia.[28] Para él, era obvio que la mayoría de la gente moría con pecados no confesados que debían tratarse antes de que el alma difunta pudiera entrar al cielo. Era igualmente obvio para Guillermo que algunos pecados eran más serios que otros —el asesinato, por ejemplo, tenía que ser castigado, pero la gula o la frivolidad podían expiarse mediante la penitencia. Esta fue la práctica penitencial de la iglesia en este mundo, y a Guillermo le pareció que no había ninguna razón por la cual no debería llevarse a cabo en la próxima vida. Sin embargo, no creía que esta continuación de la penitencia se pudiera utilizar como excusa para aplazar la penitencia en esta vida. Por el contrario, cuantos más pecados expiara ahora, menos habría que enfrentar después de la muerte, y por consiguiente, el tiempo del alma en el purgatorio se acortaría. Como extensión de la justicia en la tierra, el purgatorio atraía a Guillermo como el ejemplo supremo de la justicia de Dios, pero también era una garantía de que esta vida estaba estrechamente relacionada con la siguiente. De hecho, Guillermo parece haber localizado el purgatorio en la tierra, en lugar de estar más cerca del cielo o el infierno, lo que naturalmente incrementó su sentimiento de que era poco más que una extensión del ministerio de la iglesia a los vivos.

Un paso más adelante fue el que dio Alexander de Hales (alrededor de 1185-1245), el primer hombre en escribir un comentario sobre *Libri Quattuor Sententiarum* de Pedro Lombardo y el primer maestro en utilizar *Libri Quattuor Sententiarum* como su principal texto teológico. En su glosa sobre *Libri Quattuor Sententiarum* 4.21, expuso

---

[26] Ibid., 364–65.

[27] Thomas of Chobham, *Summa Confessorum*, ed. F. Broomfield, *Analecta Mediaevalia Namurcensia* 25 (Louvain: Editions Nauwelaerts, 1968), 125–26.

[28] Ver, Le Goff, *Birth of Purgatory*, 241–45, para más detalles.

la teoría de la penitencia de Lombardo en el contexto del purgatorio, haciendo las siguientes anotaciones:

1. El Purgatorio es un fuego que quema los pecados veniales.
2. El purgatorio borra las penas por los pecados mortales que no han sido suficientemente pagados.
3. El purgatorio es más severo que cualquier castigo terrenal.
4. El purgatorio no es un castigo injusto o desproporcionado.
5. El Purgatorio es un lugar de fe y esperanza, pero sin la visión celestial de Dios.
6. Casi nadie es lo suficientemente bueno para escapar de la necesidad de atravesar el purgatorio.

Habiendo establecido estos seis puntos, Alexander pasó a examinar la relación entre el purgatorio y la iglesia en mayor detalle. Hasta este momento, generalmente se suponía que la iglesia podía perdonar los pecados en esta vida, pero que su jurisdicción terminaba al morir. Pero si la penitencia purgatoria simplemente continuara lo que ya había comenzado en la tierra, parecía lógico suponer que la jurisdicción de la iglesia se extendería más allá de la tumba. Alexander no tenía la intención de excluir a Dios del todo, ya que su gracia todavía se consideraba esencial para garantizar que la penitencia era efectiva, pero también era evidente para él que la iglesia tenía un papel importante que desempeñar en el purgatorio:

> Así como el dolor específico produce satisfacción por un pecado en particular, también el dolor común de la iglesia universal, que clama en nombre de los pecados de los creyentes muertos..., es una ayuda para la satisfacción. No crea la satisfacción en sí misma, sino que contribuye a ella junto con el dolor sufrido por el penitente. De esto se trata la intercesión. La intercesión es el mérito de la iglesia que puede disminuir el dolor de uno de sus miembros.[29]

INDULGENCIAS Y SUFRIMIENTO EN EL PURGATORIO

Aquí observamos por primera vez el sistema de "indulgencias" mediante el cual la iglesia pretendería remitir los pecados de los muertos y disminuir su sufrimiento en el purgatorio. A finales del siglo XI, Ivo de Chartres (alrededor de 1040-1115) había elaborado una teoría de la dispensación, es decir, no aplicaba las reglas de la ley eclesiástica en ciertas circunstancias.[30] Según él, había que hacer una distinción entre diferentes tipos de principios jurídicos, de la siguiente manera:

Praecepta (preceptos): reglas absolutas y vinculantes.
Consilia (concilios): sugerencias sobre cómo aplicar las reglas.
Indulgentiae (indulgencias): excepciones permitidas a las reglas.

La justicia exigió la obediencia a las reglas, aunque, por supuesto, esas reglas debían aplicarse de la manera correcta. La *praecepta* y la *consilia* fueron por lo tanto esenciales e interdependientes. Pero la vida humana rara vez es tan sencilla como las reglas quisieran, y reconociendo que la variedad en la experiencia de la vida engendró cierta tolerancia a la debilidad y el fracaso. No fue fácil determinar cuánto margen

---

[29] Alexander de Hales, *Glossa in quatuor libros Sententiarum Petri Lombardi* 4.21.
[30] Ivo de Chartres, *Prologus in Decretum*, en PL 161:47–60.

debería haberse otorgado, pero esto podría decidirse solo caso por caso, que es para lo que los derechos canónicos fueron establecidos. Sin embargo, no se otorgarían indulgencias sin una buena razón, porque de alguna manera las reglas debían mantenerse si se hacía justicia. La respuesta se encontró en la penitencia, que ofrecía el pago y la restitución por los delitos que se habían cometido. En los primeros días, se concedía plena indulgencia sólo a los que iban a cruzadas, como recompensa por su sacrificio, pero con el tiempo esta práctica se extendió y las indulgencias se hicieron disponibles para casi cualquier persona que estuviera dispuesta a pagar por ellas. En circunstancias especiales, incluso podrían otorgarse *sin* dicho pago, aunque por razones obvias, tal generosidad era rara.

Para controlar todo esto, era necesario establecer una forma de penitencia que fuera justa y aplicable a todos. En 1215, el Cuarto Concilio de Letrán emitió un canon que obliga a cada cristiano, hombre y mujer, a confesar sus pecados a un sacerdote por lo menos una vez al año y recibir de él una penitencia apropiada.[31] Este canon hizo necesario definir cuáles pecados podían ser perdonados y cuáles no —la distinción entre pecados "veniales" y "mortales" mencionados anteriormente. En este sentido, Tomás de Chobham fue el hombre adecuado en el momento adecuado, y su pequeño manual sobre el tema se convirtió en una de las fuentes más populares para la orientación clerical en esta área. Sin embargo, el potencial de locura intelectual era enorme, como ha señalado Jacques Le Goff:

> El purgatorio fue arrastrado a un torbellino de delirante raciocinio escolástico, que planteó las preguntas más acertadas, refinó las distinciones más sofisticadas y se deleitó con las soluciones más elaboradas. ¿Puede un pecado venial convertirse en uno mortal? ¿Una acumulación de varios pecados veniales equivale a un pecado mortal? ¿Cuál es el destino de una persona que muere con un pecado mortal y un pecado venial en su cabeza (suponiendo que sea posible que esto ocurra, lo que algunas autoridades dudaron)? Y así sucesivamente.[32]

Alrededor de 1250, los esquemas del purgatorio eran claros, y sólo quedaba definir algunos de los detalles más oscuros. Los teólogos continuaron discutiendo dónde se encontraba exactamente el purgatorio, en qué consistía el fuego purgatorio (es decir, ¿era puramente espiritual o parcialmente material también?), y si un alma era libre para ir al cielo tan pronto como se completara su penitencia o si tenía que esperar hasta que en el juicio final fuera posteriormente absuelto. El gran fraile franciscano y maestro Buenaventura (1221-1274) se ocupó de cada uno de estos aspectos, concluyendo, por ejemplo, que el purgatorio se había convertido en un lugar distinto solo después de la encarnación de Cristo. Antes de eso, las almas iban a un lugar llamado "limbo" o "el seno de Abraham", que no ofrecía ninguna oportunidad para la penitencia activa, sino solo un lugar de espera para el juicio.[33] Pensó que el fuego del purgatorio era tanto espiritual como material —el fuego espiritual era redentor, mientras que el fuego material era meramente punitivo.[34] También se oponía con vehemencia a cualquier sugerencia de que un alma limpia podría tener que retrasar su

---

[31] Alberigo, *Conciliorum oecumenicorum decreta*, 245 (canon 21).
[32] Le Goff, *Birth of Purgatory*, 217.
[33] Buenaventura, *Commentarium in IV libros Sententiarum* 4.20.
[34] Buenaventura, *Breviloquium* 7.2.

bienaventuranza celestial hasta el juicio final —una vez que terminara su tiempo en el purgatorio, era libre de irse, ¡y así se iba![35]

Opiniones muy similares fueron expresadas por el contemporáneo de Buenaventura, Alberto el Grande (alrededor de 1206-1280), un alemán que se unió a la orden dominica y conferencista en París (1242-1248), donde tuvo una gran influencia en el joven Tomás de Aquino (1225-1274). Aquino, a pesar de su inmensa producción teológica, tenía relativamente poco que decir sobre el purgatorio y parece haber estado desinteresado en el tema.[36] Murió antes de llegar a eso en el transcurso de su *Summa Theologiae*, y la mayoría de lo que tenemos de él fue elaborado más tarde por sus alumnos y adjuntado a la *Summa* como un suplemento. Básicamente, repitió lo que habían dicho los primeros doctores (y especialmente Alberto el Grande), adaptándolo a las necesidades de las controversias del tema en las que estaba periódicamente involucrado.

Tomás de Aquino nos recuerda que el purgatorio no solo estaba lejos de ser universalmente popular, sino que, en realidad, fue rechazado por un gran número de personas —de hecho, prácticamente todos los que tenían motivos para disputar la autoridad del papado. Esto era algo nuevo en la historia de la doctrina. Las disputas anteriores habían sido mucho más "objetivas" en el sentido de que nadie de ninguna estatura se había opuesto a una doctrina simplemente porque fuera sostenida por Roma o por alguna otra sede episcopal. Pero el purgatorio estaba tan estrechamente relacionado con el poder reclamado por el papado que era muy difícil, si no imposible, mantenerlos separados. Si el Papa carecía del poder de perdonar pecados en la Tierra, difícilmente podría hacerlo después de la muerte de un pecador, y si eso fuera cierto, la cuestión de la participación de la iglesia en el purgatorio no habría surgido. Si, por otro lado, el Papa tenía el poder de perdonar pecados, rechazar su autoridad sería un movimiento peligroso en esta vida —sin importar lo que pueda suceder después de la muerte. De todos modos, el purgatorio y el papado estaban unidos, y rechazar uno era rechazar al otro.

Por lo tanto, no debemos sorprendernos al descubrir que, en general, las sectas herejes que se oponían al papado, como los valdenses, también rechazaron el purgatorio.[37] Sin embargo, es difícil saber qué hacer con la evidencia de esto, porque casi todo proviene de fuentes hostiles que pueden haber estado mal informadas.[38] Sin embargo, la conexión estaba allí y se puede ver en Martin Lutero (1483-1546) *Noventa y cinco tesis* (1517), que reiteradamente insinúa que el Papa no tiene jurisdicción sobre el purgatorio, aunque Lutero tuvo cuidado de no decirlo explícitamente.[39]

---

[35] Buenaventura, *Commentarium in IV libros Sententiarum* 4.21.3.

[36] Véase, Le Goff, *Birth of Purgatory*, 266–78.

[37] Ibid., 278–80.

[38] Véase, Walter L. Wakefield y Austin P. Evans, *Heresies of the High Middle Ages*, Records of Civilization, Sources and Studies 81 (New York: Columbia University Press, 1969), 346–51, 371–73, donde encontramos evidencia de las primeras creencias valdenses en este sentido. Ver también, Gabriel Audisio, *The Waldensian Dissent: Persecution and Survival*, c. 1170–c. 1570 (Cambridge: Cambridge University Press, 1999), y para un grupo diferente, véase, Robert Lerner, *The Heresy of the Free Spirit in the Later Middle Ages* (Notre Dame, IN: University of Notre Dame Press, 2007).

[39] Ver tesis 5, 6, 8, 10, 13, 15, 20-22, 25-27, 82. Hay disponible una traducción al inglés del texto latino original en *Martin Luther's Basic Theological Writings*, ed. Timothy F. Lull, 2da ed. (Minneapolis: Fortress, 2005), 40–46.

El purgatorio se hizo popular en la iglesia medieval porque le dio esperanza a la gente en cuanto a la eternidad, incluso si no eran perfectos en esta vida.[40] Proporcionó un medio por el cual podían continuar orando por sus seres queridos después de su muerte y ayudarlos en su camino al cielo. También les era posible realizar actos adicionales de penitencia en esta vida —o trabajos de supererogación, como se los llamaba— y de ese modo reducir el tiempo que tendrían que pasar ellos mismos en el purgatorio.

Con el tiempo, esta estructura de penitencia y obras de supererogación se convirtió en una carga tanto para la iglesia como para los penitentes. Decirle a la gente que se parara descalza en la nieve mientras sostenía una vela encendida durante horas y horas, por ejemplo, pronto se convirtió en un ejercicio sin sentido. No hacía nada por la iglesia, y las personas tan agobiadas eran simplemente humilladas, lo que podría ser casi intolerable si fueran miembros prominentes de su comunidad local. El problema era que, si esos ciudadanos líderes perdían el respeto de los demás, también podían perder su autoridad y el orden social podría derrumbarse. Por estas y otras razones similares, se buscó ansiosamente una salida y con el tiempo fue difícil resistirse, a pesar de las angustiosas protestas de los reformadores que pensaban que la penitencia pública era buena para el alma y debía continuar.

Tal vez el mejor modo para que comprendamos este pensamiento es compararlo con la forma en que las autoridades abordan hoy a las personas que infringen la ley de manera menor. En teoría, los infractores de la ley deberían ser encarcelados, pero las cárceles a menudo están llenas y parecen hacer muy poco bien a sus reclusos. Encerrar a alguien simplemente por exceso de velocidad, por ejemplo, parece excesivo. Entonces el estado ha ideado otro medio para castigar este tipo de infracción. En lugar de pasar tiempo tras las rejas, los culpables son multados. El estado obtiene ingresos adicionales, el delincuente no tiene que sufrir mayores inconvenientes, y todos están más o menos felices con el resultado. Fue esta forma de pensar lo que llevó a la iglesia a conmutar la penitencia por una multa. A los que pagaban se les daba un certificado de "indulgencia", lo que efectivamente borraba su necesidad de hacer penitencia. Una vez que quedó claro que las personas podían comprar indulgencias, tanto para sus seres queridos como para ellos mismos, ¿por qué querrían tomarse la molestia de realizar trabajos de supererogación cuando podían pagar un certificado en su lugar? Y así, gradualmente la venta de indulgencias se convirtió en una práctica establecida de la iglesia. Los cofres eclesiásticos estaban llenos de donaciones, y las personas que los compraban tenían la satisfacción de saber que su tiempo en el purgatorio había sido reducido.

Lo que este sistema no decía era que si las personas que fueron excusadas se volvían más santas como resultado o no. Pagar una deuda era una cosa, pero ¿lo hacía a uno una mejor persona? ¿Cómo reciben los seres humanos pecaminosos la justicia de Dios, y qué diferencia les hace eso? Para describir cómo se transforman los pecadores, Agustín eligió la palabra *iustificare* y sus derivados, y su uso pasó a la tradición occidental. Él mismo creía que la palabra significaba "hacer justo", ya que estaba compuesta de las dos palabras latinas *iustum* ("justo") y *facere* ("hacer"). Sin embargo, no estaba claro qué implicaba en la práctica. Aunque *iustificare* era una traducción del

---

[40] Este aspecto todavía atrae a algunas personas, incluso a aquellos que deberían saberlo mejor. Por ejemplo, ver Jerry L. Walls, *Purgatory: The Logic of Total Transformation* (Oxford: Oxford University Press, 2012), ¡escrito por alguien que dice ser un protestante evangélico!

verbo griego *dikaioō*, que significa "pasar el juicio", que generalmente se tomaba en un sentido negativo, pero en este caso se entendía positivamente, lo que significa "*absolver*". Sin embargo, Agustín también usó *iustificare* para transmitir la idea de "transformar a alguien en una persona justa", lo cual *dikaioō* (no puede) significar. Esto es importante, porque esta implicación adicional causó muchos problemas y malentendidos más adelante.

HECHO JUSTO POR GRACIA INFUNDIDA

Agustín creía que una persona era hecha justa por un proceso de transformación interna que gobernaba no sólo sus acciones sino también la motivación que estaba detrás de ellas.[41] En la práctica, esto hizo que la motivación fuera más importante que la acción, porque si una acción en particular no lograba su propósito, seguiría siendo justa a los ojos de Dios si se hubiera hecho con la intención correcta. Como lo entendió Agustín, la justicia era un atributo divino en el que los cristianos participaban directamente y no simplemente una palabra utilizada para expresar la relación del creyente pecador con (y la total dependencia a) el Dios justo. Sólo se podía obtener por el don gratuito de Dios ("gracia"), pero se obtenía, y la persona que era justificada por Cristo se convertía en un ser humano mejor de lo que había sido antes. Esto fue posible porque para Agustín, la gracia no era un don abstracto de justicia sino la presencia del Espíritu Santo en la vida de una persona. El Espíritu es el amor de Dios que hace posible que aquellos que reciben ese don amen a Dios con todo su corazón y a su prójimo como a ellos mismos, que es lo que Dios exige de nosotros.[42]

La fe era el fruto del amor, y para Agustín, la "justificación por la fe" realmente significaba "justificación por amor", que se expresa a través de la fe (Gálatas 5:6). Obrando en la vida de una persona por el poder de Dios, la fe gradualmente vence los deseos de la carne (*concupiscentia*) en la forma en que una medicina supera la enfermedad. Para ser eficaz, la gracia de la fe en el amor tiene que ser renovada y fortalecida periódicamente para que pueda proseguir y finalmente completar su trabajo. Cómo ocurría esto, Agustín no lo especificó, pero Haimo de Auxerre (alrededor de 855) puso fin a las dudas sobre ese punto: "Somos redimidos y justificados por la pasión de Cristo, que justifica a la humanidad en el bautismo por la fe, y luego por la penitencia. Los dos están tan estrechamente vinculados que es imposible ser justificado por uno sin el otro."[43]

Lo mismo fue dicho más de dos siglos después por Bruno de Colonia (alrededor de 1030-1101), quien insistió en agregar que la penitencia era el medio divinamente designado para limpiar el alma de los pecados cometidos después del bautismo.[44] La explicación de este proceso dado por el monje francés Hervé de Bourg-Dieu (alrededor de 1080-1150) puede considerarse común:

> A través de la ley viene el reconocimiento del pecado, por la fe viene la infusión de gracia en oposición al pecado, a través de la gracia viene la purificación del alma de la culpa del pecado, a través de la purificación del alma viene la libertad de la voluntad

---

[41] Agustín de Hipona, *De spiritu et littera* 26.45.

[42] Agustín de Hipona, *De Trinitate* 15.17.31.

[43] Haimo de Auxerre, *Expositio in epistulas Sancti Pauli*, en PL 117:391C. El texto que se comenta es Rom. 3:24: "justificados gratuitamente por su gracia".

[44] Bruno de Colonia, *Expositio in omnes epistulas Pauli*, en PL 153:55B–C. El texto que se comenta es Rom. 5:20: "Pero la ley se introdujo para que el pecado abundase".

[*libertas arbitrii*], a través de la libertad de la voluntad [*liberum arbitrium*] viene el amor a la justicia, y a través del amor a la justicia viene la implementación de la ley.[45]

Téngase en cuenta la forma en que se desarrolla el proceso: la ley señala la necesidad de fe y la fe conduce a la gracia, lo que hace que la pelota ruede: la purificación, la libertad, el amor y la rectitud siguen en rápida sucesión, llevando al final al cumplimiento de la ley, que nos lleva de vuelta a donde comenzamos, pero ahora de una manera que realmente funciona. Petrus Comestor condensó esto en un esquema ordenado que describe las etapas de la justificación que, con pequeñas variaciones, fue repetida por la mayoría de los escritores medievales:

1. La infusión de gracia, dada a los principiantes.
2. La cooperación del libre albedrío (*liberum arbitrium*), otorgado a quienes progresan.
3. La consumación (es decir, la remisión de los pecados), dada a aquellos que han llegado.[46]

Este esquema se modificó posteriormente en un patrón cuádruple, con el segundo elemento dividido en dos. La declaración clásica de esto fue elaborada por Guillermo de Auxerre (cerca de 1160-1231), quien lo expresó así:[47]

1. La infusión de gracia
2. El movimiento del libre albedrío (*liberum arbitrium*)
3. Contrición
4. La remisión de pecados

La inclusión de la contrición hizo fácil unir este esquema cuádruple al sacramento de la penitencia, fomentando así la integración de la justificación con el sistema sacramental, que tuvo lugar en el siglo XIII. Pero aquellos que se movieron en esa dirección insistieron en que la penitencia en sí misma no tenía poder para justificar a nadie. La justificación fue de principio a fin una obra de gracia divina en la que la penitencia era sólo la condición necesaria para que se diera esa gracia.[48] Este fue el patrón adoptado por Alexander de Hales, Alberto el Grande, Buenaventura y Tomás de Aquino, como podemos ver en sus respectivos comentarios sobre *Libri Quattuor Sententiarum* de Pedro Lombardo.[49] Tomás modificó el esquema de alguna manera al hacer una distinción más clara entre la segunda y la tercera etapa:[50]

1. La infusión de gracia.
2. El movimiento del libre albedrío dirigido hacia Dios a través de la fe (es decir, amor).
3. El movimiento del libre albedrío dirigido contra el pecado (es decir, contrición).

---

[45] Hervé de Bourg-Dieu, *Expositio in epistulas Pauli*, en PL 181:642D. Este comentario se relaciona con Rom. 3:31. Ten en cuenta que Hervé no distinguió *libertas* de *liberumarbitrium*.

[46] Peter Comestor, *Sermo*, 17.

[47] William of Auxerre, *Summa aurea* 3.2.1 (fol. 121v).

[48] Alan de Lille, *Contra haereticos* 1.51.

[49] Alexander de Hales, *Glossa in quatuor libros Sententiarum Petri Lombardi* 4.17.7; AlbertoelGrande, *Commentary on the Sentences of the Lombard* 4.17a.10; Buenaventura, *Commentarium in IV libros Sententiarum* 2.16.1.3; Tomás de Aquino, *Super Primo Libro Sententiarum* 4.17.1.4; Tomás de Aquino, *Summa Theologiae* 1a2ae.113.6.

[50] *Summa Theologiae* 1.2.113.8.

4. La remisión del pecado.

Para comprender el efecto que esto tuvo, debemos apreciar que para Aquino y sus contemporáneos, quienes habían sido entrenados en la física aristotélica y reflejado eso en su enfoque, el progreso del primer al último elemento en la lista era un proceso puesto en marcha por la infusión inicial de gracia que condujo inexorablemente al perdón de los pecados. Volverse hacia Dios en amor y contra el pecado en contrición eran partes integrales de este proceso, que podía distinguirse en términos teóricos dentro de una cadena de causa y efecto, pero que normalmente ocurría más o menos simultáneamente.

Para Aquino, la justificación ante Dios se identificó con la segunda etapa. La infusión de la gracia implicó un cambio real en el receptor, que se liberó de las limitaciones de su naturaleza pecaminosa y se le dio la capacidad de subordinar su mente y voluntad a Dios. Cuando lo hizo, fue justificado a los ojos de Dios porque había demostrado su deseo de hacer lo correcto. La gracia infundida que hizo esto posible no era una extensión de la naturaleza de Dios sino un equivalente creada de ella que Dios implantó en el alma del creyente, dándole una disposición innata (*habitus*) hacia la rectitud. Esto le permitió evitar el pecado mortal, pero como todavía no era perfecto, aún caería en pecado venial y necesitaría penitencia. Fue en este momento cuando se inició el sistema penitencial descrito anteriormente. Incluso los creyentes justificados necesitaban ser purificados aún más porque continuaban luchando contra los efectos de su "naturaleza inferior" —lo que la Biblia llama la guerra del espíritu contra la carne. Muy pocas personas tendrían éxito en ganar esa batalla en esta vida, pero la oportunidad de continuar en el purgatorio aseguraba que triunfarían al final.

Mereciendo la Gracia de la Justificación

En general se estuvo de acuerdo en que Dios respondía al movimiento del libre albedrío de un hombre hacia él porque consideraba que tal movimiento era meritorio —era algo bueno que el hombre hacía, y merecía una respuesta apropiada de parte de Dios. Entonces surgió la pregunta sobre qué tan meritorio realmente era. ¿Podría un ser humano hacer algo que realmente agradaría a Dios? En sentido estricto, la respuesta a esto tenía que ser no, porque los seres humanos son tanto finitos como pecadores y, por lo tanto, incapaces de tratar con Dios en su nivel. Pero al igual que los niños pequeños que quieren hacer algo bueno, pero no pueden porque carecen de la fuerza y el conocimiento necesario para el éxito, las personas pecaminosas que hacen todo lo posible y tienen las buenas intenciones deben ser aplaudidas por intentarlo, no como fracasados que no lograron hacer algo que son incapaces de hacer. Esto, dijeron los teólogos de la época, fue lo que sucedió cuando las almas infundidas con la gracia creada se volvían hacia Dios. Fueron justificados, no porque hubiesen logrado ser justos por sus propios esfuerzos, sino porque fue la respuesta correcta por parte de Dios a aquellos que estaban haciendo lo mejor que podían. Lo que Dios honró en ellos fue el mérito *de congruo* ("apropiado") —querían lo correcto, y así Dios se lo dio a ellos a pesar de que realmente no se lo habían ganado.

Si las almas pecaminosas hubieran podido avanzar por su cuenta, Dios habría reconocido que su mérito era *de condigno* ("merecido"), pero eso era imposible. En cambio, Dios prometió que, si los pecadores actuaban de cierta manera, él les respondería en consecuencia al darles una gracia infundida. Y una vez que un pecador recibía la gracia infundida, él o ella podrían lograr lo que Dios había establecido en su pacto con la humanidad.[51] Esto hizo al mérito *de condigno* una posibilidad real, porque la recompensa prometida era proporcional a sus esfuerzos. Por lo tanto, se esperaba una recompensa divina por el logro humano como el justo cumplimiento de la justicia de Dios.[52]

ATRICIÓN Y CONTRICIÓN

La crítica de este esquema de cosas comenzó con Juan Duns Scoto (alrededor de 1266-1308) en la generación posterior a Tomás de Aquino y Buenaventura. Scoto señaló que, si la contrición era necesaria antes de que un pecador pudiera recibir el sacramento de la penitencia, el sacramento no sería efectivo en sí mismo (*ex opere operato*) sino sólo si la persona que lo recibía estaba en el estado espiritual correcto (*ex opere operantis*) En ese caso, la penitencia apenas sería necesaria, ya que el penitente ya habría alcanzado el punto que el sacramento estaba destinado a traerle.[53] Scoto trató de resolver este problema diciendo que la contrición no era una condición previa necesaria para recibir el sacramento. Todo lo que se necesitaba era arrepentimiento basado en el miedo al castigo. Si eso era sincero, podría merecer la gracia de la justificación de *congruo*, pero si no, aún podría ser suficiente para permitirle al pecador hacer penitencia. Scoto llamó a esto "arrepentimiento". En su opinión, un pecador que comenzara en el nivel más bajo de arrepentimiento se vería gradualmente fortalecido por la gracia sacramental hasta el punto en que estaría genuinamente contrito.

Scoto incluso permitió la posibilidad de que un pecador pudiera ser justificado sin tener que hacer penitencia en absoluto, pero esto era más teórico que real. Nadie podía saber con certeza si había hecho lo suficiente para merecer algo, y en la práctica el sacramento se hizo más necesario que nunca, porque les daba a los penitentes la seguridad de estar en estado de gracia.[54]

Los puntos de vista de Scoto fueron asumidos por Guillermo de Ockham (alrededor de 1287 a 1347), quien llevó la discusión a otro nivel de análisis filosófico. Él creía que la aceptación de Dios de los actos morales era lo que les daba su valor meritorio y que esta aceptación era una cuestión de curso en el caso de los creyentes.[55] Los seguidores de Ockham fueron más allá y negaron que pudiera haber tal cosa como mérito *de condigno*; cualquier mérito debe ser, por definición, *de congruo*, e incluso eso depende completamente de la gracia.[56] Sin embargo, la tendencia general de su pensamiento estaba lejos del mérito, haciendo que todo dependiera completamente de la gracia de Dios, que era esencialmente la posición adoptada por Juan Wiclef (1328-1384) y Jan Hus (1369-1415).[57]

---

[51] Ver, Guillermode Auvergne, *Opera omnia* 1. 310.aF, donde él define este principio.

[52] Aquino, *Summa Theologiae* 1.2.114.1.

[53] Juan Duns Scoto, *Opus Oxoniense* 4.1.6.10–11.

[54] Ibid., 4.14.4.14.

[55] Ver, Gordon Leff, *William of Ockham: The Metamorphosis of Scholastic Discourse* (Manchester: Manchester University Press, 1975).

[56] Ver, por ejemplo, Manuel Santos-Noya, *Die Sünden- und Gnadenlehre des Gregor von Rimini*, Europäische Hochschulschriften, ser. 23, Theologie 388 (Frankfurt-am-Main: Peter Lang, 1990).

[57] JuanWiclef, *De scientia Dei*, fol. 61v.; Jan Hus, *Super IV. Sententiarum* 2.27.5.

El efecto total de las ideas de Ockham se puede ver en el trabajo de Gabriel Biel (alrededor 1420-1495), que en muchos sentidos representa la culminación de los desarrollos teológicos medievales.[58] A diferencia de Ockham, Biel no era un admirador acrítico de Duns Scoto, y rechazó firmemente cualquier noción de atrición como un preludio a la penitencia. Para Biel, solo la contrición haría, y él creía, junto (como pensaba) Pedro Lombardo, que en el sacramento de la penitencia todo lo que el sacerdote podía hacer era declarar que el pecador ya había sido justificado sobre esa base.[59] Biel no descartó la posibilidad de una justificación presacramental, pero incluso si eso sucediera en unos pocos casos, no podría entenderse aparte del sacramento porque este último siempre estuvo implícito. La razón de esto era que la contrición, con o sin sacramento, sólo ofrecía la remisión de la *culpa* por el pecado. El *castigo* por ello fue rebajado de categoría de lo eterno a lo temporal, pero eso, por supuesto, era la esfera de la penitencia, que por lo tanto todavía tenía una parte importante que jugar.

Biel creía que los seres humanos podían amar a Dios en su fuerza natural sin la infusión de la gracia divina, pero también reconoció que Dios tenía la intención de que cumplieran Su voluntad en tal estado de gracia, que obviamente estaba más allá de sus habilidades naturales.[60] También le preocupaba profundamente la necesidad de demostrar integridad moral. El mérito sacramental no pretendía ser un sustituto de eso, y Biel a menudo advertía a sus oyentes que no pensaran que podían quitar sus pecados con buenas obras si no se arrepentían interiormente (es decir, contritos).[61] Al ver el asunto, su propuesta fue una forma de evitar el patrón de atrición tolerante, que muchas personas, además de él mismo, pensaban que era una forma perezosa de arrepentimiento sincero, sin exigir el tipo de autosacrificio sobrehumano que sólo un atleta espiritual podría lograr.

En cuanto a la disposición (*habitus*) necesaria para la justificación sacramental, Biel insistió en que un creyente debe amar a Dios por su propio bien y no por lo que podría obtener de Él.[62] La penitencia externa realizada en el sacramento tenía que coincidir con un arrepentimiento interno correspondiente, sin el cual no tendría ningún efecto. Biel no negó el poder de la gracia divina en la vida de una persona, pero no creía que fuera esencial en todos los casos. Según él lo veía, los seres humanos a menudo podían actuar correctamente, según la luz de la razón que se les había dado, sin importar si les ayudaba o no la gracia divina. Era la ignorancia, no la falta de gracia, lo que impedía a las personas hacer lo correcto.[63] El principal deber de la iglesia, por lo tanto, no era infundir gracia en los pecadores, sino iluminarlos con la comprensión correcta, para que pudieran actuar propiamente por su propia voluntad. Aparentemente Biel pensó que, si la gente supiera lo que era correcto, ¡lo harían automáticamente![64]

Nada de esto le sugirió a Biel que la disposición interna (*habitus*) de la gracia creada era innecesaria. Por el contrario, era esencial, no debido a ninguna necesidad metafísica, sino porque esa era la forma en que Dios había ordenado su plan de salvación. Este fue el pacto (*pactum*) que establece sus necesidades y su respuesta a

---

[58] Ver, Heiko A. Oberman, *The Harvest of Medieval Theology: Gabriel Biel and Late Medieval Nominalism*, 3ra ed. (Durham, NC: Labyrinth, 1983).

[59] Gabriel Biel, *Collectorium* 4.14.2.1, n. 2D.

[60] Ibid., 4.14.2.2.

[61] Ibid., 4.4.1.2, concl. 5O

[62] Gabriel Biel, *Sermones* 1.102E.

[63] Ibid., 1.101D.

[64] Oberman, *Harvest of Medieval Theology*, 165

nuestros intentos de cumplir con esos requisitos. La gracia creada por sí misma nunca podría determinar las acciones de Dios por la simple razón de que era una cosa creada y no parte de su naturaleza.[65] Pero dentro del orden de las cosas del pacto, Dios ha aceptado a los pecadores y les ha otorgado la gracia que necesitan para realizar actos de valor meritorio, y es por esa razón que están justificados. En palabras de Heiko Oberman:

> El carácter gratuito de la remuneración de Dios, por lo tanto, no se basa en la *actividad* del hábito de la gracia ni en la *presencia* del hábito de la gracia, sino en el eterno decreto de Dios según el cual ha decidido aceptar cada acto que se realiza en un estado de gracia como *meritum de condigno*.[66]

En lo que se refiere al mérito *de congruo*, Biel pensó en eso como el logro supremo de un hombre sin ayuda de la infusión de la gracia. Dios puede aceptar este acto como meritorio y otorgar su gracia al pecador penitente, pero no está obligado a hacerlo, y si lo hace, es un acto de generosidad de su parte, no de justicia.[67] Así como la aceptación de Dios del pecador arrepentido es consecuencia y una exigencia de su promesa del pacto, también debe decirse lo mismo de la gracia infundida, porque ningún poder externo puede obligar a Dios a hacer nada.[68] De hecho, es precisamente porque Dios es libre (*liber*) y no opera bajo ninguna forma de restricción externa, que puede mostrar su generosidad (*liberalitas*) ignorando cualquier sentido de proporción entre un acto y su recompensa, en lugar de revelar su misericordia superabundante.[69]

El resultado de la doctrina de Biel fue que el pecador era involuntariamente puesto bajo una carga extraordinaria para producir buenas obras que merecen la gracia. La justicia de Dios trajo solo juicio y castigo a su paso, y al hacer buenas obras, el pecador tenía que esperar que la ira divina pudiera ser desviada. Como lo expresó Biel, "el hombre no sabe si es digno del odio o el amor [de Dios]."[70] Sin esa seguridad, el pecador podría enfrentar la perspectiva de escuchar acerca del pacto de Dios y la justificación que prometió sólo con temor y miedo, porque no tendría forma de saber si alguna vez sería lo suficientemente digno como para recibirlo.

LA CRISIS DE LA SEGURIDAD

El sistema esbozado por Guillermo de Ockham y sus seguidores raras veces fue seriamente cuestionado en sus fundamentos. Como dijo el joven Martín Lutero,

> Los doctores tienen razón al decir que cuando las personas hacen su mejor esfuerzo, Dios inevitablemente les da gracia. Esto no puede significar que esta preparación para la gracia esté [basada en el mérito] *de condigno*, porque son incompatibles, pero se puede considerar *de congruo* por la promesa de Dios y el pacto (*pactum*) de misericordia.[71]

Se necesitó de una crisis espiritual en su propia vida para sacar a Lutero de esta forma de pensar. Hizo lo mejor que pudo, pero descubrió que no era lo suficientemente

---

[65] Biel, *Collectorium* 1.17.3.3, dub. 2G.
[66] Oberman, *Harvest of Medieval Theology*, 170.
[67] Biel, *Collectorium* 2.27.1.1, n. 3.
[68] Ibid., 2.27.1.3., dub. 4O.
[69] Ibid., 2.27.1.2., concl. 4K.
[70] Biel, *Sermones* 1.70F.
[71] Martín Lutero, *Dictata super Psalterium* 114:1 (Vulgate: 113:1), LW 4:257.

bueno. Cualquier gracia que haya recibido *de congruo*, no le trajo paz con Dios. Después de mucho buscar, encontró la respuesta en las palabras del profeta Habacuc, citado por el apóstol Pablo en su carta a los Romanos: "el justo vivirá por la fe" (Rom. 1:17; véase Hab. 2:4) Las escamas cayeron de sus ojos cuando se dio cuenta de que es por gracia que somos salvos por la fe y no por nuestras obras, por muy meritorias que sean en sí mismas. Los fundamentos del antiguo sistema fueron sacudidos hasta la raíz, y el resultado fue la Reforma Protestante.

La Perspectiva Medieval de la Autoridad

LA IGLESIA PRIMITIVA

Casi tan importante para los reformadores como la doctrina de la salvación era la cuestión de la autoridad en la iglesia, que se había convertido en un tema clave de debate en los siglos XIV y XV. En algunos aspectos, este debate se remonta a los primeros días del cristianismo, y fue en el testimonio del Nuevo Testamento que los argumentos se enfocaron cada vez más. En tiempos premodernos, la mayoría de las personas pensaba que la *autoridad* era algo principalmente personal. La Palabra estaba conectada con su *autor*, y el autor último es Dios mismo, de quien derivaba toda autoridad. Dios el Padre le dio su autoridad al Hijo, y el Hijo envió el Espíritu Santo para traer a la iglesia a la existencia y para preservarla hasta que regrese en juicio (1 Cor. 15:25-28).

La pregunta teológica fue cómo el Espíritu Santo realizó la tarea que se le asignó. En la iglesia del Nuevo Testamento, la respuesta fue lo suficientemente clara. Jesús escogió discípulos que se convirtieron en apóstoles. Ellos gobernaron la iglesia primitiva y le dieron las Escrituras del Nuevo Testamento, que contenían las enseñanzas que habían recibido de Jesús mismo. La transición de discípulos a apóstoles no fue automática —Judas fue excluido del apostolado, y Pablo fue agregado por una intervención divina excepcional. Pero el principio era bastante claro: un apóstol tenía que ser un testigo del Cristo resucitado y haber sido especialmente comisionado por él para su tarea. Inicialmente, los apóstoles trabajaron juntos desde su base en Jerusalén, pero gradualmente se extendieron y desarrollaron sus propios ministerios. Pedro se convirtió en el apóstol de los judíos, mientras que Pablo fue reconocido como el apóstol de los gentiles. Los desacuerdos entre judíos y gentiles se resolvieron por consenso, al que llegaron los líderes de la iglesia mediante un debate abierto en un concilio de la iglesia (Hechos 15).

Lo que sucedió después de la muerte de los apóstoles fue (y sigue siendo) poco claro. Algunos de ellos pueden haber nombrado sucesores en la forma en que Pablo confió su ministerio a Timoteo y Tito. O tal vez las iglesias locales eligieron a uno de ellos para convertirse en su supervisor u obispo, sobre el entendimiento de que él sería responsable de mantener el depósito apostólico de la verdad. Lo cierto es que cien años después de la ascensión de Cristo, casi todas sus iglesias estaban dirigidas por obispos electos, y las congregaciones fundadas por los apóstoles tenían una responsabilidad especial de preservar y defender su legado. Este deber era necesario debido al crecimiento de los movimientos heréticos que estas iglesias no tenían poder para reprimir y que sólo podían combatir apelando a sus propias tradiciones, que según ellos provenían de los apóstoles. El hecho de que diferentes iglesias apostólicamente arraigadas estaban de acuerdo entre sí era evidencia de que sus afirmaciones eran verdaderas, y fue de esta manera que el Nuevo Testamento llegó a ser aceptado como Escritura a la par con la Biblia Hebrea.

Es un hecho notable que cuando la iglesia fue legalizada a principios del siglo IV, surgió como un cuerpo único a nivel mundial. Ciertamente hubo disputas y divisiones incipientes —el donatismo en el norte de África, por ejemplo, y el arrianismo en gran parte de Oriente. Pero también hubo un consenso generalizado, revelado en los concilios de la iglesia que el emperador entonces convocaba. Los concilios contrarrestaron estos movimientos disidentes y establecieron una ortodoxia común que todas las iglesias locales estaban obligadas a aceptar. El logro supremo de la era conciliar fue un credo que fue aceptado como la piedra base de la creencia cristiana prácticamente en todas partes.[72]

Los concilios eclesiásticos no siempre fueron convocados por la autoridad imperial, pero a menos que sus decisiones fueran ratificadas por el emperador, no se convertían en ley y no podían ser aplicadas. La mayoría de los concilios se hacían a nivel provincial y se legislaban sólo para las necesidades de su provincia, aunque en algunos casos (el norte de África y España en particular), ejercieron una influencia mucho más amplia. Los concilios imperiales se hacían con menos frecuencia, pero eran más importantes y sus decisiones se aplicaban universalmente.[73] Solo los obispos podían ir a los concilios y votar en nombre de sus congregaciones, pero, aunque la asistencia a veces era bastante alta, nunca fue universal. En particular, los obispos de Roma nunca convocaron ni asistieron a ninguno de ellos, aunque generalmente enviaban representantes y luego ratificaban las decisiones de los concilios.

El sistema de concilios provinciales e imperiales no era perfecto, pero funcionó razonablemente bien durante un tiempo. Comenzó a derrumbarse cuando muchas de las iglesias orientales se negaron a aceptar las decisiones del Concilio de Calcedonia (451). Esto llevó a cismas en Egipto y Siria que el gobierno imperial no pudo reprimir, a pesar de muchos intentos de hacerlo. En el transcurso del siglo VI, los cismas se solidificaron, y cuando los árabes musulmanes invadieron en la década después de la muerte de Mahoma en 632, el Imperio Romano perdió estas regiones. Esta ruptura geopolítica hizo imposible para el emperador obligar a los disidentes a regresar al redil imperial, pero también sacó las cuestiones teológicas involucradas fuera del ámbito de la política práctica en lo que quedaba del mundo cristiano.

EL SURGIMIENTO DEL PAPADO

Tan importante para el futuro de la iglesia como el surgimiento del islam fue el colapso del Imperio Romano en Occidente. En 476, Roma envió las insignias imperiales a Constantinopla, señalando que Occidente reconocería en adelante la autoridad del emperador oriental (bizantino), pero en realidad los reinos bárbaros que se habían establecido en Europa occidental siguieron su propio camino. El Imperio Oriental intentó recuperar las provincias perdidas y logró aferrarlas a Roma durante más de dos siglos (536-751), pero la reconquista fue solo parcial. Para reforzar su

---

[72] Este credo probablemente fue escrito en (o poco después) el Primer Concilio de Constantinopla en 381, aunque lo conocemos hoy como el Credo de Nicea debido a una creencia errónea de que fue producido por el Primer Concilio de Nicea en 325. Rápidamente se convirtió, y se ha mantenido, en la declaración de fe más extendida en el mundo cristiano.

[73] Estos concilios se llaman *Ecuménicos* de la palabra griega *oikoumenē*, que era el término utilizado para describir el Imperio Romano (véase Lucas 2:1).

autoridad sobre Occidente, los emperadores necesitaban el apoyo del obispo de Roma, a quien reconocieron como su principal representante allí. Este estatus podría remontarse al Primer Concilio de Constantinopla en 381, cuando el mundo se había dividido en cinco regiones y el obispo de la ciudad más importante de cada región había sido designado como el *patriarca* de esa área. La jerarquía de los patriarcados era Roma, Constantinopla, Alejandría, Antioquía y Jerusalén, en ese orden. Para el año 700, los últimos tres de ellos habían caído bajo el dominio musulmán y ya no tenían mucha fuerza relevante, por lo que, para fines prácticos, Roma compitió con Constantinopla por la supremacía. Roma tenía una ventaja porque su iglesia era de origen apostólico, o así se pensaba. La afirmación de que Pedro había sido su primer obispo y que fue martirizado allí (junto con Pablo) fue generalmente aceptada, pero, de hecho, la autoridad espiritual de Roma descansaba más en su posición como la antigua capital imperial que en cualquier otra cosa. Por esa razón, Constantinopla era un rival genuino, porque, aunque carecía del linaje apostólico de Roma, era donde vivía el emperador y donde los concilios de la iglesia imperial seguían realizándose.[74]

Mientras los obispos de Roma permanecieran sujetos al emperador en Constantinopla, no podrían establecer una autoridad espiritual independiente, ni quisieron hacerlo. La situación cambió, sin embargo, cuando los paganos lombardos extinguieron la provincia imperial (o "exarcado", como se la conocía) en el centro de Italia y amenazaron a Roma en 751. En su desesperación, su obispo hizo un llamamiento al rey de los francos, que posteriormente cruzó los Alpes, aniquiló a los lombardos, y estableció al obispo romano como el gobernante secular del antiguo exarcado en 754. Este fue el comienzo de los Estados Pontificios, una entidad política que sobreviviría hasta 1870. También marcó el ascenso del poder franco, que en 800 condujo a la creación del Sacro Imperio Romano Germánico en Europa Occidental. El rey franco Carlomagno se convirtió en el nuevo emperador occidental, y Roma repudió su lealtad residual a Constantinopla. El Sacro Imperio Romano debía perdurar hasta 1806, y sus gobernantes frecuentemente se encontraban en conflicto con el obispo de Roma, quien podría ser llamado el Papa, a pesar de que fue él quien los coronó y legitimó su gobierno.

En teoría, las dos mitades del antiguo Imperio Romano habían sido restauradas, pero eran muy diferentes entre sí. En Oriente, el emperador y el patriarca vivían en la misma ciudad y trabajaban en estrecha colaboración, pero esto nunca fue cierto en Occidente. El Papa permaneció en Roma, pero el emperador casi nunca estaba allí y no se quedó mucho tiempo cuando lo hizo. Además, el imperio en Occidente nunca cubrió a toda la cristiandad occidental, y en 843, se subdividió entre los nietos de Carlomagno. Mientras que un emperador todavía era elegido entre los co-gobernadores, tenía poderes restringidos, y el Sacro Imperio Romano nunca se convertiría en un poderoso estado europeo. Al mismo tiempo, el papado declinó al convertirse en el juguete de la aristocracia romana, cuyos miembros rivalizaban entre ellos para designar parientes para el oficio. Durante doscientos años, Europa Occidental carecía de autoridad real, una situación que mucha gente consideraba cada vez más intolerable.

La reforma comenzó bajo el impulso de los monjes de Cluny en Borgoña (ahora parte de Francia), quienes creían que solo un papado fuerte podría rescatar a la iglesia

---

[74] Los concilios se llevaron a cabo allí en 553, 680-681, 692, 870 y 880. La única excepción fue el Segundo Concilio de Nicea (787), pero Nicea está a solo un día de Constantinopla, por lo que fue fácilmente accesible desde la capital.

y la sociedad occidental de su caos. Para lograr esto, maniobraron a su propio candidato en el oficio. Leon IX (1049-1054) reafirmó las antiguas pretensiones de Roma de tener jurisdicción suprema sobre la iglesia en general, aunque el único efecto inmediato de esto fue alienar a Oriente, que se negó a someterse a su autoridad. Esto llevó a un cisma en 1054, que más tarde llegó a ser reconocido como el momento en que Oriente y Occidente se separaron.[75] En 1059, los reformadores cluniacenses pudieron establecer el colegio de cardenales en Roma, un grupo de clérigos mayores cuya responsabilidad sería elegir al Papa. Este desarrollo fue de inmensa importancia porque puso las elecciones papales fuera de las manos de la aristocracia laica en Roma y permitió elegir hombres que promoverían los intereses de la iglesia, no los de sus propias familias. El más famoso de los papas reformadores fue Gregorio VII (1073-1085), a menudo conocido por su nombre secular, Hildebrand. Abordó al emperador sobre el nombramiento de obispos y pudo obligarlo a acceder a las demandas de la iglesia. Sin embargo, la audacia de Gregorio VII fue algo prematura, y el emperador fue capaz de recuperarse al invadir Roma y expulsar al Papa (1084). Pero la tendencia a largo plazo ya estaba establecida. En 1095, el Papa Urbano II (1088-1099) fue lo suficientemente fuerte como para persuadir a los reyes de Europa Occidental para que emprendieran una cruzada para recuperar la Tierra Santa de los musulmanes, y el poder papal se reveló para que todos lo vieran.

En el transcurso del siglo XII, el papado se hizo cada vez más fuerte a medida que una serie de papas capaces convocaron concilios para establecer nuevas y más estrictas reglas de disciplina en la iglesia.[76] En particular, impusieron el celibato tanto a los sacerdotes como a los obispos, principalmente como una forma de evitar la enajenación de las propiedades de la iglesia en forma de dotes y herencias otorgadas a miembros de familias clericales. Esta fue la era de Graciano, cuyo objetivo inicial era resolver la antigua legislación de la iglesia para hacerla coherente y aplicable a las necesidades de su propio tiempo. También era la edad de Pedro Lombardo, quien hizo más o menos lo mismo para la teología. El resultado fue la creación de universidades donde el derecho y la teología se podían estudiar y donde se producía un cuadro de funcionarios eclesiásticos para el personal de la floreciente administración de la iglesia. A esta herencia legislativa los papas añadieron decretos adicionales propios, que, junto con las decisiones de los concilios posteriores de la iglesia, formaron la ley canónica de la iglesia medieval. Fue esta ley canónica la que se convirtió en "tradición" en la mente de los teólogos medievales y que Martín Lutero atacó en los primeros días de la Reforma.

Hoy estamos acostumbrados a escuchar que esta tradición canónica fue una influencia corruptora en la iglesia medieval, pero las personas en ese momento no lo veían de esa manera. Cuando Othobon, el legado papal a las Islas Británicas, se dirigió a un concilio de arzobispos británicos y obispos reunidos en Londres el 22 de abril de 1268, describió la relación de la Biblia con los decretos de papas y concilios de la siguiente manera:

---

[75] En 1054, el papa y el patriarca se excomulgaron mutuamente, pero si esto se aplicaba a sus iglesias (y no solo a ellos personalmente) era un tema de debate. Sin embargo, es indicativo de la naturaleza fuertemente personal de la autoridad que la división personal entre los líderes se convirtió en un cisma de las iglesias y se ha mantenido así desde entonces.

[76] Estos fueron los primeros concilios llamados "ecuménicos" convocados por el Papa y no por el emperador. También fueron los primeros a los que el Papa asistió en persona.

Los mandamientos de Dios y la ley del Altísimo se dieron en la antigüedad, de modo que la criatura que había roto el yugo y se apartó de la paz de su Dios, viviendo en obediencia a la ley y el mandamiento como su lámpara y luz, con la esperanza dada [a él] como una sombra, en las promesas hechas a los padres, podría esperar la venida del Rey de la Paz, el medio de reconciliación y el pontífice que restauraría todas las cosas. Es la dignidad de los hijos adoptivos de la novia y la gloria de los hijos de la Santa Madre Iglesia, que deben escuchar de ella [es decir, la Biblia] los mandamientos de la vida y en ellos mantener su corazón en la belleza de la paz, la pureza de la decencia y la práctica de la modestia, sometiendo sus malos deseos al control de la razón. Para el mejor desempeño de esta tarea, los decretos de los santos padres, promulgados divinamente por sus propias bocas y que contienen las reglas de la justicia y las doctrinas de la equidad, fluyeron como ríos anchos. Las constituciones sagradas de los Sumos Pontífices, así como las de los legados de esa sede apostólica y de los demás prelados de la Santa Iglesia, han surgido como arroyos desde la anchura de ese río, según la necesidad de tiempos diferentes, para que surjan nuevas curas para las nuevas enfermedades generadas por la fragilidad humana.[77]

En otras palabras, el Dios que le había dado a su pueblo la esperanza de un Redentor venidero en las Escrituras inspiradas también inspiró a los líderes de la iglesia a proporcionar remedios para los males de épocas posteriores, un estado de cosas que tenía la intención de preservar al pueblo de Dios hasta que Cristo mismo regresara en juicio. La tradición canónica se consideraba un suplemento de la Biblia hecho necesario por la aparición de problemas que los textos antiguos no habían previsto. Por lo tanto, debía recibirse como una bendición que confirmaba y ampliaba el depósito original de la fe y no se rechazaba como una corrupción que lo había distorsionado. En la mente de Othobon, la Biblia, la Iglesia y el derecho canónico gozaron de la misma autoridad porque todos provenían de Dios, a pesar de que fueron mediadas por diferentes personas en el mundo de diferentes maneras y con propósitos ligeramente diferentes.

DESAFÍOS A LA AUTORIDAD PAPAL

El poder papal alcanzó su apogeo en el tiempo de Inocencio III (1198-1216), pero en el transcurso del siglo XIII las cosas empezaron a ir mal. Una serie de muertes prematuras condujo a un rápido cambio de papas y un consecuente debilitamiento de la política papal. El resurgimiento del poder musulmán expulsó a los cruzados de Palestina, y la iglesia ya no pudo persuadir a los reyes de Europa a aventurarse en una causa perdida. Financiar el papado sobreexplotado era otro problema, y los gobernantes seculares se encontraron con la necesidad de resistir las afirmaciones del Papa de imponer impuestos a su gente (mientras que al mismo tiempo indultaba al clero de los impuestos seculares).[78]

En 1296, el conflicto entre el rey de Francia y el Papa Bonifacio VIII (1294-1303) sobre este tema se había vuelto tan grave que el Papa emitió una bula (*Clericis laicos*) que prohibía los impuestos seculares a la propiedad de la iglesia. En 1302, emitió otra

---

[77] El texto latino está impreso en F. M. Powicke y C. R. Cheney, eds., *Councils and Synods, with Other Documents Relating to the English Church* (Oxford: Clarendon, 1964), 2:747. Tenga en cuenta que Othobon usó la misma palabra "pontífice" (*pontifex*) tanto para Cristo como para los papas. En 1276, se convirtió brevemente en Papa, tomando el nombre papal Hadrian V.

[78] Para los detalles de esta historia, vea Walter Ullmann, *A Short History of the Papacy in the Middle Ages* (London: Methuen, 1972), 251–78.

bula (*Unam sanctam*), que establecía que el poder espiritual era superior al poder temporal y afirmaba que sólo aquellos en comunión con la Sede Romana serían salvados. Esto produjo una crisis. Cuando el arzobispo de Burdeos fue elegido Papa como Clemente V (1305-1314), el rey francés se negó a dejarlo ir a Roma. Finalmente, Clemente V se estableció en Aviñón, donde era teóricamente soberano, pero prácticamente un rehén de Francia. El papado permaneció en Aviñón hasta 1377, y fue durante este período de su "cautividad babilónica" en el cual los críticos hicieron sus primeros grandes desafíos a su autoridad.

El ataque más importante a los reclamos de la iglesia provino de Marsilio de Padua (alrededor de 1270–1342), quien escribió un largo tratado sobre el gobierno (*Defensor pacis*) en el que desarrolló sus teorías del gobierno secular, dejando en claro que los papas y obispos de la iglesia habían sobrepasado los límites de su autoridad al tratar de dominar no sólo asuntos espirituales sino incluso temporales. Como dijo Marsilio,

> Su insaciable apetito por las cosas temporales les causó descontento con las cosas que los gobernantes les habían otorgado.... [Y] lo que es el peor de todos los males civiles, los obispos se han establecido como gobernantes y legisladores, a fin de reducir a los reyes y pueblos a una esclavitud intolerable y vergonzosa para ellos mismos. Puesto que la mayoría de estos obispos son de origen humilde, no saben qué es el liderazgo secular cuando alcanzan el estatus de pontífice [,]... y en consecuencia se vuelven insufribles para todos los fieles.[79]

Marsilio se puso del lado de los gobernantes temporales en su lucha contra el papado por los impuestos, y en el proceso investigó la historia de los reclamos papales. Pudo señalar que, durante muchos siglos, los papas y los obispos de la iglesia habían vivido bajo un gobierno secular y no tenían ninguna de las pretensiones que se habían dado por sentadas en el siglo XIV.[80] Su libro causó sensación, y los papas hicieron lo que pudieron para suprimirlo. Pero había demasiada verdad en lo que Marsilio estaba diciendo, y demasiada simpatía por su posición, para que su oposición tuviera éxito. Más tarde, cuando varios reformadores comenzaron a desafiar al papado, inevitablemente se culpó a la temeridad de Marsilio, quien inadvertidamente se convirtió en el principal portavoz de un concepto alternativo de autoridad en y sobre la iglesia.

Marsilio estaba más preocupado por la política que por la teología, pero algunos de sus contemporáneos ya estaban cuestionando los principios doctrinales en los que la iglesia basó su concepto de autoridad. Guillermo de Ockham afirmó que la iglesia reconoció dos fuentes distintas de autoridad: las Escrituras y una tradición extrabíblica que la complementaba y que podía rastrearse hasta los apóstoles.[81] La teología era la forma en que se interpretaba la Escritura, y los obispos, particularmente el Papa, eran designados para aplicarla en cualquier circunstancia dada. Era a esto a lo que los teólogos se referían cuando hablaban de la "autoridad de la iglesia", de modo que, por

---

[79] Marsilio de Padua, *Defensor pacis*, trad. Alan Gewirth (Toronto: University of Toronto Press, 1980), 340. Ver también, Marsilio de Padua, *The Defender of the Peace*, ed. y trad. Annabel S. Brett, *Cambridge Texts in the History of Political Thought* (Cambridge: Cambridge University Press, 2005), 443.

[80] Este fue el tema de su libro *De translatione imperii*, que escribió en algún momento después de completar *Defensor pacis* en 1324.

[81] Desarrolló esta idea en su *Dialogus inter magistrum et discipulum*, ed. M. Goldast, *Monarchiae Sancti Romani Imperii sive Tractatum de iurisdictione imperiali, regia, et pontificia seu sacerdotali* (Frankfurt am Main: J. D. Zunner, 1668), 2:394–957.

definición, la autoridad de la iglesia dependía finalmente de las Escrituras, aunque no siempre se viera así. En la mente de Ockham, las Escrituras y la tradición de la iglesia se reforzaban mutuamente, aunque eran distintas entre sí en un grado que no había sido reconocido en la iglesia primitiva.[82]

En la siguiente generación, la tensión potencial entre estos dos principios fue presentada por Juan Wiclef (1328-1384), quien la resolvió afirmando que *solo* la Biblia era la autoridad para las leyes de la iglesia. Si algo no se puede encontrar en la Escritura (como el celibato clerical o la supremacía papal, por ejemplo), entonces no se puede exigir a los fieles como necesarios para la salvación. Wiclef también apoyó a Marsilio, usando el Nuevo Testamento como su principal testigo:

> ¿Por qué es necesario que los sacerdotes de Cristo presten tanta atención a las leyes ajenas [es decir, seculares]? Eso no les sería útil a menos que tuvieran la intención de asegurar sus posesiones eclesiásticas que se han introducido por encima del Evangelio.... Así como las personas en los días de Cristo fueron destruidas por las tradiciones de los fariseos, ahora es justo que la guía de la ley de Cristo y la mediación de los líderes espirituales se retiren si las tradiciones seculares se multiplican cada vez más, y los estilos de vida de los sacerdotes se corrompen cada vez más por la mundanalidad.[83]

Las críticas de Marsilio y Wiclef contra la corrupción en la iglesia coincidieron en el otro lado con una creciente preocupación por la propagación de la herejía. Desde la época de las cruzadas, se filtraron nuevas ideas en Europa occidental, cuando el aprendizaje árabe, en gran parte originalmente en griego antiguo, se descubrió y se tradujo al latín. Este nuevo material disponible inquietó a las personas de mentalidad tradicional, y la sospecha de que el nuevo aprendizaje era subversivo nunca se descartó por completo. Los papas querían que los herejes fueran quemados en la hoguera, una forma de castigo que se creía particularmente apropiada.[84] Este fue un tema delicado porque se extendió a lo largo de la línea entre los asuntos espirituales y temporales. La herejía era un crimen espiritual que solo podía ser juzgado por la iglesia, pero quemar en la hoguera era un castigo temporal que solo podía ser administrado por el Estado. El objetivo de la iglesia, por lo tanto, era convertir la herejía en un delito legal, lo que le daría a la iglesia el poder sobre la administración de la justicia secular. Muchos gobernantes seculares se opusieron a esto tanto como pudieron, pero los gobiernos medievales a menudo eran débiles e incapaces de resistir la presión de la iglesia por mucho tiempo. En Inglaterra, por ejemplo, el rey Ricardo II (r. 1377-1399) se negó a promulgar una ley de herejía —por lo que le costó la vida a Wiclef— pero cuando su sucesor Enrique IV (r. 1399-1413) usurpó el trono, necesitó aliados. La iglesia aceptó apoyarlo con la condición de promulgar una ley de herejía, lo cual hizo en 1401. Como resultado, la iglesia pudo eliminar a los seguidores de Juan Wiclef y ejecutarlos, un privilegio que no fue lento en el ejercicio.

---

[82] Ver, Oberman, *Harvest of Medieval Theology*, 361–422, para una discusión completa de este tema.

[83] Juan Wiclef, *De veritate Sacrae Scripturae* 2.20.150–51. Cf. JuanWiclef, *On the Truth of Holy Scripture*, trad. Ian Christopher Levy (Kalamazoo, MI: Medieval Institute Publications, 2001), 280–81.

[84] Aparentemente, los nobles eran decapitados y los plebeyos eran ahorcados, pero como la herejía no era un crimen basado en la clase, se pensó que era mejor encontrar un castigo que pudiera aplicarse por igual a todos. Algunos también creían que las llamas purgarían los pecados de un pecador y le permitirían entrar al purgatorio (y finalmente al cielo) en lugar de ir a la condenación eterna en el infierno.

EL GRAN CISMA OCCIDENTAL Y SUS CONSECUENCIAS

Las cuestiones se complicaron aún más después de 1378, cuando el regreso de los papas a Roma condujo a un cisma que duró hasta 1415. Durante la mayor parte de ese tiempo hubo dos papas, uno en Roma y el otro en Aviñón, y por un tiempo hubo incluso tres. ¿Cómo podría la autoridad papal sobre la iglesia ser implementada cuando nadie sabía con certeza quién era el verdadero Papa? Fue durante este tiempo difícil que Jan [o Juan] Hus (alrededor. 1369-1415) comenzó a predicar en Bohemia. Hus fue influenciado por Wiclef y también por un movimiento bohemio nativo que se opuso a la práctica recientemente presentada de retener la copa a los laicos en la Sagrada Comunión. No había ninguna base escritural para esa práctica, pero los teólogos romanos argumentaron que debido a que un cuerpo debe contener sangre, la persona que consumió el pan consagrado no solo participó del cuerpo de Cristo, sino también de su sangre, haciendo innecesaria la copa.[85] ¿Qué autoridad tenía la iglesia para introducir (y hacer obligatoria) una práctica que era tan claramente incompatible tanto con el testimonio del Nuevo Testamento como con la tradición antigua de la iglesia?

La crisis llegó a un punto crítico en el Concilio de Constanza (1414-1418), que convocó el emperador para poner fin al cisma y restablecer la unidad de la iglesia. Los papas existentes fueron depuestos, uno nuevo fue elegido como Martin V (1417-1431), y la elección fue ratificada por toda la cristiandad occidental. Sin embargo, el concilio también condenó la enseñanza de Juan Wiclef y ordenó a Jan Hus que compareciera y diera cuenta de su propia doctrina. Tranquilizado por la conducta segura del emperador, apareció Hus, solo para ser condenado y quemado en la hoguera en el acto. La iglesia simplemente ignoró al emperador al invocar su propia superioridad espiritual —y se salió con la suya.

El resto del siglo XV es una historia de cómo los papas hicieron todo lo posible para recuperar el terreno que sus predecesores habían perdido desde 1302. Uno de los compromisos en Constanza había sido la decisión de celebrar concilios cada cinco años que legislaran para la iglesia como un todo. Esta solución fue apoyada por hombres como Pierre d'Ailly (1351-1420) y Jean Gerson (1363-1429), quienes rechazaron el principio de *sola Scriptura* de Wiclef y sostuvieron que el Espíritu Santo todavía estaba revelando la verdad a la iglesia a través de los obispos que estaban en la sucesión apostólica. La diferencia principal entre ellos y los partidarios de la autoridad papal fue que concibieron esta tradición como una herencia colectiva, que sería determinada y definida por un concilio que representara a todo el episcopado, no sólo por el Papa. Los papas comprensiblemente se sintieron amenazados por esto e hicieron lo que pudieron para neutralizar a estos concilios. Una táctica, empleada con gran éxito por Eugenio IV (1431-1447), fue forzar al Concilio de Basilea, convocado en 1431, a trasladarse a Italia para facilitar que los representantes de la iglesia oriental vinieran y se presentaran a la reunión con Occidente, lo que hicieron (al menos en papel) en 1439. El consejo finalmente se dirigió a Roma, pero el movimiento conciliar se había quedado sin energía. Cuando se disolvió en 1445, se abandonó todo el experimento y se reafirmó la supremacía papal una vez más.

Irónicamente, fue en este momento que surgió un nuevo desafío a los reclamos papales. Los académicos de la iglesia oriental pudieron señalar que nunca habían aceptado el control papal y que las afirmaciones hechas por Roma eran exageradas, si

---

[85] Es posible que la prohibición original estuviese motivada por consideraciones higiénicas, pero esto es incierto.

no explícitamente falsas. El erudito italiano Lorenzo Valla (alrededor de 1407-1457) también demostró que los reclamos de jurisdicción del papado sobre Occidente se basaban en una serie de documentos falsificados. Compuesto en algún momento en el siglo IX, probablemente en oposición a los herederos de Carlomagno, estos documentos afirmaban que cuando Constantino transfirió la capital del imperio a Constantinopla en 330, ¡dejó al Papa a cargo de la ciudad de Roma y de la mitad del imperio occidental![86]

Los descubrimientos de Valla no hicieron ninguna diferencia práctica en ese momento, pero su efecto a largo plazo fue considerable. Unos años después de que él escribió, se inventó la imprenta, lo que posibilitó la expansión de información de manera económica y confiable por primera vez. Los académicos aprovecharon la nueva tecnología para buscar manuscritos y publicarlos, haciendo que la gente sea consciente de la importancia de tratar de recuperar los documentos originales. En poco tiempo, era de conocimiento público que muchos manuscritos eran corruptos, que las obras antiguas a veces se distribuían bajo los nombres equivocados, y que la falsificación a veces había sido casi una forma de vida. La constatación de que durante siglos el papado había basado sus afirmaciones en un fraude inevitablemente lo desacreditaba en los círculos académicos y hacía que la gente ansiara saber la verdad. En la época de Erasmo (1466-1536), la importancia de la investigación académica en las fuentes originales fue reconocida universalmente, y su potencial para destruir los mitos acumulados a lo largo de los siglos se convirtió en un arma importante en manos de los reformadores protestantes menos de un siglo después de la muerte de Valla.

LA VÍSPERA DE LA REFORMA

Los dilemas a los que se enfrentan los teólogos quizás no estén ilustrados más claramente que en los escritos de Gabriel Biel (alrededor de 1420-1495). Por un lado, como vimos anteriormente, Biel siguió la afirmación de Guillermo de Ockham de que la iglesia no recibe nuevas verdades, sino que solo aclara lo que ya ha heredado en la Escritura, que contiene todo lo necesario para la salvación, ya sea expresado claramente como tal o no. Al mismo tiempo, Biel también afirmó que la Biblia no contiene toda la verdad revelada, porque bajo la guía del Espíritu Santo infalible, la iglesia continuamente recibe una nueva inspiración, que transmite a sus fieles en la forma de la tradición.[87] Biel tenía una alta opinión del derecho canónico, e insistió en que todos los cristianos debían obedecerlo porque era la forma en que la iglesia había promulgado las leyes divinas que discernía al reflexionar sobre las Escrituras.

La doctrina del purgatorio nos da un ejemplo de hasta dónde puede llegar esto. Biel creía no solo en la existencia del purgatorio sino también en el poder del Papa para liberar almas de él. Al principio argumentó que la jurisdicción del papado se limitaba a esta vida, negando que el Papa tuviera autoridad para liberar a los muertos de su sufrimiento. Pero después de reflexionar más profundamente sobre la cuestión, concluyó que debido a que las almas en el purgatorio todavía eran parte de la iglesia militante (ya que aún no habían ingresado a la gloria eterna), el Papa podía reclamar jurisdicción sobre ellas. Biel apoyó este cambio extraordinario en una declaración

---

[86] Lorenzo Valla, *On the Donation of Constantine*, trad. G. W. Bowersock, I Tatti Renaissance Library 24 (Cambridge, MA: Harvard University Press, 2007).

[87] Para los detalles de este argumento, vea Oberman, *Harvest of Medieval Theology*, 397–408.

papal hecha en 1476, ¡aunque no llamó su atención hasta doce años después![88] Para un hombre como Biel, la autoridad espiritual de los papas permaneció intacta a pesar de las revelaciones de Valla —de hecho, con cada nueva declaración que emanaba de Roma, se hizo más clara y más poderosa. En la jerarquía de la cristiandad, el Papa estaba por encima de los concilios porque su cargo era más alto que el de los obispos que constituían los concilios. No hace falta decir que tanto los papas como los concilios estaban por encima del emperador, que era solo un gobernante secular, encargado de implementar la doctrina de la iglesia, pero no de formularla. La Biblia conservó su antiguo prestigio, pero era solo una fuente de autoridad entre muchos, y su verdadero significado solo podía conocerse mediante una interpretación aprobada por el Papa. De una forma u otra, en la teología de Biel, el Papa había reclamado su autoridad sobre la iglesia y, para todos los propósitos prácticos, también sobre las Escrituras.

En este punto sucedió algo bastante inesperado. Poco antes de la muerte de Biel, Cristóbal Colón descubrió las Américas, y en poco tiempo, España reclamaba un imperio continental. Gracias a una inteligente política matrimonial, los gobernantes Habsburgo de Austria lograron unir a los Países Bajos y España bajo su dominio, y sus recursos financieros combinados les permitieron asumir el Sacro Imperio Romano también. Eso no era lo que querían los príncipes alemanes (que habían disfrutado de una considerable autonomía en ese imperio), y comenzaron a buscar formas de limitar el ascenso del poder de los Habsburgo. Cuando Carlos V (1519-1556) fue elegido emperador, muchos de ellos estaban muy contentos de apoyar la revuelta espiritual de Martín Lutero, viendo en ella un medio para mantener su independencia. Para complicar aún más las cosas, el nuevo emperador no deseaba ver rivalizar la autoridad del Papa con la suya, y aunque no podía estar de acuerdo con Lutero, compartía la opinión del reformador de que el papado necesitaba una reforma seria. Carlos V no pudo silenciar a Lutero, pero sí logró capturar a Roma y encarcelar al papa Clemente VII (1523-1534), a quien no liberó hasta que le sacó una promesa de convocar un concilio que promulgaría a largo plazo, alcanzando cambios en las estructuras de la iglesia.[89]

Cuando Lutero publicó sus *Noventa y Cinco Tesis* en la puerta de la iglesia en Wittenberg, no estaba atacando la doctrina oficial de la iglesia o incluso la institución del papado como tal. Lo que afirmó fue que los papas habían excedido su jurisdicción al pretender determinar el destino de las almas que habían abandonado esta vida. ¿Quiénes eran los papas para decir quién estaba en el cielo, el purgatorio o el infierno? ¿Qué derecho tenían de transferir a alguien de uno de estos lugares a otro, que es en última instancia lo que afirmaban estar haciendo las indulgencias? ¿Cómo justificaron las doctrinas y las prácticas que no solo carecían de ninguna garantía bíblica, sino que contradecían el texto bíblico? A medida que se debatían las implicaciones de estas preguntas, la realidad se hundía: la iglesia confiaba en una autoridad humana que iba más allá de todo lo que Dios había ordenado e incluso contradecía su Palabra de vez en cuando. Lutero llegó a comprender que la "tradición" no podía usarse para anular la enseñanza simple de las Escrituras, y sin darse cuenta completamente, se movió hacia

---

[88] Ibid., 404–6.

[89] El concilio no se reunió hasta 1545 (en Trent, en el norte de Italia), que era demasiado tarde para sanar el cisma protestante, aunque hizo mucho para corregir los abusos más flagrantes en lo que quedaba de la Iglesia Católica Romana.

la posición de Wiclef y Hus. La Reforma Protestante era algo nuevo: Lutero nunca se convirtió en wiclefista o husista, y tampoco lo hicieron los otros reformadores del siglo XVI. Pero había suficiente en lo que Wiclef y Hus habían dicho que se parecía a lo que Lutero estaba proclamando y las generaciones posteriores vieron los vínculos subyacentes entre ellos. Los debates de la teología de la Baja Edad Media no fueron en sí mismos una reforma, sino que crearon el clima intelectual en el que era posible un cambio real y que eventualmente produjo una iglesia que sólo reconocía a la Biblia como su autoridad suprema en asuntos de fe y doctrina.

En cuanto al emperador, Lutero probablemente habría aceptado su autoridad sobre la iglesia si se hubiera convertido en Protestante, pero esa nunca fue una posibilidad realista. En cambio, Lutero se puso del lado de los príncipes alemanes, otorgándoles una voz en los asuntos de la iglesia que era más grande que cualquier cosa conocida en los tiempos previos a la Reforma. Este patrón se repitió en Escandinavia y en Inglaterra, cuyos monarcas se convertirían en los jefes de las iglesias nacionales que debían someterse a su autoridad en todos los asuntos, excepto en los puramente espirituales.[90]

Conclusión

Lutero y sus compañeros Protestantes siguieron una línea que se remonta a través de Hus y Wiclef hasta Ockham y Marsilio de Padua, pero las circunstancias los obligaron a modificar su herencia de una manera más sistemática. Rechazaron el conciliarismo al afirmar que los concilios podían (y lo hicieron) errar, y por supuesto todos renunciaron a la jurisdicción del Papa. Mientras que la infalibilidad papal no fue declarada dogma oficial hasta 1870, sin embargo, los reformadores se opusieron a los católicos cada vez que parecían elevar al Papa por encima de las Escrituras.

Pero pronto se hizo evidente que ciertas personas corrían el riesgo de caer en un error evitable en el que algo bueno se elimina al tratar de deshacerse de algo malo. Algunos de los grupos más radicales querían negar la Trinidad y la divinidad de Cristo sobre la base de que estos eran parte de la tradición corrupta de la iglesia y no doctrinas que Dios había revelado directamente en las Escrituras, pero los reformadores históricos trataron de esquivar tal extremo. Se dieron cuenta de que la tradición extrabíblica de la iglesia era una mezcla: parte de ella era el resultado de la ignorancia y la corrupción, pero gran parte de ella era una interpretación fiel del significado de las Escrituras reveladas.

Desafortunadamente, la dicotomía académica entre la Biblia y la tradición, que la teología de la Baja Edad Media había concebido, había crecido hasta tal punto que era casi imposible exaltar a la una sin rebajar la otra. Los Protestantes erraron en el lado de la Biblia y los católicos en el lado de la tradición, con poco intento de mantener el término medio. El resultado fue que el catolicismo posterior a la Reforma se alejó aún más de las Escrituras de lo que había estado antes y que los Protestantes se dividieron en campos hostiles porque no podían ponerse de acuerdo sobre qué hacer con las tradiciones anteriores a la Reforma. El legado medieval creó una serie de divisiones

---

[90] Este sigue siendo el caso, en diversos grados, en las iglesias estatales de Inglaterra, Dinamarca, Noruega y Finlandia, donde incluso asuntos de fe y doctrina están en última instancia sujetos a la autoridad de los respectivos parlamentos nacionales, que teóricamente podrían invalidar cualquier cosa que la Biblia o la tradición de la iglesia podría requerir. Sin embargo, debería agregarse que, si eso llegara a suceder, el resultado más probable sería la separación de la iglesia y el estado, como ocurrió en Suecia en 2000.

que continúan hasta nuestros días, con pocas perspectivas de que sean superadas en el futuro previsible.

Recursos para un Estudio Adicional

FUENTES PRIMARIAS

Gratian. *The Treatise on Laws with the Ordinary Gloss*. Traducido por Augustine Thompson y James Gordley. Studies in Medieval and Early Modern Canon Law 2. Washington, DC: Catholic University of America Press, 1993.

Lombard, Peter. *The Sentences.* Traducido por Giulio Silano. 4 vols. Mediaeval Sources in Translation 42–43, 45, 48. Toronto: Pontifical Institute of Mediaeval Studies, 2007–2010.

Marsiglio of Padua. *Defensor minor and De translatione imperii*. Traducido porCary J. Nederman. Cambridge Texts in the History of Political Thought. Cambridge: Cambridge University Press, 1993.

Marsiglio of Padua. *The Defender of the Peace*. Editado ytraducido porAnnabel S. Brett. Cambridge Texts in the History of Political Thought. Cambridge: Cambridge University Press, 2005.

_____. *Defensor Pacis*. Traducido porAlan Gewirth. Toronto: University of Toronto Press, 1980.

Valla, Lorenzo. *On the Donation of Constantine*. Traducido por G. W. Bowersock. I Tatti Renaissance Library 24. Cambridge, MA: Harvard University Press, 2007.

Wyclif, John. *On the Truth of Holy Scripture*. Traducido por Ian Christopher Levy. Kalamazoo, MI: Medieval Institute Publications, 2001.

FUENTES SECUNDARIAS

Bird, Michael F. *Teología bíblica evangélica.* Salem: Publicaciones Kerigma, 2019.

Brundage, James A. *Medieval Canon Law*. London: Longman, 1995.

Helmholz, R. H. *The Spirit of Classical Canon Law*. Athens: University of Georgia Press, 1996.

Lahey, Stephen E. *John Wyclif.* Great Medieval Thinkers. Oxford: Oxford University Press, 2009.

Leff, Gordon. H*eresy in the Later Middle Ages: The Relation of Heterodoxy to Dissent, c. 1250–c. 1450.* 2 vols. Manchester: Manchester University Press, 1967.

Le Goff, Jacques. *The Birth of Purgatory*. Chicago: University of Chicago Press, 1984.

Oberman, Heiko A. *The Harvest of Medieval Theology: Gabriel Biel and Late Medieval Nominalism.* 3ra ed. Durham, NC: Labyrinth, 1983.

Ozment, Steven. *The Age of Reform, 1250–1550: An Intellectual and Religious History of Late Medieval and Reformation Europe*. New Haven, CT: Yale University Press, 1980.

Prodi, Paolo. *The Papal Prince: One Body and Two Souls: The Papal Monarchy in Early Modern Europe*. Traducido por Susan Haskins. Cambridge: Cambridge University Press, 1987.

Spade, Paul Vincent, ed. *The Cambridge Companion to Ockham*. Cambridge Companions to Philosophy. Cambridge: Cambridge University Press, 1999.

Ullmann, Walter. *A Short History of the Papacy in the Middle Ages*. London: Methuen, 1972.

Van Nieuwenhove, Rik. *An Introduction to Medieval Theology*. Cambridge: Cambridge University Press, 2012.

3

Los Reformadores y sus Reformas

Carl R. Trueman y Eunjin Kim

RESUMEN

La Reforma del siglo XVI tomó diversas formas y exhibió numerosos énfasis en los lugares en los que se arraigó. Mientras que el trabajo de Lutero en Alemania fue fundamental para todo lo que sucedió, las reformas en Suiza, Ginebra, Inglaterra y Escocia se les dio una forma única cuando el protestantismo se estableció en diferentes circunstancias sociales, económicas y políticas. Ciertos temas permanecieron constantes, como la necesidad de que la iglesia esté regulada por las Escrituras, pero surgió una considerable diversidad en los asuntos de los sacramentos, la organización de la iglesia y la relación entre la iglesia y el magistrado civil.

Introducción

Si bien la teología de la Reforma sigue siendo una fuente vital de pensamiento para el protestantismo evangélico, el conocimiento de la historia que dio forma a esta teología a menudo es más débil de lo que debería ser. Figuras como Lutero y Calvino se vislumbran en la imaginación evangélica popular, pero a menudo más como símbolos heroicos que guías teológicas de primera mano. Además, muchos eruditos ahora reconocen que la *Reforma* en singular es algo poco apropiado. La turbulencia política y eclesiástica del siglo XVI fue muy variada. Es cierto que las diversas tradiciones del protestantismo magisterial produjeron lo que puede describirse como una serie de consensos confesionales —luteranos, reformados y anglicanos. Además, el catolicismo de la Reforma produjo una serie doctrinal notablemente amplia y coherente de cánones y decretos en el Concilio de Trento.[1] Sin embargo, los antecedentes educativos, los contextos políticos y hasta las condiciones geográficas sirvieron para dar a las diversas instancias de reforma una apariencia relativamente diversa. Por lo tanto, en realidad es más apropiado hablar de *reformas* europeas, como en el título de la conocida historia de Carter Lindberg del período.[2]

---

[1] Usamos el término *catolicismo de la Reforma* en lugar del *catolicismo contrareforma* más tradicional porque la Iglesia Católica Romana no estaba simplemente reaccionando al protestantismo, sino que también intentaba producir una visión positiva de la reforma de la iglesia.

[2] Carter Lindberg, *The European Reformations*, 2da ed. (Malden, MA: Wiley-Blackwell, 2010).

En esa luz, este ensayo examinará los movimientos clave en la Reforma magistral: la reforma luterana; la reforma suiza, incluida Ginebra; las reformas inglesa y escocesa; y la reforma católica culminando en el Concilio de Trento.[3]

La Reforma Luterana

La figura de Lutero representa la imagen popular de la Reforma como ninguna otra. Hay una buena razón para esto. Su vida dio forma al futuro de la iglesia cristiana de maneras únicas. No solo su temprana protesta contra las indulgencias ayudó a poner de manifiesto el desencanto generalizado con la iglesia, sino también su enfoque personal a diversas preocupaciones —la autoridad, la justificación, la Cena del Señor— modelaron la forma en que se enmarcaron y procesaron los debates teológicos del día.

Nacido en 1483 en Eisleben, el hijo de un administrador de mina, Lutero se convirtió en monje agustino en 1505 como resultado de haber sido atrapado en una horrible tormenta. También fue ordenado sacerdote, lo que significaba que siempre tendría obligaciones pastorales regulares además de las relacionadas con su vocación monástica. En 1509, se trasladó a la nueva Universidad de Wittenberg, donde enseñó durante gran parte de su vida restante. Un año después, una visita de negocios a Roma por su orden lo confrontó no solo por las alturas de la piedad medieval, centrada en las reliquias, sino también con la corrupción de la sede romana.

Lutero saltó a la fama cuando, en octubre de 1517, clavó sus famosas *Noventa y Cinco Tesis* contra las indulgencias en la puerta de la Iglesia del Castillo en Wittenberg. Al hacer esto, simplemente estaba convocando a un debate sobre la práctica de permitir a los cristianos comprar disminución de tiempo del purgatorio para ellos o para sus seres queridos. Esto se había convertido en un problema pastoral apremiante para Lutero cuando Johan Tetzel (1465-1519) llegó cerca para vender indulgencias. Para Lutero, esta práctica efectivamente convirtió la gracia de Dios en una mercancía a ser comprada o vendida en el mercado, sin ninguna referencia al arrepentimiento o la fe.

Los detalles de los eventos posteriores que precipitaron este acto indescriptible han sido bien ensayados muchas veces. *Las Noventa y Cinco Tesis* se convirtieron en un tratado popular y un punto de reunión para la oposición a Roma. En abril de 1518, Lutero presidió una disputa en Heidelberg, donde articuló de manera memorable su famosa distinción entre el teólogo de la gloria y el teólogo de la cruz. En pocas palabras, *el teólogo de la gloria* supone que Dios está hecho a imagen del hombre y, por lo tanto, se ajusta a las expectativas humanas. Entonces, por ejemplo, para agradar a Dios, uno hace buenas obras para ganarse su favor, como lo haría con un ser humano. *El teólogo de la cruz*, sin embargo, espera que Dios se revele a sí mismo en la cruz para comprender cómo Dios ha elegido estar con nosotros. Allí Dios muestra que él es fuerte a través de la debilidad y vence a la muerte no evitándola sino experimentándola. Este Dios contra intuitivo contradice todas las expectativas humanas.

Después de Heidelberg, el avance de Lutero hacia una ruptura definitiva con la iglesia medieval continuó tanto a nivel teológico como eclesiástico. La iglesia no pudo detenerlo en la imperial Dieta de Augsburgo a finales de 1518. Debatió con Johann

---

[3] Las siguientes secciones de este capítulo se basan en las fuentes citadas en las respectivas secciones de la bibliografía al final del capítulo.

Eck (1486-1543) en la Universidad de Leipzig en 1519, momento en el que surgió la cuestión de la autoridad (es decir, *sola Scriptura*) como una preocupación central de la Reforma. Escribió los tres grandes manifiestos de su proyecto de reforma en 1520, año en que también fue excomulgado. Y luego, en 1521, fue tratado en, pero sobrevivió, la Dieta de Worms.

Lo que surgió en los cuatro años posteriores a la publicación de las *Noventa y Cinco Tesis* fueron los principios centrales de la teología de Lutero. Los seres humanos están muertos en el pecado, incapaces de moverse hacia Dios con sus propias fuerzas. Dios mismo en Cristo tomó carne humana y murió y resucitó. La justicia de Cristo puede ser apropiada por el creyente mientras confía en la Palabra de Dios, que lo une a Cristo y lo conduce a un intercambio gozoso de los pecados del creyente por la justicia de Cristo.

Prácticamente, esto significaba que la Palabra predicada se convirtió en el centro de la comprensión de Lutero de la vida cristiana. El predicador tenía que proclamar primero la ley, recordar a sus oyentes de cuán lejos de la santidad de Dios cayeron, y luego el Evangelio, para señalarles la promesa de salvación en Cristo, que había hecho todo por ellos. Esta dialéctica de ley-evangelio, promesa-mandamiento se encuentra en el corazón de la comprensión de Lutero de la fe cristiana.

La década de 1520 comenzó muy positivamente para Lutero. Como heredero de la expectativa escatológica medieval, Lutero completó sus escritos con la confianza de que la Reforma anunciaba el regreso inminente de Cristo. Sin embargo, a medida que transcurría la década, la Reforma luterana sufrió reveses externos e internos. Los disturbios iconoclastas en Wittenberg entre 1521-1522 insinuaron fuerzas más radicales dentro de la Reforma, y estos se volvieron mucho más peligrosos en la serie de rebeliones conocida como Guerra de Campesinos de 1525. Este conflicto hizo añicos la frágil coalición anticlerical de ministros, caballeros y campesinos en los que se había construido el movimiento luterano. El violento rechazo de Lutero a la causa de los campesinos también dañó su propia reputación.

Otros dos eventos de importancia también ocurrieron en 1525. Lutero se casó con la ex monja Katharina von Bora (1499-1552) y así se convirtió en el ex sacerdote de mayor perfil en contravenir su voto de celibato. Más significativamente desde una perspectiva teológica, publicó su refutación del trabajo de Erasmo (1466-1536) de 1524, Una *Diatriba sobre el libre albedrío*. Erasmo, bajo la presión de las autoridades de la iglesia para declararse a sí mismo con respecto a Lutero, había publicado la obra para mostrar su oposición a la reforma luterana. Apuntó (y defendió) dos cosas que eran centrales en la teología de Lutero: la esclavitud de la voluntad humana y la claridad o perspicuidad de la Escritura.

En la respuesta de Lutero, *Sobre la esclavitud de la voluntad*, explicó tanto el fundamento anti-pelagiano de su soteriología como su comprensión de la claridad fundamental de la Escritura. De hecho, estas dos cosas yacen en el corazón de su disputa con Roma. El primero fundamentó la justificación por la gracia a través de la instrumentalidad de la fe, la cual así socava la noción de la gracia dispensada sacramentalmente. Esto con eficacia destrozó la autoridad de la iglesia medieval, construida como estaba en el sacerdocio sacramental. La segunda fue la respuesta de Lutero a la crisis de autoridad en la iglesia: si el papado y los concilios se hubieran equivocado, ¿dónde se podría encontrar la verdad? Lutero respondió esencialmente afirmando que la Escritura misma era lo suficientemente clara en cuanto a los puntos vitales de la doctrina de que ninguna enseñanza magisterial como el papado era necesaria.

El otro gran desarrollo teológico de la década de 1520 fue la controversia eucarística con Huldrych Zuinglio (1484-1531). Zuinglio, el reformador de Zúrich, mantuvo una comprensión fuertemente simbólica de la Cena del Señor. Para Lutero, era vital que la carne y la sangre de Cristo estuvieran realmente presentes en el pan y el vino, ya que era solo Dios en la carne quien revelaba a Dios como misericordioso. Si el Espíritu, pero no la carne, estaba presente, entonces la Cena del Señor era ley, no evangelio, y no traía más que la condenación y la desesperación.

La controversia entre Lutero y Zuinglio llegó a un punto crítico en el Castillo de Marburgo en 1529, cuando Filipo, Landgrave de Hesse (1504-1567), reunió a los principales teólogos luteranos y reformados en un esfuerzo por forjar una alianza pan-protestante contra las fuerzas del Sacro Imperio Romano. Las dos partes acordaron catorce y medio de quince puntos teológicos. El punto medio en el que discreparon se relacionó con la presencia real de Cristo en la Santa Cena. Para Lutero, esto no era negociable, y cualquier compromiso sobre el asunto era un compromiso del evangelio. Por lo tanto, el fracaso para llegar a un acuerdo en Marburgo fue el origen de la ruptura formal entre las iglesias luterana y reformada.

Lutero vivió otros diecisiete años después de Marburgo. Tal vez el acontecimiento más importante de esta época fue la producción de la Confesión de Augsburgo, escrita por Felipe Melanchthon (1497-1560) en 1530.[4] Los príncipes luteranos y las ciudades del Santo Imperio Romano se suscribieron a este estándar, formando así la base de la Liga Schmalkaldic, una alianza defensiva luterana diseñada para proteger los territorios e intereses de los estados luteranos en el imperio. En 1540, Melanchthon revisó la Confesión de Augsburgo de una manera que suavizó la enseñanza sobre la presencia real y por lo tanto la hizo más aceptable para los reformados. De hecho, fue a esta versión —la *Variata*, o "Alterada"— que Calvino se suscribió. Sin embargo, el *Invariata*, o "Inalterado", sigue siendo el estándar para los luteranos en todo el mundo de hoy.

Los últimos años de Lutero fueron notoriamente marcados por la ira y la amargura crecientes hacia los judíos. En 1523, había escrito un tratado que era notable para los tiempos, que *Jesucristo nació como un judío*, en el que había alentado a los cristianos a tratar a los judíos con amor y respeto a fin de ganar una audiencia para el evangelio. Veinte años más tarde, en 1543, escribió la violenta *Sobre los judíos y sus mentiras*, que abogaba por la persecución extrema de los judíos.

La muerte de Lutero en 1546 tuvo dos efectos significativos. Primero, el emperador se envalentonó para atacar y debilitar dramáticamente a la Liga Schmalkaldic. Esta lucha entre el imperio y la Liga continuó hasta la Paz de Augsburgo en 1555, que efectivamente dividió el imperio legalmente siguiendo líneas confesionales. El principio de la paz era que cada región debía tener su religión determinada por la posición confesional de su príncipe. Así nació el estado confesional.

El segundo efecto de la muerte de Lutero fue una guerra civil teológica dentro de la propia iglesia luterana por la propiedad del legado de Lutero. La iglesia se dividió entre los filipistas, o seguidores de Felipe Melanchthon, y los luteranos Gnesio ("reales") bajo el liderazgo de hombres como Matthias Flacius Illyricus (1520-1575).

---

[4] Los eruditos de la Reforma deletrean diversamente el primer nombre de Melanchthon como Philip y Philipp; [hemos utilizado a Felipe en este volumen por ser el común uso en español del nombre. **N del. T.**].

El primero tendía a ser más condescendiente con el catolicismo romano en materia de estética y también a ser menos insistente sobre la centralidad de la presencia real en las discusiones ecuménicas. Los últimos eran mucho más militantes sobre la no negociabilidad de la teología eucarística de Lutero. La disputa llegó a su fin con la producción de la Fórmula de la Concordia en 1577, que, si bien no respaldaba todas las posiciones de Illyricus, era en términos generales una victoria para el Gnesios.

La Reforma Suiza

La Reforma Suiza siguió un camino diferente a la reforma adoptada por Wittenberg. Una distinción vino de los contextos políticos de las dos regiones. Mientras que las ciudades imperiales alemanas dependían del gobierno del emperador, la Confederación Suiza consistía en ciudades autónomas estrechamente ligadas por alianzas militares, que las hacían sujetas a la población local. Por lo tanto, para el éxito de la Reforma, Lutero dependía de las autoridades para proporcionarle protección, mientras que Zuinglio se involucraba directamente en el poder político de Zúrich. Además, los dos hombres tenían diferentes antecedentes intelectuales. A diferencia de Lutero, que fue entrenado como un hombre medieval en el monasterio, Zuinglio era un hombre moderno entrenado como humanista en las ciudades. El grado de influencia de los dos hombres también fue diferente, ya que Zuinglio, aunque influyente, nunca logró el papel dominante que Lutero desempeñó en la Reforma Luterana.

Huldrych Zuinglio nació el 1 de enero de 1484 —solo unos dos meses después de Lutero— en Wildhaus, Toggenburg, en el seno de una familia campesina adinerada. A los diez años, se mudó a Basilea, y en 1498, estudió en la Universidad de Viena, para luego regresar a Basilea, donde recibió su BA en 1504 y MA en 1506. Los pensamientos de Zuinglio se formaron por los esfuerzos humanistas de leer clásicos textos y autores patrísticos y de estudiar los idiomas originales, todos muy influenciados por las obras de Erasmo. En 1506, al completar sus estudios, fue ordenado y llamado a ser el párroco de Glarus, donde sirvió durante los siguientes diez años.

Las experiencias en Glarus no fueron todas agradables para Zuinglio. El comercio de mercenarios había sido un negocio de exportación económicamente exitoso para la Confederación Suiza. En 1510, sin embargo, Zuinglio escribió su poema alegórico "El Buey", atacando el uso del ejército suizo para guerras extranjeras. Además, cuando participó en las campañas como capellán, personalmente fue testigo de los efectos devastadores de los mercenarios y quedó consternado por la muerte de miles de soldados suizos. Su oposición a tal práctica lo puso en tensión con los magistrados de Glarus. Sin embargo, aprobó el uso de mercenarios cuando se trataba de defender al Papa —de quien recibía una pensión papal. En 1516, fue transferido a una parroquia en Einsiedeln, famosa por el santuario de la Virgen Negra. Pasó gran parte de su tiempo dominando los idiomas bíblicos y leyendo el Nuevo Testamento griego de Erasmo. Como predicador poderoso, Zuinglio consideraba su ministerio de predicación como un oficio profético. Habiendo ganado prominencia para la predicación bíblica, fue llamado a Zúrich en 1518 como el sacerdote del pueblo de Grossmünster. Antes de su nombramiento, el rumor era que él era culpable de tener una relación sexual con la hija de un ciudadano acomodado, a lo que él admitió, pero incluso eso no fue suficiente para descalificar lo del trabajo ya que su caso era como muchos otros sacerdotes en su día. En Zúrich, comenzó a predicar a través del libro de

Mateo, fertilizando gradualmente el suelo para la reforma que pronto estallaría allí y en la Confederación.

Si gran parte de la forma de pensar de Lutero fue moldeada por su crisis existencial en busca de certeza, los pensamientos de Zuinglio fueron moldeados por la plaga que barrió Zúrich en 1519-1520, que acabó con un cuarto de la población, incluido su hermano. Habiendo perdido un cuarto de su congregación y casi muriendo por cuidar a los enfermos, Zuinglio se preocupó por la providencia de Dios. La experiencia traumática lo dejó aferrado a la doctrina de la soberanía de Dios, con la esperanza de que al final del día Dios resolvería de alguna manera toda tragedia para bien.

La reforma pública en Zúrich comenzó de una manera peculiar con el consumo de salchichas durante la Cuaresma el 9 de marzo de 1522. Zuinglio estaba en la casa del impresor Christoph Froschauer (alrededor de 1490-1564) con algunos de sus trabajadores cuando se servían salchichas. El grupo de hombres reunidos conscientemente rompieron el ayuno cuaresmal comiendo carne, aunque Zuinglio no se unió a ellos en el acto. Sin embargo, cuando se supo la noticia de esta escandalosa rebelión, Zuinglio, que ya era un influyente predicador del Grossmünster, presionó sobre el tema al predicar sobre la libertad cristiana. Hizo hincapié en que los cristianos eran libres de tomar sus propias decisiones sobre el ayuno porque la Biblia no lo había requerido y que no era la comida sino la fe del creyente lo que realmente importaba. Un mes después, su sermón se publicó como un folleto. Al defender la libertad cristiana, también señaló que el celibato clerical no tenía ningún fundamento en las Escrituras, y se enfrentó al obispo de Constanza con una petición. En abril de 1524, se casó con una viuda, Ana Reinhart (1484-1538), haciendo pública su declaración sobre el tema.

En el corazón de estos dos asuntos —la "cuestión de las salchichas" y el celibato clerical— estaba la cuestión del peso que tenían las autoridades de la iglesia y las Escrituras. Zuinglio afirmó que todo tenía que ser juzgado por las Escrituras, la noción de *sola Scriptura*, aunque el obispo argumentó que solo la Iglesia debería tener el poder de interpretar las Escrituras, priorizando la autoridad de la Iglesia. La Dieta Confederada en Baden acusó a Zuinglio de herejía y encontró a Zúrich culpable de permitir que Zuinglio predicara tonterías. Para resolver el conflicto, el consejo de Zúrich decidió realizar una disputa pública. Zúrich no tenía una universidad sofisticada como Wittenberg. Sin embargo, el propósito de esta reunión no era ser una disputa académica, sino más bien una disputa pública, celebrada en lengua vernácula y abierta a los comerciantes locales, los artesanos y la gente común. Representantes de otras ciudades suizas como Berna y Basilea se unieron. El 29 de enero de 1523, se reunieron seiscientas personas, y Zuinglio preparó sus "Sesenta y Siete Artículos". Con sólo las Biblias hebreas, griegas y latinas puestas sobre su mesa, defendió magníficamente su punto de vista sobre la autoridad principal de la Escritura, aferrando las mentes de la gente y los magistrados y atrayéndolos hacia una posición favorable en la Reforma. Como resultado, el concilio ordenó a todos los predicadores de Zúrich que solo predicaran de las Escrituras. Sin embargo, no fueron sólo los puntos de vista teológicos los que movieron a los magistrados a apoyar a Zuinglio, sino también los amplios intereses políticos al restringir la influencia del clero en la ciudad y en la autonomía local.

La segunda disputa siguió en octubre de ese mismo año. La predicación bíblica llevó a las personas a cuestionar seriamente el lugar de las imágenes, los santos y las reliquias en la iglesia, e incluso la legitimidad de la misa. Respondieron mediante actos de iconoclasia, destruyendo ornamentos de la iglesia y derribando crucifijos de las calles. En reacción a tal violencia, los magistrados pidieron una segunda disputa. En términos de ritmo y método de reforma, Zuinglio argumentó que el cambio debería ocurrir de arriba hacia abajo de una manera ordenada, implementada por los magistrados ante las personas, y no al revés. Algunos hombres que estuvieron presentes en la reunión, como Konrad Grebel (alrededor de 1498-1526) y Baltazar Hubmaier (alrededor de1480-1528), consideraron que el método de reforma de Zuinglio era demasiado moderado, y deseaban llevar a cabo su propia reforma en una forma mucho más radical. Esto finalmente dio lugar al movimiento anabaptista. Sobre el uso de las imágenes, Zuinglio y su amigo León Jud (1482-1542) afirmaron que todas las imágenes debían estar completamente prohibidas en las iglesias. Incluso la música debía prohibirse, estableciendo una forma muy simple de adoración y estética eclesiástica en Zúrich. En 1525, la misa finalmente fue abolida y fue reemplazada por el texto litúrgico de Zuinglio.

El ascenso de los anabaptistas generó serios problemas para Zúrich. Lo que comenzó como insatisfacción con el ritmo de la reforma de Zuinglio ganó impulso a través de algunos líderes carismáticos que afirmaron tener la verdadera iglesia y comenzaron a rebautizar a las personas en su comunidad. Rechazaron el bautismo de infantes y separaron la historia de salvación de Dios en el Antiguo Testamento del Nuevo con respecto a los sacramentos. Los anabaptistas eran considerados extremadamente peligrosos ya que no encajaban socialmente, y muchos de ellos fueron sofocados en Zúrich. Tales polémicas llevaron a Zuinglio a desarrollar sus pensamientos sobre el pacto, y su sucesor, Henry Bullinger (1504-1575), luego formuló el concepto en una doctrina más elaborada, argumentando a favor de la continuidad en la historia de la salvación de Dios.

Junto con los debates en curso, la doctrina de la Cena del Señor surgió como el próximo gran punto controvertido. Zuinglio interpretó el "es" de la declaración de Jesús, "Este es mi cuerpo", de una manera simbólica, insistiendo en que el pan y el vino *significaban* el cuerpo y la sangre de Cristo. Para él, el argumento de Lutero sobre la presencia real de Cristo parecía demasiado cercano a la transubstanciación. Además, Zuinglio afirmó que, dado que el Cristo corporal está sentado a la diestra del Padre, la carne de Cristo no puede estar presente en el pan y el vino. Si Cristo estuviera presente físicamente en los elementos, entonces la Cena del Señor se convertiría en un acto de idolatría. Para Zuinglio, Cristo no estuvo realmente presente en la Cena del Señor, sino que estuvo presente en los corazones de los creyentes a través de su fe. Después de una serie de amargos intercambios entre Lutero y Zuinglio, el enfrentamiento culminó en el Coloquio de Marburg en 1529.

Mientras tanto, los esfuerzos hacia la reforma se extendieron rápidamente por toda la Confederación. La impresión y la predicación fueron los dos factores más importantes que contribuyeron a este movimiento. Otras ciudades como San Gall y Appenzell adoptaron la predicación bíblica, que resultó en resistencia contra los estados Católicos. Las iglesias eliminaron adornos y buscaron una forma sencilla de adoración, siguiendo el ejemplo de Zúrich. Políticamente, las conversiones de Berna en 1528 y Basilea en 1529 fueron particularmente importantes para el avance de la Reforma. El líder clave en Basilea fue Johan Oecolampadius (1482-1531), un experto en los Padres de la Iglesia y en la exégesis bíblica. Basilea tenía una universidad donde

Erasmo enseñó hasta su muerte en 1536 y una imprenta que diseminaba escritos protestantes y hacía accesibles las ideas a una audiencia más amplia en su propio idioma. Berna poseía un fuerte poder militar que sería crucial para liderar el camino a la reforma de las tierras francófonas, aunque los bernenses estaban dispuestos a negociar con los Católicos cuando se cumplían sus deseos políticos. No obstante, a pesar de las diferentes intenciones políticas para adoptar la causa de Zuinglio, los lazos religiosos que los unían hicieron que las ciudades protestantes se unieran. La alianza de los estados Católicos, sin embargo, también se fortaleció en oposición al nuevo orden. Esto profundizó las tensiones entre protestantes y Católicos hasta un punto que hizo inevitable la guerra. Como un fuerte defensor de la guerra religiosa, Zuinglio tomó la espada para luchar contra los enemigos Católicos en la Segunda Guerra de Kappel en 1531. Se enfrentó a un final brutal, ya que su cadáver fue descuartizado y quemado. La guerra terminó en un desastre y dejó una profunda división religiosa en la Confederación Suiza, sobre la cual el poder católico recuperó el dominio.

La reforma suiza entró en un momento de confusión. ¿Había alguna esperanza de éxito para la reforma? La Confederación estaba dividida, muchas de las ciudades reformadas volvieron al catolicismo, las que permanecieron reformadas culpaban a Zúrich por la guerra, y los anabaptistas solo estaban agravando los problemas. Parecía que la reforma suiza había llegado a un punto muerto. Los esfuerzos para reconciliarse con los luteranos surgieron de Berna y Basilea con la mediación de Estrasburgo, pero concluyeron con un éxito limitado. El cambio clave vino de las principales ciudades reformadas suizas cuando comenzaron a entablar discusiones teológicas entre ellas. El resultado del primer concilio de iglesias reformadas celebrado en Basilea fue la Primera Confesión Helvética de 1536, que sentó las bases para la dirección futura de las iglesias reformadas suizas.

Después de la muerte de Zuinglio, Zúrich designó a Henry Bullinger, en 1532, como su sucesor en Grossmünster. Con el polémico legado de Zuinglio en el fondo, la difícil tarea de Bullinger fue hacer avanzar la reforma manteniendo juntas a las autoridades de Zúrich y la Confederación. Su don para escribir, su énfasis en la interpretación de las Escrituras, sus preocupaciones profundamente pastorales y su destreza política demostraron que era el hombre adecuado para el trabajo. Pronto obtuvo el control de las iglesias de Zúrich y se convirtió en un hombre de gran importancia, cuya influencia se extendió a toda Europa occidental, incluida Inglaterra. Su libro *Las Décadas* (1549-1552) alcanzó una gran popularidad como el recurso teológico más importante para los pastores en el siglo XVI, incluso más que las *Instituciones* de Calvino.

Con Bullinger al frente, la reforma suiza entró en una fase de desarrollo teológico bajo un nuevo liderazgo, aunque no se produjo en uniformidad. En Basilea, después de la muerte de Ecolampadio en 1531, Oswald Myconius (1488-1552) dominó la escena hasta que un hombre con simpatía luterana llamado Simón Sulzer (1508-1585) llegó en 1548 para convertirse en el jefe de la iglesia. Dirigió la iglesia de Basilea hacia posiciones luteranas y se opuso a la teología de Calvino, especialmente su doctrina sobre la predestinación. Una vez que se volvió a abrir después de la guerra, la Universidad de Basilea atrajo a estudiantes reformados y luteranos de toda Europa. En 1549, Wolfgang Musculus (1497-1563) llegó a Berna, donde escribió su obra más importante, *Loci Communes*. En 1556, Peter Martyr Vermigli (1499-1562), un refugiado italiano, fue nombrado profesor del Antiguo Testamento en Zúrich. Su apoyo a la visión de Calvino de la doble predestinación llevó a la destitución de Teodoro Bibliander (1506-1564), quien había enseñado en Zúrich durante treinta años. La predestinación fue uno de los temas más debatidos en la reforma suiza. Bullinger se diferenció de Vermigli y Calvino cuando se negó a hablar de la elección de Dios de los condenados, pero enfatizó la elección en relación con Cristo como parte de la voluntad salvífica de Dios hacia su pueblo. Aunque Ginebra no era parte de la Confederación, Calvino también tuvo un papel significativo en la reforma suiza. En 1549, Calvino y Bullinger fueron coautores del *Consensus Tigurinus*, o el Consenso de Zúrich, para llegar a un acuerdo sobre la Cena del Señor, en el que excluyeron deliberadamente sus puntos de desacuerdo.

El desarrollo teológico de la reforma suiza llegó a su plena madurez con la Segunda Confesión Helvética de 1566. Originalmente escrita como una breve confesión de fe por Bullinger para Federico III, Elector Palatino (1515-1576), fue revisada como una confesión para toda la iglesia suiza. Los confederados reformados, así como Ginebra, aceptaron el documento, pero las simpatías luteranas de Basilea les impidieron firmar la confesión hasta 1644. Ganó amplia popularidad internacional como una confesión ortodoxa reformada frente a los cánones de Trento y el Libro Luterano de la Concordia.

En el momento de la muerte de Bullinger en 1575, el escenario central de la reforma se había trasladado a Ginebra y los Países Bajos. El legado de la reforma suiza, sin embargo, sobrevivió. Según Bruce Gordon, lo que distinguió a los teólogos suizos fue "un énfasis en la dimensión histórica de la salvación de Dios, la elaboración del pacto eterno de Dios."[5] Los intereses teológicos de la reforma suiza se centraron principalmente en doctrinas como la Cristología y la predestinación a la luz de la soberanía de Dios. La próxima generación de reformadores suizos se basó en estas doctrinas de sus predecesores con mayor precisión a medida que surgían las instituciones académicas y el contexto polémico pasó de disputas internas a centrarse en sus oponentes Luteranos y Católicos.

La Reforma de Ginebra

Si hubo un lugar en Europa en la segunda mitad del siglo XVI que se reconoció como el mejor modelo de cómo debe ser una iglesia reformada, fue en Ginebra. Jóvenes intelectuales de Inglaterra, Francia y los Países Bajos, a menudo huyendo de la persecución, viajaron a Ginebra para aprender teología reformada y ser entrenados como pastores. Regresaron a sus tierras natales con su imaginación cautivada por las nuevas visiones teológicas que habían visto y experimentado en esta santa ciudad.

El francés Juan Calvino (1509-1564) fue fundamental para el desarrollo de la reforma ginebrina. Nacido el 10 de julio de 1509, en Noyon, Picardía, Calvino era veintiséis años más joven que Lutero. Su ambicioso padre arregló beneficios para el joven Calvino de la iglesia local para apoyar su educación. En agosto de 1523, a la edad de catorce años, Calvino fue a París para estudiar para el sacerdocio en el Collège de la Marche, donde estudió latín y retórica bajo uno de los mejores eruditos del momento, Mathurin Cordier (alrededor de 1480-1564). Al año siguiente, se matriculó en el Collège de Montaigu como alumno de Noel Beda (alrededor de 1470-1537). En 1528, sin embargo, el padre de Calvino de repente lo instruyó a cambiar su camino a

---

[5] Bruce Gordon, *The Swiss Reformation* (Manchester: Manchester University Press, 2002), 185.

una carrera legal en busca de una vocación más lucrativa. Calvino se trasladó a Orleáns, luego a Bourges para estudiar derecho, pero cuando su padre murió en 1531, inmediatamente regresó a sus estudios de humanismo. De hecho, su primera publicación, un comentario sobre *De Clementia* (1532) de Séneca, fue una obra puramente humanista, que representa a Calvino como un hombre de letras.

Dos incidentes desencadenaron la partida de Calvino de Francia. Primero, en 1533, cuando su amigo Nicolás Cop (alrededor de 1501-1540) predicó un sermón atacando a los teólogos de París, Calvino fue acusado de ser coautor y tuvo que huir para escapar del arresto. El segundo incidente ocurrió en octubre de 1534, el Asunto de los pasquines. Los carteles que atacaban a la misa católica aparecieron de repente en las principales ciudades de Francia, e incluso uno llegó a la alcoba del rey. En respuesta, el rey Francisco I (1515-1547) arrestó a varios cientos de presuntos protestantes y ejecutó a nueve de ellos, cambiando su política de tolerancia a una de persecución. Calvino huyó por su vida a Basilea. Fue aquí en 1536 que Calvino produjo la primera edición de su *Institución de la Religión Cristiana*, una introducción catequética que presentó seis encabezados teológicos básicos de fe. El hecho de que Calvino fuera un exiliado francés impactó enormemente sus pensamientos, como queda claro, por ejemplo, en la carta introductoria dirigida a Francisco I en su *Institución*, que abogaba por la tolerancia de los protestantes franceses.

Calvino llegó por primera vez a Ginebra cuando dio un rodeo en su ruta de París a Estrasburgo. Lo que originalmente se había planeado como una estancia de una noche en Ginebra se convirtió en años de arduo trabajo pastoral para él. Al escuchar la noticia de que Calvino estaba en Ginebra, Guillermo Farel (1489-1565) le advirtió que se quedara, amenazando con estar bajo la severa ira de Dios si no lo cumplía. A regañadientes, Calvino aceptó la invitación de Farel y comenzó su nueva carrera pastoral.

Al momento de la llegada de Calvino, Ginebra era una ciudad en su fase inicial de fe Reformada. Originalmente, Ginebra había estado bajo el gobierno tanto del príncipe-obispo como del duque de Saboya. Con el apoyo militar de Berna, sin embargo, Ginebra obtuvo su independencia de la Casa de Saboya en 1526. El Concilio de Ginebra de 200 se estableció el año siguiente. Berna se convirtió a la causa reformada en 1528, y le pareció natural a Ginebra seguir la religión de su protector. Farel dirigió disputas públicas y predicó para expulsar al catolicismo de Ginebra. El 25 de mayo de 1536, los ginebrinos votaron para aceptar la fe Reformada.

Calvino, después de haber sido nombrado pastor en Ginebra, trabajó para establecer una ciudad Reformada. El hecho de que los ginebrinos ratificaron la decisión de aceptar la causa reformada, sin embargo, no significaba que todos los ciudadanos estuvieran dispuestos a renunciar por completo a sus antiguas creencias. Bajo la presión de Berna, el Pequeño Concilio en Ginebra adoptó la confesión, pero se negó a hacer obligatoria la suscripción por juramento para los ciudadanos. Para Calvino, era integral que el liderazgo de la iglesia ejecutara la disciplina de la iglesia, pero el Concilio también consideró esto como un desafío a su autoridad. Además, para aumentar las tensiones, Pierre Caroli (1480-alrededor de 1545) atacó a Calvino al etiquetarlo de arriano. Calvino adoptó una postura inflexible contra las oposiciones. Las disputas finalmente explotaron el domingo de Pascua de 1538 cuando Calvino y Farel se negaron a ministrar la Cena del Señor, lo que indicaba un desafío directo contra los magistrados. El Concilio los expulsó de Ginebra, y los dos hombres se dirigieron a Basilea creyendo que habían fracasado.

No mucho después, otra oportunidad de pastoreo llegó a Calvino, esta vez a través de Martín Bucer (1491-1551) en Estrasburgo. Bucer invitó a Calvino a pastorear una iglesia de refugiados franceses, y Calvino aceptó la oferta. Durante sus años en Estrasburgo, Calvino vio a través de Bucer un modelo de la iglesia con la libertad de nombrar sus propios oficiales, ejecutar su propia disciplina y llevar a cabo su propia liturgia —un modelo que más tarde trataría de llevar a Ginebra. Además, los comentarios de aliento de Bucer hicieron que Calvino fuera consciente de sus inconvenientes y lo llevaron a buscar un modo de "brevedad lúcida" para sus propios comentarios. Resolvió el problema colocando las discusiones teológicas en una obra separada, su *Institución*, mientras se ocupaba sólo de la exégesis del texto en sus comentarios. En 1539, se publicó la segunda edición de la *Institución*, seguida de su comentario sobre Romanos en 1540. También se casó con la viuda de una refugiada, Idelette de Bure (fallecida en 1549), cuando estaba en Estrasburgo.

Mientras tanto, los ginebrinos se encontraron con un problema del cual carecían de las habilidades para resolver. El cardenal Jacopo Sadoleto (1477-1547) escribió una carta a Ginebra en marzo de 1539, desafiándolos a regresar a la fe católica y acusando a los protestantes de ser desviados innovadores de la tradición de la iglesia. Las autoridades ginebrinas no conocían a nadie más competente que Calvino para dar una respuesta convincente a Sadoleto. A pedido de ellos, Calvino produjo una obra brillante, *Respuesta a Sadoleto*, afirmando que fueron los protestantes quienes mantuvieron la tradición histórica y que en realidad fue el catolicismo el que abandonó la verdad. Impresionados por su actuación, los ginebrinos decidieron pedir su regreso. Para Calvino, Ginebra era un "lugar de tortura" al que temía regresar.[6] Sin embargo, el 13 de septiembre de 1541, regresó a Ginebra, donde permanecería por el resto de su vida.

La reforma en Ginebra se aceleró. Dentro de las seis semanas de su regreso, Calvino preparó las *Ordenanzas eclesiásticas*, que el Concilio adoptó como ley con solo algunas modificaciones el 20 de noviembre de 1541. Uno de estos ajustes se refería a la frecuencia de la Cena del Señor. El concilio, de acuerdo con la liturgia bernesa, abogó por la administración trimestral, mientras que Calvino deseaba la comunión semanal. El documento presentaba una forma de orden eclesial y sociedad que Calvino había imaginado en Estrasburgo. Argumentó por un ministerio cuádruple de pastores, maestros, ancianos y diáconos. Los diáconos se ocupaban del pobre y la caridad supervisada. Los maestros estudiaban y enseñaban las Escrituras, refutando falsas doctrinas. Doce ancianos laicos debían ser elegidos por los concilios. Y los pastores predicaban la Palabra, administraban los sacramentos y desempeñaban un papel en la disciplina de la iglesia. En el corazón de la reforma social de Calvino estaba el Consistorio, una institución compuesta por los ancianos y pastores para imponer la disciplina y las leyes morales. Maldiciones, adulterio, juegos de azar y baile fueron algunos de los casos que trataba el Consistorio. Otra institución que era distinta a Ginebra era la Compañía de Pastores. Allí los maestros y pastores se reunían para discutir textos bíblicos y asuntos de la iglesia. Al establecer estas diferentes

---

[6] Calvino a Pierre Viret, 19 de mayo de 1540, en *Letters of John Calvin*, ed. Jules Bonnet (Philadelphia: Presbyterian Board of Publication, 1858) 1:187.

instituciones, Calvino sentó las bases de una sociedad basada en la Palabra de Dios en todos los aspectos de la vida.

Ginebra, sin embargo, no estuvo exenta de problemas. A medida que el catolicismo ganaba fuerza en Francia, los protestantes franceses buscaron refugio en Ginebra. Como eran en su mayoría intelectuales, estos inmigrantes franceses proporcionaron mano de obra calificada para Ginebra, sin mencionar el apoyo político a Calvino. De hecho, Calvino, un exiliado francés, no recibió su ciudadanía hasta 1559. El elevado número de inmigrantes franceses y su fuerte presencia crearon tensiones políticas y culturales con los nobles ginebrinos, que representaban continuas amenazas para la autoridad de Calvino.

Además de las tensiones políticas internas, Ginebra estuvo continuamente involucrada en controversias teológicas. En octubre de 1551, un hombre llamado Jerónimo Bolsec (muerto en 1584) atacó la doctrina de la predestinación de Calvino. Fue juzgado y desterrado de Ginebra, pero huyó a Berna, donde continuó quejándose de las enseñanzas de Calvino. Esto llevó a Berna a prohibir la predicación sobre la predestinación desde el púlpito, que luego se convirtió en un tema pastoral para los pastores de Ginebra. De todas las controversias, sin embargo, la más famosa fue el caso de Servet. Miguel Servet (alrededor de 1511-1553) negó la enseñanza ortodoxa de la Trinidad de una manera tan innovadora que hizo enemigos tanto de católicos como de protestantes. Logró escapar de la custodia de la Inquisición Católica, pero en su camino a Nápoles, se detuvo en Ginebra, de todos los lugares, para pasar la noche. Fue capturado y, como era de esperar, acusado de herejía. El 27 de octubre de 1553, fue quemado en la hoguera. Después del incidente, Sebastián Castellio (1515-1563), amargado con Calvino por expulsarlo de Ginebra, exacerbó el problema al escribir un tratado contra la pena capital de los herejes. Los conflictos de Bolsec y Castellio continuaron incluso después de la muerte de Calvino a través de los escritos de su mano derecha y sucesor, Teodoro Beza (1519-1605), que respondieron en defensa de Calvino.

La oposición proporcionó a Calvino motivos más sólidos para ejercer más influencia en Ginebra. La educación teológica fue vital para la idea de reforma de Calvino, y reclutó a Beza, profesor de griego en la Academia de Lausana y también exiliado francés, para ayudar a establecer la Academia de Ginebra en 1559. Calvino designó a Beza el primer rector de la escuela, y bajo su dirección, la Academia cobró importancia como centro de formación para pastores y misioneros protestantes, la mayoría de los cuales eran refugiados franceses. Ese mismo año, se publicó la última edición latina de la *Institución* de Calvino.

Aunque la reforma de Ginebra tuvo sus distintivos, no debe verse aislada del resto del movimiento reformista en varias partes de Europa. Además de que Ginebra es el centro de la educación reformada desde la que se enviaron muchos misioneros, una conexión con el contexto europeo más amplio fue visible en los esfuerzos de Calvino para reconciliar a los luteranos y zuinglianos, especialmente en la doctrina de la Cena del Señor. Calvino mantuvo una amistad de por vida con Melanchthon y en 1540 firmó la Confesión de Augsburgo Alterada, la *Variata*, con el deseo de unir a las partes luterana y suiza. Hizo el mismo esfuerzo con los zuinglianos mientras viajaba personalmente a Zúrich y fue coautor del *Consensus Tigurinus* con Bullinger en 1549.

De todos los logros de Calvino, su mayor influencia se derivó de su capacidad para interpretar las Escrituras. La predicación y la exégesis fueron centrales en su teología.

Predicaba dos veces los domingos, en el Nuevo Testamento por las mañanas y ocasionalmente en los Salmos por las tardes. Durante los días de la semana, predicó sobre el Antiguo Testamento. Además de predicar, también dio conferencias en la Academia de Ginebra y escribió comentarios sobre casi todos los libros de la Biblia. Él creía que su papel como predicador era declarar sólo lo que se había revelado en la Escritura y exponerlo mediante un estudio cuidadoso de cada texto. Según Calvino, la Escritura como la Palabra de Dios despertaba el deseo en los corazones de las personas de dedicar sus vidas enteramente a Dios y cumplir Su voluntad.

Después de sufrir de dolencias físicas crónicas, Calvino exhaló su último aliento el 27 de mayo de 1564. La pesada carga de mantener la estructura y las enseñanzas reformadas en Ginebra recayó sobre Teodoro Beza. Formado como un hábil humanista y un abogado, Beza compartió con Calvino un profundo interés en luchar por la causa protestante no solo en Ginebra, sino también en Francia, y se hicieron amigos. Beza defendió a Calvino contra oponentes, mientras producía sus propios trabajos teológicos. Su escritura más significativa fue *A Brief and Pithy Sum of the Christian Faith* [Una breve y concisa suma de la fe cristiana], originalmente publicada en francés en 1559 como un resumen de las principales doctrinas reformadas, que siguió de cerca la estructura y la teología de la *Institución* de Calvino.

De 1564 a 1603, Ginebra se enfrentó a una época de inseguridad política. Hacia el sur, los duques de Saboya buscaban recuperar Ginebra, y hacia el oeste, Francia se había convertido en una nación católica masiva. Las amenazas de los jesuitas aumentaron el miedo. En el verano de 1586, el duque de Saboya, Carlos Emmanuel I (1562-1630), lanzó un ataque contra Ginebra e impuso un bloqueo. Pronto la ciudad estaba financieramente sin fondos, y el Concilio decidió cerrar la Academia. Beza protestó, argumentando que cerrar la Academia solo beneficiaría a los enemigos Católicos. Esto mantuvo a la Academia con vida por otros tres meses, pero las condiciones degeneraron hasta el punto de que todos los profesores excepto Beza se vieron obligados a irse. Como el único profesor que no se fue, Beza dio una conferencia sobre el libro de Job a los pocos estudiantes que quedaban hasta que el estallido de la plaga en el verano de 1587 hizo que los ejércitos de Saboya retrocedieran.

Las amenazas de Saboya no cesaron durante todo el siglo XVI, y los jesuitas solo empeoraron las cosas cuando intentaron llevar el catolicismo a las zonas rurales de Ginebra. Saboya atacó estas regiones, quemando muchas iglesias protestantes y capturando pastores. En medio del miedo y la inseguridad, se restableció la misa católica. Además, los jesuitas habían difundido un falso rumor de que Beza había muerto y que se había convertido al catolicismo en su lecho de muerte junto con toda la ciudad de Ginebra. La noticia alarmó a muchos protestantes de toda Europa que se aferraban a la fe reformada a pesar de las persecuciones. La táctica jesuita, junto con la intensa presión de los Saboya, tuvo mucho éxito, ya que varios miles de personas en el campo de Ginebra renunciaron a la fe protestante y adoptaron el catolicismo.

El clima teológico durante los años de Beza también había cambiado desde los tiempos de Calvino. Como rector de la Academia de Ginebra, Beza tenía que ser muy sensible a los debates polémicos y los lenguajes del contexto académico europeo más amplio. Esto significaba que se estaban haciendo nuevas preguntas que debían responderse en defensa de la teología reformada. Por lo tanto, Beza formó sus argumentos con mayor precisión que lo que aparecía en los escritos de Calvino. La diferencia no se debió tanto a la desviación de Beza de la teología de Calvino, sino a su intento de defender la teología reformada en su propio contexto polémico y pastoral.

Beza trabajó fielmente para preservar la teología reformada hasta su muerte en 1605. Como resultado, Ginebra se mantuvo firme como un centro de fe reformada de renombre internacional, atrayendo a estudiantes de toda Europa. Teólogos y pastores consultaban a Ginebra por aclaraciones teológicas. Beza ministró a la iglesia de Ginebra hasta 1600, entrenó futuros pastores hasta 1599, y moderó la Compañía de Pastores hasta 1580, permaneciendo como la figura más influyente en la Compañía como el mediador entre la iglesia y el concilio de la ciudad hasta que murió. Al igual que Calvino, hizo hincapié en la enseñanza y la predicación de las Escrituras, que fue la base fundamental para el éxito de la reforma ginebrina.

La Reforma Inglesa

El camino hacia la Reforma en Inglaterra comenzó antes, pero se desarrolló más lentamente que en Alemania o Suiza. En el siglo XIV, Juan Wiclef (alrededor de 1328-1384) había inspirado tanto las traducciones vernáculas de la Biblia como un movimiento de predicación y protesta laical conocido como Lollardy. Además, como isla, Inglaterra siempre había disfrutado de cierta independencia política tanto de Roma como del Sacro Imperio Romano. En el siglo XV, esto permitió a las autoridades inglesas imponer una serie de restricciones legales a la actividad de los clérigos en Inglaterra, lo que básicamente inhibía a la iglesia de imponer la voluntad del Papa. Durante su reinado, el primer rey Tudor, Enrique VII (1485-1509), redujo los beneficios legales del clero, y así, incluso antes de que el luteranismo sacudiera el continente, la corona inglesa había sido cada vez más positiva en su relación con la iglesia.

Fue bajo Enrique [o Henry] VIII (1509-1547) cuando Inglaterra rompió formalmente con Roma. Esta ruptura fue impulsada no principalmente por razones teológicas. De hecho, Enrique VIII permaneció en acuerdo doctrinal con la iglesia medieval sobre cuestiones clave como la justificación y los sacramentos, incluso cuando repudiaba las afirmaciones del papado.

El origen de la ruptura con Roma bajo Enrique VIII fue teológico sólo de la manera más tangencial. Enrique había obtenido un privilegio especial del Papa para casarse con la viuda de su hermano muerto, Catalina de Aragón (1485-1536). Pero cuando no produjo ningún heredero varón, Enrique vio esto, y una serie de abortos involuntarios, como una señal del disgusto de Dios con la unión. Por lo tanto, desde finales de la década de 1520 en adelante, persiguió varias estrategias para obtener el divorcio. En última instancia, el Papa no estuvo de acuerdo; Catalina era realeza española, y el papado no podía permitirse insultar a los Habsburgo. Como resultado, Enrique usó al Parlamento para aprobar una serie de actos que alejaron a Inglaterra de la jurisdicción papal y establecieron una iglesia autónoma.

Durante la década de 1530, bajo la dirección del arzobispo de Canterbury, Tomás Cranmer (1489-1556), la iglesia se movió en una dirección modestamente protestante. Pero desde 1540 en adelante, cualquier tendencia a la reforma cesó, y Enrique implementó algo de una reacción católica (sin el papado). Fue sólo con su muerte en 1547 que la reforma inglesa realmente comenzó a avanzar. En ese momento, su pequeño hijo, Eduardo VI (r. 1547-1553), se convirtió en rey, y los nobles a cargo de protegerlo siguieron una política autoconscientemente protestante.

Los resultados religiosos clave del reinado de Eduardo fueron los dos *Libros de Oración Común* (1549 y 1552). Ambos fueron principalmente obra de Tomás Cranmer. De hecho, aunque es discutible que Inglaterra no produjera ningún teólogo protestante de estatura internacional a fines del siglo XVI hasta Guillermo Perkins (1558-1602), indudablemente produjo uno de los más grandes liturgistas protestantes en Cranmer. Ambos libros estaban, por supuesto, sujetos al escrutinio parlamentario, y como el Parlamento continuó teniendo muchos miembros Católicos, la primera edición en particular retuvo una cierta cantidad de teología tradicionalmente romana, como la estipulación de hacer un juramento por los santos. La segunda edición fue más reformada, aunque retuvo ciertos elementos que eran detestables para aquellos que buscaban modelos de reforma más estrictamente reformados, como los de Zúrich y Ginebra, por su inspiración eclesiástica.

Con la muerte de Eduardo en 1553, su hermana mayor María (r. 1553-1558) se convirtió en reina de gran aclamación popular —al menos inicialmente. El protestantismo bajo Eduardo se ganó la reputación de ser un movimiento político corrupto. María se dedicó a restaurar el papado en Inglaterra y también inició la persecución de muchos asociados con el régimen de su hermano. Varios centenares de protestantes, incluidos eclesiásticos de alto perfil como John Hooper (1495-1555), Hugh Latimer (alrededor de 1487-1555), Nicholas Ridley (alrededor de1500-1555) y el propio Thomas Cranmer, perecieron en la hoguera. Sus muertes fueron inmortalizadas por John Foxe (1516-1587) en su masivo martirologio, *Acts and Monuments* [Hechos y Monumentos] (1563), un libro que jugó un papel clave en la rehabilitación de la reforma inglesa en la mente popular a partir de las implicaciones de la corrupción.

La reforma católica de María demostró ser efímera. Su intento de restablecer el monasticismo fracasó y representó un error de juicio de los tiempos. La nobleza católica no sólo había salido bastante bien de la disolución de los monasterios por parte de Enrique, y por lo tanto no tenía ningún incentivo para verlos restablecerse, sino que también la creciente orden religiosa en la iglesia romana era la de los Jesuitas. La piedad y la práctica jesuita se construyeron alrededor del individuo y estaban más en sintonía con la edad que los viejos arreglos comunales de las órdenes medievales. María también se casó con Felipe II (1527-1598) de España, que resultó ser muy impopular políticamente. Y, sobre todo, fueron las quemas lo que hizo más que cualquier otra cosa para ganarse la simpatía por la causa protestante.

El golpe final a la Reforma Católica Romana Inglesa se produjo cuando María y su colega cercano, el Cardenal Reinaldo Pole (1500-1558), murieron unas horas después en 1558. La muerte de María dejó a su hermana menor, la protestante Isabel I (1558-1603), como heredera al trono. La extensión del reinado de Isabel, combinada con su notable habilidad para gobernar, aseguró el asentamiento protestante inglés y también le proporcionó algo de su carácter distintivo. Un *Libro de Oración Común* ligeramente revisado, dos *Libros de Homilías* y los *Treinta y Nueve Artículos de Religión* articularon el corazón de la visión de la Reforma Isabelina.

Esto significaba que el protestantismo inglés exhibía ciertas características únicas, en comparación con sus contrapartes continentales. Mientras se reformaba en la doctrina, la iglesia mantuvo varios adornos estéticos y litúrgicos que muchas personas reformadas encontraron insatisfactorios, particularmente aquellos que habían pasado tiempo en el exilio bajo María en lugares como Zúrich y Ginebra. Por lo tanto, los principales conflictos de la última parte del siglo XVI en la reforma inglesa fueron menos acerca de la teología propiamente dicha y más acerca de la naturaleza de la adoración. Especialmente en la década de 1560, hubo serias disputas dentro de la iglesia sobre el tema de las vestimentas clericales, que muchos vieron como los vestigios del romanismo anterior a la reforma. Aunque Isabel finalmente triunfó e impuso conformidad con el *Libro de Oración Común* sobre la iglesia de Inglaterra, un número significativo de clérigos no estaba contento con este acuerdo. Fue en este contexto que surgió el movimiento conocido más tarde como puritanismo.

El puritanismo, como la mayoría de los -ismos, ha resultado difícil de definir para los estudiosos. Las cuestiones de vestimenta y estética parecen haber sido factores importantes en su aparición. Otro fue el sabatarianismo, que surgió como un tema teológico altamente polémico en los círculos ingleses a fines del siglo XVI, alimentado en parte por la publicación de *The Doctrine of the Sabbath, playnely layde forth* [La Doctrina del Sábado], del clérigo inglés Nicolas Bownde (muerto en 1613) en 1595. Sin embargo, el problema definitorio del puritanismo se complica por el hecho de que no había un solo punto distintivo en el que todos los conocidos como puritanos estuvieran de acuerdo. Más bien, el término tal vez funciona mejor como un medio para reunir figuras que exhiben ciertas semejanzas familiares en los frentes teológicos y eclesiásticos.

Detrás de la cuestión de las vestimentas, por supuesto, estaban las preguntas perennes sobre el gobierno de la iglesia y particularmente la relación de la iglesia con el magistrado civil. ¿Quién tenía el poder de establecer los estándares para el culto público? ¿Los ministros eran seleccionados por la iglesia, por el estado o por alguna combinación de los dos? ¿Y la disciplina de la iglesia era un asunto puramente para los tribunales de la iglesia, o el magistrado tenía un papel importante? En una época en que la religión era clave para la política y, de hecho, para el control social, tales preguntas siempre serían muy polémicas y divisivas. También se cortaron líneas doctrinales. Así, hombres como el arzobispo John Whitgift (alrededor de 1530-1604) y Thomas Cartwright (1535-1603), aunque ambos calvinistas fuertes en el asunto de la gracia, estaban en lados opuestos en los debates eclesiológicos. Whitgift era un oponente feroz de todo lo que oliera a puritanismo o presbiterianismo, mientras que Cartwright era presbiteriano.

Teológicamente, los *Treinta y Nueve Artículos* proporcionaron un estándar doctrinal relativamente incontenible para la iglesia hasta la última década del siglo XVI. Luego, un número de clérigos comenzó a presionar por una comprensión algo más flexible de la predestinación y la perseverancia. Si bien sería anacrónico llamar "arminianismo" al trabajo de hombres como Peter Baro (1534-1599), ciertamente fue un ejemplo de las tendencias en el protestantismo posterior a la Reforma de alejarse de los patrones Agustinianos más estrictos de soteriología, que habían marcado el desarrollo temprano del Protestantismo. Whitgift respondió a Baro y compañía con los Artículos de Lambeth (1595), una declaración doctrinal que reafirmó un vigoroso anti-Pelagianismo. Compuesto sin el permiso de la reina, sin embargo, nunca lograron ningún estado de credo oficial. Por lo tanto, las debilidades potenciales en la posición doctrinal de la iglesia de Inglaterra continuaron hasta el siglo XVII.

La Reforma Escocesa

Si la reforma inglesa fue impulsada y luego controlada por la corona, la Reforma Escocesa resultó más de las acciones de la nobleza. A mediados del siglo XVI, Escocia estaba estrechamente unida a Francia y gobernada por María de Guisa (1515-1560), una princesa francesa y la viuda de Jacobo V (1513-1542). La nobleza vio el protestantismo como un elemento clave en su objetivo político de separarse de Francia y acercarse a Inglaterra.

La teología protestante comenzó a llegar a Escocia en la década de 1520 con el advenimiento de los libros luteranos. Patrick Hamilton (alrededor de 1504-1528), un luterano, produjo su obra *Lugares de Patrick*, basada en las *Loci Communes* de Melanchthon. Luego, en la década de 1540, George Wishart (alrededor de 1513-1546), un zuingliano que tradujo la Primera Confesión Helvética al inglés, surgió como un feroz predicador de la Reforma. Pero cuando Wishart fue ejecutado en 1546, un grupo de protestantes asaltaron el castillo de San Andrés y asesinaron al Cardenal David Beaton (alrededor de1494-1546), eclesiástico considerado responsable.

John Knox (alrededor de 1513-1572), un partidario de Wishart, llegó al castillo en abril de 1547 y se convirtió en capellán de los rebeldes. Cuando el castillo cayó en manos de los franceses, él y los demás fueron tomados cautivos y sirvieron como esclavos antes de ser liberados bajo custodia inglesa en 1549. Luego Knox pasó a desempeñar un papel como una de las voces Protestantes más radicales de la Reforma Eduardiana.

Después de pasar gran parte del reinado de María en el exilio en el Continente, donde pastoreó tanto en Frankfurt en Main como en Ginebra, Knox desarrolló una visión de reforma formada tanto por la teología reformada de Calvino y compañía como por el problema de la relación de la iglesia con un jefe de estado hostil. Así, en la década de 1550, comenzó a formular su teoría de la rebelión justa, que se basaba en la idea de que un monarca idólatra traía el juicio divino a la nación y que, por lo tanto, debía ser derrocado por el piadoso. Una desafortunada expresión literaria de esta teoría fue su *First Blast of the Trumpet against the Monstrous Regiment of Women* [El primer toque de trompeta contra el monstruoso régimen de las mujeres] (1558), escrito mientras María estaba en el trono de Inglaterra, pero no fue publicada hasta que Isabel la sucedió. El argumento central del libro, que las mujeres no deberían gobernar, no fue bien recibido por la nueva monarca inglés, y ella prohibió la presencia de Knox en Inglaterra de por vida.

Knox regresó a Escocia en 1559 y, en alianza con la nobleza protestante y con el apoyo de los ingleses, ayudó a conducir a la reina regente, María de Guisa, y sus aliados franceses de Escocia. Luego, en 1560, el Parlamento escocés instruyó a Knox y a otros cinco ministros (todos con el primer nombre John) para producir una confesión de fe. La Confesión Escocesa de 1560 fue el resultado, y siguió siendo el estándar doctrinal de la iglesia de Escocia hasta que fue suplantada por la Confesión de Fe de Westminster en el siglo XVII.

El centro en la visión de Knox de la Reforma fue la distinción entre idolatría y verdadera adoración. Knox se centró en el principio regulativo de la adoración, según el cual cualquier cosa que no esté específicamente prescrita en la Biblia (por ejemplo, arrodillarse en la Comunión) se consideraba idólatra y, por lo tanto, estaba prohibida. De modo que, el presbiterianismo escocés en su forma knoxiana se hizo conocido por su simplicidad de culto y luego por su oposición al Libro Anglicano de Oración

Común. Lo que muchos de los puritanos ingleses soñaron fue prácticamente realizado en el asentamiento escocés.

Esta visión se encarnó tanto en la enseñanza de la Confesión Escocesa como en el Primer y Segundo Libros de Disciplina (1560, 1578), que buscaba establecer la estructura básica de la política de la iglesia y establecer la ambición social de la iglesia, con un deseo declarado de establecer escuelas parroquiales. Todos estos documentos mostraron la influencia de Ginebra y reflejaron la creciente necesidad de que los protestantes consideraran cuestiones no sólo de confesión sino también de organización y política para garantizar el establecimiento de la fe a largo plazo.

El asentamiento escocés fue, en general, más presbiteriano que en Inglaterra, no sólo por razones teológicas sino también porque se desarrolló frente a la oposición de la corona, primero María de Guisa, luego su hija, María, reina de Escocia (1542-1567). Esta última abdicó en 1567 y huyó a Inglaterra en 1568, dejando a su hijo pequeño, Jacobo, para ser coronado como Jacobo VI de Escocia (1567-1625). Knox predicó el sermón de la coronación, lo que significaba que la idea del soberano como Gobernador Supremo de la Iglesia (como en el asentamiento inglés) no sólo era altamente impráctico sino también teológicamente desagradable. El presbiterianismo, al reconocer el estrecho vínculo entre la iglesia y el estado, pero también al enfatizar la autoridad espiritual de la iglesia y sus tribunales, se comportaba bien con la dinámica política de la reforma escocesa.

Aunque Jacobo fue instruido por el temible intelectual presbiteriano George Buchanan (1506-1582) y fue fuertemente custodiado por la nobleza, él mismo desarrolló fuertes puntos de vista erastianos y una firme creencia en el derecho divino de los reyes. Así, cuando llegó a la edad adulta, él mismo emprendió varios intentos para llevar a Escocia a un molde más episcopal, desencadenando a modo de reacción el ascenso a principios del siglo XVII del radicalismo presbiteriano, que iba a dar sus frutos en la década de 1640 en el trabajo de los delegados escoceses en la Asamblea de Westminster.

Otras Reformas

Como se señaló al comienzo de este capítulo, las reformas de Europa fueron tan variadas como las tierras de donde surgieron. Francia, con una monarquía fuerte, una cultura intelectualmente viva en la Universidad de París y, de hecho, un interés en ejercer la independencia de la iglesia Romana, parecía a principios del siglo XVI como un terreno fructífero para la Reforma Protestante. Una considerable minoría protestante, los Hugonotes, surgió para desafiar a la monarquía católica, pero su poder se rompió decisivamente en la masacre del día de San Bartolomé en 1572. Francia, a partir de entonces, permaneció firmemente en las garras del catolicismo.

Dentro del Sacro Imperio Romano, la Paz de Augsburgo (1555) hizo que la transferencia de una circunscripción confesional a otra fuera relativamente fácil para provincias individuales. El ejemplo más dramáticamente fructífero de esto fue la conversión de Federico III, Elector Palatino, a principios de la década de 1560 del Luteranismo a la fe Reformada. El resultado fue la producción del Catecismo de Heidelberg, que pretendía ser un documento al que pudieran suscribirse tanto los Reformados como los Felipistas de la Universidad de Heidelberg. Por lo tanto, tiene un tono generalmente irónico (excepto cuando se combinan distintivos Católicos

Romanos), y evita cuestiones que habrían dividido a los Reformados y los Felipistas, como la predestinación.

Quizás la más significativa de las otras "reformas", sin embargo, fue la de la Iglesia Católica Romana misma. Es fácil para los protestantes olvidar que no todos los movimientos para abordar los problemas teológicos y morales de la iglesia en el siglo XVI llevaron a separar los cuerpos de la iglesia. Dos aspectos de la reforma católica en particular merecen mención.

Primero, la fundación de los jesuitas por Ignacio de Loyola (1491-1556) y su rápido ascenso (fueron reconocidos oficialmente en 1540) fueron céntricos para la reforma católica. A diferencia del monasticismo medieval, construido como estaba en comunidades asentadas, tanto rurales como urbanas, la Sociedad de Jesús se modeló según las líneas militares (Loyola había sido soldado) y promovió una piedad diseñada para individuos, lo que permitió a sus miembros ser muy móviles y poder operar de encubierto en territorio hostil. La orden también requería que sus miembros hicieran un voto para viajar y, por lo tanto, tenían una fuerte dinámica misionera. Esto se combinó más tarde con un interés en la educación, convirtiendo a los jesuitas (en términos de números absolutos y extensión geográfica) en la mejor historia de éxito educativo y misionero de la época de la Reforma. En 1600, tenían 8.500 misioneros en veintiséis países desde Sudamérica hasta Japón.

Segundo, fue el Concilio de Trento. Llamado primero por el Papa Pablo III (1534-1549) en 1545, el consejo se reunió durante tres sesiones (1545-1547, 1551-1552, 1562-1563) en la ciudad de Trento, en el actual norte de Italia. Trento estableció definitivamente la posición de la Iglesia Católica sobre una serie de doctrinas, que hasta entonces habían quedado un tanto vagas, sobre todo la justificación. Las sesiones posteriores, dominadas por los jesuitas, también establecieron importantes reformas educativas dentro de la iglesia. Por lo tanto, en la década de 1560, la Iglesia Católica Romana se había convertido en un cuerpo mucho más definido, y como resultado, los protestantes también fueron capaces de definirse a sí mismos en contra de ella. Por lo tanto, la década de 1560 vio el comienzo de la gran era del Confesionalismo Protestante.

Conclusión

La diversidad de las Reformas Europeas fue mucho más amplia de lo que se puede cubrir razonablemente en un breve capítulo de estudio. Otros movimientos importantes para la Reforma, Protestante y Católica, surgieron en todo el continente en lugares como Holanda, Escandinavia, Polonia, Hungría, España e Italia. Si bien cada uno de estos exhibió sus propios rasgos distintivos, todos abordaron preocupaciones teológicas, morales, políticas y eclesiásticas subyacentes comunes, lo que permite una cierta unidad dentro de la diversidad.

Esto es claro incluso a partir de la selección de las narraciones de la Reforma ofrecidas en este capítulo. Alemania, Suiza, Inglaterra y Escocia difirieron en sus estructuras sociales y políticas y en sus caminos específicos hacia la Reforma. Por lo tanto, vemos diferentes formas en que varios movimientos de reforma se relacionaron con el magistrado civil y entre sí. El Erastianismo de Inglaterra explícitamente subordinó la política de la iglesia a las necesidades del estado. En Wittenberg, Lutero trató de separar el ámbito espiritual de la iglesia de la esfera secular del magistrado tanto como fuera posible. Calvino luchó durante todo su tiempo en Ginebra por la independencia espiritual de la iglesia, una independencia que nunca fue capaz de lograr. Cada uno abordó un problema similar, pero lo respondió de una manera diferente.

A esto deberíamos agregar un nivel de diversidad teológica. La más obvia fue la división entre Católicos Romanos y Protestantes en la autoridad, pero las diferencias en la Cena del Señor, la política de la iglesia y la liturgia también afectaron la forma en que los Protestantes se relacionaban entre sí. De ahí la amarga división entre Lutero y Zuinglio en el asunto de la Eucaristía y los airados debates entre Knox y el establecimiento Anglicano sobre las disposiciones del Libro de Oración Común. El Protestantismo de la Reforma en sí mismo era un fenómeno teológicamente y litúrgicamente diverso.

Sin embargo, a pesar de todo esto, los Protestantes magisteriales también mostraron un nivel de unanimidad en cuestiones clave. Por lo tanto, la justificación por gracia a través de la fe por la justicia imputada de Cristo fue una doctrina central no solo para los Luteranos sino también para los Reformados. El consenso ecuménico formal se logró en algunos puntos, aunque a menudo de manera contenciosa, como se ve en la Confesión *Variata* de Augsburgo y el Catecismo de Heidelberg. Además, cuando se observa la gran cantidad de confesiones reformadas producidas por las iglesias europeas en los siglos XVI y XVII, existe claramente un consenso subyacente y bastante elaborado con respecto a lo que constituye la fe Reformada, desde Edimburgo a Budapest y desde los Países Bajos a Polonia.

Los puntos de consenso confesional y la división en la Reforma moldearon profundamente las iglesias de la época. Siguen haciéndolo tanto para los Católicos Romanos como para los Protestantes que viven en un mundo que es, eclesiásticamente hablando, el producto de los conflictos religiosos y teológicos del siglo XVI. Por lo tanto, el conocimiento de la historia y la teología de las Reformas europeas, sigue siendo vital para que la iglesia comprenda su identidad y misión en el siglo XXI.

Recursos para un Estudio Adicional

GENERAL

Cameron, Euan. *The European Reformation*. 2da ed. Oxford: Oxford University Press, 2012.

Greengrass, Mark. *Christendom Destroyed: Europe, 1517–1648*. Penguin History of Europe 5. New York: Viking, 2014.

Lindberg, Carter. *The European Reformations*. 2da ed. Malden, MA: Wiley-Blackwell, 2010.

MacCulloch, Diarmaid. *The Reformation: A History*. New York: Penguin Books, 2005.

REFORMA LUTERANA

Brecht, Martin. *Martin Luther*. Traducido por James L. Schaaf. 3 vols. Minneapolis: Fortress, 1985–1993.

Kolb, Robert. *Luther's Heirs Define His Legacy: Studies on Lutheran Confessionalization*. Brookfield, VT: Variorum, 1996.

_____. *Martin Luther: Confessor of the Faith. Christian Theology in Context*. Oxford: Oxford University Press, 2009.

Kolb, Robert, Irene Dingel, y L'ubomír Batka, eds. *The Oxford Handbook of Martin Luther's Theology*. Oxford: Oxford University Press, 2014.

Lohse, Bernhard. *The Theology of Martin Luther: Its Historical and Systematic Development*. Traducido porRoy A. Harrisville. Edinburgh: T&T Clark, 1999.

Oberman, Heiko A. *Luther: Man between God and the Devil*. Traducido por Eileen Walliser-Schwarzbart. New Haven, CT: Yale University Press, 2006.

Preus, Robert D. *The Theology of Post-Reformation Lutheranism*. 2 vols. St. Louis, MO: Concordia, 1970–1972.

Steinmetz, David C. *Luther in Context*. 2da ed. Grand Rapids, MI: Baker Academic, 2002.

Wengert, Timothy J., ed. *The Pastoral Luther: Essays on Martin Luther's Practical Theology*. Lutheran Quarterly Books. Grand Rapids, MI: Eerdmans, 2009.

REFORMA SUIZA

Gäbler, Ulrich. *Huldrych Zuinglio: His Life and Work*. Philadelphia: Fortress, 1986.

Gordon, Bruce. *The Swiss Reformation*. Manchester: Manchester University Press, 2002.

Gordon, Bruce, y Emidio Campi, eds. *Architect of Reformation: An Introduction to Heinrich Bullinger, 1504–1575*. Texts and Studies in Reformation and Post-Reformation Thought. Grand Rapids, MI: Baker Academic, 2004.

Poythress, Diane. *Reformer of Basel: The Life, Thought, and Influence of Johannes Oecolampadius*. Grand Rapids, MI: Reformation Heritage Books, 2011.

Stephens, W. P. *The Theology of Huldrych Zuinglio*. Oxford: Clarendon, 1986.

_____.*Zuinglio: An Introduction to His Thought*. Oxford: Clarendon, 1992.

REFORMA DE GINEBRA

Gordon, Bruce. *Calvin*. New Haven, CT: Yale University Press, 2009.

Greef, Wulfert de. *The Writings of John Calvin: An Introductory Guide*. Traducido porLyle D. Bierma. Exp. ed. Louisville: Westminster John Knox, 2008.

Kingdon, Robert M. *Adultery and Divorce in Calvin's Geneva*. Harvard Historical Studies 118. Cambridge, MA: Harvard University Press, 1995.

Manetsch, Scott M. *Calvin's Company of Pastors: Pastoral Care and the Emerging Reformed Church, 1536–1609*. Oxford Studies in Historical Theology. New York: Oxford University Press, 2013.

_____. *Theodore Beza and the Quest for Peace in France, 1572–1598*. Studies in Medieval and Reformation Thought 79. Leiden: Brill, 2000.

Muller, Richard A. *The Unaccommodated Calvin: Studies in the Foundation of a Theological Tradition*. Oxford Studies in Historical Theology. New York: Oxford University Press, 2000.

Naphy, William G. *Calvin and the Consolidation of the Genevan Reformation*. Manchester: Manchester University Press, 1994.

Selderhuis, Herman. *John Calvin: A Pilgrim's Life*. Traducido por Albert Gootjes. Downers Grove, IL: IVP Academic, 2009.

Steinmetz, David C. *Calvin in Context*. New York: Oxford University Press, 1995.

REFORMA INGLESA Y ESCOCESA

Brigden, Susan. *New Worlds, Lost Worlds: The Rule of the Tudors, 1485–1603*. Penguin History of Britain 5. London: Penguin, 2002.

Collinson, Patrick. *The Elizabethan Puritan Movement*. Oxford: Clarendon, 1990.

_____. *The Religion of Protestants: The Church in English Society, 1559–1625*. Oxford: Oxford University Press, 1994.

Dawson, Jane. *John Knox*. New Haven, CT: Yale University Press, 2015.

Duffy, Eamon. *The Stripping of the Altars: Traditional Religion in England, 1400–1580*. 2da ed. New Haven, CT: Yale University Press, 2005.

MacCulloch, Diarmaid. *The Later Reformation in England, 1547–1603*. 2da ed. London: Palgrave, 2001.

_____. *Thomas Cranmer: A Life*. New Haven, CT: Yale University Press, 1998.

Marshall, Peter. Reformation England, 1480–1642. 2nd ed. Reading History. London: Bloomsbury Academic, 2012.

Parte 2

TEOLOGÍA DE LA REFORMA

4

Sola Scriptura

Mark D. Thompson

RESUMEN

Sola Scriptura se describe a veces como el principio formal de la Reforma.
Ciertamente, una apelación a la autoridad final de la Escritura es un trato común a lo
largo de los escritos de las principales voces teológicas de la Reforma, a pesar de sus
énfasis distintivos e intereses particulares. Este capítulo examina el pensamiento de
Lutero, Melanchthon, Zuinglio, Bullinger, Calvino y Cranmer sobre la autoridad de
las Escrituras en un intento de resaltar tanto su perspectiva común como sus
contribuciones únicas. También argumenta que, a pesar del carácter genuinamente
revolucionario de la apelación de los reformadores a las Escrituras, de hecho, se basó
en convicciones antecedentes sobre la naturaleza de las Escrituras y su derecho a
determinar la fe y la práctica cristianas.

Introducción

La teología de la Reforma no siempre ha sido estudiada en sus propios términos. Eso
no es de sorprender ya que es uno de los puntos fundamentales en la historia de la
teología cristiana. Los autores posteriores naturalmente tienen sus propias agendas con
respecto a esto. Ya sea uno entusiasta, convencido de que la Reforma fue un acto de
Dios que rescató a las iglesias cristianas de trayectorias peligrosas; o un revisionista,
convencido de que el mensaje real de la Reforma es algo completamente diferente,
todavía hay un valor reconocido en poder apelar a los reformadores. Los relatos
contemporáneos a menudo parecen impulsados por el deseo de mostrar que la propia
teología del comentarista, o la de su tradición cristiana particular, es una fiel
representación contemporánea de la teología expuesta por Lutero, Calvino o uno de los
otros reformadores. ¿Pero fue Lutero realmente un crítico bíblico temprano? ¿Calvino
realmente excluyó otras voces y nos dejó solos con la Biblia? ¿Cranmer o incluso
Hooker realmente colocaron la autoridad de las Escrituras junto a la de la razón y la
tradición para formar un "taburete de tres patas"? ¿Qué querían decir los reformadores
del siglo XVI con la expresión *sola Scriptura*? Si ninguno de nosotros puede escapar a
nuestras propias presuposiciones, al menos podemos hacer las preguntas que puedan
exponerlas.

Sin embargo, no cabe duda de que la cuestión de la autoridad y la función de la Escritura en las iglesias y en las vidas de los cristianos individuales fue la preocupación particular de todas las figuras principales de la Reforma. De la Disputa de Leipzig de 1519, en la que Martín Lutero (1483-1546) clavó sus insignias en el mástil e insistió en la autoridad de la Escritura sobre la autoridad de la iglesia, la tradición o la razón, al Sínodo de Dort exactamente cien años más tarde, que, en el prefacio de su juicio, se declaró obligado por un juramento sagrado de "tomar las Sagradas Escrituras sólo como la regla del juicio", los reformadores y sus herederos inmediatos seguían volviendo a este tema.[1] Consecuentemente, cualquier intento de presentar un relato integral de la enseñanza de la Reforma sobre la revelación y la autoridad de las Escrituras es inevitablemente inadecuado. Simplemente habrá demasiado terreno para cubrir. En cambio, este capítulo, después de una breve mirada al contexto de la discusión sobre la Reforma, se concentrará en las contribuciones hechas por Lutero, Melanchthon, Zuinglio, Bullinger, Calvino y Cranmer. Estas son las principales voces de la Reforma dominante. Al examinar sus pensamientos sobre *in seriatim*, veremos claramente tanto su acuerdo esencial como sus énfasis distintivos.

Autoridad Bíblica en el Período de la Baja Edad Media

La apelación de Lutero a la autoridad de las Escrituras, junto con la de los otros reformadores, no habría ganado ningún arrastre si no se hubiera hecho eco de un sentimiento existente. Confesar la autoridad de las Escrituras era común no sólo entre los reformadores sino también entre los teólogos romanos. *Sacra pagina*, el estudio de la página sagrada, fue un aspecto muy destacado del empeño teológico en el período medieval. Si Tomás de Aquino (1225-1274) es tomado como el personaje representativo de la teología escolástica medieval, también debe recordarse que escribió comentarios sobre casi todos los libros de la Biblia. Los estudios de Beryl Smalley y su estudiante Gillian Evans han demostrado la extensión y la profundidad del compromiso medieval con las Escrituras y plantearon preguntas sobre las triviales deformaciones de la exégesis previa a la Reforma.[2] Aquino no estaba solo. Muchos de los grandes teólogos escolásticos pensaron profundamente acerca de la naturaleza y la función de la Escritura, así como la forma más apropiada de exponerla.

Los teólogos medievales a menudo tomaban como punto de partida las declaraciones clásicas de Agustín sobre la autoridad de las Escrituras. Tres en particular serían citadas regularmente en los períodos Medieval y de la Reforma. En 397, Agustín escribió *Contra la carta básica de los maniqueos*, en la que explicaba: "De hecho, no habría creído en el Evangelio, si la autoridad de la Iglesia Católica no me hubiese despertado a tal labor."[3] Del contexto de esta cita, está claro que Agustín no estaba insistiendo en una autoridad contingente de las Escrituras, una que dependía de la autoridad previa de la Iglesia. En cambio, él insistía en que la Iglesia que promueve el Evangelio rechaza la doctrina de los maniqueos. A la luz de esto, la afirmación de que Mani era un verdadero apóstol de Jesucristo debía ser vista como

---

[1] En Leipzig, Lutero citó a Agustín y Nicolò de Tudeschi (Panormitanus) al defender la autoridad de "la Escritura divina, que es la palabra infalible de Dios", frente a "la autoridad de la palabra de los concilios, que son criaturas y propensas a errar". Martín Lutero, *Disputatio I. Eccii et M. Lutheri Lipsiae habita* (1519), WA 2:30–35; *The Articles of the Synod of Dort*, trad. Thomas Scott (Harrisonburg, VA: Sprinkle, 1993), 246.

[2] Beryl Smalley, *The Study of the Bible in the Middle Ages*, 3rd ed. (Oxford: Blackwell, 1983); G. R. Evans, *The Language and Logic of the Bible: The Earlier Middle Ages* (Cambridge: Cambridge University Press, 1984).

[3] Agustín, *Contra Epistolam Manichaei Quam Vocant Fundamenti* 1.5 (6), in PL 42:176.

espuria. El principio perdurable al cual él estaba apelando era que la Iglesia Católica es el contexto apropiado para leer, entender y apelar a la Escritura. De hecho, fue en este contexto que el mismo Agustín llegó a la fe en Cristo cuando la Iglesia lo llevó a las Escrituras. Sin embargo, esta Iglesia se sentó bajo la autoridad de la enseñanza apostólica en las Escrituras, no sobre ella. Señaló el texto autorizado ya que cumplió su propio papel como guardián y testigo; no invistió ese texto con autoridad. Los otros comentarios frecuentemente citados de Agustín aclaran este punto.

Tres años después de este trabajo, Agustín escribió un tratado sobre el bautismo a raíz de las continuas preguntas sobre los donatistas. En él, aclaró la relación de las Escrituras con otras escrituras posteriores, incluso con las escrituras de aquellos que recibieron autoridad dentro de la iglesia:

> Sin embargo, ¿quién no sabe que el canon sagrado de la Escritura, tanto del Antiguo como del Nuevo Testamento, está contenido dentro de sus propios límites establecidos, y que es preferible a todas las cartas posteriores de obispos, a tal grado que no debería ser posible dudar o disputar en absoluto si todo lo establecido como está escrito es verdadero o correcto? Pero, por otro lado, las cartas de los obispos que se han escrito o se están escribiendo, desde el cierre del canon, pueden refutarse si hay algo en ellas que, por casualidad, se desvíe de la verdad.[4]

Agustín entendió claramente que el canon de las Escrituras era único, y que tenía una autoridad que prevalecía sobre todos los demás escritos. En una carta a Jerónimo en el año 405, él estableció una conexión firme y explícita entre esta comprensión y el compromiso con la completa y absoluta veracidad de la Escritura:

> He aprendido a atribuir a aquellos libros que son de rango canónico, y sólo a ellos, tal reverencia y honor, y que creo firmemente que no se encuentra ningún error en ellos debido al autor. Y cuando me veo desafiado con algo que parece estar en desacuerdo con la verdad, no dudo en atribuirlo al uso de un texto incorrecto o al hecho de que un comentarista no explique correctamente las palabras, o a mi propia comprensión errónea del pasaje.[5]

Estos tres comentarios de Agustín y otras declaraciones similares, como sus comentarios iniciales en *De Genesi ad litteram* (393/4), aparecen regularmente en los escritos de influyentes teólogos medievales, así como en el trabajo de los magistrales reformadores. Sin embargo, era necesario decir más, particularmente sobre la autoridad única de las Escrituras y la forma en que esto se relacionaba con la autoridad de la iglesia. La Abadía de San Víctor en París fue un centro importante para esta discusión continua. Hugo de San Víctor (1096-1141) escribió extensamente sobre el propósito y la función de esta Escritura autoritativa, en un ejemplo que dice:

> La única Escritura que se llama correctamente divina es aquella que está inspirada por el Espíritu de Dios y emitida por aquellos que hablan por el Espíritu de Dios; hace a la humanidad divina, reformándola a la semejanza de Dios instruyendo en el conocimiento y exhortando al amor. Todo lo que se enseña en ella es verdad; todo lo que ordena es bondad; todo lo que promete es felicidad.[6]

[4] Agustín, *De Baptismo contra Donatistas Libri Septem*, en CSEL 51:178.11–21.
[5] Agustín, *Epistulae* 82.3, en CSEL 33:354.
[6] Hugh of St. Victor, *De scripturis et scriptoribus sacris* 1, en PL 175:10–11A; Traducción al inglés por Hugh Feiss.

Como era de esperar, Hugo acentuó el último origen divino de la Escritura, que entendió que era lo que le daba a la Escritura su autoridad. Ricardo de San Víctor (fallecido en 1173), en una época como estudiante de Hugo, también subrayó la autoridad de las Escrituras en una intrigante interpretación de la narración de la transfiguración en Mateo 17:

> Si ahora crees que ves a Cristo transfigurado, no creas fácilmente lo que ves en él o escuchas de él, a menos que Moisés y Elías estén de acuerdo. Sabemos que cualquier testimonio se sostiene por la boca de dos o tres. Cualquier verdad que la autoridad de las Escrituras no confirme es sospechosa a mis ojos; no recibo a Cristo en Su resplandor, a menos que Moisés y Elías estén a su lado.... no recibo a Cristo sin un testigo. Ninguna revelación aparente es ratificada sin el testimonio de Moisés y Elías, sin la autoridad de las Escrituras.[7]

Este intrigante párrafo es ciertamente digno de un análisis cuidadoso. Realmente sí plantea preguntas sobre la naturaleza y el significado de la encarnación. Sin embargo, Ricardo claramente defiende la práctica, incluso en el Nuevo Testamento, de citar las Escrituras para establecer la verdad y el significado del evangelio.

Los Victorinos tuvieron una influencia considerable en siglos posteriores, y la *Sententiae in IV libris* de Pedro Lombardo (alrededor de 1090-1160) fue, sin duda, el libro de texto medieval más influyente en teología, como lo demuestra el ampliamente usado título universitario de *Baccalaureus sententarius*, o "Bachiller de las oraciones" (¡tomado incluso por Lutero!). Pero Aquino sigue siendo el gigante de la época. Tomás de Aquino utilizó los conceptos aristotélicos de la causalidad para explicar tanto el origen divino como la participación humana genuina en la producción de la Escritura. En sus *Quodlibetal Questions*, reconoció que Dios era el principal autor de las Sagradas Escrituras, pero insistió en que "no hay nada de repugnante en la idea de que [un] hombre, que es la causa instrumental de las Escrituras, en una expresión quiera decir varias cosas."[8] Esto probaría una manera bastante insatisfactoria de interpretar la relación entre la participación de Dios y la de los seres humanos en la producción de la Escritura. Dejó abierta la posibilidad de que Moisés, David, los profetas y los apóstoles fueran completamente pasivos, sin hacer una contribución consciente propia a los textos que se les atribuyen.

Sin embargo, Aquino no fue en ninguna manera ambiguo acerca de la autoridad que pertenece a la Escritura canónica. Él ancló esta autoridad en la realidad de la revelación a los profetas y apóstoles:

> El argumento de la autoridad es el método más apropiado para esta enseñanza en el sentido de que sus premisas se mantienen a través de la revelación; en consecuencia, tiene que aceptar la autoridad de aquellos a quienes se les hizo la revelación....
>
> De todos modos, la enseñanza sagrada también usa el razonamiento humano, no para probar la fe, porque eso quitaría el mérito de creer, sino para manifestar algunas implicaciones de su mensaje....

---

[7] Richard of St. Victor, *Book of the Twelve Patriarchs* 81, en PL 196:57BD. Traducción al inglés por Hugh Feiss, *On Love: A Selection of Works of Hugh, Adam, Achard, Richard, and Godfrey of St Victor*, Victorine Texts in Translation 2 (New York: New City, 2012), 48–49.

[8] Tomás de Aquino, *Quodlibet* VII, 6.1, ad 5, Corpus Thomisticum, Textum Taurini, 1956 ed., visto en enero 1, 2015, http://www.corpusthomisticum.org/q07.html.

Sin embargo, la enseñanza sagrada emplea tales autoridades sólo para proporcionar argumentos superficiales de la probabilidad. Sus autoridades propias son las de la Escritura canónica, y éstas se aplicaron con fuerza convincente. Tiene otras autoridades apropiadas, los doctores de la Iglesia, y estos se ven como propios, pero por argumentos que no tienen más que probabilidad.

Porque nuestra fe descansa en la revelación hecha a los Profetas y Apóstoles que escribieron los libros canónicos, no sobre la revelación, si es que existe, hecha a cualquier otro maestro.[9]

Más tarde en la *Summa*, lidiando con el pecado de mentir, Tomás de Aquino fue más sucinto al relacionar la autoridad de la Escritura con su veracidad.

Que en los Evangelios o en cualquier otro lugar de las Escrituras canónicas se afirme la falsedad o que sus autores mintieron es inadmisible; pondría fin a la certeza de la fe, que se basa en la autoridad de la Sagrada Escritura.[10]

Una generación después de Aquino, Enrique de Gante (alrededor de 1217-1293) resolvió al menos uno de los problemas que rodearon el tratamiento del tema por parte de Tomás de Aquino. A Enrique se le atribuye haber sido el primero en hablar de la doble autoría de las Escrituras.[11] Los autores humanos no eran meros "técnicos o tomadores de apuntes" sino "autores secundarios". Sin embargo, las oraciones de las Escrituras, así como la calidad y la forma de las palabras que usaban, se derivaban de Dios. Enrique, como Aquino y casi todos sus contemporáneos, sacaron la inferencia necesaria:

[Por esta razón,] debemos creer las Sagradas Escrituras simplemente y absolutamente más que la iglesia porque la verdad misma en las Escrituras siempre se mantiene firme e inmutable y no se le permite a nadie agregarle, restarle o cambiarla.[12]

Por supuesto, los juicios teológicos de sus principales pensadores fueron sólo un factor en la compleja masa que fue el catolicismo medieval. La imagen se complicó un tanto por el desarrollo de la tradición exegética en dos direcciones distintas, aunque surgieron de suposiciones comunes sobre la autoridad y relevancia de las Escrituras: (1) hacia una exégesis cuádruple (la *Quadriga*, identificando sentidos anagógicos, literales, alegóricos y tropológicos en el texto) y (2) hacia un mayor énfasis en la interpretación "literal" del texto (por ejemplo, una mayor atención a los eventos históricos a los que se refiere el Antiguo Testamento). Al final, no había una sola tradición exegética en la época medieval, sino más bien una variedad de énfasis.[13]

Sin embargo, más apremiante era la forma en que los pronunciamientos oficiales de la iglesia podían contrastar con las declaraciones de sus doctores. En la lucha entre la iglesia y el imperio, el papado hizo reclamos cada vez más amplios por el poder sobre

---

[9] Tomás de Aquino, *Summa Theologiae* 1a.1.8

[10] Aquino, *Summa Theologiae* 2a2ae.110.3.

[11] Rein Fernhout, *Canonical Texts: Bearers of Absolute Authority: Bible, Koran, Veda, Tipitaka: A Phenomenological Study* (Leiden: Brill, 1994), 104.

[12] Citado en Hermann Schüssler, *Der Primat der Heiligen Schrift als theologisches und kanonistisches Problem im Spätmittelalter* (Wiesbaden: Franz Steiner, 1977), 57n53.

[13] Richard A. Muller, "Biblical Interpretation in the Era of the Reformation: The View from the Middle Ages," en *Biblical Interpretation in the Era of the Reformation: Essays Presented to David C. Steinmetz in Honor of His Sixtieth Birthday*, ed. Richard A. Muller y John L. Thompson (Grand Rapids, MI: Eerdmans, 1996), 11-12.

todas las demás autoridades. La medida en que estos podrían alcanzarse se hizo evidente en la primera respuesta oficialmente respaldada a *las Noventa y Cinco Tesis* de Lutero, de Silvestre Prierias (1456-1523) *Sobre el poder del papado*, en la que la tercera tesis o *fundamentum* descaradamente declaraba: "Quien fuera que no se aferre a las enseñanzas de la Iglesia Romana y del Papa como la regla de fe infalible, de la que incluso la Sagrada Escritura saca su fuerza y autoridad, es un hereje."[14]

Prierias pudo haber sido extremo, pero no fue excepcional. Después de todo, la noción de que la Tradición era una segunda fuente distinta de enseñanza autorizada junto con la Escritura no surgió *de novo* en el Concilio de Trento. De hecho, Gabriel Biel (alrededor de 1420-1495), profesor de teología en la Universidad de Tubinga, justificó este punto de vista al citar los escritos de Basilio de Cesárea (330-379).[15] En un contexto en el que la gente recurría cada vez más no sólo a la Escritura sino también a una Tradición Apostólica no escrita incorporada en los pronunciamientos de la Iglesia, la apelación de Lutero a la Escritura solamente, era genuinamente revolucionaria. Desafió significativamente el consenso teológico a fines del siglo XVI, así como la teoría y la práctica de la iglesia romana. Así que las líneas de continuidad no deben exagerarse.

Sin embargo, esas líneas ciertamente estaban presentes, particularmente cuando se trataba de un entendimiento común del origen último de la Escritura en la actividad reveladora de Dios y la inspiración divina, y de la veracidad y autoridad que se relaciona con el texto bíblico como resultado. La teología de los Reformadores no surgió en el vacío, ni carecía de conexión sustancial con lo que había venido antes. Esto es lo que hizo posible el argumento sobre la base de la Escritura. Esta es la razón por la cual Lutero podía esperar, como muy seguramente lo hizo en los primeros años de la Reforma (aunque finalmente fue en vano), que el Papa y la iglesia de Roma aceptasen sus argumentos y se reformaran ellos mismos. Pero las duras realidades de los intereses creados y el compromiso con la autoridad institucional, que en la práctica rivalizaron y en última instancia socavaron este compromiso común con la autoridad de la Escritura, se presionarían duramente sobre Lutero y todos los Reformadores en poco tiempo.

Acuñando el Término:
Lutero acerca de la Autoridad Bíblica

El compromiso de Martín Lutero con la autoridad final de las Escrituras, una autoridad por la cual todas las otras autoridades deben ser juzgadas, es claro desde los primeros años de su ministerio de enseñanza y literario. Un año después de publicar tanto su *Disputa contra la teología escolástica* (septiembre de 1517) como sus *Noventa y cinco tesis contra el poder de las indulgencias* (octubre de 1517), Lutero fue convocado a una entrevista con Tommaso de Vio o Cardenal Cajetan (1469-1534), siguiendo la *Dieta de Augsburgo* en octubre de 1518. Cuando Cajetan lo desafió sobre la base de las enseñanzas de la iglesia, Lutero insistió, "La verdad de las Escrituras es lo primero. Después de que se acepta, se puede determinar si las palabras de los hombres pueden

---

[14] Sylvestro Prierias, *De potestate papae dialogus*, citado en latín e inglés en Heiko A. Oberman, *The Reformation: Roots and Ramifications*, trad. Andrew C. Gow (Edinburgh: T&T Clark, 1994), 124.

[15] Gabriel Biel, *Expositio* (1488; repr., Basel, 1515), citado en Heiko A. Oberman, *"Quo Vadis, Petre? Tradition from Irenaeus to Humani Generis"*, en *The Dawn of the Reformation: Essays in Late Medieval and Early Reformation Thought* (Edinburgh: T&T Clark, 1986), 281n50.

aceptarse como verdaderas."[16] Está claro que Lutero no descartaba la autoridad de "las palabras de los hombres" sino que las sometía a lo que consideraba una autoridad superior, "la verdad de las Escrituras". A lo largo de su ministerio, Lutero citaría a los Padres y credos e incluso a algunas decisiones de los consejos de la iglesia primitiva en apoyo de su enseñanza, pero él no las consideró decisivas. Sin embargo, también fueron más que meramente ilustrativos. En la medida en que expresaban fielmente la enseñanza de la Escritura, debían considerarse como autoritativos. La Escritura no era la *única* autoridad sino la autoridad *final*.

Que esto fue lo que Lutero quiso decir con el lema *Sola Scriptura* se hizo aún más claro unos años después cuando, tras la amenaza de excomunión de León X (1513-1521), escribió *Una afirmación de todos los artículos* (1520):

> No quiero desechar a todos los más aprendidos [que yo], sino que sea la *sola Escritura* la que reine, y no para interpretarla por mi propio espíritu o el espíritu de cualquier hombre, sino, quiero entenderla por sí misma y por su espíritu.[17]

Esta es una de las primeras apariciones de la frase *sola Scriptura* de la pluma de un reformador. Lutero escribió nuevamente en estos términos en su prefacio a las notas de Melanchthon sobre Romanos en 1522, aunque esta vez puso la frase en la boca de Melanchthon:

> Tú dices: "*solo* las *Escrituras* deben leerse sin comentarios". Dices esto correctamente sobre los comentarios de Orígenes, Jerónimo y Tomás. Ellos escribieron comentarios en los que transmitieron sus propias ideas en lugar de las ideas paulinas o cristianas. Que nadie llame a tus anotaciones un comentario [en ese sentido] sino solo un índice para leer las Escrituras y conocer a Cristo, debido a que hasta este momento nadie ha ofrecido un comentario que lo supere.[18]

Está claro que Lutero estaba familiarizado con la expresión y la convicción subyacente desde los primeros años de la Reforma. Pero una vez más, es importante no transmitir una noción bíblica moderna de texto prueba en el enfoque de Lutero al lugar de las Escrituras en la teología y la práctica de la iglesia. Él no simplemente apoyó sus afirmaciones con una serie de referencias bíblicas. Es cierto que, al igual que los teólogos en todos los siglos, Lutero no se oponía a citar *dicta probanta* (es decir, textos de prueba). Las palabras expresas de la Escritura fueron decisivas. Estaba más que dispuesto a argumentar el significado preciso de un texto en particular —su debate con Zuinglio en Marburg en 1529 sobre la declaración de Jesús "Este es mi cuerpo" (Mt. 26:26) es evidencia suficiente de eso.[19] Anteriormente, en 1525, había escrito sobre el mismo tema e insistió en que las simples palabras de la Escritura deben mantenerse:

> Esta es nuestra base. Donde la Sagrada Escritura es el fundamento de la fe, no debemos desviarnos de las palabras tal como están o del orden en que se encuentran, a menos que

---

[16] Martín Lutero, *Acta Augustana* (1518), WA 2:21.5–6; LW 31:282.

[17] Martín Lutero, *Assertio omnium articulorum M. Lutheri per bullam Leonis X. novissimam damnatorum* (1520), WA 7:98.40–99.2.

[18] Martín Lutero, *Vorwort zu den Annotationes Felipei Melanchthonis in epistolas Pauli ad Romanos et Corinthios* (1522), WA, vol. 10, bk. 2, 310.12–17.

[19] Para recuento útil, consulte Martin Brecht, *Martin Luther*, trad. J. L. Schaaf, vol. 2, *Shaping and Defining the Reformation*, 1521–1532 (Minneapolis: Fortress, 1990), 325–34.

un artículo de fe expreso obligue a una interpretación u orden diferente. Para lo demás, ¿qué pasaría con la Biblia?[20]

Pero Lutero también descubriría el significado de un texto, usando los argumentos de aquellos que se habían ido antes que él y su propio razonamiento para mostrar el significado y las consecuencias de lo que la Biblia enseña. Reconoció a otras autoridades subsidiarias y contingentes, no junto a, pero bajo la regla de las Escrituras, que seguía siendo su autoridad final. Estas otras autoridades incluían no solo a los Padres de la Iglesia sino también a varios teólogos medievales calificados. También él reconoció que el razonamiento desde y sobre el texto de las Escrituras era un elemento crítico en todo el proceso. Las inferencias correctas de lo que se dice en las Escrituras, siempre sujeto a las pruebas en contra del texto bíblico en sí, aparecen a lo largo de los escritos de Lutero. Su disposición a razonar de las Escrituras (siguiendo el ejemplo de Pablo en Hechos 17:2) es evidente ya en la famosa declaración hecha en la Dieta de Worms en mayo de 1521:[21]

> A menos que yo esté convencido por el testimonio de las Escrituras o por una razón evidente —pues no puedo creer ni en el papa ni en los concilios solamente, ya que es claro que se han equivocado repetidamente y se han contradicho— me considero conquistado por las *Escrituras* aducidas por mí y por mi conciencia que está sometida de la Palabra de Dios.[22]

Así que, para Lutero, la Escritura misma permaneció como la autoridad final, pero esto no eliminó toda apelación a los Padres, los credos y las decisiones de la Iglesia. Leer las Escrituras es una actividad de compañerismo en la cual las voces de aquellos que han leído antes que nosotros deben ser escuchadas atentamente. El individualismo de siglos posteriores se lee anacrónicamente en la apelación de Lutero a *sola Scriptura*. Tampoco la autoridad final de las Escrituras eliminó toda necesidad de aplicar la razón humana al significado del texto. Lutero sin duda podría hacer uso de la lógica para construir un argumento teológico de vez en cuando (especialmente cuando discute con los suizos), y su posición en Worms si incluyó, después de todo, la frase "o por una razón evidente."[23] Pero, críticamente, tanto una apelación a los Padres como la aplicación de la razón podrían cuestionarse sobre la base de la lectura clara del texto de la Escritura. La Escritura sola debe reinar. Nuestras conciencias no están sometidas a ninguna otra autoridad que no sea la Palabra de Dios.

La razón humana tenía sus propios desafíos, por supuesto. Sí, podría y debería cumplir una función ministerial para ayudar al creyente a comprender la Palabra de Dios. Sin embargo, Lutero estaba convencido de que era el ejercicio indisciplinado de la razón lo que llevó a muchos de los errores que percibió en su tiempo, y se negó a dejar que la razón sea una prueba aislada o final de la verdad. En 1532, mucho después

---

[20] Martín Lutero, *Wider die himmlischen Propheten von den Bildern und Sakrament* (1525), WA 18:147.23–26; LW 40:157.

[21] Para Lutero, esto a menudo significaba muy específicamente "probar el Nuevo Testamento del Antiguo." Martín Lutero, *Epistel S. Petri gepredigt und außgelegt* (1523), WA 12:274.24–32; LW 30:18–19.

[22] Martín Lutero, *Verhandlungen mit D. Martin Luther auf dem Reichstage zu Worms* (1521), WA 7:838.4–7; LW 32:112.

[23] Ver, por ejemplo, Martín Lutero, *Vom Abendmahl Christi, Bekenntnis* (1528), WA 26:275.33–34, 323.13–327.4, 437.30–445.17; LW 37:134, 211–14, 294–303.

de que el calor inicial del enfrentamiento con Roma había disminuido un poco, Lutero dio una conferencia sobre el Salmo 45, insistiendo que

> esta debería ser la primera preocupación de un teólogo: que sea un buen textualista, como se le llama, y que se aferre al primer principio, no para disputar o filosofar en asuntos sagrados. Porque si uno operara con argumentos racionales y plausibles en esta área, me sería fácil distorsionar cada artículo de fe, así como Arrio, los sacramentarianos y los anabaptistas. Pero en teología solo debemos escuchar, creer y convencernos en nuestro corazón de que "Dios es veraz, sin importar cuánto pueda parecer absurdo razonar lo que Dios dice en su Palabra".[24]

Como es claro en las citas anteriores, todo esto fue construido, en lo que respecta a Lutero, sobre la convicción previa de que la Escritura era de hecho la Palabra escrita de Dios. Incluso dada la insistencia de Lutero de que la Palabra debe ser *predicada* y no sólo *leída*,[25] no tenía dudas de que el texto de las Escrituras era en sí mismo la Palabra de Dios. Las nociones de la Escritura del siglo XX que contienen la Palabra de Dios no deben leerse de vuelta en Lutero, como lo hizo Karl Barth cuando malinterpretó un comentario de Lutero en su *Adventspostilla* —"ésta contiene la Palabra de Dios"; de hecho, se ha demostrado que este comentario se refiere al "alma en toda su angustia", no a "la Sagrada Escritura."[26] El testimonio repetido de Lutero es claro. En 1522, escribió: "Creo que el Papa mismo, con todos sus demonios, aunque suprime cada palabra de Dios, no puede negar que la palabra de San Pablo es la palabra de Dios y que su orden es el orden del Espíritu Santo."[27] Veinte años más tarde, en 1542, mientras comentaba sobre Génesis, Lutero habló de cómo creía firmemente, aunque débilmente, que "el Espíritu Santo mismo y Dios, el Creador de todas las cosas, es el autor de este libro."[28]

Podía hablar indistintamente de "Escritura" y "la Palabra de Dios", como lo hacía frecuentemente en su debate con Erasmo en 1525: "Digo con respecto a la *totalidad de la Escritura* que no llamaré oscura a *ninguna parte de ella*.... Cristo no nos ha iluminado tan deliberadamente como para dejar oculta *una parte de su palabra*."[29] También podía poner las dos expresiones una al lado de la otra, no para significar dos entidades diferentes sino para impresionar a sus lectores con la identidad de la Escritura como la Palabra de Dios. Entonces, en 1521, en la cuarta de sus respuestas a la bula papal que amenazaba su excomunión, escribió:

> No hagas tus propias ideas en artículos de fe como lo hace esa abominación en Roma. Porque entonces tu fe puede convertirse en una pesadilla. Mantén las Escrituras y la

---

[24] Martín Lutero, *Praelectio in Psalmum* 45 (1532), WA, vol. 40, bk. 2, 593.30–36; LW 12:288.

[25] La expresión más estridente de Lutero de este énfasis en la oralidad de la Palabra se encuentra en su conferencia de 1526 sobre Mal. 2:7. Martín Lutero, *Praelectiones in Malachiam* (1526), WA 13:686.6–12; LW 18:401.

[26] Martín Lutero, *Adventspostille* (1522), WA, vol. 10, bk. 1, pt. 2, 75.1–10; Karl Barth, *Kirchliche Dogmatik*, vol. 1, pt. 2, 544 (para una traducción al inglés, ver Karl Barth, *Church Dogmatics*, trad. G. W. Bromiley, ed. G. W. Bromiley y T. F. Torrance, vol. 1, pt. 2 [London: T&T Clark, 2004], 492). Ver la discusión en Mark D. Thompson, *A Sure Ground on Which to Stand: The Relation of Authority and Interpretive Method in Luther's Approach to Scripture*, Studies in Christian History and Thought (Carlisle: Paternoster, 2004), 88–89.

[27] Martín Lutero, *Wider den falsch genannten geistlichen Stand des Papsts und der Bischöfe* (1522), WA, vol. 10, bk. 2, 139.15–18; LW 39:277.

[28] Martín Lutero, *Genesisvorlesung* (1535–1545), WA 43:618.31–33; LW 5:275.

[29] Martín Lutero, *De servo arbitrio* (1525), WA 18:656.15–16, 18–20; LW 33:94, 95.

palabra de Dios. Allí encontrarás la verdad y la seguridad: seguridad y una fe completa, pura, suficiente y duradera.[30]

Dieciocho años más tarde, en medio de una conferencia sobre Génesis 19, advirtió sobre el peligro de "evadir las Sagradas Escrituras" y concluyó instando: "No cambiemos la palabra de Dios."[31]

Lutero habló de tres formas de la Palabra de Dios, pero no de la misma manera que lo haría Karl Barth cuatro siglos después. Como lo dijo Lutero,

> Por lo tanto, debemos saber que la palabra de Dios se habla y se revela de una manera triple. Primero, por Dios el Padre en los santos en gloria y en Sí mismo. Segundo, en los santos en esta vida en el Espíritu. En tercer lugar, a través de la palabra y la lengua externas dirigidas a oídos humanos.[32]

Esta no es una progresión estricta de la Palabra encarnada, Palabra inscripta, Palabra proclamada. Lutero se movió de la voz directa e inmediata del Padre en la gloria, a la Palabra mediada por el Espíritu al creyente en la historia humana, a la Palabra mediada por el texto público y la proclamación en el mundo. Sin embargo, en otros puntos, Lutero se acercó a la fórmula triple de Barth. Insistió en que Cristo, la Palabra de Dios encarnada, debe distinguirse de las Escrituras y de la predicación por el hecho de que solo él es "en esencia Dios."[33] Aun así, Lutero permaneció dedicado a la Biblia, y su larga y seria dedicación a la Escritura como la Palabra de Dios, para ser creída y obedecida como desde los labios de Dios mismo, nunca descendió a bibliolatría.

El enfoque de Lutero siguió siendo lo que él creía que era el enfoque de la Escritura: el testimonio y la palabra de Cristo tanto en la ley como en el evangelio. Famosamente para Lutero, el principio interpretativo central cuando se discutía el Antiguo Testamento o el Nuevo era "lo que promueve a Cristo" (*was Christum treibet*).[34] Fue un principio, insistió Lutero, que surgió de la Escritura misma y particularmente de las palabras y el ejemplo de Cristo en lugares como Juan 5:39 y Lucas 24:27:

> Ahora los evangelios y las epístolas de los apóstoles fueron escritos para este mismo propósito. Quieren ser nuestros guías, para dirigirnos a las escrituras de los profetas y de Moisés en el Antiguo Testamento para que podamos leer y ver por nosotros mismos cómo Cristo está envuelto en pañales y puesto en el pesebre, es decir, cómo él es comprendido en los escritos de los profetas. Es allí donde las personas como nosotros deben leer y estudiar, indagar y ver qué es Cristo, por cuál propósito él ha sido dado, cómo fue prometido y cómo todas las Escrituras se dirigen a él. Porque él mismo dice en Juan 5: "Si ustedes creyeran en Moisés, también me creerían en mí, porque él escribió acerca de mí." Nuevamente, "escudriñad y buscad las Escrituras, porque son ellas quienes dan testimonio de mí."[35]

---

[30] Martín Lutero, *Grund und Ursach aller Artikel D. Martin Luther* (1521), WA 7:455.21–24; LW 32:98.

[31] Lutero, *Genesisvorlesung* (1535–1545), WA 43:87.37–40; LW 3:297.

[32] Martín Lutero, *Dictata super Psalterium* (1513–1515), WA 3:262.6–9; LW 10:220.

[33] Martín Lutero, *"Substantialiter Deus," Tischreden* #5177 (Agosto 1540), WATr 4:695.16–696.2; LW 54:395.

[34] "Todos los libros sagrados genuinos concuerdan en esto, que todos ellos predican y promueven a Cristo. Y esa es la verdadera prueba para juzgar todos los libros, cuando vemos si promueven o no a Cristo". Lutero *Vorrede auf die Episteln S. Jacobi und Judas* (1522), WADB 7:384.25–27; LW 35:396.

[35] Martín Lutero, *Eyne kleyn unterricht, was man ynn den Euangelijs suchen und gewartten soll, Kirchenpostille* (1522), WA, vol. 10, bk. 1, pt. 1, 15.1–10; LW 35:122.

Este principio fue también una aplicación particular del enfoque aún más fundamental de Lutero a la interpretación bíblica: "La Escritura es su propio intérprete" (*Scriptura sui ipsius interpres*).[36] La Escritura misma debe dirigir nuestra atención a su punto central y proporcionarnos la clave para comprender cada una de sus partes y cómo se juntan en un todo coherente, y desde el punto de vista de Lutero, Cristo era esa clave. En 1525, preguntó: "Saquen a Cristo de las Escrituras y ¿qué encontrarán en ellas?"[37] Diez años más tarde, insistió, "La Sagrada Escritura, especialmente el Nuevo Testamento, siempre promueve la fe en Cristo y lo proclama magníficamente."[38]

Con este enfoque de Cristo y un compromiso establecido con la "analogía de las Escrituras" (una comparación de las Escrituras con las Escrituras), Lutero pudo insistir en que las Escrituras son claras. Este principio formó una parte importante de su argumento contra Erasmo en *La esclavitud de la voluntad* (1525). Era por eso que podía hacer afirmaciones teológicas con confianza, algo que Erasmo consideró inapropiado dado el misterio divino y su expresión en la profundidad de las Escrituras. Un cristiano se deleita en las afirmaciones, respondió Lutero, pero inmediatamente insistió en que estaba hablando acerca de "la afirmación de las cosas que nos han sido transmitidas divinamente en las Sagradas Escrituras."[39] Las afirmaciones teológicas son posibles porque Dios efectivamente ha comunicado Su verdad en las Escrituras. Por supuesto, Lutero no negó que algunos pasajes de las Escrituras son difíciles, y abrazó la antigua práctica de explicar pasajes difíciles a la luz de los pasajes claros. Él mostraría lo que quería decir con la claridad de las Escrituras y explicaba en parte por qué un pasaje claro no conducía inexorablemente a la aprobación universal al distinguir entre dos tipos de claridad:

> Para decirlo brevemente, hay dos tipos de claridad en las Escrituras, así como también hay dos tipos de oscuridad: una externa y perteneciente al ministerio de la Palabra, la otra ubicada en la comprensión del corazón. Si hablas de la claridad interna, nadie percibe ni un ápice de lo que está en las Escrituras a menos que tenga el Espíritu de Dios.... Si, por otro lado, hablas de la claridad externa, nada queda oscuro o ambiguo, sino que todo lo que hay en las Escrituras ha sido sacado por la Palabra a la luz más definida y anunciada para todo el mundo.[40]

El enfoque de Lutero sobre la autoridad, la naturaleza y la función de las Escrituras estableció muchas de las instrucciones para quienes lo siguieron. No fue una ruptura radical con la enseñanza oficial de la iglesia en los siglos previos a la Reforma. El origen divino de la Escritura, su autoridad y veracidad, y su enfoque central en Cristo, fueron todos temas que tuvo en común con el consenso teológico que heredó. Una apelación a las Escrituras también era un lugar común en la escritura teológica y los documentos oficiales de la iglesia. El radicalismo de Lutero vino más bien de seguir las consecuencias de estas convicciones en su revisión del plan de estudios teológicos

---

[36] Martín Lutero, *Eyne kleyn unterricht, was man ynn den Euangelijs suchen und gewartten soll, Kirchenpostille* (1522), WA, vol. 10, bk. 1, pt. 1, 15.1–10; LW 35:122.

[37] Lutero, *De servo arbitrio* (1525), WA 18:606.29; LW 33:26.

[38] Martín Lutero, *In epistolam S. Pauli ad Galatas Commentarius* (1535), WA, vol. 40, bk. 1, 254.17–18; LW 26:146.

[39] "Porque no es la marca de una mente cristiana no deleitarse con las afirmaciones; por el contrario, un hombre debe deleitarse en las afirmaciones o no será cristiano.[...] Estoy hablando, además, sobre la afirmación de aquellas cosas que nos han sido transmitidas divinamente en las Sagradas Escrituras".Lutero, *De servo arbitrio* (1525), WA 18:603.10–12, 14–15; LW 33:19–20.

[40] Lutero, *De servo arbitrio* (1525), WA 18:609.4–7, 12–14; LW 33:28.

en Wittenberg y en su crítica de la práctica de la iglesia contemporánea. Estaba preparado para cuestionar lo que se enseñaba y practicaba en la iglesia romana sobre la base de su compromiso sostenido con el texto de las Escrituras. *Sola Scriptura* significaba para él que todas las demás autoridades, por muy venerables que fueran, estaban bajo la autoridad de las Escrituras y deben ser probadas por lo que se enseña en las Escrituras. En el punto de la última palabra, la Escritura permanece única. Otros reformadores se basarían en las ideas de Lutero a la luz de los desafíos que inevitablemente surgieron.

Siguiendo la Trayectoria:
Melanchthon sobre la Autoridad Bíblica

Felipe Melanchthon (1497-1560), colega de Lutero en la Universidad de Wittenberg, siguió cada una de estas líneas de argumentación, pero de forma característica buscó una mayor claridad sistemática. El 19 de septiembre de 1519, no mucho después de la disputa de Leipzig entre Lutero, Johann Eck (1486-1543) y Andreas Karlstadt (1480-1541), Melanchthon respondió a veinticuatro proposiciones presentadas por el decano de la facultad de teología como parte de su examen para el *baccalaureus biblicus*. Tres de las proposiciones son particularmente dignas de anotar:

> 16. No es necesario que un católico crea otros artículos de fe que aquellos en los que la Escritura es testigo.
> 17. La autoridad de los concilios está por debajo de la autoridad de las Escrituras.
> 18. Por lo tanto, no creer en el "*character indelibilis*", transubstanciación, etc., no está abierto a la acusación de herejía.[41]

Sin lugar a dudas, Melanchthon se vio profundamente afectado por el intercambio en Leipzig, particularmente entre Lutero y Eck. Le dio una perspectiva completamente nueva sobre las autoridades de la antigüedad que habían dominado su formación humanista. Su respuesta al ataque personal de Eck contra él, publicado un mes antes de la disputa de la enseñanza media, explicaba más completamente su comprensión de la relación entre la autoridad de la Escritura y la autoridad de los Padres de la Iglesia en particular:

> Primero, no está en mi corazón quitarle autoridad a nadie de ninguna manera. Venero y honro todas las luces de la iglesia, esos ilustres defensores de la doctrina cristiana. Luego, considero que es importante que las opiniones de los Santos Padres cuando difieran, como lo hacen, sean juzgadas por las Escrituras, no al revés, [lo que resultaría en] que las Escrituras sufran violencia a causa de [sus] diversos juicios. Hay un único y simple sentido de la Escritura, ya que también la verdad celestial es muy simple, que reúne un hilo de las Escrituras y la oración. Con este fin se nos ordena filosofar en las Escrituras divinas, para que podamos evaluar las opiniones de los hombres y los decretos en contra de la piedra de toque.... La Escritura del Espíritu celestial, la cual se le llama canónica, es una, pura y verdadera en todas las cosas.[42]

---

[41] Felipe Melanchthon, *Melanchthon: Selected Writings*, ed. Elmer E. Flack y Lowell J. Satre, trad. Charles L. Hill (Minneapolis: Augsburg, 1962), 18.

[42] Felipe Melanchthon, *Defensio contra Johannem Eckium* (1519), CR 1:113–14, 115.

El entrenamiento humanista de Melanchthon hizo que su preocupación por las autoridades patrísticas fuera excepcional. Siguieron siendo autoritarios, y sus esfuerzos en la defensa de la doctrina cristiana debían ser honrados. Sin embargo, había una autoridad superior a cualquiera de ellos, una piedra de toque contra la cual todos debían ser comprobados. Aquí, muy claramente, Melanchthon adoptó con entusiasmo las direcciones teológicas establecidas por Lutero.

La razón que subyace a esta diferencia entre las Escrituras, por un lado, y los textos de los Padres y los decretos de la Iglesia, por otro, se encuentra en el origen de las Escrituras. Melanchthon lo expresó de manera sucinta al escribirle a John Hess de Nuremberg un año después:

> Sabemos que lo que se ha expuesto en los Libros Canónicos es la doctrina del Espíritu Santo. No sabemos que lo que deciden los concilios es la doctrina del Espíritu Santo a menos que esté de acuerdo con las Escrituras.[43]

Anteriormente en esta importante carta Melanchthon expresó su compromiso con la claridad de la Escritura (otro tema importante de Lutero, como hemos visto), anclándola al carácter y la voluntad de Dios:

> Por el contrario, el misericordioso Espíritu de Dios ha diseñado que las Escrituras sean entendidas por todos los fieles con la menor dificultad posible. Se los ruego, no permitamos que las Escrituras divinas se conviertan en jeroglíficos egipcios. El Hijo de Dios se encarnó, no para ser desconocido. ¡Y cuánto más ha querido ser conocido a través de las Escrituras que, como una especie de imagen de sí mismo, nos ha dejado para una posesión perpetua![44]

El trabajo principal de Melanchthon, sus *Loci Communes*, publicado por primera vez en 1521, no trató la doctrina de las Escrituras como un *locus* distinto. Sin embargo, su introducción al lugar que trata la diferencia entre los pactos antiguo y nuevo en la tercera edición (1543) incluye una declaración sobre el propósito divino detrás de la Escritura e incorpora la dialéctica de la ley-evangelio que Lutero hizo famosa:

> Por lo tanto, debemos entender que es una gran bendición de Dios que haya dado a su iglesia un cierto Libro, y Él lo preserva para nosotros y reúne a su iglesia alrededor de él. Finalmente, la iglesia es el pueblo que abraza este Libro, escucha, aprende y retiene como propias sus enseñanzas en su vida de adoración y en el gobierno de su moral. Por lo tanto, donde este Libro es rechazado, la iglesia de Dios no está presente, como es el caso entre los mahometanos; o donde sus enseñanzas han sido suprimidas o se han presentado falsas interpretaciones, como ha sucedido entre los herejes. Por lo tanto, debemos leer y meditar sobre este Libro para que se conserven sus enseñanzas, como a menudo se nos ordena con respecto al estudio de éste, por ejemplo, 1 Tim. 4:13, "Dedícate a leer"; Col. 3:16, "Permitan que la Palabra de Cristo habite abundantemente en ustedes". El Espíritu Santo testifica que es su voluntad que la doctrina y los testimonios divinos se pongan por escrito, por ejemplo, Sal. 102:18, "Esto será escrito para las generaciones venideras, y las personas que serán creadas alabarán al Señor".
>
> Por lo tanto, debemos amar y cultivar el estudio de este Libro divinamente dado. Primero, debemos conocer su esencia y que hay dos clases de enseñanzas contenidas en

---

[43] Felipe Melanchthon, *Epistolas ad Hessum* (febrero 1522), CR 1:143; *Melanchthon: Selected Writings*, 53.

[44] Melanchthon, *Epistolas ad Hessum*, CR 1:141; *Melanchthon: Selected Writings*, 51.

todo el Libro, la Ley y la promesa de la gracia, que se llama propiamente el Evangelio. Esta distinción es una luz para toda la Escritura y se enseñó incluso antes de Moisés.[45]

Aunque no desarrolló ninguno de estos, Melanchthon tocó la fuente de la Escritura en Dios, la confianza en abordarla que está anclada en la benevolencia del Dios que la ha dado, la preservación de Dios y el papel de las Escrituras en la congregación local. Fue más directo, y más sucinto, en la primera edición:

> Los artículos de fe deben ser juzgados simplemente de acuerdo con el canon de la Sagrada Escritura. Lo que se ha presentado fuera de la Escritura no se debe considerar como un artículo de fe.[46]

Melanchthon pasó a explicar por qué:

> Ahora bien, ¿cómo sabremos la fuente de lo que los hombres decretan si no se puede pesar exactamente de acuerdo con las Escrituras? Porque seguramente está de acuerdo en que lo que las Escrituras confirman originadas el Espíritu Santo.... Pablo ordena a los tesalonicenses: "Pruébenlo todo; retengan lo que es bueno". Y en otra parte, ordena que los espíritus sean probados para ver si son de Dios. Te pregunto cómo debemos probar los espíritus a menos que se midan contra un estándar definido, seguramente el de las Escrituras; porque solo la Escritura definitivamente se sabe que ha sido establecida por el Espíritu de Dios.[47]

Argumentos similares se encuentran en el tratado de Melanchthon de 1539 *La iglesia y la autoridad de la palabra*. Sin embargo, pudo desarrollarlos con más detalle cuando trató de defender a los piadosos "contra los sofismas de aquellos que citan falsamente los testimonios de los dogmas de la antigüedad y de la iglesia en defensa de dogmas perversos."[48] Anticipó la objeción de que "si se repudia la autoridad de la iglesia, entonces se concede demasiada licencia a la altivez de las personas sagaces", y en respuesta, Melanchthon escribió:

> A esto respondo que, así como el Evangelio nos ordena que escuchemos a la iglesia, siempre digo que esa asamblea dentro de la cual la Palabra de Dios ha sido honrada, y que se llama la iglesia, debe ser escuchada, como también ordenamos a nuestros pastores a que sean escuchados. Por lo tanto, escuchemos a la iglesia cuando ella enseñe y amoneste, pero no creamos meramente por la autoridad de la iglesia. Porque la iglesia no origina artículos de fe; ella solo enseña y amonesta. Sino que debemos creer debido a la Palabra de Dios cuando, sin duda, amonestados por la iglesia, entendemos que una opinión particular ha sido transmitida la Palabra de Dios en verdad y sin sofistería.[49]

El tratamiento de Melanchthon sobre la autoridad de la Escritura, más a menudo en el contexto de repudiar la autoridad final del dogma de la iglesia, ciertamente sigue de

---

[45] Felipe Melanchthon, *Loci Communes* (1543), CR 21:801; *Melanchthon, Loci Communes* 1543, trad. J. A. O. Preus (St. Louis, MO: Concordia, 1992), 117.

[46] Melanchthon, *Loci Communes* (1522), CR 21:131; *Melanchthon and Bucer*, ed. Wilhelm Pauck, LCC 19 (London: SCM, 1969), 63.

[47] Melanchthon, *Loci Communes* (1522), CR 21:131; *Melanchthon and Bucer*, 63.

[48] Felipe Melanchthon, *De Ecclesia et de Autoritate Verbi Dei* (1539), CR 23:642; *Melanchthon: Selected Writings*, 186.

[49] Melanchthon, *De Ecclesia et de Autoritate Verbi Dei*, CR 23:603; *Melanchthon: Selected Writings*, 142.

cerca la trayectoria establecida por Lutero. No es un repudio total de otras teologías, excepto en la medida en que son tratadas como autoridades finales. Todos los demás reclamos deben probarse en contra de las Escrituras, y donde sea que haya una diferencia, las Escrituras deben reinar supremamente.

Poderosa y Eficaz:
Huldrych Zuinglio sobre la Autoridad Bíblica

Huldrych Zuinglio (1484-1531) siempre argumentó que llegó a su teología antes e independientemente de Martín Lutero. Indiscutiblemente el reformador suizo original, produjo el primer tratado sobre la naturaleza y la función de la Escritura en la época protestante. El 6 de septiembre de 1522, solo dieciséis meses después de la Dieta de Worms, Zuinglio publicó su sermón *Die Klarheit und Gewissheit des Wortes Gottes* (*La claridad y la certeza de la Palabra de Dios*). El sermón comienza con una meditación introductoria sobre la humanidad creada a imagen de Dios, que lleva a la siguiente conclusión:

> Entonces, hemos llegado al punto en que, por el hecho de que somos la imagen de Dios, podemos ver que no hay nada que pueda dar mayor alegría o seguridad o consuelo al alma que la Palabra de su creador y hacedor. Ahora podemos aplicarnos a nosotros mismos para comprender la claridad y la infalibilidad de la Palabra de Dios.[50]

El cuerpo del sermón está estructurado alrededor de dos características de la Escritura: la certeza o el poder de la Palabra de Dios y la claridad de la Palabra de Dios. Aunque la expresión "Palabra de Dios" es favorecida por Zuinglio a lo largo del sermón, su uso del texto de las Escrituras y sus propios comentarios explícitos — "Hablamos de las Escrituras, y esta vino de Dios y no de los hombres"[51]— demuestran que él no distinguió entre los dos de la misma manera que algunos teólogos del siglo XX. Esto es evidente en un comentario extenso sobre Cristo y la Palabra:

> Porque el único quien dice [esta] es una luz del mundo. Él es el camino, la verdad y la luz. En su Palabra, nunca podemos equivocarnos. Nunca podemos ser engañados o confundidos o destruidos en su Palabra. Si crees que no puede haber seguridad o certeza para el alma, escucha la certeza de la Palabra de Dios. El alma puede ser instruida e iluminada —teniendo en cuenta la claridad— de modo que perciba que toda su salvación y rectitud, o justificación, está contenida en Jesucristo.[52]

En la primera sección, Zuinglio insistió repetidamente en que la Palabra de Dios, hablada o escrita, afectaría indefectiblemente el propósito de Dios:

> La palabra de Dios es tan segura y fuerte que, si Dios quiere, todas las cosas se hacen en el momento en el que él habla su Palabra.[53]

> Nada es demasiado fuerte o lejano como para que la Palabra de Dios no lo alcance.[54]

---

[50] Huldrych Zuinglio, *Von der gewüsse oder kraft des worts gottes* (1522), en ZSW 1:352–53; Traducción al inglés en *Zwingli and Bullinger: Selected Translations with Introductions and Notes*, ed. G. W. Bromiley, LCC 24 (Philadelphia: Westminster, 1953), 68.

[51] Zuinglio, *Von der gewüsse oder kraft des worts gottes*, en ZSW 1:382; *Zwingli and Bullinger*, 92.

[52] Zuinglio, *Von der gewüsse oder kraft des worts gottes*, en ZSW 1:372; *Zwingli and Bullinger*, 84.

[53] Zuinglio, *Von der gewüsse oder kraft des worts gottes*, en ZSW 1:352; *Zwingli and Bullinger*, 68.

La Palabra de Dios es tan viva y fuerte y poderosa que todas las cosas tienen que obedecerla, y eso tan a menudo y tan rápido como Dios mismo lo designa.[55]

Zuinglio proporcionó una serie de ejemplos tanto del Antiguo como del Nuevo Testamento como evidencia de la eficacia de la Palabra de Dios.

Zuinglio luego recurrió a la claridad de las Escrituras. Tres años más tarde, Lutero hablaría de una doble claridad: la claridad externa efectuada por el Espíritu en el texto y la claridad interna provocada por el Espíritu en el corazón humano. El enfoque de Zuinglio fue más singular. Su interés estaba en el poder de la Palabra de Dios para iluminar y traer comprensión: "Cuando la Palabra de Dios brilla en el entendimiento humano, lo ilumina de tal manera que comprende y confiesa la Palabra y conoce la certeza de la misma."[56] Esto fue en efecto una aplicación particular del poder o la eficacia de la Palabra de Dios. Precisamente porque es la Palabra *de Dios*, el Dios soberano (Zuinglio habló de "tan a menudo y tan rápido como Dios mismo lo señala" en la primera sección), es capaz de llevar el entendimiento de la oscuridad a la luz. El creyente "debe ser *theodidacti*, es decir, enseñado por Dios, no por los hombres."[57] La franqueza del discurso de Dios a través de su Palabra es la clave de la luz que proviene de la Palabra de Dios. Aquí, Zuinglio se acercó al concepto de auto-autenticación de las Escrituras, una idea que con frecuencia se asocia con Calvino. Dios iluminó a Abraham con Su palabra "que él sabía que era la Palabra de Dios."[58] Zuinglio terminó el trabajo con doce instrucciones sobre "el camino para llegar a una verdadera comprensión de la Palabra de Dios y a una experiencia personal del hecho de ser enseñado por Dios."[59]

De particular interés es la forma en que Zuinglio dio prominencia a la obra del Espíritu. 1 Cor. 2:12-13 y 1 Juan 2:27 fueron textos bíblicos significativos para él en este aspecto, lo que le permitió explicar con precisión cómo el creyente es "enseñado por Dios" en y a través de las Escrituras:

> Ten en cuenta que los dones que Dios da son conocidos por el Espíritu de Dios, no por el despliegue inteligente de las palabras y la sabiduría del hombre, que es el espíritu de este mundo.... Dios se revela a sí mismo por su propio Espíritu, y no podemos aprender de él sin su Espíritu.... [E]sta unción es lo mismo que la iluminación y el don del Espíritu Santo.[60]

La práctica pastoral de Zuinglio debe ponerse al lado de sus escritos para obtener una imagen más completa de su compromiso con la autoridad de las Escrituras y, en particular, su eficacia en la transformación de las vidas de hombres y mujeres y la comunidad de la que forman parte. Zuinglio comenzó su ministerio de predicación en Grossmunster en Zúrich con una exposición continua del Evangelio de Mateo. En los doce años que ejerció este ministerio, predicó mayormente de la Biblia. También estableció el *Prophezei*, una escuela de los profetas, en la que el texto del Antiguo

---

[54] Zuinglio, *Von der gewüsse oder kraft des worts gottes*, en ZSW 1:355; *Zwingli and Bullinger*, 70.

[55] Zuinglio, *Von der gewüsse oder kraft des worts gottes*, en ZSW 1:356; *Zwingli and Bullinger*, 71.

[56] Zuinglio, *Von der gewüsse oder kraft des worts gottes*, in ZSW 1:361; *Zwingli and Bullinger*, 75.

[57] Zuinglio, *Von der gewüsse oder kraft des worts gottes*, in ZSW 1:377; *Zwingli and Bullinger*, 89.

[58] Zuinglio, *Von der gewüsse oder kraft des worts gottes*, in ZSW 1:363; *Zwingli and Bullinger*, 76.

[59] Zuinglio, *Von der gewüsse oder kraft des worts gottes*, in ZSW 1:383; *Zwingli and Bullinger*, 93.

[60] Zuinglio, *Von der gewüsse oder kraft des worts gottes*, in ZSW 1:369, 370; *Zwingli and Bullinger*, 82.

Testamento fue leído en latín, hebreo y griego (la Septuaginta) antes de ser expuesto en latín para los educados y luego en alemán para los ciudadanos. Zuinglio esperaba que las Escrituras impregnaran todos los aspectos de la vida, y construyó estructuras ministeriales para hacer eso posible.

Cerca del final de su vida, Zuinglio redactó una confesión para presentar ante el emperador Carlos V en la Dieta de Augsburgo. Aunque el emperador se negó a recibirlo, sin embargo, proporciona una idea de la teología de Zuinglio cerca del final de su vida. Él no trató la doctrina de las Escrituras en una sección discreta. Sin embargo, al resumir su confesión, hizo una declaración que da lugar a concluir que se unió a Lutero en un compromiso con *sola Scriptura*, entendido como la única potestad final de la Escritura sobre una autoridad real pero contingente de la iglesia y sus maestros:

> Lo anterior creo firmemente, enseño y mantengo, no desde mis propios oráculos, sino desde los de la Palabra Divina; y, si Dios quiere, prometo hacer esto mientras la vida controle a estos miembros, a menos que alguien de las declaraciones de la Sagrada Escritura, debidamente entendido, explique y establezca lo contrario tan clara y llanamente como hemos establecido anteriormente. Porque no es menos agradecido y deleitable que límpido y justo que sometamos nuestros juicios a las Sagradas Escrituras, y que la Iglesia decida según ellas por el Espíritu.[61]

Orientación Pastoral:
Henry Bullinger sobre la Autoridad Bíblica

Henry Bullinger (1504-1575), sucesor de Zuinglio en Zúrich, fue influyente no sólo en la Confederación Suiza, sino también en Inglaterra. En 1586, la Convocación de la provincia de Canterbury ordenó que las *Décadas* de Bullinger (una colección de cincuenta sermones entregados a los pastores de Zúrich en su *Prophezei*) fueran leídas por "cada ministro teniendo cura, y que estén bajo el grado de maestro de las artes, y bachilleres de la ley, y a los que no tienen licencia para ser predicadores públicos".[62] Los primeros tres sermones de la primera "década" o grupo de diez se referían a la Palabra de Dios y al material incorporado previamente publicado como *De scripturae sanctae auctoritate*.[63]

El primer sermón de Bullinger contenía esta definición de "la palabra de Dios":

> Pero en este tratado nuestro, la palabra de Dios significa correctamente el discurso de Dios y la revelación de la voluntad de Dios; en primer lugar, pronunciada con voz viva y expresada por la boca de Cristo, los profetas y apóstoles; y después de eso otra vez registrado en escritos, que con razón se llaman "santas y divinas escrituras". La palabra muestra la mente de aquel de quien viene; por lo tanto, la palabra de Dios hace la declaración de Dios. Pero Dios naturalmente habla verdad de sí mismo; Él es justo, bueno, puro, inmortal, eterno: por lo tanto, la palabra de Dios también, que sale de la

---

[61] Huldrych Zuinglio, *Fidei ratio* (1530), en ZSW, vol. 6, pt. 2, 815; Samuel M. Jackson, *Huldreich Zwingli: The Reformer of German Switzerland*, 1484–1531, 2nd ed. (New York: Putnam, 1903), 481.

[62] Thomas Harding, "Advertisement," en The Decades of Henry Bullinger, Minister of the Church of Zurich, trans. H. I., ed. Thomas Harding, Parker Society for the Publication of the Works of the Fathers and Early Writers of the Reformed English Church 7–10 (1587; repr., Cambridge: Cambridge University Press, 1849), viii.

[63] Heinrich Bullinger, *De scripturae sanctae auctoritate, certitudine, firmitate, et absoluta perfectione* (Zurich: Froschouer, 1538).

boca de Dios, es verdadera, justa, sin engaño y astucia, sin error o defecto, santa, pura, buena, inmortal y eterna.[64]

Esta definición, aunque no excepcional en su contexto histórico, lleva el discurso de Dios y las Escrituras a la relación más cercana posible. No puede haber duda de que cuando Bullinger habló de la Palabra de Dios, tenía en mente el texto de la Biblia, así como la voz de Dios escuchada por Moisés y los profetas. Insistió en que "la doctrina y los escritos de los profetas siempre han sido de gran autoridad entre todos los sabios de todo el mundo", y esto porque "no tomaron el principio de los profetas mismos, como autores principales; sino que fueron inspirados por Dios desde el cielo por el Espíritu Santo de Dios."[65] De la misma manera, afirmó: "Aunque los apóstoles eran hombres, sin embargo, su doctrina, ante todo enseñada con voz viva y expresiva, y luego escrita con pluma y tinta, es la doctrina de Dios y la verdadera palabra de Dios."[66]

Las mismas inquietudes sobre la veracidad y la confiabilidad discernibles en los escritos de Lutero, Melanchthon y Zuinglio fueron repetidas por Bullinger en este sermón. Del mismo modo, vemos la misma preocupación de que a las Escrituras se les permita hacer su obra, permitiendo y brindando orientación sobre cómo vivir:

> Por lo tanto, creamos en todas las cosas la palabra de Dios que nos han sido entregadas por las escrituras. Pensemos que el Señor mismo, que es el Dios vivo y eterno, nos habla por medio de las escrituras. Alabemos para siempre el nombre y la bondad de aquel, que ha demostrado con fidelidad, plena y abiertamente para abrirnos a nosotros, mortales miserables, todos los medios para vivir bien y santamente.[67]

En el segundo sermón nuevamente, está claro que Bullinger no excluyó las Escrituras cuando hablaba de la Palabra de Dios —la Palabra de Dios debía leerse y escucharse:

> Donde, dicho sea de paso, vemos nuestro deber; es que, al leer y escuchar la palabra de Dios, orar con fervor y celo para que podamos llegar a ese fin, para lo cual la palabra de Dios nos fue revelada.[68]

Bullinger no tenía dudas sobre ese fin o propósito:

> En la palabra de Dios, que nos ha sido entregada por los profetas y apóstoles, está contenido abundantemente todo el efecto de la piedad, y todo lo que está disponible para la dirección de nuestras vidas con justicia, salud y santidad.... ¿Qué es, por lo tanto, el que no confiesa que todos los puntos de verdadera piedad nos son enseñados en las sagradas escrituras?[69]

Bullinger pasó a fundamentar esta observación en la declaración clásica de Pablo sobre la inspiración y la utilidad de las Escrituras en 2 Tim. 3:16-17. No tuvo

---

[64] Heinrich Bullinger, *Sermonum Decades quinque, de potissimis Christianae religionis capitibus* (Zurich: Froschoveri, 1557), 1; *Decades of Henry Bullinger*, 37.
[65] Bullinger, *Sermonum Decades quinque*, 4; Decades of Henry Bullinger, 50.
[66] Bullinger, *Sermonum Decades quinque*, 5; Decades of Henry Bullinger, 54.
[67] Bullinger, *Sermonum Decades quinque*, 5; Decades of Henry Bullinger, 56–57.
[68] Bullinger, *Sermonum Decades quinque*, 6; Decades of Henry Bullinger, 61.
[69] Bullinger, *Sermonum Decades quinque*, 6; Decades of Henry Bullinger, 61.

dificultad para entender que la frase "toda la Escritura" en esos versículos incluía tanto el Nuevo Testamento emergente como el Antiguo:

> No creo que alguien sea tan incapaz como para interpretar estas palabras de Pablo refiriéndose solamente al Antiguo Testamento; viéndolo que es más manifiesto que la luz del día, Pablo las aplicó a su erudito Timoteo, quien predicó el evangelio y fue un ministro del Nuevo Testamento.[70]

El sermón de Bullinger trató la suficiencia de la Escritura a este respecto. Él sabía que Jesús les habló a sus discípulos muchas cosas que los apóstoles no registraron en las páginas del Nuevo Testamento. Sin embargo, citando a Juan 20:30-31 en apoyo de esta afirmación, Bullinger insistió en que "por esta doctrina que [Juan] contenía por escrito, esa fe se enseña plenamente, y que, por medio de la fe, Dios concede la vida eterna."[71] Su objetivo era indudablemente la tradición oral y la sugerencia de que la iglesia también es dirigida, y necesariamente así, por la enseñanza apostólica no contenida en las Escrituras:

> Por lo tanto, Juan no dejó pasar nada que pertenezca a nuestra total instrucción en la fe. Lucas no omitió nada. Tampoco el resto de los apóstoles y discípulos de nuestro Señor Jesucristo sufrieron ningún inconveniente al excederlos. Pablo también escribió catorce epístolas diversas: pero la mayoría de ellas contenía una y la misma cuestión. Por lo cual podemos conjeturar muy bien, que en ellos se comprende por completo la doctrina absoluta de la piedad.[72]

Esto llevó a Bullinger a una declaración que encaja completamente con la posición sobre la autoridad final de la Escritura que hemos visto en Lutero, Melanchthon y Zuinglio. En un lenguaje ligeramente más colorido, Bullinger desafió el atractivo contemporáneo de la tradición oral, particularmente con referencia a la piedra de toque de la Escritura:

> En cuanto a aquellos que afirman seriamente que todos los puntos devocionales fueron enseñados por los apóstoles a la posteridad oralmente, y no por escrito, el propósito de ellos es poner en venta los suyos, es decir, las ordenanzas de los hombres en lugar de la palabra de Dios. Pero contra este veneno, mis hermanos, tomen algún medicamento que lo expulse. Conferir las cosas, que estos sujetos ponen en venta bajo el color de las tradiciones de los apóstoles, enseñadas oralmente y no por escrito, con la escritura manifiesta de los apóstoles; y si en algún lugar ustedes percibieran esas tradiciones como en desacuerdo con las Escrituras, entonces deduzcan poco a poco, que esto es invención forjada de los hombres, y no la tradición de los apóstoles.[73]

Este es un tema que Bullinger retomaría en trabajos posteriores, sobre todo su *Summa christenlicher Religion* de 1556. Allí insistió en que "la santa escritura bíblica tiene suficiente autoridad y posición por sí misma y no necesita ser hecha digna de confianza por la iglesia o por seres humanos."[74] Entre estas dos obras, en 1544,

---

[70] Bullinger, *Sermonum Decades quinque*, 6; Decades of Henry Bullinger, 62.
[71] Bullinger, *Sermonum Decades quinque*, 7; Decades of Henry Bullinger, 62.
[72] Bullinger, *Sermonum Decades quinque*, 7; Decades of Henry Bullinger, 63.
[73] Bullinger, *Sermonum Decades quinque*, 7; Decades of Henry Bullinger, 64.
[74] Heinrich Bullinger, *Summa christenlicher Religion* (Zurich: Froschouer, 1556), 7b.

escribió una carta abierta a Johann Cochlaeus (1479-1552) en la que incluso argumentó que "los libros del Antiguo y del Nuevo Testamento son indiscutiblemente llamados por los antiguos canónicos y auténticos, como alguien dice *autopistoi*, haciendo fe para sí mismos, incluso sin argumentos, teniendo la suposición de la verdad y la autoridad."[75] Podría decirse que fue el primer escritor protestante en usar el lenguaje de la *auto-autenticación*.

Hay, por supuesto, una diferencia de énfasis entre lo escrito de Bullinger sobre las Escrituras y lo de Lutero en particular. Mientras que Lutero estaba preocupado de que leamos y escuchemos el evangelio de nuestra salvación y comprendamos que sólo por la fe en Cristo crucificado y resucitado, Dios trata con nuestro pecado, el énfasis de Bullinger fue en descubrir cómo debemos vivir. La lectura provechosa es la que lleva el fruto de la verdadera piedad:

> Por lo tanto, si la palabra de Dios suena en nuestros oídos, y el Espíritu de Dios muestra su poder en nuestros corazones, y por la fe recibimos verdaderamente la palabra de Dios, entonces la palabra de Dios es una poderosa fuerza y un maravilloso efecto en nosotros. Porque ahuyenta la neblinosa oscuridad de los errores, abre nuestros ojos, convierte e ilumina nuestras mentes, y nos instruye más plenamente y absolutamente en verdad y piedad.[76]

Bullinger trató con más detalle el uso de las Escrituras en el tercer sermón de las *Décadas*. Allí estableció importantes principios de interpretación, como prestar atención al género, interpretar en el marco de los artículos de fe y el objetivo propio del amor hacia Dios y nuestro prójimo, prestando atención al contexto (por ejemplo, "marcamos en qué ocasión cada cosa se habla, lo que sucede antes, lo que sigue después, en qué época, en qué orden, y de qué persona se habla algo"),[77] comparando pasajes entre sí a la luz de la auto-consistencia del autor divino, y manteniendo la oración en el lugar primordial.

De particular importancia en este sermón es una justificación del lugar de la exposición piadosa, afirmada junto con el continuo compromiso de Bullinger con la claridad de las Escrituras. Habiendo concluido que "la Escritura es difícil u oscura para los atrevimientos de los no letrados, inexpertos, no ejercitados, maliciosos o corrompidos, y no para los lectores celosos y piadosos u oidores de ella", insistió,

> Pero, aunque la Escritura sea manifiesta y la palabra de Dios sea evidente, ésta no rechaza una exposición piadosa o santa; sino más bien, una exposición santa da lugar a la palabra de Dios, y da mucho fruto en el oyente piadoso.[78]

Las principales preocupaciones de Bullinger siguieron muy de cerca a las de Zuinglio y los reformadores alemanes. Donde desarrolló sus comentarios sobre las Escrituras — en su acentuado tratamiento de su suficiencia, en su énfasis pastoral en el efecto de la Escritura en producir santidad, y en su introducción del término *autopistos*— evidentemente transitaba en una trayectoria similar.

---

[75] Heinrich Bullinger, *Ad Ioannis Cochlei De Canonicae Scripturae* (Zurich: Froschouer, 1544), 10b.
[76] Bullinger, *Sermonum Decades quinque*, 7; Decades of Henry Bullinger, 67.
[77] Bullinger, *Sermonum Decades quinque*, 7; Decades of Henry Bullinger, 77–78.
[78] Bullinger, *Sermonum Decades quinque*, 9; *Decades of Henry Bullinger*, 72.

La Palabra de Dios Auto-Autenticada:
Juan Calvino sobre la Autoridad Bíblica

Juan Calvino (1509-1564) fue incuestionablemente el teólogo más influyente de la época de la Reforma. De hecho, su *Institutio Religionis Christianae* (*Institución de la religión cristiana*) se destaca como uno de los relatos más duraderos de la doctrina bíblica en los últimos dos mil años. Sin embargo, debe recordarse que el trabajo se expandió y reordenó de manera significativa a través de los años, desde 516 páginas de formato pequeño divididas en seis capítulos en la primera edición de 1536 hasta ochenta capítulos divididos en cuatro libros en la edición latina definitiva de 1559, y la propia traducción francesa de Calvino un año después. Originalmente, el trabajo carecía de un tratamiento discreto del origen, la naturaleza y el uso de la Escritura. Primero abordó estas cuestiones sustancialmente en la introducción ampliada sobre el conocimiento de Dios en la edición de 1539, tres veces más grande que la primera y publicada mientras Calvino estaba en el exilio en Estrasburgo. Sin embargo, muchas de las líneas familiares del enfoque de Calvino sobre el tema fueron evidentes incluso en esta etapa inicial.

Calvino habló de la autoridad de la Escritura derivada de la simple realidad de que Dios habla en ella:

> Pero, aunque ya no se dan revelaciones diarias desde el cielo, sólo las Escrituras permanecen, en las cuales el Señor deseó consagrar su verdad a la remembranza eterna; también debe notarse cómo ellas recibirán autoridad justa entre los creyentes y serán escuchadas como la voz viva de Dios mismo.[79]

Esta autoridad y la noción de la verdad asociada con ella, insistió Calvino, no es algo conferido por la iglesia o por la razón humana. Por un lado, esta autoridad es intrínseca a las Escrituras mismas; por otro, es el resultado del testimonio del Espíritu al corazón del creyente. Mientras en cierta medida se hace eco de la apelación de Lutero a la "claridad interna de las Escrituras", esta apelación a la obra del Espíritu para convencer a los cristianos de la autoridad de la Escritura sería una característica principal de todas las discusiones futuras de Calvino sobre la autoridad bíblica. Como él explicó en 1539,

> Si deseamos tener cuidado de nuestras conciencias de la mejor manera, para que no vacilen por la duda continua, debemos derivar la autoridad de las Escrituras de algo más elevado que las razones, indicaciones o conjeturas humanas. Eso proviene del testimonio interno del Espíritu Santo, porque, aunque se reverencia por sí mismo por su propia majestad, aun así, sólo realmente nos impresiona seriamente cuando es sellado por el Espíritu en nuestros corazones.[80]

Es evidente por otro segmento de la pluma de Calvino de ese año, su respuesta al Cardenal Sadoleto en nombre de los ciudadanos de Ginebra, que Calvino estaba consciente del peligro de una apelación al Espíritu separada de la Palabra. Él había visto la consecuencia de este enfoque en el borde radical de la Reforma. Calvino

---

[79] Juan Calvino, *Institutes of the Christian Religion* (1539), 1.21, CR 29:293; la traducción es una forma ligeramente modificada de aquella en Henk van den Belt, *The Authority of Scripture in Reformed Theology: Truth and Trust*, Studies in Reformed Theology 17 (Leiden: Brill, 2008), 18.

[80] Calvino, *Institutes* (1539), 1.24, CR 29:295; traducción de van den Belt, 18–19.

reconoció una similitud entre los anabaptistas y el Papa en este punto crítico ("la principal arma con la que ambos nos asaltan es la misma"): ambos se jactan del Espíritu, ya sea dirigiendo el oficio de enseñanza de la iglesia romana o directamente al esclarecimiento de la mente, la voluntad y las palabras del cristiano individual sin prestar la debida atención a la Palabra de Dios.[81] Pero la piedra de toque contra la cual la enseñanza de aquellos en cualquier grupo debe ser comprobada sigue siendo la Palabra.

El vínculo inseparable del Espíritu y la Escritura/Palabra sería una característica distintiva de todos los escritos de Calvino sobre este tema a partir de este momento. Como dijo Calvino, "no es menos irracional jactarse del Espíritu sin la Palabra como sería absurdo presentar la Palabra misma sin el Espíritu."[82] La autoridad de la Palabra está sellada en nuestros corazones por el Espíritu:

> La Escritura entonces sólo será suficiente para dar un conocimiento salvador de Dios cuando su certeza se basa en la persuasión interna del Espíritu Santo.[83]

> La Palabra es el instrumento por el cual el Señor dispensa la iluminación de su Espíritu a los creyentes.[84]

Otra característica perdurable de la teología de Calvino introducida en este punto fue su uso de argumentos (*argumenta*) para la autoridad de la Escritura, aunque insistió en que estos eran auxiliares confirmatorios secundarios (*posterior adminicula*). Calvino obviamente, incluso en esta etapa temprana, intentaba pisar una línea delgada. Por un lado, las Escrituras se encuentran por encima y más allá de la necesidad de "pruebas". "No buscamos argumentos o probabilidades sobre las cuales descansar nuestro juicio", escribió, "pero sometemos nuestro juicio e intelecto a ello en cuanto a algo que es sobre toda duda."[85] Por otro lado, Dios ha provisto estas confirmaciones (por ejemplo, la simplicidad majestuosa de la Escritura, el consenso de la iglesia), que, aunque no son el fundamento de la autoridad de la Escritura, son ayudas para la fe:

> Hay otras razones, ni pocas ni débiles, por las cuales la dignidad y la majestad de las Escrituras mismas no son sólo afirmadas por mentes piadosas, sino vindicadas brillantemente contra los planes de los opresores: pero no son suficientes en sí mismas para proporcionar una fe firme, hasta que el Padre celestial los revele por encima de toda duda al manifestarse a sí mismo allí.[86]

Calvino mantuvo juntos el testimonio del Espíritu y las confirmaciones en una tensión cuidadosa y constructiva: "Esto, entonces, es una persuasión que no necesita razones; un conocimiento con el que la razón más alta está de acuerdo."[87] De esta manera, la autoridad de la Escritura no fue socavada por su argumento para ello.

---

[81] Juan Calvino, *Responsio ad Sadoletum* (1539), CR 33:393; traducción de *A Reformation Debate: Sadoleto's Letter to the Genevans and Calvin's Reply*, ed. John C. Olin (Grand Rapids, MI: Baker, 1976), 61

[82] Calvino, *Responsio ad Sadoletum* (1539), CR 33:393–94; traducción de Olin, 61.

[83] Calvino, *Institutes* (1539), 1.33, CR 29:300; traducción de van den Belt, 28.

[84] Calvino, *Institutes* (1539), 1.36, CR 29:303; traducción de van den Belt, 34.

[85] Calvino, *Institutes* (1539), 1.24, CR 29:295; traducción de van den Belt, 20.

[86] Calvino, *Institutes* (1539), 1.33, CR 29:300; traducción ligeramente modificada de van den Belt, 28.

[87] Calvino, Institutes (1539), 1.24, CR 29:296; traducción ligeramente modificada de van den Belt, 21.

En lo que se convertiría (y estaba en la mente de Calvino) la edición definitiva de la *Institución*, la de 1559, Calvino desarrolló aún más su pensamiento sobre la Escritura. Su tratamiento extendido del conocimiento de Dios al comienzo del libro 1 se convirtió en un argumento continuo y cuidadoso para la necesidad de la Escritura. Calvino insistió en que cada persona tiene un conocimiento innato de Dios, ya que cada uno es creado a imagen de Dios: "Existe dentro de la mente humana, y de hecho por instinto natural, una conciencia de la divinidad."[88] ¿Por qué? La respuesta de Calvino fue simple: "Dios ha sembrado una semilla de religión en todos los hombres."[89] Sin embargo, insistió, "mientras algunos pueden evaporarse en sus propias supersticiones y otros desertar de Dios deliberadamente y perversamente, todos degeneran del verdadero conocimiento de él."[90] De manera similar, Calvino reconoció que Dios "no solo sembró en la mente de los hombres esa semilla de religión de la que hemos hablado, sino que se reveló a sí mismo y se revela a sí mismo diariamente en toda la obra del universo."[91] Pero una vez más, la pecaminosidad humana nos impide conocer a Dios a través de este "teatro deslumbrante" de la gloria de Dios:

> Pero, aunque el Señor se representa a sí mismo y a su Reino eterno en el espejo de sus obras con gran claridad, tal es nuestra estupidez que nos volvemos cada vez más inertes y desinteresados hacia testimonios tan manifiestos, y ellos fluyen sin beneficiarnos.[92]

A la luz de tal fracaso épico para responder apropiadamente a la obra de Dios dentro de nosotros y alrededor de nosotros, "es necesario que se agregue otra y mejor ayuda para dirigirnos directamente al mismo Creador del universo."[93] La conclusión de Calvino es bien conocida:

> Al igual que los hombres de edad o de ojos turbios y aquellos con visión débil, si les ofreces un volumen bellísimo, incluso si reconocen que es un tipo de escritura, difícilmente pueden interpretar dos palabras, pero con la ayuda de gafas comenzará a leer claramente; entonces la Escritura, al reunir el conocimiento de Dios que de otra manera estaría confundido en nuestras mentes, al haber dispersado nuestra torpeza, nos muestra claramente al verdadero Dios. Esto, por lo tanto, es un regalo especial, donde Dios, para instruir a la iglesia, no sólo usa maestros mudos, sino que también abre sus labios más sagrados.[94]

Ligado a la necesidad de la Escritura, está la voluntad de Dios de hablarnos en términos que sean apropiados para nuestra debilidad. En lugar de dejarnos en nuestra ignorancia auto-impuesta, Dios ha descendido a nosotros y se ha comunicado efectivamente con nosotros. La doctrina de la acomodación de Calvino tomó en cuenta tanto nuestra creación como nuestra caída. Entonces, un poco más tarde en la *Institución*, descartando la incomprensión de los antropomorfitas, Calvino explicó:

---

[88] Juan Calvino, *Institutes of the Christian Religion* (1559) 1.3.1, CR 30:36; Juan Calvino, *Institutes of the Christian Religion*, ed. John T. McNeill, trans. Ford Lewis Battles, Library of Christian Classics 20 (Philadelphia: Westminster, 1960), 1:43.

[89] Calvino, *Institutes* (1559), 1.4.1, CR 30:38; traducción de Battles, 1:47.

[90] Calvino, *Institutes* (1559), 1.4.1, CR 30:38; traducción de Battles, 1:47.

[91] Calvino, *Institutes* (1559), 1.5.1, CR 30:41; traducción de Battles, 1:51–52.

[92] Calvino, *Institutes* (1559), 1.5.11, CR 30:49; traducción de Battles, 1:63.

[93] Calvino, *Institutes* (1559), 1.6.1, CR 30:53; traducción de Battles, 1:69.

[94] Calvino, *Institutes* (1559), 1.6.1, CR 30:53; traducción de Battles, 1:70.

Porque ¿quién, incluso con poca inteligencia, no comprende eso, como las enfermeras suelen hacer con los bebés, Dios no acostumbra a "ceder" al hablar con nosotros? Por lo tanto, tales formas de hablar no expresan claramente cómo es Dios, sino que acomodan el conocimiento de Él a nuestra pequeña capacidad. Para hacer esto él debe descender mucho más allá de su altura.[95]

El lenguaje de la auto-autenticación de las Escrituras, aunque fue Bullinger quien lo introdujo en la discusión, con frecuencia se asocia con Calvino, y especialmente con un pasaje muy significativo en estos primeros capítulos de la edición de 1559 de la *Institución*. En él, Calvino no sostiene tanto el testimonio del Espíritu junto con las pruebas de la autoridad de la Escritura, como lo hizo en la edición de 1539, ya que mantiene unido el testimonio del Espíritu y la auto-autenticación de la Escritura. Después de todo, "la mayor prueba de la Escritura deriva en general del hecho de que Dios en persona habla en ella."[96] Seguramente es significativo que en el momento en que Calvino introduce este lenguaje, deja en claro que las Escrituras, y no Dios, son auto-autenticadas:

Por lo tanto, aquellos a quienes el Espíritu Santo ha enseñado interiormente, verdaderamente encuentran descanso en las Escrituras; es, de hecho, *autopistos* —no debe someterse a demostración por pruebas— mientras que todavía posee la certidumbre que merece entre nosotros el testimonio del Espíritu. Porque incluso si gana reverencia por sí misma por su propia majestad, nos afecta seriamente sólo cuando está sellada en nuestros corazones a través del Espíritu.[97]

En 1559, Calvino primero estableció que el fundamento de la confianza del creyente (*aquiescere*, "descansar") en las Escrituras es la auto-autenticación de las Escrituras, pero que este testimonio debe ser sellado a nuestros corazones a través del Espíritu. Sólo entonces Calvino pasó a hablar sobre las pruebas suficientemente firmes pero limitadas para fortalecer la confianza (*fides*, "fe") en las Escrituras.[98]

Junto a estos desarrollos y aclaraciones de la doctrina de la Escritura, Calvino habló en términos muy idénticos a los reformadores anteriores, especialmente cuando, más tarde en la *Institución*, abordó la cuestión de cómo la autoridad de la Escritura se relaciona adecuadamente con la autoridad de la iglesia. Indiscutiblemente, el decreto sobre Sagrada Escritura del Concilio de Trento, publicado trece años antes (8 de abril de 1546), estaba en la mente de Calvino mientras redactaba nuevamente estos capítulos. Después de todo, había escrito un *Antídoto para el Concilio de Trento* en 1547. Resumió las dos posiciones, la de la iglesia romana y la de las iglesias de la reforma, de manera sucinta: "Esta es, entonces, la diferencia. Nuestros oponentes ubican la autoridad de la iglesia fuera de la Palabra de Dios; pero insistimos en que se apegue a la Palabra, y no permitamos que se separe de ella."[99] Unas pocas páginas

---

[95] Calvino, *Institutes* (1559), 1.13.1, CR 30:90; traducción de Battles, 1:121.

[96] Calvino, *Institutes* (1559), 1.7.4, CR 30:58; traducción de Battles, 1:78.

[97] Calvino, *Institutes* (1559), 1.7.5, CR 30:60; traducción basada en Battles, 1:80, pero toma en cuenta los conocimientos de van den Belt, 51–58.

[98] El encabezado del libro 1, cap. 8 dice: "En lo que respecta a la razón humana, existen pruebas suficientemente firmes para establecer la credibilidad de las Escrituras." Calvino, *Institutes* (1559), 1.8, CR 30:61; traducción de Battles, 1:81.

[99] Calvino, *Institutes* (1559), 4.8.13, CR 30:855; traducción de Battles, 2:1162.

antes, Calvino había explicado lo que esto significaba para distinguir el ministerio de los apóstoles y el de sus sucesores:

> Sin embargo, como he dicho, esta es la diferencia entre los apóstoles y sus sucesores: los primeros eran seguros y genuinos escribas del Espíritu Santo, y sus escritos, por lo tanto, deben considerarse oráculos de Dios; pero la única función de los demás es enseñar lo que se proporciona y es sellado en las Sagradas Escrituras. Por lo tanto, enseñamos que los ministros fieles ahora no tienen permiso para acuñar ninguna nueva doctrina, sino que simplemente deben apegarse a esa doctrina a la que Dios ha sometido a todos los hombres sin excepción. Cuando digo esto, quiero mostrar lo que está permitido no sólo para hombres individuales sino también para toda la iglesia.[100]

Los dones teológicos extraordinarios de Calvino le permitieron desarrollar las ideas de aquellos que habían escrito antes que él, manteniendo en lugar de desviarse de las instrucciones establecidas por Lutero, Melanchthon, Zuinglio y Bullinger. Ciertamente agregó nuevas dimensiones al enfrentar nuevos desafíos y exploró las consecuencias de la autoría principal de las Escrituras por parte de Dios. Sin embargo, la evidencia sugiere que, en la mayoría de los casos, incluso esas nuevas dimensiones no carecían de precedentes. Lo más importante de todo, mientras que los énfasis hermenéuticos se desarrollarían de maneras distintivas en los círculos luteranos y reformados, un compromiso común con la autoridad final de la Escritura permanecería.

La Palabra que Transforma:
Thomas Cranmer sobre la Autoridad Bíblica

Mientras Calvino ejercía un ministerio internacional en Ginebra, Thomas Cranmer (1489-1556) intentaba negociar la delicada situación política de Tudor Inglaterra. Cranmer, el primer arzobispo protestante de Canterbury, fue el redactor principal de los cuarenta y dos artículos de Religión (para convertirse en los Treinta y Nueve Artículos bajo Isabel I) y el Libro de Oración Común, y también fue autor de varios de los sermones en los Libros de Homilías, incluyendo "Una exhortación fructífera para la preparación y conocimiento de las Sagradas Escrituras". Dado que las declaraciones en los cuarenta y dos artículos sobre las Escrituras se mantuvieron sin cambios entre las ediciones de Eduardo e Isabel, podemos simplemente explorar el texto de los Treinta y Nueve Artículos como un reflejo de las opiniones de Cranmer. Esto tiene el beneficio adicional de que fueron los Treinta y Nueve Artículos a los que se requirió la suscripción *ex animo* ("desde el corazón") durante siglos en la iglesia de Inglaterra y muchos de sus dominios (y en algunos lugares todavía lo es hoy).

Dos de los Treinta y Nueve Artículos tocan la autoridad de las Escrituras:

> VI. Las Santas Escrituras contienen todas las cosas necesarias para la salvación. De modo que cualquiera cosa que ni en ellas se lee ni con ellas se prueba, no debe exigirse de hombre alguno que la crea como artículo de fe, ni debe ser tenida por requisito para la salvación.....

> XX. La Iglesia tiene poder para decretar ritos o ceremonias y autoridad en las controversias de fe. Sin embargo, no es lícito a la Iglesia ordenar algo que sea contrario a la palabra de Dios escrita, ni puede exponer un pasaje de la Escritura de modo que

---

[100] Calvin, *Institutes* (1559), 4.8.9, CR 30:851–2; traducción de Battles, 2:1157.

contradiga a otro. Por lo cual, aunque la Iglesia sea Testigo y Custodio de los Libros Santos, así como no le es lícito decretar nada contra ellos, igualmente no debe presentar cosa alguna que no se halle en ellos, para que sea creída como necesaria para la salvación.[101]

El artículo 6 termina con una extensa lista canónica, que incluye los apócrifos como libros que "lee la Iglesia para ejemplo de vida e instrucción de las costumbres; con todo, no los aplica para establecer doctrina alguna". Lo que es más interesante, es la afirmación de que, si cualquier cosa no es leída o aprobada por las Escrituras, no debe ser establecida como un artículo de fe vinculante. Aquí, en forma confesional, está el principio de *sola Scriptura*. Los artículos de fe propuestos deben probarse con la simple lectura de la Escritura —"en ellas se lee" y "con ellas se prueba". Si lo que se propone se contradice con las enseñanzas de las Escrituras, no se debe insistir en ello. Ni la iglesia o el rey pueden limitar la conciencia de los creyentes más allá de lo que se puede leer o probar sobre la base de la Sagrada Escritura. Sin embargo, el artículo no era estrictamente bíblico: hablaba muy específicamente sobre "todas las cosas necesarias para la salvación" y "artículo[s] de fe". Esto es lo que debe leerse o aprobarse sobre la base de la Sagrada Escritura.

Este principio se vuelve más claro en el reconocimiento de que "la Iglesia tiene poder para decretar Ritos o Ceremonias, y autoridad en controversia de fe". Cranmer difícilmente podría haber escrito otra cosa, dada la relación de la iglesia y el estado en Inglaterra. Sin embargo, una declaración como esta no era inusual en otras confesiones de la Reforma. El ordenamiento de la vida común era una prerrogativa de la iglesia siempre que lo que se instituyera no estuviera en contra de la Palabra de Dios. La solución de la controversia religiosa fue una actividad colectiva de creyentes en lugar de un sólo creyente solitario, sin importar su título. Por lo tanto, esto también con razón cayó dentro de la responsabilidad de la iglesia. Los cristianos pueden estar seguros con tal arreglo precisamente por la siguiente línea: "no es lícito a la Iglesia ordenar algo que sea contrario a la palabra de Dios escrita."

La identificación de las Escrituras como "palabra de Dios escrita" es significativa, incluso si no es excepcional. La autoridad que llevan las Escrituras está directamente relacionada con esta identificación. Dado que esta es la Palabra de Dios, no simplemente una respuesta humana de un tipo u otro a la Palabra de Dios, lleva la propia autoridad de Dios. Igual de importante, ya que es toda la Palabra de Dios escrita, una suposición de consistencia y coherencia—una unidad fundamental de las Escrituras en su revelación del testimonio de Cristo—dirige la forma en que debe leerse y aplicarse. Los reformadores continentales hablaron de la Escritura como su propio intérprete, y los Treinta y Nueve Artículos detallaron lo que esto significa para la iglesia: la iglesia puede no exponer una parte de la Escritura de tal manera que contradiga a otra. Este era el principio hermenéutico fundamental de Cranmer. Como veremos, su homilía relacionada explicaba la respuesta apropiada cuando una parte de las Escrituras era difícil de entender.

De mayor interés en este artículo es la forma en que describe a la iglesia como: "Testigo y Custodio de los Libros Santos". Aquí Cranmer reveló su comprensión de la

---

[101] *Treinta y Nueve Artículos*, consultados en la web de la Iglesia Anglicana San Pedro de la Paz: http://www.iglesiasanpedrodelapaz.cl/wp-content/uploads/2014/10/LOS-TREINTA-Y-NUEVE-ARTICULOS-DE-RELIGION.pdf

famosa cita de Agustín mencionada anteriormente. La iglesia no transmite autoridad a la Escritura. Ciertamente no debería interponerse entre el creyente y la Escritura. En cambio, sus responsabilidades radican en preservar las Escrituras a fin de garantizar que se transmitan a otra generación y atraer la atención de hombres y mujeres a lo que allí está escrito. Un "testigo" y "custodio" no controla la Palabra escrita; sino que la protege y facilita un compromiso serio y sostenido con ella.

Gran parte de este pensamiento fuertemente expresado se expone en la homilía "Una exhortación fructífera para la lectura y conocimiento de las Sagradas Escrituras". Los Treinta y Nueve Artículos mismos señalan a las homilías para exponer lo que sólo pueden presentar en forma resumida (ver artículo 35, con su énfasis en el Segundo Libro de Homilías, el cual debe agregarse al primero y leer para la edificación de la congregación). Esta homilía particular está impregnada de una viva confianza en las Escrituras como la Palabra de Dios, que no es simplemente una fuente de conocimiento sino un poder transformador de la vida:

> Las palabras de las sagradas escrituras se llaman palabras de vida eterna: porque son instrumentos de Dios, ordenadas para el mismo propósito. Tienen el poder de forjarse a través de la promesa de Dios, y pueden ser efectivos a través de la asistencia de Dios; y, al ser recibidos en un corazón de fe, han tenido siempre un espíritu y obra celestial en ellos.[102]

Estas palabras exponen una preocupación particular de Cranmer con respecto a la doctrina de la Escritura. La cuestión de dónde encaja la Escritura en una jerarquía de autoridades era ciertamente importante, y Cranmer lo abordó en los Artículos de Religión, pero más importante desde el punto de vista de Cranmer era la forma en que las Escrituras producen una transformación de la vida tanto en el creyente individual como en la comunidad en general. "El poder de convertir" no fue sólo un florecimiento poético sino más bien una convicción sincera, una que hace eco de lo que ya hemos leído en Hugo de San Víctor y Henry Bullinger. Dios ha hecho promesas sobre la eficacia de su Palabra que deben tomarse en serio:

> Esta Palabra quien sea diligente en leerla, y en su corazón aplica lo que lee, el gran afecto por las cosas transitorias de este mundo será reducido en él, y el gran deseo de las cosas celestiales, que está en la promesa de Dios, aumentará en él. Y no hay nada que establezca tanto nuestra fe y confianza en Dios, que tanta inocencia conservada y pureza del corazón, y también de vida y conversación piadosa externa, como lectura continua y meditación de la Palabra de Dios.[103]

Esta confianza de que la exposición regular a las Escrituras traería una transformación radical se reflejó en el énfasis de Cranmer en el leccionario que él instauró para complementar los servicios del Libro de Oración Común. De acuerdo con uno de los prefacios de ese libro, si las lecciones se leyeran cada día como designadas, entonces todo el Antiguo Testamento se leería una vez al año, el Nuevo Testamento dos veces al año y los Salmos una vez al mes. Toda la estructura de la vida litúrgica de la iglesia de Inglaterra fue diseñada para proporcionar el contexto para que

---

[102] Ronald B. Bond, ed., *Certain Sermons or Homilies* (1547); y, *A Homily against Disobedience and Wilful Rebellion* (1570): A Critical Edition (Toronto: University of Toronto Press, 1987), 62.

[103] Bond, *Certain Sermons*, 63.

la Escritura tenga un impacto radical en las mentes, los corazones y las voluntades de las personas pecaminosas.

La segunda parte de esta homilía trata dos objeciones que Cranmer anticipó que podrían evitar que la gente "esté continuamente en la lectura y meditación de la Palabra de Dios". Insistió en que eran "excusas vanas y soberbias", y sin embargo se dispuso a responderlas. Ellas fueron, primero, que por ignorancia uno podría caer en el error, y segundo, que la Escritura es demasiado difícil de entender. Sus respuestas son dos de los pasajes más ornamentales de la homilía, y unen el compromiso teológico y la preocupación pastoral de una manera única.

Primero, sobre el peligro de caer en el error, explicó Cranmer,

> Y si temes caer en el error al estudiar las Sagradas Escrituras, te mostraré cómo puedes leerlas sin cometer errores. Léela modestamente con un corazón manso y humilde, para que tú puedas glorificar a Dios, y no a ti mismo, con el conocimiento de ellas; y no las leas sin orar diariamente a Dios, que Él dirigirá tu lectura a un buen efecto; y tómala sobre ti para exponerla no más allá de lo que entonces puedes entenderla claramente.... La presunción y la arrogancia son la madre de todo error: y la humildad no necesita temer ningún error. Porque la humildad solo buscará conocer la verdad; buscará y conferirá un lugar con otro: y donde no pueda entender el sentido, orará, indagará de otros que sepan, y no definirá presuntuosa y rotundamente ningún camino que no sepa. Por lo tanto, el hombre humilde puede buscar cualquier cosa valientemente en las Escrituras sin ningún peligro de error.[104]

Segundo, ante el temor de una lectura que es demasiado difícil de entender, Cranmer respondió:

> Si leemos una, dos o tres veces, y no entendemos, no cesemos, continuemos leyendo, buscando, preguntando a otra persona y así, tocando aún, al final la puerta se abrirá, como dijo San Agustín. Aunque muchas cosas en las Escrituras se hablan en oscuros misterios, no se habla nada bajo sombríos misterios en ningún lugar, sino que lo mismo en otros lugares se habla más familiar y claramente a la capacidad tanto de los eruditos como de los neófitos. Y esas cosas en la Escritura que son fáciles de entender y necesarias para la salvación, todo hombre tiene el deber de aprenderlas, guardarlas en la memoria y ejercerlas eficazmente; y en cuanto a los oscuros misterios, nos mantenemos sin saber de ellos hasta el momento en que agrade a Dios que abrir esas cosas.[105]

El libro de notas privado más grande de Cranmer, sus "Grandes lugares comunes", da más evidencia de sus convicciones con respecto al origen y la autoridad de la Escritura. "La Escritura no proviene de la Iglesia", escribió, "sino de Dios y tiene autoridad por el Espíritu Santo."[106] Un poco más adelante añadió: "La autoridad de las Escrituras es de Dios, el autor, y no del hombre ni de los hombres.... [L]a autoridad de la Escritura no debe subordinarse a los juicios de la Iglesia, sino que la misma Iglesia debe ser juzgada y gobernada por las Escrituras."[107] La evidencia más amplia de los "Grandes lugares comunes" demuestra ampliamente la consideración humanista de

---

[104] Bond, *Certain Sermons*, 65.

[105] Bond, *Certain Sermons*, 66.

[106] "Cranmer's Great Commonplaces", British Library Royal MS 7.B.XI, fol. 8v. Estoy muy agradecido con mi amiga Ashley Null por llamar mi atención sobre los comentarios de Cranmer sobre las Escrituras en los "Great Commonplaces".

[107] "Cranmer's Great Commonplaces," fol. 32v.

Cranmer por los escritos de los padres de la iglesia y los concilios. Sin embargo, estas declaraciones y otras dejan en claro que al menos en el momento en que escribió los "Grandes lugares comunes", Cranmer se había movido a una posición alineada con la de las otras voces principales de la Reforma. Él entendió, con ellos, las desastrosas consecuencias pastorales de otras palabras introducidas al lado, en lugar de subordinarse a las Escrituras:

> Si algo fuese Palabra de Dios aparte de la Sagrada Escritura, no podríamos estar seguros de la Palabra de Dios. Si no estamos seguros de la Palabra de Dios, el diablo podría hacernos una nueva palabra, una nueva fe, una nueva iglesia, un nuevo Dios, de hecho, hacerse Dios, como lo ha hecho hasta ahora. Porque este es el fundamento del reino del Anticristo. Si la iglesia y la fe cristiana no confiaban en la certera Palabra de Dios como un fundamento firme, nadie podía saber si tenía fe, si estaba en la iglesia de Cristo o en la sinagoga de Satanás.[108]

Conclusión

Sola Scriptura, la convicción de que la Escritura es la autoridad final por la cual se prueban todas las demás pretensiones de la verdad cristiana, ha sido descrita como el principio formal de la Reforma, con *sola fide*, justificación por la fe sola, como su principio material.[109] Si los reformadores se hubieran sentido cómodos con tal distinción es un punto discutible. Lo que es más importante es la abundancia de evidencia de que, independientemente de sus distintivos, cada una de las principales voces que hemos examinado de este período compartieron una comprensión de las Escrituras como la Palabra de Dios, que tiene la autoridad del Dios cuya Palabra escrita es y que no elimina a todas las demás autoridades, sino que es la prueba final de ellas. Es la buena Palabra del Dios bueno, y es un tesoro precioso en el que los que son salvados por Cristo, habitan en su Espíritu y se deleitan.

---

[108] "Cranmer's Great Commonplaces," fol. 22v.

[109] La distinción se remonta al menos a Philip Schaff, *The Principle of Protestantism as Related to the Present State of the Church* (Chambersburg, PA: German Reformed Church, 1845), 54, 70–71.

Recursos para un Estudio Adicional

FUENTES PRIMARIAS

Bullinger, Heinrich. *The Decades of Henry Bullinger, Minister of the Church of Zurich.* Traducido por H. I. Editado por Thomas Harding. Parker Society for the Publication of the Works of the Fathers and Early Writers of the Reformed English Church 7–10. 1587. Reprint, Cambridge: Cambridge University Press, 1849–1852.

Calvino, Juan. *Institucion de la Religion Cristiana.* Grand Rapids: Libros Desafío, 2012.

Cranmer, Thomas. *Certayne Sermons or Homilies.* S. I.: Edwarde Whitchurche, 1547.

Lutero, Martín. *La Voluntad Determinada.* Saint Louis: Concordia Publishing House, 2016.

Melanchthon, Felipe. *Defense against Johann Eck. In Melanchthons Werke in Auswahl,* editadopor Robert Stupperich, 1:13–22. 1519. Reprimp., Gütersloh: Bertelsmann, 1951.

Zuinglio, Huldrych. *Of the Clarity and Certainty of the Word of God. In Zuinglio and Bullinger: Selected Translations with Introductions and Notes,* editadopor G. W. Bromiley, 49–95. Library of Christian Classics 24. 1522. Reprimp., Philadelphia: Westminster, 1953.

FUENTES SECUNDARIAS

Belt, Henk van den. *The Authority of Scripture in Reformed Theology: Truth and Trust.* Studies in Reformed Theology 17. Leiden: Brill, 2008.

Horton, Michael. "Knowing God: Calvin's Understanding of Revelation." en *John Calvin and Evangelical Theology: Legacy and Prospect,* editadopor Sung Wook Chung, 1–31. Milton Keynes: Paternoster, 2009.

Lillback, Peter A., y Richard B. Gaffin Jr. *Thy Word Is Still Truth: Essential Writings on the Doctrine of Scripture from the Reformation to Today.* Phillipsburg, NJ: P&R, 2013.

Null, Ashley. "Thomas Cranmer and the Anglican Way of Reading Scripture." *Anglican and Episcopal History 75,* no. 4 (2006): 488–526.

Stephens, W. P. "Authority in Zuinglio— in the First and Second Disputations." *Reformation and Renaissance Review 1,* no. 1 (1999): 54–71.

Thompson, Mark D. *A Sure Ground on Which to Stand: The Relation of Authority and Interpretive Method in Luther's Approach to Scripture.* Studies in Christian History and Thought. Carlisle: Paternoster, 2004.

La Santa Trinidad

Michael Reeves

RESUMEN

Este capítulo argumenta que los reformadores protestantes de la corriente principal no aceptaron la doctrina de la Trinidad sólo para ignorarla; más bien, la teología de la Reforma se basó sobre (y fue moldeada por) fundamentos explícitamente Trinitarios. Después de una breve mirada al contexto de la Baja Edad Media, se describen los desafíos que el Trinitarianismo de Lutero y los primeros reformadores presentaron a la teología católica romana de su tiempo. Luego muestra cómo, en la teología de Calvino y la tradición reformada, el ser trino de Dios llegó a constituir la forma de toda creencia cristiana. Concluye con un examen del anti-Trinitarianismo y la respuesta de la Contra-Reforma.

Introducción

Uno podría ser perdonado por pensar que la Trinidad no era una doctrina especialmente relevante para los Reformadores o la Reforma. Después de todo, la Trinidad fue un terreno históricamente pisoteado, un área de acuerdo aceptado por protestantes y católicos por igual. Los principales problemas del Trinitarianismo ya habían sido discutidos; las principales herejías, desde el sabelianismo hasta el arrianismo, ya habían sido refutadas. Otras doctrinas (Escrituras y justificación, por ejemplo) aún no habían sido sometidas a tal escrutinio o debate, y para el siglo XVI, eran ellas las que necesitaban someterse a la misma disputa esclarecedora. Entonces, si los teólogos y los concilios de la iglesia postapostólica primitiva ya habían consagrado y definido el lenguaje Trinitario acerca de Dios, ¿qué necesidad había de que los reformadores dijeran algo más que amén? Simplemente podrían aceptar las formulaciones ortodoxas de la doctrina de Dios y prestar su atención a las áreas de mayor preocupación.

Ciertamente, esa historia parece confirmarse en la literatura secundaria. Las opiniones de los reformadores sobre la Trinidad reciben muy poca atención en casi todas las introducciones estándar al pensamiento de la Reforma. Por ejemplo, *El compañero de la teología de la Reforma* de T & T Clark, una guía temática impresionante, dedica capítulos a temas tan recónditos como "superstición, magia y brujería", pero no deja lugar para un examen de la Trinidad —o incluso nada sobre la doctrina de Dios en absoluto.[1] La *Enciclopedia de Oxford de la Reforma* incluye un artículo sobre el anti-Trinitarianismo pero no sobre el Trinitarianismo.[2] El libro de texto de Alister McGrath *Pensamiento de la Reforma* no hace mención de la Trinidad como un tema de ningún pensamiento sustancial y renovado.[3] La obra clásica de Paul Althaus y bastante breve *La teología de Martín Lutero* da menos de dos páginas a los pensamientos del reformador sobre la Trinidad, pensamientos resumidos por esta afirmación: "Lutero acepta la doctrina ortodoxa de la Trinidad porque sabe que es apoyada por la Sagrada Escritura."[4] La fuerte impresión que se da es que mientras Lutero finalmente afirmó su creencia en la Trinidad, no fue particularmente valiosa para él, y ciertamente no afectó su teología de ninguna manera sustancial. Ricardo Muller, en *Post-Reformation Reformed Dogmatics* [Dogmática reformada post-reforma] en realidad prueba una excepción a la regla, escribe:

> No hay historia de la doctrina de la Trinidad que cubra el período adecuadamente. El pensamiento Trinitario de los reformadores y sus sucesores ortodoxos, de hecho, recibió relativamente poco tratamiento, excepto por unos pocos ensayos dispersos sobre los puntos de vista de los reformadores más famosos y prácticamente ningún análisis de las enseñanzas sobre la Trinidad entre sus sucesores inmediatos a finales del siglo XVI.[5]

Sin embargo, si, como la literatura secundaria tiende a dar a entender, los Reformadores estaban más bien asintiendo con la cabeza a la doctrina de la Trinidad sin ver su valor e importancia, deberíamos estar preocupados. Que los otros asuntos —como la justificación— eran más urgentes es una cosa, pero si los reformadores fallaban al ver la conexión entre la doctrina de Dios y la doctrina de la salvación, eso cuestionaría la coherencia general y la profundidad de la teología de la Reforma. Las doctrinas cristianas, después de todo, no flotan libremente o independientemente unas de otras: alteran su comprensión de la persona de Cristo, y deben alterar su visión de la obra de Cristo; cambien su soteriología, y deben cambiar tu visión de la vida cristiana; y así. Cuánto más con la doctrina de Dios, aquella que constituye el fundamento y la lógica de la fe cristiana. Los argumentos soteriológicos "urgentes" de la Reforma simplemente no pueden entenderse en abstracción de la doctrina de la Trinidad. Como John Webster lo ha dicho,

> La soteriología es una doctrina derivada, y ninguna doctrina derivada puede ocupar el lugar material que está apropiadamente reservado para la doctrina cristiana de Dios, de la cual derivan todas las otras doctrinas. La pregunta de la que surge la soteriología y que acompaña a cada declaración soteriológica particular es: *¿Quis sit deus?*[6]

De hecho, escribe Gerald Bray,

---

[1] David M. Whitford, ed., *The T&T Clark Companion to Reformation Theology* (London: T&T Clark, 2012).

[2] Hans J. Hillerbrand, ed., *The Oxford Encyclopedia of the Reformation*, 4 vols. (New York: Oxford University Press, 1996).

[3] Alister E. McGrath, *Reformation Thought: An Introduction*, 1ra ed. (Oxford: Basil Blackwell, 1988).

[4] Paul Althaus, *The Theology of Martin Luther*, trans. Robert C. Schultz (Philadelphia: Fortress, 1966), 199.

[5] Richard A. Muller, *Post-Reformation Reformed Dogmatics*, vol. 4, *The Triunity. of God* (Grand Rapids, MI: Baker Academic, 2003), 24.

[6] John Webster, "'It Was the Will of the Lord to Bruise Him': Soteriology and the Doctrine of God," en *God of Salvation: Soteriology in Theological Perspective*, ed. Ivor J. Davidson y Murray A. Rae (Burlington, VT: Ashgate, 2011), 16.

Los grandes temas de la teología de la Reforma —la justificación por la fe, la elección, la seguridad de la salvación— pueden entenderse adecuadamente *sólo en el contexto de la teología Trinitaria* que dio a estos asuntos su peculiar importancia.[7]

Mi argumento en este capítulo será que la teología de la Reforma en su mejor momento no fue tan atomista ni truncada como comúnmente se da a entender. El Trinitarianismo cada vez más explícito de los reformadores no fue simplemente una reacción a la amenaza del anti-Trinitarianismo; más bien, constituyó el mismo molde y el temperamento de la teología de la Reforma. Para que esto sea más evidente, debemos comenzar con una breve mirada al contexto medieval en que los reformadores se encontraban.

Pedro Lombardo, Tomás de Aquino y el Contexto Medieval

La teología Católica Trinitaria en la llamada Edad Media se apoyaba directamente en los hombros de Agustín, con el Padre como el principal Amante, el Hijo como el Amado y el Espíritu como el Amor personal que comparten. Los escritos de Anselmo (1033-1109), Bernardo de Clairvaux (1090-1153) y Victorino tienen un sabor inconfundiblemente agustiniano y, por lo tanto, muy Trinitario.

Se considera a Pedro Lombardo (1090-1160), cuya obra sistemática *Four Books of Sentences* [Cuatro libros de oraciones] sería (a menudo *el*) libro de texto básico para las escuelas de la Alta y Baja Edad Media. En lo que parece un movimiento sorprendente para nosotros hoy, Lombardo *comienza* su doctrina de Dios (que se encuentra encabezando su obra magna) con una discusión sobre la Trinidad. Sólo cuando él hubo dedicado un tiempo considerable a las tres personas de la Trinidad y sus relaciones, procede a analizar el conocimiento, el poder y la voluntad de Dios. Este exhaustivo Trinitarianismo agustiniano dio un importante giro práctico en la enseñanza de Lombardo. Desarrollando la idea de Agustín de que el Espíritu es el Amor de Dios, propuso que el amor que tenemos por Dios y el prójimo es en realidad el Espíritu Santo mismo, que obra en nosotros (Romanos 5:5).[8] En otras palabras, para Lombardo, la vida cristiana era estar asido por el Espíritu para compartir la vida y el amor del propio Dios trino.

Estos énfasis serían revertidos significativamente por Tomás de Aquino (1225-1274). Con los escritos de Aristóteles más accesibles en el siglo XII, Aquino propuso un sistema en el cual buscaba armonizar el aristotelismo y el cristianismo. Aquino sostuvo que, en el ámbito natural, Aristóteles era tan generalmente digno de confianza que podía proporcionar fundamentos filosóficos confiables sobre los cuales la teología podría construirse. La teología cristiana podría entonces extender la lógica de Aristóteles al análisis del reino sobrenatural (del cual, careciendo de la revelación divina, Aristóteles era ignorante).

Este modelo teológico significaba que Tomás de Aquino difería sustancialmente de Lombardo cuando llegó a discutir la doctrina de Dios en su *Summa Theologiae*. En lugar de comenzar con la Trinidad, Aquino primero buscó determinar qué razón sin

---

[7] Gerald Bray, *The Doctrine of God*, Contours of Christian Theology (Leicester: Inter-Varsity Press, 1993), 197–98, cursivas añadidas.

[8] Pedro Lombardo, *The Sentences, Book 1: The Mystery of the Trinity*, trad. Giulio Silano, Mediaeval Sources in Translation 42 (Toronto: Pontifical Institute of Mediaeval Studies, 2007), 17.1.

ayuda alguna podría conocer a Dios. Sólo después de pasar la mayor parte de su tiempo probando desde la razón la existencia, la unidad, la perfección, la bondad, lo infinito, la inmutabilidad, la simplicidad y la omnisciencia de Dios, él reflexionó sobre la Trinidad. Y fue bastante breve.

Así como el Trinitarismo de Lombardo tuvo resultados prácticos, así también Aquino no pudo relegar a la Trinidad sin consecuencias. La diferencia se puede sentir en cómo Tomás de Aquino vio la gracia de Dios. Mientras que Lombardo había identificado la gracia de Dios como la presencia misma del Espíritu en nosotros, moviéndonos con su propio amor, Tomás de Aquino creía en la "gracia creada". La idea de que el Espíritu podría amar *a través* de nosotros, repercutió a Aquino como una violación de nuestra integridad humana. Si ese fuera el caso, pensó, no seríamos *nosotros* amando, y entonces no seríamos *nosotros* los que podríamos ser considerados justos. En cambio, Dios nos da *algo* que nos hace capaces de amar: "Cuando se dice que las personas tienen la gracia de Dios, significa *algo* que Dios les ha otorgado."[9]

Aquí había dos afirmaciones que, para el siglo XVI, estarían profundamente arraigadas en la teología Católica Romana y que los Reformadores las enfrentarían:

1. La gracia de Dios no es algo por lo cual Dios rescata soberanamente a pecadores que de otro modo serían indefensos; es algo por lo que Él nos permite ser meritorios en nosotros mismos.
2. El don de Dios es algo más que Dios mismo.

Debido a que Aquino le dio preeminencia a una doctrina aristotélica y no relacional de Dios, su soteriología inevitablemente incumplió la idea de que Dios se diera a *sí mismo* por su Espíritu. Lo que Dios parecía ofrecer, y lo que la gente comenzó a desear, era esta otra cosa, esta "gracia creada".

Pronto, Tomás de Aquino fue canonizado por la Iglesia Católica Romana y su teología consagrada. La *Summa Theologiae* se dice que fue colocada junto a las Escrituras en el altar en el Concilio de Trento, donde Tomás de Aquino recibió el título de Doctor Universal de la Iglesia. No todos estaban de acuerdo con su modelo teológico general: Guillermo de Ockham (alrededor de 1287-1347), por ejemplo, rechazó ardientemente los fundamentos aristotélicos de Tomás de Aquino. Sin embargo, la creencia nominalista de Ockham de que no había naturalezas compartidas le imposibilitaba ver cómo tres personas divinas podían compartir una naturaleza. ¡Se dejó llevar por la fe de una doctrina que, de lo contrario, parecía absurda y, por lo tanto, irrelevante! Las luces principales del catolicismo romano medieval efectivamente estaban dejando de lado la doctrina de la Trinidad, y los efectos se podían sentir en la vida cotidiana de la iglesia administrando gracia habilitante.

Martín Lutero y la Reforma Temprana

Sería fácil tener la impresión de que durante las décadas de 1520 y 1530, los primeros reformadores trataron la Trinidad como una doctrina que se desaprobó.[10] Y ciertamente tendían a dudar sobre el uso de la terminología tradicional y extra escritura

---

[9] Tomás de Aquino, *Summa Theologiae* (Westminster, MD: Christian Classics, 1981), 1a2ae.110.1, cursivas añadidas.

[10] Ver, Reinhold Seeburg, *The History of Doctrines*, trans. Charles E. Hay (Grand Rapids, MI: Baker, 1977), 2:303.

(palabras como Trinidad, *homoousios*, *ousia* e *hipóstasis*). En 1521, Martín Lutero escribió,

> Aunque los arrianos estaban equivocados con respecto a la fe, sin embargo, si sus motivos eran buenos o malos, exigieron con razón que no se permitiera ninguna palabra nueva y no bíblica en las formulaciones dogmáticas. La integridad de las Escrituras debe ser guardada, y un hombre no debe suponer que habla con más seguridad y claridad con su boca que lo que Dios habló con su boca.[11]

Sin embargo, había más en su nerviosismo que la cuestión de los términos teológicos hechos por el hombre. Los comentarios de Felipe Melanchthon en las primeras páginas de sus *Loci Communes* (también 1521) hacen que Lutero luzca apacible:

> Es mejor adorar los misterios de la Deidad que investigarlos.... Pablo escribe en 1 Cor. 1:21 que Dios desea ser conocido de una nueva manera, es decir, a través de la locura de la predicación, ya que en su sabiduría no podría ser conocido por la sabiduría. Por lo tanto, no hay razón para que trabajemos tanto en temas tan exaltados como "Dios", "La Unidad y Trinidad de Dios", "El misterio de la creación" y "La forma de la encarnación." ¿Qué —pregunté— lograron los escolásticos durante los muchos años que estuvieron examinando solo estos puntos? ¿Acaso no convirtieron, como dice Pablo, en vanidad estas disputas (Romanos 1:21), siempre sin importancia acerca de universales, formalidades, connotaciones y otras palabras tontas?[12]

Sin embargo, esta reacción (compartida por otros reformadores tempranos como Martin Bucer) no estaba en contra del Trinitarianismo como tal, sino en contra de la cantidad de especulaciones filosóficas que se habían desarrollado alrededor de la doctrina de Dios y que tenían muy poca base en la exégesis bíblica.[13] En 1517, poco antes de publicar sus más famosas *Noventa y Cinco Tesis*, Lutero publicó su "Disputa contra la teología escolástica", apuntando directamente a los fundamentos aristotélicos no bíblicos de Tomás de Aquino:

> 43. Es un error decir que ningún hombre puede convertirse en teólogo sin Aristóteles. Esto en oposición a la opinión común.
> 44. De hecho, nadie puede convertirse en teólogo a menos que se convierta en uno sin Aristóteles....
> 50. Brevemente, Aristóteles es a la teología lo que las tinieblas son a la luz. Esto en oposición a los escolásticos.[14]

Lo que Lutero, Melanchthon y Bucer realmente buscaban en los primeros años de la Reforma, fue una aplicación del principio de *sola Scriptura* a la doctrina de Dios. Lejos de cuestionar la trinidad de Dios, estaban defendiendo la idea de que Dios es verdaderamente conocido no a través de los esfuerzos de las mentes humanas caídas, sino a través de la predicación de Cristo en el evangelio. De hecho, veinte años más tarde, cuando Melanchthon estaba preparado para escribir explícitamente sobre la

---

[11] Martín Lutero, *Against Latomus*, LW 32:244.

[12] Felipe Melanchthon, *Loci Communes Theologici*, en *Melanchthon and Bucer*, ed. Wilhelm Pauck, LCC (Philadelphia: Westminster, 1969), 21.

[13] Ver, Simo Knuuttila y Risto Saarinen, "Luther's Trinitarian Theology and Its Medieval Background," *Studia theologica*, 53 (1999): 3–12.

[14] Martín Lutero, "*Disputation against Scholastic Theology*" (1517), LW 31.12.

unidad y la triunidad de Dios en la edición final de sus *Loci Communes* (1543), esa misma preocupación todavía se podía ver. Cristo, dijo él,

> no deseaba que Dios fuera buscado por especulaciones ociosas y vagabundas, sino Él quiere que nuestros ojos estén fijos en el Hijo que se nos ha manifestado, que nuestras oraciones se dirijan al Padre eterno que se ha revelado en el Hijo a quien ha enviado.[15]

En otras palabras, si la iglesia debía ser reformada por las Escrituras (es decir, *sola Scriptura*), el Dios que se le dio a conocer debe ser el Dios dado a conocer en las Escrituras. Así nació una marca definitoria del Trinitarianismo Reformado: se fundamentaría y demostraría no filosóficamente sino exegéticamente.[16] El debate continuo sobre la Trinidad haría que los reformadores fueran más felices de usar términos tradicionales como *hypostasis* y *ousia*, pero sólo en la medida en que esas palabras realmente iluminaran el significado de la Escritura. Un claro ejemplo de esto se puede ver en *La antigua fe, una prueba evidente de las Sagradas Escrituras, que la fe cristiana... ha sostenido desde el comienzo del mundo*, por el reformador de Zúrich Henry Bullinger.[17] En muchos sentidos, Bullinger estableció un curso de Reforma con esta obra, exponiendo un caso exegético fuerte y completo que tanto el Antiguo como el Nuevo Testamento testifican de un Dios que es tres personas en un sólo Ser.

Decir que el Trinitarianismo reformativo fue ardientemente exegético no implica que, por lo tanto, fuera doctrinalmente ingenuo. Ya en 1520, Lutero reconoció la primacía de control de la doctrina de Dios, llamando a la Trinidad "el artículo más elevado sobre el que penden todos los demás."[18] Ocho años más tarde, en su Catecismo Mayor, explicó cómo y por qué fue este el caso, desplegando así la forma radicalmente Trinitaria de su teología general:

> El Credo fue una vez dividido en 12 artículos.... Resumiremos toda la fe cristiana en tres artículos principales, de acuerdo con las tres personas en la Deidad, en quien todo lo que creemos está enfocado.... El Credo podría resumirse muy brevemente en estas pocas palabras: "creo en Dios el Padre, quien me creó; creo en Dios el Hijo, quien me redimió; creo en Dios el Espíritu Santo, quien me santifica".[19]

En la explicación de Lutero, el primer artículo ("creo en Dios el Padre") responde a la pregunta básica: ¿qué clase de Dios tienes? con la respuesta de que Él es un Padre y que "podemos mirar dentro de Su corazón paternal y sentir cuan infinitamente nos ama."[20] El segundo artículo ("creo en Jesucristo, su único Hijo") habla del Redentor que "nos ha devuelto al favor y gracia de nuestro Padre."[21] El tercer y más extenso artículo ("creo en el Espíritu Santo") comprende toda la vida cristiana, siendo el Espíritu el que nos aparta y nos hace santos.

---

[15] Felipe Melanchthon, *Loci Communes*, 1543, trad. J. A. O. Preus (St. Louis, MO: Concordia, 1992), 18.

[16] Ver, Christine Helmer, "Luther's Trinitarian Hermeneutic and the Old Testament," *Modern Theology*, 18, no. 1 (2002): 49–73.

[17] Heinrich Bullinger, *The Old Faith* (1537), en *Writings and Translations of Myles Coverdale, Bishop of Exeter*, trad. Miles Coverdale, ed. George Pearson, Parker Society for the Publication of the Works of the Fathers and Early Writers of the Reformed English Church 13 (Cambridge: Cambridge University Press, 1844), 1-83.

[18] Martín Lutero, *Treatise on Good Works* (1520), WA 7:214.27.

[19] Martín Lutero, *Getting into Luther's Large Catechism: A Guide for Popular Study*, ed. F. Samuel Janzow (St. Louis, MO: Concordia, 1978), 68.

[20] Ibid., 70.

[21] Ibid., 71.

Lutero estaba siendo muy claro en cuanto a que la revelación, la justificación y la salvación —esos puntos álgidos de la Reforma— todos encontraron su contexto y forma adecuados dentro de un esquema Trinitario. Nuestro conocimiento de Dios no es un premio filosófico, sino el regalo del Dios que se revela a sí mismo a través de su Hijo para ser paternal. Nuestra salvación no es una bendición auto-apropiada sino el rescate compasivo de ese Hijo, que viene del Padre para protegernos con su justicia. Nuestra vida cristiana no se trata de obtener la recompensa de Dios por nuestras obras, sino de que el Espíritu se apodere de nuestros corazones y nos lleve a Cristo. Es decir, toda la gratuidad y consuelo del evangelio por el que Lutero lucharía en la Reforma encontró su fuente en la naturaleza trina de Dios.

Resumiendo, Lutero escribió:

> En estos tres artículos, Dios mismo ha revelado y expuesto la profundidad más insondable de Su corazón paternal, Su amor puro inenarrable. Él nos creó con el propósito de redimirnos y hacernos santos. Y además de darnos y confiarnos todo lo que está en el cielo y en la tierra, nos ha dado a Su Hijo y Su Espíritu Santo para traernos a Él a través de ellos. Porque, como explicamos anteriormente, fuimos totalmente incapaces de reconocer el favor y la gracia del Padre, excepto a través del Amo Cristo, el cual es la imagen que refleja el corazón del Padre. Sin Cristo no vemos nada en Dios sino un Juez enojado y terrible. Pero tampoco podríamos saber nada de Cristo, si no fuera revelado por el Espíritu Santo.[22]

Aquí hay dos desafíos trascendentales para la teología que Tomás de Aquino había ayudado a incorporar a la corriente principal del Catolicismo Romano medieval tardío. Primero, con respecto a la revelación, el conocimiento de Dios aquí comienza no con la razón, sino con la predicación de Cristo, quien es revelado por el Espíritu. Segundo, en cuanto a la salvación, el don de Dios no es "gracia creada" sino Dios mismo: "Además de darnos y confiarnos todo en el cielo y en la tierra, nos ha dado a Su Hijo y Su Espíritu Santo para traernos a sí mismo a través de ellos".

El primer punto, sobre la revelación, es justo lo que brindó a Lutero su habilidad para criticar gran parte de la teología de su tiempo. Dado que nuestro conocimiento de Dios y su Evangelio es un don de gracia, nuestra razón no puede ser determinante en teología: la Palabra de Dios debe decidir y determinar la verdad.

El segundo punto, sobre la salvación, no fue menos significativo para el propio Lutero. Cuando era joven, Lutero había orado a los santos, pero nunca se había atrevido a orar a Dios. La sola idea de tener comunión directa con Dios, hablarle al "Padre más misericordioso, a través de Jesucristo, su Hijo", como cualquier sacerdote tendría que hacer al celebrar la Misa, aterrorizado cuando fue ordenado en 1507. Eso tuvo que cambiar si Dios "nos ha dado a Su Hijo y Su Espíritu Santo para traernos a Él". La naturaleza de Dios conllevaba una forma particular a la salvación y la vida cristiana: unidos a Cristo por el Espíritu, somos llevados ante el Padre para conocerlo y deleitarse como el Hijo siempre lo ha hecho.

Además, el hecho de que Dios nos da su propio Espíritu y no meramente una gracia habilitante, fue de importancia fundamental en la soteriología de Lutero por una razón más. Que necesitamos el Espíritu —el Mismísimo Dador de la vida— demuestra que no tenemos vida en nosotros mismos. Es decir, los pecadores caídos necesitan más que

---

[22] Ibid., 77.

un poco de habilitación; necesitan una vida que no poseen naturalmente. Por lo tanto, lo primero que Lutero escribió con respecto al Espíritu en su Catecismo Menor fue esto: "'Creo en el Espíritu Santo'. ¿Qué significa esto? 'Respuesta: Creo que por mi propia razón o fuerza no puedo creer en Jesucristo, mi Señor, o acudir a Él. Pero el Espíritu Santo me ha llamado a través del Evangelio'."[23] El don del Espíritu significa que la salvación no es un esfuerzo cooperativo, que Dios ayuda a pecadores meramente débiles; es un rescate divino, Dios resucitando a los muertos. Más que cualquier ayuda, los pecadores necesitan una regeneración radical, algo que no puede provenir de la carne, sino que sólo puede venir del Espíritu a través del evangelio. Como lo expresó Lutero en su *Tratado sobre las buenas obras* de 1520, "Nunca leímos que el Espíritu Santo fue dado a alguien porque había realizado algunas obras, pero siempre cuando los hombres han escuchado el evangelio de Cristo y la misericordia de Dios."[24]

William Tyndale

El mismo tema ocupa un lugar destacado en los escritos de WilliamTyndale, el reformador inglés y traductor de la Biblia. Reconociendo que nuestro problema como pecadores es radical y está enraizado en "el corazón, con todos los poderes, afectos y apetitos, con los que sólo podemos pecar", Tyndale vio que nuestra única solución es "el Espíritu que desata al corazón."[25] El sostenía que sólo el mismo Espíritu de Dios a través del Evangelio, podía "desatar" el corazón para liberarlo del amor a sí mismo y ganarlo para un amor no fingido a Dios. Así, a menos que el creyente "haya sentido la infinita misericordia, bondad, amor y favor de Dios, y la comunión de la sangre de Cristo, y el consuelo del Espíritu de Cristo en su corazón, nunca sería capaz de abandonar cualquier cosa por el amor de Dios."[26]

En fin, la ruptura de Tyndale con el ritualismo superficial de su educación estaba inextricablemente entrelazada con su robusto Trinitarianismo. El pensamiento Trinitario de pura-sangre fue, desde el principio, un sello del mensaje reformista de Tyndale. Sea testigo de esta apelación de *La parábola del malvado Mamón*, el tratado que fue contrabandeado a Inglaterra junto con tantas copias de su traducción al inglés del Nuevo Testamento:

> Por lo tanto, si estás en paz con Dios y lo amas, debes acudir a las promesas de Dios y al evangelio, que es llamado por Pablo, en el lugar antes ensayado a los corintios, la ministración de justicia, y del Espíritu. Porque la fe lleva el perdón y el perdón comprados gratuitamente por la sangre de Cristo, y trae también el Espíritu; el Espíritu libera las ataduras del diablo, y nos pone en libertad.[27]

Del mismo modo, Tyndale dice en *Un camino hacia la Sagrada Escritura*, "Cuando Cristo es así predicado... [los corazones] comienzan a debilitarse y derretirse ante la

---

[23] Martín Lutero, "The Small Catechism," WA 30:1.317.

[24] Lutero, *Treatise on Good Works*, LW 44:30.38–39

[25] William Tyndale, "A Prologue upon the Epistle of St. Paul to the Romans," en *The Works of William Tyndale* (Edinburgh: Banner of Truth, 2010), 1:489; ver también, *The Parable of the Wicked Mammon*, en *The Works of William Tyndale*, 1:52.

[26] Tyndale, "Prologue," 1:109.

[27] Tyndale, Parable, 1:48.

misericordiosa generosidad de Dios y la bondad mostrada por Cristo. Porque cuando se predica el evangelio, el Espíritu de Dios entra en ellos."[28]

Juan Calvino

Mientras que otros reformadores simplemente han soportado su Trinitarianismo haya sido pasado por alto, Juan Calvino fue realmente acusado de anti-Trinitarismo en su momento. Su temprana renuencia a emplear la terminología teológica tradicional y su consiguiente negativa a suscribirse al Credo de Atanasio lo llevaron a ser acusado de arrianismo y sabelianismo. Las acusaciones nunca se estancaron, por estar obviamente motivadas políticamente, y Calvino, en cualquier caso, había llegado rápidamente a apreciar los términos clásicos. En la primera edición de *Institución de la religión cristiana* (1536), él escribió:

> Los herejes dicen que *ousia, hypostaseis*, esencia, personas, son nombres inventados por decisión humana, en ningún lugar es leído o visto en las Escrituras. Pero ya que no pueden sacudir nuestra convicción de que se habla de tres, que son un sólo Dios, ¡qué clase de aprensión es desaprobar las palabras que no explican nada más que lo que se prueba y es sellado por las Escrituras![29]

La mayoría de los eruditos de hoy coinciden ampliamente con el veredicto de Michael O'Carroll que, de todos los reformadores, Calvino desarrolló "la teología Trinitaria más completa, más evidentemente tradicional y ortodoxa."[30]

Una de las primeras indicaciones de las profundidades del Trinitarianismo de Calvino —era cuán informativo y cuán integrado estaba en el cuerpo de su teología— puede encontrarse en su respuesta de 1539 a la carta abierta del Cardenal Sadoleto al pueblo de Ginebra. Trabajando con la suposición tomista de que el don de Dios es algo más que Dios mismo, Sadoleto estaba comprensiblemente preocupado por la doctrina de salvación de los reformadores solo por gracia. ¿Qué posible motivación para la santidad dejaría a la gente? Calvino respondió:

> Si el que ha obtenido la justificación posee a Cristo, y al mismo tiempo Cristo nunca está donde su Espíritu no está, es obvio que la justicia gratuita está necesariamente relacionada con la regeneración. Por lo tanto, si comprendes debidamente cuán inseparables son la fe y las obras, mira a Cristo, quien, como enseña el apóstol (1 Corintios 1:30), nos ha sido dado para justificación y santificación. Dondequiera, por lo tanto, esa justicia de fe que mantenemos es gratuita, allí también está Cristo; y donde

[28] William Tyndale, *A Pathway into the Holy Scripture*, en *The Works of William Tyndale*, 1:19.

[29] Juan Calvino, *Institutes of the Christian Religion* (1536 ed.), trad. Ford Lewis Battles, H. H. Meeter Center for Calvin Studies (Grand Rapids, MI: Eerdmans, 1975), 2.8.45–46.

[30] Michael O'Carroll, *Trinitas: A Theological Encyclopedia of the Holy Trinity* (Collegeville, MN: Liturgical Press, 1987), 194. Ver también, Edward A. Dowey Jr., *The Knowledge of God in Calvin's Theology* (Grand Rapids, MI: Eerdmans, 1994), 125–26, 146; Wilhelm Niesel, *The Theology of Calvin*, trans. Harold Knight (Grand Rapids, MI: Baker, 1980), 54–57; T. H. L. Parker, *The Doctrine of the Knowledge of God: A Study in the Theology of John Calvin* (Edinburgh: Oliver and Boyd, 1952), 61–62; B. B. Warfield, *"Calvin's Doctrine of the Trinity,"* en *Calvin and Augustine*, ed. Samuel G. Craig (Philadelphia: Presbyterian and Reformed, 1974), 187–284; Philip W. Butin, *Revelation, Redemption, and Response: Calvin's Trinitarian Understanding of the Divine-Human Relationship* (New York: Oxford University Press, 1995); T. F. Torrance, *"Calvin's Doctrine of the Trinity,"* chap. 3 en *Trinitarian Perspectives: Toward Doctrinal Agreement* (Edinburgh: T&T Clark, 1994); Christoph Schwöbel, *"The Triune God of Grace: The Doctrine of the Trinity in the Theology of the Reformers,"* en *The Christian Understanding of God Today: Theological Colloquium on the Occasion of the 400th Anniversary of the Foundation of Trinity College, Dublin*, ed. J. M. Byrne (Dublin: Columba, 1993), 49–64.

está Cristo, allí también está el Espíritu de santidad que regenera el alma para la renovación de la vida. Por el contrario, donde el celo por la integridad y la santidad no está en vigor, ni el Espíritu de Cristo ni el propio Cristo están presentes. Dondequiera que Cristo no está, no hay justicia, y de hecho ninguna fe; porque la fe no puede asirse de Cristo por la justicia sin el Espíritu de santificación.[31]

Dado que el regalo de Dios es Cristo, que no puede separarse del Espíritu, las objeciones de Sadoleto no tuvieron efecto en el Trinitarianismo de Calvino. La naturaleza Trinitaria de Dios se había familiarizado tanto con la soteriología de Calvino que él podía predicar la salvación sólo por la gracia sin vacilación, sin el temor de que pudiera disminuir el celo por la santidad. El antinomianismo simplemente no podría crecer en tal suelo.

Para ver el lugar de la Trinidad en la teología madura de Calvino, debemos, por supuesto, mirar a su *Institución*. La primera edición (1536) siguió en gran medida la estructura tradicional de un catecismo; sin embargo, en la edición final y definitiva (1559), había reorganizado por completo su material en una forma elegantemente de credo y expresamente Trinitaria:

- Libro 1: "El conocimiento de Dios Creador" (correspondiente a la primera sección del Credo de los Apóstoles, "creo en Dios Padre todopoderoso")
- Libro 2: "El conocimiento de Dios el Redentor en Cristo" (correspondiente a la segunda sección del Credo de los Apóstoles, "creo en Jesucristo su único Hijo nuestro Señor")
- Libro 3: "El modo en que recibimos la gracia de Cristo" (correspondiente a la tercera sección del Credo de los Apóstoles, "creo en el Espíritu Santo")[32]
- Libro 4: "Medios externos o ayudas mediante las cuales Dios nos invita a la Compañía de Cristo y nos mantiene allí" (correspondiente a la sección del Credo de los Apóstoles sobre "la santa Iglesia católica")

Lo que sugiere esta estructura (y lo que demuestra su contenido) es que, lejos de Calvino simplemente reaccionando a las acusaciones de herejía o las enseñanzas anti-Trinitarias de hombres como Miguel Servet, él era Trinitario, de raíz y rama. Cuando llegó a escribir la edición de 1559 de la *Institución*, la Trinidad ya no era tratada simplemente como una doctrina entre otras: en la mente de Calvino, el ser trino de Dios había llegado a constituir la forma de *toda* creencia cristiana. En ese sentido, hay una marcada diferencia entre la *Summa Theologiae* de Aquino, con su apartado de la doctrina de la Trinidad, y la *Institución* de Calvino, que recibe de allí su propia forma.

El libro 1 contiene la explicación de Calvino sobre la Trinidad como un tema discreto: "En las Escrituras, desde la creación en adelante, se nos enseña una esencia de Dios, que contiene tres personas."[33] Allí examina la naturaleza y las personas de Dios, la idoneidad de tales términos como "personas", la deidad del Hijo y la deidad

---

[31] Juan Calvino y Jacopo Sadoleto, *A Reformation Debate: Sadoleto's Letter to the Genevans and Calvin's Reply*, ed. John C. Olin (Grand Rapids, MI: Baker, 1966), 68.

[32] Aunque Calvino no trata específicamente de la persona del Espíritu, él explica en el título del primer capítulo del libro 3 que las cosas de las que ya se habló con respecto a Cristo (en el libro 2) "Beneficiémonos por la operación secreta del Espíritu".

[33] Calvino, *Institutes*, 1.13.

del Espíritu, y la unidad y la trinidad de Dios, y también pasa tiempo refutando el anti-Trinitarismo.

Dos asuntos aquí han causado cierto debate: (1) la afirmación de Calvino de que cada persona de la Trinidad es *autotheos* ("Dios de sí mismo"), y (2) la medida en que Calvino fue influenciado por la teología oriental, especialmente Gregorio Nacianceno (329-389). Consideraremos ambos.

Primero, contra toda noción cuasi-Arriana de que el Hijo tiene sólo una deidad secundaria derivada, Calvino argumentó que, como el Padre, el Hijo tiene divinidad "de sí mismo." Incluso en los días de Calvino, esto confundía a algunos, que sentían que Calvino estaba negando que el Hijo es *engendrado* del Padre, "verdadero Dios *de* Dios verdadero", como se afirma en el Credo Niceno-Constantinopolitano. Pero Calvino estaba haciendo una distinción entre la persona del Hijo y su ser divino. La *persona* del Hijo es engendrada del Padre, pero su ser divino existe por sí mismo. Calvino explicó:

> Por lo tanto, decimos que la deidad en un sentido absoluto existe por sí misma; de donde también confesamos que el Hijo, dado que es Dios, existe por sí mismo, pero no con respecto a su Persona; de hecho, dado que Él es el Hijo, decimos que Él existe del Padre. Por lo tanto, su *esencia* no tiene principio; mientras que el comienzo de su *persona* es Dios mismo.[34]

Segundo, T. F. Torrance, Gerald Bray y Robert Letham han sugerido que Calvino estaba en gran medida en deuda con los Padres de Capadocia en su Trinitarianismo.[35] A. N. S. Lane, sin embargo, ha expresado la necesidad de precaución con esta teoría.[36] El punto principal aquí es reconocer que Calvino, a diferencia de los teólogos occidentales medievales como Santo Tomás de Aquino, se ocupaba principalmente de las *personas* de Dios (Padre, Hijo y Espíritu), no de la *esencia* de Dios. No dio tiempo —como era tradicional— a considerar la existencia, naturaleza o atributos de Dios, sino que casi inmediatamente se volvió a mirar a las personas, escribiendo con brío que

> Dios también se designa a sí mismo con otra señal especial para distinguirse más precisamente de los ídolos. Porque Él se proclama a sí mismo como el único Dios que se ofrece para ser contemplado claramente en tres personas. A menos que comprendamos esto, solo el nombre escueto y vacío de Dios revolotea en nuestros cerebros, con la exclusión del verdadero Dios.[37]

Más llamativo, sin embargo, que su tratamiento específico de la Trinidad en el capítulo 13, es el hecho de que la *totalidad* del libro 1 de la *Institución* forma parte de un argumento Trinitario más amplio. El libro trata sobre "El conocimiento de Dios Creador", es decir, el conocimiento de Dios el Padre en particular. Tan notorio, de

---

[34] Ibid., 1.13.25, cursiva agregada. Para un análisis claro de la posición de Calvino y el debate posterior, véase Brannon Ellis, *Calvin, Classical Trinitarianism, and the Aseity of the Son* (Oxford: Oxford University Press, 2012).

[35] T. F. Torrance, "The Doctrine of the Holy Trinity in Gregory Nazianzen and John Calvin," en *Trinitarian Perspectives: Toward Doctrinal Agreement* (Edinburgh: T&T Clark, 1994), 21–40; Bray, *The Doctrine of God*, 197–224; Robert Letham, *The Holy Trinity: In Scripture, History, Theology, and Worship* (Phillipsburg, NJ: P&R, 2004), 252–68.

[36] A. N. S. Lane, *John Calvin: Student of the Church Fathers* (Grand Rapids, MI: Baker, 1999), 1–13, 83–86.

[37] Calvino, *Institutes*, 1.13.2.

hecho, es el énfasis de Calvino en la paternidad de Dios que llevó a J. S. Lidgett a observar que Calvino estaba emitiendo una nota "que no se ha escuchado desde Ireneo."[38]

Nuestro problema como pecadores en un mundo caído, escribió Calvino, es que "en esta ruina de la humanidad *ahora nadie experimenta a Dios ni como Padre* ni como Autor de la salvación, o favorable de ninguna manera, hasta que Cristo el Mediador se presente para reconciliarlo con nosotros."[39] Solo la mente convertida (o "piadosa") ahora "lo reconoce como Señor y Padre."[40] En otras palabras, el conocimiento verdadero y salvador de Dios significa conocer al Creador como nuestro Padre. De hecho, no entendemos verdaderamente la obra de Dios como Creador o su providencia (y por eso no tenemos consuelo) a menos que comprendamos que es una obra *paternal*. Por lo tanto, "debemos, en el mismo orden de las cosas [en la creación], contemplar diligentemente el amor paternal de Dios."[41] "Para concluir de una vez por todas", continuó Calvino, "cada vez que llamamos a Dios el Creador del cielo y la tierra, tengamos en cuenta al mismo tiempo eso... de hecho, somos sus hijos, a quienes ha recibido en su fiel protección para nutrir y educar."[42]

El libro 2 se refiere al Hijo y su redención, una historia que trata, en última instancia, de que el Hijo nos devuelve "a Dios, nuestro Autor y Hacedor, de quien nos hemos distanciado, para que pueda comenzar de nuevo a ser nuestro Padre."[43] De acuerdo con la lógica del libro 1, donde la obra del Creador estaba íntimamente ligado a su identidad como el Padre, entonces aquí la identidad del Hijo es crítica para entender correctamente su obra. La redención del Hijo tiene el objetivo final de compartir esa filiación:

> Su tarea era restaurarnos a la gracia de Dios para hacer de los hijos de los hombres, hijos de Dios; de los herederos de Gehenna, herederos del Reino Celestial. ¿Quién podría haber hecho esto si el mismo Hijo de Dios no hubiera llegado a ser el Hijo del hombre, y no hubiera tomado lo que era nuestro para impartir lo que era suyo para nosotros y para que su naturaleza fuera suya por gracia?[44]

Fue precisamente este relato Trinitario de la redención que le proporcionó a Calvino el peso teológico que necesitaba, como pastor, para darles a las personas una verdadera seguridad delante de Dios. Parados solos ante el Todopoderoso, incluso habilitados por la gracia, nunca podríamos tener confianza, a menos que llenos con la presunción más vana: "Para estar seguro, la herencia del cielo pertenece solo a los hijos de Dios [cf. Mat. 5: 9-10]. Además, es bastante inadecuado que se considere que aquellos que no están injertados en el cuerpo del Hijo unigénito tienen el lugar y el rango de hijos."[45] Pero "el Hijo de Dios, a quien pertenece por completo, nos ha adoptado como a sus hermanos."[46]

---

[38] J. S. Lidgett, *The Fatherhood of God in Christian Truth and Life* (Edinburgh: T&T Clark, 1902), 253.
[39] Calvino, *Institutes*, 1.2.1, cursiva agregada.
[40] Ibid., 1.2.2; cf. 2.6.1; 3.6.3.
[41] Ibid., 1.14.2.
[42] Ibid., 1.14.22.
[43] Ibid., 2.6.1.
[44] Ibid., 2.12.2.
[45] Ibid., 2.6.1.
[46] Ibid., 2.12.2.

El libro 3 examina la aplicación del Espíritu de la redención del Hijo a los creyentes. El libro comienza con la pregunta: "¿Cómo recibimos los beneficios que el Padre otorgó a su Hijo unigénito, no para uso privado de Cristo, sino para enriquecer a los pobres y necesitados?" La respuesta: a través de "la energía secreta del Espíritu, por la cual venimos a disfrutar de Cristo y de todos sus beneficios.... En resumen, el Espíritu Santo es el vínculo por el cual Cristo nos une efectivamente a sí mismo."[47] Para explicar esto, Calvino notó cuáles títulos son dados al Espíritu en las Escrituras, sugiriendo que el primer título del Espíritu es:

> "Espíritu de adopción" porque Él es el testigo de la benevolencia libre de Dios con la que Dios el Padre nos ha abrazado en su amado Hijo unigénito para llegar a ser un Padre para nosotros; y Él nos anima a tener confianza en la oración. De hecho, Él proporciona las mismas palabras para que podamos llorar sin temor, "¡Abba, Padre!" [Rom. 8:15; Gal. 4:6].[48]

Según Calvino, el Espíritu nos une a Cristo para que el Padre pueda abrazarnos como hijos en su Hijo amado. Calvino difícilmente podría demostrar cómo trabajó la Trinidad directamente a través de su teología en su soteriología. Y tales declaraciones no son un obstáculo en los escritos de Calvino en general; la adopción del Padre de los creyentes en Cristo corre como un hilo unificador en todo el *ordo salutis* de Calvino.[49] Según Sinclair Ferguson, Calvino "no trata la filiación como un lugar separado de teología precisamente porque es la base de todo lo que escribe."[50]El tema de adopción se vuelve aún más notable en sus comentarios. Así que Calvino escribió en su comentario sobre Romanos, "Nuestra salvación consiste en tener a Dios como nuestro Padre."[51]

La elección de Dios, por ejemplo, es un tema que Calvino vio estrechamente relacionado con la adopción:

> No es por una percepción de algo que merecemos, sino porque nuestro Padre celestial nos ha introducido, a través del privilegio de la adopción, en el cuerpo de Cristo. En resumen, el nombre de Cristo excluye todo mérito, y todo lo que los hombres tienen de los suyos; porque cuando dice que somos elegidos en Cristo, se deduce que en nosotros mismos somos indignos.[52]

Y otra vez,

> Cuando nuestro Señor grabe su temor en nuestros corazones por su Espíritu Santo, y tal obediencia hacia Él, como sus Hijos deben rendir a Él, esto es como si Él pusiera sobre

---

[47] Ibid., 3.1.1.

[48] Ibid., 3.1.3.

[49] Ver, Richard A. Muller, *Calvin and the Reformed Tradition: On the Work of Christ and the Order of Salvation* (Grand Rapids, MI: Baker Academic, 2012).

[50] Sinclair B. Ferguson, "The Reformed Doctrine of Sonship," en *Pulpit and People: Essays in Honor of William Still*, ed. Nigel M. De S. Cameron y Sinclair B. Ferguson (Edinburgh: Rutherford House, 1986), 81. Ver también, Nigel Westhead, "Adoption in the Thought of John Calvin," SBET 13, no. 2 (1995): 102–15; Howard Griffith, "The First Title of the Spirit: Adoption in Calvin's Soteriology," EvQ 73, no. 2 (2001): 135–53.

[51] Juan Calvino, *Calvin's Commentaries* (1844–1856; repr., Grand Rapids, MI: Baker, 1993), 19:301 (Rom. 8:17).

[52] Ibid., 21:198 (Eph. 1:4).

nosotros el sello de su elección, y como si Él debiera verdaderamente testifica que Él nos ha adoptado y que Él es un Padre para nosotros.[53]

La elección, en otras palabras, es precisamente la ratificación de la adopción por la gracia de Dios.[54]

Además, cuando escribió sobre la justificación, la consideró inexplicable si no se basaba en nuestra adopción:

> Pablo seguramente se refiere a la justificación por la palabra "aceptación" cuando en Ef. 1:5-6 dice: "Estamos destinados a ser adoptados por medio de Cristo según el beneplácito de Dios, para la alabanza de su gracia gloriosa, por la cual nos ha considerado aceptables y amados" [Ef. 1:5-6 p.] Eso significa lo mismo que comúnmente dice en otra parte, que "Dios nos justifica libremente" [Rom. 3:24].[55]

Y cuando concluyó su capítulo sobre la justificación por la fe, seleccionó una ilustración filial para resumir la doctrina, una imagen de acercarse a nuestro Padre "vestido" por el Espíritu en la justicia de Cristo:

> Como [Jacob] no se merecía el derecho del primogénito, oculto en la ropa de su hermano y con el saco de su hermano, que emitía un olor agradable [Gen. 27:27], se congració con su padre, por lo que para su propio beneficio recibió la bendición mientras se hacía pasar por otro. Y de la misma manera nos escondemos bajo la preciosa pureza de nuestro hermano primogénito, Cristo, para que podamos ser atestiguados como justos a los ojos de Dios.... Y esta es la verdad, porque para que podamos aparecer ante el rostro de Dios para salvación, debemos oler dulcemente con su olor, y nuestros vicios deben ser cubiertos y enterrados por su perfección.[56]

En cuanto a nuestro futuro, ¿por qué los que son elegidos y justos en Cristo todavía están sujetos a la muerte, el dolor y el mal? Una vez más, la respuesta de Calvino estuvo ligada a nuestra adopción: seguimos sufriendo aquí "porque el fruto de nuestra adopción todavía está oculto."[57] Debemos ser pacientes con confianza y soportar un poco más de tiempo hasta el día en que "participemos de ella en común con el Hijo unigénito de Dios."[58]

El Libro 4, que trata a la iglesia, podría razonablemente esperarse que tenga un sentimiento Trinitario menos obvio. Pero, de hecho, el examen de Calvino de los sacramentos como signos del Evangelio le dio la oportunidad de recapitular la forma Trinitaria general de nuestra salvación:

> Todos los dones de Dios que se ofrecen en el bautismo se encuentran sólo en Cristo. Sin embargo, esto no puede suceder a menos que el que bautiza en Cristo invoque también los nombres del Padre y del Espíritu. Porque somos purificados por su sangre, porque nuestro Padre misericordioso, deseando recibirnos en la gracia según su bondad incomparable, ha puesto a este Mediador entre nosotros para ganarnos el favor de Su

---

[53] Juan Calvino, *Sermons on Election and Reprobation*, trad. John Field (Audubon, NJ: Old Paths Publications, 1996), 98–99.

[54] Calvino, *Institutes*, 3.22.4.

[55] Ibid., 3.11.4.

[56] Ibid., 3.11.23.

[57] *Calvin's Commentaries*, 22:205 (1 Juan 3:2).

[58] Ibid., 19:301 (Rom. 8:17).

mirada. Pero obtenemos la regeneración por la muerte y la resurrección de Cristo solo si somos santificados por el Espíritu e imbuidos de una naturaleza nueva y espiritual. Por esta razón obtenemos y, por así decirlo, discernimos claramente en el Padre la causa, en el Hijo la materia y en el Espíritu el efecto de nuestra purificación y nuestra regeneración.[59]

De hecho, Calvino creía, el bautismo se encuentra al comienzo de nuestra fe precisamente como el compromiso de su naturaleza Trinitaria: el Padre nos adopta a través de su Hijo y nos renueva por medio de su Espíritu. Calvino explicó:

> Hay buenas razones por las que el *Padre*, el *Hijo* y el *Espíritu Santo* se mencionan expresamente; porque no hay otra manera en que se pueda experimentar la eficacia del *bautismo* que cuando comenzamos con la misericordia inmerecida *del Padre*, que nos reconcilia consigo mismo por el *Hijo* unigénito; luego, Cristo se presenta con el sacrificio de su muerte; y, por fin, *el Espíritu Santo* también es añadido, por medio del cual nos lava y regenera (Tito 3:5) y, en resumen, nos hace partícipes de sus beneficios. Así percibimos que Dios no puede ser verdaderamente conocido, a menos que nuestra fe conciba claramente a Tres Personas en una esencia; y que el fruto y la eficacia del *bautismo* proceden de *Dios Padre* adoptándonos a través de su Hijo y, después de habernos limpiado de las contaminaciones de la carne por medio *del Espíritu*, creándonos de nuevo en justicia.[60]

Para Calvino, en otras palabras, la misma forma y bondad del evangelio —de toda la fe cristiana— se moldeó y se basó en la naturaleza trina de Dios.

Trinitarianismo en la Tradición Reformada

Las evidencias del Trinitarianismo del subsecuente movimiento Reformado en la historia del siglo XVI son demasiado numerosas para catalogarlas aquí. Sin embargo, dos casos se destacan como especialmente dignos de mención: el Catecismo de Heidelberg y el desarrollo temprano de la teología Reformada del pacto.

El Catecismo de Heidelberg, tal vez el más conocido de todos los catecismos reformados, proporciona un buen ejemplo de cuán profundamente arraigado y cuán pastoralmente vital se volvió el pensamiento Trinitario para la teología Reformada, ya en 1563, cuando fue escrito. Después de algunas preguntas sobre la miseria y la redención del hombre, la sección central del catecismo está dedicada a Dios el Padre, Dios el Hijo y Dios el Espíritu Santo. Más revelador, sin embargo, es el rico Trinitarianismo de su primera respuesta memorable:

> ¿Cuál es tu único consuelo en la vida y la muerte?
>
> Que yo, con cuerpo y alma, tanto en la vida como en la muerte, no soy mío, sino que pertenezco a mi fiel Salvador Jesucristo, quien con su sangre preciosa ha redimido por completo todos mis pecados, y me ha liberado de todo el poder del diablo; y así me mantiene que sin la voluntad de mi Padre que está en el cielo ni un cabello puede caer de mi cabeza; sí, que todas las cosas deben trabajar juntas para mi salvación. Por lo

---

[59] Calvino, *Institutes*, 4.15.6.
[60] *Calvin's Commentaries*, 17:385 (Mt. 28:19).

tanto, por su Espíritu Santo, Él también me asegura la vida eterna, y me hace un corazón dispuesto y listo para vivir para Él.[61]

La lógica de la respuesta muestra que los nombres Cristo, Padre y Espíritu no se han insertado mecánicamente, simplemente para hacer la debida diligencia teológica; más bien, la comodidad del creyente se revela como irreductiblemente Trinitaria. La seguridad de la salvación, el conocimiento del cuidado providencial de Dios y la renovación del creyente por parte del Espíritu —todas las características de la teología Reformada— reciben su razón de ser del hecho de que Dios es (y así actúa como) Padre, Hijo y Espíritu. Al igual que en la teología del propio Calvino, la Trinidad no se guardaba simplemente como un tema de teología entre otros; el ser trino de Dios estaba siendo tratado como la matriz para *toda* la teología.

La otra instancia particularmente notable del pensamiento Trinitario en la teología Reformada del siglo XVI, se puede encontrar en el desarrollo temprano de la idea de un *pacto de redención*. Esta era la doctrina de que en la eternidad el Padre había entrado en un acuerdo de pacto con el Hijo para salvar a los elegidos, el Padre nombrando y el Hijo acordando ser el Redentor. Los detalles no necesitan preocuparnos aquí, pero la idea surgió de una creencia más profunda que fue fundamental en la teología Reformada: que todos los caminos de Dios tanto en la creación como en la salvación fluyen de la misma naturaleza e identidad de Dios. Dado que Dios es trino, la raíz y las ramas de la salvación se pueden explicar correctamente sólo en formas Trinitarias. El pacto de redención sería una característica cada vez más fuerte de la teología Reformada posterior, al siglo XVII, pero los orígenes del concepto se pueden encontrar antes, en los escritos de teólogos como Caspar Olevian y Jerome Zanchi.[62] Zanchi también produciría la mayor obra de la Reforma del análisis Trinitario y la polémica con su *De tribus Elohim*.[63] Este fue un trabajo altamente exegético y (de acuerdo con el Trinitarianismo reformado anterior), estableciendo un número considerable de textos que se refieren a una pluralidad de personas tanto en el Nuevo Testamento como en el Antiguo. (El título se refiere al hecho de que el único Dios Jehová es el Elohim trino). Siguiendo el ejemplo bíblico de Calvino, Zanchi colocó su discusión de la Trinidad antes que la de la esencia y los atributos de Dios.

Anti-Trinitarismo:
Servet, Socino y los Reformadores Radicales

Ya en la década de 1520, hombres como Ludwig Hätzer (1500-1529) y Christian Entfelder (1530-1535) enseñaban doctrina anti-Trinitaria en oposición tanto a Roma como a los magistrales reformadores. Tal vez el más conocido de estos anti-Trinitarios

---

[61] "The Heidelberg Catechism". en *The School of Faith: The Catechisms of the Reformed Church*, ed. y trad. Thomas F. Torrance (London: James Clarke, 1959), 68.

[62] Ver, Caspar Olevian, *De substantia foederis gratuiti inter Deum et electos* (Geneva: Eustathium Vignon, 1585); Hieronymus Zanchius, "De natura Dei," en *Omnium operum theologicorum* (Geneva: Crispinus, 1619), 6:1.11–13; Richard A. Muller, "Toward the Pactum Salutis: Locating the Origins of a Concept," MAJT 18 (2007): 11–65; Lyle D. Bierma, *German Calvinism in the Confessional Age: The Covenant Theology of Caspar Olevianus* (Grand Rapids, MI: Baker, 1996), 107–12; R. Scott Clark, *Caspar Olevian and the Substance of the Covenant: The Double Benefit of Christ*, Rutherford Studies in Historical Theology(Edinburgh: Rutherford House, 2005), 177–80.

[63] Hieronymus Zanchius, *De tribus Elohim*, vol. 1 de *Operum theologicorum D. Hieronymi Zanchii* (Heidelberg: Stephanus Gamonetus and Matthaeus Berjon, 1605).

de la era de la Reforma temprana fue Miguel Servet (1511-1553). Descendiente de judíos *conversos*, Servet era oriundo de España, un país que, con sus grandes poblaciones judías y musulmanas, había sido especialmente receptivo al anti-Trinitarismo. El título de su primera y última obra —*Sobre los errores de la Trinidad* (1531) y *La restauración del cristianismo* (1553)— dejó en claro su agenda: quiso replantear la doctrina de Dios a lo largo de líneas no Trinitarias para restaurar el cristianismo a su visión de su pureza original. Según Servet, los apóstoles habían enseñado que el Padre sólo es Dios: Jesús es "Hijo" solo en la medida en que tiene un origen sobrenatural, y el Espíritu no es más que el poder impersonal de Dios. Y, estaba claro, si la iglesia arrojaba su Trinitarianismo por la borda, necesitaría recalibrar cualquier otra doctrina, desde su Cristología hasta sus doctrinas de justificación y los sacramentos.

Sin embargo, el nombre que se convertiría en sinónimo de anti-Trinitarismo —y que se hablaría con horror en toda Europa— fue el de Fausto Socino (1539-1604). En todo caso, Socino era más fuerte que Servet en su anti-Trinitarismo. Al igual que Servet, vio al Espíritu como el poder impersonal de Dios, pero sostuvo que Cristo era un simple hombre concebido por el Espíritu y sólo en ese sentido elegible para ser llamado el "Hijo de Dios". Jesucristo no era Dios en ningún sentido real. Al igual que con Servet, el resultado fue una reelaboración radical e inevitable de la propia estructura del cristianismo: Jesús fue interpretado como un maestro, no como un Salvador; la cruz fue un martirio, no una expiación. Socino demostró una vez más que sin fundamento en el ser trino de Dios, el Evangelio se convierte en algo sin gracia.

¿Cuán fieles a la Reforma fueron estos anti-Trinitarios? En 1962, George Williams popularizó una expresión con el título de su libro *La Reforma Radical*.[64] El término podría interpretarse como un movimiento radicalmente fiel al proyecto de la Reforma. En otras palabras, donde los reformadores magisteriales se detuvieran o vacilaran, los reformadores radicales (de los cuales los anabaptistas eran los más numerosos y reconocidos) impulsarían una reforma más profunda de la iglesia. Esa fue sin duda la forma en que la mayoría de los radicales se vieron a sí mismos. Entre estos radicales, Williams incluyó a los anti-Trinitarios, una designación que nuevamente se ajustaba a la autoidentificación de hombres como Servet y Socino. Otros, como el historiador unitario E. M. Wilbur, han argumentado explícitamente que simplemente estaban empujando el proyecto de reforma a sus conclusiones lógicas.[65] Sin embargo, a medida que transcurrieron las décadas del siglo XVI, el gran volumen de polémica producido por los reformadores Trinitarios contra estos "radicales" prueba que los reformadores de la corriente principal, al menos, negaron con vehemencia la fidelidad de tales radicales a la Reforma.

¿Qué vamos a hacer con esto? El camino a seguir es hacer la siguiente pregunta: ¿Dónde los reformadores magisteriales deseaban una reforma de la iglesia mediante *la Palabra de Dios* (es decir, *sola Scriptura*), con qué criterio los anti-Trinitarios deseaban reformar la iglesia? Richard Muller ha argumentado que "la posición anti-Trinitaria se caracteriza por un biblicismo radical unido a una renuncia a las interpretaciones filosóficas y cristianas tradicionales de sustancia, persona, subsistencia, etc., como adiciones no bíblicas."[66] Ciertamente, la literatura de los anti-

---

[64] George Huntston Williams, *The Radical Reformation* (London: Weidenfeld & Nicolson, 1962).

[65] E. M. Wilbur, *A History of Unitarianism* (Cambridge, MA: Harvard University Press, 1945–1952), 1:12–18.

[66] Muller, *Post-Reformation Reformed Dogmatics*, 4:75.

Trinitarios, como la de los arrianos originales, está repleta de lenguaje y argumentos bíblicos; sin embargo, debajo de esa superficie bíblica parece haber un racionalismo más profundo. Estos anti-Trinitarios repetidamente hicieron movimientos doctrinales clave sobre la base de la inferencia lógica y sólo entonces los apoyaron exegéticamente.

Tomemos, por ejemplo, el Catecismo Racoviano del socinianismo. Antes incluso de llegar a la doctrina de Dios, recomienda como principio de exégesis que rechacemos "toda interpretación que sea repugnante para la razón correcta, o que implique una contradicción."[67] Luego, cuando se aborda la doctrina de Dios, nos encontramos inmediatamente confrontados, no con textos bíblicos sino con razón:

> ¿Qué es saber que Dios es uno sólo?
> Esto pueden entenderlo fácilmente: que no puede haber más seres que uno que posee el dominio supremo sobre todas las cosas.[68]

En cuanto a la cuestión de la Trinidad, la enmarca de esta manera:

> Demuéstreme que, en la única esencia de Dios, ¿sólo hay una Persona?
> De hecho, esto se puede ver desde aquí, que la esencia de Dios es uno, no en especie, sino en número. Por lo tanto, no puede, de ninguna manera, contener una pluralidad de personas, ya que una persona no es más que una esencia inteligente individual. Dondequiera, entonces, existan tres personas numéricas, debe necesariamente, de la misma manera, tenerse en cuenta tres esencias individuales; porque en el mismo sentido en que se afirma que hay una esencia numérica, se debe sostener que también hay una persona numérica.[69]

Dado, entonces, que el socinianismo estaba difiriendo a una autoridad final distinta (razón, no Escritura), sería completamente inexacto verla como una continuación directa de la trayectoria reformista protestante. Ciertamente, desde la perspectiva de los reformadores, fue en cambio una reforma falsa, llamando a la iglesia no a la pureza apostólica sino a una autoridad suprema diferente, un dios diferente y, por lo tanto, un Evangelio diferente.

La Contra-Reforma de Roma

En 1550, el reformador inglés Roger Hutchinson escribió *La imagen de Dios*, argumentando con extensas referencias bíblicas que todas las enseñanzas falsas eran un subproducto de la distorsión de la doctrina de la Trinidad.[70] Desde el arrianismo hasta la transubstanciación a la doctrina del sacerdocio de Roma, todo lo que intentó demostrar fue que estaba inextricablemente ligado a una doctrina defectuosa de Dios. Hutchinson de ninguna manera era un teólogo del mismo calibre que Lutero o Calvino,

---

[67] Thomas Rees, ed. y trad., *The Racovian Catechism: With Notes and Illustrations, Translated from the Latin; to Which Is Prefixed a Sketch of the History of Unitarianism in Poland and the Adjacent Countries* (London: Longman, Hurst, Orme, and Brown, 1818), 18.

[68] Ibid., 26.

[69] Ibid., 33.

[70] Roger Hutchinson, *The Image of God*, o *Laie Mans Book*, en *Whych the Right Knowledge of God Is Disclosed* (London: John Day, 1550), en *The Works of Roger Hutchinson, Fellow of St. John's College, Cambridge, and afterwards of Eton College*, A.D. 1550, Parker Society for the Publication of the Works of the Fathers and Early Writers of the Reformed English Church 22 (Cambridge: Cambridge University Press, 1842), 1–208.

pero su argumento encaja bien con su insistencia compartida de que el ser trino de Dios apuntalaba y formaba toda la teología de la Reforma. Sin embargo, fue un argumento especialmente espinoso. Roma, después de todo, nunca se había considerado a sí misma como algo menos que Trinitaria, y los autores católicos, como los Reformadores, se oponían a los anti-Trinitarios. ¿Cómo, entonces, respondió Roma a este revitalizado y vibrante Trinitarismo entre los Reformadores?

En los primeros días, había algunos individuos —los Católicos Evangélicos y *Espirituales*— que hicieron acercamientos doctrinales en la dirección de los reformadores. Pero a medida que la posición de Roma se endureció, la reforma doctrinal se vio con creciente recelo. El Concilio de Trento (1545-1563), la respuesta teológica oficial de Roma a la Reforma, simplemente no se ocupó de la doctrina de Dios. La Contra-Reforma (o "Reforma Católica") consistiría predominantemente en el observantismo monástico, los predicadores enfatizando la moral cristiana y la imitación de Cristo, la disciplina de la iglesia y el cuidado efectivo de las almas. En otras palabras, se trataba esencialmente de lograr un rendimiento práctico más puro de la misma teología no Reformada. O tomen aquellas obras especialmente vitales y representativas de la espiritualidad de la Contra-reforma, los *Ejercicios espirituales* de Ignacio de Loyola (1491-1556) o las escritos de Teresa de Ávila (1515-1582) o Juan de la Cruz (1542-1591): cuando colocados junto a obras de la Reforma como la *Institución* de Calvino, parecen comparativamente ilesos por el pensamiento Trinitario. El catolicismo romano en la Contra-Reforma, al parecer, tendía a no reconocer los fundamentos Trinitarios de las críticas teológicas de los Reformadores y, por lo tanto, nunca los respondió.

Sin embargo, esos fundamentos Trinitarios seguramente lo fueron: desde el día en que Lutero se refirió a la doctrina de la Trinidad como "el artículo más elevado sobre el que cuelgan todos los demás", la mejor teología de la Reforma fue profunda e irremediablemente Trinitaria.[71] Los fundamentos suelen estar ocultos por las estructuras que respaldan, por lo que no es del todo sorprendente que la literatura secundaria sobre la teología de la Reforma haya tendido a echarlos de menos, concentrándose en cambio en áreas de desacuerdo más obvias. Sin embargo, desde la revelación hasta la salvación, la teología y la práctica pastoral de la Reforma dominante sacaron su vida y su lógica del suelo del pensamiento Trinitario.

---

[71] Luther, *Treatise on Good Works*, WA 7:214.27.

Recursos para un estudio adicional

FUENTES PRIMARIAS

Calvino, Juan. *Institución de la Religion Cristiana*. Grand Rapids: Libros Desafío, 2012.

Calvino, Juan, y Jacopo Sadoleto. *A Reformation Debate: Sadoleto's Letter to the Genevans and Calvin's Reply*. Editadopor John C. Olin. Grand Rapids, MI: Baker, 1966.

Lombard, Peter. *The Sentences*. Traducido por Giulio Silano. 4 vols. Mediaeval Sources in Translation 42–43, 45, 48. Toronto: Pontifical Institute of Mediaeval Studies, 2007–2010.

Lutero, Martín. *Getting into Luther's Large Catechism: A Guide for Popular Study*. Editadopor F. Samuel Janzow. St. Louis, MO: Concordia, 1978.

Melanchthon, Felipe. *Loci Communes Theologici*. In *Melanchthon and Bucer*, editado por Wilhelm Pauck. Traducido por Lowell J. Satre, 3–152. Library of Christian Classics 19. Philadelphia: Westminster, 1969.

Rees, Thomas, ed. y trad. *The Racovian Catechism: With Notes and Illustrations, translated from the Latin; to Which Is Prefixed a Sketch of the History of Unitarianism in Poland and the Adjacent Countries*. London: Longman, Hurst, Orme, and Brown, 1818.

Zanchi, Hieronymus. *De tribus Elohim*. Traducido por Ben Merkle. Wenden House of New Saint Andrews College. Accesado el 10 de Junio, 2016. http://www.nsa.edu/academics/wenden-house-project/zanchis-de-tribus-elohim/.

FUENTES SECUNDARIAS

Bray, Gerald. *The Doctrine of God*. Contours of Christian Theology. Leicester: Inter-Varsity Press, 1993.

Butin, Philip W. *Revelation, Redemption, and Response: Calvin's Trinitarian Understanding of the Divine-Human Relationship*. New York: Oxford University Press, 1995.

Dowey, Edward A., Jr. *The Knowledge of God in Calvin's Theology*. Grand Rapids, MI: Eerdmans, 1994.

Espinosa, José D. *¿A quién Adoran los cristianos? Historia y teología de la Trinidad en el culto Cristiano*. Salem: Publicaciones Kerigma, 2017.

Ferguson, Sinclair B. "The Reformed Doctrine of Sonship." En *Pulpit and People: Essays in Honor of William Still*, editado por Nigel M. De S. Cameron y Sinclair B. Ferguson, 81–88. Edinburgh: Rutherford House, 1986.

Griffith, Howard. "'The First Title of the Spirit': Adoption in Calvin's Soteriology." *Evangelical Quarterly* 73, no. 2 (2001): 135–53.

Letham, Robert. *The Holy Trinity: In Scripture, History, Theology, and Worship*. Phillipsburg, NJ: P&R, 2004.

Muller, Richard A. *Post-Reformation Reformed Dogmatics: The Rise and Development of Reformed Orthodoxy, ca. 1520 to ca. 1725*. Vol. 4, *The Triunity of God*. Grand Rapids, MI: Baker Academic, 2003.

_____. "Toward the Pactum Salutis: Locating the Origins of a Concept." *Mid-America Journal of Theology* 18 (2007): 11–65.

Parker, T. H. L. *The Doctrine of the Knowledge of God: A Study in the Theology of John Calvin*. Edinburgh: Oliver and Boyd, 1952.

Schwöbel, Christoph. "The Triune God of Grace: The Doctrine of the Trinity in the Theology of the Reformers." In *The Christian Understanding of God Today: Theological Colloquium on the Occasion of the 400th Anniversary of the Foundation of Trinity College, Dublin*, edited by J. M. Byrne, 49–64. Dublin: Columba, 1993.

Torrance, T. F. "Calvin's Doctrine of the Trinity." Cap. 3 en *Trinitarian Perspectives: Toward Doctrinal Agreement*. Edinburgh: T&T Clark, 1994.

_____. "The Doctrine of the Holy Trinity in Gregory Nazianzen and John Calvin." Cap. 2 en *Trinitarian Perspectives: Toward Doctrinal Agreement*. Edinburgh: T&T Clark, 1994.

Warfield, B. B. "Calvin's Doctrine of the Trinity." En *Calvin and Augustine*, editadopor Samuel G. Craig, 187–284. Philadelphia: Presbyterian and Reformed, 1974.

Westhead, Nigel. "Adoption in the Thought of John Calvin." *Scottish Bulletin of Evangelical Theology* 13, no. 2 (1995): 102–15.

6

El Ser y los Atributos de Dios

Scott R. Swain

RESUMEN

La doctrina del ser y los atributos de Dios no era un artículo en disputa en el momento de la Reforma. No fue por eso un tema olvidado. Los primeros teólogos protestantes dedicaron gran atención a la doctrina del ser y los atributos de Dios en su compromiso polémico con Roma con respecto a la salvación y la gracia, la iglesia y su adoración. La doctrina también recibió una atención significativa en los diversos géneros de la teología protestante constructiva, tales como comentarios bíblicos, *loci communes*, sermones y catecismos, que fueron diseñados para satisfacer las necesidades pedagógicas y pastorales del floreciente movimiento de reforma en la academia y la iglesia. En términos de desarrollo doctrinal, la Reforma proporcionó un nuevo contexto para elaborar la doctrina cristiana de Dios que, en relación con su contexto de la Baja Edad Media, trajo la enseñanza tradicional sobre Dios a un contacto más directo con su fuente bíblica y extrajo de esa enseñanza una aplicación más inmediata para fines pastorales, aun cuando en numerosas ocasiones ofrecía para apropiarse de las fuentes y distinciones de la teología patrística y medieval.

Introducción

La retórica protestante temprana podría sugerir que la Reforma fue un tiempo de significado revolucionario para la doctrina de Dios. Martín Lutero contrastó el "dios aristotélico o filosófico" de "los judíos, los turcos y los papistas" con "nuestro Dios... a quien las Sagradas Escrituras muestran."[1] Lutero también habló de "la agonía de Dios, el martirio de Dios, la sangre de Dios y la muerte de Dios"[2], y tal lenguaje ha llevado a muchos intérpretes a concluir que su teología socava, en efecto si no por intención, la doctrina tradicional de la impasibilidad divina.[3] De manera similar, Felipe Melanchthon criticó a las autoridades tradicionales por la doctrina de Dios, concluyendo que "Juan de Damasco hace mucha filosofía" y que Pedro Lombardo

---

[1] Martín Lutero, *Lectures on Genesis Chapters 21–25*, LW 4:145

[2] Martín Lutero, *On the Councils and the Church* (1539), LW 41:104.

[3] Para un argumento particularmente sofisticado a este respecto, ver Eberhard Jüngel, *God as the Mystery of the World: On the Foundation of the Theology of the Crucified One in the Dispute between Theism and Atheism*, trad. Darrell L. Guder (Edinburgh: T&T Clark, 1983), 55–104.

"prefiere acumular las opiniones de los hombres en lugar de exponer el significado de la Escritura."[4] Y Juan Calvino consideró la distinción escolástica entre el "poder absoluto" de Dios (*potentia absoluta*) y el "poder ordenado" (*potentia ordinata*) como una "blasfemia impactante" porque implicaba "que Dios es un tirano que decide hacer lo que le plazca, no por la justicia, sino a través del capricho."[5] Ejemplos de tal retórica podrían multiplicarse.

La retórica, sin embargo, puede ser engañosa. La doctrina de Dios no fue un punto de conflicto directo entre los protestantes y Roma durante la "época tempestuosa"[6] de la Reforma cuando se trataba de "los elevados artículos de la majestad divina" (es decir, la doctrina del Dios trino y la doctrina de la persona de Jesucristo), Lutero insistía, "Estos artículos no son materia de disputa o conflicto, para que ambas partes no los confiesen."[7] Una encuesta de las primeras confesiones protestantes revela una perspectiva similar. Las primeras iglesias protestantes afirmaron los contornos principales del cristianismo de Nicea cuando se trataba de la doctrina de Dios, confesando la subsistencia eterna de tres personas distintas en un Dios simple, eterno, inmutable, todopoderoso, omnisciente y todo misericordioso, el Creador y conservador de todas las cosas, el Redentor de su iglesia y el mayor bien de la criatura. La Confesión de Augsburgo (1530) así lo declara,

> Las iglesias entre nosotros enseñan con total unanimidad que el decreto del Concilio de Nicea concerniente a la unidad de la esencia divina y concerniente a las tres personas es verdadero y debe ser creído sin ninguna duda. Es decir, hay una esencia divina que se llama Dios y es Dios: eterna, incorpórea, indivisible, de poder inconmensurable, sabiduría y bondad, creadora y conservadora de todas las cosas, visible e invisible. Sin embargo, hay tres personas, coeternas y de la misma esencia y poder: el Padre, el Hijo y el Espíritu Santo.[8]

Declaraciones similares aparecen en las confesiones reformadas del siglo XVI. La Primera Confesión Helvética (1536) sostiene que "hay un Dios único, verdadero, vivo y todopoderoso, uno en esencia, triple según las personas, que ha creado todas las cosas de la nada por su Palabra, es decir, por su Hijo, y por su providencia, con justicia, verdad y sabiduría, gobierna y preserva todas las cosas."[9] La Confesión de fe francesa (1559) afirma que "no hay más que un Dios, que es una única y simple esencia, espiritual, eterna, invisible, inmutable, infinita, incomprensible, inefable, omnipotente; que es omnisciente, todo-bueno, todo-justo y todo-misericordioso", y

---

[4] Felipe Melanchthon, *Loci Communes* (1521), in *Melanchthon and Bucer*, ed. Wilhelm Pauck, LCC 19 (Philadelphia: Westminster, 1969), 20.

[5] Juan Calvino, *Commentary on the Book of the Prophet Isaiah*, trans. William Pringle (repr., Grand Rapids, MI: Baker, 1998), 2:152. El "poder absoluto" de Dios (*potentia absoluta*) se refiere a "la omnipotencia de Dios limitada solo por la ley de la no contradicción", mientras que el "poder ordenado" de Dios (*potentia ordinata*) se refiere al "poder por el cual Dios crea y sostiene al mundo según su *pactum*. . . consigo mismo y la creación. En otras palabras, un poder limitado y limitado que garantiza la estabilidad y consistencia de las órdenes de la naturaleza y la gracia". Richard A. Muller, *Dictionary of Latin and Greek Theological Terms: Drawn Principally from Protestant Scholastic Theology* (Grand Rapids, MI: Baker, 1985), 231–32.

[6] Huldrych Zuinglio, *An Exposition of the Faith*, in *Zwingli and Bullinger: Selected Translations with Introductions and Notes*, ed. G. W. Bromiley, LCC 24 (Philadelphia: Westminster, 1953), 245

[7] Martín Lutero, "Smalcald Articles," pt. 1, en Robert Kolb and Timothy J. Wengert, eds., *The Book of Concord: The Confessions of the Evangelical Lutheran Church* (Minneapolis: Fortress, 2000), 300.

[8] "The Augsburg Confession" (Latin text), art. 1, en Kolb y Wengert, *Book of Concord*, 37.

[9] "The First Helvetic Confession of Faith of 1536," art. 6, en Arthur C. Cochrane, ed., *Reformed Confessions of the Sixteenth Century* (Louisville: Westminster John Knox, 2003), 101.

"eso en esta sola y única esencia divina... hay tres personas: el Padre, el Hijo y el Espíritu Santo."[10] Del mismo modo, la Confesión escocesa (1560) reconoce

> un solo Dios, a quien sólo a Él debemos adherirnos, a quien a Él sólo debemos servir, a quien sólo a Él debemos adorar, y en quien sólo en Él ponemos nuestra confianza. Quién es eterno, infinito, inconmensurable, incomprensible, omnipotente, invisible; uno en sustancia y, sin embargo, distinto en personas, el Padre, el Hijo y el Espíritu Santo. Por quien confesamos y creemos todas las cosas en el cielo y en la tierra, visibles e invisibles, por haber sido creados, para ser retenidos en su Ser, y para ser gobernados y guiados por su inescrutable providencia para un fin tal como Su sabiduría eterna, bondad y la justicia han designado, y para la manifestación de Su propia gloria.[11]

Aunque Fausto Socino inició una trayectoria teológica que resultaría en una revisión completa de la doctrina de Dios en el siglo XVII,[12] una tendencia revisionista en la doctrina no era universal incluso entre los reformadores radicales. Baltazar Hubmaier, por ejemplo, expresó una sensibilidad bastante tradicional cuando se trataba de los atributos divinos. En respuesta a la pregunta, ¿qué es Dios? El catecismo de Hubmaier respondió: "Él es bien supremo, todopoderoso, omnisciente y misericordioso", que manifiesta su omnipotencia en la creación, su sabiduría omnímoda [que lo abarca todo] en la providencia y su misericordia que lo abarca todo "al enviar su Hijo unigénito."[13] Además, la retórica revisionista de los reformadores magisteriales citada anteriormente, es un análisis más detallado, fácil de armonizar con el lenguaje más tradicional de las confesiones protestantes. La reciente erudición de Lutero demuestra que el lenguaje del Reformador de Wittenberg sobre el sufrimiento de Dios no es excepcional cuando se lo considera dentro del contexto más amplio del discurso cristológico tradicional y que Lutero empleó conscientemente conceptos metafísicos Trinitarios y Cristológicos clásicos, diseñados para preservar en vez de socavar la impasibilidad divina en su discurso sobre el sufrimiento de Dios.[14] Además, el desprecio de Calvino por la distinción entre el poder absoluto y ordenado de Dios, probablemente se entienda mejor no como un rechazo absoluto de la distinción per se, cuya sustancia empleó a lo largo de sus escritos, sino como un rechazo de ciertos abusos percibidos de la distinción en la teología de la Baja Edad Media.[15]

Si bien la doctrina de Dios se consideró un artículo indiscutido en la época de la Reforma, eso no lo relegó a la línea lateral de la reflexión teológica protestante. Los primeros teólogos protestantes dedicaron gran atención al ser y atributos de Dios, convencidos de que una comprensión adecuada de "qué es Dios, cómo se lo conoce, dónde y cómo se ha revelado a sí mismo, y si y por qué escucha nuestros ruegos y

---

[10] "The French Confession of Faith," art. 1, 6, en Cochrane, *Reformed Confessions*, 144, 146.

[11] "The Scots Confession," cap. 1, en Cochrane, *Reformed Confessions*, 166.

[12] George Huntston Williams, *The Radical Reformation*, 3ra ed., Sixteenth Century Essays and Studies 15 (Kirksville, MO: Truman State University Press, 2000), 979–90; Richard A. Muller, *Post-Reformation Reformed Dogmatics: The Rise and Development of Reformed Orthodoxy*, ca. 1520 to ca. 1725, vol. 3, *The Divine Essence and Attributes* (Grand Rapids, MI: Baker Academic, 2003), 91–92.

[13] Balthasar Hubmaier, *A Christian Catechism*, in CCFCT 2:676.

[14] David J. Luy, *Dominus Mortis: Martin Luther and the Incorruptibility of God in Christ* (Minneapolis: Fortress, 2014).

[15] Richard A. Muller, *The Unaccommodated Calvin: Studies in the Foundation of a Theological Tradition*, Oxford Studies in Historical Theology (New York: Oxford University Press, 2000), 41–42, 47, 51–52; Paul Helm, *John Calvin's Ideas* (Oxford: Oxford University Press, 2004), chap. 11.

súplicas" fue absolutamente esencial para la vida cristiana y el culto.[16] La doctrina jugó un papel crucial en la polémica protestante sobre temas como la salvación y la gracia, así como la iglesia y su culto. La doctrina también recibió una atención significativa en los diversos géneros de la teología protestante constructiva, tales como comentarios bíblicos, *loci communes*, sermones y catecismos, que fueron diseñados para satisfacer las necesidades pedagógicas y pastorales del floreciente movimiento de Reforma en la academia y la iglesia. De hecho, Herman Selderhuis sugiere que los comentarios de Juan Calvino sobre los Salmos muestran una perspectiva "totalmente *teocéntrica*"[17].

En términos de desarrollo doctrinal, por lo tanto, la Reforma no fue testigo de una revisión sustantiva de la doctrina de Dios confesada por la iglesia católica en siglos anteriores. La Reforma proporcionó un nuevo contexto para elaborar la doctrina cristiana de Dios que, en relación con su contexto de la Baja Edad Media, trajo la enseñanza tradicional sobre Dios a un contacto más directo con su fuente bíblica y extrajo de esa enseñanza una aplicación más inmediata para fines pastorales, incluso ya que ofreció numerosas ocasiones para apropiarse de las fuentes y distinciones de la teología patrística y medieval. En lo que sigue rastrearemos varias de las principales características de las primeras enseñanzas protestantes sobre el ser y los atributos de Dios, dejando el otro tema principal en la enseñanza protestante acerca de Dios —la distinción entre las tres personas— que se discutió en el capítulo 5 de este libro.[18]

El Conocimiento del Ser de Dios y sus Atributos

DIOS INCOMPRENSIBLE, ACOMODADO Y CONSIDERADO

La doctrina de la absoluta incomprensibilidad de Dios enmarca la entrada a los primeros tratamientos teológicos protestantes del ser y los atributos de Dios. En su comentario sobre Génesis 6:5-6, en el que analiza detenidamente la naturaleza de la revelación divina, Lutero declara: "Dios en su esencia es totalmente inescrutable; no es posible definir o poner en palabras lo que Él es, aunque reventemos en el esfuerzo."[19] Melanchton también afirmó que el conocimiento de Dios es "tan alto que no se puede expresar con palabras."[20] La incomprensibilidad divina no es razón para ignorar el estudio de Dios, insistió Wolfgang Musculus, porque "no hay nada que con mayor peligro podamos ignorar". En cambio, la incomprensibilidad absoluta de Dios requiere que los estudiantes de teología enfoquen la doctrina de Dios con miedo y circunspección.[21] Henry Bullinger afirmó: "Por lo tanto, los santos, si en cualquier otro asunto que pertenece a Dios, especialmente en este, son humildes, modestos y

---

[16] Felipe Melanchthon, *Loci Communes* (1555), en *Melanchthon on Christian Doctrine: Loci Communes1555*, trad. y ed. Clyde L. Manschreck (Grand Rapids, MI: Baker, 1982), 3.

[17] Herman J. Selderhuis, *Calvin's Theology of the Psalms*, Texts and Studies in Reformation and Post-Reformation Thought (Grand Rapids, MI: Baker Academic, 2007), 285, cursivas originales. Como veremos más completamente a continuación, los comentarios bíblicos de Calvino proporcionan una discusión más amplia de los atributos divinos que lo que se puede encontrar en *Institución de la religión cristiana*.

[18] En otro lugar, he discutido la doctrina de la Trinidad en la era de la Reforma. Ver Scott R. Swain, "The Trinity in the Reformers," en *The Oxford Handbook of the Trinity, ed. Gilles Emery and Matthew Levering* (Oxford: Oxford University Press, 2011), 227–39.

[19] Martín Lutero, *Lectures on Genesis Chapters* 6–14, LW 2:45.

[20] Melanchthon, *Loci Communes* (1555), 86. Para un enfoque similar, ver Peter Martyr Vermigli, *Commentary on Aristotle's Nicomachean Ethics*, ed. Emidio Campi y Joseph C. McLelland, Sixteenth Century Essays and Studies (Kirksville, MO: Truman State University Press, 2006), 136.

[21] Wolfgang Musculus, *Common Places of Christian Religion* (London: R. Wolfe, 1563), 1 (p. 1, col. 2–p. 2, col. 1).

religiosos; entendiendo que su poder eterno e incomprensible y su indescriptible majestad son totalmente incircunscribibles, y no pueden ser comprehendidos en ningún nombre."[22]

Dios es incomprensible según la confesión protestante universal. El conocimiento de Dios es posible, sin embargo, porque Dios se inclina para revelarse a las criaturas en términos que son capaces de comprender, aunque no en términos que sean capaces de extenuar la verdad del ser insondable de Dios. Dios es "totalmente incognoscible", pero, Lutero nos recuerda, "Dios se rebaja al nivel de nuestra comprensión débil y se nos presenta en imágenes, en cubiertas, por así decirlo, en simplicidad adaptada a un niño, que en cierta medida puede ser posible que él sea conocido por nosotros."[23] De acuerdo a Bullinger,

Ni la lengua de los ángeles ni la de los hombres pueden expresar completamente qué, quién y qué manera es Dios, viendo que su majestad es incomprensible e indescriptible; sin embargo, la Escritura, que es la Palabra de Dios, que se atiene a nuestra imbecilidad, nos ministra algunos medios, formas y frases, para que nos traigan algún conocimiento de Dios que al menos nos puede ser suficiente mientras vivamos en este mundo.[24]

La naturaleza acomodada de la revelación jugó un papel importante en la doctrina de Dios de Lutero. Lutero distinguió a Dios en la forma acomodada de su autorrevelación (Dios "revestido de su Palabra") de Dios fuera de esta forma acomodada (Dios "desnudo en su majestad"):

Dios en su propia naturaleza y majestad debe ser dejado solo; en este sentido, no tenemos nada que ver con Él, ni desea que tratemos con Él. Tenemos que ver con Él como vestido y exhibido en su Palabra, por el cual Él se nos presenta a nosotros. Esa es su gloria y belleza, en la cual el salmista le proclama que debe vestirse (véase Salmos 21:5).[25]

Aunque su retórica es susceptible de malinterpretación, el punto de la distinción de Lutero no fue sugerir la existencia de dos dioses diferentes: "el Dios de los filósofos", caracterizado por la majestad trascendente, y "el Dios de Jesucristo", caracterizado por la sencillez y humildad. Según Lutero, la majestad de la naturaleza eterna, inmortal y omnipotente de Dios es una fuente de gran consuelo para los pecadores en la medida en que Dios se compromete a ser su Dios en el Evangelio.[26] El punto de la distinción

[22] Heinrich Bullinger, *The Decades of Heinrich Bullinger*, ed. Thomas Harding (1849–1852; reimpr., Grand Rapids, MI: Reformation Heritage Books, 2004), 2:126.
[23] Lutero, *Lectures on Genesis* Capítulos 6–14, LW 2:45.
[24] Bullinger, *Decades*, 2:129–30. Cf. Peter Martyr Vermigli, The Common Places of Peter Martyr Vermilius, trad. Anthonie Marten (London: Henry Denham and Henry Middleton, 1583), 1.12.1.
[25] Martín Lutero, *The Bondage of the Will*, trad. J. I. Packer y O. R. Johnston (Old Tappan, NJ: Fleming H. Revell, 1957), 4.10; cf. Lutero, *Lectures on Genesis Chapters 6–14*, LW 2:45. Para discusión adicional, véase Roland F. Ziegler, "Luther and Calvin on God: Origins of Lutheran and Reformed Differences," CTQ 75, no. 1 (2011): 64–76; y Steven Paulson, "Luther's Doctrine of God," en *The Oxford Handbook of Martin Luther's Theology*, ed. Robert Kolb, Irene Dingel, y L'ubomír Batka (Oxford: Oxford University Press, 2014), 194–98.
[26] Martín Lutero, *Selected Psalms* II, LW 13:91–93. Forde útilmente resume el asunto: "En la teología de Lutero, los atributos de la divinidad, tales como la necesidad divina, la inmutabilidad, la atemporalidad, la impasibilidad, etc., funcionan como máscaras del ocultamiento de Dios. Eso significa que funcionan, por un lado, como ira, como ataque a la pretensión humana y, por otro lado, como consuelo, como respaldo para la proclamación". Gerhard O. Forde, "Robert Jenson's Soteriology," in *Trinity, Time, and Church: A Response to the Theology of Robert W. Jenson*, ed. Colin E. Gunton (Grand Rapids, MI: Eerdmans, 2000), 137.

de Lutero fue identificar dos modos diferentes en los que Dios puede ser conocido y alejarnos de un modo de conocimiento al otro.[27] Para profundizar sobre este punto, Lutero se apropió de la distinción escolástica entre la "voluntad de beneplácito" de Dios (*voluntas beneplaciti*) y su "voluntad indicativa" (*voluntas signi*):[28]

> Una investigación de esta voluntad esencial y divina, o de la Divina Majestad, no debe ser perseguida sino totalmente evitada. Esta voluntad es inescrutable, y Dios no quería darnos una idea de ella en esta vida. Simplemente quiso indicarlo por medio de algunas cubiertas: el Bautismo, la Palabra, el Sacramento del Altar. Estas son las imágenes divinas y "la voluntad indicativa". A través de ellas, Dios nos trata dentro del alcance de nuestra comprensión. Por lo tanto, sólo estos deben atraer nuestra atención. "La voluntad de su buena voluntad" debe descartarse por completo a menos que seas un Moisés, un David o un hombre perfecto similar, aunque estos hombres también vieron "la voluntad de su beneplácito" sin desviar la mirada de ellos de "La voluntad indicativa".[29]

En la teología de Lutero, la distinción entre Dios "vestido" y "desnudo" finalmente sirvió para el fin pastoral de promover el consuelo evangélico: "En estas imágenes vemos y encontramos a un Dios que podemos soportar, que nos consuela, nos eleva a la esperanza y nos salva. Las otras ideas acerca de 'la voluntad de su beneplácito' o la voluntad esencial y eterna, matan y condenan."[30] El motivo pastoral anti especulativo de Lutero hizo eco en todo el espectro del pensamiento temprano protestante.[31]

Dado que Dios acomoda el conocimiento de su insondable ser para nosotros en la forma humilde de la revelación, los primeros teólogos protestantes regularmente advirtieron contra la locura de los antropomorfos, que "pecan contra la naturaleza de Dios vistiéndola con un cuerpo."[32] Calvino reconoció que "las Escrituras a menudo le atribuyen boca, oídos, ojos, manos y pies."[33] "Tales formas de hablar", insistió él, "no expresan claramente cómo es Dios, sino que acomodan el conocimiento de Él a nuestra reducida capacidad."[34] Los teólogos de la Reforma no sólo bloquearon la deducción del antropomorfismo bíblico de que Dios tiene partes del cuerpo humano, sino que también bloquearon la deducción del antropopatismo bíblico de que Dios tiene emociones humanas. Nuevamente comentando sobre Génesis 6:6, Lutero dijo: "Uno no debe imaginar que Dios tiene corazón o que puede llorar". El dolor de Dios

---

[27] Compare esta noción con la distinción de Lutero entre ser un "teólogo de la gloria" y ser un "teólogo de la cruz" en su "Heidelberg Disputation."

[28] La "voluntad de beneplácito" de Dios (*voluntas beneplaciti*) se refiere al decreto oculto y eterno de Dios con respecto a todas las cosas que ocurrirán en sus obras externas. La "voluntad indicativa" de Dios (*voluntas signi*) se refiere a ese aspecto de la voluntad eterna de Dios que le complace revelar a las criaturas. La distinción entre la voluntad de buen placer y la voluntad del signo se desarrolla de manera diferente en las tradiciones teológicas luterana y reformada. Véase Muller, *Dictionary of Latin and Greek Theological Terms*, 331–33.

[29] Lutero, *Lectures on Genesis Chapters 6–14*, LW 2:47. Ver también, Lutero, *Lectures on Genesis Chapters 21–25*, LW 4:143–45.

[30] Lutero, *Lectures on Genesis Chapters 6–14*, LW 2:48.

[31] Melanchthon, *Loci Communes* (1521), 21–22; *Bullinger, Decades*, 2:130; Peter Martyr Vermigli, *Philosophical Works: On the Relation of Philosophy to Theology*, trad. y ed. Joseph C. McLelland, Sixteenth Century Essays and Studies 39 (Kirksville, MO: Thomas Jefferson University Press, 1996), 151.

[32] Vermigli, *Philosophical Works*, 140.

[33] Juan Calvino, *Institutes*, 1.13.1

[34] Ibid. Para una discusión más detallada de los puntos de vista de Calvino sobre el acomodo divino, ver Helm, *John Calvin's Ideas*, chap. 7; y Jon Balserak, *Divinity Compromised: A Study of Divine Accommodation in the Thought of John Calvin*, Studies in Early Modern Religious Reforms 5 (Dordrecht: Springer, 2006). Cf. Vermigli, Philosophical Works, 148.

en Génesis 6 se refiere al efecto de la ira de Dios sobre los espíritus de los patriarcas, "que percibieron en sus corazones que Dios odiaba al mundo por sus pecados y tenía la intención de destruirlo" —no se refiere a "la esencia divina."[35] La naturaleza acomodada de la revelación tiene tanto la promesa como el peligro para las criaturas peregrinas cuando se trata de la doctrina de Dios: promesa, en la medida en que permite que Dios sea conocido; peligro, en la medida en que podamos sentirnos tentados de confundir al Creador con la criatura.

La naturaleza acomodada de la revelación no fue la última palabra de los reformadores con respecto al conocimiento del ser y los atributos incomprensibles de Dios. Los primeros teólogos protestantes afirmaron la enseñanza católica tradicional de que la forma acomodada y mediada de nuestro conocimiento de Dios algún día cederá el paso a un conocimiento no mediado de Dios en la visión beatífica. Así, Lutero afirmó: "En el Último Día, los que han muerto en esta fe estarán tan iluminados por el poder celestial que verán incluso a la Divina Majestad."[36] Según Peter Martyr Vermigli, captaremos la esencia incomprensible de Dios no a través de nuestros sentidos sino a través de la percepción espiritual, e incluso entonces, nuestras mentes finitas no comprenderán completamente la perfección infinita de Dios.[37] Hasta el día en que contemplemos el rostro de Dios en dicha no mediatizada, Lutero nos alienta a echar mano de la revelación de Dios en Jesucristo: "Debemos venir al Padre por ese camino que es Cristo mismo; Él nos guiará con seguridad, y no seremos engañados."[38] De manera similar, Bullinger aconseja: "Dejen que el conocimiento de Cristo sea suficiente y nos satisfaga."[39]

FUENTES DEL CONOCIMIENTO DE DIOS

Los teólogos de la Reforma trazaron el conocimiento de la incomprensible majestad de Dios a varias fuentes. En un sermón titulado, "De Dios; Del verdadero conocimiento de Dios y de las diversas formas de conocerlo; Que Dios es Uno en Sustancia, y Tres en Personas," Henry Bullinger dedicó un amplio espacio para discutir los diversos medios por los cuales Dios se revela a las criaturas.[40] Según Bullinger, "la primera y la principal forma de conocer a Dios se deriva de los mismos nombres de Dios que se le atribuyen en la Sagrada Escritura" —un principio metodológico observado en la teología protestante primitiva y al que volveremos más adelante.[41] Dios también se hace conocer "por visiones y arquetipos divinos, como en una cierta parábola, como en *Prosopografía*, *Prosopopeya*, o formas mortales en las que Él se presenta ante nuestros ojos."[42] Pero "la manera más evidente y excelente, y el medio para conocer a Dios", insistió Bullinger, "se presenta ante nosotros en Jesucristo, el Hijo de Dios encarnado y hecho hombre". El reformador suizo obtuvo apoyo para esta afirmación de Juan 14: 9 ("Quien me ha visto ha visto al Padre"), un texto de prueba común para este reciente

[35] Lutero, *Lectures on Genesis Chapters* 6–14, LW 2:49.
[36] Ibid., LW 2:49. Ver también, Bullinger, *Decades*, 2:130, 142–43.
[37] Vermigli, *Philosophical Works*, 140, 148.
[38] Lutero, *Lectures on Genesis Chapters* 6–14, LW 2:49.
[39] Bullinger, *Decades*, 2:147
[40] Para discusiones similares, ver Melanchthon, *Loci Communes* (1555), 5–7; Musculus, *Common Places*, 1.1 (p. 2, col. 2–p. 3, col. 2); Vermigli, *Philosophical Works*, 18–29, 138–54.
[41] Bullinger, *Decades*, 2:130.
[42] Ibid., 2:138.

principio metodológico protestante.[43] Al discutir los variados medios por los cuales Dios se revela a nosotros, Bullinger también afirmó que Dios se da a conocer "por la contemplación de sus obras" y "por los dichos u oraciones pronunciadas por boca de los profetas y apóstoles", el último proporcionando la fuente del "verdadero conocimiento de Dios" como "Uno en esencia y Tres en Personas."[44]

El conocimiento de Dios revelado a través de los nombres divinos y supremamente a través de Jesucristo en las Sagradas Escrituras supera con creces lo que se revela a través de las obras de Dios, tanto en contenido como en eficacia.[45] Sin embargo, los primeros teólogos protestantes acordaron un papel significativo a la revelación general al producir un conocimiento verdadero pero limitado de Dios, incluso entre filósofos no cristianos.[46] Comentando sobre Romanos 1:19, Vermigli argumentó que Dios había implantado nociones comunes (*prolepseis*) en la mente humana "a través de las cuales somos conducidos a concebir opiniones nobles y exaltadas sobre la naturaleza divina."[47] La presencia de estas nociones comunes explica cómo los filósofos llegaron al conocimiento del ser y los atributos de Dios al observar "las maravillosas propiedades y cualidades de la naturaleza" y al considerar "la serie de causas en su relación con los efectos."[48] De hecho, Vermigli argumentó que cuando las personas reflexionan sobre "las más nobles cualidades" del alma humana, como la justicia, la sabiduría, la verdad y la rectitud, y consideran debidamente cómo los seres humanos dependen de Dios, concluirían que estas perfecciones residen en Dios, quien es su "primordial y principal autor."[49] Aunque Vermigli estaba al tanto del intento de Cicerón de refutar este tipo de argumento, creía que en Salmos 94:9 ("El que encajó la oreja, ¿no oye? El que formó el ojo, ¿no ve?") Lo estableció más allá cualquier duda: "Aprendemos de esto no retener de la naturaleza divina todo lo que es perfecto y absoluto en nosotros."[50]

Que Dios sea Dios:
La Distinción Creador-Criatura y la Simplicidad Divina

La distinción entre los dioses verdaderos y falsos, y por lo tanto entre el Creador y la criatura, fue de fundamental importancia en las primeras enseñanzas protestantes acerca de Dios.[51] "Esta es la primera doctrina en el primer mandamiento concerniente

---

[43] Ibíd., 2:147. Véase también, Lutero, *Lectures on Genesis Chapters 6–14*, LW 2:49; Melanchthon, *Loci Communes* (1555), 3–4; Vermigli, *Philosophical Works*, 151.

[44] Bullinger, *Decades*, 2:150, 153-54.

[45] Vermigli, *Philosophical Works*, 27, 150–51.

[46] Lutero, *Lectures on Genesis Chapters 21–25*, LW 4:145; Lutero, *Lectures on Romans: Glosses and Scholia*, LW 25:154, 156–57; Lutero, *Bondage*, 2.4; Melanchthon, *Loci Communes* (1555), 5–6, 39–41, 86; Musculus, *Common Places*, 1.1 (p. 2, cols. 1–2).

[47] Vermigli, *Philosophical Works*, 20. Para tratamientos similares, ver Melanchthon, *Loci Communes* (1555), 5–6; Calvino, *Institutes*, 1.3.1.

[48] Vermigli, *Philosophical Works*, 21.

[49] Ibíd., 22. Comparar con Tomás de Aquino, *Summa Theologiae* 1a.13.2.

[50] Vermigli, *Philosophical Works*, 22. Karl Barth criticó la teología protestante temprana por apelar a la revelación general y las pruebas filosóficas en la doctrina de Dios, lo que sugiere que esta apelación finalmente "allanó el camino para la Ilustración con todo lo que eso implicaba". Barth, *Church Dogmatics*, trad. G. W. Bromiley, ed. G. W. Bromiley y T. F. Torrance, vol. 2, pt. 1 (Edinburgh: T&T Clark, 1957), 266 (ver toda su discusión de 259-72). Lo que la crítica de Barth no pudo comprender, sin embargo, fue que los reformadores derivaron y confirmaron sus argumentos con respecto a la revelación general a través de la exégesis bíblica, como la apelación de Vermigli a Rom. 1:19 y Sal. 94:9 ilustra.

[51] El título de esta sección proviene de Philip S. Watson, *¡Let God Be God! An Interpretation of the Theology of Martin Luther* (Eugene, OR: Wipf & Stock, 2000).

al conocimiento correcto de Dios", insistió Melanchthon.[52] Los teólogos protestantes consideraron que el hecho de que Roma no observara esta distinción era la causa raíz de muchos de sus errores. Según Lutero, debido a que el esquema medieval de salvación enseñaba que las obras humanas eran capaces de merecer la gracia divina, despojaba a Dios "de la gloria de su deidad" al negarse a reconocer su única suficiencia como el "que dispensa sus dones gratuitamente a todos".[53] De manera similar, Zuinglio argumentó que las enseñanzas de Roma sobre la veneración de los santos y la eficacia de los sacramentos atribuían erróneamente "a la criatura que pertenece únicamente al Creador."[54]

La distinción Creador-criatura también informó la exposición constructiva de los atributos divinos, por excelencia en la forma de la doctrina de la simplicidad divina. Siguiendo la forma básica de la ortodoxia de Nicea, la "Confesión Tetrapolitana" de Martin Bucer afirmaba que la Deidad "no admite distinción más que de personas."[55] Calvino afirmó de manera similar: "Cuando profesamos creer en un solo Dios, bajo el nombre de Dios se entiende una esencia única y simple."[56] Melanchthon explicó con más detalle el significado de la simplicidad divina para nuestra comprensión de los atributos divinos: "En Dios, el poder, la sabiduría, la rectitud y otras virtudes no son cosas contingentes, sino que son una con el Ser; el Ser Divino es el poder divino, la sabiduría y la rectitud, y estas virtudes no están separadas del Ser."[57]

Vermigli puso la doctrina de la sencillez divina en serio uso filosófico y teológico a través de su *Comentario sobre la Ética Nicomáquea de Aristóteles* y, al hacerlo, recurrió a una amplia gama de fuentes filosóficas y teológicas clásicas, patrísticas y medievales. Al discutir las ideas divinas, los patrones eternos según los cuales el artesano divino crea y sostiene todo lo que existe, el reformador italiano se enfrentó a Platón, Aristóteles, Agustín, Boecio y a Averroes, entre otros.[58] Mientras que Vermigli argumentó que las ideas divinas explicaban la diversidad de criaturas que habitan en el mundo de Dios, también insistió, siguiendo a Agustín y otros, que deben ser "uno y uniforme" en Dios debido a su absoluta simplicidad. Él concluyó,

> Así, la Idea puede ser entendida por nosotros de tres maneras: Primero, como algo que está contenido en la esencia divina y, por lo tanto, es uno y uniforme. Segundo como un objeto práctico de la mente divina, en cuyo caso también sería uno y uniforme, ya que la contemplación de Dios de sí mismo es una acción única e insuperable que le revela todo a la vez. En tercer lugar, puede entenderse como una Forma y un patrón, pero en este caso debemos asumir la existencia de muchas ideas diferentes ya que presentarían muchos patrones distintos de numerosas criaturas de diferentes especies.[59]

---

[52] Melanchthon, *Loci Communes* (1555), 86; ver también 7.

[53] Martín Lutero, *Lectures on Galatians* (1535), LW 26:127 Charles Arand discute el significado de la distinción criatura-criatura en los comentarios de Lutero sobre el Credo de los Apóstoles en sus Catecismos pequeños y grandes. Ver Charles P. Arand, "Luther on the Creed", LQ 20 (2006): 1-25.

[54] Zuinglio, *Exposition of the Faith*, 249. Para el papel de la distinción creador-criatura en la teología de Zuinglio, ver W. P. Stephens, *Zwingli: An Introduction to His Thought* (Oxford: Clarendon, 1992). Tenga en cuenta la preocupación similar en Melanchthon, *Loci Communes* (1555), e.g., 7, 86.

[55] "Tetrapolitan Confession," cap. 2, en Cochrane, *Reformed Confessions*, 56.

[56] Calvino, *Institutes*, 1.13.20.

[57] Melanchthon, *Loci Communes* (1555), 8.

[58] Ver, Vermigli, *Commentary*, 137–44, 172.

[59] Ibid., 143. Comparar con Francis Turretin, *Institutes of Elenctic Theology, ed. James T. Dennison Jr., trans. George Musgrave Giger (Phillipsburg, NJ: P&R, 1992–1997), 4.1.8–12.*

Más adelante en la misma obra, al discutir la cuestión de si las diez categorías metafísicas de Aristóteles se aplicaban al ser de Dios, el compromiso de Vermigli con la doctrina de la simplicidad divina lo llevó a adoptar la posición de Dionisio y "ciertos sabios (y bastante numerosos) teólogos escolásticos reacioa a encerrar a Dios en categorías aristotélicas."[60] Según Vermigli, "Dios está por encima de todas estas categorías como su causa eficiente."[61] Por lo tanto, Él es "todo y nada" en relación con las categorías: "Él es todo, ya que todo lo que existe participa de Él; al mismo tiempo, Él no es nada, aunque no en el sentido de un defecto, como si le faltara sustancia o, si se puede decir, esencia, sino más bien porque está más allá de todo lo que existe."[62]

La Exposición de la Fe de Zuinglio proporciona otro claro ejemplo de cómo la distinción Creador-criatura y su doctrina acompañada de simplicidad divina funcionaron en el pensamiento protestante temprano acerca de Dios.[63] El artículo "De Dios y la adoración de Dios" aborda la importancia de distinguir al Creador de sus criaturas para que podamos confiar en el primero y usar el último para la gloria de Dios.[64] "Para resumir", dijo, "la fuente de nuestra religión es confesar que Dios es el Creador no creado de todas las cosas, y que sólo Él tiene poder sobre todas las cosas y otorga libremente todas las cosas."[65] Según Zuinglio, la naturaleza única y trascendente del Creador determina la forma en que debemos pensar sobre la bondad divina. La bondad de Dios, explicó, es simple: "Sabemos que este Dios es bueno por naturaleza, porque lo que sea que Él sea, es por naturaleza."[66] Además, debido a que es simple, la bondad de Dios es "a la vez amorosa, afable y misericordiosa, y también santa, justa e inmutable."[67] Zuinglio introdujo la inmutabilidad divina en este punto para establecer la sección final en su discusión de la bondad divina, donde trató la expresión suprema de la bondad de Dios al darle a su Hijo "no solo para revelar, sino

---

[60] Vermigli, *Commentary*, 156. Las diez categorías de ser de Aristóteles (es decir, sustancia, calidad, cantidad, relación, posición, hábito, lugar, tiempo, acción y pasión) recibieron amplia atención en el pensamiento trinitario clásico, y los teólogos adoptaron diversas posiciones sobre el grado y la manera en que podría ser apropiado en el discurso teológico. Ver, por ejemplo, Agustín, *The Trinity* 5.2; Boetio, *De Trinitate* 4.1–9; Pedro Lombardo, *Sentences* 1.8.6–8. Para una descripción general de la discusión medieval, vea Marilyn McCord Adams, "The Metaphysics of the Trinity in Some Fourteenth Century Franciscans," *Franciscan Studies* 66, no. 1 (2008): 101–68.

[61] Vermigli, *Commentary*, 158.

[62] Ibid., 157. La discusión de Vermigli ofrece más evidencia contra la acusación, recientemente declarada con gran fuerza por Brad Gregory, de que la Reforma inaugura una caída de la "metafísica de la participación" clásica. Brad S. Gregory, *The Unintended Reformation: How a Religious Revolution Secularized Society* (Cambridge, MA: Harvard University Press, 2012). Para mayor evidencia contra la tesis de Gregory, ver Richard A. Muller, "Not Scotist: Understandings of Being, Univocity, and Analogy in Early-Modern Reformed Thought," *RRR* 14, no. 2 (2012): 127–50; Scott R. Swain, "Lutheran and Reformed Sacramental Theology, Seventeenth–Nineteenth Centuries," en *The Oxford Handbook of Sacramental Theology*, ed. Hans Boersma and Matthew Levering (Oxford: Oxford University Press, 2015), 362–79.

[63] Este párrafo es una adaptación de Scott Swain, "Zwingli, Divine Impassibility, and the Gospel," *reformation21* (blog), The Alliance of Confessing Evangelicals, January 23, 2015, http://www.reformation21.org/blog/2015/01/zwingli-divine-impassibility-a.php. Usado con permiso de Alliance of Confessing Evangelicals y el autor.

[64] Al distinguir a Dios, a quien se debe "confiar" y "disfrutar", de las criaturas, que deben ser "usadas" en el disfrute de Dios, Zuinglio recurrió a una distinción agustiniana, expuesta en *On Christian Teaching*, que llegó a dominar la forma de la teología medieval a través de su influencia estructural en *Sentences* de Pedro Lombardo. Zuinglio puso la distinción al uso polémico al argumentar que los teólogos católicos romanos "ignoran involuntariamente" la distinción al recomendar la confianza y el disfrute de los sacramentos, que son criaturas, más que de Dios. *Exposition of the Faith*, 247–49.

[65] Zuinglio, *Exposition of the Faith*, 249.

[66] Ibid. Para declaraciones similares con respecto a la naturaleza no adictiva de la bondad divina, ver Vermigli, *Commentary*, 137; Musculus, Common Places, 1 (p. 8, col. 2–p. 9, col. 1).

[67] Zuinglio, *Exposition of the Faith*, 249.

para otorgar a toda la tierra tanto salvación y renovación."[68] Zuinglio argumentó que no podemos apreciar completamente la motivación de Dios para la encarnación y la obra expiatoria de su Hijo, aparte de una comprensión adecuada de la bondad simple e inmutable de Dios. Él afirmó,

> Porque en cuanto su bondad, es decir, su justicia y misericordia, es intransitable, es decir, firme e inmutable, su justicia requiere expiación, pero su misericordia es perdón y el perdón es la renovación de la vida. Así, revestido de carne, porque según su naturaleza divina no puede morir, el Hijo del Altísimo Rey se ofreció a sí mismo como sacrificio para aplacar la justicia irrevocable y para reconciliarla con aquellos que, debido a su conciencia de pecado, no se atrevían a entrar en la presencia de Dios sobre la base de su propia justicia. Él lo hizo porque es amable y misericordioso, y estas virtudes pueden permitir tan poco el rechazo de su obra como su justicia puede permitir escapar del castigo. La justicia y la misericordia se unieron, la que proporciona el sacrificio, la otra lo acepta como un sacrificio por el pecado.[69]

Para Zuinglio, la bondad simple e inmutable de Dios nos permite apreciar el fundamento y el motivo divino profundo de la muerte del Hijo de Dios en la cruz y de esa manera nuestra redención. También proporciona una ocasión para maravillarse con la gratitud:

> ¿Quién puede estimar suficientemente la magnanimidad de la bondad y misericordia divinas? Hemos merecido el rechazo, y Él nos adopta como herederos. Habíamos destruido la forma de vida, y Él la ha restaurado. La bondad divina nos ha redimido y nos ha restaurado de tal manera que estamos llenos de agradecimiento por su misericordia y que somos justos e irreprensibles en razón de su sacrificio expiatorio.[70]

Los Nombres Divinos

Los nombres divinos revelados en las Sagradas Escrituras sirvieron como una de las fuentes más importantes para la emergente doctrina protestante de Dios.[71] Debido a que el ser simple e incomprensible de Dios no es susceptible de suma en un nombre o definición, Dios se acomoda a nosotros a través de múltiples nombres.[72] De acuerdo con su comprensión de la naturaleza acomodada de la revelación, los reformadores reconocieron la desproporción radical entre la forma en que las Escrituras usan términos como *bondad*, *poder*, *sabiduría* y *gloria* con referencia a Dios y la forma en que normalmente utilizamos estos términos con referencia a las criaturas. Musculus nos alienta así a "evitar todas las comparaciones, y reconocer que su bondad, sabiduría, grandeza, majestad, poder y gloria, son incomparables, y su persistencia es infinita."[73] La desproporción radical entre Dios y las criaturas, sin embargo, no limitó los nombres divinos de ser un recurso significativo para la teología constructiva. Muy por el contrario, los nombres divinos a menudo se trataban como fuentes de las cuales se podía extraer toda la gama de atributos divinos, junto con la profunda consolación

---

[68] Ibid., 250.

[69] Ibid.

[70] Ibid., 250–51.

[71] Bullinger, *Decades*, 2:130. Muller, *Post-Reformation Reformed Dogmatics*, 3:246–54.

[72] Vermigli, *Common Places*, 1.13.1. Ver también, Vermigli, *Commentary*, 156–57; Bullinger, *Decades*, 2:126–28, citando Tertullian; Musculus, *Common Places*, 1.3.2 (p. 4, col. 2).

[73] Musculus, *Common Places*, 1 (p. 9, col. 1). Ver también, Muller, "Not Scotist," 131.

cristiana. Bullinger dijo sobre el nombre El Shaddai revelado en Génesis 17:1, "Cualquier cosa que se haya dicho en las Sagradas Escrituras sobre la unidad, el poder, la majestad, la bondad y la gloria de Dios está incluida en esta única expresión del pacto: 'Yo soy el Señor todo suficiente'."[74] Como veremos más plenamente a continuación, Calvino derivó del nombre revelado de Dios en Éxodo 3:14, los atributos de la gloria divina, la autoexistencia, la eternidad, la incomprensibilidad, el ser y la omnipotencia.[75] Y Lutero vio en la "pequeña palabra 'pastor'" del Salmos 23 "casi todas las cosas buenas y reconfortantes que alabamos de Dios."[76]

La exposición de los reformadores de los nombres divinos exhibe sofisticación lingüística y una amplia familiaridad con la historia de la interpretación bíblica, tanto cristiana como judía. Al comentar sobre Génesis 17: 1 y el nombre El Shaddai, Lutero dijo que El "indica el dominio y poder de Dios", demostrando que Dios "sólo Él es poderoso, Él es todo suficiente en sí mismo, tiene poder, sobre todas las cosas, no necesita ayuda de nadie", y es capaz de dar todas las cosas a todos. "En cuanto a Shaddai, Lutero mostró conciencia de la interpretación judía medieval que veía el nombre como un compuesto del pronombre" quién y el sustantivo "suficiencia", pero encontró esta interpretación poco convincente en un nivel léxico.[77] Bullinger y otros, sin embargo, siguieron esta interpretación del nombre:

> Por lo tanto, Dios es aquel a quien no le falta nada, que en todo y en todas las cosas es suficiente para sí mismo; que no necesita la ayuda de nadie, sí, el único que posee todas las cosas que pertenecen a la felicidad perfecta de esta vida y del mundo venidero; y que solo y solamente Él puede llenar y suplir a todo su pueblo y otras criaturas.[78]

El nombre de Dios revelado en Éxodo 3:14 ha sido considerado por muchos teólogos protestantes como el nombre "más excelente" de Dios.[79] En la exégesis de Calvino de este nombre divino, somos testigos una vez más de un ejemplo de capacidad lingüística, conciencia histórica y sofisticación teológica. Calvino comentó la gramática de este versículo, señalando que "el verbo en hebreo está en tiempo futuro, 'Seré el que Seré'; pero es de la misma fuerza que el presente, excepto que designa la duración perpetua del tiempo."[80] También observó que "inmediatamente después, al contrario del uso gramatical, usó el mismo verbo en primera persona como sustantivo, anexándolo a un verbo en tercera persona; que nuestras mentes puedan estar llenas de admiración tan a menudo como se menciona su esencia incomprensible."[81] Calvino no estaba impresionado por las lecturas platónicas de este versículo, que sugerían "que este único Ser de Dios absorbe todas las esencias imaginables", porque tales interpretaciones se prestaban demasiado fácilmente a la conclusión idólatra de que "la multitud de dioses falsos" se deriva, corriente abajo por

---

[74] Heinrich Bullinger, *A Brief Exposition of the One and Eternal Testament or Covenant of God, in Charles S. McCoy and J. Wayne Baker, Fountainhead of Federalism: Heinrich Bullinger and the Covenantal Tradition* (Louisville: Westminster John Knox, 1991), 112

[75] Juan Calvino, *Commentaries on the Last Four Books of Moses: Arranged in the Form of a Harmony*, trad. Charles William Bingham (repr., Grand Rapids, MI: Baker, 1998), 1:73–74.

[76] Martín Lutero, *Selected PsalmsI*, LW 12:152.

[77] Martín Lutero, *Lectures on Genesis Chapters 15–20*, LW 3:80–81.

[78] Bullinger, *Decades*, 2:135. Ver también Bullinger, *Brief Exposition*, 109; Vermigli, *Common Places*, 1.12.2.

[79] Muller, *Post-Reformation Reformed Dogmatics*, 3:248–49.

[80] Calvino, *Commentaries on the Last Four Books of Moses*, 73.

[81] Ibid.

así decirlo, del ser supremo de Dios.[82] ¿Cómo debe interpretarse este nombre divino? Calvino concluyó,

> Por lo tanto, para aprehender correctamente del Dios único, primero debemos saber que todas las cosas en el cielo y en la tierra derivan de su voluntad, su esencia, o subsistencia del Uno, quien es realmente. De este Ser se deriva todo el poder; porque, si Dios sostiene todas las cosas por su excelencia, Él las gobierna también a su voluntad. ¿Y cómo hubiera beneficiado Moisés contemplar la esencia secreta de Dios, como si estuviera contenido en el cielo, a menos que, estando seguro de su omnipotencia, hubiera obtenido de allí el escudo de su confianza? Por lo tanto, Dios le enseña que solo Él es digno del nombre más santo, que se profana cuando se transfiere indebidamente a otros; y luego se prepara para su excelencia inestimable, para que Moisés no tenga dudas de superar todas las cosas bajo su guía.[83]

El tratamiento de Calvino de Éxodo 3:14 es digno de mención en la medida en que revela cómo su discusión bastante dispersa de los nombres divinos en la *Institución de la religión cristiana*[84] se equilibra con la exposición más elaborada de sus comentarios bíblicos.[85]

Bullinger ofrece lo que podría llamarse anacrónicamente una "lectura canónica" de los nombres divinos El Shaddai y Yahveh por medio de un comentario sobre Éxodo 6:3: "Me aparecí a Abraham, a Isaac y a Jacob, como Dios Todopoderoso, pero por mi nombre Señor, no me di a conocer a ellos." Según Bullinger, este versículo no debe leerse para afirmar "que los patriarcas no habían escuchado o conocido el nombre de Jehovah: porque ese nombre comenzó a invocarse en el tiempo de Set, inmediatamente después del comienzo del mundo."[86] Bullinger en cambio glosó el significado del verso a la luz de sus conclusiones exegéticas con respecto a los dos nombres divinos El Shaddai y Yahveh:

> Por lo tanto, parece que el Señor quiso decir así en efecto: "Me abrí a los patriarcas como Dios Shaddai, que soy capaz en todo lo suficiente para llenarlos de toda bondad; y por eso les prometí una tierra que fluye leche y miel; pero en mi nombre Jehovah todavía no me di a conocer aún a ellos, es decir, no hice con ellos lo que prometí." Porque ya hemos oído que Él se llama Yahveh de lo que Él quiere que sea; y por lo tanto Él trae su promesa al cumplimiento. "Ahora por lo tanto" (dice Él) "Ciertamente cumpliré mi promesa y me mostraré a mí mismo, no sólo *Deum Schaddai*, un Dios todo suficiente o todopoderoso, sino también como Jehovah, una esencia o ser eterno, inmutable, verdadero y en todo como Yo, o cumpliendo mi promesa".[87]

Los dos significados distintos de los nombres divinos El Shaddai y Yahveh suscribieron así las dos fases distintas de la relación histórica de Dios con su pueblo, a

---

[82] Ibid.

[83] Ibid., 73–74.

[84] Ver Calvino, *Institutes*, 1.10.1–3, 1.12.1–2. Aunque la discusión de Calvino sobre los atributos divinos en la *Institución* es escasa, B. B. Warfield observa que una amplia gama de atributos divinos se discute en lugares dispersos a través de los *Institutos*. Ver Warfield, "Calvin's Doctrine of God," en *Calvin and Calvinism* (repr., Grand Rapids, MI: Baker, 1981), cap. 3.

[85] Muller, *The Unaccommodated Calvin*, 152–54.

[86] Bullinger, *Decades*, 2:136.

[87] Ibid.

saber, la promesa y cumplimiento. En la exégesis de Bullinger, los nombres divinos asumieron no sólo un significado teológico sino también redentor-histórico.

La exposición de Bullinger de los nombres divinos también muestra un motivo pastoral o práctico. Dentro del mismo contexto de su discusión de los nombres El Shaddai y Yahveh, Bullinger les recordó a sus lectores que Dios también se llama a sí mismo "el Dios de Abraham, el Dios de Isaac y el Dios de Jacob" (Éxodo 3:15). Cuando escuchamos que este nombre divino debe ser conmemorado "por todas las generaciones" (Éxodo 3:15), nos recuerda que "todos los excelentes e innumerables beneficios que Dios otorgó a nuestros antepasados" nos son prometidos también a nosotros: "Porque Él será nuestro Dios, así como Él era de ellos, de ser así, creemos en Él como lo creyeron. Para nosotros que creemos que Él será a la vez Shaddai y Yahveh, la verdad eterna e inmutable, el ser, la vida y la acumulación de todas las cosas buenas."[88] Como Bullinger dijo en otra parte, "no es suficiente haber creído que Dios existe o incluso que Él es todo suficiente a menos que creas que el mismo Dios omnipotente, el creador de todas las cosas, es tu Dios, de hecho, el galardonador de todos los que le buscan."[89] En el pensamiento protestante temprano, los nombres divinos eran parte integral de la trama de una teología práctica del pacto. Los comentarios de Lutero sobre los Salmos revelan un motivo práctico similar. En su exposición del Salmo 111:4, alentó a los cristianos a que se sirvan del consuelo en lugar del temor de la Cena del Señor al considerar los diversos nombres divinos que las Escrituras nos presentan. "Los nombres 'Dios' y 'Señor' contienen algo aterrador", nos dice Lutero, "porque son los nombres de la majestad", una etiqueta con la que ya estamos familiarizados.

> Pero los apellidos "bondadosos y misericordiosos" contienen puro consuelo y alegría. No sé si Dios en alguna parte de las Escrituras se deja llamar por nombres más hermosos. Tan ansiosamente quiere impresionar en nuestro corazón las dulces palabras que realmente debemos aceptar y honrar su recuerdo con alegría y amor, alabanza y agradecimiento.[90]

Regresando al punto de partida, Lutero exhortó a sus lectores:

> No den a Él un nombre diferente en su corazón ni le hagan otra cosa en sus conciencias. Le harías una injusticia y un gran error, y el gran daño ti mismo. Porque si lo llamas de otra forma o piensas en Él de otra manera en tu corazón, lo haces mentiroso y rechazas este versículo; porque entonces creyendo a tu corazón engañoso más que a Dios y sus dulces y tiernas palabras.[91]

Lutero trazó un contraste similar entre los nombres "majestuosos" de Dios y sus nombres "amistosos" en su comentario sobre el Salmo 23. "Algunos de los otros nombres que las Escrituras le dan a Dios" —como Señor, Rey y Creador—

> suenan casi demasiado espléndidos y majestuosos y al mismo tiempo despiertan admiración y temor cuando los oímos mencionar.... La pequeña palabra "pastor", sin embargo, no es de ese tipo, pero tiene un sonido muy amigable. Cuando los devotos lo

---

[88] Ibid., 2:136–37.
[89] Bullinger, *Brief Exposition*, 109.
[90] Lutero, *Selected Psalms II*, LW 13:374.
[91] Ibid., LW 13:374–75.

leen o lo escuchan, inmediatamente les otorga confianza, consuelo y una sensación de seguridad que la palabra "Padre" y otras otorgan cuando se le atribuye a Dios.[92]

Como señalamos anteriormente, es importante recordar que el contraste de Lutero entre los nombres "majestuosos" y "amistosos" de Dios era relativo, no absoluto, ya que también elogió la majestad de Dios como una fuente de consuelo para el creyente.[93]

Conclusión

La doctrina de Dios jugó un papel importante en la teología constructiva, polémica y pastoral de la Reforma Protestante. Recurriendo a recursos de tradiciones filosóficas y teológicas clásicas, los teólogos protestantes expusieron con gran conocimiento y convicción la doctrina de Dios como históricamente confesada por los cristianos católicos. Su exposición exhibió una atención paciente y detallada de las bases bíblicas y exegéticas de las que deriva la doctrina de Dios, aun cuando se comprometió libremente con argumentos filosóficos que consideraban parte de la auto-revelación de Dios a las criaturas. Sin excepción, la teología protestante temprana también mostró un profundo compromiso con la pastoral, alentando a los cristianos a animarse de que este gran Dios es su Dios y vivir para honrar el nombre de Dios. Estas características de la doctrina de la Reforma de Dios se desarrollaron aún más durante la era de la ortodoxia protestante.[94]

Es una lamentable situación, por lo tanto, que muchos que se consideran herederos de la teología de la Reforma se hayan encontrado adoptando después una postura cada vez más ambivalente hacia la doctrina de Dios que los primeros protestantes confesaron y proclamaron. Los atributos de simplicidad divina, aseidad, eternidad, inmutabilidad, impasibilidad, bondad, amor, gracia, misericordia, justicia e ira, junto con la forma en que estos atributos informan el compromiso de Dios con nosotros como Creador, Redentor y Consumador, no gozan de una amplia difusión abrazada entre los protestantes contemporáneos, al menos en sus formas tradicionales. Tampoco se discuten ni se defienden con regularidad en el contexto de la exégesis bíblica y el cuidado pastoral.

Sin embargo, no se permite que la teología se desespere en situaciones lamentables y que por motivos relacionados en última instancia con la doctrina de Dios. La teología se refiere al Dios "que da vida a los muertos y llama a la existencia las cosas que no existen" (Romanos 4:17). Comentando sobre Romanos 4, Calvino declaró: "No exaltamos suficientemente el poder de Dios, a menos que pensemos que es más grande que nuestra debilidad. La fe, entonces, no debe discurrir en nuestra debilidad, miseria y defectos, sino fijar completamente su atención únicamente en el poder de Dios."[95] Siguiendo el consejo de Calvino, por lo tanto, y también el ejemplo de los pastores

---

[92] Lutero, *Selected Psalms I*, LW 12:152.

[93] Lutero, *Selected Psalms II*, LW 13:91–93.

[94] Ver Muller, *Post-Reformation Reformed Dogmatics*, vol. 3, *The Divine Essence and Attributes; Sebastian Rehnman*, "The Doctrine of God in Reformed Orthodoxy," en *A Companion to Reformed Orthodoxy*, ed. Herman J. Selderhuis, Brill's Companions to the Christian Tradition 40 (Leiden: Brill, 2013), 353–401; Dolf te Velde, *The Doctrine of God in Reformed Orthodoxy, Karl Barth, and the Utrecht School: A Study in Method and Content, Studies in Reformed Theology 25* (Leiden: Brill, 2013).

[95] Juan Calvino, *Commentaries on the Epistle of Paul the Apostle to the Romans*, trad. John Owen (reimpr., Grand Rapids, MI: Baker, 1998), 181.

protestantes, exégetas y teólogos que confesaron a este Dios ante nosotros, la teología hace bien en apoyarse a sí misma en el Señor Dios Todopoderoso. Y en tiempos de necesidad, la teología también puede tomar las oraciones de estos maestros de confianza en sus labios:

> Dios conceda que podamos verdaderamente conocer, y adorar religiosamente, al Dios elevado, excelente y poderoso, aun así, tal como Él mismo es. Hasta ahora he compartido, de la manera más simple, sincera y breve posible, las formas y los medios de conocer a Dios, que en Esencia es Uno, y Tres en Personas: y sin embargo reconocemos y confesamos libremente, que en todo este tratado hasta ahora no se dice nada digno o comparable a su inefable majestad. Porque el Dios eterno, excelente y poderoso es más grande que toda majestad, y más que toda la elocuencia de todos los hombres; tan lejos estoy de pensar que, por mis palabras, de una vez, me acerco a su excelencia. Pero ruego humildemente al Señor misericordioso, que dé su inestimable bondad y liberalidad para iluminar en nosotros todo el entendimiento de nuestras mentes con suficiente conocimiento de su nombre, a través de Jesucristo nuestro Señor y Salvador. Amén.[96]

---

[96] Bullinger, *Decades*, 2:173.

Recursos para un Estudio Adicional

FUENTES PRIMARIAS

Bullinger, Heinrich. *The Decades of Heinrich Bullinger*. Editadopor Thomas Harding. 2 vols. 1849–1852. Reimpr., Grand Rapids, MI: Reformation Heritage Books, 2004.

Calvino, Juan. *Institución de la Religion Cristiana*. Grand Rapids: Libros Desafío, 2012.

Cochrane, Arthur C., ed. *Reformed Confessions of the Sixteenth Century*. Louisville: Westminster John Knox, 2003.

Lutero, Martín. *Lectures on Genesis*. Vols. *1–8*en *Luther's Works*. Editadopor Jaroslav Pelikan y Helmut T. Lehmann. Philadelphia: Fortress; St. Louis, MO: Concordia, 1955–1986.

Melanchthon, Felipe. *Loci Communes* (1555). En *Melanchthon on Christian Doctrine: Loci Communes 1555*. Traducido y editado por Clyde L. Manschreck. Grand Rapids, MI: Baker, 1982.

Musculus, Wolfgang. *Common Places of Christian Religion*. London: R. Wolfe, 1563.

Vermigli, Peter Martyr. *The Common Places of Peter Martyr Vermilius*. Traducido por Anthonie Marten. London: Henry Denham and Henry Middleton, 1583.

Zuinglio, Huldrych. *An Exposition of the Faith*. En *Zuinglio and Bullinger: Selected Translations with Introductions and Notes*, editadopor G. W. Bromiley, 239–79. Library of Christian Classics 24. Philadelphia: Westminster, 1953.

FUENTES SECUNDARIAS

Kolb, Robert. *Luther and the Stories of God: Biblical Narratives as a Foundation for Christian Living*. Grand Rapids, MI: Baker Academic, 2012.

Luy, David J. *Dominus Mortis: Martin Luther and the Incorruptibility of God in Christ*. Minneapolis: Fortress, 2014.

Muller, Richard A. *Post-Reformation Reformed Dogmatics: The Rise and Development of Reformed Orthodoxy, ca. 1520 to ca. 1725. Vol. 3*, The Divine Essence and Attributes. Grand Rapids, MI: Baker Academic, 2003.

_____. *The Unaccommodated Calvin: Studies in the Foundation of a Theological Tradition*. Oxford Studies in Historical Theology. New York: Oxford University Press, 2000.

Stephens, W. P. *Zwingli: An Introduction to His Thought*. Oxford: Clarendon, 1992.

Predestinación y Elección

Cornelis P. Venema

RESUMEN

La doctrina de la Reforma acerca de la predestinación y la elección se basó en la enseñanza de las Escrituras y representa una continuación de un legado agustiniano permanente. Contrariamente a la enseñanza del Pelagianismo y el semi-Pelagianismo, que otorgan una medida de autonomía humana y libre albedrío en la respuesta del creyente al llamado evangélico a la fe y al arrepentimiento, la doctrina de la predestinación sustenta la enseñanza de la salvación sólo por gracia únicamente mediante la obra de Cristo. Los principales teólogos de la tradición reformada enseñaron que la salvación estaba enraizada en la elección misericordiosa de Dios en y para que Cristo salvara a algunos pecadores caídos y les diera el don de la fe.

Introducción

Un prejuicio comúnmente sostenido con respecto a la teología de la Reforma es que la doctrina de la predestinación y la elección fue el enfoque peculiar de los teólogos reformados, especialmente de su principal figura teológica, Juan Calvino. Mientras que la Reforma Protestante, tanto en sus expresiones Luteranas como Reformadas, enfatizaba especialmente la doctrina de la justificación gratuita por la gracia sola a través de la fe, la rama Reformada de la Reforma se distinguía por su especial interés en el tema de la predestinación. Este prejuicio ha llevado a algunos historiadores de la teología de la Reforma a confrontar a las tradiciones Luterana y Reformada: el luterano mantiene un enfoque especial en la doctrina de la justificación, que es el "artículo que hace que la iglesia se mantenga en pie o caiga" (*articulus stantis et cadentis ecclesiae*), y los reformados sustituyen una especie de metafísica predestinista que deduce todo el corpus teológico del principio rector de la voluntad soberana de Dios. En esta interpretación de las dos tradiciones, el impulso religioso de la Reforma —el redescubrimiento del Evangelio de la aceptación libre de Dios de los pecadores sobre la base de la justicia de Cristo solamente— se vio amenazado por una visión austera y premonitoria de la soberanía absoluta de Dios. El viento fresco del redescubrimiento de la justificación por la fe solamente por parte de Lutero fue amenazado por una doctrina de predestinación que eliminó el enfoque de la voluntad revelada de Dios en el evangelio de Jesucristo y lo reemplazó con un enfoque en el decreto oculto e inescrutable del Dios trino.

No pretendo aquí resolver este prejuicio, que ha jugado un papel importante en la interpretación de la teología de la Reforma. Sin embargo, merece mención al principio de este capítulo sobre la doctrina de la predestinación y la elección en la teología de la Reforma por al menos tres razones.

Primero, dado que la Reforma nació de una renovada atención a la enseñanza de las Escrituras, estaba obligada a incluir una consideración renovada de las enseñanzas de las Escrituras sobre predestinación y elección. Aunque el lenguaje no pertenece al vocabulario teológico del siglo XVI, los historiadores del período de la Reforma a menudo hablan de la doctrina de la Escritura como su "principio formal". Contra la Iglesia Católica Romana medieval, que privilegiaba la interpretación oficial de la tradición apostólica de la Iglesia (ya sea en forma escrita o no escrita), los reformadores insistieron en que la teología cristiana debe ser regulada por la enseñanza de las Escrituras, debidamente interpretada. Los pronunciamientos dogmáticos de la Iglesia siempre deben resistir la prueba de la Escritura y deben ser revisados donde están en desacuerdo con la enseñanza de las Escrituras. Por esta razón, los principales teólogos de la Reforma Protestante se vieron obligados a abordar la doctrina de la predestinación y la elección. Por ejemplo, dado que la epístola del apóstol Pablo a los Romanos era una fuente particularmente importante para la coyuntura de la Reforma de la doctrina de la justificación, era apenas posible que los reformadores pudieran ignorar la doctrina de la predestinación, que forma una parte importante de la enseñanza de Romanos.

Segundo, el tema central de la Reforma, la doctrina de la justificación libre, nació del redescubrimiento del Evangelio de la salvación por la sola gracia (*sola gratia*). Contrariamente a la enseñanza de la Iglesia Católica Romana medieval de que los seres humanos caídos conservan un libre albedrío capaz de "cooperar" con la gracia de Dios y "merecer" más gracia, incluso la vida eterna, los reformadores insistieron en que los seres humanos caídos son incapaces de realizar ningún bien salvador.[1] De acuerdo con las enseñanzas de los principales reformadores, la salvación comienza y termina con las iniciativas misericordiosas de Dios en Cristo. Sólo aquellos que son guiados por la fe a través de la obra del Espíritu Santo y la Palabra del evangelio, pueden abrazar la promesa del Evangelio, el perdón de los pecados y la libre aceptación con Dios. Los méritos, logros y actuaciones humanas no contribuyen en nada a la salvación de los pecadores caídos. La doctrina de la justificación de la Reforma enfatizó que la rectitud de Cristo, concedida e imputada libremente a los creyentes que aceptan la promesa del Evangelio, es la única base para que el creyente tenga la razón correcta para con Dios. La enseñanza pelagiana y semipelagiana de que los pecadores caídos tienen los medios para cooperar libremente con la iniciativa misericordiosa de Dios en Cristo o la capacidad de realizar buenas obras que constituyen una base parcial para la salvación fue duramente condenada por la teología de la Reforma.

---

[1] La siguiente declaración del Concilio de Trento, que trata la manera en que los pecadores caídos pueden cooperar libremente con la gracia de Dios y disponerse para la justificación, es representativa del punto de vista de la Iglesia Católica Romana: "Ellos, que por sus pecados están alienados de Dios, pueden disponerse a través de su gracia vivificadora y ayudadora, para convertirse a sí mismos a su propia justificación, asintiendo y cooperando libremente con dicha gracia". Philip Schaff, *The Creeds of Christendom: With a History and Critical Notes*, vol. 2, *The Greek and Latin Creeds*, rev. David S. Schaff (1877; repr., Grand Rapids, MI: Baker, 1985), 92.

Estas características de la doctrina de la Reforma acerca de la salvación tendrían que plantear la cuestión que aborda la doctrina de la predestinación y la elección. Después de todo, si los pecadores caídos no pueden salvarse a sí mismos ni realizar ninguna obra que contribuya a su salvación, entonces su salvación es finalmente autorizada sólo por Dios, quien toma la iniciativa de proporcionar y efectuar la salvación de los creyentes a través de la obra de Cristo. Como observaremos en el transcurso de la exposición de los puntos de vista de la Reforma, la doctrina de la predestinación y elección naturalmente encuentra su lugar en el contexto del reconocimiento de la incapacidad humana y la afirmación del Evangelio de la gracia inmerecida de Dios en Jesucristo. El mismo énfasis teológico que dio ímpetu a la doctrina de la justificación sustentó la doctrina de la Reforma sobre la elección.

Y tercero, aunque la Reforma nació de un estudio renovado de las Escrituras, también estaba profundamente arraigada en un legado Agustiniano de larga permanencia, especialmente en la teología Cristiana Occidental. La doctrina de la predestinación y la elección encontró su expresión patrística más completa en los escritos polémicos del gran padre de la iglesia Agustín contra el Pelagianismo y el semi-Pelagianismo.[2] Si bien la doctrina de la justificación de Agustín no coincidía por completo con la de los Reformadores del siglo XVI, su doctrina de la predestinación y la elección, tal como se formuló en contra del Pelagianismo, fue un recurso importante para el punto de vista de la Reforma.[3] De hecho, entre la mayoría de los principales autores de la teología de la Reforma, la doctrina de Agustín sobre la predestinación y la elección fue un componente clave en su polémica contra el semi-Pelagianismo medieval y toda forma de doctrina de salvación basada (total o parcialmente) en las obras humanas. Los reformadores fueron bíblicos en su enfoque de la teología, pero también fueron católicos y tradicionales en su demanda de representar la enseñanza histórica de la Iglesia cristiana.[4] Invocando la enseñanza de Agustín sobre la doctrina de la predestinación fue, en consecuencia, un componente importante en su defensa de la catolicidad de las enseñanzas tanto que la salvación viene por la gracia sola y que la salvación encuentra su origen en el consejo eterno del Dios trino.

Por estas razones, no es sorprendente que los reformadores, en el curso de redescubrir el Evangelio de la salvación por gracia, aparte de cualquier obra humana, también redescubrieron la doctrina escritural y agustiniana de la predestinación y la elección. La Reforma quería subrayar la verdad de que sólo Dios crea y realiza la redención de su pueblo a través de la obra de Cristo. Al defender sólo la verdad de la

---

[2] Para la doctrina de Agustín, ver Agustín, *Four Anti-Pelagian Writings*, trad. John A. Mourant y William J. Collinge, Fathers of the Church 86 (Washington, DC: Catholic University of America Press, 1992); Donato Ogliari, *Gratia et Certamen: The Relationship between Grace and Free Will in the Discussion of Augustine with the So-Called Semipelagians* (Leuven: University Press, 2003); J. B. Mozley, *A Treatise on the Augustinian Doctrine of Predestination*, 2da ed. (New York: E. P. Dutton, 1878).

[3] En el siglo XIV, los puntos de vista de Agustín fueron abrazados y defendidos por Thomas Bradwardine y Gregory de Rímini, que anticiparon las opiniones de los reformadores del siglo dieciséis. Para los tratamientos del Agustinianismo medieval, ver Heiko A. Oberman, *Archbishop Thomas Bradwardine, a Fourteenth-Century Augustinian: A Study of His Theology in Its Historical Context* (Utrecht: Kemink & Zoon, 1958); Gordon Leff, *Bradwardine and the Pelagians: A Study of His "De Causa Dei" and Its Opponents* (Cambridge: Cambridge University Press, 1957); y P. Vigneaux, *Justification et predestination au XIVe siècle: Duns Scot, Pierre d'Auriole, Guillaume d'Occam, Gregoire de Rimini* (Paris: Librairie Philosophique J. Vrin, 1981).

[4] Cf. Heinrich Bullinger, *Der Alt Gloub* [The old faith] (Zurich: Froschouer, 1537). El tratado de Bullinger es un ejemplo sorprendente del reclamo del reformador no de la novedad, sino de un redescubrimiento de la "vieja fe" de la iglesia cristiana. Para un tratamiento de este ensayo y su significado, vea Cornelis P. Venema, "Heinrich Bullinger's *Der Alt Gloub* ('The Old Faith'): An Apology for the Reformation," *MAJT* 15 (2004): 11–32.

gracia y sólo de Cristo, insistieron en que la obra de Cristo tenía profundas raíces en la determinación amorosa de Dios desde antes de la fundación del mundo para salvar a su pueblo elegido en Cristo.

Predestinación y Elección: Algunas Definiciones Preliminares

Antes de pasar a una revisión de la doctrina de la predestinación y la elección en los escritos de varios reformadores clave del siglo XVI, necesito ofrecer algunas breves definiciones de los términos que son pertinentes para la doctrina.

El término predestinación deriva de una raíz latina, *praedestinatio*, que es un compuesto de *prae-*, "antes" y *destinare*, "destinar" u "ordenar." En el marco de la teología cristiana histórica, la doctrina de la predestinación corresponde al propósito eterno o voluntad de Dios para la salvación o la no salvación de los pecadores caídos. Tradicionalmente, la doctrina de la predestinación se trataba en el sistema de la teología como parte de la doctrina más amplia de la providencia (como una "providencia especial", *providentia specialis*). Mientras que la doctrina de la providencia trata el sustento y el gobierno de Dios de todas las cosas creadas, la doctrina de la predestinación se centra especialmente en el propósito eterno de Dios con respecto a la salvación de los seres humanos caídos. La doctrina asume fundamentalmente que todas las cosas ocurren dentro de la historia de acuerdo con el propósito eterno de Dios. En la distinción cristiana entre el Dios trino, que es el Creador de todas las cosas y el único Redentor de su pueblo, y el mundo creado, toda la creación en su existencia e historia está gobernada por el consejo de Dios y no por casualidad o destino.[5]

En la historia de la teología, la predestinación se considera ordinariamente como consistente en dos elementos, *elección* y *reprobación* (doble predestinación o *gemina praedestinationis*). La elección, de la palabra latina *electio*, "para elegir de," se refiere a la elección de Dios para salvar a algunos pecadores caídos y para otorgarles fe en Jesucristo como Salvador. La reprobación, de la palabra latina *reprobatio*, "rechazar", se refiere a la elección de Dios de no salvar a otros, sino de dejarlos en sus pecados. El decreto o propósito de Dios para elegir o reprobar expresa la libertad soberana de Dios para salvar y otorgar fe en Jesucristo a algunos o para no salvar y así dejar a otros en sus pecados. A menudo se hace una distinción entre elección, una expresión positiva de la voluntad de la gracia de Dios para otorgar salvación a pecadores que no merecen, y reprobación, una expresión negativa de la determinación justa de Dios de "pasar por" la raza humana caída, todos sus miembros son justamente dignos de condenación y muerte por sus pecados. En este entendimiento, la reprobación no es exactamente paralela a la elección, sino que es una manifestación de la justicia de Dios.[6] Aunque la

---

[5] Cf. Benjamin B. Warfield, *The Plan of Salvation*, rev. ed. (Grand Rapids, MI: Eerdmans, n.d.), 14: "Que Dios actúe sobre un plan en todas sus actividades, ya está dado en el teísmo. En el establecimiento de un Dios personal, esta pregunta está cerrada. Para la persona significa propósito: precisamente lo que distingue a una persona de una cosa es que sus modos de acción son intencionales, que todo lo que hace se dirige a un fin y continúa por la elección de los medios para ese fin". El estudio de Warfield sigue siendo una presentación magistral de la doctrina de la predestinación y la elección.

[6] Por esta razón, a veces se hace una distinción entre lo que se denomina preterición (del latín *praeterire*, "pasar"), que es una expresión de la voluntad negativa de Dios de salvar al réprobo y la condenación, que es una expresión de La justicia de Dios al castigar a los réprobos por su pecado. En la parte final de este capítulo, tendré ocasión de abordar la diferencia que surgió en la teología Reformada posterior entre el *infralapsarianismo* y el *supralapsarianismo*. La posición infralapsarial enfatiza especialmente que la voluntad de Dios con respecto al réprobo es un ejemplo de preterición.

voluntad de Dios es la razón última para la salvación de algunos y la no salvación de otros, la razón próxima para la no salvación del reprobado es su propia pecaminosidad. La elección revela especialmente la misericordia de Dios, mientras que la reprobación revela su justicia.

En la historia de la teología cristiana, se emplean dos términos relacionados para distinguir la doctrina de la predestinación en puntos de vista alternativos con respecto a la obra de Dios en la salvación de los pecadores. Dado que una doctrina robusta de la predestinación y la elección acentúa la verdad de que la salvación se basa en la elección amable y soberana de Dios, esta doctrina es una forma de *monergismo*. La única causa efectiva en el comienzo y el efecto de la conversión es la gracia soberana de Dios. Esto contrasta con el *sinergismo*, que enseña que las voluntades divina y humana cooperan en la respuesta del creyente al Evangelio. La sinergia implica que la salvación de los creyentes no es únicamente por la autoridad de Dios como consecuencia de su propósito de elección. En cambio, la salvación depende en última instancia de la cooperación libre e independiente de la voluntad humana al abrazar la promesa del Evangelio de la salvación en Cristo.

Lutero y el Luteranismo

Como Lutero (1483-1546) y el Luteranismo representan la primera rama de la Reforma Protestante, es apropiado comenzar con un bosquejo de la doctrina de la predestinación tal como fue articulada por Lutero y sus seguidores. Mientras que el Luteranismo no está generalmente asociado con la doctrina de la predestinación,[7] el tema emerge expresamente en dos contextos significativos: primero, el bien conocido tratado de Lutero contra Erasmo, *La Voluntad Determinada*,[8] y segundo, en debates posteriores dentro de la tradición Luterana en desarrollo con respecto a la libertad de la voluntad humana para recibir la gracia de Jesucristo.

Martín Lutero: de *Servo Arbitrio*

La fuente más importante y controvertida del tratamiento de Martín Lutero de la doctrina de la predestinación es, sin duda, su respuesta a Erasmo de Rotterdam (1466-1536), quien había escrito una crítica a las enseñanzas de Lutero en 1524 titulada *The Freedom of the Will* [La Libertad de la Voluntad].[9] Aunque Erasmo estaba comprometido con un programa moral y humanista de reforma de la iglesia, se oponía fuertemente a la insistencia temprana de Lutero de que los seres humanos caídos no tienen libertad de voluntad con respecto a su respuesta al Evangelio.[10] En el juicio de

---

[7] Por ejemplo, Werner Elert afirma que la predestinación era, en el mejor de los casos, "un pensamiento meramente auxiliar" en la teología de Lutero. Elert, *The Structure of Lutheranism*, trad. Walter A. Hensen (St. Louis, MO: Concordia, 1962), 1:123.

[8] Para una traducción al español de este trabajo, ver *La voluntad determinada* (Concordia Publishing House, 2016). Para un tratamiento extenso de la obra de Lutero, incluida una historia de su recepción en la tradición luterana en desarrollo, ver Robert Kolb, *Bound Choice, Election, and Guttenberg Theological Method: From Martin Luther to the Formula of Concord, Lutheran Quarterly Books* (Grand Rapids, MI: Eerdmans, 2005).

[9] Para una traducción al inglés de *De libero arbitrio* de Erasmus, ver Ernst F. Winter, ed. y trad., *Erasmus-Luther: Discourse on Free Will* (New York: Continuum, 1961), 3–94. Para estudios recientes del intercambio entre Erasmo y Lutero, escritos por respetados teólogos luteranos, ver Gerharde O. Forde, *The Captivation of the Will: Luther vs. Erasmus on Freedom and Bondage*, ed. Steven D. Paulson, Lutheran Quarterly Books (Grand Rapids, MI: Eerdmans, 2005); y Kolb, *Bound Choice*, 11–28.

[10] Incluso en 1521, Lutero hizo el siguiente reclamo en su *Assertion of All Articles*: "Es un error profundo y ciego enseñar que la voluntad es libre por naturaleza y puede, sin gracia, volverse al espíritu, buscar la gracia y desearla. En

Erasmo, era esencial que los seres humanos retuvieran la libertad de responder favorable o desfavorablemente al Evangelio. Sin un énfasis claro en esa libertad, el Evangelio sólo podría ser una ocasión para la irresponsabilidad y el antinomianismo humanos. Si los pecadores caídos no pudieron hacer (o no hacer) lo que el Evangelio requiere, el favor de Dios hacia los creyentes o su desaprobación hacia los incrédulos no tendría fundamento. Además, si Dios fuera a condenar a los pecadores que son incapaces de realizar lo que el Evangelio requiere de ellos, sería manifiestamente injusto.

La respuesta de Lutero a Erasmo se resume sorprendentemente en dos pasajes significativos de *La Voluntad Determinada*:

> La fe cristiana se extingue por completo, las promesas de Dios y todo el evangelio se destruyen por completo, si enseñamos y creemos que no nos corresponde a nosotros conocer la presiencia necesaria de Dios y la necesidad de las cosas que han de suceder. Porque este es el único consuelo supremo de los cristianos en todas las adversidades, saber que Dios no miente, sino que hace todas las cosas de manera inmutable, y que su voluntad no puede ser resistida ni cambiada ni obstaculizada.[11]

> Pero ahora, dado que Dios ha quitado mi salvación de mis manos poniéndola en las suyas, haciéndola depender de su elección y no la mía, y ha prometido salvarme, no por mi propia obra o esfuerzo sino por su gracia y misericordia, estoy seguro e inequívoco de que Él es fiel y no me va a mentir, y también que es demasiado grande y poderoso para que cualquier demonio o adversidad pueda romperlas o arrebatarme de Él. "Nadie", dice, "los arrebatará de mi mano porque mi Padre que me los ha dado es más que todos" [Juan 10:28-29]. Entonces ocurre que, si no todos, algunos y de hecho muchos se salvan, mientras que por el poder de la libre elección ninguno se salvaría, sino que todos perecerían igualmente.[12]

Varios aspectos de la visión de Lutero sobre la predestinación y la elección están presentes en estos pasajes representativos. En primer lugar, Lutero comenzó desde la convicción de que Dios es un Dios personal y el Todopoderoso Creador de todo lo que existe. Como el Creador y Señor de toda la creación, Dios es el responsable último de todo lo que ocurre en el mundo que creó y controla por su providencia. Como Lutero lo expresó,

> Él es Dios, y para su voluntad no hay causa o razón que pueda establecerse como una regla o medida para ella, ya que no hay nada igual o superior a ella, pero es ella misma la medida de todas las cosas. Porque si hubiera alguna regla, medida, causa o razón para ello, ya no podría ser más la voluntad de Dios.[13]

El Dios que revela su misericordia y gracia en Jesucristo en el cumplimiento de los tiempos, es al mismo tiempo Aquel que hace su voluntad y propósito en todas las cosas, incluida la salvación de los pecadores caídos:

---

realidad, la voluntad trata de escapar de la gracia y se enfurece cuando está presente.... Estas enseñanzas [sobre el libre albedrío] han sido inventadas para insultar y restar valor a la gracia de Dios". LW 32:93.

[11] Martín Lutero, *The Bondage of the Will*, LW 33:43.

[12] Ibid., LW 33:289.

[13] Ibid., LW 33:181.

Porque la voluntad de Dios es eficaz y no puede ser obstaculizada, ya que es el poder de la naturaleza divina misma; además, es sabia, por lo que no puede ser engañada. Ahora bien, si su voluntad no se ve obstaculizada, no hay nada que impida que se realice la obra en sí mismo, en el lugar, tiempo, manera y medida que Él mismo prevé y quiere. Si la voluntad de Dios fuera tal que, cuando la obra se complete, el trabajo permanezca, pero la voluntad cesara —como la voluntad de los hombres, que cesa de querer cuando se construye la casa que querían, así como también llega a su fin en muerte— entonces se podría decir realmente que las cosas ocurren de manera contingente y mutable. Pero aquí sucede lo contrario; la obra llega a su fin y la voluntad permanece.[14]

En su representación de la voluntad soberana y predestinada de Dios, Lutero con frecuencia distinguía entre la voluntad "oculta" y la voluntad "revelada" de Dios, entre *Deus absconditus* y *Deus revelatus*. Por medio de esta distinción, Lutero se propuso enfatizar que la voluntad de Dios que gobierna todo es perfecta y justa, aunque permanece algo inescrutable y más allá de nuestra comprensión:

Porque si su justicia fuera tal que pudiera ser juzgada como justificada por los estándares humanos, claramente no sería divina y de ninguna manera diferiría de la justicia humana. Pero dado que Él es el único Dios verdadero, y es completamente incomprensible e inaccesible para la razón humana, es justo y necesario que su justicia sea incomprensible.[15]

Si bien no hay discrepancia entre lo que sabemos acerca de la voluntad de Dios en el Evangelio con respecto a Cristo y lo que permanece inaccesible para nosotros, nunca podremos comprender ni profundizar plenamente las profundidades de la voluntad de Dios.

En el argumento de *La Voluntad Determinada*, Lutero rara vez habló explícitamente de la predestinación o elección de Dios. Curiosamente, ni siquiera ofreció una exposición de pasajes como Romanos 9 o Efesios 1, que se encuentran entre los testimonios bíblicos más significativos de la doctrina.[16] Sin embargo, él claramente enseñó que los pecadores caídos son incapaces de entregarse a Dios con fe y arrepentimiento, a menos que Dios mismo les conceda estos dones según el propósito de su elección. La predestinación pertenece a la palabra del Evangelio y no a la ley porque se refiere a la elección misericordiosa de Dios de algunos pecadores caídos para ser sus hijos a través de la obra de Cristo. En el ámbito espiritual de la redención, sólo Dios puede convertir la voluntad y la elección de los pecadores caídos para que acepten la promesa del Evangelio por la fe.

En este reino, el hombre no se deja en la mano de su propio consejo, sino que es dirigido y guiado por la elección y el consejo de Dios, de modo que al igual que en su propio reino, se guía por su propio consejo, sin tener en cuenta los preceptos de otro, en

---

[14] Ibid., LW 33:38.

[15] Ibid., LW 33:290. Para las evaluaciones de esta distinción en la teología de Lutero, ver Paul Althaus, *The Theology of Martin Luther*, trans. Robert C. Schultz (Philadelphia: Fortress, 1966), 274–86; y David C. Steinmetz, *Luther in Context*, 2da ed. (Grand Rapids, MI: Baker Academic, 2002), 23–31.

[16] Ver Steinmetz, *Luther in Context*, 12–22, para un análisis profundo de la diferencia entre los comentarios de Lutero y Agustín sobre Romanos 9 en sus respectivos escritos. Steinmetz identifica áreas donde Lutero difiere de Agustín, especialmente en su preocupación de que la doctrina de la predestinación podría servir para socavar la seguridad de la salvación del creyente.

el Reino de Dios está dirigido por los preceptos de otro sin importar su propia elección.[17]

Mientras Lutero enfatizaba los medios de gracia que el Espíritu de Dios usa para traer a los pecadores al compañerismo con Cristo y también insistía en que la palabra del Evangelio siempre expresa el deseo de Dios de que todos los pecadores sean salvos, su comprensión de la esclavitud de la voluntad pecaminosa lo llevó a atribuir la salvación de los creyentes por completo a la elección soberana de Dios.

FELIPE MELANCHTHON Y EL LUTERANISMO TARDÍO

Junto a Lutero, Felipe Melanchthon (1497-1560) fue sin duda la figura más formativa en el desarrollo de la teología luterana durante el siglo XVI. La creciente renuencia de Melanchthon a tratar la doctrina de la predestinación y elección y su aparente modificación de los puntos de vista de Lutero en *La Voluntad Determinada* contribuyeron significativamente a silenciar la doctrina en la teología luterana tardía.[18]

En la primera edición (1521) de su trabajo teológico principal, *Loci Communes*, Melanchthon expuso una forma bastante sólida de la doctrina de la predestinación, que coincidió con la visión que Lutero defendió en *La Voluntad Determinada*.[19] En esta edición de los *Loci*, Melanchthon relacionó la doctrina directamente con el Evangelio de la justificación por la gracia sólo a través de la obra de Cristo únicamente. La salvación es sólo por gracia, y la obra de Cristo beneficia sólo a aquellos a quienes Dios elige salvar al otorgarles fe en Cristo. Sin embargo, en ediciones subsecuentes de los *Loci* y en sus otros escritos, Melanchthon cambió la ubicación de la doctrina a la doctrina de la iglesia, y puso un énfasis creciente en las promesas universales del Evangelio que se presentan en la Palabra y los sacramentos. Temeroso de que la doctrina de la predestinación socavara la presentación de la promesa del Evangelio en Palabra y sacramento, Melanchthon comenzó a ver la doctrina con mayor reserva. Además, en su formulación de la doctrina de la esclavitud de la voluntad, Melanchthon expresó puntos de vista que modificaron las fuertes declaraciones de Lutero.

En sus reflexiones sobre el papel de la voluntad en la respuesta del creyente al Evangelio, la posición de Melanchthon engendró una prolongada controversia sobre el "sinergismo" entre los teólogos luteranos que sería formalmente resuelto sólo por la Fórmula de Concordia en 1576.[20] El énfasis de Melanchthon en la cooperación de la voluntad humana en la respuesta del creyente al Evangelio provocó un debate considerable ya que podría comprometer la soberanía de Dios al otorgarles fe a los pecadores caídos. En lugar de enfatizar la obra soberana de Dios como la única base

---

[17] Lutero, *Bondage*, LW 33:118–19.

[18] Para un tratamiento de la relación de Melanchthon con Lutero, ver Timothy J. Wengert, "Melanchthon and Luther / Luther and Melanchthon," *Lutherjahrbuch* 66 (1999): 55–88, y Wengert, "Philip Melanchthon's Contribution to Luther's Debate with Erasmus over the Bondage of the Will", en *By Faith Alone: Essays on Justification in Honor of Gerhard O. Forde*, ed. Joseph A. Burgess y Marc Kolden (Grand Rapids, MI: Eerdmans, 2004), 110–24. Para un tratamiento de los primeros comentarios de Melanchthon sobre la predestinación en Romanos 9, véase Robert Kolb, "Melanchthon's Influence on the Exegesis of his Students," en *Philip Melanchthon (1497–1560) and the Commentary*, ed. Timothy J. Wengert y M. Patrick Graham (Sheffield, England: Sheffield Academic Press, 1997), 194–215.

[19] Felipe Melanchthon, *Loci Communes* (1521), en *Melanchthon and Bucer*, ed. Wilhelm Pauck, LCC 19 (Philadelphia: Westminster, 1969), 25–26: "Creo que hace una diferencia considerable que las mentes jóvenes estén inmediatamente imbuidas de la idea de que todas las cosas suceden, no de acuerdo con los planes y esfuerzos de los hombres, sino de acuerdo con la voluntad de Dios".

[20] Para un tratamiento extenso de la controversia, vea Kolb, *Bound Choice*, 106-34.

para la respuesta del creyente al Evangelio, el sinergismo enfatizó la cooperación activa de la voluntad humana en la conversión. En el curso de la controversia del sinergismo, la tradición luterana no llegó a abrazar la visión de Melanchthon e insistió en que los creyentes respondan en fe al Evangelio sólo en virtud de la obra soberana del Espíritu Santo.[21]

En lugar de intentar resolver la complicada historia de los debates luteranos sobre la doctrina de la predestinación, *La Voluntad Determinada* y las modificaciones de Melanchthon a las ideas de Lutero, el consenso de la tradición luterana sobre la doctrina puede determinarse mejor considerando la Confesión de Augsburgo y la Fórmula de Concordia.

Como Melanchthon fue el autor principal de la Confesión de Augsburgo, el primero y más formativo de los documentos confesionales de la tradición luterana, una consideración de su enseñanza es instructiva para determinar la visión de Melanchthon en particular y del luteranismo en general. La Confesión de Augsburgo no menciona explícitamente la doctrina de la predestinación o elección. Sin embargo, después de un artículo temprano sobre la doctrina de la justificación, que enfatiza que los pecadores son justificados ante Dios sólo por gracia y no "por sus propios poderes, méritos u obras"[22], la confesión repudia firmemente el error del Pelagianismo. En el artículo que trata la libertad de la voluntad, la confesión insiste en que los pecadores caídos no tienen libertad "para obrar la justicia de Dios, o una justicia espiritual, sin el Espíritu de Dios; porque el hombre natural no percibe las cosas del Espíritu de Dios (1 Co. 2:14). Pero esto se realiza en el corazón cuando los hombres reciben el Espíritu de Dios a través de la Palabra."[23] La enseñanza de los pelagianos, a saber, "que sólo por los poderes de la naturaleza, sin el Espíritu de Dios, podemos amar a Dios sobre todas las cosas", se condena explícitamente. Aunque estas afirmaciones no aseveran expresamente la doctrina de la elección de Dios para la salvación, corresponden estrechamente a la carga de las enseñanzas de Lutero de que los creyentes son salvos por la libre decisión y gracia de Dios, no sobre la base de sus propias obras o iniciativas.

La Fórmula de Concordia, que fue escrita para resolver una serie de disputas doctrinales dentro del luteranismo a fines del siglo XVI, es más directamente relevante para entender la visión luterana de la predestinación y la elección. La Fórmula de Concordia no aborda directamente la doctrina de la predestinación, y claramente ve la no salvación de algunos pecadores caídos que no llegan a la fe de una manera que es "asimétrica" con la salvación de aquellos a quienes Dios quiere salvar. Mientras que la salvación de los creyentes es enteramente el fruto de la iniciativa misericordiosa de Dios y la obra del Espíritu, la no salvación de los demás es el resultado de su negativa irresponsable a abrazar las promesas libres del evangelio.

---

[21] En la segunda y tercera ediciones de su *Loci Communes*, Melanchthon comenzó a hablar de "tres causas de buena acción": la Palabra de Dios, el Espíritu Santo y "la voluntad humana que acepta y no rechaza la Palabra de Dios". *Melanchthons Werke en Auswahl*, ed. Robert Stupperich, vol. 2, bk. 1 (Gütersloh: Bertelsmann, 1955), 243. Ver también, Kolb, *Bound Choice*, 91–95. Empleando el esquema de causas de Aristóteles, Melanchthon identificó la Palabra de Dios como el "instrumental", el Espíritu como el "creativo" y la voluntad humana como la causa "material" de la conversión. Si las formulaciones de Melanchthon son realmente sinérgicas sigue siendo un tema de debate entre sus intérpretes.

[22] "La Confesión de Augsburg" art. 4, en Schaff, *Creeds of Christendom*, vol. 3, *The Evangelical Protestant Creeds*, 10.

[23] "La Confesión de Augsburg" art. 18, en Schaff, *Creeds of Christendom*, 3:18.

Sin embargo, en su manejo de la controversia sinérgica, la Fórmula de Concordia, ofrece un leve correctivo a los seguidores de Melanchthon. En sus descripciones de la obra de la gracia de Dios en la salvación de los creyentes y la esclavitud de la voluntad humana, aparte de la obra del Espíritu, la Fórmula de Concordia corresponde significativamente a los temas anteriores de *La Voluntad Determinada* de Lutero.[24] En el artículo 2, que trata la controversia sobre la libertad de la voluntad, la Fórmula rechaza la enseñanza de que los pecadores caídos pueden "aplicar y prepararse [a sí mismos] a la gracia de Dios" en respuesta a la Palabra y los sacramentos. A menos que el Espíritu Santo regenere por medio de la gracia, la "voluntad no regenerada del hombre no sólo es contraria a Dios, sino que incluso se ha vuelto hostil a Dios, por lo que sólo ansía y desea esas cosas, y se deleita con ellas, que son malvadas y opuestas a la voluntad divina."[25] La voluntad determinada de los pecadores caídos les impide cooperar con la gracia de Dios ministrada a través de la Palabra, a menos que el Espíritu primero los atraiga y los haga acceder. En su defensa de este punto de vista de *La Voluntad Determinada*, la Fórmula de Concordia cita la afirmación de Agustín de que Dios en la conversión "hace de hombres renuentes a hombres dispuestos", e identifica sólo dos "causas eficientes" en la conversión, el Espíritu Santo y la Palabra de Dios.[26] Al hacerlo, la Formula de Concordia se opuso a la aparente sinergia de Melanchthon entre las tres causas de conversión, el Espíritu Santo (la causa creadora), la Palabra de Dios (la causa instrumental) y la voluntad consensuada del hombre (la causa material).

Por lo tanto, aunque las confesiones luteranas no afirman directamente una doctrina de elección soberana y misericordiosa, sí afirman que la salvación de los pecadores caídos, que no pueden convertirse a sí mismos sin una obra previa del Espíritu Santo a través de la Palabra, sucede completamente de acuerdo con el propósito misericordioso de Dios. Es cierto que la tradición luterana generalmente sigue el énfasis de Melanchthon al hablar de predestinación y elección, temeroso de que esto pueda mitigar la claridad del Evangelio a diferencia de la ley. Y, sin embargo, al afirmar claramente la salvación por gracia sólo por la iniciativa misericordiosa de Dios en Cristo y oponerse a cualquier punto de vista sinérgico de la relación entre la obra de la gracia de Dios y la voluntad de los pecadores caídos, el luteranismo presenta un moderado monergianismo Agustiniano. Sin embargo, para preservar la gracia universal que se comunica en el Evangelio, la tradición luterana generalmente se abstiene de afirmar cualquier doctrina de reprobación o propósito divino para pasar por alto a personas no elegidas, dejándolos en sus pecados.

---

[24] Kolb, *Bound Choice*, 248–58.
[25] "Formula de Concordia" art. 2, en Schaff, *Creeds of Christendom*, 3:107.
[26] Ibid., art. 2,e Schaff, *Creeds of Christendom*, 3:113.

La Doctrina Reformada de Predestinación y Elección[27]

La reticencia a articular una doctrina exagerada de predestinación y elección en la tradición luterana no fue compartida por los principales teólogos de la tradición reformada en el siglo XVI. Aunque hubo una considerable diversidad de formulaciones entre los teólogos reformados, se obtuvo un consenso general entre ellos de que la salvación de los pecadores caídos es el fruto del designio de gracia de Dios. Testimonio de este consenso se da en los principales documentos confesionales de las iglesias reformadas. Para efectos de mi estudio de la doctrina reformada de la predestinación, ofreceré un resumen de dos figuras destacadas, Juan Calvino de Ginebra (1509-1564) y Henry Bullinger de Zúrich (1504-1575). Si bien estos dos teólogos confirman un amplio consenso de la enseñanza entre los teólogos reformados de la época, sus diferencias también ilustran la diversidad de opiniones que permanecieron en algunos puntos.

PREDESTINACIÓN EN LA TEOLOGÍA DE JUAN CALVINO[28]

En la historia de la interpretación de la teología de Calvino, a menudo se ha argumentado que la predestinación fue el centro y principio organizador de la teología de Calvino. Para varios teólogos de los siglos XIX y XX, la doctrina de la predestinación se consideraba como el "dogma central" de la teología de Calvino, la raíz de la cual supuestamente se extrajeron todas las demás doctrinas.[29] Incluso en la imaginación popular, la única característica de la teología de Calvino que se enfatiza más a menudo es su doctrina de la doble predestinación.

A pesar de la suposición general de que la predestinación está en el centro de la teología de Calvino, es notable que Calvino trate la doctrina en su trabajo teológico más importante, *Institución de la Religión Cristiana*, hacia el final de una discusión

---

[27] Para estudios generales de la doctrina de la predestinación en la teología Reformada, ver Harry Buis, *Historic Protestantism and Predestination* (Philadelphia: Presbyterian & Reformed, 1958); Richard A. Muller, *Christ and the Decree: Christology and Predestination in Reformed Theology from Calvin to Perkins*, Studies in Historical Theology 2 (1986; reimpr., Grand Rapids, MI: Baker, 1988); Cornelis Graafland, *Van Calvijn tot Barth: Oorsprong en ontwikkeling van de leer der verkiezing in het Gereformeerd Protestantisme* [De Calvino a Barth: El origen y el desarrollo de la doctrina de la elección en el protestantismo reformado] ('s-Gravenhage, The Netherlands: Uitgeverij Boekencentrum, 1987); Pieter Rouwendal, "The Doctrine of Predestination in Reformed Orthodoxy," en *A Companion to Reformed Orthodoxy*, ed. Herman J. Selderhuis, Brill's Companions to the Christian Tradition 40 (Leiden: Brill, 2013), 553–89.

[28] Entre las muchas fuentes sobre la doctrina de la predestinación de Calvino, las siguientes son especialmente valiosas: Muller, *Christ and the Decree*, 17–38; Paul Jacobs, *Prädestination und Verantwortlichkeit bei Calvin* (Kasel: Oncken, 1937); Fred H. Klooster, *Calvin's Doctrine of Predestination* (Grand Rapids, MI: Baker, 1977); François Wendel, *Calvin: The Origins and Development of His Religious Thought* (New York: Harper & Row, 1963), 263–83; Carl R. Trueman, "Election: Calvin's Theology of Election and Its Early Reception," en *Calvin's Theology and Its Reception: Disputes, Developments, and New Possibilities,* ed. J. Todd Billings y I. John Hesselink (Louisville: Westminster John Knox, 2012), 97–120; R. Scott Clark, "Election and Predestination: The Sovereign Expressions of God (3.21–24)," en *A Theological Guide to Calvin's Institutes: Essays and Analysis*, ed. David W. Hall and Peter A. Lillback, *Calvin 500 Series* (Phillipsburg, NJ: P&R, 2008), 90–122.

[29] Para presentaciones representativas de la tesis de que la predestinación es un "dogma central" en la teología de Calvino y en el calvinismo posterior, véase Alexander Schweizer, *Die Protestantischen Centraldogmen in ihrer Entwicklung innerhalb der reformierten Kirche*, 2 vols. (Zurich: Orell, Füssli, 1854–56); Hans Emil Weber, *Reformation, Orthodoxie Und Rationalismus*, vol. 1, pt. 1, *Von Der Reformation Zur Orthodoxie* (Gütersloh: Gerd Mohn, 1937); Graafland, *Von Calvijn tot Barth*; Ernst Bizer, *Frühorthodoxie und Rationalismus* (Zurich: EVZ Verlag, 1963). Para refutaciones críticas y persuasivas de esta tesis, ver Muller, *Christ and the Decree*, esp. 1–13, 177–82; Muller, "The Use and Abuse of a Document: Beza's Tabula Praedestinationis, the Bolsec Controversy, and the Origins of Reformed Orthodoxy," en *Protestant Scholasticism: Essays in Reassessment*, ed. Carl R. Trueman y R. Scott Clark (Carlisle: Paternoster, 1999), 33–61; Willem J. van Asselt y Eef Dekker, "Introduction," en *Reformation and Scholasticism: An Ecumenical Enterprise*, ed. Willem J. van Asselt y Eef Dekker, Texts and Studies in Reformation and Post-Reformation Thought (Grand Rapids, MI: Baker Academic, 2001), 11–43.

extensa sobre la obra del Espíritu Santo para unir creyentes a Cristo y comunicándoles los beneficios de la obra salvadora de Cristo.[30] Aunque Calvino originalmente trató la doctrina de la predestinación en el contexto de la doctrina de la providencia, en la edición final de los *Institución* la discutió en el contexto de la soteriología (la doctrina de la salvación) y la eclesiología (la doctrina de la iglesia). De esta manera, Calvino enfatizó cómo la predestinación confirma que la salvación del creyente nace por completo de los propósitos misericordiosos de Dios en Cristo y de cómo se basa la garantía del creyente del favor de Dios.

Calvino abrió su tratamiento de la predestinación señalando que "el pacto de la vida no se predica por igual entre todos los hombres, y entre aquellos a quienes se les predica, no obtiene la misma aceptación ni en forma constante ni en igual grado".[31] El tema de la predestinación y la elección es, por lo tanto, inevitable. ¿Cómo vamos a explicar que algunos responden al llamado del Evangelio en el camino de la fe, mientras que otros se niegan a creer? La explicación final debe encontrarse en la "misericordia gratuita" y la "elección eterna" de Dios, que son el manantial de todas las gracias salvadoras de Dios en Cristo. Si fallamos en atribuir la diferencia entre aquellos que creen y son salvos y aquellos que no están dispuestos a creer por "la mera generosidad de Dios", deshonraremos la pura gracia de Dios al salvarnos y no podremos apoyar nuestro consuelo únicamente en Dios.[32] En consecuencia, Calvino argumentó que debemos prestar atención a la doctrina bíblica de la predestinación y la elección. Al hacerlo, enfrentamos dos peligros. Por un lado, existe el peligro de la curiosidad excesiva con respecto a la doctrina, que puede llevarnos fácilmente a ir más allá de los límites de lo que las Escrituras revelan sobre la elección eterna de Dios. Por otro lado, existe el peligro de una excesiva reticencia, que no reconoce que lo que el Espíritu de Dios ha revelado en la Palabra es para nuestra consolación y bendición.

El título del primer capítulo de Calvino sobre la doctrina de la predestinación en la *Institución,* claramente identifica lo que está en discusión: "Elección eterna, por la cual Dios ha predestinado a algunos para la salvación, otros a la destrucción."[33] La razón última por la que algunos creen y se salvan por medio de Cristo debe atribuirse al propósito de elección de Dios. Si bien es cierto que Dios es omnisciente y conoce todos los eventos antes de que ocurran, no es cierto que las elecciones no sean más que el conocimiento previo de Dios sobre quién creerá en respuesta a la predicación del evangelio. Como lo definió Calvino,

> Llamamos predestinación al decreto eterno de Dios, mediante el cual Él compacta en sí mismo lo que quiso hacer de cada hombre. No todos son creados en igual condición; más bien, la vida eterna está preordenada para algunos, la condenación eterna para

---

[30] Para un análisis útil de la importancia de donde Calvino colocó la doctrina de la predestinación en *Institución*, véase Richard A. Muller, "The Placement of Predestination in Reformed Theology: Issue or Non-Issue?" *CTJ* 40, no. 2 (2005): 184–210; Paul Helm, "Calvin, the 'Two Issues,' and the Structure of the Institutes," *CTJ* 42, no. 2 (2007): 341–48.

[31] Calvino, *Institución*, 3.21.1. Además del tratamiento de Calvino de la predestinación en la *Institución*, las siguientes fuentes ofrecen una amplia presentación de su punto de vista: Juan Calvino, *The Bondage and Liberation of the Will: A Defence of the Orthodox Doctrine of Human Choice against Pighius*, ed. A. N. S. Lane, trad. G. I. Davies, Texts and Studies in Reformation and Post-Reformation Thought 2 (Grand Rapids, MI: Baker, 1996); Calvino, *Concerning the Eternal Predestination of God*, trad. J. K. S. Reid (Louisville: Westminster John Knox, 1997).

[32] Calvino, *Institución*, 3.21.1.

[33] Ibid., 3.21.

otros. Por lo tanto, como cualquier hombre ha sido creado para uno u otro de estos fines, hablamos de él como predestinado a la vida o a la muerte.[34]

En las descripciones bíblicas del propósito de la elección de Dios, se puede hacer una distinción entre los "grados de elección". En el caso del pueblo de Israel, Dios los eligió corporativamente y les otorgó muchas bendiciones y privilegios comunes. Sin embargo, a esta elección general de Israel como pueblo, debemos "agregar un segundo grado de elección más limitado, o uno en el que la gracia más especial de Dios fue evidente, es decir, cuando de la misma raza de Abraham, Dios rechazó a algunos, pero mostró que mantuvo a otros entre sus hijos al apreciarlos en la iglesia."[35] Cuando el apóstol Pablo habla del "propósito de elección" de Dios en Romanos 9-11, habla de este segundo y oportuno propósito de Dios para salvar a cierto número de individuos de entre la gran cantidad del pueblo de Israel.

Según Calvino, la decisión de Dios de salvar a algunos se basa completamente en su "misericordia libremente otorgada", mientras que su decisión de no salvar a otros se basa en su "juicio justo e irreprensible pero incomprensible":

> Como las Escrituras, entonces, claramente lo muestran, decimos que Dios una vez estableció por su plan eterno e inmutable a aquellos que mucho tiempo antes había decidido de una vez por todas, recibir para la salvación, y aquellos a quienes, por otro lado, dedicaría a la destrucción. Afirmamos que, con respecto a los elegidos, este plan se basó en su misericordia libremente otorgada, sin importar el valor humano; pero por su juicio justo e irreprensible, pero incomprensible, ha bloqueado la puerta de la vida a aquellos a quienes ha entregado a la condenación.[36]

Cuando el apóstol Pablo trata la doctrina de la elección en Romanos 9-11, atribuye la salvación de algunos a la misericordia inmerecida de Dios, que se revela en su propósito de elección, y atribuye la no salvación de otros a la decisión justa de Dios de dejarlos en sus pecados Al contrario de aquellos que afirmaron la elección, pero no la reprobación, Calvino argumentó que

> sería muy absurdo decir que otros adquieren por casualidad u obtienen por su propio esfuerzo lo que la elección sólo se confiere a unos pocos. Por lo tanto, aquellos a quienes Dios pasa de lado, Él condena; y esto lo hace sólo por el deseo de excluirlos de la herencia que Él predestina para sus propios hijos.[37]

Aunque no hay una simetría exacta entre la elección y la reprobación —la elección revela la misericordia inmerecida de Dios, la reprobación revela la justicia de Dios al dejar a algunos en su pecado; la explicación final para la salvación de unos y otros no descansa en el propósito de elección de Dios.

En el capítulo final de su exposición relativamente breve de la doctrina de la predestinación en la *Institución*, Calvino identificó y respondió a varias objeciones comunes contra la doctrina. Entre estas objeciones, dos son de especial importancia.

---

[34] Ibid., 3.21.5.
[35] Ibid., 2.21.6.
[36] Ibid., 3.21.7.
[37] Ibid., 3.23.1. En este pasaje, Calvino claramente tiene en mente la posición luterana, que afirma la elección, pero no la reprobación.

La primera objeción que Calvino consideró fue la afirmación de que esta doctrina hace que Dios sea un "tirano". Contra esta objeción, Calvino insistió en que la voluntad de Dios es perfectamente justa, así como Dios es justo y es el estándar de toda rectitud. Aunque no podamos comprender las profundidades de la voluntad de Dios, no podemos considerarla arbitraria o injusta. Cuando Dios elige no salvar a algunos, siempre debe recordarse que la "causa" de su condena reside en ellos mismos.[38]

La segunda objeción fue que la doctrina de la elección quita la "culpa y responsabilidad" de los pecadores con respecto a su salvación. De acuerdo con esta objeción, si la voluntad de Dios es la razón última para la no salvación del réprobo, entonces "¿por qué debería Dios atribuir esas cosas a los hombres como pecado, la necesidad que Él ha impuesto por su predestinación?"[39] En su respuesta a esta objeción, Calvino no dudó en insistir en que la falta de salvación de algunos pecadores se debe a la preordenación de Dios, y que incluso la caída de la raza humana en pecado fue el resultado del decreto de Dios.[40] Para Calvino, no fue suficiente decir que Dios simplemente "permitió" la caída de Adán o que la no salvación del reprobado no tuvo otra explicación que su propia pecaminosidad voluntaria. Si bien es cierto que la "causa y ocasión" para la no salvación del réprobo debe "encontrarse en sí mismo", Calvino declaró: "No dudaré, entonces, simplemente en confesar con Agustín que "la voluntad de Dios es la necesidad" de cosas, y que lo que Él ha querido, necesariamente tendrá lugar, ya que las cosas que Él ha previsto realmente se cumplirán."[41] Debemos reconocer que "el hombre cae de acuerdo con la providencia de Dios que ordena, pero él cae por su propia culpa".[42] Dios de hecho, justa y libremente determina no salvar a algunos. Pero esto no debe convertirse en la ocasión para quitarle al pecador la culpa de su condena:

> Por su propia mala intención, entonces, el hombre corrompió la naturaleza pura que había recibido del Señor; y por su caída, atrajo a toda su posteridad hacia la destrucción. En consecuencia, debemos contemplar la causa evidente de la condena en la naturaleza corrupta de la humanidad —que está más cerca de nosotros— en lugar de buscar una causa oculta y absolutamente incomprensible en la predestinación de Dios.[43]

En la exposición de Calvino sobre la doctrina de la elección, puso especial énfasis en la comodidad que los creyentes pueden derivar de esta doctrina. La doctrina de la predestinación y la elección debe manejarse juiciosamente y de una manera que no sólo atribuya gloria a Dios por su gracia regalada en Cristo, sino que también consuele a los creyentes y les asegure la certeza de su salvación. Como el propósito de elección de Dios se da a conocer a través del llamado del Evangelio, Cristo es el "espejo" de

---

[38] Ibid., 3.23.3: "Que no acusen a Dios de injusticia si están destinados por su juicio eterno a la muerte, a lo que sienten—sea que lo quieran o no—que están guiados por su propia naturaleza de sí mismos. Cuán perversa es su disposición a protestar es evidente por el hecho de que deliberadamente suprimen la causa de la condena, que están obligados a reconocer en sí mismos, para liberarse culpando a Dios".

[39] Ibid., 3.23.6.

[40] Muller señala: "A diferencia de muchos de sus contemporáneos y sucesores, Calvino no se apartó de la conclusión de que el permiso y la volición son uno en la mente de un Dios eterno y soberano: la reprobación no podía verse simplemente como un acto pasivo de Dios.... Sin embargo, en vista del énfasis de Calvino en el conocimiento de Dios, la reprobación no aparece como la coordenada exacta de la elección". *Christ and the Decree*, 24–25.

[41] Calvino, *Institución*, 3.23.8.

[42] Ibid., 3.23.9.

[43] Ibid., 3.23.3.

nuestra elección. Solo cuando los creyentes pongan su confianza en Cristo, encontrarán la comodidad y la seguridad que la elección les brinda adecuadamente:

> Si buscamos la misericordia paternal de Dios y su corazón bondadoso, debemos volver nuestros ojos a Cristo, en quien el Espíritu de Dios descansa solamente en Él.... En consecuencia, se dice que aquellos a quienes Dios ha adoptado como sus hijos no han sido escogidos en sí mismos sino en su Cristo; porque a menos que Dios los amara en Él, no podría honrarlos con la herencia de su Reino si no se hubieran convertido previamente en participantes de él. Pero si hemos sido elegidos en Él, no encontraremos la seguridad de nuestra elección en nosotros mismos; y ni siquiera en Dios el Padre, si lo concebimos como separado de su Hijo. Cristo, entonces, es el espejo en el que debemos, y sin autoengaño, contemplar nuestra propia elección.[44]

Según lo entendió Calvino, la enseñanza de las Escrituras con respecto a la predestinación enfatiza especialmente que los creyentes son salvos sólo por la gracia de Dios, y les da a los creyentes una base sólida para la seguridad del favor de Dios.

PREDESTINACIÓN EN LA TEOLOGÍA DE HENRY BULLINGER

A diferencia de Juan Calvino, que comúnmente es considerado como el principal teólogo de las iglesias reformadas en el siglo XVI, Henry Bullinger es visto como un "reformador en alas".[45] Bullinger, quien sucedió a Zuinglio como el principal pastor de las iglesias reformadas en Zúrich, es, sin embargo, una figura adecuada para incluir en este estudio de la doctrina de la predestinación en la teología de la Reforma. Al lado de Calvino, ningún teólogo reformado fue más influyente durante el siglo dieciséis. Y sobre la doctrina de la predestinación, Bullinger ofrece una versión del Agustinianismo clásico más moderadamente establecida que la de Calvino.

En estudios de teología de la Reforma, la doctrina de la predestinación de Bullinger ha suscitado una considerable controversia.[46] Dado que Bullinger expresó sus reservas sobre las formulaciones de Calvino y se negó a defender fuertemente a Calvino en la controversia de Bolsec,[47] los intérpretes de Bullinger han debatido si difería

---

[44] Ibid., 3.24.5. El énfasis de Calvino en la comodidad de la doctrina de la predestinación es un tema común entre los teólogos reformados de la época. La predestinación, de manera similar a la doctrina de la justificación solo por la fe, es una enseñanza que honra simultáneamente la iniciativa de gracia de Dios en la salvación y sostiene la confianza del creyente en esa gracia. Por el contrario, la Iglesia Católica Romana en el Concilio de Trento rechazó la posibilidad de tal seguridad para los creyentes a menos que, por excepción, a uno se le dé una "revelación especial" de la gracia elegida de Dios: "Nadie, además, mientras esté en esta vida mortal, debe presumirse hasta ahora en lo que respecta al misterio secreto de la predestinación divina, como para determinar con certeza que él está ciertamente en el número de los predestinado; como si fuera cierto, que el que está justificado, o no puede pecar más, o, si peca, que debe prometerse a sí mismo un arrepentimiento seguro; porque excepto por revelación especial, no se puede saber a quién Dios ha elegido para sí mismo". En Schaff, *Creeds of Christendom*, 2:103.

[45] Este lenguaje deriva de David C. Steinmetz, *Reformers in the Wings* (Philadelphia: Fortress, 1971). Para una introducción útil al trabajo y al pensamiento reformatorio de Bullinger, ver Bruce Gordon y Emidio Campi, eds., *Architect of Reformation: An Introduction to Heinrich Bullinger*, 1504–1575, Texts and Studies in Reformation and Post-Reformation Thought (Grand Rapids, MI: Baker Academic, 2004).

[46] Para estudios generales de la doctrina de predestinación de Bullinger, que brindan una explicación del debate sobre la compatibilidad de su punto de vista con el de Calvino, ver Cornelis P. Venema, *Heinrich Bullinger and the Doctrine of Predestination: Author of 'the Other Reformed Tradition'?*, Texts and Studies in Reformation and Post-Reformation Thought (Grand Rapids, MI: Baker Academic, 2002); Muller, *Christ and the Decree*, 39–47; and Peter Walser, *Die Prädestination bei Heinrich Bullinger im Zussamenhang mit seiner Gotteslehre* (Zurich: Zwingli Verlag, 1957).

[47] La controversia sobre la doctrina de la predestinación en Ginebra comenzó cuando Jerome Bolsec, un ex monje y médico carmelita, atacó públicamente la doctrina de la predestinación de Calvino el 16 de octubre de 1551. Para materiales originales y tratamientos de la controversia, véase Philip E. Hughes, *The Register of the Company of the*

sustancialmente de Calvino en la doctrina de la predestinación. Algunos incluso han argumentado que Bullinger privilegió la doctrina del pacto sobre la elección y fue el "origen" de una tradición teológica alternativa a la derivada de Calvino.[48] Aunque no creo que haya diferencias sustanciales o insuperables entre Bullinger y Calvino, no hay duda de que Bullinger se expresó de manera más reservada sobre esta doctrina.

La mejor fuente para determinar la enseñanza de Bullinger sobre la doctrina de la predestinación y la elección es la Segunda Confesión Helvética (*Confessio helvetica posterior*). Aunque Bullinger escribió sobre el tema de la predestinación en varias ocasiones a lo largo de su vida, la Segunda Confesión Helvética expone temas que Bullinger constantemente enfatizó al tratar esta doctrina. Esta confesión, que Bullinger probablemente comenzó a escribir en 1561,[49] contiene un resumen completo de su comprensión de la fe reformada. Bullinger escribió la Segunda Confesión Helvética no sólo como una declaración de su confesión personal, sino también como un resumen y defensa de la fe "católica" de las iglesias reformadas. Cuando escribió esta confesión por primera vez, Bullinger quiso que fuera colocada en su testamento como una especie de legado a las iglesias reformadas las cuales había servido como pastor. Poco podría haber anticipado el grado en que la Confesión sería recibida y aceptada entre las iglesias reformadas en el Continente.[50]

En la secuencia de temas tratados en su confesión, Bullinger retomó la doctrina de la predestinación en un capítulo separado, que sigue capítulos sobre las doctrinas de la providencia, la caída en el pecado y la libertad de la voluntad, y que precede a un capítulo sobre la persona y obra de Cristo. Por lo tanto, la doctrina de la predestinación se enmarca entre los temas de la pecaminosidad humana y el propósito misericordioso de Dios para salvar a su pueblo en Cristo. La predestinación y la elección no pertenecen a la doctrina de la teología propiamente dicha, sino a las doctrinas de Soteriología y Cristología. En virtud de esta disposición de temas, la presentación de Bullinger de la doctrina de la predestinación es infralapsaria en su forma. La elección misericordiosa de Dios responde a la necesidad de los pecadores caídos, que son incapaces de restablecerse para agradar a Dios o tomar la iniciativa en respuesta al llamado de fe del evangelio.[51]

La obra de redención de Dios encuentra su fuente última en la elección de Dios para salvar a su pueblo en Cristo. Solo el monergismo de la gracia soberana que elige puede corregir la situación de los seres humanos caídos, cuyas voluntades, aunque

---

Pastors of Geneva in the Time of Calvin (Grand Rapids, MI: Eerdmans, 1966), 133–86; Philip C. Holtrop, *The Bolsec Controversy on Predestination, From 1551–1555: The Statements of Jerome Bolsec, and the Response of John Calvin, Theodore Beza, and Other Reformed Theologians*, vol. 1, libros 1 y 2, *Theological Currents, the Setting and Mood, and the Trial Itself* (Lewiston, NY: Edwin Mellen, 1993); y Venema, *Heinrich Bullinger*, 58–63.

[48] J. Wayne Baker, *Heinrich Bullinger and the Covenant: The Other Reformed Tradition* (Athens: Ohio University Press, 1980). Mi estudio *Heinrich Bullinger y la Doctrina de la Predestinación* ofrecen una extensa y crítica evaluación de la afirmación de que Bullinger fue autor de otra tradición reformada que privilegiaba la doctrina del pacto sobre la elección.

[49] Ernst Koch, "Die Textüberlieferung Der Confessio Helvetica Posterior Und Ihre Vorgeschichte," en *Glauben und Bekennen: Vierhundert Jahre Confessio Helvetica Posterior*, ed. Joachim Staedtke (Zurich: Zwingli Verlag, 1966), 17.

[50] La Segunda Confesión Helvética fue traducida a quince idiomas y publicada en más de 115 ediciones. Podría decirse que es el símbolo reformado más difundido del siglo XVI. El texto latino de la Segunda Confesión Helvética se puede encontrar en Wilhelm Niesel, *Bekenntnisschriften und Kirchenordnungen der nach Gottes Wort reformierten Kirche* (Zurich: A. G. Zollikon, 1938), 219-75.

[51] "La Segunda Confesión Helvética", cap. 9: "Para las Escrituras evangélicas y apostólicas, se requiere la regeneración de cualquiera que entre nosotros desee ser salvo. Por lo tanto, nuestro primer nacimiento de Adán no contribuye en nada a nuestra salvación.... Por lo tanto, el hombre aún no regenerado no tiene libre albedrío para bien, no tiene fuerza para realizar lo que es bueno".

libres de cualquier compulsión externa al mal, no tienen capacidad para realizar lo que es bueno. La predestinación se define como la elección de Dios para salvar a su pueblo *en Cristo* y no se trata dentro del contexto del decreto divino como un aspecto de la doctrina de Dios. Rompiendo con el orden tradicional de los temas teológicos seguido por Tomás de Aquino y la erudición anterior, Bullinger veía la predestinación no simplemente como una providencia especial (*providentia specialis*) sino como el origen de la obra salvadora de Dios en Cristo. Para Bullinger, la predestinación respondió a la pregunta: ¿cómo pueden salvarse los pecadores caídos, que no tienen la voluntad o la capacidad de responder con fe al Evangelio por sí mismos, mediante la fe en Cristo?[52] La única explicación para la salvación de quienes abrazan la promesa del Evangelio en Cristo es que Dios ha elegido libremente concederles la salvación y conceder la fe a través de la obra del Espíritu Santo con el Evangelio.

Aunque la doctrina de la predestinación incluye, al menos formalmente, los dos elementos de elección y reprobación, Bullinger enfatizó particularmente la expresión positiva del decreto de Dios, la elección de algunos para la salvación en Cristo: "Desde la eternidad Dios tiene libremente, y de su mera gracia, sin ninguna sumisión a los hombres, predestinados o elegidos los santos a quienes Él quiere salvar en Cristo."[53] Al elaborar sobre esta definición de predestinación, que se centra en el propósito misericordioso de Dios para salvar a los elegidos en Cristo, Bullinger asoció la elección con la persona y obra de Cristo. Cristo no es sólo el Mediador que proporciona la salvación de los elegidos, sino también el fundamento y la fuente de la gracia de elección de Dios. Según Bullinger, aquellos a quienes Dios predestina son elegidos, "no directamente, sino en Cristo, y por causa de Cristo, para que aquellos que ahora están injertados en Cristo por la fe también puedan ser elegidos".[54] Con este lenguaje, Bullinger no tuvo la intención de sugerir que la elección de gracia de Dios se basa en la fe. Aunque existe una estrecha correlación entre la elección y la unión del creyente con Cristo por fe, la fe misma es un regalo de Dios para los elegidos que les permite tener comunión con Cristo.[55] De acuerdo con su énfasis en la expresión positiva de la predestinación de Dios de los elegidos para la salvación, Bullinger ofreció sólo una observación sobre la reprobación, es decir, describió a los réprobos como aquellos que están "fuera de Cristo."[56] Aunque podría ser posible inferir de la elección de Dios de algunos a la salvación que lógicamente implica la no elección o la reprobación de otros, Bullinger se contentó con notar simplemente que son réprobos debido a que no tienen comunión con Cristo.

---

[52] Como Muller declara, "la yuxtaposición de la predestinación con el pecado y el problema de la voluntad representa una poderosa afirmación del monergismo soteriológico: la incapacidad humana respondida directamente por la voluntad electiva de Dios".*Christ and the Decree*, 44. De especial importancia en el tratamiento de la antropología en la Confesión es el comentario de Bullinger sobre "preguntas curiosas" (*curiosae quaestiones*) que surgen al considerar la caída de Adán en el pecado: "Otras preguntas, como si Dios quiso que Adán cayera, y preguntas similares entre preguntas curiosas (a menos que sea la maldad de los herejes, o de otros hombres groseros, nos obligan a explicarlos también desde la Palabra de Dios, como han hecho con frecuencia los maestros piadosos de la Iglesia), sabiendo que el Señor prohibió al hombre que comiera del fruto prohibido y castigó su transgresión". "La Segunda Confesión Helvética", cap. 8. En esta declaración, Bullinger criticó la inclusión de Calvino de la caída dentro del decreto de Dios y se hizo eco de un argumento que había adelantado previamente en su correspondencia con Calvino durante la controversia con Bolsec.

[53] "Segunda Confesión Helvética", cap. 10.

[54] Ibid.

[55] Ibid.

[56] Ibid. En latín se lee, "Reprobi vero, qui sunt extra Christum".

Después de definir la doctrina de la predestinación como la elección libre de Dios de su pueblo en y por causa de Cristo, Bullinger recurrió a las preguntas pastorales que a menudo surgen con respecto al propósito de elección de Dios. Con respecto a la pregunta sobre el alcance de la elección, Bullinger enfatizó que "debemos esperar bien de todos y no juzgar precipitadamente a ningún hombre como un réprobo."[57] En lugar de especular acerca del número relativo de los elegidos, ya sean pocos o muchos, debemos alentar a todos a "esforzarse por entrar por la puerta estrecha" (Lucas 13:24). Aunque Bullinger no usó la expresión en la Segunda Confesión Helvética, su insistencia tanto en que nadie sería violentamente reprobado y que los creyentes tengan esperanza para todo refleja su afirmación frecuente de que Dios es "amante del hombre" (*philanthrōpos*) que no tiene maldad hacia nadie. Y aunque no habló explícitamente de las promesas universales de Dios, si habló de las promesas de Dios "que se aplican a todos los fieles" y debería ser la ocasión para la confianza del creyente ante Dios.[58]

Bullinger concluyó su consideración de las elecciones al abordar la cuestión importante de la seguridad del creyente o el conocimiento de la elección. De acuerdo con la estrecha e íntima conjunción de elección con Cristo, Bullinger notó que la relación del creyente con Cristo es la base de cualquier garantía de elección. No podemos preguntar si somos elegidos o no desde la eternidad "fuera de Cristo" (*extra Christum*).[59] Más bien, estamos llamados a creer mediante la predicación de la promesa del Evangelio en Cristo. Porque "debe considerarse sin lugar a dudas que, si crees y estás en Cristo, eres elegido."[60] Para Bullinger, "ser elegido" y "estar en Cristo" estaban correlacionados, así como "ser rechazado" y "estar fuera de Cristo" a través de la incredulidad estaban correlacionados. Empleando las imágenes utilizadas por Calvino para responder a la pregunta de tener la certeza de la elección, Bullinger afirmó: "Dejemos que Cristo, por lo tanto, sea el espejo [*espéculo*] en el que podamos contemplar nuestra predestinación. Tendremos un testimonio suficiente y claro de que estamos inscritos en el Libro de la vida si tenemos comunión con Cristo, y Él es nuestro y suyos somos en la fe verdadera."[61] Es en este sentido de nuestra elección unido a nuestra comunión con Cristo las advertencias no son en vano. Como ha demostrado Agustín, "tanto la gracia de la libre elección y la predestinación, como también las amonestaciones y doctrinas saludables deben ser predicadas."[62] En consecuencia, Bullinger concluyó su discusión sobre la predestinación y las elecciones con la advertencia de San Pablo de resolver nuestra salvación con temor y temblor.

Aunque Bullinger demostró mayor reserva en la Segunda Confesión Helvética que en algunos casos anteriores en su consideración del tema de la reprobación —su definición de predestinación habla solamente de elección, no de reprobación— su renuencia a establecer una conexión directa entre la voluntad de Dios y la condena de aquellos que están fuera de Cristo ciertamente sigue un patrón evidente en sus otros

---

[57] Ibid.

[58] Ibid.

[59] Ibid.

[60] Ibid.

[61] Ibid. En latín se lee, "Christus itaque sit speculum, in quo praedestinationem nostram contemplemur. Satis perspicuum et firmum habebimus testimonium, nos in libro vitae inscriptos esse, si communicaverimus cum Christo, et is in vera fide noster sit, nos eius simus." Cf. Calvino, *Institución*, 3.24.5.

[62] "Segunda Confesión Helvética", cap. 10. Al igual que en sus otros escritos sobre el tema de la predestinación, las referencias de Bullinger a los escritos de Agustín muestran que se encuentra en la tradición exegética y teológica agustiniana.

escritos. La calidad pastoral del manejo de Bullinger de la doctrina también es evidente en la forma en que la Segunda Confesión Helvética enfatiza temas tales como la buena esperanza que los creyentes deberían tener para la salvación de todos los pecadores, no juzgando imprudentemente a nadie como un réprobo; la suposición errónea de que el número de elegidos es muy reducido; la importancia de los medios que Dios usa en la realización de sus propósitos salvadores; y la seguridad de la elección a través de la comunión con Cristo. Aunque estos temas no fueron exclusivos de la formulación de Bullinger de la doctrina de la predestinación entre los teólogos reformados de mediados del siglo XVI, incluido Calvino, la manera pastoral y homilética en que Bullinger trató la doctrina de la predestinación en la Segunda Confesión Helvética conlleva muchos rastros reveladores de su punto de vista distintivo.[63]

PREDESTINACIÓN EN LA TEOLOGÍA DE HULDRYCH ZUINGLIO Y PEDRO MARTYR VERMIGLI

Si bien nuestro estudio de la doctrina de la predestinación entre los teólogos reformados en el siglo XVI se centró en Calvino y Bullinger, varias otras figuras influyentes abordaron la doctrina en sus escritos. Dos de estos teólogos, Huldrych Zuinglio y Pedro Martyr Vermigli, merecen una breve atención.

El tratamiento de Zuinglio de la predestinación se encuentra dentro del marco de la doctrina de la providencia de Dios. En su tratamiento más importante de la doctrina, Zuinglio comenzó con una definición general de providencia: "La Providencia es la regla inmutable y duradera sobre todas las cosas en el universo."[64] Dios es el buen, sabio y justo Gobernador y Sustentador de todas las cosas, de modo que nada ocurre en el curso de la historia que se encuentra fuera de su cuidado y gobierno providencial. Según Zuinglio, "Dios es omnisciente, todopoderoso y bueno, por lo tanto, nada escapa a su atención, nada evade sus órdenes y su dominio, Él no hace nada sino sólo bueno."[65] La predestinación es el aspecto de la providencia de Dios que se relaciona con la buena voluntad de Dios para conceder la salvación a los elegidos. En el sentido más estricto, la predestinación se centra especialmente en la elección de gracia de Dios, que muestra su misericordia inmerecida hacia aquellos a quienes se complace en salvar de la raza humana caída, y no en su determinación de dejar a otros en su condición perdida. Mientras que la elección amable muestra especialmente la

---

[63] Para una discusión sobre cómo dos de los contemporáneos de Calvino, Wolfgang Musculus (1497-1563) y Pedro Martyr Vermigli (1499-1562), trataron la doctrina de la predestinación, ver Muller, *Christ and the Decree*, 39–75. Mientras Muller encuentra que estos teólogos emplean una forma más "escolástica" en su manejo de la doctrina, rechaza la afirmación de que esta forma afecta materialmente su comprensión de la predestinación o representa un alejamiento de la cercana asociación de Calvino de la doctrina con la cristología y la soteriología. Como en la teología de Calvino y Bullinger, "la predestinación y la cristología sirven para enfocar y fundamentar la estructura soteriológica, y ambos se desarrollan a partir del contexto de una preocupación general para delinear el patrón del trabajo divino en la economía de la salvación".*Christ and the Decree*, 68. Para la doctrina de la predestinación de Musculus, ver Wolfgang Musculus, *Common Places of Christian Religion* (London: R. Wolfe, 1563, 1578); Musculus, *Loci communes sacrae theologiae* (Basel: Johannes Hervagius, 1560, 1568, 1573). Para la doctrina de Vermigli, ver *The Common Places of D. Peter Martyr Vermigli* (London: Denham, 1583); Vermigli, *Loci Communes D. Petri Martyris Vermigli* (London, 1576; rev. ed. 1583); Frank A. James III, *Peter Martyr Vermigli and Predestination: The Augustinian Inheritance of an Italian Reformer, Oxford Theological Monographs* (Oxford: Clarendon, 1998).

[64] Huldrych Zuinglio, *On Providence and Other Essays*, ed. William John Hinke (1922; reimpr., Durham, NC: Labyrinth, 1983), 136. Para un estudio de la doctrina de la predestinación de Zuinglio, ver Gottfried W. Locher, *Zwingli's Thought: New Perspectives*, Studies in the History of Christian Thought 25 (Leiden: Brill, 1981), 121–41.

[65] Zuinglio, *On Providence*, 180.

misericordia de Dios, la determinación de Dios de no salvar al no elegido muestra su justicia. En consecuencia, Zuinglio definió la elección como "la disposición libre de la voluntad divina con respecto a aquellos que han de ser bendecidos."[66] Aunque la elección de gracia de Dios tiene como corolario la no selección de aquellos a quienes Dios justamente condena al dejarlos en sus pecados, Zuinglio distinguió claramente esta característica de la providencia de Dios de su elección misericordiosa y buena de algunos para salvación. A pesar de la renuencia de Zuinglio a tratar la determinación de Dios de no salvar a algunos como algo paralelo a la determinación de Dios de salvar a los elegidos, su decisión de formular la doctrina de elección dentro del contexto de la determinación providencial de Dios de todas las cosas inquietó a su sucesor, Bullinger.[67] Debido a que Zuinglio ubicó su tratamiento de la predestinación en el contexto de su énfasis en la providencia de Dios con todo incluido, Bullinger temía que su doctrina no enfatizara suficientemente la bondad y la gracia de Dios en la elección de su pueblo en Cristo.

La doctrina de la predestinación de Pedro Martyr Vermigli también es digna de atención.[68] Vermigli fue uno de los numerosos teólogos italianos influyentes (incluido su buen amigo Girolamo Zanchi) que ejerció una influencia importante en el desarrollo temprano de la tradición teológica reformada.[69] La declaración más importante de la doctrina de la predestinación de Vermigli se encuentra en sus *Loci Communes*, una colección de conferencias, tratados y disputas de Vermigli que fue publicada póstumamente por Roberto Masson en 1576.[70] Masson organizó estos escritos de acuerdo con el orden de la *Institución* de Calvino, aunque sin distorsionar la estructura básica del pensamiento de Vermigli.[71] En su tratamiento de la doctrina de la predestinación, Vermigli siguió un patrón mucho más "escolástico" y racionalista que el que hemos visto hasta ahora en los escritos de Calvino y Bullinger.[72] Comenzó con una discusión introductoria de dos asuntos: la idoneidad de la doctrina de la predestinación para la predicación y la enseñanza, y la "pregunta del lógico" sobre si

---

[66] Ibid., 184.

[67] Bullinger expresó su preocupación con respecto a la doctrina de la providencia de Zuinglio en su correspondencia con Calvino sobre la controversia sobre la doctrina de la predestinación de Jerome Bolsec en Ginebra. Cuando Bolsec criticó las enseñanzas de Calvino, argumentó que su punto de vista sobre la predestinación era similar al de Bullinger. En su correspondencia con Calvino, Bullinger expresó su insatisfacción con las incansables declaraciones de Calvino y Zuinglio sobre el tema de la predestinación y la providencia. Para una revisión de esta correspondencia, ver Venema, *Heinrich Bullinger*, 58–63.

[68] El tratamiento más completo de la vida y las escrituras de Vermigli sigue siendo C. Schmidt, *Peter Martyr Vermigli, Leben und ausgewählte Schriften* (Elberfeld: R. L. Friderichs, 1858). Para un breve esbozo de su vida, vea David C. Steinmetz, "Peter Martyr Vermigli," en *Reformers in the Wings*, 151–61. Para un resumen de su correspondencia con Bullinger, vea a Marvin W. Anderson, "Peter Martyr, Reformed Theologian (1542–1562): His Letters to Heinrich Bullinger and John Calvin" *SCJ 4*, no. 1 (1973): 41-64.

[69] Para los tratamientos más recientes de la doctrina de la predestinación de Vermigli, particularmente en el marco de su escolasticismo aristotélico, véase Juan Patrick Donnelly, *Calvinism and Scholasticism in Vermigli's Doctrine of Man and Grace, Studies in Medieval and Reformation Thought 18* (Leiden: Brill, 1976), esp. 3–41, 116–49; Muller, *Christ and the Decree*, 57–75; J. C. McClelland, "The Reformed Doctrine of Predestination: According to Peter Martyr," SJT 8, no. 3 (1955): 255–71; James, *Vermigli and Predestination*; Frank A. James III, "Peter Martyr Vermigli: At the Crossroads of Late Medieval Scholasticism, Christian Humanism and Resurgent Augustinianism," en Trueman and Clark, *Protestant Scholasticism*, 62–78.

[70] Vermigli, *Loci communes*. Las referencias al tratado de Vermigli sobre la predestinación en las siguientes notas son de la edición revisada de 1583.

[71] Thus Muller, *Christ and the Decree*, 58.

[72] Donnelly y James documentan la influencia en el pensamiento de Vermigli de Santo Tomás y Escoto entre los escolásticos y de la doctrina más explícitamente desarrollada en Gregorio de Rimini y Martín Bucer entre los reformadores. Donnelly, *Calvinism and Scholasticism*, 125–29; James, "Peter Martyr Vermigli," 52–78.

existe o no una predestinación divina.[73] Sólo después de abordar estos asuntos y ofrecer una defensa contra la objeción de que la predestinación conduce a una doctrina de "necesidad fatal" (*necessitatem quidem fatalem*)[74], Vermigli asumió directamente el tema de la predestinación. Al hacerlo, comenzó con una declaración amplia y general de predestinación y luego habló de una voluntad positiva de Dios en las elecciones y una voluntad negativa o permisiva de Dios en la reprobación.

En su definición inicial de predestinación, Vermigli sostuvo que Dios en su consejo divino (*consilium*) destinó o designó todas las cosas para su fin particular.[75] Aunque el consejo divino incluye la elección de algunos y la reprobación de otros, Vermigli procedió a vincular la predestinación divina más especialmente con la elección y formuló la doctrina de la reprobación con el uso de la doctrina escolástica de la voluntad "permisiva" o "pasiva" de Dios. En su definición formal de predestinación, Vermigli hizo hincapié en el consejo de Dios para exhibir su amor hacia los suyos en Cristo:

> Digo, por lo tanto, que la predestinación es el consejo más sabio [*propositum*] de Dios por el cual Él ha decretado firmemente desde antes de toda la eternidad llamar a los que Él amó en Cristo a la adopción de hijos, para ser justificados por la fe; y posteriormente glorificar a través de buenas obras, a aquellos que serán conformados a la imagen del Hijo de Dios, para que en ellos se declare la gloria y la misericordia del Creador.[76]

Por el contrario, en su definición de reprobación, Vermigli sostuvo que, aunque tenía su origen en la voluntad divina desde la eternidad, fue un acto pasivo de Dios en el que retenía su amor del no elegido. En consecuencia, negó una voluntad directa o eficiente de Dios en la reprobación. Aquellos a quienes Dios eligió no salvar son los pecadores caídos a quienes Él pasó en el decreto divino. Por lo tanto, Vermigli definió la reprobación como el decreto de Dios en la eternidad "para no tener piedad de aquellos a quienes no ha amado."[77]

Aunque esto representa solo un boceto de la doctrina de la predestinación de Vermigli, ilustra algunas de las diferencias entre la doctrina de Vermigli y la que defiende Bullinger. A diferencia de Bullinger, Vermigli echó la doctrina de la predestinación en una forma mucho más escolástica, exhibiendo una considerable dependencia de una construcción tomista del consejo divino con su distinción entre la voluntad "eficiente" y la "permisiva" de Dios. Vermigli, en su cuidadosa y extensa exposición de la voluntad divina, insistió en que todas las cosas caen dentro del alcance del consejo divino, ya sea por medio de una voluntad directa y positiva o por medio de una voluntad indirecta o permisiva. También estaba preparado para desarrollar más explícitamente el decreto de reprobación, relacionándolo con la voluntad pasiva de Dios y reconociendo que tiene un paralelismo en algunos, aunque no todos, respetan el decreto de elección de Dios. En estos énfasis, exhibió la voluntad de explorar de manera bastante explícita y completa, a la manera de la tradición escolástica, los diversos aspectos del consejo divino. Al hacerlo, se distinguió del

---

[73] Vermigli, *Loci communes*, 3.1.1.
[74] Ibid., 3.1.5.
[75] Ibid., 3.1.5.
[76] Ibid., 3.1.11. Traducción por James, "Peter Martyr Vermigli," 75
[77] Vermigli, *Loci communes*, 3.1.5.

manejo más cauteloso y restringido de la doctrina por parte de Bullinger, al menos como lo representan las fuentes que hemos considerado aquí.

Sin embargo, también se debe notar que la doctrina de Vermigli se aproximó a la de Bullinger en algunos aspectos más que la de Calvino. Por ejemplo, compartió la presentación básicamente infralapsaria de la predestinación de Bullinger: la elección de Dios para salvar a algunos supone la caída de todos los hombres en el pecado (*homo creatus et lapsus*). Además, al vincular positivamente la predestinación con la elección y sólo pasivamente con la reprobación, compartió la resistencia de Bullinger a plantear cualquier conexión directa entre la voluntad de Dios y la no salvación del réprobo. El hecho de que algunos no sean salvos no puede adscribirse a la voluntad eficiente de Dios; simplemente quedan abandonados en su condición caída, una condición por la cual Dios no tiene responsabilidad última. La voluntad de Dios en relación con el reprobado es meramente pasiva, no activa.[78] De manera similar, con Bullinger, Vermigli se resistió a cualquier intento de establecer una conexión positiva entre la predestinación de Dios y la caída de Adán en el pecado.

PREDESTINACIÓN EN LAS CONFESIONES REFORMADAS

Sin lugar a dudas, las fuentes más importantes para determinar la doctrina reformada de la predestinación en el siglo XVI son las confesiones oficiales que fueron adoptadas por las iglesias reformadas. Además de la Segunda Confesión Helvética, discutida anteriormente con referencia a Bullinger, las siguientes confesiones ofrecen una idea de la comprensión reformada de la doctrina hacia el final del primer período, y el más formativo, de la Reforma: la Confesión Galicana (francesa) de 1559, la Confesión escocesa de 1560, el Catecismo de Heidelberg de 1563 y la Confesión belga de 1567. En cada una de estas confesiones, se establece la doctrina de la predestinación para subrayar los temas doctrinales de la inhabilidad humana, la salvación por gracia sólo por la obra de Cristo, el propósito eterno que subyace a la providencia misericordiosa de Dios para la salvación en Cristo, y el consuelo que esta enseñanza le brinda al creyente. En aras de la brevedad, citaré las declaraciones más importantes de la doctrina en estas confesiones y ofreceré una síntesis de sus enseñanzas comunes.[79]

> La Confesión Galicana: "Creemos que de esta corrupción y condena general en la que todos los hombres están sumidos, Dios, de acuerdo con su consejo eterno e inmutable, llama a los que ha elegido por su bondad y misericordia únicamente en nuestro Señor Jesucristo, sin consideración de obras de ellos, para mostrar en ellas las riquezas de su misericordia; dejando el resto en esta misma corrupción y condena para mostrarles su justicia."[80]

---

[78] Como afirma Muller, "la reprobación sigue siendo una voluntad negativa, una decisión de retener la mediación y dejar a algunos hombres a un destino que ellos mismos han creado. Claramente, la base escolástica del argumento de Vermigli no es la causa de una formulación más rígida de la predestinación sino de una concepción menos abiertamente determinista de los decretos". *Christ and the Decree*, 66. Muller correctamente hace este punto en contra de la afirmación de John Patrick Donnelly de que la doctrina de la predestinación de Vermigli era más estricta que la de Calvino. "Calvinist Thomism," *Viator* 7 (1976): 445, 448.

[79] Para una exposición más completa de las confesiones reformadas sobre la doctrina de la predestinación, ver Jan Rohls, *Reformed Confessions: Theology from Zurich to Barmen, trans. John Hoffmeyer,* Columbia Series in Reformed Theology (Louisville: Westminster John Knox, 1998), 148–66.

[80] "La Confesión Galicana", art. 12, en Schaff, *The Creeds of Christendom*, 3:366–67.

La Confesión Escocesa: "El mismo Dios y Padre eterno, que sólo por gracia nos escogió en su Hijo Cristo Jesús antes de la fundación del mundo, lo nombró para ser nuestro jefe, nuestro hermano, nuestro pastor y el gran obispo de nuestras almas."[81]

El Catecismo de Heidelberg: "¿Qué crees sobre la *santa iglesia católica*? Que el Hijo de Dios, de toda la raza humana, desde el principio hasta el fin del mundo, reúne, defiende y conserva para Sí mismo, por Su Espíritu y Palabra, en la unidad de la verdadera fe, una Iglesia elegida para Vida Eterna; y que soy, y siempre seré, un miembro vivo de eso."[82]

La Confesión Belga: "Creemos que, toda la posteridad de Adán siendo caídos en la perdición y la ruina por el pecado de nuestros primeros padres, Dios entonces se manifestó tal como es; es decir, misericordioso y justo: misericordioso, ya que Él libera y preserva de esta perdición a todos aquellos a quienes Él en Su consejo eterno e inmutable de simple bondad ha elegido en Cristo Jesús nuestro Señor, sin ningún respeto a sus obras; simplemente, al dejar a otros en la caída y la perdición en donde se han involucrado a sí mismos."[83]

Estas declaraciones confesionales comparten varios temas comunes. Todos ellos ven a la persona y la obra de Cristo, no solo en la provisión de la salvación, sino también en su comunicación a los creyentes por obra de su Espíritu, para enraizarse en el eterno propósito de elección de Dios. También parten de la convicción de que todos los seres humanos han caído en Adán y no están dispuestos e incapaces de volverse hacia Dios con fe y arrepentimiento, a menos que Dios los atraiga de acuerdo con su misericordia y gracia. La doctrina de la predestinación se centra principalmente en la elección misericordiosa de Dios para salvar a su pueblo. Aunque la doctrina incluye un decreto de elección y reprobación (*gemina praedestinationis*), existe una asimetría entre estos dos aspectos del consejo de Dios. La elección implica la decisión positiva y misericordiosa de Dios en y por el bien de Cristo para salvar a su pueblo. La reprobación implica la decisión justa de Dios de "dejar" a otros en sus pecados y de condenarlos por su propia pecaminosidad. Sin abordar la cuestión más especulativa del orden relativo de los elementos dentro del decreto de Dios, estas confesiones representan la doctrina de la predestinación de una manera decididamente "infralapsaria": el decreto contempla a la raza humana en su condición caída para que el motivo y la causa la condena de los réprobos es su propio pecado e indignidad. Además, los dos temas principales que acentúa la doctrina de la predestinación son la gloria de Dios, que es el único autor de la salvación de los creyentes y el consuelo de los creyentes, que pueden descansar confiadamente en la seguridad de la gracia y misericordia de Dios tal como se revelan en el Evangelio.

---

[81] "La Confesión Escocesa" 3.08, en *Book of Confessions*. Aunque la doctrina de la predestinación en la Confesión escocesa se establece moderadamente y se centra solo en la elección de Dios de los creyentes en Cristo, es notable que John Knox, uno de sus autores principales, escribió una larga y fuerte defensa de la predestinación: *An answer to a great number of blasphemous cauillations written by an Anabaptist, and aduersarie to Gods eternal predestination* (Geneva: Crespin, 1560).

[82] "El Catecismo de Heidelberg" en *The Good Confession: Ecumenical Creeds and Reformed Confessions* (Dyer, IN: Mid-America Reformed Seminary, 2013), 103.

[83] "La Confesión Belga" art. 16, en *Good Confession*, 41.

PREDESTINACIÓN EN LA ORTODOXIA REFORMADA TEMPRANA

Después de la codificación inicial de la doctrina de la predestinación en las confesiones reformadas de mediados del siglo XVI, varios teólogos importantes articularon la doctrina en el período de la ortodoxia reformada temprana. Aunque estos teólogos continuaron con la pluralidad de formulaciones del período anterior, generalmente reflejaron una fórmula más desarrollada y "escolástica" de la doctrina de la predestinación y los decretos de Dios.[84] Al hacerlo, prepararon el escenario para las controversias de principios del siglo XVII entre las iglesias reformadas, que se abordaron en el Sínodo de Dort en 1618-1619 y en la Asamblea de Westminster en 1643-1645.[85] Dado que las confesiones producidas por estas asambleas del siglo diecisiete de las iglesias reformadas nos llevan más allá del siglo dieciséis, me limitaré a identificar tres temas importantes que surgieron durante este período.

Primero, en este período el orden preciso de los elementos del decreto de Dios se convirtió en un tema de discusión teológica, especialmente en los escritos de Teodoro Beza y William Perkins, dos teólogos que defendieron vigorosamente la doctrina reformada de la predestinación.[86] Mientras que los teólogos reformados no mostraron diferencias significativas de opinión sobre el orden en que se ejecutó el propósito de Dios en la historia, la distinción entre infralapsarianismo y supralapsarianismo reflejaba dos puntos de vista diferentes sobre el orden de los distintos elementos que están incluidos en el eterno decreto de Dios. Considerando que el infralapsarianismo ve el decreto de Dios para elegir o no la salvación como "abajo" (*infra*) o lógicamente posterior a su decreto para permitir la caída en el pecado (*lapsus*), supralapsarianismo ve el decreto de predestinación de Dios como "arriba" (*supra*) o lógicamente antes de su decreto sobre la caída. En la posición infralapsaria, los objetos del decreto de Dios son creados y son pecadores caídos (*homo creatus et lapsus*); en la posición supralapsariana, los objetos del decreto de Dios no son creados y son pecadores no caídos (*homo creabilis et labilis*). El orden de los elementos en el decreto de Dios en el esquema infralapsariano es el siguiente:

1. El decreto de glorificarse a sí mismo en la creación de la raza humana.
2. El decreto para permitir la caída.
3. El decreto para elegir a algunos de los caídos de la raza humana para la salvación y pasar a los otros y condenarlos por sus pecados.

---

[84] Además de Musculus y Vermigli, dos contemporáneos de Calvino que trataron la doctrina de la predestinación de una manera más "escolástica", otra importante figura de transición en el desarrollo de la ortodoxia reformada primitiva fue Girolamo Zanchius. Para los tratamientos de la doctrina de la predestinación de Zanchius, ver Muller, *Christ and the Decree*, 110–25; Venema, *Heinrich Bullinger*, 79–86.

[85] Para una encuesta de este período y los debates sobre la doctrina de la predestinación, ver Rouwendal, "Predestination in Reformed Orthodoxy," 568–89.

[86] Para la doctrina de la predestinación de Beza, vea Teodoro Beza, *Tabula Praedestinationis* (Geneva, 1555); John S. Bray, *Theodore Beza's Doctrine of Predestination*, Bibliotheca Humanistica & Reformatorica 12 (Nieuwkoop: De Graaf, 1975); Muller, *Christ and the Decree*, 79–96; Muller, "Use and Abuse of a Document," 33–61. Para la doctrina de la predestinación de Perkins, ver William Perkins, *The Workes of... Mr. William Perkins*, vol. 2, *A Golden Chaine, or the Description of Theologie*, and *A Treatise of the Manner and Order of Predestination* (Cambridge, 1612–1619); Muller, *Christ and the Decree*, 149–71; Muller, "Perkins' A Golden Chaine: Predestinarian System or Schematized Ordo Salutis?," SCJ 9, no. 1 (1978): 69–81. *Perkins's A Golden Chaine was written as an elaboration of Beza's Tabula Praedestinationis*. En su evaluación de la elaboración escolástica de Perkins de la doctrina de la predestinación, Muller concluye que "aunque la declaración de la doctrina de la predestinación se ha vuelto más elaborada en un sentido escolástico y, de hecho, más especulativa en términos de su enunciado de prioridades lógicas, no se vuelve más determinista que la de Calvino, ni se ha vuelto menos cristológico".*Christ and the Decree*, 170.

4. El decreto para proveer la salvación para los elegidos a través de Jesucristo.

El orden de los elementos en el decreto de Dios en el esquema supralapsariano es el siguiente:

1. El decreto de glorificarse a sí mismo mediante la elección de algunos y la no elección de otros.
2. El decreto para crear a los elegidos y a los réprobos.
3. El decreto para permitir la caída.
4. El decreto para proveer la salvación para los elegidos a través de Jesucristo.

Si bien la diferencia entre los puntos de vista infralapsarianos y supralapsarianos se convirtió en una ocasión para la discusión teológica en el período de la ortodoxia reformada temprana, es significativo que las confesiones del siglo XVII ofrezcan la codificación final y más completa de la visión reformada, los Cánones de Dort y los Estándares de Westminster, no conceden estatus confesional a ninguno de los dos. Estas confesiones tienden a expresar la doctrina de la predestinación de manera infralapsaria, viendo la elección como una expresión positiva de la voluntad de Dios para salvar a algunos de la raza humana caída y la reprobación como una expresión negativa de la voluntad de Dios de "pasar" de otros y condenarles por sus pecados. El debate sobre el orden de los elementos dentro del decreto de Dios evidencia una aproximación más escolástica, incluso especulativa, a la doctrina de la predestinación en el período de la ortodoxia reformada primitiva. Sin embargo, no produjo ningún cambio sustancial en el consenso confesional de la tradición reformada con respecto a la doctrina.

En segundo lugar, otro tema que surgió en este período se asoció con la teología de Teodoro Beza (1519-1605), quien intentó defender la doctrina de Calvino contra sus críticos. Además de varias obras importantes sobre la doctrina de la predestinación, Beza fue una importante figura de transición en posteriores discusiones reformadas sobre la relación entre el propósito de elección de Dios y el alcance o el diseño de la obra de expiación de Cristo. Durante el curso de su conflicto con el teólogo luterano, Jacob Andreae, Beza criticó la fórmula tradicional de que la muerte de Cristo fue "suficiente para todos, pero eficiente sólo para los elegidos."[87] En la estimación de Beza, esta fórmula fue declarada ambiguamente, ya que la preposición "para" en la declaración podría ser interpretada de diversas maneras. Para eliminar cualquier ambigüedad, Beza insistió en que la muerte de Cristo tenía como fin proporcionar sólo la salvación de los elegidos. Si bien Beza reconoció la suficiencia y la perfección de la obra de Cristo, fue uno de los primeros en enseñar explícitamente la doctrina de la expiación definida o particular. Dado que Calvino no abordó explícitamente la cuestión del alcance o el diseño de la obra de expiación de Cristo,[88] al menos no de la

---

[87] Para un estudio del conflicto, vea Teodoro Beza, *Ad Acta Colloqui Montisbelgardensis Tubingae edita, Theodori Bezae responsionis* (Geneva: Joannes le Preux, 1588); Jill Raitt, *The Colloquy of Montbéliard: Religion and Politics in the Sixteenth Century* (New York: Oxford University Press, 1993). En su defensa de la doctrina de la predestinación de Beza, William Perkins también enfatizó la intención divina al proporcionar y aplicar la obra de redención de Cristo a los elegidos. Ver Muller, *Christ and the Decree*, 168.

[88] Aunque Calvino estaba familiarizado con la expresión "suficiente para todos, eficiente para los elegidos" (*pro ómnibus... suficiente, sed pro electis... ad efficaciam*), que se encontraba en las *Sentences* de Pedro Lombardo, no la encontró adecuada. formulación. Ver lso comentarios de Calvinode 1 Juan 2:2 en *Calvin's Commentaries* (1844–1856;

manera en que lo hizo Beza durante esta controversia, algunos estudiosos de la historia de la teología reformada han planteado la cuestión de si la posterior doctrina reformada de la expiación definitiva, que fue codificada en el segundo encabezado de doctrina de los Cánones de Dort, es consistente con la enseñanza de Calvino y la tradición Reformada anterior. En estudios sobre el desarrollo de la teología reformada en este período, la cuestión de la continuidad o la discontinuidad de la doctrina entre Calvino y la ortodoxia reformada posterior ha sido formulada como una cuestión de "Calvino y los calvinistas."[89] Algunos intérpretes argumentan que Beza y los teólogos del período ortodoxo discreparon de la visión más cristocéntrica de la predestinación de Calvino. Sin embargo, las afirmaciones de estos intérpretes que enfrentan a Calvino contra los calvinistas posteriores han sido refutadas hábilmente. Si bien los teólogos del período ortodoxo emitieron la doctrina de Calvino en una forma más escolástica, no abandonaron el énfasis de Calvino en la elección en Cristo. También hay indicios de la doctrina posterior de la expiación definitiva en los escritos de Calvino.[90] Y tercero, el debate sobre el grado de continuidad o discontinuidad entre la visión de predestinación de Calvino y la de la ortodoxia reformada ha resaltado una pregunta de larga permanencia sobre la doctrina de la predestinación de la tradición reformada: ¿La doctrina de la predestinación, especialmente en el período de la ortodoxia paulatinamente asume el carácter de un "dogma central"? Como se señaló en la introducción de este capítulo, varios intérpretes de la teología de la Reforma de los siglos XIX y principios del siglo XX propusieron la tesis de que Calvino y la tradición reformada establecían una teología predestinaria que difería significativamente de la tradición luterana con su enfoque en la doctrina de la justificación.[91] Según estos intérpretes, la tradición reformada articuló una teología que comenzó desde el punto de partida de la voluntad soberana predestinada de Dios. Todos los elementos o temas del

---

reimpr., Grand Rapids, MI: Baker, 1981), 22:173. Para los tratamientos de la extensión o el diseño de la expiación en Calvino y el calvinismo posterior, ver W. Robert Godfrey, *"Reformed Thought on the Extent of the Atonement to 1618,"* WTJ 37, no. 2 (1975): 133–71; Pieter L. Rouwendal, *"Calvin's Forgotten Classical Position on the Extent of the Atonement: About Efficiency, Sufficiency, and Anachronism,"* WTJ 70, no. 2 (2008): 317–35; G. Michael Thomas, *The Extent of the Atonement: A Dilemma for Reformed Theology from Calvin to the Consensus* (1536–1675), Paternoster Biblical and Theological Monographs (Carlisle: Paternoster, 1997); Brian G. Armstrong, *Calvinism and the Amyraut Heresy: Protestant Scholasticism and Humanism in Seventeenth-Century France* (Madison: University of Wisconsin Press, 1969); Muller, *Christ and the Decree,* 33–35; Roger Nicole, *Moyse Amyraut* (1596–1664) y *Controversy on Universal Grace: First Phase* (1634–1637) (PhD diss., Harvard University, 1966). En mi opinión, los comentarios de Muller sobre las implicaciones del punto de vista de Calvino sobre elección particular y la intercesión sacerdotal de Cristo son especialmente apropiados: "Es superfluo hablar de un alcance hipotético de la eficacia del trabajo de Cristo [en la teología de Calvino] más allá de su aplicación real. Como se muestra en la doctrina de la elección, la salvación no se otorga en general, sino en los individuos. El llamamiento del Evangelio es universal, pero la intercesión de Cristo, como la elección divina, es personal, individual, particular." *Christ and the Decree,* 35. Aunque Calvino no abordó explícitamente el alcance de la expiación a la manera de los escritores posteriores, parece evidente que su doctrina de la predestinación y de la obra de expiación de Cristo apuntaba en esta dirección.

[89] Para las interpretaciones de la tradición reformada que buscan contrastar a Calvino con el calvinismo posterior, ver R. T. Kendall, *Calvin and English Calvinism to 1649* (Oxford: Oxford University Press, 1979); Basil Hall, "Calvin against the Calvinists," en *John Calvin: A Collection of Distinguished Essays,* ed. G. E. Duffield, trad. G. S. R. Cox y P. G. Rix, *Courtenay Studies in Reformation Theology 1* (Grand Rapids, MI: Eerdmans, 1966), 19–37; Armstrong, *Calvinism and the Amyraut Heresy.* Para una refutación convincente de este enfoque, ver Richard A. Muller, "Calvin and the 'Calvinists': Assessing Continuities and Discontinuities between the Reformation and Orthodoxy", Parte 1, *CTJ* 30, no. 2 (1995): 345–75, y Parte 2, CTJ 31, no. 1 (1996): 125–60; Muller, *The Unaccommodated Calvin: Studies in the Foundation of a Theological Tradition,* Oxford Studies in Historical Theology (New York: Oxford University Press, 2000), 3–8; Muller, *Christ and the Decree,* esp. 175–82; Paul Helm, *Calvin and the Calvinists* (Edinburgh: Banner of Truth, 1982); Carl R. Trueman, "Calvin and Calvinism," en *The Cambridge Companion to John Calvin,* ed. Donald K. McKim (Cambridge: Cambridge University Press, 2004), 225–44.

[90] Ver, Muller, *Christ and the Decree,* 35, 175–82.

[91] Ver nota 29 y anteriores.

sistema de teología reformado se dedujeron lógicamente o se derivaron de este punto de partida. La doctrina del decreto de Dios se transmutó en un "decretalismo" que subordinó la Cristología, el estudio de la persona y la obra de Cristo, y la neonatología, el estudio de la comunicación del Espíritu Santo de los beneficios de la obra de Cristo a los creyentes, a la doctrina de Dios.[92]

Entre los recientes intérpretes de la doctrina reformada de la predestinación, Richard Muller ha presentado un extenso y convincente caso contra la tesis del "dogma central". Según la interpretación de Muller sobre la tradición Reformada, hubo antecedentes significativos de la visión reformada en los períodos patrístico y medieval, y hubo diferencias considerables de acento y enseñanza entre los teólogos reformados a lo largo de los siglos XVI y XVII. Si bien las continuidades y discontinuidades de formulación estuvieron presentes a lo largo de este período, la diferencia entre la formulación temprana de la doctrina en Calvino y sus contemporáneos y la posterior formulación del período ortodoxo fue en gran medida una cuestión de posiciones doctrinales similares en una forma más "escolástica." Sin embargo, el método escolástico y la forma del período ortodoxo no produjeron una posición teológica fundamentalmente diferente sobre la doctrina de la predestinación. Comparada con la formulación de la doctrina de Calvino, la ortodoxa posterior no reflejaba un decretalismo o una metafísica predestinaria más que la de Calvino. Al igual que Calvino y los primeros teólogos reformados, la doctrina de la predestinación estaba íntimamente ligada y correlacionada con los típicos énfasis de la Reforma en la salvación por gracia a través de la obra de Cristo solamente. Como los pecadores humanos caídos son incapaces de salvarse a sí mismos, y como la fe requerida para beneficiarse de la obra salvadora de Cristo es un don de gracia de Dios, formularon la doctrina de la predestinación para proporcionar una explicación teológica de la provisión divina de Cristo como mediador y la eficacia de su obra de salvación para su pueblo.

Resumen y Observaciones Finales

Si bien mi estudio de la doctrina de la predestinación en la Reforma del siglo XVI ofrece sólo una amplia visión general de las formulaciones doctrinales de este período, sí proporciona una base para algunas observaciones finales.

En primer lugar, la doctrina de predestinación de la Reforma y la elección se basó en un compromiso con la enseñanza de las Escrituras y representa una continuación de un legado agustiniano de larga permanencia. Contrariamente a las enseñanzas del Pelagianismo y el semi-Pelagianismo, que otorgan una medida de autonomía humana y libre albedrío en la respuesta del creyente al llamado evangélico a la fe y al arrepentimiento, la doctrina de la predestinación enfatiza los temas de la salvación por gracia y la iniciativa divina en proveer la salvación sólo a través de la obra de Cristo. En lugar de representar un desvío de la doctrina de la justificación sólo por la fe, la doctrina de la predestinación articula la preocupación principal de la Reforma por enraizar las doctrinas de Cristología y Eclesiología en la determinación de Dios de otorgar salvación a los pecadores caídos en Cristo, ninguno de los cuales es capaz de tomar la iniciativa de volverse hacia Dios o responder favorablemente al llamado del

---

[92] Ver Richard A. Muller, "The Myth of 'Decretal Theology,'" *CTJ* 30, no. 1 (1995): 159–67.

Evangelio. Aunque los teólogos reformados del siglo XVI eran más aptos para articular la doctrina de una manera más completa que otras corrientes de la teología de la Reforma, la doctrina de la predestinación no era exclusiva de la tradición reformada, sino que también la expresaron Lutero y el luteranismo, especialmente a principios del siglo XVI.

Además, a pesar de las diversas formas en que los teólogos reformados del siglo XVI formularon la doctrina de la predestinación, son evidentes varios temas comunes, que fueron codificados en las principales confesiones reformadas de la época. Si bien la doctrina de la predestinación nunca fue un "dogma central" o principio organizador de la teología Reformada, sí encontró una aceptación común entre los principales teólogos de la época. Aunque más características escolásticas de la doctrina surgieron solo a fines del siglo dieciséis —como la cuestión del orden relativo de los elementos dentro del consejo o decreto eterno de Dios o la cuestión del diseño que subyace a la obra de expiación de Cristo— varias características de la doctrina fueron comúnmente aceptadas. Aunque algunos teólogos formularon la doctrina de la doble predestinación más rigurosamente que otros, los principales teólogos de la tradición Reformada afirmaron tanto la elección misericordiosa de Dios de algunos como su justa no elección o reprobación de los demás. Por un lado, insistieron en que la salvación y la obra de Cristo al proporcionar la salvación estaban enraizadas en la elección misericordiosa de Dios para Cristo para salvar a algunos pecadores caídos y otorgarles el don de la fe para abrazar la promesa del Evangelio. Y, por otro lado, afirmaron la justa determinación de Dios de dejar a otros en su estado perdido y condenarlos a causa de sus pecados y desobediencia voluntaria. En este sentido, los teólogos reformados de la época comúnmente reconocieron la asimetría que se produce entre la opción misericordiosa de Dios de salvar a algunos y su elección justa de no salvar a otros.

Finalmente, la doctrina de la predestinación y la elección estuvo estrechamente relacionada con dos énfasis que también pertenecen a la doctrina de la justificación. El primero de estos énfasis fue la distinción de Dios como el único Salvador de su pueblo. La doctrina de la predestinación milita en contra de cualquier punto de vista de salvación que otorgue a los pecadores caídos alguna contribución a su propia salvación. En el tratamiento de la doctrina de Calvino, por ejemplo, la predestinación expresa más claramente que la salvación del pueblo de Dios nace de la generosidad inmerecida de Dios sólo en Cristo.[93] El segundo de estos énfasis fue el consuelo que se deriva de la doctrina de la elección. Lejos de socavar la seguridad de la salvación del creyente, la doctrina de la predestinación y la elección proporciona a los creyentes una sólida base de consuelo. Cuando el conocimiento de la gracia de Dios hacia nosotros en Cristo es visto como el único "espejo" apropiado de la elección, lo que sigue es una garantía de la gracia y misericordia de Dios que no depende del hilo de nuestra elección y perseverancia, sino de la cadena inquebrantable de la gracia y misericordia soberana de Dios. Si Dios ama a su pueblo en Cristo desde toda la eternidad, entonces nada podrá separarlos de su amor o frustrar la realización de su buen propósito de salvarlos.

---

[93] Ver Calvin, *Institutes*, 3.21.1.

Recursos para un Estudio Adicional

FUENTES PRIMARIAS

Agustín. *Four Anti-Pelagian Writings*. Trad. John A. Mourant y William J. Collinge. Fathers of the Church 86. Washington, DC: Catholic University of America Press, 1992.

Calvino, Juan. *The Bondage and Liberation of the Will: A Defence of the Orthodox Doctrine of Human Choice against Pighius*. Editadopor A. N. S. Lane. Traducido por G. I. Davies. Texts and Studies in Reformation and Post-Reformation Thought 2. Grand Rapids, MI: Baker, 1996.

_____. *Comentario a la epístola a los Hebreos*. Grand Rapids, MI: Libros Desafío, 1998.

_____. *Concerning the Eternal Predestination of God*. Traducido por J. K. S. Reid. Louisville: Westminster John Knox, 1997.

_____. *Institución de la Religion Cristiana*. Grand Rapids: Libros Desafío, 2012.

Lutero, Martín. *Luther's Works*. Editado por Jaroslav Pelikan y Helmut T. Lehmann. American ed. 82 vols. (projected). Philadelphia: Fortress; St. Louis, MO: Concordia, 1957–.

FUENTES SECUNDARIAS

Bray, John S. *Theodore Beza's Doctrine of Predestination*. Bibliotheca Humanistica & Reformatorica 12. Nieuwkoop: De Graaf, 1975.

Clark, R. Scott. "Election and Predestination: The Sovereign Expressions of God (3.21–24)." En *A Theological Guide to Calvin's Institutes: Essays and Analysis*, editadopor David W. Hall y Peter A. Lillback, 90–122. Calvin 500. Phillipsburg, NJ: P&R, 2008.

Graafland, Cornelis. *Van Calvijn tot Barth: Oorsprong en ontwikkeling van de leer der verkiezing in het Gereformeerd Protestantisme* [De Calvino a Barth: El origen y el desarrollo de la doctrina de la elección en el Protestantismo Reformado]. 's-Gravenhage, The Netherlands: Uitgeverij Boekencentrum, 1987.

Jacobs, Paul. *Prädestination und Verantwortlichkeit bei Calvin*. Kasel: Oncken, 1937.

James, Frank A., III. *Peter Martyr Vermigli and Predestination: The Augustinian Inheritance of an Italian Reformer*. Oxford Theological Monographs. New York: Oxford University Press, 1998.

Klooster, Fred H. *Calvin's Doctrine of Predestination*. Grand Rapids, MI: Baker, 1977.

Kolb, Robert. *Bound Choice, Election, and Guttenberg Theological Method: From Martin Luther to the Formula of Concord*. Lutheran Quarterly Books. Grand Rapids, MI: Eerdmans, 2005.

Muller, Richard A. *Christ and the Decree: Christology and Predestination in Reformed Theology from Calvin to Perkins*. Studies in Historical Theology 2. 1986. Repr., Grand Rapids, MI: Baker, 1988.

Nicole, Roger. *Moyse Amyraut (1596–1664) and the Controversy on Universal Grace: First Phase (1634–1637)*. PhD diss., Harvard University, 1966.

Rouwendal, Pieter. "The Doctrine of Predestination in Reformed Orthodoxy." En *A Companion to Reformed Orthodoxy*, editadopor Herman J. Selderhuis, 553–89. Brill's Companions to the Christian Tradition 40. Leiden: Brill, 2013.

Trueman, Carl R. "Election: Calvin's Theology and Its Early Reception." En *Calvin's Theology and Its Reception: Disputes, Developments, and New Possibilities*, editadopor J. Todd Billings y I. John Hesselink, 97–120. Louisville: Westminster John Knox, 2012.

Venema, Cornelis P. *Heinrich Bullinger and the Doctrine of Predestination: Author of 'the Other Reformed Tradition'? Texts and Studies in Reformation and Post-Reformation Thought*. Grand Rapids, MI: Baker Academic, 2002.

Warfield, Benjamin B. *The Plan of Salvation*. Rev. ed. Grand Rapids, MI: Eerdmans, n.d.

Creación, Humanidad y la Imagen de Dios

Douglas F. Kelly

RESUMEN

Al estudiar la enseñanza de los principales reformadores del siglo XVI sobre la creación, la humanidad y la imagen de Dios, encontramos unanimidad general (con solo pequeñas diferencias) entre ellos sobre la creación de la humanidad por parte de Dios, seguida de la caída del hombre y la restauración divina. Todos interpretaron los primeros capítulos del Génesis y los pasajes relacionados del Nuevo Testamento (como en Romanos 5 y 1 Corintios 15) de una manera histórico-literal que evitó el alegorismo. En su mayor parte, los reformadores estaban alineados con la gran tradición teológica occidental sobre la creación, caída y redención del hombre, especialmente con Agustín (aunque lo criticaron en algunos lugares). Por lo general, no estaban muy lejos de Pedro Lombardo y Tomás de Aquino, aunque —a excepción de Tomás— no veían diferencia entre "imagen" y "semejanza" y tomaban más en serio los efectos de la caída sobre la mente humana. La mayoría de los reformadores protestantes basaron su doctrina en el trabajo exegético serio y aprovecharon muchos de los avances lingüísticos proporcionados por el Renacimiento. Estos teólogos del siglo XVI establecieron una firme base intelectual para toda interpretación posterior de la Sagrada Escritura sobre la pregunta del Salmo 8: "¿Qué es el hombre?"

Introducción

La doctrina fundamental de las Escrituras es la creación de todas las cosas de la nada por el Dios viviente. La Biblia comienza no con un argumento para la existencia de Dios sino con su creación del universo. Génesis 1: 1 dice: "En el principio, Dios creó los cielos y la tierra". La creación de todas las cosas por Dios se asume como la base de toda realidad, y se celebra frecuentemente por la Ley, los Profetas y la Literatura de la Sabiduría.

La creación es tan fundamental para el Nuevo Testamento como para el Antiguo. En el Nuevo Testamento, el prólogo del Evangelio de Juan dice: "En el principio era la Palabra, y la Palabra estaba con Dios, y la Palabra era Dios. Él estaba en el principio con Dios. Todas las cosas fueron hechas por él, y sin él nada de lo que fue hecho, fue hecho" (Juan 1:1-3). Según Hebreos 11: 3, "Por la fe entendemos que el universo fue creado por la palabra de Dios, de modo que lo que se ve no fue hecho de las cosas que son visibles".

Los libros del Nuevo Testamento se basan en gran medida en el relato del Génesis tanto de la creación como de la historia primitiva de la raza humana. Se ha señalado que unos 165 pasajes en Génesis son citados directamente o definitivamente aludidos en el Nuevo Testamento.[1] Casi todos los escritores del Nuevo Testamento se refieren en alguna parte a los primeros once capítulos del Génesis, y en ninguna parte existe la menor sugerencia de que alguno de ellos considere la enseñanza de estos capítulos como mítica o alegórica. Cristo mismo se refirió en al menos seis ocasiones a asuntos relacionados en estos primeros capítulos del Génesis, y entendió que eran relatos veraces y relevantes que proporcionaban el trasfondo de la creación y caída de la humanidad que vino a redimir.[2]

La Escritura y la Teología de los Reformadores Mantienen Unida la Creación y la Redención

La Biblia con razón se llama "el libro de la redención", y el contexto de la redención es la creación del cosmos por parte de Dios como pura y perfecta. En el tercer capítulo de Génesis, se produjo la caída de la humanidad y del resto del universo (que representaba Adán). La creación y la caída demostraron el origen del mal y la necesidad de que Dios redimirá a la humanidad y al cosmos de ese mal destructivo. El Dios Creador se convierte en el Redentor de su propia y amada obra que había caído en el pecado, que luego había traído la culpa, el juicio, la decadencia y la muerte. La primera promesa del Evangelio se encuentra en Génesis 3:15, cuando el Señor le promete a nuestra primera madre, Eva, que un descendiente de ella revertirá los efectos de la caída, a un inmenso costo para sí mismo y pérdida para el maligno, por lo tanto, ganando la victoria sobre el pecado, la muerte y el juicio final.

El evangelio nunca puede ser entendido aparte de este contexto creacional, seguido por la caída y luego el largo desarrollo de las diversas fases del pacto redentor de gracia general, ¡Lo cual garantiza la redención total y final del mismo Dios que lo creó todo para empezar! Como dijo Atanasio una vez, sólo alguien tan infinitamente grande como el Creador sería lo suficientemente poderoso y sabio como para redimir tal orden creado, en cuyo centro están sus portadores de Su imagen, la humanidad, todos descendientes de Adán y Eva.[3]

EL ENFOQUE GENERAL DE LOS REFORMADORES

Calvino relacionó la creación, la caída y la redención en el "argumento" de apertura de su *Comentario sobre Génesis*:

> Y, de hecho, aunque Moisés comienza, en este Libro, con la Creación del Mundo, no nos limita a este tema. Porque estas cosas deberían estar conectadas juntas; que el mundo fue fundado por Dios, y que el hombre, después de haber sido investido con la

---

[1] Ver Henry M. Morris, *The Genesis Record: A Scientific and Devotional Commentary on the Book of Beginnings* (Grand Rapids, MI: Baker, 1976), 21, 22.

[2] Ibid.

[3] Athanasius, *De Incarnatione* 7.

luz de la inteligencia y adornado con tantos privilegios, cayó por su propia culpa, y así se le privó de todos los beneficios que había obtenido; después, por la compasión de Dios, fue restaurado a la vida que había perdido, y esto a través de la amorosa bondad de Cristo; para que siempre haya una asamblea en la tierra, la cual siendo adoptada en la esperanza de la vida celestial, pueda con esta confianza adorar a Dios. El fin al que tiende todo el alcance de la historia es hasta este punto, que la raza humana ha sido preservada por Dios de tal manera que manifiesta su especial cuidado por su Iglesia. Pues este es el argumento del Libro.[4]

Bullinger cubrió casi el mismo terreno al vincular temas creadores y redentores, por ejemplo, en el primer sermón de su *Primera Década*.[5] Y al hacerlo, él y su amigo Calvino no estaban lejos de la parte de la *Ciudad de Dios* de San Agustín (aunque criticaron algunos aspectos de su enseñanza).

Fue similar con Felipe Melanchthon, otro seguidor de Agustín y el asistente y sucesor de Lutero, así como amigo de Calvino y Bullinger (que se conocieron a través de algunos de los coloquios luteranos-calvinistas y que se leían los escritos de ambos). Melanchthon colocó la creación, y especialmente la creación del hombre a la imagen de Dios, en el contexto de la elección de su iglesia por parte de Dios.[6] Su maestro, Martín Lutero, también había establecido claramente el Evangelio en un contexto anterior de creación, caída y promesa.[7]

Creación y los Atributos de Dios

Los reformadores protestantes del siglo XVI siguieron generalmente el tren de muchos padres de iglesia y varios escolásticos medievales (con alguna crítica de ambos) al enfatizar la bondad original de la creación y su caída como el contexto para su redención por Cristo, el agente de la creación. Entendieron que, a pesar de su extensión y complejidad, el orden creado es temporal y finito y depende directamente de un poder que está fuera de él y por encima de él. Este poder trascendente, cuya obra creativa es el comienzo del primer capítulo del Génesis, se consideraba como el Dios trino (aunque algunos pensaban que no se podía derivar la Trinidad solamente del Génesis 1:26).[8] Solamente Elohim es eterno e infinito, no depende de nada fuera de sí mismo.

---

[4] Juan Calvino, *Calvin's Commentaries*, vol. 1, *Commentary on Genesis*, trad. John King (1844–1856; repr., Grand Rapids, MI: Baker, 1979), 64. Para una edición en español, véase Juan Calvino, *Comentario sobre Génesis*. San José: CLIR, 2015.

[5] Heinrich Bullinger, *The First Decade, in The Decades of Heinrich Bullinger,* ed. Thomas Harding (1849–1852; repr., Grand Rapids, MI: Reformation Heritage Books, 2004), 42, 43.

[6] Felipe Melanchthon, *Initia doctrinae physicae*, CR 13, 199. Este trabajo es discutido por Dino Bellucci, *Science de La Nature et Réformation: La physique au service de la Réforme dans l'enseignement de Felipee Mélanchthon* (Roma: Edizioni Vivere In, 1998), 129–94.

[7] Martín Lutero, "Preface to the Old Testament" (1523, rev. 1545), en *Martin Luther's Basic Theological Writings*, ed. Timothy F. Lull, 2nd ed. (Minneapolis: Fortress, 2005), 114–15.

[8] Juan Calvino, sin embargo, pensó que no estaba bien fundado para hacer esta identificación directa entre Elohim y la Trinidad; ver su *Commentary on Genesis*, 1:70. Y, sin embargo, en otro lugar, en la*Institución,* Calvino mencionó que la frase "hagamos al hombre a nuestra imagen" sugiere que más de una persona subsiste en Dios (1.13.24). Probablemente, Calvino quiso decir que, aunque no podamos leer la doctrina completa del Nuevo Testamento acerca de la Trinidad en el Antiguo, sin embargo, algunos aspectos de ella son insinuados. Zuinglio, que era exegéticamente menos cuidadoso que Calvino (cuyo ministerio comenzó algunos años después de la muerte de Zuinglio), enseñó que la frase "Hagamos al hombre a nuestra imagen" (Génesis 1:26) se refiere a la Trinidad en su sermón de 1522 *Of the Clarity and Certainty or Power of the Word of God,* traducido al inglés en *Zwingli and Bullinger: Selected Translations with Introductions and Notes,* ed. G. W. Bromiley, LCC 24 (Philadelphia: Westminster, 1953), 59. Bullinger encontró

En otras palabras, vieron que la auto existencia eterna de Dios (tradicionalmente llamada *aseidad*, es decir, que existe en y por sí mismo, sin dependencia de nada fuera de su propio ser) se demuestra (1) en la obra de la creación, y (2) en los nombres que se le dan en los libros de Moisés, especialmente aquellos que relacionan a obra de la creación.

(1) La Creación de la nada demuestra la Autoexistencia de Dios

Juan Calvino, por ejemplo, señaló que el verbo hebreo preciso utilizado para la creación de Dios (*bará*) se refiere a hacer todas las cosas de la nada—a veces en la tradición teológica posterior, llamada *creación absoluta* —y es un milagro reservado a Dios, mientras que un verbo diferente, *yatsár*, significa "enmarcar o formar" (con materiales preexistentes)— más tarde llamado *creación secundaria*. *Bará* (en la estructura Qal) se usa en las Escrituras sólo para describir la actividad de Dios, mientras que *yatsar* se puede usar para describir la actividad de los humanos o de Dios.[9]

En sus *Sermones sobre los Capítulos del Génesis 1-11*, Calvino resumió este punto en términos más simples para su congregación en Ginebra:

> Es por eso que Moisés dice que Dios creó los cielos y la tierra. Ahora, cuando usa la palabra "crear", indica que no existe el ser a menos que sólo exista en Dios.... Esta palabra "crear" nos dice que la existencia reside sólo en Él. Porque todo lo que tuvo un comienzo no es en sí mismo, es decir, no tiene nada propio, sino que su ser deriva de algo más.[10]

(2) La Autoexistencia de Dios sugerida por sus Nombres

Los diversos nombres atribuidos a Dios en Génesis y Éxodo—Elohim y particularmente el "nombre de pacto (o redención)" que le da a su pueblo elegido, Yahveh (o Jehovah) —se entendieron como la existencia eterna de Dios. Esto no era nada nuevo para los reformadores. Los Padres de la Iglesia habían visto mucho antes el significado de estos nombres divinos. Uno de los primeros reformadores protestantes, William Tyndale, traductor de todo el Nuevo Testamento y de las primeras secciones del Antiguo (cuyo trabajo fue en gran parte asumido por los traductores de la Versión Autorizada de 1611), discutió el significado del nombre Jehovah: "Jehovah es el nombre de Dios, y ninguna criatura es llamada así. Y es tanto como decir que uno es de sí mismo, y no depende de nada. Además, tan a menudo como ustedes ven SEÑOR

---

evidencia similar para la Trinidad en Génesis 1:26 en el tercer sermón de su *Fourth Decade*, en *The Decades of Henry Bullinger*, 2:135. El uso de Bullinger de los textos del Antiguo Testamento para establecer la doctrina de la Trinidad es cuidadosamente discutido por Mark Taplin, "Bullinger on the Trinity: 'Religionis Nostrae Caput et Fundamentum,'" en *Architect of Reformation: An Introduction to Heinrich Bullinger*, 1504–1575, ed. Bruce Gordon and Emidio Campi, Texts and Studies in Reformation and Post-Reformation Thought (Grand Rapids, MI: Baker Academic, 2004), 67–99. Lutero enseñó en *Lectures on Genesis,* al comentar en Génesis 1:26, que "hagamos" se refiere a los consejos dentro de la Trinidad, pero sus comentarios sobre Génesis 3:22 son juiciosos, donde dice que Génesis 1:26 indica "una pluralidad de personas, o.... la Trinidad", sin embargo, agrega: "Pero estos misterios se desarrollan más definitivamente en el Nuevo Testamento." *Lectures on Genesis* Capítulos 1–5, LW 1:58–59, 223.

[9] Calvino, *Commentary on Genesis*, 1:70.

[10] Juan Calvino, *Sermons on Genesis1:1–11:4: Forty-Nine Sermons Delivered in Geneva between 4 September 1559 and 23 January 1560*, trad. Rob Roy McGregor (Edinburgh: Banner of Truth, 2009), 10, 11.

en grandes letras (excepto que haya un error en la impresión), es en el hebreo Jehová, tú que eres, o el que es."[11]

Bullinger discutió este nombre de manera similar:

> Entre todos los nombres de Dios más excelentes que ellos nombran es el *Tetragrammaton*, es decir (si podemos decirlo así), el nombre de cuatro letras: porque se compone de las cuatro letras espirituales, y se llama JEHOVAH. Éste se deriva del verbo sustantivo, *Hovah*, ante el cual ponen *una Yod*, y lo convierten en Jehovah, es decir, El Ser, o Yo soy, como lo es *autousia*, un ser de sí mismo; sin la ayuda de nadie para hacer que Él exista, pero haciendo que existan todo tipo de cosas; a saber, Dios eterno, sin principio ni fin, en quien vivimos, nos movemos y tenemos nuestro ser. A esto pertenecen esas palabras especialmente.... Y Dios le dijo a Moisés: "Yo Soy el que Soy"; o, Seré quien Seré.... Es decir, yo soy Dios que será, y él me ha enviado quién es el mismo Ser, o Esencia, y Dios eterno.[12]

O como dice Calvino, "la Deidad en un sentido absoluto existe por sí misma."[13] El significado de los nombres divinos indica esta cualidad esencial del Dios viviente: aseidad. Sólo Dios es Dios; solo Él posee los atributos de eternidad y auto existencia, de poder omnipotente y omnisciente. Estos atributos nunca deben atribuirse a lo que Él creó mediante ese poder trascendente.

La Enseñanza de los Reformadores Contrastada con las Teorías Evolutivas Posteriores

Antes de estudiar la enseñanza de los reformadores sobre la imagen divina en la humanidad, debemos considerar brevemente la brecha intelectual masiva entre su confianza en el significado claro de las Sagradas Escrituras y el rechazo de la posterior a la Ilustración de su autoridad en cuanto a sus afirmaciones históricas y científicas de la verdad. La Ilustración del siglo XVIII (especialmente en sus fases finales), colocó los poderes de la razón humana por encima de la revelación divina de tal manera que rechazó gran parte de la cosmovisión bíblica y la reemplazó con las teorías actuales de aquellos que estaban en ese momento en la vanguardia intelectual.

Por esa razón, particularmente con el desarrollo del deísmo (que excluyó la intervención de Dios en el mundo natural), muchos rechazaron abiertamente los relatos milagrosos y especialmente bíblicos de la creación divina en el espacio de seis días hace sólo unos pocos miles de años. Aquellos que sintieron que necesitaban llegar a un acuerdo con estas formas tempranas de lo que luego se llamaría "secularismo" se enfrentaron con el problema difícil de las reinterpretaciones propuestas de milagros y creación divina. Las dos cosmovisiones eran incompatibles: la creencia en la intervención divina y la creencia en el secularismo (también conocido como naturalismo) presentaban versiones contrarias del significado de la naturaleza en general y del significado de la humanidad en particular.

Cualquier lectura seria de los reformadores mostrará que desarrollaron su doctrina sobre la base de la cosmovisión bíblica tradicional con su compromiso de la

---

[11] Desde el *Pentateuch* de Tyndale (alrededor de 1530), citado en David Daniell, *William Tyndale: A Biography* (New Haven, CT: Yale University Press, 1994), 284.

[12] Sermon 3 de *The Fourth Decade*, en *The Decades of Henry Bullinger*, 2:130, 131.

[13] Calvino, *Institución*, 1.13.25.

intervención de Dios en el reino natural y su fiel descripción de ello en la Sagrada Escritura. Por supuesto, Lutero, Calvino y los demás reformadores conocían bien las formas antiguas de las explicaciones seculares del cosmos, como las teorías atómicas de Demócrito y Lucrecio, que no tenían ningún origen en Dios, ni a ningún milagro que pudiera realizar en el mundo. Pero ellos derogaron estas teorías ateas y creyeron que, con la verdad de las Escrituras, estaban parados en la luz divinamente revelada por la cual sólo ellos podían dar sentido a la naturaleza y a la humanidad.

Lo que habrían hecho del deísmo y el evolucionismo unos doscientos o trescientos años después de su tiempo es imposible decir con certeza. Pero puede ser una observación justa sugerir que su compromiso con la enseñanza clara de las Sagradas Escrituras sobre el mundo y sobre los portadores de la imagen de Dios los habría hecho no más amistosos a los filósofos posteriores a la Ilustración que a los antiguos escritores atomísticos, aunque esta sugerencia no constituye una prueba.

Sin embargo, existe esta diferencia importante en lo que respecta a los creyentes de la época de la Reforma y la filosofía antigua: no fue difícil para los pensadores cristianos rechazarla en el siglo dieciséis; casi toda su cultura medieval lo había hecho mucho antes. Pero es mucho más difícil para los cristianos hoy en día rechazar las formas *modernas* de la antigua teoría griega atómica y evolutiva. Eso es porque la mayor parte de la cultura occidental desde aproximadamente 1800 ha sentido que ha tenido que someterse a lo que entendió como la interpretación científica de la realidad natural.[14] A mediados y fines del siglo XIX, cuestionar las afirmaciones científicas reinantes sobre el mundo y cómo funcionaba generalmente se pensaba que lo colocaba en la categoría de ignorancia y oscurantismo (de manera que no fue el rechazo tradicional de los presocráticos) y, por lo tanto, posiblemente para hacer que su presentación del Evangelio sea increíble para su propia generación.

Es por eso que tantos intérpretes cristianos de Génesis 1-11 sintieron que ya no era necesario aceptar el significado claro de los textos bíblicos sobre la creación del cosmos y de Adán y Eva. Al reinterpretar las doctrinas fundamentales de las Escrituras, ya no necesitaban depender directamente de cómo Lutero, Calvino, Bullinger y los demás reformadores expusieron estos pasajes.

Así que a medida que estudiamos los detalles de la enseñanza de la Reforma en el hombre a imagen de Dios, es útil tener en cuenta el panorama general, es decir, una cosmovisión que rechaza una gran parte de lo que estos maestros de la iglesia creían y enseñaban sobre la creación. Pero este no es el lugar para exponer en profundidad estas diferencias presuposicionales cruciales que siempre están cerca de la forma en que leemos la doctrina de la creación y la imagen de Dios de los reformadores e influimos directamente en lo que hacemos de sus enseñanzas.[15]

---

[14] T. F. Torrance ha realizado un trabajo innovador sobre el verdadero significado de la ciencia, como en *Theological Science* (London: Oxford University Press, 1969). Demuestra que la verdadera ciencia no es lo mismo que las teorías todavía populares del dualismo posnewtoniano (que rechazaron de inmediato la creación divina y otros milagros). Señala que esta última forma de deísmo ha sido superada desde la década de 1920 por la nueva física introducida por Einstein. Una encuesta particularmente útil de esta diferencia es su ensayo "Newton, Einstein, and Scientific Theology," cap. 8 en Torrance, *Transformation and Convergence in the Frame of Knowledge: Explorations in the Interrelations of Scientific and Theological Enterprise* (Grand Rapids, MI: Eerdmans, 1984), 263–83. Es muy posible que muchos teólogos cristianos, en su sincero deseo de estar de acuerdo con la "ciencia", hayan tomado rápidamente, sin una cuidadosa consideración, una clase de ciencia popular que no refleje la lectura actual de mucha ciencia desde la década de 1920 Es posible que hayan estado en un terreno más seguro para haber seguido a los reformadores en su aceptación de la simple lectura histórico-literal de la Escritura.

[15] Después de muchos otros, he intentado tratarlo con algún detalle en otro lugar, en *Creation and Change: Genesis 1.1–2.4 en The Light of Changing Scientific Paradigms* (Fearn, Ross-shire, Scotland: Mentor, 1997).

Así que, sin rastrear el desarrollo de la interacción posterior a la Ilustración entre los puntos de vista cambiantes de la ciencia y la teología cristiana, una referencia destacada podría ser suficiente para mostrar lo que sucedió cuando gran parte de la iglesia capituló la enseñanza evolutiva en el siglo XIX. Nigel Cameron, por ejemplo, en su *Evolución y la autoridad de la Biblia*, muestra cómo casi todos los comentaristas protestantes en Gran Bretaña dentro de los veinte años de la publicación de *El origen de las especies* de Darwin reinterpretaron drásticamente Génesis 1-11 para permitir la teoría de la evolución.[16] Pero uno respira una atmósfera totalmente diferente en los comentarios sobre Génesis de Lutero, Calvino y Capito, el reformador de Estrasburgo y amigo de Juan Calvino.[17]

Permítanme sugerir algunos puntos que, yo argumentaría, demostrando que lo que los reformadores escribieron sobre la creación y la imagen de Dios es finalmente incompatible con la teoría de la evolución. En primer lugar, buscaron basar su enseñanza en una interpretación directa literal-histórica del texto relevante de las Escrituras. Lo hicieron en oposición a gran parte de las representaciones alegóricas medievales de los textos bíblicos. Ellos creían que lo que los diversos textos de la Escritura exponían debían ser entendidos por medio de una lectura simple de los idiomas originales, hebreo y griego.

Así, en sus comentarios sobre Génesis, por ejemplo, Lutero y Calvino aceptaron claramente la enseñanza de la creación directa de todas las cosas por Dios en el espacio de seis días hace sólo unos pocos miles de años.[18] Ese es el significado definitivo del Texto Sagrado. Estirar la edad del cosmos a miles de millones de años (para acomodar las vastas edades requeridas por la teoría evolutiva) requiere un nuevo tipo de procedimiento alegórico "creativo" que nunca fue practicado por Lutero o Calvino.

Segundo, en sus comentarios sobre Génesis y Romanos, y en otros lugares, los reformadores magistrales enseñaron el significado central de la autoridad de Adán sobre la raza humana, y así el significado de su caída (en la cual toda su posteridad cayó con él) como trasfondo de la gloriosa obra de redención por medio de Cristo, el segundo Adán. El primer pecado de Adán trajo la decadencia, la enfermedad y la muerte, según las Escrituras, y ese es el relato del pecado y la salvación que siguieron los reformadores El pecado fue el origen del mal; no era el contexto del mundo pre-caído.

Ellos entendieron que el lugar de Adán, el primer portador de la imagen de Dios, su rebelión y sus consecuencias, son cruciales para comprender lo que Cristo, como el último Adán, ha hecho para restaurarnos. Un punto de vista de la humanidad evolucionando gradualmente en algo así como "la imagen de Dios" de una especie inferior en un mundo ya marcado por la lucha y la muerte es contrario a todo lo que los Reformadores enseñaron.

En tercer lugar, de todo lo que escribieron, los reformadores no podrían haber aceptado la transferencia tácita de los atributos de Dios al proceso evolutivo

---

[16] Nigel M. De S. Cameron, *Evolution and the Authority of the Bible* (Exeter: Paternoster, 1983).

[17] Wolfgang Capito, *Hexameron, Sive Opus Sex Dierum* (Argentiae [Strasbourg], 1539 (por desgracia, solo en latín). Es una magnífica exposición de los primeros capítulos del Génesis, y los vincula a Job, los Salmos, Romanos y otros libros bíblicos. Capito también extrae mucho material de fuentes rabínicas, especialmente sus teorías sobre la conexión de la "sabiduría" con la obra de la creación de Dios.

[18] Calvino expone esta posición en *Institución*, 1.14.

autosuficiente.[19] Pero esto es precisamente lo que sucede en la enseñanza evolutiva abiertamente atea, aunque los evolucionistas teístas tratan de evitarla lo mejor que pueden. Sin embargo, los evolucionistas teístas, a pesar de sus buenas intenciones, son incapaces de tomar una lectura tan directa del texto bíblico como hicieron los reformadores.

Sin olvidar el panorama general de las cosmovisiones incompatibles, vayamos ahora, en el tren de los reformadores, a ver cuál es el significado histórico simple de los textos bíblicos relevantes que nos enseñan acerca de la creación del hombre a la imagen de Dios. Digamos humildemente con Samuel de antaño: "Habla, Señor, porque tu siervo oye" (1 Samuel 3:9). Esa actitud yace en la base de la doctrina de la Reforma de la imagen de Dios.[20]

El Contenido de la Imagen de Dios en la Humanidad

Los reformadores del siglo XVI generalmente estuvieron de acuerdo en que el hombre fue creado en inocencia y belleza por Dios en el sexto día de la creación.

MARTÍN LUTERO (1483-1546) Y HULDRYCH ZUINGLIO (1484-1531)

El primer reformador, Martín Lutero, fue claro al respecto. En uno de sus sermones, habló de la pureza de esta imagen original en la humanidad:

> Tal imagen de Dios en Adán fue cuando fue creado por primera vez. Él era, en cuanto al alma, veraz, libre de error y provisto de verdadera fe y conocimiento de Dios; y en cuanto al cuerpo santo y puro, es decir, sin los impuros sucios deseos de avaricia, lascivia, envidia, odio, etc. Y todos sus hijos —todos hombres— habrían permanecido así desde su nacimiento si no hubiera sufrido a sí mismo ser desviado por el diablo y arruinado.[21]

En sus *Lectures on Genesis 1-5*, Lutero habló de la dignidad de la humanidad sobre todas las demás criaturas, indicada por el hablar de Dios en su interior como un "consejo divino" que corresponde a una obra muy importante.[22] Luego, Lutero sacó de "Sobre la Trinidad" (libros 9-11) de Agustín, al decir que

> la imagen de Dios son los poderes del alma: la memoria, la mente o el intelecto, y la voluntad. . . .. Por lo tanto, la imagen de Dios, según la cual Adán fue creado, era algo mucho más distinguido y excelente, ya que obviamente ninguna lepra del pecado se

---

[19] Tenga en cuenta las referencias citadas arriba sobre este problema de Bullinger y Calvino.

[20] Existe una evidencia creciente de que, aunque la teoría de la evolución sigue siendo la lectura mayoritaria de nuestra "cultura científica", la evolución ya no está más allá del serio desafío científico y filosófico. Hasta la década de 1950, la mayoría de los evangélicos pensaba que era intelectualmente irresponsable argumentar en contra de la evolución a favor de una visión literal de la creación de seis días. Pero desde la década de 1960 se ha realizado un trabajo muy significativo contra la teoría de la evolución y para la creación especial. Comenzó entre los "científicos de la creación" fundamentalistas y luego, en los años ochenta, se volvió más convencional con los científicos, abogados y filósofos del "diseño inteligente". Solo el tiempo dirá si este es el comienzo de un cambio de paradigma, pero si es así, el compromiso de los Reformadores con la enseñanza histórica y literal del Génesis sobre la creación del hombre en la imagen divina puede volver a extenderse una vez más.

[21] *Sermons of Martin Luther*, ed. John Nicholas Lenker, vol. 8, *Sermons on Epistle Texts for Trinity Sunday to Advent with an Index of Sermon Texts in Volumes 1–8* (Grand Rapids, MI: Baker, 1989), 309.

[22] Lutero, *Lectures on Genesis Chapters* 1–5, LW 1:55–61.

adhería ni a su razón ni a su voluntad. Tanto sus sensaciones internas como externas fueron del tipo más puro.[23]

El recuento de Zuinglio de la imagen era muy parecido a la de Lutero, aunque con menos detalles. Puso la imagen principalmente en la mente, discutiéndola en su*Of the Clarity and Certainty or Power of the Word of God* [De la Claridad y la Certeza o del Poder de la Palabra de Dios].[24]

WILLIAM TYNDALE (1494–1536)

El primer reformador inglés William Tyndale es más notable por su magnífica traducción de todo el Nuevo Testamento y de la primera mitad del Antiguo a un inglés claro y bello, trabajando con los mejores textos griegos y hebreos de su tiempo (en lugar de la versión latina de la Vulgata). Sus traducciones, como ha declarado David Daniell, son "el fundamento de todas las Biblias en inglés sucesivas, incluida la célebre versión autorizada 1611, o versión del Rey Santiago, de la cual el Nuevo Testamento es 83% de Tyndale."[25] Tyndale fue, en muchos aspectos, un seguidor de mucho, aunque no de todo, lo que escribió Lutero, particularmente en asuntos relacionados con la justificación por la fe. Donald Dean Smeeton ha tratado de minimizar la influencia de Lutero sobre Tyndale, con el interés de enraizarlo en el trabajo de Wyclif y los Lollards.[26] Pero David Daniell ha criticado este énfasis de Smeeton, quien, argumenta, "separa ansiosamente a Tyndale de Lutero."[27]

De cualquier manera, lo que Lutero enseñó sobre la creación del hombre a imagen de Dios probablemente fue llevado a cabo por Tyndale en los relativamente pocos lugares donde lo mencionó. Por lo general, se refería a la imagen de Dios en el contexto de nuestra relación con Cristo. Típicamente, en su segunda carta a Frith, Tyndale exhortó, "Tengan la imagen de Cristo en su cuerpo mortal, para que a su llegada sea semejante a la suya."[28] Y en su prólogo al Sermón del Monte, escribió: "Creer en la sangre de Cristo para la remisión del pecado... [es] la nueva generación [es decir, el nuevo nacimiento] y la imagen de Cristo."[29] En su *Obediencia de un hombre cristiano*, dijo, refiriéndose a Colosenses 3: "Vestíos del hombre nuevo, que se renueva a imagen del que lo hizo (es decir, Cristo)."[30]

Pero Tyndale también atribuyó la imagen directamente a Dios el Padre. Anteriormente en su prólogo al Sermón del Monte, habló de nosotros amando "a nuestros hermanos por amor a nuestro Padre, porque fueron creados a su imagen".[31] En su prólogo al Evangelio de Mateo, combinó la "imagen de Dios" tanto en términos de nuestra creación a la imagen del Padre como en términos de nuestro deber cristiano de mostrar misericordia.[32]

---

[23] Ibid., LW 1:62.

[24] Zuinglio, *Of the Clarity and Certainty or Power of the Word of God*, 59–68.

[25] David Daniell, "Introduction," en *William Tyndale, The Obedience of a Christian Man*, ed. David Daniell (London: Penguin, 2000), xix.

[26] Donald Dean Smeeton, *Lollard Themes in the Reformation Theology of William Tyndale*, Sixteenth Century Essays and Studies 6 (Kirkville, MO: Sixteenth Century Journal Publishers, 1986).

[27] Daniell, *William Tyndale: A Biography*, 393n24.

[28] Robert Demaus, *William Tyndale: A Biography* (1871; repr., Nashville: Cokesbury, 1927), 429, 430

[29] Ibid., 398.

[30] Tyndale, *Obedience of a Christian Man*, 149.

[31] *William Tyndale: Selected Works* (1831; repr., Lewes, East Sussex: Focus Christian Ministries, 1986), 136.

[32] Ibid., 304.

JUAN CALVINO (1509–1564)

La enseñanza de Juan Calvino sobre la imagen de Dios es, por supuesto, mucho más completa y sistemática que la de Tyndale, quien, a pesar de ser un teólogo capaz, floreció antes en la Reforma y sirvió principalmente como traductor y así escribió ocasionalmente libros y ensayos. Calvino, el expositor y teólogo bíblico magisterial, sostuvo que, en lo que respecta al hombre, "el lugar apropiado de su imagen [es decir, la de Dios] está en el alma."[33] Calvino entendió que "alma" y "espíritu" eran esencialmente lo mismo y lo consideraban como "separable del cuerpo".[34] Creía que la conciencia humana, que teme el juicio, es un testigo del sentido de la inmortalidad de un ser humano.[35]

En la exposición de Génesis 1:26 de Calvino, él negó cualquier diferencia real en el significado entre "imagen" y "semejanza". A diferencia de San Ireneo, Agustín, y algunos de los escolásticos medievales que siguieron a Ireneo y a Agustín en el siglo II, Calvino tuvo razón, trabajando desde una comprensión renacentista del hebreo, que "imagen" y "semejanza" eran palabras paralelas, explicativas entre sí (o *epexegéticas*, para usar una palabra más moderna): "Primero, sabemos que las repeticiones eran comunes entre los hebreos, en el que expresan una cosa dos veces; luego en la misma cosa, no hay ambigüedad, simplemente el hombre se le llama imagen de Dios porque es como Dios."[36] Calvino pasó a discutir los términos paralelos originales en hebreo (*tsélem* y *demút*):

> Porque, cuando Dios determinó crear al hombre a su imagen, que era una expresión bastante oscura, él por explicación lo repite en esta frase, "según su semejanza", como si dijera que iba a hacer al hombre, en quien él se representaría a sí mismo como en una imagen, por medio de marcas grabadas de semejanza.[37]

Thomas F. Torrance argumenta que Calvino empleó la palabra "grabada" en el sentido de "reflejar" a Dios, en lugar de poseer la imagen en y de sí mismo.[38] Esto parece ser consistente con el concepto de Calvino en la *Institución*: "El hombre fue creado, por lo tanto, a la imagen de Dios, y en él, el Creador se complació en contemplar como en un espejo su propia gloria."[39] Pero al mismo tiempo, Calvino insistió en que la imagen es interna para el hombre: "La semejanza debe estar dentro de sí mismo. Debe ser algo que no es externo a él, sino que es propiamente el bien interno del alma."[40] Por lo tanto, es mucho más que el brillo meramente superficial de un rostro sobre un vidrio. Es decir, quiénes somos y cómo debemos vivir está formado por el carácter de nuestro Dios Creador.

Ser hechos a la imagen del carácter de Dios se ve en nuestra obligación de reflejar la bondad del Señor a todas las personas: "No debemos considerar que los hombres

---

[33] Calvino, *Institución*, 2.15.3.

[34] Ibid., 1.15.2.

[35] Ibid.

[36] Ibid., 1.15.3.

[37] Ibid.

[38] "No hay duda de que Calvino siempre piensa en la *imago* en términos de espejo. Solo cuando el espejo realmente refleja un objeto tiene la imagen de ese objeto. No hay tal cosa en el pensamiento de Calvino como una *imago* disociada del acto de reflexión. Utiliza expresiones como grabar y esculpir, pero solo en un sentido metafórico y nunca se disocia de la idea del espejo". T. F. Torrance, *Calvin's Doctrine of Man* (London: Lutterworth, 1949), 36–37.

[39] Calvino, *Institución*, 2.12.6.

[40] Ibid., 1.15.4.

merecen más que mirar la imagen de Dios en todos los hombres, a la que debemos todo honor y amor... Por lo tanto, cualquier hombre que conozcas, que necesite tu ayuda, no tienes motivos para negarte a ayudarlo."[41]

Calvino interpretó Génesis 1:26 a la luz de la discusión del Nuevo Testamento sobre la renovación de la imagen viciada en Cristo. Por lo tanto, es necesario mirar al Cristo encarnado, para "ver más claramente aquellas facultades en las que el hombre sobresale, y en las cuales debe pensarse que es el reflejo de la gloria de Dios" (Calvino se refirió a Ef. 4:24 y Col. 3:10). Agregó,

> Ahora debemos ver lo que Pablo comprende principalmente bajo esta renovación. En primer lugar, postula el conocimiento, luego la justicia pura y la santidad. De esto inferimos que, para empezar, la imagen de Dios era visible a la luz de la mente, en la rectitud del corazón y en la solidez de todas las partes.

Después de citar 2 Corintios 3:18, afirmó: "Ahora vemos cómo Cristo es la imagen más perfecta de Dios; si nos conformamos a ella, estamos tan restaurados que con verdadera piedad, rectitud, pureza e inteligencia llevamos la imagen de Dios."[42]

Calvino no negó totalmente que algún destello de la imagen de Dios brillara en el cuerpo del hombre[43] o que el dominio sobre el resto del orden creado estuviera conectado a él,[44] pero no puso énfasis en ninguno de estos dos aspectos, sino que se enfocó en lo espiritual: "La gloria de Dios brilla peculiarmente en la naturaleza humana donde la mente, la voluntad y todos los sentidos representan el orden divino."[45]

Henry Bullinger (1504–1575)

Bullinger y Calvino eran colegas y amigos. Calvino dirigió la iglesia en Ginebra, y Bullinger (sucesor de Zuinglio) dirigió la iglesia en Zúrich. Ambos fueron ejemplos de la predicación de la Reforma; su compromiso con la Sagrada Escritura fue el mismo; y ambos eran agustinianos en teología. La predicación de Bullinger fue muy influyente en la iglesia de Inglaterra en la última mitad del siglo XVI.[46]

---

[41] Ibid., 3.7.6

[42] Ibid., 1.15.4.

[43] Calvino dijo brevemente en *Institución,* 1.15.4, que "no había parte del hombre, ni siquiera el cuerpo mismo, en el que algunas chispas no brillaban". Anteriormente dijo, cuando citó a Ovidio: "Y si alguien desea incluirlo bajo la 'imagen de Dios' el hecho de que mientras todos los demás seres vivos están inclinados hacia la tierra, al hombre se le ha levantado la cara, se le ha pedido mirar hacia el cielo y levantar su rostro hacia las estrellas, no contenderé demasiado". *Institución,* 1.15. 3, citando a Ovid, *Metamorphoses* 1.84ff.

[44] Calvino se refirió a que a la humanidad (hombre y mujer) se le dio el dominio sobre los animales, pero con muy poca discusión, en *Sermons on Genesis 1–11*: "Ahora, para el segundo tipo de bendición: Dios le da al hombre y a la mujer dominio sobre los animales... Dios dice: 'He aquí, yo los he hecho señores y señores incluso sobre todos los animales. No solo ustedes viven de los frutos de la tierra, pero también gobernarás sobre las aves del aire." *Sermons on Genesis* 1:1–11:4, 104.

[45] Calvino, *Commentary on Genesis*, 1:96.

[46] Los famosos cincuenta sermones de Bullinger, *The Decades,* "En 1588, el arzobispo de Canterbury, John Whitgift, redactó instrucciones para los llamados al ministerio, a los que tituló *Orders for the better increase of learning in the inferior Ministers*. Los clérigos menores y aquellos que deseaban obtener la licencia de predicadores públicos que no tenían una educación teológica recibieron la orden de obtener una Biblia, una copia de las Décadas de Bullinger y un cuaderno de ejercicios en blanco. El arzobispo les dijo a los candidatos que deben leer un capítulo de la Biblia todos los días, anotando lo que habían aprendido en su cuaderno de ejercicios. Cada semana, deberían leer uno de los libros de Bullinger y tomar notas apropiadas sobre lo que habían aprendido; luego, una vez por trimestre, deben reunirse con su tutor para analizar sus lecturas y notas y recibir sus instrucciones adicionales." Harding, "Introduction," en *The Decades of Henry Bullinger*, 1: lxvi.

Bullinger era como Calvino porque localizaba principalmente la imagen de Dios que está en el hombre en el alma. Basándose en Génesis 2:7, Bullinger declaró: "Porque el soplo de la vida significa el alma viviente y razonable, es decir, el alma del hombre, que ves soplar o verter en el cuerpo cuando está formado."[47]

Bullinger vio dos aspectos del alma: la vivificación física y la orientación intelectual. El alma, en el primer sentido, anima el cuerpo, de modo que "comprende los poderes vegetativos y sensibles, por medio de los cuales da vida al cuerpo."[48] Pero también tiene poderes intelectuales para la vida humana a la imagen de Dios: "Además, el alma tiene dos partes, distinguidas en oficios, y no en sustancia; a saber, comprensión y voluntad; y por eso dirige al hombre."[49] En otra parte dijo, "Hubo en nuestro padre Adán antes de su caída la misma imagen y semejanza de Dios; cuya imagen, tal como la expone el apóstol, fue una conformidad y participación de la sabiduría, la justicia, la santidad, la verdad, la integridad, la inocencia, la inmortalidad y la felicidad eterna de Dios."[50] Al igual que Calvino aquí, y a diferencia de Agustín, Bullinger entendió que "imagen" y "semejanza" eran paralelas, no diferentes.

PIERRE VIRET (1511–1571)

Pierre Viret de Lausanne fue un colega cercano a Calvino y frecuente corresponsal, y en un momento incluso sirvió como asistente de Calvino en Ginebra. Viret escribió el relato más completo y tal vez el más interesante de la creación del hombre a la imagen de Dios de cualquier líder de la Reforma del siglo XVI. En el tercer volumen de sus obras (publicado en francés en 2013), Viret dedicó casi 350 páginas a diversos aspectos de la creación del hombre a la imagen de Dios.[51]

Él creía que el "consejo ejecutivo divino" mencionado en Génesis 1:26 implica una discusión dentro de la Trinidad, aunque, añadió Viret, la referencia tan temprana en la Escritura a la Trinidad es "algo vaga."[52] Dijo que, dado que, a diferencia de otras criaturas, el hombre es tanto físico como espiritual, es una especie de "microcosmos" del mundo entero.[53]

Viret dedicó la mayor parte de este tratado a un bosquejo, en considerable detalle, de "el edificio exterior del cuerpo humano."[54] Gran parte de su interés en el cuerpo se debía a que el Señor lo había planeado como un templo digno para la encarnación de su Hijo. Como si se tratara de un manual de anatomía macroscópica, Viret cubrió partes del cuerpo tales como ligamentos, cartílagos y nervios.[55] Hizo una lista de los pies y las piernas del hombre que le permite mantenerse de pie y sus manos como "la causa de la ciencia y la sabiduría."[56] Mencionó brevemente los órganos sexuales, el

---

[47] Bullinger, sermón 10 de *The Fourth Decade*, in *The Decades of Henry Bullinger*, 2:375.

[48] Ibid., 2:376.

[49] Ibid.

[50] Bullinger, sermón 10 de *The Third Decade*, in *The Decades of Henry Bullinger*, 1:394.

[51] Pierre Viret, *Instruction Chrétienne, Tome Troisième*, ed. Arthur-Louis Hofer (Lausanne: L'Age D'Homme, 2013), 405–742.

[52] Ibid., 428.

[53] Las palabras de Viret para esto son que el hombre es "l'image de tout le monde et de tout l'univers qui et en lui" ("la imagen del mundo entero, y del universo entero que está en él", traducción del autor.) Ibid., 430.

[54] Ibid., 475–743.

[55] Ibid., 479, 489–93, 507–13.

[56] Ibid., 494–95.

estómago y el útero para transmitir y nutrir la vida física.[57] Él se ocupó de la carne, los músculos y las glándulas. Él discutió la providencia de Dios en la formación de los senos de las mujeres (y las glándulas que los sostienen). Él habló sobre la utilidad del cabello. Él declaró cómo la belleza física se une a la utilidad y la comodidad del cuerpo humano.[58]

Luego, Viret expuso ampliamente nuestros cinco sentidos corporales: vista, oído, olfato, gusto y tacto.[59] No es necesario estudiar sus enseñanzas aquí, excepto para señalar que pasó a discutir los instrumentos de nuestros cinco sentidos como particularmente reflejando la vida del Dios trino. Por ejemplo, mostró cómo la lengua y la utilidad de los lenguajes humanos reflejan al Dios trino, en quien está "la Palabra."[60] A menudo, en estas páginas, Viret se involucró en analogías creativas, como, por ejemplo, su comparación de la necesidad de nutrición física para nuestros cuerpos y la utilidad de los sacramentos.[61]

Sin entrar en los detalles, encontramos a Viret describiendo y aplicando espiritualmente la nariz, la cara y los miembros del cuerpo humano que se le atribuyen a Dios. Habló sobre el cerebro y nuestras sensaciones interiores y dentro de esa sección ofreció interesantes ideas sobre el sentido común, la memoria, la imaginación y cómo el maligno nos perturba interiormente.[62]

Como una evaluación, consideraría que su largo y extenso estudio de la vida corporal y mental del hombre es, por lo que puedo decir, correcto, y aunque no es alegórico (es decir, acepta la realidad completa de ambos aspectos físicos del cuerpo y los eventos del texto de las Escrituras sin evadir el significado de ninguno de ellos), sin duda es más "creativo" que la mayoría del ala calvinista de la Reforma. Quizás podríamos pensar en la larga disquisición de Viret sobre la imagen de Dios en el hombre como una especie de meditación masiva de lo maravillado de David sobre la naturaleza humana en el Salmo 139. Viret ciertamente buscó pensar a través de la relación alma/espíritu/mente y cuerpo y dar una mayor atención al cuerpo en sí mismo, cuestiones que la teología reformada desde el siglo XVI hasta el siglo XXI pudo haber descuidado.

JOHN KNOX (CA. 1513–1572)

El gran reformador escocés John Knox pasó varios años de formación como colega de Calvino cuando estaba en el exilio en Ginebra durante el régimen perseguidor de la reina María Tudor. La idea de Calvino marcó profundamente la teología de Knox para siempre. Si bien Knox prestó poca atención detallada a la imagen de Dios en sus obras, podemos encontrar su enseñanza sobre este asunto representada con precisión en la Confesión escocesa de 1560, de la que fue el autor principal (aunque otros cinco hombres, todos llamados Juan, asistieron en su formulación). Presenta esta doctrina en el artículo 2:

---

[57] Ibid., 511–12. Lutero también habló de algunos de los detalles de las bendiciones de la maternidad en *Lectures on Genesis Chapters* 1–5, LW 1:200–203.

[58] Viret, *Instruction Chrétienne*, 513, 515–26, 529–32.

[59] Ibid., 534–82.

[60] Ibid., 583–611.

[61] Ibid., 631–38.

[62] Ibid., 649–743

Confesamos y reconocemos que este nuestro Dios creó al hombre, a saber, nuestro primer padre Adán, a su propia imagen y similitud, a quienes dio sabiduría, señorío, justicia, libre albedrío y claro conocimiento de sí mismo, como en toda la naturaleza del hombre no puede notarse ninguna imperfección. De ese honor y perfección, ambos cayeron: la mujer siendo engañada por la serpiente, y el hombre obedeciendo la voz de la mujer, ambos conspirando contra la Majestad Soberana de Dios, quien en palabras expresas había amenazado antes con la muerte, si ellos presumen de comer del árbol prohibido.[63]

CONFESIONES CONTINENTALES

La enseñanza de tres confesiones continentales, una de ellas luterana y dos de ellas calvinistas, concuerdan esencialmente con lo que se dice en la Confesión escocesa sobre la creación del hombre a la imagen divina.

La Fórmula de Concordia

Los principales sucesores de Lutero reunieron (en alemán) en 1576 la Fórmula de la Concordia. En el artículo 1 de la sección "Epítome", "Acerca del pecado original", la Fórmula afirma: "Creemos, enseñamos y confesamos que hay una distinción entre la naturaleza del hombre mismo, no sólo porque el hombre fue creado por Dios en el principio puro y santo y libre de pecado, pero también como ahora lo poseemos después de que nuestra naturaleza haya caído."[64] Agrega en el mismo artículo, "Y hoy, no menos Dios reconoce nuestras mentes y cuerpos para ser sus criaturas y su obra; como está escrito (Job 10.8): *'Tus manos me hicieron y me dieron forma por todas partes.'"*[65]

La Confesión Galicana (o La confesión de La Rochelle)

Esta confesión de la iglesia reformada francesa fue preparada por Calvino y su discípulo Antoine de Chandieu (alrededor de 1534-1591) y fue revisada por un sínodo en París en 1559. Fue aprobada por un sínodo en La Rochelle en 1571. En ella se declara: artículo 9: "Creemos que el hombre fue creado puro y perfecto a imagen de Dios, y que por su propia culpa cayó de la gracia que recibió, y así se aparta de Dios."[66]

La Confesión Belga

Esta confesión fue compuesta (en francés) por Guy de Brès (1522-1567) en 1561 para las iglesias reformadas de Flandes y los Países Bajos. Su enseñanza sobre la imagen de Dios en el hombre no es diferente de las otras tres confesiones citadas anteriormente. En el artículo 14 afirma: "Creemos que Dios creó al hombre del polvo de la tierra, y lo formó según su propia imagen y semejanza, bueno, justo y santo, capaz en todo según la voluntad de Dios."[67]

---

[63] Philip Schaff, *The Creeds of Christendom: With a History and Critical Notes*, vol. 3, *The Evangelical Protestant Creeds*, rev. David S. Schaff (1877; reimpr., Grand Rapids, MI: Baker, 1996), 440.

[64] Ibid., 3:98.

[65] Ibid., 3:99.

[66] Ibid., 3:365.

[67] Ibid., 3:398.

La Deformación de la Imagen de Dios en el Hombre por la Caída

La caída de Adán y Eva en el jardín del Edén trajo resultados devastadores para la imagen de Dios, que ellos tenían. Algunas de las confesiones reformadas realmente comienzan con la caída de Adán (aunque obviamente aceptan su creación perfecta por Dios). Ese es el caso con la confesión principal de la iglesia de Inglaterra, los Treinta y Nueve Artículos, y con el influyente Catecismo de Heidelberg.

LOS TREINTA Y NUEVE ARTÍCULOS (1562) Y EL CATECISMO DE HEIDELBERG (1563)

El artículo 9 dice:

> El pecado original no está en el seguimiento de Adán (como los pelagianos hablan en vano); pero es la culpa y la corrupción de cada hombre, que naturalmente se engendra de la descendencia de Adán, por la cual el hombre está muy lejos de la rectitud original, y es de su propia naturaleza ligado al mal, de modo que la carne siempre codicia contra el espíritu, y por lo tanto en cada persona nacida en este mundo, se merece la ira y la condenación de Dios.[68]

De la misma manera, el Catecismo de Heidelberg comienza la historia del hombre con la caída. Fue escrito en 1563 por dos seguidores alemanes de Calvino, Zacarius Ursinio (1534-1583) y Caspar Olevianus (1536-1587). Una pregunta temprana reza:

> Pregunta 6:
> ¿Entonces, Dios creó al hombre malo y perverso?

> Respuesta:
> No; sino que Dios creó al hombre bueno, y según su propia imagen, es decir, en justicia y verdadera santidad; para poder conocer a Dios, su Creador, amarlo de todo corazón, y vivir con Él en la bendición eterna, para alabarlo y glorificarlo.[69]

Ambos documentos de la iglesia están en la corriente principal de la enseñanza de los Reformadores Protestantes sobre la caída del hombre.

MARTÍN LUTERO SOBRE LA DESTRUCCIÓN DE LA IMAGEN

A veces, Lutero parecía decir que la imagen de Dios en el hombre se perdió por completo en la caída, como en sus *Conferencias sobre el Génesis*: "Pero a través del pecado se perdieron tanto la similitud como la imagen."[70] Sin embargo, él no siempre fue tan lejos. En las mismas *Conferencias sobre el Génesis*, admitió que al menos algunos aspectos de ella han permanecido:

> Por lo tanto, incluso si esta imagen se ha perdido casi por completo, todavía hay una gran diferencia entre el ser humano y el resto de los animales.... Por lo tanto, incluso ahora, por la bondad de Dios, este cuerpo leproso tiene alguna apariencia del dominio sobre las otras criaturas. Pero es extremadamente pequeño y muy inferior a ese primer dominio, cuando no había necesidad de habilidad o astucia.[71]

---

[68] Ibid., 3:492, 493.
[69] Ibid., 3:309.
[70] Lutero, *Lectures on Genesis Chapters* 1–5, LW 1:338.
[71] Ibid., 67.

En los Artículos de Smalcald, él dio detalles aún más sombríos sobre los efectos de la caída sobre la humanidad:

> Debemos confesar, como dice Pablo en Rom. 5:11, ese pecado se originó de un hombre, Adán, por cuya desobediencia todos los hombres fueron hechos pecadores, y sujetos a la muerte y al diablo. Esto se llama pecado original o pecado capital. Los frutos de este pecado son las malas acciones que están prohibidas en los Diez Mandamientos.... Este pecado hereditario es una corrupción tan profunda de la naturaleza, que ninguna razón puede entenderlo, pero debe creerse por la revelación de las Escrituras, Sal. 51:5; Rom. 5:12 sqq.; Ex. 33:3; Gen. 3:7 sqq.[72]

BULLINGER SOBRE LA DESFIGURACIÓN DE LA IMAGEN

Bullinger utilizó el lenguaje de "desfigurar" la imagen de Dios. Él escribió,

> El pecado original es la malicia o corrupción que desciende de nuestra naturaleza, que primero nos pone en peligro ante la ira de Dios, y luego nos trae las obras que la Escritura llama las obras de la carne. Por lo tanto, este pecado original no es una acción, ni una palabra, ni un pensamiento; sino una enfermedad, un vicio, una depravación, yo digo, de juicio y concupiscencia; o una corrupción del hombre completo, es decir, del entendimiento, la voluntad y todo el poder del hombre.... Este pecado comienza en y desde Adán; y por esa causa se llama la desobediencia descendente heredada y la corrupción de nuestra naturaleza.[73]

JUAN CALVINO SOBRE LA CORRUPCIÓN DE LA IMAGEN DE DIOS

Calvino enseñó que podemos entender mejor cómo era originalmente la imagen de Dios en nosotros al considerar su restauración en Cristo:

> No hay duda de que Adán, cuando cayó de su estado, fue por esta deserción alienada de Dios. Por lo tanto, a pesar de que garantizamos que la imagen de Dios no fue totalmente aniquilada y destruida en él, sin embargo, estaba tan corrompida que lo que queda es una terrible deformidad. Consecuentemente, el comienzo de nuestra recuperación de la salvación está en la restauración que obtenemos a través de Cristo, quien también es llamado el Segundo Adán por la razón de que Él nos restaura a la integridad verdadera y completa.... Ahora la imagen de Dios es la excelencia perfecta de la naturaleza humana que brilló en Adán antes de su deserción, pero posteriormente fue tan viciada y casi borrada que no queda nada después de la ruina, excepto lo que está confuso, mutilado y plagado de enfermedades.[74]

Calvino sostuvo que la mente, la voluntad y los afectos, aunque deformes, permanecieron en Adán caído, pero que la justicia y santidad puras se perdieron (especialmente a la luz de Efesios 4:24 y Col. 3:10).[75]

Los relatos de Calvino y Lutero sobre los efectos de la caída fueron muy diferentes de los de Tomás de Aquino (1225-1274). Tomás, siguiendo a Alejandro de Hales

---

[72] "Artículos de Smalcald", pt. 3, art. 1, en *The Book of Concord*, citado en *A Compend of Luther's Theology*, ed. Hugh T. Kerr (Philadelphia: Westminster, 1943), 84

[73] Bullinger, *The Third Decade*, in *The Decades of Henry Bullinger*, 1:385.

[74] Calvino, *Institución*, 1.15.4.

[75] Ibid.

(hacia 1185-1245), enseñó que incluso dentro del humano no caído, se necesitaba un don de gracia para permitir al hombre controlar sus "poderes inferiores" (o pasiones) por su razón superior.[76] Como ya no podemos hacerlo, Tomás concluyó que este "don superado" se perdió en el otoño y que fuimos presas de todas las pasiones destructivas del pecado.[77]

Pero no hay ninguna indicación en el texto del Génesis de tal lucha previa entre las pasiones del cuerpo y la mente (o alma). Esta no estaría realmente en armonía con la bondad original y total de la creación. Las enseñanzas de Calvino, Lutero y Bullinger sobre los efectos radicales de la caída sobre la completa persona humana (en lugar de la pérdida de un don de gracia superado) estaban mucho más alineados con una exégesis simple del Antiguo Testamento hebreo y las Escrituras griegas del Nuevo Testamento.

El relato de Aquino sobre la caída en realidad no fue tan superficial como algunos han sugerido. Él habló de "la herida de la naturaleza", que dañó la capacidad del intelecto para recibir la verdad, y afirmó que esto requería "la luz de la gracia."[78] Él no enseñó que la mente del hombre no está caída. Sin embargo, Aquino hizo su mayor énfasis en la pérdida del don superado y no se tomó tan en serio como la Reforma posterior exagera los efectos devastadores de la caída en los portadores de la imagen de Dios. Por lo tanto, desarrolló un recuento bastante diferente de la obra soberana de la gracia regeneradora en la personalidad humana caída.[79]

Ciertamente, Tomás no llegó tan lejos como los Nominalistas posteriores, tal como Gabriel Biel, quien en estilo Pelagiano afirmó que, si después de la caída las conciencias de las personas están intelectualmente confundidas, de modo que sus voluntades están equivocadas, entonces su confusión excusa su pecado,[80] y si buscan hacerlo bien con sus propias luces, pueden hacerlo.[81] En oposición a este tipo de Pelagianismo tardo medieval, la confesión de Augsburgo de 1530 era representativa de la teología de la Reforma cuando decía: "Ellos [es decir, los protestantes] condenan a los pelagianos y otros, que enseñan que sólo por los poderes de la naturaleza, sin el Espíritu de Dios, podemos amar a Dios sobre todas las cosas; también para cumplir los mandamientos de Dios, en lo que respecta a la sustancia de nuestras acciones."[82]

Los reformadores no fueron los primeros en batallar con las visiones pelagianas de la naturaleza humana. Sabían que estaban alineados con los numerosos escritos de

---

[76] Alejandro de Hales llama a esto gracia pre caída, *donum superadditum naturae. Summa Theologica* 2.91.1.3.

[77] Aquino, *Summa Theologiae* 2a2ae.164.2.

[78] Ibid., 2a2ae2.4. Esto ha sido discutido cuidadosamente por Arvin Vos en *Aquinas, Calvin, and Contemporary Protestant Thought: A Critique of Protestant Views on the Thought of Thomas Aquinas* (Grand Rapids, MI: Eerdmans, 1985).

[79] Un estudio de la teoría católica romana del "don superado" es discutido y criticado de manera lúcida por John Murray, "Man in the Image of God," en *Collected Writings of John Murray*, vol. 2, *Systematic Theology* (Edinburgh: Banner of Truth, 1977), 41–45.

[80] Gabriel Biel, *II Sent.* 22.2.2.1: "La ignorancia invencible que va antes de un acto de la voluntad, ya sea positiva o negativa, ya sea de hecho o de derecho, es simplemente excusa del pecado, no solo en ese asunto, sino totalmente" (traducción del autor).

[81] Biel, *II Sent.* 22.2.2.4: "El infiel hace lo que está en sí mismo, mientras que se conforma con la razón y busca con todo su corazón y busca ser iluminado al conocimiento de la verdad, la rectitud y la bondad" (traducción del autor). Le debo estas referencias a Biel a Heiko A. Oberman, *The Harvest of Medieval Theology: Gabriel Biel y Late Medieval Nominalism*, 3rd ed. (Durham, NC: Labyrinth, 1983), 131. Véase la discusión de Oberman sobre esta desviación de las Escrituras, así como de la herencia patrística y tomista, en Ibid., 131-45.

[82] "La Confesión de Augsburg" art. 18, citado en Schaff, *Creeds of Christendom*, 3:19.

Agustín contra los pelagianos. Calvino, por ejemplo, citó a Agustín *Contra Pelagio y Caelesto* al demostrar que "la gracia es anterior a las obras."[83]

Aunque Aquino nunca estuvo tan lejos de la enseñanza del Génesis de los efectos radicales de la caída como Biel y los nominalistas, los reformadores rechazaron gran parte de su posición al no reflejar fielmente el Génesis en este asunto. Melanchthon, por ejemplo, negó la enseñanza de la quinta sesión del Concilio de Trento, que siguió a Tomás al postular esta tendencia de la naturaleza inferior de afirmar su poder sobre la naturaleza superior del hombre, generalmente llamada "concupiscencia".[84] A diferencia de los escolásticos, Melanchthon enseñó que el elemento principal de la imagen deformada no era una "privación" (del don superado de la rectitud original) sino una cantidad de desórdenes internos, como la duda, las omisiones y el espíritu de rebelión contra Dios.[85]

La Imagen de Dios y la Inmortalidad

Calvino era muy característico tanto de la teología tradicional católica[86] como de la reformada al conectar la inmortalidad humana con nuestra creación a la imagen de Dios:

> Ahora, a menos que el alma fuera algo esencial, separado del cuerpo, las Escrituras no enseñarían que moramos en casas de barro [Job 4:19] y al morir dejamos el tabernáculo de la carne, dejando de lado lo que es corruptible.... Porque seguramente estos pasajes y similares que ocurren repetidamente no sólo distinguen claramente el alma del cuerpo, sino que al transferirla el nombre "hombre" indica ser la parte principal.[87]

Bullinger dedicó gran parte de un largo sermón a la realidad y las bendiciones de la vida después de la muerte. Pero su énfasis no fue tanto en la "inmortalidad natural" del alma (en términos, digamos, del argumento platónico) como en el creyente en el contexto de la providencia de Dios, que, en la misericordia invisible, trae con seguridad él a través de todo tipo de maldad terrenal, con su mirada en el objetivo de la gloria inmortal a través y con Cristo.[88]

---

[83] Calvino, *Institución*, 2.3.7.

[84] Concilio de Trento, sesión 5, can. 5 (DH §792).

[85] Felipe Melanchthon, *Loci praecipui theologici nunc denuo cura et diligentia summa recogniti multisque in locis copiose illustrati* (*Loci Communes, tertia aetas*), en *Melanchthons Werke in Auswahl* [Studien-Ausgabe], ed. Robert Stupperich (1559; reimpr., Gütersloh: Bertelsmann, 1955), 2.1.264, 37–265. Esto se explica en Bellucci, *Science de La Nature et Réformation*, 543–54.

[86] Pdero Lombard (alrededor de 1090–1160), "Master of Sentences," proporcionó el principal libro de texto teológico utilizado en las universidades europeas durante los siguientes quinientos años, y los reformadores habrían leído su trabajo como estudiantes. Lombardo, en línea con Agustín (a quien tantas veces ha citado) y toda la tradición patrística, enseñó la inmortalidad del alma, como cuando citó las *Enarrationes in Psalmos*de Agustín, en Sal. 48:15, sermón 2, refiriéndose a la muerte de Cristo: "La muerte que los hombres temen es la separación del alma de la carne, y la muerte que no temen es la separación del alma de Dios". Lombardo, *The Sentences, Book 3: On the Incarnation of the Word of God*, trad. Giulio Silano, Mediaeval Sources in Translation 45 (Toronto: Pontifical Institute of Mediaeval Studies, 2008), 21.68. El enfoque principal de Lombardo no era tanto en la inmortalidad del alma (que, por supuesto, aceptó) sino en el estado del cuerpo del hombre, que estaba animado por el alma. Él escribió "el cuerpo del hombre antes del pecado era mortal e inmortal... porque fue capaz de morir y no morir". Lombardo, *The Sentences, Book 2: On Creation*, trad. Giulio Silano, Mediaeval Sources in Translation 43 (Toronto: Pontifical Institute of Mediaeval Studies, 2008), 19.3.

[87] Calvino, *Institución*, 1.15.2.

[88] Bullinger, sermón 1 de*The Third Decade*, en *The Decades of Henry Bullinger*, vol. 1, pt. 2, 2–111.

La Confesión escocesa afirma la inmortalidad del alma (tanto de los elegidos como de los réprobos) en el artículo 17. De manera similar, el Catecismo de Heidelberg en la pregunta 16 habla del creyente que pasa de la muerte a la vida.

Sin examinar los muchos pasajes bíblicos en ambos Testamentos relativos a la inmortalidad del alma, notemos sólo este texto crucial: "el bendito y único Potentado, el Rey de reyes y Señor de señores; Que sólo tiene inmortalidad" (1 Timoteo 6:15-16 RV). En otras palabras, sólo el Dios trino es *esencialmente inmortal*, pero otorga la inmortalidad a los portadores de su imagen de una manera derivada para reflejar, como criaturas dependientes, su inmortalidad. La inmortalidad humana no es la esencia de los portadores de imagen creados, sino que es un aspecto de su reflejo de Dios. Es decir, su relación con Dios es lo que les da la inmortalidad.

El estudioso de patrística George Dragas muestra que esta fue la enseñanza de San Atanasio en el siglo IV: "Parece claro que la persona humana no es para Atanasio una posesión de una criatura humana *per se*, sino un don dinámico que es mantenido por el Creador Logos. Atanasio habla de ello como un don, cuando nos dice que el *kat 'eikona* ["según la imagen"] implica la transmisión del poder del Logos."[89]

La Restauración de la Imagen de Dios en la Humanidad

Calvino fue representante de la Reforma magistral cuando escribió en su *Comentario sobre 2 Corintios*, específicamente en 3:18, "Observe que el propósito del Evangelio es la restauración en nosotros de la imagen de Dios que había sido anulada por nuestro pecado, y que esta restauración es progresiva y continúa durante toda nuestra vida.... Así, el apóstol habla del progreso que se perfeccionará sólo cuando Cristo aparezca."[90] Calvino, en compañía de otros reformadores, enfatizó el ministerio del Espíritu Santo en la renovación de la imagen de Dios en el creyente. T. F. Torrance resume con precisión a Calvino: "La respuesta del hombre es la obra del Espíritu Santo, quien a través de la Palabra forma la imagen de nuevo en el hombre y forma sus labios para reconocer que es un hijo del Padre."[91]

Lutero escribió en la misma línea:

Pero ahora el Evangelio ha traído la restauración de esa imagen. Intelecto y voluntad, de hecho, se han mantenido, pero ambos están muy deteriorados. Y así el Evangelio nos da a entender que estamos formados una vez más según esa imagen familiar y mejor, porque hemos nacido de nuevo en la vida eterna o más bien en la esperanza de la vida eterna por la fe, para que podamos vivir en Dios y con Dios y ser uno con Él, como dice Cristo (Juan 17:21).[92]

---

[89] George Dion Dragas, *Saint Athanasius of Alexandria: Original Research and New Perspectives*, Patristic Theological Library 1 (Rollinsford, NH: Orthodox Research Institute, 2005), 9. De nuevo, sin entrar en los detalles, muchos teólogos protestantes en el siglo XX negaron la inmortalidad del alma. Si esta negación se relacionó con la filosofía materialista de los siglos XIX y XX, en el espíritu de los saduceos del Nuevo Testamento, requeriría un volumen sustancial en sí mismo para resolverse equitativamente. Sin embargo, mencionaré aquí dos obras de excelente erudición que discuten y defienden una cuidadosa lectura bíblica de la inmortalidad del alma: G. C. Berkouwer, "Inmortality", cap. 7 en *Man: The Image of God* (Grand Rapids, MI: Eerdmans, 1962), y más reciente, Juan W. Cooper, *Body, Soul, and Life Everlasting: Biblical Anthropology and the Monism-Dualism Debate* (Vancouver, BC: Regent College Publishing, 1995).

[90] Juan Calvino, T*he Second Epistle of Paul the Apostle to the Corinthians and the Epistles to Timothy, Titus and Philemon*, trad. T. A. Smail, ed. David W. Torrance y Thomas F. Torrance (Grand Rapids, MI: Eerdmans, 1964), 50.

[91] Torrance, *Calvin's Doctrine of Man*, 80.

[92] Lutero, *Lectures on Genesis* Capítulos 1–5, LW 1:64.

En un sermón sobre Efesios 4: 22-28, Lutero habló de la vida cristiana como una jubilosa recuperación del quebrantamiento de la iniquidad:

> Tampoco nadie puede esperar un remedio, excepto los cristianos, quienes a través de la fe en Cristo comienzan nuevamente a tener un corazón gozoso y confiado hacia Dios. Así entran de nuevo en su relación anterior y en el verdadero paraíso de perfecta armonía con Dios y de la justificación; ellos son consolados por su gracia. En consecuencia, están dispuestos a llevar una vida piadosa en armonía con los mandamientos de Dios y a resistir los deseos y caminos impíos.... Él, por lo tanto, que sería un cristiano debería esforzarse por ser encontrado en este nuevo hombre creado después de Dios... en la misma esencia de la justicia y la santidad.[93]

Encontramos tanto en Lutero como en Calvino el concepto de que el aspecto de la imagen de Dios que se perdió en la caída ("justicia y santidad") será restaurado en los creyentes. Mientras que Calvino con mayor fuerza (pero también Lutero hasta cierto punto) sostuvo que los aspectos ontológicos de la imagen permanecieron, aunque seriamente desfigurados, los aspectos éticos de la misma se perdieron. Estos ahora están siendo restaurados en el creyente a través de la obra de santificación (basada en la justificación gratuita por la fe).

Zuinglio había sido menos contundente que Lutero (y más tarde Calvino) sobre el daño causado por la caída a la imagen, pero en un sermón de 1524, también afirmó que la regeneración es una nueva creación según la semejanza de Cristo.[94] Pero su sucesor, Bullinger, fue muy claro, tanto sobre los efectos de la caída como sobre la restauración de la imagen en la experiencia cristiana. Con respecto a su restauración, él escribió, en el contexto de la encarnación de Cristo, "Porque como tomando su carne, unió al hombre a Dios; entonces, al morir en la carne con sacrificio, limpió, santificó y liberó a la humanidad; y, al darle su Espíritu Santo, lo hizo gustar nuevamente en la naturaleza a Dios, es decir, inmortal y absolutamente bendecido."[95]

Melanchthon reflejó a Lutero, Bullinger y Calvino al exponer la importancia de la acción redimida mientras el Espíritu restaura la imagen en ellos. Él aplicó Romanos 6:12 ("No reine, pues, el pecado en vuestro cuerpo mortal, para que obedezcáis a sus pasiones") a nuestra responsabilidad humana: "El pecado está presente en el regenerado, pero su resistencia a él impide que reine. Los creyentes permanecen así en la gracia de Dios."[96] Esta gracia del Dios trino está restaurando a la humanidad a la imagen divina a través de la obra del Padre, del Hijo y del Espíritu Santo, que involucra primero la iniciativa divina soberana y luego la experiencia abnegada de la vida en la iglesia con una amorosa apertura a un mundo perdido. Tiene lugar en una vida renovada: "En resumen, al mirar a Jesucristo, la imagen perfecta de Dios, aprendemos que el correcto funcionamiento de la imagen incluye estar dirigido a Dios, orientarse hacia el prójimo y gobernar sobre la naturaleza."[97]

---

[93] Lutero, *Sermons of Martin Luther*, 8:310.

[94] El sermón fue titulado, "Answer", que se discute en *Zuinglio y Bullinger*, 51-53.

[95] Bullinger, sermón 1 of *The First Decade*, en *The Decades of Henry Bullinger*, 1:42–43.

[96] Melanchthon, *Loci praecipui theologici* (*Loci Communes, tertia aetas*), 2.1.275, 10 (trad. del Autor).

[97] Anthony A. Hoekema, *Created in God's Image* (Grand Rapids, MI: Eerdmans, 1994), 75.

Recursos para un Estudio Adicional

FUENTES PRIMARIAS

Bullinger, Heinrich. *The First Decade. In The Decades of Heinrich Bullinger*, editadopor Thomas Harding, 1:36–192. 1849–1852. Reimpr., Grand Rapids, MI: Reformation Heritage Books, 2004.

Calvino, Juan. *Comentario sobre Génesis*. Tomo I. San José: CLIR, 2015.

_____.*Institución de la Religion Cristiana*. Grand Rapids: Libros Desafío, 2012.

_____.*Sermons on Genesis 1:1–11:4: Forty-Nine Sermons Delivered in Geneva between 4 September 1559 and 23 January 1560*. Traducido por Rob Roy McGregor. Edinburgh: Banner of Truth, 2009.

Lenker, John Nicholas, ed. *Sermons of Martin Luther. Vol. 8, Sermons on Epistle Texts for Trinity Sunday to Advent with an Index of Sermon Texts in Volumes 1–8*. Grand Rapids, MI: Baker, 1989.

Lutero, Martín. *Luther's Works. Vol. 1, Lectures on Genesis Chapters 1–5*. Editadopor Jaroslav Pelikan. St. Louis, MO: Concordia, 1958.

Melanchthon, Felipe. *Initia doctrinae physicae. In vol. 13 of Corpus Reformatorum*, editadopor C. G. Brettschneider y H. E. Bindseil, 179–412. Halle: Schwetschke, 1846.

_____.*Loci praecipui theologici nunc denuo cura et diligentia summa recogniti multisque in locis copiose illustrati (Loci Communes, tertia aetas)*. En *Melanchthons Werke in Auswahl [Studien-Ausgabe]*, editadopor Robert Stupperich, 2.1.164–2.2.780. 1559. Reimpr., Gütersloh: Bertelsmann, 1955.

Tyndale, William. *The Obedience of a Christian Man*. Editadopor David Daniell. London: Penguin, 2000.

Viret, Pierre. *Instruction Chrétienne, Tome Troisième*. Editadopor Arthur-Louis Hofer. Lausanne: L'Age D'Homme, 2013.

Zuinglio, *Of the Clarity and Certainty or Power of the Word of God*. En *Zuinglio and Bullinger: Selected Translations with Introductions and Notes*, editadopor G. W. Bromiley, 49–95. Library of Christian Classics 24. Philadelphia: Westminster, 1953.

FUENTES SECUNDARIAS

Berkouwer, G. C. *Man: The Image of God*. Grand Rapids, MI: Eerdmans, 1962.

Cameron, Nigel M. De S. *Evolution and the Authority of the Bible*. Exeter: Paternoster, 1983.

Cooper, John W. *Body, Soul, and Life Everlasting: Biblical Anthropology and the Monism-Dualism Debate*. Vancouver, BC: Regent College Publishing, 1995.

Daniell, David. *William Tyndale: A Biography*. New Haven, CT: Yale University Press, 1994.

Demaus, Robert. *William Tyndale: A Biography. 1871*. Reimpr., Nashville: Cokesbury, 1927.

Hoekema, Anthony A. *Created in God's Image*. Grand Rapids, MI: Eerdmans, 1994.

Kelly, Douglas F. *Creation and Change: Genesis 1.1–2.4en the Light of Changing Scientific Paradigms*. Fearn, Ross-shire, Scotland: Mentor, 1997.

Morris, Henry M. *The Genesis Record: A Scientific and Devotional Commentary on the Book of Beginnings*. Grand Rapids, MI: Baker, 1976.

Murray, John. "Man in the Image of God." En *Collected Writings of John Murray, vol. 2, Systematic Theology, 41–45.* Edinburgh: Banner of Truth, 1977.

Oberman, Heiko A. *The Harvest of Medieval Theology: Gabriel Biel and Late Medieval Nominalism.* 3ra ed. Durham, NC: Labyrinth, 1983.

Schaff, Philip. *The Creeds of Christendom: With a History and Critical Notes. Vol. 3, The Evangelical Protestant Creeds.* Revisado por David S. Schaff. 1877. Reimpr., Grand Rapids, MI: Baker, 1996.

Smeeton, Donald Dean. *Lollard Themes in the Reformation Theology of William Tyndale. Sixteenth Century Essays and Studies 6.* Kirkville, MO: Sixteenth Century Journal Publishers, 1986.

Torrance, T. F. *Calvin's Doctrine of Man.* London: Lutterworth, 1949.

_____. *Theological Science.* London: Oxford University Press, 1969.

La Persona de Cristo

Robert Letham

RESUMEN

La Cristología no fue una fuente de fricción entre Roma y los reformadores. Los principales problemas en el siglo XVI afectaron la posición innovadora de Lutero y el luteranismo sobre la naturaleza de la unión hipostática y su impacto en la Cena del Señor. Afirmaron que los atributos divinos fueron comunicados a la humanidad de Cristo. Los reformados se opusieron insistiendo en que, debido a la ascensión corporal, Cristo trascendió los límites de la humanidad que él había asumido. Esta diferencia afectó la controversia sobre la presencia de Cristo en la Cena del Señor.

Introducción

La Cristología no era un problema importante entre los Reformadores y la Iglesia Romana. Ambos aceptaron el dogma cristológico clásico tal como se había elaborado en los siglos quinto, sexto y séptimo. En esto, la Iglesia tanto en Oriente como en Occidente afirmó que el Hijo eterno de Dios, en la encarnación, tomó una naturaleza humana completa en una unión personal tal que la humanidad asumida era, y es, la humanidad del Hijo eterno. En respuesta a la pregunta sobre *quién* era Jesús de Nazaret, la respuesta fue que Él era el Hijo de Dios. Cuando se le preguntó en *qué* consistía, la respuesta fue que Él era al mismo tiempo completamente Dios y completamente humano. Así, la iglesia confesó la identidad personal y la continuidad entre un miembro de la Trinidad y el encarnado, la naturaleza humana no tiene existencia aparte de su suposición en la concepción virginal. En esto, ambos lados estuvieron de acuerdo. La única pregunta leve rodeó la atribución de *autotheos* (aseidad) de Calvino al Hijo, en su oposición a la italiana anti-Trinitaria Valentine Gentile.[1] Sin embargo, el destacado teólogo católico Robertoo Bellarmine reconoció la ortodoxia de Calvino en este punto.[2] Además, esto es más una cuestión de Trinitarianismo que de Cristología. El principal motivo de preocupación se relaciona

---

[1] Sobre la doctrina de *autotheos* de Calvino, ver "Juan Calvino" en cap. 5, "La Trinidad" por Michael Reeves.
[2] Robert Letham, *The Holy Trinity: In Scripture, History, Theology, and Worship* (Phillipsburg, NJ: P&R, 2004), 256–57.

con las diferencias entre las cristologías luterana y reformada, que afectaron sus respectivos puntos de vista sobre la eucaristía. Estos fueron expresados en los escritos de los representantes de las dos confesiones y llegaron a un punto en tres coloquios: Marburgo en 1529, Malbronn en 1564 y Montbéliard en 1586. En consecuencia, nos centraremos aquí en los problemas teológicos que rodean a la eucaristía. Además, notaremos cómo algunos anabautistas sostenían ideas heterodoxas sobre la carne celestial de Cristo.

Martín Lutero y la Comunicación de Atributos

Para Lutero, Cristo fue la clave para interpretar las Escrituras. En su "Prefacio a las Epístolas de Santiago y San Judas", declaró que no podía aceptar que Santiago fue escrito por un apóstol o que fuera canónico porque "no menciona ni una vez la Pasión, la resurrección o el Espíritu de Cristo", mensajes que proclamaría un verdadero apóstol, "y esa es la verdadera prueba para juzgar todos los libros, cuando vemos si inculcan o no a Cristo" —"porque todas las Escrituras nos muestran a Cristo."[3] Quien sea el autor, si el libro no enseña a Cristo, no es apostólico.[4] Lutero consideraba el Antiguo Testamento como un libro acerca de Cristo, que le daba testimonio tanto de la ley como de la promesa.[5] Por lo tanto, en su "Prefacio al Antiguo Testamento", dijo: "Los profetas no son más que administradores y testigos de Moisés y su oficio, trayendo a todos a Cristo por medio de la ley", de modo que "si ustedes interpretan bien y con confianza, pongan a Cristo delante de de ustedes, porque Él es el hombre al que todo se aplica, cada detalle de eso."[6]

Althaus está en lo correcto al declarar que distintivo de Lutero es su enfoque dominante en la salvación[7] y que, para Lutero, "el verdadero conocimiento de Cristo consiste en reconocer y captar la voluntad de Dios en mí en la voluntad de Cristo y en la obra de Dios para salvarme en la obra de Cristo para mí."[8] Atkinson afirma que esta es "la dinámica de su teología."[9]

Como señala Althaus, Lutero "acepta expresamente los grandes credos ecuménicos de la teología griega y latina. Aparte de los conceptos individuales, no expresa ninguna crítica a los dogmas cristológicos tradicionales."[10] Refiriéndose a Filipenses 2:6, Lutero dijo: "El término 'forma de Dios' aquí no significa la esencia de Dios porque Cristo nunca se despojó de esto."[11] La comprensión de Lutero de los dogmas gemelos de *anhypostasia*[12] y *enhypostasia*[13] es claro e importante para su Cristología, ya que

---

[3] Martín Lutero, "Preface to the Epistles of St. James and St. Jude," LW 35:396.

[4] Ver, Martín Lutero, *Commentary on Psalm45*, LW 12:260; Lutero, *Against Latomus*, LW 32:229–30.

[5] Paul Althaus, *The Theology of Martin Luther*, trad. Robert C. Schultz (Philadelphia: Fortress, 1966), 92.

[6] Martín Lutero, "Preface to the Old Testament," LW 35:247; James Atkinson, *Martin Luther and the Birth of Protestantism* (1968; reimpr., Atlanta: John Knox, 1982), 95–102.

[7] Althaus, *Theology of Martin Luther*, 181–86

[8] Ibid., 189.

[9] Atkinson, *Martin Luther*, 127. Ver también, Gerhard Ebeling, *Luther: An Introduction to His Thought*, trad. R. A. Wilson (London: Collins, 1972), 235.

[10] Althaus, *Theology of Martin Luther*, 179.

[11] Martín Lutero, "Two Kinds of Righteousness". LW 31:301.

[12] Este es el dogma de que la naturaleza humana de Cristo no tiene existencia personal propia, aparte de la unión en la que se asumió en la encarnación. Esto significa que el Hijo de Dios se unió no con un ser humano (que implicaría dos entidades personales separadas) sino con una naturaleza humana.

[13] Este es el dogma promulgado en el Segundo Concilio de Constantinopla (553) de que el Hijo eterno es la persona del Cristo encarnado, quien tomó en unión una naturaleza humana concebida por el Espíritu Santo en el vientre de la Virgen María. Detrás de este dogma se encuentra la enseñanza bíblica de que el hombre está hecho a la imagen de Dios

forma la base de sus ideas peculiares de la *communicatio idiomatum*,[14] que es integral a toda su Cristología. El escribió,

> Como la divinidad y la humanidad son una sola persona en Cristo, las Escrituras le atribuyen a la divinidad, debido a esta unión personal, todo lo que le sucede a la humanidad, y viceversa. Y en realidad es así. De hecho, deben decir que la persona (que señala a Cristo) sufre y muere. Pero esta persona es verdaderamente Dios, y por lo tanto es correcto decir: el Hijo de Dios sufre. Aunque, por así decirlo, una parte (a saber, la divinidad) no sufre, sin embargo, la persona, que es Dios, sufre en la otra parte (es decir, en la humanidad).[15]

Él usó una serie de analogías. El hijo del rey es herido cuando sólo su pierna está herida; Salomón es sabio, mientras que sólo su alma es sabia; Pedro es gris, aunque sólo su cabeza es gris. Entonces la persona de Cristo es crucificada según su humanidad.[16]

Todo esto está en línea con el dogma clásico. Sin embargo, Lutero agregó un giro distintivamente nuevo. Para él, Cristo poseía toda la gama de atributos divinos según su naturaleza humana, y estos fueron comunicados a su humanidad en virtud de la unión hipostática. Así, Cristo, de acuerdo con su naturaleza humana, poseía los atributos de la majestad divina. Lutero no entendió Filipenses 2:6-7 para referirse al Cristo preexistente vaciándose a sí mismo, como lo hicieron los exegetas de la iglesia primitiva, pero pensó que se refería a la actitud del Cristo terrenal. Él constantemente se vació a sí mismo a lo largo de su vida terrenal.[17] Él "no estaba dispuesto a usar su rango contra nosotros, no estaba dispuesto a ser diferente de nosotros", y "aunque era libre... se hizo siervo de todos [Marcos 9:35]."[18] Esto es un auto vaciado continuo que conduce a la cruz.[19] Mientras Lutero enfatizaba el *genus majestaticum* —que los atributos divinos se comunican a la humanidad de Cristo— como la presuposición de su auto vaciamiento en la historia, Althaus considera que esto está en conflicto no sólo con el cuadro bíblico de Cristo y con la aceptación de Lutero de él, sino los credos ecuménicos, pero especialmente con la *enhypostasia*. Pero, Althaus argumenta que, el *genus majestaticum* se equilibra con la aceptación de Lutero del *genus tapeinoticon* —Dios en Cristo compartió la debilidad, el sufrimiento y la humillación de Jesús. Para Lutero, Dios sufre en Cristo, y él lo vio como un misterio incomprensible.[20] Esto llegó a su punto culminante en la doctrina de Lutero de la presencia real de Cristo en la Cena del Señor, donde Lutero sostuvo enfáticamente que el cuerpo y la sangre de Cristo están presentes corporalmente en, con y debajo del pan y el vino, debido a su participación en el atributo divino de la omnipresencia. La carne de Cristo no es

---

y, por lo tanto, es ontológicamente compatible con Dios a nivel de criatura. Por lo tanto, el Hijo de Dios proporciona la personalidad para la naturaleza humana asumida.

[14] La comunicación de modismos proviene del hecho de que Cristo es el Hijo de Dios, quien ha agregado la naturaleza humana en la encarnación. En consecuencia, los atributos de la deidad y la humanidad son predicables de la persona de Cristo. La Cristología Clásica afirmó que estas dos naturalezas están indivisiblemente unidas en la persona de Cristo, pero conservan su identidad distintiva. El problema planteado por Lutero y sus seguidores fue si los atributos divinos se comunican a la naturaleza humana de Cristo.

[15] Martín Lutero, *Confession concerning Christ's Supper*, LW 37:210.

[16] Ibid., *LW* 37:211

[17] Lutero, "Two Kinds of Righteousness," LW 31:301–2; Martín Lutero, *The Freedom of a Christian*, LW 31:366.

[18] Lutero, "Two Kinds of Righteousness," LW 31:301.

[19] Ibid., LW 31:300–303.

[20] Althaus, *Theology of Martin Luther*, 196–98.

carnal, es decir, bajo la maldición de Dios y no requiere renacimiento, sino espiritual, ya que Cristo nació del Espíritu Santo, y así es la carne de Dios la que da vida a todos los que la comen con fe.[21] El pensamiento cristológico básico de Lutero era que no hay Dios aparte de Cristo, y, por lo tanto, la humanidad de Cristo es omnipresente. La mano derecha de Dios no debe ubicarse en un solo lugar, sino que está en todas partes: "¿Dónde está la Escritura que limita la mano derecha de Dios de este modo a un solo lugar?"[22] Citando el Salmo 139, Lutero dijo:

> Las Escrituras nos enseñan... que la mano derecha de Dios no es un lugar específico en el cual un cuerpo debe o puede estar... pero es el poder omnipotente de Dios, que al mismo tiempo no puede estar en ninguna parte y sin embargo debe estar en todas partes.... Porque si estuviera en algún lugar específico, tendría que estar allí de una manera circunscrita y determinada... para que mientras tanto no pueda estar en ningún otro lugar. Pero el poder de Dios no puede ser tan determinado y medido, porque no está circunscrito e inconmensurable, más allá y por encima de todo lo que es y puede ser.... Por otro lado, debe estar esencialmente presente en todos los lugares, incluso en la hoja más pequeña de un árbol.[23]

Lutero concluyó que Cristo —a la diestra de Dios, está presente al mismo tiempo en el cielo y en la Cena, porque "no es contrario ni a la Escritura ni a los artículos de fe que el cuerpo de Cristo esté al mismo tiempo en el cielo y en la Cena."[24]

Lutero atacó la idea de Zuinglio de la *alloiosis*, en la cual una naturaleza es tomada por la otra.[25] Lo que queremos, protestó Lutero, "son las Escrituras, y las buenas razones, no el moco y la baba [de Zuinglio]."[26] Él se defendió enérgicamente contra la afirmación de que mezcló las naturalezas. Por el contrario, sus oponentes amenazaron con dividir a la persona. Sin embargo, hay evidencia de que Lutero no había entendido a Zuinglio, pensando que había confinado la mano derecha de Dios a un solo espacio en el cielo.[27]

Esto nos ayudará a comprender cómo Lutero llegó a estas conclusiones al saber que consideraba que había tres posibles formas de presencia. En primer lugar, un objeto se encuentra local o circunscriptivamente en un lugar, donde el objeto y el espacio se ajustan con precisión. Esto se aplica a las personas que ocupan lugares particulares. En segundo lugar, un objeto está presente definitivamente o de forma no circunscrita, donde puede ocupar más espacio o menos. Tal fue el Cristo resucitado, que atravesó la piedra sellando su tumba y a través de puertas cerradas. Los ángeles tampoco están confinados a espacios particulares. En tercer lugar, solo Dios ocupa lugares abundantemente, estando presente en todos los lugares en todo momento, llenándolos sin que ninguno de ellos los mida. Entonces no podemos limitar nuestros pensamientos sobre la presencia de Cristo a un solo modo de presencia. Como el Cristo resucitado estuvo presente definitivamente, tiene sentido tomar "este es mi cuerpo" tal como está. Dondequiera que esté Cristo, Él está presente como Dios y como hombre; si esto no

---

[21] Martín Lutero, *That These Words of Christ, "This Is My Body," Still Stand Firm against the Fanatics*, LW 37:98–100, 124. Ver también, Lutero, *Confession concerning Christ's Supper*, LW 37:236–38.

[22] Lutero, *That These Words of Christ*, LW 37:56.

[23] Ibid., LW 37:57.

[24] Ibid., LW 37:55.

[25] Lutero, *Confession concerning Christ's Supper*, LW 37:209–10.

[26] Ibid., LW 37:212.

[27] Ibid., LW 37:212–13.

fuera así, estaría dividido. Más bien, Él es una persona con Dios, además de que no hay nada más elevado.[28] Como Él es una persona indivisible con Dios, donde sea que esté Dios, Él también debe estar. Este es un misterio conocido solo por Dios; Lutero solo escribió sobre esto para mostrar "qué tontos son nuestros fanáticos."[29] Entonces dijo: "¡Sal de aquí, fanático estúpido, con tus ideas sin valor!"[30]

Lutero expresó estas ideas con vehemencia en el Coloquio de Marburgo (1529), donde entró en conflicto con Zuinglio. Antes de examinar lo que sucedió allí, necesitamos investigar la Cristología de Zuinglio.

Huldrych Zuinglio y Alloiosis

En su teología más amplia, el énfasis de Zuinglio estaba en Dios más que en el hombre, entonces en su Cristología, era sobre Cristo como Dios. Como resultado, mientras que Lutero afirmó enfáticamente la unidad de la persona de Cristo, Zuinglio distinguió claramente entre las dos naturalezas. Esto llevó a Lutero a acusarlo de sostener que un simple hombre había muerto por nosotros.[31] Esta clara distinción, casi separación, entre las naturalezas es clara en el *Commentary on True and False Religion* [Comentario sobre la religión verdadera y falsa] de Zuinglio (1525). Allí escribió que Cristo es nuestra salvación según su naturaleza divina, no según su humanidad.[32] Así que en Juan 6 se refería a la carne y la sangre simplemente al Evangelio, a comer y beber de la fe: "Esto, entonces, es la tercera señal segura de que Cristo no está hablando aquí de comer sacramentalmente; porque Él solo nos ha salvado en la medida en que fue muerto por nosotros; pero podría ser asesinado solo según la carne y podría ser la salvación que trae solo según su divinidad."[33] Gran parte de esta sección está dedicada a establecer que Juan 6 no se refiere a la comida sacramental, pero al hacerlo, Zuinglio se acercó a la separación nestoriana de las naturalezas.[34] Se sigue que él consideró que la frase "este es mi cuerpo" significa "esto significa el cuerpo."[35] En el debate eucarístico con Lutero, Zuinglio insistió tanto en la distinción de las dos naturalezas —mientras se aferraba a la unidad de la persona— que Lutero lo acusó de nestorianismo.[36]

En la *communicatio idiomatum*, Zuinglio argumentó que se atribuye a una de las naturalezas lo que se logra por la otra. Esta es una forma de hablar sobre la base de la unidad de la persona de Cristo y no representa una transferencia real de atributos.[37] La palabra más habitual de Zuinglio a este respecto era la *alloiosis*, que indica que cuando nos referimos a una naturaleza, también entendemos la otra, o cuando nombramos ambas, sin embargo, entendemos una sola. En consecuencia, Zuinglio resistió la creencia de Lutero en la ubicuidad de la humanidad de Cristo. Esto apunta a la raíz del enfrentamiento con Lutero. Mientras Lutero mantenía unidas las dos naturalezas de tal

---

[28] Ibid., LW 37:215–18, 221–22.

[29] Ibid., LW 37:223.

[30] Ibid., LW 37:220.

[31] W. P. Stephens, *The Theology of Huldrych Zwingli* (Oxford: Clarendon, 1986), 111.

[32] Huldrych Zuinglio, *Commentary on True and False Religion*, ed. Samuel Macaulay Jackson y Clarence Nevin Heller (1929; repr., Durham, NC: Labyrinth, 1981), 204.

[33] Ibid., 205.

[34] Ibid., 199–211.

[35] Ibid., 226–30.

[36] Ibid., 113–14

[37] Ibid., 205.

manera que se podía dudar si había hecho justicia a la humanidad, Zuinglio las distinguió hasta el punto de preguntarse si tenía una comprensión adecuada de la unidad de la persona.

Este choque subyace a la controversia sacramental. Mientras que, en una obra temprana, su *Exposición de los Artículos* (1523), Zuinglio sostenía que la Eucaristía fortalece la fe, abandonó esta posición cuando escribió su *Comentario sobre la Verdadera y Falsa Religión* (1525).[38] Fue a partir de ese momento que se desarrolló la controversia con Lutero. El argumento principal de Zuinglio, evidenciado por el registro del debate en Marburgo, se centró en la ascensión. Para él, el cuerpo de Cristo solo podría estar en un solo lugar. Desde la ascensión, él ha estado a la diestra de Dios, *in loco*. Por lo tanto, Él no puede estar corporalmente presente en la eucaristía. Tampoco la omnipotencia de Dios o la voluntad de Cristo hacen que su cuerpo sea omnipresente.[39] Repetidamente en Marburgo, Zuinglio recurrió a lo que él creía que era el significado claro de Juan 6:63, "Es el Espíritu el que da vida; la carne no es de ninguna ayuda. Las palabras que les he hablado son espíritu y vida". Sin embargo, leyó este texto, al igual que problemas teológicos más amplios, a través de la lente de su neoplatonismo, lo que le hizo difícil ver cómo las entidades materiales podrían ser el canal de realidades espirituales.[40] Estuvo de acuerdo en que Cristo estuvo presente en la Cena, pero no pudo aceptar que esto fuera en forma corporal.[41] El cuerpo de Cristo es humano y posee características humanas, por lo que está sujeto a las limitaciones de espacio y tiempo.

En su breve tratado *On the Lord's Supper* [Sobre la Cena del Señor] (1526), está claro que Zuinglio acentuó la naturaleza humana, tratando a las dos naturalezas como virtualmente autónomas. Consideró que Cristo experimenta esto o aquello según su naturaleza más que su persona. En consecuencia, Cristo experimentó la ascensión en su naturaleza humana solamente, por lo que ahora está ausente y su cuerpo y su sangre no pueden estar presentes en la Santa Cena. Solo la naturaleza divina de Cristo es omnipresente, o de lo contrario no habría tenido necesidad de ascender. En consecuencia, el cuerpo del Cristo ascendido está en un lugar y no puede estar presente simultáneamente en la Cena. Por lo tanto, la cláusula "este es mi cuerpo" es una tropología.[42]

Bromiley está de acuerdo en su introducción a esta obra que "debe admitirse que Zuinglio tendía a aislar las naturalezas o aspectos distintivos tanto del propio Cristo como de la Palabra y los sacramentos."[43] Más tarde, sin embargo, en *An Exposition of the Faith* [Una Exposición de la Fe] (1529), Zuinglio mostró una declaración ortodoxa de Cristología.[44]

El Coloquio de Marburg (1529)

El Coloquio fue llamado por Felipe, Landgrave de Hesse, para presentar un frente protestante unido contra el emperador Carlos V. El emperador había llegado a un

---

[38] Stephens, *Theology of Zwingli*, 222.

[39] Ibid., 238.

[40] Robert Letham, "Baptism in the Writings of the Reformers," *SBET* 7, no. 2 (1989): 21–44.

[41] Stephens, *Theology of Zwingli*, 252.

[42] Huldrych Zuinglio, *On the Lord's Supper*, in *Zwingli and Bullinger: Selected Translations with Introductions and Notes*, ed. G. W. Bromiley, LCC 24 (London: SCM, 1953), 212, 214–15, 219–27.

[43] G. W. Bromiley, "Introduction to On the Lord's Supper," en *Zwingli and Bullinger*, 183

[44] Huldrych Zuinglio, *An Exposition of the Faith*, en *Zwingli and Bullinger*, 251–53.

acuerdo con el papa y el rey de Francia, volviendo vulnerables a los protestantes. Felipe quería un acuerdo teológico como base para una alianza defensiva. Las conversaciones se estancaron sobre la naturaleza de la presencia de Cristo en la Cena del Señor. Detrás de estas diferencias había problemas Cristológicos más profundos. En particular, sus diferencias sobre la *communicatio idiomatum* ponen de relieve las cristologías significativamente diferentes de los dos reformadores, que, a su vez y entre otras cosas, afectaron sus puntos de vista de la Eucaristía. Como señala Atkinson, Lutero era casi eutiquiano, mezclando lo divino y humano, mientras que Zuinglio lindaba con el nestorianismo.[45] Lutero tenía una fuerte doctrina de la unión hipostática; El enfoque de Zuinglio estaba en la singularidad de la humanidad de Cristo, aunque su concentración general estaba en su deidad.

En parte, este punto muerto reflejaba desarrollos anteriores en Cristología patrística. Calcedonia (en 451) había resaltado que las dos naturalezas "se unen" para formar una persona, uno y el mismo Cristo. Esto había creado problemas para los seguidores de Cirilo de Alejandría (378-444), la principal figura detrás del rechazo de Nestorio, y llevó a muchos a desertar, pensando que Calcedonia había hecho demasiadas concesiones a los nestorianos. El Segundo Concilio de Constantinopla (en 553) resolvió muchas de tales preguntas mediante los dogmas gemelos de *anhypostasia* y *enhypostasia*, afirmando la unidad y la continuidad de la persona de Cristo, la humanidad asumida es la humanidad del Hijo. En este sentido, se podría ver a Zuinglio en términos de Calcedonia resaltando el dogma de las dos naturalezas, mientras que Lutero tenía una comprensión más fuerte de la resolución enhypostática.[46]

Luteranismo después de Lutero

JOHANN BRENZ (1499–1570)

El trabajo principal de Brenz sobre Cristología fue su *De personali unione duarum naturam en Christo* (1561).[47] Él construyó su idea de la *communicatio idiomatum* sobre la doctrina patrística de que la deidad y la humanidad están inseparablemente e indivisiblemente unidas. Como el Hijo de Dios desde la eternidad tuvo un inmenso poder, así también lo hace el Hijo del Hombre. Es mera sabiduría humana la que se opone a la idea de que la humanidad está en todas partes donde está la deidad. Cuando el Verbo fue hecho carne, toda la majestad de su deidad fue derramada. Brenz vio que esto era efectivo desde el momento de la concepción. Aquellos que dijeron que esto es contrario a la naturaleza del cuerpo humano necesitan someterse a la Palabra de Dios, porque la gloria del cuerpo de Cristo no es de su humanidad sino de la deidad.[48]

Por lo tanto, para Brenz los atributos divinos fueron comunicados a la humanidad de Cristo desde la concepción, y el poder que recibió después de la resurrección, lo tuvo de antemano. La razón humana no puede comprenderlo. Se basa en la unión

---

[45] Atkinson, Martin Luther, 269.

[46] Para más información sobre el Coloquiode Marburg, ver especialmente la traducción del registro de debate registrado por Rudolph Collini en B. J. Kidd, ed., *Documents Illustrative of the Continental Reformation* (Oxford: Clarendon, 1918), 247–54.

[47] Johannes Brenz, *De Personali Unione Duarum Naturarum in Christo, et Ascensu Christi in Coelum, ac Sessione Eius ad Dexteram Dei Patris. Qua Vera Corporis et Sanguinis Christi Praesentia in Coena Explicata Est, & Confirmata* (Tübingen: Viduam Ulrichi Morhadi, 1561), 4–15.

[48] Ibid., 4, 4b–5, 5b, 6a–7b.

hipostática, mediante la cual las propiedades de una naturaleza se comunican con la otra, el poder de la humanidad proviene de la deidad, no de sí mismo. Brenz era consciente de los problemas que esto causaría, por lo que insistió en que la humanidad no se transforma en divinidad, ya que las propiedades de ambas naturalezas permanecen. Entonces, en términos de espacio geométrico, Cristo no está en todas partes. Radicalmente, la ascensión no fue a otro lugar corpóreo o mundano, sino a la omnipotencia y majestad de Dios.[49] Es difícil ver cómo el argumento de Brenz es compatible con el relato de Cristo en los Evangelios.

MARTIN CHEMNITZ (1522–1586)

Martin Chemnitz presentó una construcción más sofisticada que Brenz, evitando algunas de sus imperfecciones obvias. En *De duabus naturis in Christo (1578)*[50] y su traducción al inglés, *The Two Natures of Christ* [Las Dos Naturalezas de Cristo] (1971),[51] presenta la exposición más clara y cuidadosa de la posición luterana.

Chemnitz consideró que hay un aspecto triple en la comunicación de atributos. El primer tipo, resultante de la unión hipostática, implica la atribución de propiedades de la naturaleza de Cristo a su persona *in concreto*. En segundo lugar, se atribuyen cosas a la persona de acuerdo con ambas naturalezas, cuando ambas naturalezas actúan en comunión con el otro, lo que es propio de ellas.[52] La tercera categoría de Chemnitz es la más significativa para nuestros propósitos. Innumerables "cualidades y cualidades sobrenaturales, incluso contrarias a la condición común de la naturaleza humana, se dan y se comunican a la naturaleza humana de Cristo."[53] La Escritura testifica que la humanidad asumida en la encarnación conserva sus atributos esenciales, pero debido a que la unión hipostática se exalta sobre cada nombre y se le da todo el poder en el cielo y la tierra, su carne es dadora de vida. Como la naturaleza divina de Cristo mora personalmente en la naturaleza asumida, sería una blasfemia pensar que en esta unión hipostática la humanidad de Cristo queda solo en su estado meramente natural y que no recibió nada más allá de sus atributos esenciales, poderes y facultades. Las Escrituras afirman que Cristo fue ungido por encima de sus semejantes. Estos dones infundidos no son los atributos esenciales de la naturaleza divina, sino que son su funcionamiento fuera de la naturaleza divina infundido en la naturaleza humana para que constituyan en él formal, habitual y subjetivamente, un instrumento adecuado para la deidad. Hay ecos aquí de la distinción entre la esencia de Dios y su funcionamiento expuesta por los Capadocios en la crisis Trinitaria del siglo IV y expresada más tarde en la teología ortodoxa por Gregorio Palamas como una distinción entre esencia y energías. Chemnitz reforzó sus comentarios con extensas citas de los padres. Estos dones no solo son dones creados, finitos o habituales, sino que también son los mismos atributos de la naturaleza divina de Cristo, atributos que pertenecen a la deidad misma pero que se otorgan de acuerdo con la naturaleza humana asumida. De modo que, a Cristo, según su naturaleza humana, se le ha otorgado la omnipotencia, que pertenece propiamente a la naturaleza divina. La divinidad tiene el tipo de comunión con la

---

[49] Ibid., 7b, 8a, 11a–b, 12a, 15a–b.

[50] Martin Chemnitz, *De Duabus Naturis in Christo: De Hypostatica Earum Unione: De Communicatione Idiomatum, et de Aliis Quaestionibus Inde Dependentibus* (Lipsiae: Ramba, 1578).

[51] Martin Chemnitz, *The Two Natures in Christ*, trad. J. A. O. Preus (1578; repr., St. Louis, MO: Concordia, 1971).

[52] Ibid., 215–40.

[53] Ibid., 241–42.

humanidad que tiene el fuego cuando se comunica su esencia y calor para quemar el hierro, sin ninguna mezcla. La gloria del Unigénito no siempre se reveló en su plenitud a través de la carne asumida en el momento de su humillación, pero cuando la humillación fue dejada de lado, Cristo fue exaltado según la naturaleza humana y así entró en la gloria.[54]

Chemnitz fue claro que no hay mezcla ni cambio en ninguna de las dos naturalezas. Los atributos divinos comunicados a la humanidad no están esencialmente poseídos por la naturaleza humana; de lo contrario, la naturaleza divina sería conmutada. Las propiedades de una naturaleza no pueden convertirse en las propiedades de la otra. Cualquier idea de esta comunicación esencial de los atributos divinos debe ser rechazada. No hay igualdad de naturalezas, no hay comunicación de esencias o naturalezas. Por otro lado, Chemnitz también rechazó cualquier negación de que la majestad se comunique a la naturaleza asumida, con el corolario de que la humanidad en la unión hipostática no tiene participación en los atributos divinos. También se opuso a la afirmación de que los atributos divinos se relacionan solo con la persona y se dan solo verbalmente a Cristo como hombre, sin que la humanidad tenga comunión alguna con ellos. La antigüedad estaba unida en esto, afirmó, mientras que los reformados habían sido evasivos, diciendo que estos dones se daban a la persona de Cristo, pero no a la naturaleza humana, como si la persona existiera fuera de las naturalezas unidas, para que la persona tenga algo ya sea ambas naturalezas o no.[55]

Chemnitz estuvo de acuerdo en que esto es un misterio, recibido por nosotros en la fe. Se lleva a cabo mediante la interpenetración, como fuego en hierro caliente, toda la majestad de la deidad de Cristo resplandeciendo en la humanidad, obrando con ella y a través de ella, sin mezcla, para que la naturaleza asumida pueda dar vida y gobernar sobre todas las cosas. Citó profusamente a los padres —Atanasio, Cirilo, Justino, Ambrosio, Eusebio, Teodoreto y León I, así como también el Tercer Concilio de Constantinopla (680-681). En resumen, la comunicación fluye fuera de la unión hipostática, y no al revés. Esto protege contra la idea de que toda la Trinidad se encarnó.[56]

A. B. Bruce cree que Chemnitz probablemente no tenía ninguna teoría diferencia de los reformados.[57] De hecho, sugiero, Chemnitz tenía una mejor comprensión de la doctrina clásica de la encarnación que Zuinglio y muchos de los de la Reforma. Su premisa básica era la unión hipostática, en lugar de las dos naturalezas, una perspectiva más acorde con la resolución Cristológica patrística definitiva. Su visión de la ubicuidad también fue matizada. Cristo *puede estar presente* cuando, donde y como le plazca. Esta es una omnipresencia hipotética u opcional, como lo llama Bruce.[58] Chemnitz lo vio como una deducción lógica de la unión hipostática, después de lo cual el Logos no está fuera de la carne. Se sigue que la naturaleza humana de Cristo está siempre presente de manera íntima e inseparable en el Logos, con la posibilidad de estar presente a voluntad en cualquier parte de la creación. Chemnitz sostuvo que, en su estado de humillación, Cristo solo ocasionalmente usó estos dones, pero después de

---

[54] Ibid., 243–44, 247–56, 259, 263–64.

[55] Ibid., 267, 270, 278–83.

[56] Ibid., 288–89, 292–312.

[57] A. B. Bruce, *The Humiliation of Christ in Its Physical, Ethical, and Official Aspects,* 5ta ed. (Edinburgh: T&T Clark, 1905), 98.

[58] Ibid., 99.

su ascensión, entró en su pleno uso. Brenz, por otro lado, pensó que, al poseer estos dones desde la concepción, los usó furtivamente.[59]

LA FÓRMULA DE CONCORDIA (1576) Y FELIPE MELANCHTHON

Las diferencias entre Brenz y Chemnitz suscitaron controversia. La Fórmula de Concordia intentó una resolución, con Chemnitz prominente. El resultado, en el artículo 8, fue una especie de dulce de azúcar. Las posiciones opuestas se colocaron lado a lado y las preguntas problemáticas se pasaron en silencio. No se hizo distinción entre las propiedades esenciales y accidentales de la naturaleza humana. Esta incómoda yuxtaposición de elementos incompatibles dejó sin resolver los problemas subyacentes.[60]

El artículo 8 declara la controversia como "si la naturaleza divina y humana en los atributos de cada uno está en comunicación mutua realmente, es decir, verdaderamente y en cada factor y hecho, en la persona de Cristo, y hasta qué punto se extiende esa comunicación."[61] Los sacramentarios, o los reformados, afirmaba la Fórmula, consideran que ninguna de las dos cosas le comunica nada al otro, sino que la comunicación es puramente nominal. Consideran que Dios no tiene nada en común con la humanidad, ni la humanidad con la divinidad, una acusación de nestorianismo efectivo.

En oposición, la Fórmula afirmó que las naturalezas están personalmente unidas tan completamente que el Hijo de Dios y el Hijo del Hombre son uno y el mismo. Las naturalezas no se mezclan ni cambian, sino que conservan sus propios atributos esenciales. Por lo tanto, los atributos divinos de la omnisciencia, la omnipresencia y la omnipotencia nunca se convierten en atributos de la humanidad. Por otro lado, la unión no es una conjunción donde ninguna de las dos cosas tiene algo personalmente en común con la otra, ya que es la comunión más elevada que Dios tiene con el hombre —como hierro candente, el cuerpo y el alma. Debido a la unión personal con el Hijo, Dios es hombre y el hombre es Dios. María no dio a luz a un simple hombre sino al verdadero Hijo de Dios y con razón se le llama la Madre de Dios. No fue un simple hombre el que sufrió y murió sino la persona del Hijo de Dios. Él sufrió según su naturaleza humana, asumió la unidad de su persona divina. De acuerdo con su naturaleza humana, el Hijo del Hombre es exaltado a la diestra de Dios.

En su humillación, Cristo se despojó de su majestad divina y no siempre la usó hasta después de la resurrección, cuando dejó de lado la forma de un siervo, pero no la naturaleza humana. Por lo tanto, ahora Él es omnisciente, omnipotente y omnipresente no solo como Dios, sino también como hombre. Por lo tanto, Él puede estar presente en su cuerpo y sangre en la Cena de acuerdo con el modo de la mano derecha de Dios. Esta presencia no es física o Capernaítica (es decir, transubstanciación) pero es verdadera y sustancial.

A su vez, la Fórmula repudia, entre otras cosas, la posición de que la unión personal es solo una figura del habla y que la *communicatio idiomatum* es solo verbal, sin ningún hecho correspondiente. Rechazó la noción de que la humanidad se ha vuelto infinita y así está presente en todas partes con la naturaleza divina, o que se ha hecho

---

[59] Ibid., 100–102.
[60] Ibid., 104–6.
[61] Philip Schaff, *The Creeds of Christendom: With a History and Critical Notes, vol. 3, The Evangelical Protestant Creeds*, rev. David S. Schaff (1877; repr., Grand Rapids, MI: Baker, 1966), 147–59.

igual a lo divino. Negó las afirmaciones de que es imposible que Cristo esté en más lugares que uno con su cuerpo, que la humanidad sola sufrió por nosotros y, por lo tanto, el Hijo de Dios no tuvo comunicación con la naturaleza humana, o que solo está presente ante nosotros su divinidad. También rechazó a aquellos que afirman que el Hijo no realiza obras omnipotentes en y con su humanidad, que de acuerdo con su humanidad es incapaz de las propiedades de la naturaleza divina, y que el poder dado a Cristo según su humanidad no tiene comunicación con la omnipotencia de Dios. Además, negó que haya límites en lo que él puede saber, de modo que Cristo, incluso ahora, no tiene un conocimiento perfecto de Dios y sus obras, y que no puede saber lo que ha sido desde la eternidad, lo que está en todas partes y lo que será para la eternidad.

Mientras se concentra en el período posterior a 1600, Schmid resume la Cristología Luterana: "Así se afirma una comunión real de ambas naturalezas, a consecuencia de lo cual las dos naturalezas no mantienen relaciones meramente externas" sino "una impartición y comunión verdadera y real."[62]

Bruce hace algunas críticas contundentes. ¿Por qué, pregunta, la comunicación no es recíproca? Señala correctamente que es unidireccional, de divino a humano, ya que no hay una afirmación correspondiente de que los atributos de la humanidad de Cristo se comuniquen a su deidad. Al hacerlo, amenaza a la humanidad de Cristo, porque la humillación, aunque soteriológicamente necesaria, es cristológicamente imposible.[63] Esto es evidente, sugiero, ya que Cristo, si es omnipresente, omnipotente y omnisciente según su humanidad, ¡difícilmente puede decirse que ha estado en un estado de humillación! Como Bruce concluye, en su celo por la deificación de la humanidad de Cristo, la Cristología Luterana nos roba la encarnación.[64]

Sorprendentemente, Felipe Melanchthon (1497-1560) se movió a una posición reformada en este tema a lo largo de los años. En sus *Loci Communes* de1521, no escribió nada sobre la persona de Cristo, ya que estaba preocupado por las obras de Cristo y los problemas inmediatos de la Reforma. Más tarde discutió la ascensión corporal en su comentario sobre Colosenses, mientras exponía el tercer capítulo.[65] Los *Loci* de 1555 están claramente reformados, especialmente en la sección "De coena Domini" ("En la cena del Señor").[66] Rechazó la comunicación de atributos de una naturaleza a otra.[67]

Cristología Reformada

A. B. Bruce resume las características de la Cristología Reformada en contraste con el luterano en su énfasis en la realidad de la humanidad de Cristo y el estado de humillación. Como en la Cristología Ortodoxa, Cristo tiene dos naturalezas, una mente doble y una doble voluntad. En virtud de la unión hipostática, todo lo que se dice de Cristo se dice de su persona, a veces con respecto a ambas naturalezas, a veces con

---

[62] 62. Heinrich Schmid, *The Doctrinal Theology of the Evangelical Lutheran Church,* trad. Charles A. Hay y Henry E. Jacobs, 3ra ed. (1899; reimpr., Minneapolis: Augsburg, 1961), 309, 310.

[63] 63. Bruce, *Humiliation of Christ,* 106–12.

[64] Ibid., 113–14.

[65] 65. Felipe Melanchthon, "Enarratio Epistolae Pauli ad Colossenses Praelecta, 1556," en *Operum omnium* (Wittenberg: Zacharia Schürerio et eius sociis, 1601), 4:358.

[66] Felipe Melanchthon, *Loci Communes Theologici* (1555; repr., Basel: Ioannem Operinum, 1562), 41–44, 402–17.

[67] Felipe Melanchthon, *Loci Communes* (1555), en *Melanchthon on Christian Doctrine: Loci Communes 1555,* trad. y ed. Clyde L. Manschreck (Grand Rapids, MI: Baker, 1965), 34.

respecto a una u otra. En términos de la naturaleza divina, la diferencia está entre la ocultación en el estado de humillación y la manifestación abierta después de la ascensión. En su exaltación, la humanidad perdió algunas propiedades accidentales —hambre, sed y demás— mientras que otras se desarrollaron perfectamente —gloria, majestad, fuerza, sabiduría y virtud— y se conservaron las propiedades esenciales.[68]

Bruce piensa que la Cristología Reformada difería de la Cristología Luterana en relación con la naturaleza de la unión. Los luteranos acusaron a los reformados de ver las naturalezas como si fueran dos tablas sin una verdadera comunión, mientras que los reformados, por su parte, enfatizaron la comunicación de los carismas —la sabiduría y la virtud como cualidades producidas por el Logos a través de su Espíritu. La pregunta de Bruce es, ¿cómo esto le hace justicia a la unión? ¿Por qué no deberían estas gracias resultar de la unión del Logos con la humanidad? ¿Por qué deberían ser comunicadas de manera indirecta por el Espíritu Santo? ¿Esto no hace que la unión sea puramente externa?[69] Este es un asunto urgente, como veremos.

Prominente en la Cristología Reformada es el vaciamiento (*exinanition*) del Hijo, aplicado a su naturaleza divina no por desinversión sino por ocultación (*occultatio*). De esto surgió la idea de una doble vida del Logos—el *logos totus extra Jesum* y el *logos totus en Jesu*—uno inafectado por la encarnación, otro auto-controlado en el hombre Jesucristo.[70]

JUAN CALVINO (1509–1564) Y EL *EXTRA CALVINISTICUM*

En su *Institución*, Calvino preguntó por qué era necesario que el Mediador fuera Dios y se hiciera hombre. Conectó la encarnación a toda la redención:

> La situación seguramente habría sido desesperada si la majestad de Dios no hubiera descendido a nosotros, ya que no estaba en nuestro poder ascender a Él. Por lo tanto, era necesario que el Hijo de Dios se convirtiera para nosotros en "Emanuel, esto es, Dios con nosotros" [Is. 7:14, Mt. 1:23], y de tal manera que su divinidad y nuestra naturaleza humana podrían crecer juntas por la conexión mutua [*ut mutua coniunctione eius divinitas et hominum natura inter se coalescerent*].[71]

Aquí *coalesco* implica la prioridad ontológica de las naturalezas en lugar de la persona, lo que va en contra de la conclusión final del Segundo Concilio de Constantinopla y tiene un anillo nestoriano. Así que Cristo tomó "lo que era nuestro para impartir lo que era suyo para nosotros, y para hacer lo que era suyo por naturaleza nuestro por gracia."[72]

Calvino continuó, dibujando la conexión indisoluble entre la encarnación y la expiación:

> El segundo requisito de nuestra reconciliación con Dios fue este: ese hombre, que por su desobediencia se había perdido, debía remediarlo con la obediencia, satisfacer el juicio de Dios y pagar las penas por el pecado. En consecuencia, nuestro Señor apareció como

---

[68] Bruce, *Humiliation of Christ*, 114–16, 118–20.

[69] Ibid., 120–24.

[70] Ibid., 125–26.

[71] Calvino, *Institución*, 2.12.1. Para el latín, vea Peter Barth, ed., *Joannis Calvini Opera Selecta* (Munich: C. Kaiser, 1926–1959), 3:437.

[72] Calvino, *Institución*, 2.12.2.

verdadero hombre y tomó la persona y el nombre de Adán para tomar el lugar de Adán al obedecer al Padre, presentar nuestra carne como el precio de la satisfacción al juicio justo de Dios y, en la misma carne, pagar la pena que merecíamos... En resumen, ya que ni como Dios solo podía sentir la muerte, ni como el hombre solo podía vencerla, unió la naturaleza humana con la divina para que expiando el pecado pudiera someter la debilidad de la muerte; y que, luchando con la muerte por el poder de la otra naturaleza, él podría ganar la victoria para nosotros.[73]

Por lo tanto, "nuestra naturaleza común con Cristo es la garantía de nuestra comunión con el Hijo de Dios; y vestido de nuestra carne Él venció el pecado y la muerte juntos que la victoria y el triunfo podrían ser nuestros."[74]

Más tarde, Calvino expuso la *communicatio idiomatum*. Cristo estuvo libre de toda corrupción, no solo porque nació de la Virgen, sino también

porque fue santificado por el Espíritu para que la generación sea pura e inmaculada, como hubiera sido verdad antes de la caída de Adán... Aquí hay algo maravilloso: el Hijo de Dios descendió del cielo de tal manera que, sin abandonar el cielo, quiso nacer en el vientre de la virgen, recorrer la tierra y ser clavado en la cruz; ¡Sin embargo, continuamente llenaba el mundo tal como lo había hecho desde el principio![75]

Calvino enfatizó que el Hijo no estaba restringido a la naturaleza humana que asumió en la unión, sino que la trascendió. Esto es lo que los luteranos llamaron *extra Calvinisticum*. Sin embargo, algunos han argumentado que Calvino tan enfatizó las dos naturalezas que parecía flirtear con el nestorianismo. La divinidad de Cristo está tan unida y unida a su humanidad (*ita coniunctam unitamque humanitati divinitatem*) que cada uno conserva intacta su naturaleza distintiva, y sin embargo estas dos naturalezas constituyen un solo Cristo (*ex duabus illis unus Christus constituatur*).[76] Calvino parece igualar las naturalezas, con la posible implicación de que la humanidad existía antes de la unión en la medida en que la unión se forma a partir de las dos. Esta impresión se ve reforzada por su consideración de que la *communicatio* era una figura de dicción. En la misma sección escribió que la Escritura a veces atribuye a Cristo lo que se aplica únicamente a su humanidad, a veces lo que pertenece a su divinidad, a veces lo que abarca ambas naturalezas, pero no encaja solo: "Y expresan tan sinceramente esta unión de las dos naturalezas en Cristo como a veces para intercambiarlos. Esta forma de hablar es llamada por los escritores antiguos 'la comunicación de propiedades'."[77] Los luteranos lo consideraron una realidad en lugar de un tropo.

Mientras que Calvino dijo que los pasajes que comprenden ambas naturalezas a la vez establecen la verdadera sustancia de Cristo, sobre todo, como Juan 1:29; 5:21-23; 8:12; 9:5; 10:11; 15:1 —él remarcó que "el nombre 'Señor'" pertenece exclusivamente a la persona de Cristo solo en la medida en que representa un grado intermedio entre

---

[73] Ibid., 2.12.3.
[74] Ibid.
[75] Ibid., 2.13.4.
[76] Ibid., 2.14.1.
[77] Ibid.

Dios y nosotros."[78] Parece que Calvino pensó que la persona es una unión de dos naturalezas más que una acción del Hijo eterno al agregar naturaleza humana.

Esta tendencia es particularmente evidente en los comentarios de Calvino sobre 1 Corintios 15:27. Allí declaró que al final Cristo "transferirá [el reino] de una u otra manera [*quodammodo*] de su humanidad a su gloriosa divinidad"[79], como si las naturalezas tuvieran algún grado de autonomía. Esto es lo que está en la raíz de la tradición reformada de atribuir la unión de las naturalezas y las obras realizadas por Cristo al Espíritu Santo en lugar de la unión establecida en el Hijo mismo, porque si la encarnación fuera simplemente una fusión de dos naturalezas, la unión sería posterior a las naturalezas, casi una conjunción, y por lo tanto requeriría un agente externo para efectuarla y mantenerla.[80]

Calvino estuvo de acuerdo con Zuinglio en que el cuerpo humano de Cristo está en un lugar, en el cielo. En su *Second Defence of the Pious and Orthodox Faith concerning the Sacraments in Answer to the Calumnies of Joachim Westphal* [Segunda defensa de la fe piadosa y ortodoxa sobre los sacramentos en respuesta a las calumnias de Joachim Westfal] (1556), él escribió eso diciendo, como lo hizo Westfal, que "el cuerpo que el Hijo de Dios una vez asumió, y cuál... Él se elevó a la gloria celestial, es ἄτοπος (sin lugar) es de hecho muy ἄτοπος (absurdo)."[81] Por el contrario, Calvino dijo: "Para obtener la posesión de Cristo, debe buscarse en el cielo", ya que "el cuerpo... que Él ofreció una vez en sacrificio, ahora debe estar contenida en el cielo, como Pedro declara."[82] Esto es así ya que el cuerpo, mientras es "llevado por encima de los cielos está exento del orden común de la naturaleza, sin embargo, no cesa de ser un verdadero cuerpo."[83] Donde se diferenció de Zuinglio fue que consideró que Cristo "no solo llena el cielo y la tierra, sino que también nos une milagrosamente a Él en un cuerpo, de modo que la carne, aunque permanezca en el cielo, es nuestro alimento."[84] Westfal había argumentado que Calvino encerró a Cristo en el cielo como lo hizo Zuinglio.

En respuesta, Calvino argumentó: "Si los creyentes encontraran a Cristo en el cielo, deben comenzar con la palabra y los sacramentos."[85] Así, "Cristo, por la incomprensible agencia de su Espíritu, une perfectamente las cosas desunidas por el espacio, y así alimenta nuestras almas con su carne, aunque su carne no abandona el cielo, y nosotros seguimos arrastrándonos sobre la tierra."[86] Entonces Calvino fue más allá de Zuinglio al afirmar que la distancia entre el cuerpo de Cristo en el cielo y nosotros en la tierra es vencida por el Espíritu Santo. Sin embargo, a diferencia de

---

[78] Ibid., 2.14.3.

[79] Calvino en 1 Cor. 15:27, en *CNTC* 9: 327.

[80] Calvino fue acusado de inclinaciones nestorianas. Thomas Weinandy reconoce que Calvino se vio obligado a hacer declaraciones como estas para defender la integridad de las dos naturalezas. Thomas G. Weinandy, *Does God Suffer?* (Notre Dame, IN: University of Notre Dame Press, 2000), 188. Él está de acuerdo con Willis cuando este último dice que Calvino carecía de un concepto claro de la base ontológica de la encarnación. Edward David Willis, *Calvin's Catholic Christology: The Function of the SoCalled Extra Calvinisticum in Calvin's Theology*, Studies in Medieval and Reformation Thought 2 (Leiden: E. J. Brill, 1966), 61-100.

[81] Juan Calvino, *Second Defence of the Pious and Orthodox Faith concerning the Sacraments in Answer to the Calumnies of Joachim Westphal*, en *Selected Works of John Calvin*, vol. 2, *Tracts and Letters, Part 2*, ed. Henry Beveridge y Jules Bonnet, trad. Henry Beveridge (1849; repr., Grand Rapids, MI: Baker, 1983), 2: 282.

[82] Ibid., 2:285.

[83] Ibid., 2:290.

[84] Ibid., 2:295.

[85] Ibid., 2:296.

[86] Ibid., 2:299.

Lutero y los luteranos, esta alimentación no se produce en relación directa con la encarnación, la unión hipostática y la comunión de las naturalezas resultantes de ella, sino por la agencia distinta del Espíritu. La unión con Cristo no es una consecuencia directa de la encarnación.

En su *Clear Exposition of Sound Doctrine concerning the True Partaking of the Flesh and Blood of Christ in the Holy Supper in order to dissipate the mists of Tileman Heshusius* [Exposición clara de la sana doctrina sobre la verdadera participación de la carne y sangre de Cristo en la Santa Cena con el fin de disipar las brumas de Tileman Heshusius] (1561), Calvino fue aún más claro. Aquí él atribuyó la vida que recibimos a la carne de Cristo, con el Espíritu como el agente que lo hace. Por lo tanto, dijo que la carne que Cristo asumió da vida dado que es la fuente de la vida espiritual para nosotros.[87] Si bien el cuerpo de Cristo está ausente en términos de lugar, tenemos una verdadera participación espiritual en Él, "cada obstáculo desde la distancia siendo superado por su energía divina."[88] De paso, Calvino reconoció que es incomprensible para nosotros cómo el cuerpo de Cristo está en un lugar, pero, sin embargo, la persona de Cristo es omnipresente.[89] Él mencionó su adopción del dictum escolástico —*totus ubique sed non totum*— "el Cristo completo en todas partes pero no del todo."[90] Hesshus, sostenía, pervirtió lo que había dicho al afirmar que la naturaleza humana está en todas partes y que la naturaleza humana de Cristo puede existir en diferentes lugares donde lo desee.[91] De lo contrario,

> para que tengamos una comunión sustancial con la carne de Cristo no hay necesidad de ningún cambio de lugar, ya que, por la virtud secreta del Espíritu, nos infunde vida desde el cielo. La distancia no impide en absoluto que Cristo more en nosotros, o que nosotros seamos uno con Él, ya que la eficacia del Espíritu supera todos los obstáculos naturales.[92]

De las Escrituras está claro que el cuerpo de Cristo es finito:

> No negamos que el Cristo completo y consumado en la persona del mediador llene el cielo y la tierra. Digo *entero, no del todo(totus, no totum)* porque era absurdo aplicar esto a su carne. La unión hipostática de las dos naturalezas no es equivalente a una comunicación de la inmensidad de la Deidad con la carne, ya que las propiedades peculiares de ambas naturalezas están perfectamente de acuerdo con la unidad de la persona.[93]

Citando trabajos anteriores, Calvino afirmó que, si bien la humanidad de Cristo está en el cielo, la mano derecha de Dios no significa un lugar sino el poder que el Padre le ha dado a Cristo para gobernar el cosmos. "Porque Cristo, por su ascensión al cielo, entró en posesión del dominio que le había dado el Padre"; Él está muy alejado en términos de presencia corporal "pero llena todas las cosas…por la agencia de su

---

[87] Ibid., 2:507.
[88] Ibid., 2:510.
[89] Ibid., 2:514.
[90] Ibid., 2:514–15.
[91] Ibid., 2:515.
[92] Ibid., 2:518–19.
[93] Ibid., 2:557–58.

Espíritu."[94] "Porque dondequiera que la diestra de Dios, que abarca el cielo y la tierra, se difunde", explicó Calvino, "allí la presencia espiritual de Cristo mismo está presente por su energía ilimitada, aunque su cuerpo debe estar contenido en el cielo", según la declaración de Pedro.[95] "Como un rayo de despedido, Calvino replicó: "Cuando él [Hesshus] dice que ciertas propiedades son comunes a la carne de Cristo y a la Deidad, hago un llamado para una demostración que aún no ha intentado."[96]

La insistencia de Calvino, compartida por los reformados, de que el Hijo no está confinado a la humanidad que Él asumió, debía ser apodada por los luteranos en el siglo siguiente "ese Calvinismo más allá de [*extra-Calvinisticum*]."[97] Sin embargo, no era una innovación. David Willis, investigando las fuentes de Calvino, descubrió una amplia evidencia de patrística y escritores medievales[98] para concluir que representaba "un consenso de los antiguos Padres."[99] De hecho, él agrega, "el término 'extra-Calvinisticum' no es una marca exclusiva que distingue la Cristología de Calvino de otras cristologías de la única Iglesia Católica…Más bien, la doctrina sostiene las interpretaciones católicas correctas del testimonio bíblico de Cristo."[100] El "hecho es que el 'extra-Calvinisticum' es un medio para expresar la unidad de la persona de Jesucristo sin desplazar el misterio con la especulación."[101] En consecuencia, "el 'extra-Calvinisticum', debido a su uso generalizado y antiguo, bien podría llamarse el 'extra-catolicum'."[102]

A pesar de esta evaluación, la presión del debate puede haber llevado a Calvino en ocasiones al tipo de comentarios sin protección a los que hemos llamado la atención anteriormente. Parece que los luteranos tenían una comprensión más fuerte de la doctrina patrística de la unión hipostática, ya que esto se había manifestado en el siglo VI en el Segundo Concilio de Constantinopla, pero los reformados habían entendido mejor la distinción de las naturalezas. Sin embargo, las fuerzas de la controversia tienen el hábito de polarizar las opiniones.

PEDRO MARTYR VERMIGLI (1499-1562)

La Cristología de Vermigli se desarrolla en su *Dialogus de utraque in Christo natura* (1561).[103] Vermigli era muy consciente de la realidad de la humanidad de Cristo en su estado post-ascensión. Su diálogo describe con precisión las diferencias entre las confesiones luteranas y las reformadas. Insistió en que no podemos eliminar la masa, el tamaño, la disposición corporal, las partes, los rasgos y las extremidades, que son

---

[94] Ibid., 2:558–59.

[95] Ibid., 2:561.

[96] Ibid., 2:561.

[97] Ver Willis, *Calvin's Catholic Christology*, passim; Willis, "Extra-Calvinisticum", en *Encyclopedia of the Reformed Faith*, ed. Donald K. McKim (Louisville: Westminster John Knox, 1992), 132-33.

[98] Por ejemplo, él cita a Lombardo, Aquino, Duns Scoto, Occam, Biel, Lefevre, Agustín, Orígenes, Teodorode Mopsuestia, y a Atanasio. Willis, *Calvin's Catholic Christology*, 26–58.

[99] Ibid., 49.

[100] Ibid., 99.

[101] Ibid., 100.

[102] Ibid., 153.

[103] Pedro Martire Vermigli, *Dialogus de Utraque en Christo Natura…: Illustratur & Coenae Dominicæ Negotium, Perspicuisque. . . Testimonios Demonstratur Corpus Christi Non Esse Ubique* (Tiguri: C. Froschoverus, 1561).

parte de la composición humana, del cuerpo de Cristo. El cuerpo humano es abolido cuando uno quita tales cosas.[104]

Vermigli afirmó la adhesión de las iglesias Reformadas a los primeros seis concilios ecuménicos. Su interlocutor luterano imaginario respondió que Vermigli no quería afirmar sus consecuencias. Como la deidad y la humanidad son inseparables en la única persona de Cristo, donde quiera que esté la Deidad, está la humanidad. Vermigli rechazó estas conclusiones; exhibieron el defecto de la equivocación. El luterano, dijo, entiende la naturaleza humana como si toda la naturaleza divina estuviera incluida en ella o como si la naturaleza humana se completara y se extendiera por igual con lo divino. Esto no está lejos de Eutiquio, que se aferró a una sola naturaleza. Más bien, argumentó, los reformados creen que la humanidad es inseparable de la divinidad, de modo que "de ninguna manera restringe la divinidad dentro de sus propios límites estrechos ni se expande de tal manera que llene todos los lugares donde existe la divinidad."[105] El oponente luterano no pudo evitar una mezcla entre las naturalezas. Él pensó que la persona se desgarró si se considera que la deidad está donde la humanidad no está presente. Pero, sostuvo Vermigli, mientras el cuerpo de Cristo está en el cielo y ya no habita en la tierra, el Hijo de Dios está todavía en la iglesia y en todas partes: "Nunca está tan libre de su naturaleza humana que no la ha injertado en Él y se unió en la unidad de su persona en el lugar donde está la naturaleza humana."[106]

Vermigli usó una variedad de argumentos —como la relación de la cabeza con el cuerpo y las órbitas de los planetas— argumentar que la unidad de las cosas no se destruye cuando hay una distancia espacial intermedia. Negó que esto signifique apartar a la deidad de la humanidad. La naturaleza divina está en todas partes en virtud de su inmensidad, y siempre tiene la humanidad unida a ella. Pero la humanidad no está presente en cada lugar que llena la divinidad. La Palabra divina llena todas las cosas, pero la humanidad hipostáticamente unida a ella está confinada a su propio lugar. El luterano se opuso al afirmar que esto significa que Vermigli postula dos personas, una hipóstasis donde la humanidad se une a la deidad y otra donde la deidad se extiende por toda la naturaleza humana.[107] Vermigli no tendría nada de esto. La unidad de la persona se conserva de tal manera que las propiedades de las naturalezas permanecen distintas, pero no mezcladas.[108] No predicamos una separación de la deidad de la humanidad o viceversa, insistió. Dondequiera que esté la naturaleza humana, se sostiene en la persona divina. La deidad no está limitada por el cuerpo humano ya que llena todas las cosas.[109]

Sobre las propiedades de las naturalezas en Cristo, Vermigli hizo copiosas referencias a los padres.[110] En apoyo, citó a Cirilo de Alejandría, Juan de Antioquía, Leo I, Teodoreto, Ambrosio y Agustín.[111] Se refirió a Cirilo hablando de Cristo

---

[104] Pedro Martyr Vermigli, *The Peter Martyr Library, vol. 2, Dialogue on the Two Natures in Christ*, trad. y ed. John Patrick Donnelly, Sixteenth Century Essays and Studies 31 (Kirksville, MO: Thomas Jefferson University Press y Sixteenth Century Journal Publishers, 1995), 12.

[105] Ibid., 23.

[106] Ibid., 24.

[107] Ibid., 24–25.

[108] Ibid., 26.

[109] Ibid., 28.

[110] Ibid., 39–89.

[111] Ibid., 51–59.

muriendo según su humanidad, con lo cual quiso decir que la naturaleza que la Palabra hizo suya a través de la encarnación sufrió y murió.[112] Citó la carta de Agustín a Dardanus, en la que decía que las declaraciones bíblicas son tan propias de una de las naturalezas de Cristo que no pueden atribuirse a la otra sin concesiones a su terminología y manera de hablar.[113] Además, recurrió al *Quinto Diálogo sobre la Trinidad,* de Cirilo, donde advirtió contra la atribución a las cualidades humanas de Cristo, que pertenecen únicamente a la Deidad o los atributos humanos a la naturaleza divina; en cambio, Cirilo instó a sus lectores a "cultivar una terminología que los distinga y satisfaga a cada uno."[114]

A partir de esto, Vermigli discutió el compromiso luterano con la ubicuidad. El luterano preguntó ya sea, si le concedemos la humanidad, debido a la unión hipostática, el poder santificador y dador de vida, ¿por qué no otorgarle también la ubicuidad? Vermigli respondió que, si bien estas facultades perfeccionan en lugar de destruir la naturaleza humana, es imposible hacer que la humanidad sea coextensiva a la Deidad sin hacerla infinita y así destruirla. El oponente insistió en que los luteranos no creen que la naturaleza humana esté en todas partes intrínsecamente —no tiene ese poder de sí mismo. En cambio, la Palabra le comunica ese poder debido a la unión hipostática. Citando a Brenz, dijo que el cuerpo de Cristo no llena todas las cosas como un cuerpo humano sino como un cuerpo asumido. Vermigli respondió declarando que la hipóstasis divina no roba el cuerpo supuesto de ser un cuerpo humano real. El luterano luego mencionó los tres tipos de ubicuidad trazables a Lutero: local, repleto y personal. Después de que el Hijo de Dios se encarnó, se deduce necesariamente que la humanidad asumida en la unidad de su persona está en todas partes por una ubicuidad personal (*ubiquitate personali*). Vermigli pensó que esto era muy extraño.[115]

En la ascensión de Cristo al cielo, Vermigli escribió que Cristo no es humano en el cielo antes de la ascensión. La carga de la prueba estaba en los luteranos para mostrar que Cristo podría haber ascendido de acuerdo con su humanidad si ya estuviera presente allí. ¡Alguien que está en todas partes no tiene a dónde ir! La hipóstasis divina de Cristo no pudo ascender porque Él era infinito y ya había ocupado todo. Pero la humanidad de Cristo tenía dimensiones fijas y verdaderamente ascendió al cielo. El ángel anunció que su cuerpo no estaba en la tumba. Cristo no estaba con Lázaro cuando murió. Vermigli concluyó que, para los luteranos, dada su noción de ubicuidad, la ascensión era solo en apariencia y para exhibición.[116]

EL COLOQUIO DE MALBRONN (1564)

El Coloquio de Malbronn fue convocado después de que surgieron controversias en el Palatinado después de la deserción de Heidelberg del luteranismo a la fe reformada. Sin embargo, en lugar de llegar a una resolución sobre Cristología o la Cena del Señor, las posiciones solo se endurecieron como resultado. Entre los luteranos, condujo a un destacamento de filipistas (seguidores de Melanchthon) de los Gutenberianos (gnesio-

---

[112] Ibid., 61–65
[113] Vermigli, *Diálogo sobre las dos naturalezas*, 66; PL 33: 835.
[114] Vermigli, *Dialogue on the Two Natures*, 67; PG 75: 973.
[115] Vermigli, *Dialogue on the Two Natures*, 89-107, esp. 89-91.
[116] Ibid., 107–11.

luteranos).[117] En este momento, los luteranos llamaron a sus oponentes *Calviniani* en lugar de *Zuinglioani*.[118] Recientemente se había producido el Consenso Tiguriano (1549), donde Calvino hizo concesiones a Bullinger sobre la Eucaristía,[119] y la Paz de Augsburgo (1555), en la que solo se tolerarían los luteranos y los católicos romanos en Europa.[120] Calvino afirmó que sus puntos de vista eran consistentes con la Confesión de Augsburgo en su *Admonición final a Westfal*.[121] En Malbronn, Caspar Olevian introdujo la figura de "Amberes y el océano" para defender la posición reformada, el océano representando al Hijo de Dios que también existe más allá de los límites de la carne que Él asumió.[122] Sin embargo, a través de todos estos desarrollos dispares, la división entre luteranos y reformados se mantuvo.

EL COLOQUIO DE MONTBÉLIARD (1586)

Las cuestiones cristológicas asumieron cada vez más importancia en esta controversia en el Coloquio de Montbéliard, ya que estaba en la naturaleza de Cristo que subyacen las diferencias sacramentales subyacentes. Como Raitt observa: "Desde el Coloquio Maulbronn 1564 a través de las amargas batallas sobre el significado de *kenósis* en el primer cuarto del siglo XVII, las discusiones sobre la Cena del Señor, que significaban discusiones sobre la forma de la presencia de Cristo, se convirtieron en argumentos cristológicos."[123] En Montbéliard, los principales antagonistas fueron Jacob Andraeus para los luteranos y Teodoro Beza para los reformados. Para Andraeus, no hubo gran diferencia en Cristo antes y después de la resurrección, debido a la comunicación de los atributos divinos a la naturaleza humana.[124] Por el contrario, como Willis observa, las analogías reformadas, como la comparación entre Amberes y el océano, parecían incongruentes. Detrás de ellos está la intención de afirmar que la humanidad es finita o no es humanidad, incluso cuando está unida hipostáticamente al Creador infinito. Desde 1586, este luterano fue visto por los luteranos como definitivamente calvinista, aunque se había opuesto desde 1564.[125] Todo esto nos lleva de vuelta a la insistencia de Lutero de que "ni en el cielo ni en la tierra, yo… conozco a Cristo fuera de esta carne."[126] Esto significaba que, para los luteranos, el Hijo no existe más allá de los límites de la humanidad asumida, lo que a su vez implica la ubicuidad de la humanidad.

---

[117] Las principales figuras de los luteranos fueron Johannes Brenz, Jacob Andraeus y Teodoro Schnapff, y para los reformados fueron Zacharius Ursino, Caspar Olevian, Immanuel Tremellius y Boquinas.

[118] Willis, *Calvin's Catholic Christology*, 11.

[119] Paul E. Rorem, "The Consensus Tigurinus (1549): Calvin Compromise?", En *Calvinus Sacrae Scripturae Professor: Calvin como Confesor de las Sagradas Escrituras; Die Referate Des Congrès International Des Recherches Calviniennes Vom 20. Bis 23. Agosto 1990 en Grand Rapids,* ed. Wilhelm H. Neuser (Grand Rapids, MI: Eerdmans, 1994), 72-90.

[120] Willis, *Calvin's Catholic Christology*, 13.

[121] CO 9:148.

[122] Willis, *Calvin's Catholic Christology*, 15.

[123] Jill Raitt, *The Colloquy of Montbéliard: Religion and Politics in the Sixteenth Century* (Nueva York: Oxford University Press, 1993), 110.

[124] Ibid., 84.

[125] Willis, *Calvin's Catholic Christology*, 16-18, 23.

[126] Martín Lutero, *Scholia en Esaiam prophetam*, cap. 1-41, en vol. 22 de *Die Martini Lutheri Exegetica Opera Latina*, ed. Christoph von Elsperger y Heinrich Schmidt (Erlangen: Heyder, 1860), 60. Esto también es citado por Willis de la serie WA.

TEODORO BEZA (1519-1605)

En sus comentarios sobre los debates en Montbéliard, Beza reaccionó fuertemente a la calumnia de que reconocía solo una *communicatio idiomatum* verbal en Cristo, no una verdadera.[127] Es verbal solo en la medida en que es una forma de predicación (*geneus praedicationis*) a causa de la unidad de la persona, por la cual atributos concretos de cualquiera de las dos naturalezas se atribuyen a la persona indivisible. Llamó a la afirmación de Chemnitz de que los dones comunicados a la humanidad de Cristo son inmensos para ser "falsos, impíos y blasfemos."[128] Negó que la unión hipostática niegue la naturaleza humana o que las propiedades divinas le sean comunicadas. La elevación de Cristo a la diestra de Dios no fue el resultado de la encarnación como tal, sino que ocurrió al final del tiempo de la humillación. Andraeus, como Chemnitz, consideraba que la *comunicatio* era el resultado de la unión hipostática.[129] A su vez, Beza sostuvo que la presencia de la carne de Cristo en la Eucaristía no se debe a la unión hipostática, sino a las palabras de la institución del sacramento. La sustancia del cuerpo de Cristo estaba ausente del cielo cuando Él estaba en la tierra, y ahora que está en el cielo, está ausente de la tierra. Su carne es poderosa y eficaz en un misterio maravilloso e impenetrable. Mientras que, en sus propias notas marginales sobre el Coloquio, Andraeus repetidamente afirmó que Beza estaba de acuerdo con Nestorio, Beza por su parte acusó a Andraeus de confundir y mezclar la deidad y la humanidad.[130] En resumen, sostuvo que la afirmación de Andraeus sobre la comunicación de propiedades reales y esenciales entre las naturalezas era "falsa y absurda."[131]

Para Beza, en la persona de Cristo, la humanidad no recibe nada de la divinidad, ni viceversa. Argumentó que no existe una comunicación real entre la deidad y la humanidad.[132] Sin embargo, por insatisfactorio que pueda ser el puesto luterano, para algunos críticos, Beza sonaba demasiado cercano al nestorianismo, ya que su Cristología era más una conjunción de dos naturalezas que una encarnación.

Cristología Anabaptista

La Cristología Anabautista siguió un curso diferente. Algunos grupos aceptaron el clásico asentamiento cristológico, pero otros, particularmente los holandeses, adoptaron una variedad de ideas heterodoxas. Los Artículos de Schleitheim (1527) no tienen nada sobre Cristología.[133] Una confesión de fe de Jörg Muller (1534) es ortodoxa.[134] Por otro lado, el artículo 6 de la Confesión de Hesse de los Hermanos Suizos (1578) dice que Jesucristo es "un hijo de Dios", "como Dios en poder, poder y gloria", "el primogénito de todas las criaturas" —lo cual es claramente heterodoxo.[135] Además, los artículos 2-5 no son explícitamente Trinitarios. Estas declaraciones son

---

[127] Teodoro Beza, *AdActa Colloquii Montisbelgardensis Responsionis*, 3ª ed. (Ginebra: Ioannes le Preux, 1589), 17-18, 79-80, 163-67.

[128] Ibid., 80 (traducción del autor).

[129] Ibid., 163.

[130] Ibid., 164.

[131] Ibid., 165 (traducción del autor).

[132] Ibid., 167.

[133] Karl Koop, ed., *Confesiones de fe en la tradición anabautista*, 1527-1660, Classics of the Radical Reformation 11 (Kitchener, Ontario: Pandora, 2006), 23-33.

[134] Ibid., 35–44.

[135] Ibid., 56.

una salida estudiada de la tradición cristiana.[136] Entre las confesiones del norte de Alemania y de los Países Bajos, la Confesión de Kampen (1545) es ambigua, capaz de una interpretación arriana.[137] El concepto de 1591 del párrafo de Colonia sobre Cristo también es ambiguo —Cristo fue encarnado "a través del poder del Todopoderoso", lo que implica que era menos que todopoderoso.[138] En vista del hecho de que la iglesia se había pronunciado claramente sobre estos temas, la ambigüedad cuenta su propia historia.

Una figura clave en la tradición anabautista holandesa fue Melchior Hofmann (alrededor de 1495-1544). Karl Koop, en sus comentarios sobre el Concepto de Colonia, afirma que

> muchos anabautistas holandeses fueron influenciados por la doctrina de Melchior Hofmann de la encarnación que reconoció que Cristo se hizo humano, pero asumió que su carne era "celestial" y no provenía de María. La mayoría de los líderes anabaptistas holandeses, como Menno Simons y Dirk Philips, tenían alguna versión de esta doctrina melchiorita, mientras que los anabaptistas del sur de Alemania... generalmente siguieron la comprensión de la iglesia en general.[139]

Por otro lado, en la Confesión de Waterlander (1577), la doctrina de Melchorita no aparece, lo que sugiere que los Waterlanders estaban en desacuerdo con eso; esto es apoyado por su declaración ortodoxa sobre Cristología.[140]

En sus formas ortodoxas, el anabautismo tendía a una clara distinción entre las dos naturalezas, similar a Zuinglio y Karlstadt. Fue útil para defender una doctrina de la Cena del Señor en la que Cristo está ausente y el Espíritu Santo es el medio de la presencia divina, asegurando así una visión puramente espiritualizada de la realidad.[141] Así, Balthasar Hubmaier (alrededor de 1480-1528) sostuvo que después de la ascensión, el Hijo estaba y está ausente de la historia y de la Cena.[142] Esto representa una visión radicalmente dualista del mundo. Sin embargo, esta lectura de Hubmaier ha sido cuestionada por MacGregor, quien argumenta que Hubmaier estaba en deuda con Lutero y usó la "distinción entre la presencia definitiva de Dios y la presencia repleta de Dios" por la cual Cristo llena todas las ubicaciones del espacio-tiempo sin ser restringido.[143] Concluyó que tanto la "presencia definitiva como la plenitud" se aplican también a la naturaleza humana de Cristo, cuyo "cuerpo físico está definitivamente presente a la diestra de Dios" mientras está "presente abundantemente en todos los puntos del universo espacio-tiempo sin ser limitado por eso."[144] Pero él no pasó a relacionar esto con la Cena del Señor.[145]

Caspar Schwenckfeld (1489-1561) sostuvo que la humanidad primordial de Cristo no era creacional y que potencialmente estaba disponible para todos los creyentes que

---

[136] Ibid., 60.

[137] Ibid., 97–98.

[138] Ibid., 119.

[139] Ibid., 115.

[140] Ibid., 123–27.

[141] John D. Rempel, *The Lord's Supper in Anabaptism: A Study in the Christology of Balthasar Hubmaier, Pilgram Marpeck, and Dirk Philips*, Studies in Anabaptist and Mennonite History (Scottdale, PA: Herald, 1993), 34-35.

[142] Ibid., 66–67.

[143] Kirk R. MacGregor, "The Eucharistic Theology and Ethics of Balthasar Hubmaier", *HTR* 105, no. 2 (2012): 228.

[144] Ibid., 228–29.

[145] Ibid., 229.

eran espiritualmente perceptivos.[146] De hecho, Schwenckfeld sostuvo que aquellos que pensaban que Cristo como hombre en la gloria era una criatura eran más malditos que el eutiquianismo. Él no reconoció nada de la creación o la criatura en Cristo —"No puedo considerar al Hombre Cristo con su cuerpo y sangre como una creación o una criatura."[147] El énfasis de Schwenckfeld estaba en la unidad de la persona de Cristo hasta el punto de borrar efectivamente a la humanidad. Pilgram Marpeck (ca. 1495-1556), que tenía una Cristología básicamente ortodoxa, se opuso a Schwenckfeld en los debates de 1538 y 1539.[148] Mientras Schwenckfeld sostenía que el Hijo siempre tenía dos naturalezas, él creía que el Hijo no debía nacer de una mujer, sino solo *en* una mujer. Marpeck solo tenía una *communicatio idiomatum* limitada, debido a la distinción de las naturalezas, que correctamente sostuvo para continuar después de la ascensión, pero para Schwenckfeld la *communicatio* eliminó cualquier distinción.[149] En el pensamiento de Schwenckfeld, desde la concepción, la humanidad no creada de Cristo fue progresivamente deificada, de modo que nosotros, al recibirla en la Cena, progresamos a la deificación nosotros mismos.[150]

Otros fueron más allá de Schwenkfeld, que tenía una preocupación para operar dentro de límites confesionales. Dietrich (o Dirk) Philips (1504-1568), en la Iglesia de Dios (alrededor de 1560), consideraba imposible que la carne de Cristo se formara de la simiente de María, porque si eso era así, no podía ser el Pan Vivo que bajó del cielo.[151] Melchior Hofmann, quien probablemente influenció a Schwenckfeld, argumentó que la Virgen María no desempeñó ningún papel en proporcionar a Jesús carne humana; más bien, Jesús "pasó a través de María como agua a través de una tubería."[152] Si María hubiera contribuido con algo, Jesús habría sido manchado con la criatura.[153] Esto era una negación de la carne humana de Cristo y una afirmación de que Él tenía una naturaleza, no dos.[154] Menno Simons siguió a Hofmann a lo largo de su carrera. Él enseñó que Cristo era una sola persona, no dos, lo que indica su incapacidad para comprender la enseñanza cristológica de la iglesia, ya que entendía que cualquier cosa creada implicaba una identidad separada y, por lo tanto, personas duales. Desde que el Hijo del Hombre bajó del cielo, él concluyó que todo el Cristo —deidad y humanidad— tiene su origen en el cielo, no en la tierra.[155] Williams rastrea los orígenes de estas ideas a un jardinero de Estrasburgo, Clement Zeigler, quien enseñó que Cristo trajo su cuerpo del cielo y obtuvo visibilidad de la carne provista por María.[156]

---

[146] George Huntston Williams y Angel M. Mergal, editores. *Spiritual and Anabaptist Writers,*, LCC 25 (Londres: SCM, 1957), 162.

[147] Ibid., 180.

[148] Rempel, *Lord's Supper in Anabaptism*, 108-19; C. Arnold Snyder, *Anabaptist History and Theology: An Introduction* (Kitchener, Ontario: Pandora, 1995), 357-58.

[149] Rempel, *Lord's Supper in Anabaptism*, 114.

[150] George Huntston Williams, *The Radical Reformation* (Filadelfia: Westminster, 1975), 332-35.

[151] Ibid., 238–39.

[152] Snyder, *nabaptist History and Theology*, 357

[153] Ibid., 357.

[154] Williams, *Radical Reformation*, 329-31.

[155] Snyder, *Anabaptist History and Theology*, 359-60.

[156] Williams, *Radical Reformation*, 326-29.

Conclusión

Las diferencias entre varias agrupaciones anabaptistas reflejan el grado en que los respectivos voceros aceptaron o desatendieron los compromisos confesionales históricos de la iglesia sobre Cristología. Sin embargo, muchos de los líderes radicales tenían poco compromiso con la tradición de la iglesia. En consecuencia, muchas viejas herejías resurgieron y emergieron otras nuevas.

En general, los luteranos y los reformados, aunque tan comprometidos con el dogma ecuménico como Roma, tendían a acentuar los lados opuestos de las declaraciones confesionales clásicas. Los primeros, con una fuerte comprensión de la unión hipostática, fueron sostenidos por los reformados para poner en peligro la realidad de la humanidad de Cristo. Por otro lado, en su preocupación por la integridad de ambas naturalezas, a veces los Reformados parecían tener una visión suelta de la unión.

Recursos para un Estudio Adicional

FUENTES PRIMARIAS

Beza, Theodore. *Ad Acta Colloquii Montisbelgardensis Responsionis*. 3ra ed. Ginebra: Ioannes le Preux, 1589.

Brenz, Johannes. *De Personali Unione Duarum Naturarum en Christo, y Ascensu Christi en Coelum, ac Sessione Eius y Dexteram Dei Patris. Qua Vera Corporis y Sanguinis Christi Praesentia en Coena Explicata Est, y Confirmata*. Tübingen: Viduam Ulrichi Morhadi, 1561.

Bromiley, G. W., ed.*Zwingli and Bullinger: Selected Translations with Introductions and Notes*. Library of Christian Classics 24. London: SCM, 1953.

Calvino, Juan. *Calvin's Commentaries. Vol. 9, The First Epistle of Paul the Apostle to the Corinthians*. Traducido por David W. Torrance y John W. Fraser. Grand Rapids, MI: Eerdmans, 1960.

_____. *Institucion de la Religion Cristiana*. Grand Rapids: Libros Desafío, 2012.

_____. *Tracts and Letters, Part 2. Vol. 2 of Selected Works of John Calvin*. Editado por Henry Beveridge y Jules Bonnet. Traducido por Henry Beveridge. 1849. Reimpresión, Grand Rapids, MI: Baker, 1983.

Chemnitz, Martin. *The Two Natures in Christ*. Traducido por J. A. O. Preus. 1578. Reprint, St. Louis, MO: Concordia, 1971.

Koop, Karl, ed. *Confessions of Faith in the Anabaptist Tradition, 1527-1660*. Clásicos de la Reforma Radical 11. Kitchener, Ontario: Pandora, 2006.

Luther, Martin. *Confession concerning Christ's Supper*. En *Luther's Works*. Vol. 37, *Word and Sacrament III*, editado por Robert H. Fischer, 151-372. 1528. Reimpresión, Filadelfia: Fortaleza, 1961.

_____. *The Freedom of a Christian. In Luther's Works*. Vol. 31, *Career of the Reformer I*, editado por Harold J. Grimm, 327-77. 1520. Reimpresión, Philadelphia: Fortress, 1957.

_____. "Preface to the Epistles of St. James and St. Jude".En *Luther's Works*. Vol. 35, *Word and Sacrament I*, editado por E. Theodore Bachman, 395-98. 1546. Reimpresión, Philadelphia: Fortress, 1960.

_____. "Preface to the Old Testament".En *Luther's Works*. Vol. 35, *Word and Sacrament I*, editadopor E. Theodore Bachman, 233–333. 1523. Reimpr., Philadelphia: Fortress, 1960.

_____. *That These Words of Christ, "This Is My Body," Etc., Still Stand Firm against the Fanatics*. En *Luther's Works*. Vol. 37, *Word and Sacrament III*, editadopor E. Theodore Bachman, 233–333. 1523. Reimpr., Philadelphia: Fortress, 1960.

Melanchthon, Felipe. *LociCommunes* (1555). En *Melanchthon on Christian Doctrine: Loci Communes 1555*. Traducido y editado por Clyde L. Manschreck. Grand Rapids, MI: Baker, 1965.

_____. *LociCommunes Theologici*. 1555. Reimpresión, Basilea: Ioannem Operinum, 1562.

Vermigli, Pedro Martyr. *The Peter Martyr Library.*. Vol. 2, *Dialogue on the Two Natures in Christ*. Traducido y editado por John Patrick Donnelly. Sixteenth Century Essays and Studies 31. Kirksville, MO: Thomas Jefferson University Press and Sixteenth Century Journal Publishers, 1995.

Williams, George Huntston y Angel M. Mergal, eds. *Spiritual and Anabaptist Writers.*Library of Christian Classics 25. London: SCM, 1957.

Zuinglio, Huldrych. *Commentary on True and False Religion*. Editado por Samuel Macaulay Jackson y Clarence Nevin Heller. 1929. Reimpr., Durham, NC: Labyrinth, 1981.

FUENTES SECUNDARIAS

Raitt, Jill. *The Colloquy of Montbéliard: Religion and Politics in the Sixteenth Century*. New York: Oxford University Press, 1993.

Rempel, John D. *The Lord's Supper in Anabaptism: A Study in the Christology of Balthasar Hubmaier, Pilgram Marpeck, and Dirk Philips*. Studies in Anabaptist and Mennonite History 33. Scottdale, PA: Herald, 1993.

Rorem, Paul E. "The Consensus Tigurinus (1549): Did Calvin Compromise?" En *Calvinus Sacrae Scripturae Professor: Calvin as Confessor of Holy Scripture; Die Referate Des Congrès International Des Recherches Calviniennes Vom 20. Bis 23. August 1990 in Grand Rapids*, editadopor Wilhelm H. Neuser, 72–90. Grand Rapids, MI: Eerdmans, 1994.

Willis, Edward David. *Calvin's Catholic Christology: The Function of the So-Called Extra Calvinisticum in Calvin's Theology*. Studies in Medieval and Reformation Thought 2. Leiden: E. J. Brill, 1966.

10

La Obra de Cristo

Donald Macleod

RESUMEN

Comenzando con la observación de que la doctrina de la justificación por la fe es incompleta sin una clara doctrina de la obra de Cristo, este capítulo utiliza el concepto de Calvino de la triple función (*munus triplex*) como marco para un sumario de la doctrina de los reformadores sobre la actividad mediadora de Jesús, con especial énfasis en su comprensión de la expiación. Éste nota de los puntos clave en los que el protestantismo desafió el dogma católico romano con respecto al sacerdocio de Cristo, evalúa el argumento de Aulén de que Lutero, a diferencia de los otros reformadores, predicó una "clásica" doctrina de la expiación, y concluye con reflexiones sobre la insistencia de Lutero en una "teología de la cruz".

Introducción

Pocos negarían que el redescubrimiento clave de la Reforma fue la doctrina de la justificación por la fe. Como señaló Calvino en su *Respuesta al Cardenal Sadolet,* este fue el "primer y más agudo tema de controversia entre nosotros", y agregó, "Dondequiera que el conocimiento de esto sea quitado, la gloria de Cristo se extingue, la religión abolida, la iglesia destruida y la esperanza de la salvación completamente derrocada."[1] Sin embargo, la frase *justificación por fe* es siempre incompleta, porque deja sin respuesta a la pregunta, ¿fe en qué? Fue en esta pregunta que el romanismo y el protestantismo se dividieron. El Concilio de Trento nunca negó que la justificación fuera por fe. Lo que negaba era que era *solo* por la fe y en Cristo *solamente*. Fue en estos que los anatemas Roma cayeron.[2] Pero en la doctrina protestante siempre hubo algo más fundamental que la justificación, a saber, la obra del Redentor. Fue en esto que descansó la justificación y en esto esa fe confiaba. Pecadores, escribió Lutero,

---

[1] Juan Calvino, *John Calvin*: Tracts and Letters, ed. Henry Beveridge y Jules Bonnet, trad. Henry Beveridge (1844; repr., Edinburgh: Banner of Truth, 2009), 1:41.

[2] Véanse los cánones 9 y 11 de la sexta sesión del Concilio de Trento en, por ejemplo, Philip Schaff, *The Creeds of the Greek and Latin Churches* (Londres: Hodder y Stoughton, 1877), 112-13.

"debe justificarse sin mérito [propio] mediante la fe en Cristo, quien, a mérito de esto por su sangre, se ha convertido para nosotros en un propiciatorio por Dios."[3]

Era natural, entonces, que los reformadores dieran importancia a la obra de Cristo, y particularmente a la doctrina de la expiación, pero ni Lutero, Melanchthon, Bucer, Zuinglio ni Bullinger le dieron el tratamiento sistemático que recibió en manos de Juan Calvino. Calvino dedicó seis capítulos de sus *Institución*[4] a este tema, y en el curso de su discusión, él introdujo en la teología de la Reforma, el concepto ampliamente influyente del *munus triplex*. Parece apropiado, entonces, usar la doctrina de Calvino como el punto de entrada a la doctrina más amplia de la Reforma.

Cristo el único Mediador

El término latino *munus triplex* no apunta a "los tres oficios" de Cristo, pero si a un oficio triple. Hay un oficio, el de Mediator, pero este oficio único (Lat. *officium*, "deber") incluye las tres funciones de Profeta, Sacerdote y Rey. La idea bíblica de un mediador ocurre tan temprano como en Deuteronomio 5:5, donde Moisés habla de sí mismo como el que se interpone entre Yahveh e Israel para recibir la palabra divina y transmitirla al pueblo; la razón por la que tuvo que hacerse a través de un mediador fue que el pueblo, confrontado con el portento del Sinaí, tenía "miedo por causa del fuego." Calvino vio esto como una señal del principio de acomodación: "Mientras que Dios envía su palabra por mano de los hombres, lo hace con respecto al defecto y la debilidad de los hombres."[5] Pero la necesidad de un Mediador surgió no solo de nuestras limitadas capacidades humanas, sino también de nuestra difícil situación espiritual. A través de la caída de Adán, la humanidad se ha vuelto degenerada, maldita y miserablemente esclavizada. "Toda la raza humana", escribió Calvino, "pereció en la persona de Adán." En consecuencia, nuestra "excelencia y nobleza originales" "no serían de ninguna utilidad para nosotros, sino que redundarían en nuestra mayor vergüenza, hasta que Dios, quien no reconoce como obra suya a los hombres contaminados y corrompidos por el pecado, apareció como Redentor en la persona de su Hijo unigénito."[6] En consecuencia, "aparte del Mediador, Dios nunca mostró favor hacia los pueblos antiguos ni les dio esperanza de gracia."[7]

El término específico "mediador" (Gr. *Mesitēs*) se aplica a Cristo en pasajes del Nuevo Testamento como 1 Timoteo 2:5; Hebreos 8:6; 9:15; y 12:24. Y se aplica a Él no como un solo mediador entre muchos sino como único mediador. Él es el "*único* mediador entre Dios y los hombres*" (1 Timoteo 2:5). Este fue un punto clave en la controversia con Roma. Frente a la práctica de rezar a la Santísima Virgen y a los santos, los reformadores argumentaron enérgicamente que "desde que Cristo se nos propone como el único Mediador, por el cual debemos acercarnos a Dios, aquellos que, pasando de Él, o posponiéndolo, recurren a los santos, no tienen excusa para su

---

[3] De los "Prefaces to the New Testament" de Lutero, *LW* 35: 373. Cf. Melanchthon, quien declaró: "Cuando decimos que somos justificados por la fe, no estamos diciendo nada más que por el bien del Hijo de Dios, recibimos la remisión de los pecados y somos contados como justos". Felipe Melanchthon, *The Chief Theological Topics: Loci Praecipui Theologici*, 2da ed. English, trad. J. A. O. Preus (St. Louis, MO: Concordia, 2011), 157.

[4] Calvino, *Institución*, 2.12-17.

[5] *The Sermons of M. John Calvin upon the Fifth Booke of Moses called Deuteronomie*, trad. Arthur Golding (Londres, 1583; Reimpresión facsímil, Edimburgo: Banner of Truth, 1987), 183.

[6] Calvino, *Institución*, 2.6.1.

[7] Ibid., 2.6.2.

depravación."[8] En su comentario sobre 1 Timoteo 2:5, Calvino se refirió al hecho de que "desde un principio los hombres se han alejado más y más de Dios inventando para ellos mismos un mediador tras otro", pero lo que es particularmente interesante es la razón que él alegó para este desarrollo: "La idea errónea de que Dios estaba muy distante de ellos, y por eso no sabían a dónde acudir en busca de ayuda". El antídoto para esto es que en Cristo Dios ha venido a nosotros y está presente con nosotros: "Si quedase profundamente grabado en los corazones de todos los hombres que el Hijo de Dios nos tiende la mano de hermano, y que estamos unidos a Él por el compañerismo de nuestra naturaleza, para que, desde nuestra baja condición, Él pueda levantarnos hasta el cielo, ¿quién no decidiría andar en este camino recto, en lugar de vagar por caminos inciertos y tempestuosos?", agregó Calvino. "Por lo tanto, cada vez que le oramos a Dios, si el pensamiento de su majestad sublime e inaccesible llena nuestras mentes de terror, recordemos a Jesucristo hombre, que amablemente nos invita, y nos lleva de la mano para que el Padre, a quien habíamos tenido pavor y temíamos, se vuelva favorable y amigable con nosotros". Los "sofistas romanos", sin embargo, estaban ocupados ideando todo tipo de formas para ocultar esta verdad: "El nombre les es tan repugnante que, si alguien menciona la mediación de Cristo sin traer a los santos, de inmediato cae bajo sospecha de herejía."[9]

Exactamente los mismos sentimientos ya se habían expresado en la Confesión de Augsburgo (1530), la cual declaró (artículo 21):

> Las Escrituras no pueden probar que debemos invocar a los santos o buscar ayuda de ellos. "Porque hay un solo mediador entre Dios y los hombres, Cristo Jesús" (1 Timoteo 2: 5), quien es el único salvador, el único sacerdote, defensor e intercesor ante Dios (Romanos 8:34). Sólo Él ha prometido escuchar nuestras oraciones.

La forma más elevada de servicio divino (Lat. *Cultus*), por lo tanto, es "sinceramente buscar e invocar a este mismo Jesús en todo momento de necesidad."[10] En la Apología de la Confesión de Augsburgo, redactada por Melanchthon en 1531, la invocación de los santos se declara "simplemente intolerable, ya que transfiere a los santos el honor de pertenecer únicamente a Cristo. Los convierte en mediadores y propiciadores."[11] La Apología incluso pudo haber sido la fuente de la cual Calvino se inspiró cuando atribuyó la invocación de los santos a un pavor de Dios fuera de lugar, e incluso del propio Cristo: "Los hombres suponen", declara, "que Cristo es más severo y los santos más accesibles; así que confían más en la misericordia de los santos que en la misericordia de Cristo, y huyen de Cristo y se vuelven hacia los santos."[12]

Dentro del concepto general de Cristo como mediador, Calvino desarrolló tanto su comprensión de las dos naturalezas de Cristo como su doctrina del triple oficio: "El oficio ordenado a Cristo por el Padre consta de tres partes. Porque le fue dado ser

---

[8] Calvino, *Tracts and Letters*, 1:96.

[9] Calvino sobre 1 Tim. 2:5, en *CNTC* 9: 210-11. Cf. el artículo 12 de la Confesión de Génova, que dice: "Rechazamos la intercesión de los santos como una superstición inventada por hombres contrarios a las Escrituras, por la razón de que procede de la desconfianza de la suficiencia de la intercesión de Jesucristo". Juan Calvino, "La Confesión de Ginebra (1536)," en *Calvin: Theological Treatises*, trad. J. K. S. Reid, LCC 22 (Londres: SCM, 1954), 29.

[10] Ver Teodoro G. Tappert, ed. y trad., *The Book of Concord: The Confessions of the Evangelical Lutheran Church* (Filadelfia: Fortaleza, 1959), 47.

[11] Ibid., 230.

[12] Ibid., 231.

profeta, rey y sacerdote."[13] Es digno de mención que Calvino no ofreció ninguna exposición de la frase "el oficio prescrito en Cristo". Incluso cuando podríamos haber esperado que los textos que estaba comentando (por ejemplo, Hebreos 3:2; 5:4) sirvan como aviso, se contentó con decir que el Padre lo llamó, lo nombró y lo puso sobre nosotros;[14] o, al comentar sobre el Salmo 2:7, simplemente afirmó que "Cristo fue hecho rey por Dios el Padre."[15] Quizás lo más sorprendente de todo es que cuando comentó las palabras del Salmo 89:3 ("He hecho un pacto con mi elegido"), se limitó al pacto hecho con David.[16] Lo que llama la atención aquí no es solo la ausencia de cualquier referencia a lo que los teólogos reformados posteriores llamaron el pacto de la redención (el acuerdo eterno entre el Padre y el Hijo que subyace a la misión y obra de Cristo), sino también la ausencia de cualquier sentido de la necesidad de tal pacto. Ni siquiera existe el germen de lo que John Owen llamaría más tarde "transacciones federales entre el Padre y el Hijo."[17] Incluso cuando estuvo más cerca de discutir la comisión de Jesús, Calvino pareció limitarlo a su vida terrenal: "Estamos hablando de Cristo en la medida en que se ha revestido de nuestra carne, y es así el Siervo del Padre para cumplir sus mandamientos."[18] Sin embargo, aunque Calvino no mencionó explícitamente un nombramiento o compromiso previo, la misma palabra *officium* implica que Cristo no vino en una misión indefinida, sino como alguien encargado de un deber específico.

Hasta cierto punto, esta ausencia de cualquier referencia a un pacto pretemporal refleja la posición de Calvino en la línea de tiempo de la teología reformada: la teología del pacto plenamente desarrollada no surgiría hasta un siglo después.[19] Sin embargo, hay más en juego aquí que mera metodología. Cristo mismo claramente estableció su ministerio en un contexto de pacto (Mateo 26:28), y los aspectos clave de su obra son difíciles de entender, excepto en el contexto de un acuerdo entre Él y el Padre. ¿Cómo, por ejemplo, vino el Hijo a ser enviado, y cómo llegó a haber una obra dada a Él (Juan 17:4)? Sobre todo, está el misterio de la relación de Cristo con su pueblo. ¿Cómo fue nombrado representante de ellos, fiador y sustituto? ¿Y cómo llegaron a ser coherederos con el único Hijo de Dios? En vista de tales preguntas, lo que el pacto de redención ofreció no fue una especulación demasiado lejana, sino una respuesta coherente a las preguntas que surgen del material bíblico mismo.

Precedentes del *Munus Triplex*

Calvino introdujo por primera vez la idea del *munus triplex* en la *Institución* de 1539, pero había algunos precedentes en el pensamiento cristiano anterior. Calvino mismo reconoció que "los papistas usan estos nombres también"[20] y en el curso de la explicación del título de Cristo, el artículo 2 del Catecismo del Concilio de Trento

---

[13] Calvino, *Institución*, 2.15.1.

[14] Calvino sobre Heb. 3:2 y 5:4, en *CNTC* 12:35, 60.

[15] Juan Calvino, *Commentary on the Book of Psalms*, trad. James Anderson (Edimburgo: Calvin Translation Society, 1845-1849), 1:17 (ad 2: 7).

[16] Ibid., 3:421.

[17] John Owen, *An Exposition of Hebrews*, ed. William H. Goold (Edinburgh: Johnstone & Hunter, 1855), 2:77–97.

[18] Juan Calvino, *The Epistle of Paul the Apostle to the Hebrews and the First and Second Epistles of St. Peter*, 35 (ad Heb. 3:2).

[19] Sobre las raíces iniciales de la teología federal, véase, por ejemplo, William Klempa, "The Concept of Covenant in Sixteenth- and Seventeenth-Century Continental and British Reformed Theology," en *Major Themes in the Reformed Tradition*, ed. Donald K. McKim (Grand Rapids, MI: Eerdmans, 1992), 94-107.

[20] Calvino, *Institución*, 2.15.1.

(1566) declaró explícitamente "Cuando Jesucristo nuestro Salvador vino al mundo, asumió estos tres caracteres de Profeta, Sacerdote y Rey", habiendo sido ungido para estas funciones por su Padre celestial.[21] La tendencia general, sin embargo, había sido hablar de un doble oficio de Sacerdote y Rey, aunque ya a principios del siglo IV el *munus triplex* ya había aparecido en Eusebio, quien describió a Cristo como "el único Sumo Sacerdote del universo, el único Rey de toda la creación, y de los profetas el único Sumo-profeta del Padre."[22] Crisóstomo también se refirió a las "tres dignidades" de Cristo como Rey, Profeta y Sacerdote,[23] pero estas fueron alusiones en lugar de fórmulas sistemáticas. Los teólogos medievales continuaron hablando en términos de un *munus dúplex*, aunque hay un caso enigmático del oficio triple en Aquino, que mencionó los oficios de Legislador (Lat., *Legislador*), Sacerdote y Rey, todos concurrentes en Cristo.[24] Pero, nuevamente, esto parece haber sido parte de una respuesta única a una objeción. Lutero, Melanchthon y Bullinger continuaron el uso medieval. En *The Freedom of a Christian* [La Libertad de un Cristiano], Lutero, por ejemplo, se refirió a Cristo como "el verdadero y único primogénito de Dios el Padre y la Virgen María y verdadero rey y sacerdote."[25] La única excepción entre los teólogos de la Reforma fue Osiander, quien escribió, "Debemos entender esto de su oficio de que Él es Cristo, es decir, Maestro, Rey y Sumo Sacerdote. Porque como Cristo significa ungido, y solo profetas, reyes y sacerdotes fueron ungidos, entonces uno ve que los tres oficios se aplican a Él."[26]

Cuando el mismo Calvino escribió la primera edición de la *Institución* en 1536, todavía hablaba solo del doble oficio de Rey y Sacerdote, y, como Osiander, vinculaba los oficios a la unción: como el Espíritu se ha derramado completamente sobre Él,

> así que creemos, en resumen, que por esta unción fue nombrado rey por el Padre para someter todo poder en el cielo y en la tierra, para que en Él seamos reyes, teniendo dominio sobre el diablo, el pecado, la muerte y el infierno. Entonces creemos que fue nombrado sacerdote, por su autosacrificio para aplacar al Padre y reconciliarlo con nosotros, para que en Él podamos ser sacerdotes.[27]

En la edición de 1539 de la *Institución*, Calvino aludió al hecho de que los profetas, así como los reyes y sacerdotes, fueron ungidos, y en la edición de 1545, claramente vinculó el "oficio del profeta principal" con el reinado y el sacerdocio de Cristo.[28] Pero el arreglo ya se había vuelto explícito en el Catecismo de la iglesia de Ginebra de Calvino (Padre ed. 1541; Lat. 1545), donde, a la pregunta, "¿Qué fuerza, entonces, tiene el nombre de Cristo?", él dio la respuesta, "Esto significa que Él es ungido por su

---

[21] *The Catechism of the Council of Trent*, publicado por orden del Papa Pío V, trad. Jeremiah Donovan (Baltimore: Fielding Lucas, 1829), 34.

[22] Eusebio, *The History of the Church from Christ to Constantine*, trad. G. A. Williamson (Harmondsworth, UK: Penguin, 1965), 43.

[23] Citado en John Frederick Jansen, *Calvin's Doctrine of the Work of Christ* (London: James Clarke, 1956), 30.

[24] Aquino, *Summa Theologiae* 3a.22.1 *ad* 3, traducción de Santo Tomás de Aquino, *Summa Theologica*, trad. Fathers of the English Dominican Province (Notre Dame, IN: Christian Classics, 1981), 4:2136.

[25] *LW* 31:353.

[26] Citado en Jansen, *Calvin's Doctrine of the Work of Christ*, 37. La cita proviene de una obra de Osiander publicada en 1530.

[27] Juan Calvino, *Institutes of the Christian Religion* (1536 ed.), trad. Ford Lewis Battles, rev. ed., H. H. Meeter Center for Calvin Studies (Grand Rapids, MI: Eerdmans, 1986), 54.

[28] Ver Jansen, *Calvin's Doctrine of the Work of Christ*, 41–42.

Padre para ser Rey, Sacerdote y Profeta."[29] En la edición definitiva de 1559 de la *Institución*, Calvino dedicó todo un capítulo a la presentación de los tres oficios de Rey, Sacerdote y Profeta.[30]

Después de Calvino, el triple oficio se convirtió en una fórmula clave en la catequesis y teología reformadas. Fue adoptado en las respuestas 31 y 32 del Catecismo de Heidelberg (publicado en 1563, mientras Calvino todavía estaba vivo) y de allí pasó al ampliamente influyente *Comentario* de Ursinio, publicado por primera vez en 1591 pero que contiene la esencia de las conferencias universitarias entre 1561 y 1577.[31] E incluso antes de la publicación del *Comentario* de Ursinio, la *Cadena de Oro* de William Perkins (1590) dio por hecho que "el oficio de Cristo es triple—sacerdotal, profético, regio."[32] Fue adoptado por la Confesión de Fe de Westminster (8.1), el Catecismo Mayor de Westminster (42-45) y el Catecismo Menor de Westminster (23-26), y también por los teóricos de la Reforma de Ussher a Hodge y de Berkhof a Grudem.[33] De hecho, su influencia fue mucho más allá de los límites de la ortodoxia reformada, como señala Jansen: "Hombres tan diferentes como Schleiermacher y Brunner, Gerhard y Turretin, Bavinck y Newman, todos lo han usado."[34]

Evidentemente, Calvino no adoptó el *munus triplex* por deferencia a ninguna autoridad previa, ni lo retomó porque correspondía perfectamente a la triple necesidad espiritual del hombre (conocimiento, perdón y liberación). En cambio, como hemos visto, lo dedujo del título de Mesías, basándose en su significado básico de "unción". Cristo fue ante todo "el ungido", y Calvino notó que en el Antiguo Testamento, tres funcionarios específicos fueron ungidos: reyes, como Saúl (1 Samuel 10:1) y David (1 Samuel 16:13); sacerdotes, especialmente el sumo sacerdote (Éxodo 29:7); y profetas. La afirmación de Calvino de que bajo la ley los profetas, así como los reyes y sacerdotes fueron ungidos con aceite puede parecer algo dudosa: después de todo, no había ninguna prescripción formal del Antiguo Testamento para la unción de los profetas. Pero no cabía duda de que hablaban por el Espíritu, y esto se hizo explícito en Isaías 61:1, donde el profeta clama: "El Espíritu del Señor Dios está sobre mí, porque el Señor me ha ungido para traer buenas nuevas a los pobres."[35] Fue con estas mismas palabras que Jesús mismo comenzó su ministerio profético en la sinagoga de Nazaret (Lucas 4:18-19).

---

[29] En *Calvin: Theological Treatises*, 95. Sin embargo, en su *Commentary on Hebrews* (publicado en 1549), Calvino volvió a la doble función al comentar sobre Heb. 4:14: "Cuando el Hijo de Dios fue enviado a nosotros, se le dio un doble carácter, el de Maestro y el de Sacerdote". Calvino, *The Epistle of Paul the Apostle to the Hebrews and the First and Second Epistles of St. Peter*, 54.

[30] Calvino, *Institución*, 2.15.

[31] *The Commentary del Dr. Zacharias Ursinus sobre el Heidelberg Catechism*, trad. G. W. Williard (1852; reimpr., Phillipsburg, NJ: Presbyterian and Reformed, n.d.).

[32] William Perkins, *A Golden Chain*, in *The Works of William Perkins*, ed. Ian Breward, Courtenay Library of Reformation Classics 3 (Appleford: Sutton Courtenay, 1970), 204.

[33] James Ussher, *A Body of Divinitie* (London, 1653), 166–86; Charles Hodge, *Systematic Theology* (New York: Scribner, 1871–1873), 2:459–609; Louis Berkhof, *Systematic Theology* (London: Banner of Truth, 1959), 356–414; Wayne Grudem, *Systematic Theology: An Introduction to Biblical Doctrine* (Leicester: Inter-Varsity Press, 1994), 624–31.

[34] Jansen, *Calvin's Doctrine of the Work of Christ*, 16.

[35] Calvino, *Institución*, 2.15.2.

El Mediador: Tanto Verdadero Dios como Verdadero Hombre

La doctrina de los reformadores sobre la obra de Cristo descansaba en un sólido fundamento de Calcedonia. Eran unánimes en que el Mediador era a la vez Dios verdadero y verdadero hombre. Lutero lo expresó memorablemente en sus *Lecturas sobre Romanos* (ad 1, 3-4): "Porque desde el comienzo de la concepción de Cristo, a causa de la unión de las dos naturalezas, ha sido correcto decir: 'Este Dios es el Hijo de David, y este Hombre es el Hijo de Dios'."[36] Melanchthon, aún más valiente, escribió: "Dios sufrió, fue crucificado y murió; no debes pensar que sólo la naturaleza humana es Redentor, y no el Hijo de Dios completo. Porque a pesar de que la naturaleza divina no es torturada, no muere, sin embargo, debes comprender que este mismo Hijo, coeterno con el Padre, es el Redentor."[37]

Pero no solo afirmaron la realidad de ambas naturalezas, también se esforzaron por demostrar por qué ambas eran esenciales para su obra. Calvino dedicó todo un capítulo de sus *Institución* (2.12) a esta pregunta. El Mediador tenía que ser un verdadero hombre porque tenía que ser capaz de simpatizar con su pueblo y porque la pena debida al pecado debía ser sufrida en la misma carne que había pecado; y tenía que ser Dios verdadero porque su misión era tragarse la muerte, "¿Y quién sino la Vida podría hacer esto? Su tarea era derrotar los poderes del mundo y el aire. ¿Quién sino un poder más elevado que el mundo y el aire podría hacer esto?"[38], "En resumen", concluyó, "ya que ni como solo Dios podía sentir la muerte, ni como solo hombre podía vencerla, unió la naturaleza humana con la divina para que expiara el pecado y pudiera someter la debilidad de la muerte; y que, luchando con la muerte por el poder de la otra naturaleza, Él podría ganar la victoria para nosotros."[39]

Lutero no abordó la necesidad de las dos naturalezas con la misma dirección que Calvino.[40] Sin embargo, él tuvo la tendencia de que "Cristo tuvo que venir como un segundo Adán, legándole su justicia a través de un nuevo nacimiento espiritual en la fe, así como el primer Adán nos legó el pecado a través del antiguo nacimiento carnal."[41] En *La Cautividad Babilónica de la Iglesia*, él vinculó la necesidad de la encarnación con las palabras de Jesús en Lucas 22:20: "Esta copa que se derrama para vosotros es el nuevo pacto en mi sangre". Tomando el *testamentum* de la Vulgata al pie de la letra como, es decir, una "última voluntad y testamento", concluyó que, si Dios hizo un testamento, era necesario que muriera, "pero Dios no podría morir a menos que se hiciera hombre."[42] Pero fue sobre la necesidad de la deidad del Mediador que Lutero puso más énfasis. Al comentar sobre Gálatas 3:13 en sus *Conferencias sobre Gálatas* de 1535, escribió:

> Aquí puedes ver cuán necesario es creer y confesar la doctrina de la divinidad de Cristo. Cuando Arrio negó esto, también fue necesario que él negara la doctrina de la redención. Para conquistar el pecado del mundo, la muerte, la maldición y la ira de Dios en Sí mismo —esta es la obra, no de ninguna criatura sino del poder divino. Por lo

---

[36] *LW* 25:147.

[37] Melanchthon, Chief Theological Topics, 2.8.

[38] Calvino, *Institución*, 2.12.2.

[39] Ibid., 2.12.3.

[40] Sin embargo, ver cap. 9, *"The Person of Christ,"* por Robert Letham, que ofrece un tratamiento detallado de la cristología de Lutero.

[41] Lutero, *"Prefaces to the New Testament,"* *LW* 35:375

[42] *LW* 36:37–8.

tanto, era necesario que el que había de conquistar estos en Sí mismo debía ser verdadero Dios por naturaleza.[43]

En su *Exposición simple de los Doce Artículos de la Fe Cristiana* (publicada en italiano en 1542), Pedro Martyr Vermigli también subrayó la importancia de la divinidad del Mesías: "Si Cristo fuera solo humano, se nos debería prohibir esperar en Él."[44] Ursinio, también, tomó la pregunta, "¿Qué clase de mediador es Él?" y respondió: "Nuestro mediador debe ser hombre —muy hombre, derivando su naturaleza de nuestra raza, y reteniéndola para siempre— un hombre perfectamente justo, y muy Dios."[45] Su argumento, sin embargo, era que para ser una "persona intermedia" apropiada, Cristo tenía que relacionarse con ambas partes, "teniendo ambas naturalezas, la divina y la humana, en la unidad de su persona, que puede ser verdaderamente una persona intermedia y mediador entre Dios y los hombres."[46] Perkins, por el contrario, se adhirió al argumento de Calvino: la unión de las dos naturalezas en Cristo era esencial para su mediación, "porque por esta unión aconteció que su humanidad sufrió tal muerte en la cruz en una forma que no pudo ni ser vencido, ni perpetuamente abrumado por ello."[47]

Cuando los sucesores de Calvino desarrollaron el *munus triplex*, insistieron en que, después de su encarnación, el Mediador no solo poseía ambas naturalezas, sino que también actuaba de acuerdo con ambas naturalezas —y lo hizo en cada punto de su obra. Sin embargo, tuvieron cuidado de hacer justicia a la unidad de su persona. Todas las acciones y experiencias del Mediador fueron acciones del único Hijo de Dios. Fue Él, como persona divina, quien habló, actuó y sufrió; indisolublemente unida a esto estaba la doctrina de que era Él mismo, el Hijo divino, quien fue ofrecido en sacrificio por los pecados del mundo. Lutero ya había enfatizado esto (aunque con fines polémicos, que surgen de su debate con Zuinglio): "Es la persona que hace y sufre todo, una cosa de acuerdo con esta naturaleza y la otra de acuerdo con la otra naturaleza."[48]

Fue precisamente este principio el que Calvino invocó para explicar el uso de Pablo de la frase "su propia sangre" en Hechos 20:28: "Pablo atribuye la sangre a Dios, porque el hombre Jesucristo, que derramó su sangre por nosotros, también era Dios."[49] Una aplicación característica de esto fue que la extraordinaria magnitud del sacrificio resaltaba la gravedad del pecado. Melanchthon, por ejemplo, escribió: "Porque lo que podría ser un signo más terrible de la ira de Dios es que no podría estar satisfecho con ningún sacrificio, ¿excepto la muerte de su propio Hijo?"[50] Por el contrario, imaginar que la remisión de los pecados podría asegurarse con nuestras propias obras era minimizar el pecado: "La ceguera humana y la seguridad propia no comprenden la

---

[43] *LW* 26:282.

[44] Pedro Martyr Vermigli, *The Peter Martyr Library*, vol. 1, *Early Writings: Creed, Scripture, Church*, trad. Mariano Di Gangi y Joseph C. McLelland, ed. Joseph C. McLelland, Sixteenth Century Essays and Studies 30 (Kirksville, MO: Sixteenth Century Journal Publishers, 1994), 33.

[45] Ursino, *Commentary on the Heidelberg Catechism*, 95.

[46] Ibid.

[47] Perkins, *A Golden Chain*, 200.

[48] Martín Lutero, *That These Words of Christ, "This Is My Body," Still Stand Firm against the Fanatics*, *LW* 37:3–150. Cita en 37:123.

[49] Juan Calvino, *The Acts of the Apostles 14–28*, trad. John W. Fraser (Grand Rapids, MI: Eerdmans, 1966), 184.

[50] Melanchthon, *Chief Theological Topics*, 153.

enormidad de la ira de Dios contra el pecado, y por lo tanto esta ceguera imagina que esta ira puede ser apaciguada por la disciplina humana."[51]

DEFINIENDO LA RELACIÓN ENTRE LAS DOS NATURALEZAS

Pero a fines del siglo XVI, los teólogos habían llevado el discurso un paso más allá. Perkins, por ejemplo, estableció que "Cristo intercede de acuerdo con ambas naturalezas."[52] Ursino también investigó algo más, argumentando que Cristo fue ungido de acuerdo con cada naturaleza, y que por lo tanto era Profeta, Sacerdote y Rey con respecto a cada naturaleza. Y dado que, en términos de la comunicación de propiedades, los atributos de cada naturaleza debían atribuirse *a la persona*, se seguía que era apropiado hablar de Dios sufriendo según su humanidad, y del hombre, Cristo, siendo omnipotente, eterno y omnipresente según su divinidad.[53]

En la época de la *Institución de Teología Elénctica* de Turretin (Ginebra, 1688), esta cuestión recibía un tratamiento prolongado en las dogmáticas reformadas protestantes.[54] Pero esto requirió aclaración. Si bien cada acto o experiencia del Mediador es un acto o experiencia del único Hijo de Dios, cada acto no debe atribuirse a cada naturaleza. Por ejemplo, el Hijo no defendió el universo de acuerdo con su naturaleza humana; ni, como Zuinglio señaló en su *Exposición de la Fe* (1536), tuvo hambre y sed según su divinidad;[55] ni, una vez más, podría ser ignorante según su naturaleza divina. Y mientras el Hijo divino probaba la muerte, la naturaleza divina no murió ni sufrió (los teólogos de la Reforma aceptaron sin cuestionar la doctrina de la impasibilidad divina).

En este punto, sin embargo, debemos recordar la terminología precisa utilizada por Calcedonia para definir la relación entre las dos naturalezas en la persona de Cristo. No son agencias distintas, pero corren juntas, "ambas concurrentes [Gr. *suntrecho*] dentro [¿o en?] Una Persona y Una Hipóstasis."[56] Esto significa que incluso cuando un acto o función particular es peculiar de una naturaleza, hay una "concurrencia" de la otra. Por ejemplo, aunque el gobierno del universo es, ante todo, una función de la naturaleza divina de Cristo, Él gobierna como el Encarnado y reúne en su gobierno toda la compasión que ha aprendido compartiendo nuestra vida en la tierra. Si Él no fuera Dios, no podría permanecer en el centro del trono (Apocalipsis 5: 6), pero si no fuera hombre, no podría simpatizar con nuestras debilidades (Hebreos 4:15). Esta concurrencia se aplica a cada acción que atribuimos al Mediador encarnado. Las dos naturalezas corren juntas, distintas, pero no separadas, unidas en una sola persona, pero no confundidas. En cada punto, incluso acercándose a la cruz (y, de hecho, en la cruz), había un amor divino y un amor humano, una elección divina y una elección humana, un conocimiento divino y un conocimiento humano.

Sin embargo, esta idea de la concurrencia de ambas naturalezas en la obra de Cristo conlleva sus propios peligros. Una es la tentación de atribuir sus acciones ahora a una

---

[51] Ibid., 161.

[52] Perkins, *A Golden Chain*, 207.

[53] Ursino, *Commentary on the Heidelberg Catechism*, 172. Note el contraste con el luteranismo, que vio una comunicación de los atributos en el nivel de las dos naturalezas. Ver cap. 9, "The Person of Christ," by Robert Letham.

[54] Francis Turretin, *Institutes of Elenctic Theology*, ed. James T. Dennison Jr., trad. George Musgrave Giger (Phillipsburg, NJ: P&R, 1992–1997), 1:379–84.

[55] Ver *Zwingli and Bullinger: Selected Translations with Introduction and Notes*, ed. G. W. Bromiley, LCC 24 (Philadelphia: Westminster, 1953), 251.

[56] T. H. Bindley, ed., *The Oecumenical Documents of the Faith*, 3rd ed. (London: Methuen, 1925), 233.

naturaleza y luego a otra. Ya vemos esto en Zuinglio, quien dijo que el grito "Dios mío, Dios mío, ¿por qué me has abandonado?" (Mateo 27:46) era la voz de su naturaleza humana, pero la oración "Padre, perdónalos". (Lucas 23:34) era "la voz de la deidad inviolable."[57] Esto requiere una discriminación que pocos de nosotros poseemos: basta con que fue *Él* quien lloró y fue *Él* quien oró. Pero el peligro aún mayor es que perdamos de vista el ministerio del Espíritu Santo en la vida del Mediador. Somos demasiado rápidos para invocar su naturaleza divina como la explicación de los actos y aspectos sobrenaturales de su vida y para hablar, como lo hizo Ursino, de la naturaleza divina que sostiene al humano, sosteniéndolo en las penas y dolores que soportó y elevándolo de la muerte a la vida.[58] Esto es obviamente plausible, pero el Nuevo Testamento atribuye su resurrección, por ejemplo, no a "su propia" naturaleza divina sino a la acción del Padre y del Espíritu (Romanos 8:11) y al hecho de que una vez que expió el pecado, la muerte ya no tenía derecho sobre Él (Romanos 6:9; cf. 4:25).

También debemos recordar las condiciones bajo las cuales Jesús ejerció su ministerio terrenal. Estaba aquí en un estado de *kenosis*, su gloria velada, operando no en la forma de Dios sino en la forma de un siervo, su divino esplendor no "se aferraba a" sino tan velado que los observadores humanos solo veían al humano.[59] Esto no puede significar simplemente que, aunque sus poderes fueron desplegados, estaban ocultos. Debe significar que fueron ocultados al no ser desplegados: mantuvo *in retentis* (o restricción) pero en suspenso, no absolutamente sino en relación con la obra que Él tuvo que realizar en la carne. Él no debía recurrir a sus poderes divinos para aliviar su propia hambre, protegerse del cansancio o determinar el momento de su segunda venida. Él había tomado carne y sangre y sería como sus hermanos y hermanas en todas las cosas. Él había venido como el último Adán, para rendirle obediencia humana, y la rendiría con los recursos disponibles para la humanidad. Él sería tentado como nosotros (aparte de ceder), y rechazaría al diablo usando las mismas armas que están disponibles para su pueblo. Es Melanchthon quien negoció este aspecto de la vida del Señor con la mayor habilidad, siguiendo el ejemplo de una frase en Ireneo: "la Palabra permanece *quiescent*, para que Él sea capaz de ser tentado, deshonrado, crucificado y de sufrir la muerte."[60] Melanchthon explicó: "La naturaleza divina en verdad no fue mutilada ni muerta, sino que fue obediente al Padre, *permaneció callada*, cedió a la ira del Padre eterno contra el pecado de la raza humana, *no usó su poder ni ejerció su fuerza*". Luego, comentando la referencia de Pablo (Filipenses 2:6) a que Cristo tenía "igualdad con Dios", observó que, aunque Cristo era igual al Padre en poder y sabiduría, no insistió en usar esta igualdad; "Es decir, cuando fue enviado a ser obediente a Dios en el sufrimiento, no actuó de manera contraria a la voluntad, no usó su poder para frustrar su llamado, sino que 'se vació a sí mismo'."[61]

La preocupación subyacente aquí es insistir en que Cristo no lo hizo, y (bajo sus "reglas de compromiso") no pudo, recurrir a su sabiduría y poder divinos para mitigar

---

[57] Zuinglio y Bullinger, 252.

[58] Ursino, *Commentary on the Heidelberg Catechism*, 216

[59] Cf. El comentario de Calvino sobre Fil. 2:7: "Cristo, en verdad, no podía renunciar a su divinidad, sino que la mantuvo oculta por un tiempo, para que bajo la debilidad de la carne no se la pudiera ver". Calvino, en *CNTC* 11: 248.

[60] Ireneo, *Against Heresies*, 3.19, en *Ante-Nicene Fathers*, ed. Alexander Roberts y James Donaldson, rev. A. Cleveland Coxe (reimpr., Grand Rapids, MI: Eerdmans, 1993), 1:449. Cursivas añadidas.

[61] Melanchthon, *Chief Theological Topics*, 27–28.

la dureza de sus condiciones de servicio. Estaba aquí en la forma de un siervo, y en esa forma, y sujeto a sus limitaciones, tenía que ser obediente, incluso hasta la muerte.

Entendiendo el Poder Divino del Hijo

¿Cómo, entonces, debemos dar cuenta de las características extraordinarias de la vida de Jesús: su conocimiento sobrenatural, por ejemplo, sus milagros y la firmeza con que soportó la cruz? ¿Tenemos que invocar el apoyo de su naturaleza divina? Esto es lo que hizo Zuinglio cuando refirió los milagros de sanidad de Cristo a su "poder divino y no al humano."[62]

Pero esto es apenas necesario. Seguramente, el punto clave en la vida de Jesús es que vino a este mundo como el Ungido, poseedor de una dotación mesiánica totalmente suficiente para equiparlo para cada aspecto de su obra. ¿Y sus "actos poderosos" no pueden explicarse por esta investidura, el ministerio de persona a persona del Espíritu Santo, a través del cual el Padre había prometido defenderlo (Isaías 42:1)? Fue este mismo Espíritu el que permitió a Moisés, David y Elías trascender los poderes ordinarios de la naturaleza humana, y seguramente podemos creer que vino sobre al Mesías en una medida única debido a su identidad única, su oficio único y sus responsabilidades únicas. Nunca fue a su naturaleza divina que oró, incluso *in extremis*, sino a "Abba" (Marcos 14:36), y no fue a su naturaleza divina que atribuyó sus actos poderosos, sino al Espíritu Santo (Mateo 12:28, ver Hechos 2:22, 10:38).

Por otro lado, incluso mientras vivía en estado de *kenosis*, la obra de Cristo no podía ser confinada dentro de los límites de la vida que Él vivió como ser humano. Esta es la doctrina que llegó a conocerse como el *Calvinisticum extra* (el *extra* apunta no a algo adicional sino a algo "externo"). Cristo, insistió Calvino, estaba activo más allá de los confines de su naturaleza humana:

> Porque incluso si la Palabra en su inconmensurable esencia se unió con la naturaleza del hombre en una sola persona, no imaginamos que estaba confinado en ella. Aquí hay algo maravilloso: el Hijo de Dios descendió del cielo de tal manera que, sin abandonar el cielo, quiso nacer en el vientre de la Virgen, recorrer la tierra y colgar en la cruz; sin embargo, continuamente llenó el mundo tal como lo había hecho desde el principio.[63]

En otras palabras, durante su vida terrenal, la actividad del Logos trascendió su existencia humana, de modo que incluso mientras su forma divina estaba velada por los ojos humanos, todavía estaba defendiendo el universo con su poder omnipotente. Pero esta actividad, aunque trascendió su humanidad, todavía era mediadora. Su omnipotencia, omnisciencia y omnipresencia sirvieron a su pueblo; y estas perfecciones divinas son necesarias todavía, porque ni siquiera la naturaleza humana glorificada de Cristo es suficiente por sí misma para efectos de la mediación.

El *Calvinisticum extra* no fue, sin embargo, compartido por todos los reformadores. Cuando Calvino argumentó que la deidad de Cristo trascendía su humanidad, Lutero argumentó que la humanidad misma poseía atributos divinos, particularmente el atributo de ubicuidad. Esto claramente no podría aplicarse al cuerpo de Cristo mientras

---

[62] *Zwingli y Bullinger*, 251.
[63] Calvino, *Institución*, 2.13.4.

estuvo en la tierra, pero ahora que Cristo ha resucitado y ascendido, su cuerpo se sienta a la diestra de Dios, y "la diestra de Dios no es un lugar específico en el que un cuerpo puede o debe ser, como en un trono dorado, pero es el poder omnipotente de Dios, que al mismo tiempo no puede estar en ninguna parte y sin embargo debe estar en todas partes."[64] Lutero se aferró a esta "mano derecha" como una garantía irrefutable para su punto de vista de que el cuerpo de Cristo es omnipresente: si la mano derecha de Dios está en todas partes, el cuerpo de Cristo está en todas partes. Pero no son sólo las doctrinas de Calvino y Lutero las que son diferentes; las preocupaciones detrás de estas doctrinas también son radicalmente divergentes. Calvino refutaba la "imprudencia" que objeta a la encarnación sobre la base de que "si la Palabra de Dios se hizo carne, entonces Él estaba confinado dentro de la estrecha prisión de un cuerpo terrenal" (y, por implicación, no estaba en posición de defender el universo).[65] Lutero buscaba una base para su creencia más fiel de que el cuerpo de Cristo está presente en la Cena del Señor: "El cuerpo y la sangre de Cristo están al mismo tiempo en el cielo y en la Cena."[66]

Cristo como Profeta

El Antiguo Testamento había prometido un profeta como Moisés (Deuteronomio 18:18), y en la mente de los contemporáneos de Jesús, la idea del Mesías estaba estrechamente relacionada con un ministerio profético especial. La mujer samaritana, por ejemplo, dice: "Cuando venga el Mesías, él nos enseñará todas las cosas" (Juan 4:25, traducción del autor). De acuerdo con esta expectativa, Cristo viene, como dijo Calvino, "ungido por el Espíritu para ser heraldo y testigo de la gracia del Padre."[67] Debe destacarse que este ministerio es en sí mismo una parte esencial de la obra de redención del Mediador. Jansen, de acuerdo con su tesis de que aunque Calvino anunció un oficio triple, nunca hizo un uso real de él, minimiza el ministerio de Cristo como Profeta, argumentando que en ninguna parte de sus comentarios y sermones Calvino hace de la obra de Cristo como Predicador y Maestro una dignidad mesiánica separada junto con los oficios de Rey y Sacerdote.[68] Él sostiene que el énfasis recae en los oficios reales y sacerdotales, y su uso predominante es resumir la obra de Cristo bajo la fórmula de *munus dúplex* en lugar de *munus triplex*.

Probablemente sea cierto que Calvino nunca vio la triple función como una fórmula dogmática a la que estaba obligado a adherirse cada vez que hablaba de la obra de Cristo, y también es verdad que con frecuencia escribía solo en términos de una doble función. Sin embargo, incluso cuando lo hizo, no lo limitó invariablemente a los ministerios sacerdotal y real de Cristo. Por ejemplo, al comentar sobre Hebreos 3:1-2 y su comparación entre Cristo y Moisés, habló de que Cristo sostiene un doble honor, pero el doble honor no es el de Sacerdote y Rey, sino el de Doctor y Sacerdote. Moisés, escribió, "realizó el oficio de profeta y doctor, Aarón el de sacerdote: pero ambos deberes están puestos en Cristo."[69] En cuanto a la afirmación de que Calvino hizo poco uso sistemático de la triple oficio, es notable que la usó en su Catecismo de

---

[64] Lutero, *That These Words of Christ*, *LW* 37:59.

[65] Calvino, *Institución*, 2.13.4.

[66] Para la defensa extendida de Lutero de esta posición, vea su tratado antizuingliano*That These Words of Christ*, *LW* 37:3–150. Cita en 59.

[67] *Institución*, 2.15.2.

[68] Jansen, *Calvin's Doctrine of the Work of Christ*, 61

[69] Calvino, *The Epistle of Paul the Apostle to the Hebrews and the First and Second Epistles of St. Peter*, 34.

Génova, y bien podría ser que fue en el ámbito de la catequesis que la fórmula fue más útil —que sin duda es el motivo por el que fue adoptado por Catecismo de Heidelberg, por los Catecismos más grandes y más cortos de la Asamblea de Westminster, y por los primeros catecismos escoceses como el de John Craig.[70]

Sin embargo, por interesante que sea la cuestión del uso de la fórmula de *munus triplex* por parte de Calvino, el verdadero problema es la importancia del ministerio de Jesús como Profeta, Maestro y Predicador. Jansen establece una antítesis entre Cristo siendo el *heraldo* del reino y *siendo* el reino, argumenta que la enseñanza no fue una obra mesiánica separada, y sugiere que no es seguro hablar de Cristo como Profeta, ya que, a diferencia de otros profetas, Él no "transmite" la palabra de otro, sino que *es* la Palabra: "No se le da una revelación —Él es la revelación." Concluye, "el carácter revelador de Cristo no pertenece al *de officiis*, sino al *de persona*, que impregna tanto su obra real como sacerdotal."[71]

La importancia de este argumento es que la revelación fue meramente incidental a la redención, pero esto pasa por alto el hecho de que una de las grandes necesidades de la humanidad del hombre caído era la necesidad de luz y sabiduría. Un Redentor tuvo que traer revelación, así como perdón y liberación. Y esa revelación no podría ser incidental a su obra redentora; tenía que ser una parte integral de ella, o, como B. B. Warfield lo expresó, una parte componente de la serie de actos redentores por los cuales el Dios misericordioso salva a los hombres.[72] Esto no perjudica en modo alguno la verdad de que Cristo es simultáneamente Revelador, Revelación y Revelado.

De acuerdo con su obra reveladora que el Mesías fue ungido específicamente para ser un predicador (Lucas 4:18), fue regularmente llamado maestro (Juan 3:2, 11:28, 13:13), fue referido "Maestro" (Mateo 8:19, Marcos 4:38), llamado a sí mismo un maestro (Mateo 23:8), fue llamado profeta (Mateo 21:11, Juan 6:14, Hechos 3:22), pronunció un sermón memorable presentando la ética del reino (Mateo 5-7), y pasó las últimas horas de su vida instruyendo a sus discípulos en los misterios más profundos de su reino (Juan 13-17).

Cualquiera sea el uso que hizo Calvino de la fórmula *munus triplex*, tuvo plena justificación al hablar de Cristo como profeta y al retratar este ministerio profético como un elemento esencial en su obra mediadora. Los teólogos reformados posteriores al siglo XVI siguieron su ejemplo. Perkins definió el oficio como "aquello por lo cual Él, inmediatamente de su Padre, revela su palabra y todos los medios de salvación comprendidos en la misma", y agregó, "Por esta causa, a Cristo se le llama doctor, legislador y consejero de su Iglesia."[73] Ursino habló con el mismo efecto: "Cristo es el más grande y principal profeta, y fue ordenado de inmediato por Dios, y enviado por Él desde el mismo comienzo de la iglesia en el Paraíso, con el propósito de revelar la voluntad de Dios a la raza humana."[74]

La verdad clave aquí es que Dios habla en Cristo. Esto se sigue no solo de su unción mediadora sino también de su identidad como el Hijo de Dios: un punto

---

[70] Ver Thomas F. Torrance, ed. y trans., *The School of Faith: The Catechisms of the Reformed Church* (London: James Clarke, 1959), 97–165.

[71] Jansen, *Calvin's Doctrine of the Work of Christ*, 85, 101–2. Cita en 101–2.

[72] B. B. Warfield, "The Biblical Idea of Revelation," en Warfield, *The Inspiration and Authority of the Bible*, ed. Samuel G. Craig (Philadelphia, NJ: P&R, 1948), 80.

[73] Perkins, *A Golden Chain*, 208.

[74] Ursino, *Commentary on the Heidelberg Catechism*, 173.

enfatizado por el escritor a los Hebreos cuando declara que Dios ha hablado en estos últimos días por su Hijo (Hebreos 1:2).Y Jesús mismo lo enfatizó cuando anunció que nadie conoce al Padre sino el Hijo (Mateo 11:27). Su filiación divina lo puso en una posición única en términos de la concepción clásica del Antiguo Testamento del profeta (Heb. *naví*) como alguien que tuvo una audiencia con Dios y se presentó como su portavoz designado.

EL MINISTERIO PROFÉTICO DE CRISTO COMO MAESTRO

Sin embargo, tenemos que recordarnos una vez más que, mientras que Jesús era el Hijo de Dios para la totalidad de su ministerio terrenal, Él era el Hijo de Dios desde el servicio. Este es uno de los puntos clave en los que Calvino invocó su concepto de acomodación. Inspirándose en Ireneo, escribió: "El Padre, Él mismo infinito, se vuelve finito en el Hijo, porque se ha acomodado a nuestra pequeña medida para que nuestras mentes no sean abrumadas por la inmensidad de su gloria."[75] Esto pone en duda la fraseología utilizada por Perkins cuando habló de que Cristo reveló su palabra "inmediatamente de su Padre."[76] En Cristo, la voz de Dios se escucha a través de la voz de un hombre, que declara lo que Él, como hombre, ha recibido y asimilado, y que lo transmite de una manera que lleva en Él la impresión inconfundible de su propia personalidad encarnada. Lo que escuchamos no es la voz de augusta, deidad omnisciente; ni es la voz de Moisés o Isaías, ni de Pablo o Juan. Es la voz de Jesús, singularmente ungido e íntimamente único con el Espíritu, pero manso y de corazón humilde, que habla con autoridad que se autentica así mismo y que envuelve su mensaje en formulas inolvidables. Sin embargo, no es una voz que puede o está autorizada para responder todas nuestras preguntas. Todavía hay "cosas secretas" que pertenecen al Señor nuestro Dios (Deuteronomio 29:29) —como el día y la hora de la parusía de Cristo (Marcos 13:32). Pero nada se ha mantenido en secreto que su iglesia necesita saber.

Un segundo punto clave es que Cristo viene como el Profeta de las *buenas nuevas*. Este es un tema en el que Melanchthon trabajó en su capítulo sobre "El Evangelio" en la edición original (1521) de las *Loci Communes*,[77] aunque todo su enfoque está gobernado, inevitablemente, no por el *munus triplex*, sino por la antítesis de Lutero entre la ley y el Evangelio. Además, está respondiendo a los "sofistas sin Dios" que proclamaron que "Cristo se convirtió en el sucesor de Moisés y dio una nueva ley, y que esta nueva ley se llama el Evangelio."[78] De hecho, uno se pregunta si el descuido luterano comparado con la obra de Cristo como Profeta está relacionado con los temores de vincular a Cristo con Moisés, y por lo tanto con la ley.[79] Por otro lado,

---

[75] Calvino, *Institución*, 2.6.4. Ver también Ford Lewis Battles, "God Was Accommodating Himself to Human Capacity," en *Readings in Calvin's Theology*, ed. Donald K. McKim (Eugene, OR: Wipf and Stock, 1998), 21–42.

[76] Perkins, *A Golden Chain*, 208.

[77] Parece ser esta edición que se publica en *Melanchthon y Bucer*, ed. Wilhelm Pauck, LCC 19 (Filadelfia: Westminster, 1969). El texto de los Loci tuvo no menos de setenta y cinco ediciones, y como lo señala el editor del *Chief Theological Topics* de Melanchthon en su introducción, "Las diferencias entre las ediciones a veces fueron muy grandes." Preus, ed., *Chief Theological Topics*. Por ejemplo, las primeras ediciones no contenían el capítulo sobre "Dios", del cual se tomaron citas anteriores en este artículo, mientras que el capítulo sobre "El Evangelio" (locus 7) en ediciones posteriores careció de la nitidez polémica en los primeros años de la Reforma

[78] *Melanchthon and Bucer*, 74.

[79] Véase, por ejemplo, la advertencia de Lutero: "Velad, por lo tanto, que no hagáis un Moisés de Cristo, o un libro de leyes y doctrinas fuera del Evangelio, como se ha hecho antes y como lo dicen ciertos prefacios, incluso los de San Jerónimo". "Preface to the New Testament," *LW* 35:360.

Melanchthon tuvo cuidado de no comprometer la autoridad de Moisés y lo distinguió claramente de los defensores de la justicia farisaica.[80] Él concedió, también, que Cristo "expone la ley, porque la gracia no se puede predicar sin la ley."[81] Insistió, sin embargo, que el oficio primario o propio de Cristo no es establecer la ley sino para otorgar la gracia: Moisés es legislador y juez; Cristo es el Salvador, otorgando gracia y perdón. Y esta gracia, dijo Melanchthon, no es una cualidad en nosotros "sino la voluntad de Dios o la buena voluntad de Dios para con nosotros."[82]

Calvino repitió este énfasis, declarando que Cristo fue ungido para ser el heraldo y el testigo de la gracia del Padre.[83] Una generación más tarde, el puritano inglés John Preston resumiría este mensaje en su paráfrasis de la forma de Marcos de la Gran Comisión: "Ve y dile a todo hombre sin excepción, que hay buenas noticias para él."[84] Es este mensaje el que brinda alivio a los frustrados, como lo fue Lutero, en sus esfuerzos por cumplir la ley; y es en esta revelación de gracia que la fe pone su confianza. "Donde falta la promesa del amor divino hacia nosotros", escribió Calvino, al comentar sobre Gálatas 4:6, "ciertamente no hay fe."[85] Esto se refleja en la respuesta dada a la pregunta 21 del Catecismo de Heidelberg, "¿Qué es la verdadera fe?" Es "una confianza abundante, que el Espíritu Santo obra en mí por el Evangelio, que no solo a los demás sino a mí también el perdón de los pecados, la justicia eterna y la salvación, son dados gratuitamente por Dios, sólo por el mérito de Cristo".

En tercer lugar, la revelación dada por medio de Cristo es final y definitiva. Esto se aplica no solo a sus enseñanzas durante su vida en la tierra sino también a todo el ministerio profético que ejerce en su capacidad de Mediador, incluyendo la palabra que habló (como *incarnandus* ["encarnar"] pero aún no *incarnatus* ["encarnado"]) a través del Antiguo Testamento y la tradición que transmitió a los apóstoles después de su resurrección (1 Corintios 11:23; 15:3-8; Gálatas 1:11-12) con la expresa intención de que deberían entregarla a la iglesia. Calvino fue inflexible en la finalidad de esta revelación: la doctrina perfecta que Cristo ha traído ha puesto fin a todas las profecías. "Fuera de Cristo", escribió, "no hay nada que valga la pena conocer, y todos los que por fe perciben cómo es, han comprendido toda la inmensidad de los beneficios celestiales."[86] La *finalidad* de la revelación fue hacer descansar en su *perfección*. "Ni la Iglesia universal ni los sacerdotes ni los concilios", escribió Melanchthon, "tienen derecho a cambiar o decretar nada sobre la fe. Los artículos de fe deben ser juzgados simplemente de acuerdo con el canon de la Sagrada Escritura."[87] El punto se repitió en credos Reformados posteriores como la Confesión de Westminster, que declaraba que nada debía ser agregado a la Escritura por "tradiciones de hombres."[88] Esto excluiría, por ejemplo, el enfoque de la teología propuesto por John Henry Newman en *Ensayo sobre el Desarrollo de la Doctrina Cristiana*, que argumentaba que el credo cristiano puede expandirse por "un tiempo más largo y una reflexión más profunda" y que esto

---

[80] Cf. Lutero: "Cristo es sin duda un legislador divino y su doctrina es la ley divina, que ninguna autoridad puede cambiar o prescindir." *Explanations of the Ninety-Five Theses (1517), LW 31:88.*

[81] *Melanchthon and Bucer*, 75.

[82] Ibid., 87.

[83] Calvino, *Institución*, 2.15.2.

[84] John Preston, *The Breast-Plate of Faith and Love* (1634; facsimile repr., Edinburgh: Banner of Truth, 1979), 8.

[85] Juan Calvino, *Galatians, Ephesians, Felipeians and Colossians*, in *CNTC*, 11:75.

[86] Calvino, *Institución*, 2.15.2.

[87] Melanchthon, *Loci Communes*, 63.

[88] WCF 1.6.

legitima la introducción al dogma católico de artículos ni siquiera insinuados en los escritos apostólicos.[89]

Pero una revelación externa no es suficiente. También debe haber un trabajo interno del Espíritu Santo iluminando la Palabra y sellándola en el corazón humano. "La naturaleza no asiente a la Palabra de Dios y, además, no se conmueve con ella", escribió Melanchthon.[90] Todo lo que puede lograr es una fe histórica o una mera opinión: "¿Qué es, por lo tanto, la fe? Constantemente asiente a cada palabra de Dios; esto no puede ser a menos que el Espíritu de Dios renueve e ilumine nuestros corazones."[91] Lutero hizo la misma observación, aunque en un contexto en el que veía la enseñanza como parte del ministerio sacerdotal más que profético de Cristo: "No solo ora e intercede por nosotros, sino que nos enseña internamente a través de la instrucción viviente de su Espíritu, realizando así las dos funciones reales de un sacerdote."[92] Fue esta misma doctrina la que Calvino resumió en su doctrina del testimonio interno del Espíritu Santo: "El mismo Espíritu, por lo tanto, que ha hablado por boca de los profetas debe penetrar en nuestros corazones para persuadirnos de que proclamaron fielmente lo que había ha sido ordenado divinamente."[93]

EL MINISTERIO PROFÉTICO DE CRISTO A TRAVÉS DE LOS PREDICADORES

Vinculado a esta enseñanza está la doctrina de que la unción profética de Cristo "se difundió desde la Cabeza a los miembros."[94] Esta doctrina se siguió del hecho de que recibió su unción "no solo para sí mismo para llevar a cabo el oficio de enseñar, sino para todo su cuerpo, para que el poder del Espíritu pueda estar presente en la predicación continua del Evangelio."[95] ¿Consideraban los reformadores, entonces, no solo la palabra *escrita* sino también la palabra *predicada* como la Palabra de Cristo? Lutero ciertamente lo hizo, insistiendo en que donde el predicador expone fielmente la Escritura, su palabra es la Palabra de Dios: "Ahora bien, yo y cualquier hombre que hable la Palabra de Cristo, podemos jactarnos libremente de que nuestra boca es la boca de Cristo. Estoy seguro de que mi palabra no es mía, sino de Cristo."[96] El mismo sentimiento se registra en su *Tabla de Discurso*: "Alguien preguntó: 'Doctor, ¿es la Palabra que Cristo habló cuando estaba en la tierra la misma en realidad y en efecto como la Palabra predicada por un ministro?' El doctor [Lutero] respondió "Sí, porque dijo: El que te oye me escucha" [Lucas 10:16]."[97] En su "Prefacio a las Epístolas de Santiago y Judas", llegó incluso a afirmar que esto era verdad independientemente de las cualidades personales del predicador: "Todo el que predica a Cristo sería

---

[89] John Henry Newman, *An Essay on the Development of Christian Doctrine* (1845; repr., Harmondsworth, UK: Penguin Books, 1974).

[90] *Melanchthon y Bucer*, 91.

[91] Ibid., 92.

[92] Martín Lutero, *The Freedom of a Christian*, LW 31:354. Esto refleja el hecho de que en el Antiguo Testamento los sacerdotes eran los instructores cotidianos del pueblo.

[93] Calvino, *Institución*, 2.7.4. Ver también el sermón de Calvino sobre Is. 53:13, donde dice: "El profeta afirma expresamente que la voz exterior que invita no sirve de nada, a menos que el don especial del Espíritu lo acompañe." Juan Calvino, *Sermons on Isaiah's Prophecy of the Death and Passion of Christ*, trad. y ed. T. H. L. Parker (London: James Clarke, 1956), 46.

[94] Calvino, *Institución*, 2.15.2.

[95] Ibid.

[96] Citado en Karl Barth, *Church Dogmatics*, trad. G. T. Thomson, vol. 1, pt. 1 (Edinburgh: T&T Clark, 1936), 107.

[97] *LW 54:394.*

apostólico, incluso si Judas, Anás, Pilato y Herodes lo hubieran hecho."[98] Es el contenido lo que importa.

La misma nota fue sonada por Calvino, a pesar de que se esforzó por insistir en que los intérpretes humanos de la Palabra son una adaptación a nuestra debilidad "en que él [Dios] prefiere dirigirse a nosotros en forma humana a través de intérpretes para atraernos hacia sí mismo, en lugar de aturdirnos y ahuyentarnos."[99] Sin embargo, cuando escuchamos hablar a sus ministros, es como si Él mismo hablara: "Es un privilegio singular que se digne consagrar a sí mismo la boca y la lengua de los hombres para que su boca resuene en ellos". Esto depende, por supuesto, del "hecho de que el predicador declarará solo lo que ha sido revelado y registrado en la Sagrada Escritura."[100] La predicación "toma prestada" su condición de Palabra de Dios en las Escrituras, y el púlpito se convierte en el trono desde el cual Dios gobierna nuestras almas: "Tengamos en cuenta", declaró Calvino en uno de sus sermones sobre Deuteronomio, "que la doctrina que recibimos de Dios es como el discurso de un rey."[101]

Esta noción no significa que el predicador, simplemente como tal, es una extensión del ministerio profético de Cristo. Pero sí significa que Cristo continúa ejerciendo *su* ministerio profético a través del predicador.

Cristo como Sacerdote

La discusión inicial de Calvino sobre el oficio sacerdotal de Cristo fue más o menos en proporción a sus comentarios sobre los oficios proféticos y reales en el mismo capítulo.[102] Sin embargo, extendió su tratamiento a los dos capítulos sucesivos, siguiendo las líneas del Credo de los Apóstoles y haciendo una pausa reverente sobre las cláusulas "sufrió bajo Poncio Pilato, fue crucificado, muerto y sepultado; Él descendió al infierno." Hay un tratamiento mucho más breve, pero no menos rico, de estas mismas cláusulas en Pedro Martyr Vermigli, cuya exposición del credo refleja el punto de vista teológico de Calvino.[103] Veremos esto más tarde.

La Obra Sacerdotal de Cristo en la Expiación

El enfoque de Calvino en la crucifixión de Cristo no debe oscurecer el hecho de que él atribuyó nuestra redención a "todo el curso de su obediencia": "desde el momento en que tomó la forma de un siervo, comenzó a pagar el precio de la liberación para poder redimirnos."[104] Sin embargo, Calvino insistió en que cuando se trata de definir el camino de la salvación "más exactamente", la Escritura "atribuye esto como peculiar y propio de la muerte de Cristo". Pero, ¿habría venido Cristo si no hubiera sido necesario dar su vida como expiación por el pecado? Calvino se dirigió, con considerable minuciosidad y rigor (y obvia irritación), a lo que llamó la "especulación" de Osiander de que Cristo aún se habría convertido en hombre, incluso si el pecado nunca hubiera

---

[98] *LW* 35:396.

[99] *LW* 35:396.

[100] T. H. L. Parker, *Calvin's Preaching* (Edinburgh: T&T Clark, 1992), 22.

[101] Juan Calvino, *Sermons on Deuteronomy*, trad. Arthur Golding (1583; facsimile reimpr., Edinburgh: Banner of Truth, 1987), 1192.

[102] Calvino, *Institución*, 2.15.6

[103] Vermigli, *Early Writings*, 15–79

[104] Calvino, *Institución*, 2.16.5.

entrado en el mundo.[105] Para Calvino, esta fue una novedad frívola: todas las Escrituras proclamaban que para ser un Redentor Cristo estaba revestido de carne. El Mesías fue prometido desde el principio solo para restaurar el mundo caído, y cuando realmente vino, Él mismo declaró (por ejemplo, Mateo 18:11) que la razón de su venida era que con su muerte podría apaciguar a Dios y librarnos de la muerte a la vida. Concluyó que, dado que el Espíritu declara que estos dos, el pecado del hombre y el advenimiento de Cristo, están unidos por el eterno decreto de Dios, "no es lícito indagar más cómo Cristo se hizo nuestro redentor y el participante de nuestra naturaleza."[106]

Pero, ¿qué fue lo que impulsó a Dios a mostrar favor a nuestro mundo caído? Calvino se esforzó por arraigar firmemente su doctrina de la reconciliación en el amor divino eterno e insistir en que este amor precedió al sacrificio expiatorio de Cristo. "Por su amor", escribió, "Dios el Padre va antes y anticipa nuestra reconciliación en Cristo". Continuó:

> Porque no fue después de que fuimos reconciliados con Él a través de la sangre de su Hijo que Él comenzó a amarnos. Por el contrario, nos amó antes de que el mundo fuera creado.... El hecho de que fuimos reconciliados a través de la muerte de Cristo no debe entenderse como si su Hijo nos reconciliara con Él para comenzar a amar a aquellos a quienes odiaba.[107]

Por el contrario, hemos sido reconciliados con Él que nos ama.

Sin embargo, Calvino era igualmente consciente de que Cristo como sacerdote debe considerar seriamente la ira de Dios: nadie puede considerar seriamente lo que es, sin sentir "la ira y hostilidad de Dios hacia él". Asociada con esto viene la necesidad de una garantía de que hay algún medio por el cual Dios puede ser apaciguado, pero ninguna garantía común lo hará, "porque la ira y la maldición de Dios siempre recaen sobre los pecadores hasta que sean absueltos de culpa. Como es un Juez justo, no permite que su ley se rompa sin castigo, pero está equipada [Lat. *armatus*] para vengarlo."[108]

Pero aquí, sugirió Calvino, hay "algún tipo de contradicción."[109] ¿Cómo podríamos ser objetos del amor y la misericordia de Dios y al mismo tiempo objetos de su ira y venganza? O, como la "contradicción" expresada por Paul Helm, "¿Cómo podría Dios en algún momento ser un enemigo si nos amara eternamente?"[110] Una respuesta adecuada a esto habría sido que el amor y la ira no son opuestos: el amor puede estar enojado, a veces muy enojado. El amor y el odio son opuestos, y aunque los hijos de Dios eran por naturaleza objetos de su ira (Efesios 2:3), nunca fueron objeto de su odio. Además, incluso después de que seamos perdonados libremente y adoptados en la familia de Dios, podemos, como dice la Confesión de Fe de Westminster, aún "caer bajo el desagrado paternal de Dios."[111] Pero Calvino eligió una ruta diferente, argumentando que expresiones como que Dios es el enemigo del hombre, el hombre

---

[105] Ibid., 2.12.4–7.
[106] Ibid., 2.12.5.
[107] Ibid., 2.16.4.
[108] Ibid., 2.16.1
[109] Ibid., 2.16.1.
[110] Paul Helm, *John Calvin's Ideas* (Oxford: Oxford University Press, 2004), 393.
[111] CFW 11.5.

bajo una maldición, y el hombre alejado de Dios "se han acomodado a nuestra capacidad [para] poder comprender mejor cuán miserable y ruinosa es nuestra condición, aparte de Cristo."[112] En otras palabras, el discurso bíblico de que Dios está enojado pertenece a la misma categoría que Dios se arrepiente.

Esto, seguramente, es un camino peligroso. "Ningún arrepentimiento puede pertenecer a Dios", declaró Calvino en su comentario sobre Jonás. Es simplemente un modo de hablar, usado solo con respecto a nuestra comprensión humana. De manera similar, cuando las Escrituras hablan de la ira de Dios, se está acomodando a "la descompostura de nuestro entendimiento", porque de otro modo no podemos estar aterrorizados y ser humillados ante Dios y arrepentirnos: "Porque como *concebimos* que Dios está enojado, cada vez que nos convoca a su tribunal, y nos muestra nuestros pecados; así también lo *concebimos* como aplacable, cuando ofrece la esperanza del perdón."[113]

Como estas palabras dejan en claro, los conceptos de ira y propiciación se mantienen unidos. Si el uno es una manera de hablar, también lo es el otro; y así, eventualmente, son todos los conceptos clave de la doctrina de la expiación. Incluso el amor divino tendrá que desmitificarse como un mero antropomorfismo diseñado para acomodar nuestra finitud humana. En cambio, sin duda, debemos aferrarnos al hecho de que nuestro amor no es más que un débil reflejo de lo divino y nuestra ira contra el mal, pero un leve reflejo de la suya.

EL DESCENSO AL INFIERNO

Calvino también dedicó considerable atención a la declaración del Credo de los Apóstoles de que Cristo "descendió al infierno".[114] Este no fue un problema en el que los reformadores fueron unánimes. Por ejemplo, Lutero oscilaba entre Jesús descendiendo al infierno después de su muerte para tragarse a la muerte y al infierno, y Cristo simplemente sufriendo en Getsemaní y en el Calvario.[115] Zuinglio, en su *Exposición de la Fe*, entendió que el descenso se refería principalmente a la realidad de la muerte de Jesús, "porque ser contado entre los que han descendido al infierno significa haber muerto", pero luego extendió esto para incluir la idea de que el poder de la expiación de Cristo penetró incluso en el inframundo; en apoyo a esta sugerencia, citó 1 Pedro 3:19, entendiendo que el Evangelio fue predicado a los muertos, "es decir, a aquellos en el Hades que desde el principio del mundo habían creído en advertencias divinas, como Noé."[116] Según Pedro Martyr Vermigli, el descenso al infierno indica que cuando el alma de Cristo se separó de su cuerpo, "descendió a las regiones inferiores", donde experimentó las mismas condiciones que otras almas separadas de sus cuerpos, a saber, "asociación con los santos o con la compañía de los condenados". Ambos grupos, declaró, se enfrentaron a la presencia del alma de Cristo. A los creyentes que habían esperado la salvación por medio de Cristo, les trajo consuelo.

[112] Calvino, *Institución*, 2.16.2

[113] John Calvin, *Commentaries on the Twelve Minor Prophets* (1846–1849; reimpr., Edinburgh: Banner of Truth, 1986), 3:115. Cursivas añadidas.

[114] Calvino, *Institución*, 2.16.8–12.

[115] Lutero, *Freedom of a Christian*, LW 31:352. Ver, Paul Althaus, *The Theology of Martin Luther*, trad. Robert C. Schultz (Philadelphia: Fortress, 1966), 207.

[116] *Zwingli and Bullinger*, 251–52.

Para aquellos condenados a la perdición eterna (y aquí Vermigli también citó 1 Pedro 3:19), Él trajo represión por su obstinación e incredulidad.[117]

Calvino insistió notablemente en la importancia de este artículo, declarando que, si se lo excluía del credo, se perdería gran parte del beneficio de la muerte de Cristo.[118] Descartó tanto la idea de que el "infierno" aquí simplemente significa la tumba y la idea de que Cristo descendió al *limbus patrum* ("el limbo de los padres") para liberar las almas de los patriarcas, excluidos de la vida de gloria hasta que sean entregados por la pasión de Cristo.[119] En cambio, él definió el descenso al infierno como una expresión del tormento espiritual que Cristo sufrió por nosotros: "Tuvo que lidiar mano a mano con los ejércitos del infierno y el temor a la muerte eterna". Lo que es notable, sin embargo, es que Calvino colocó este *descenso* antes de la muerte de Cristo, no después. Él descendió al infierno *en la cruz*. No solo, dice Calvino, se dio el cuerpo de Cristo como el precio de nuestra redención, sino que también "pagó un precio mayor y más excelente por sufrir en su alma los terribles tormentos de un hombre condenado y abandonado."[120] El punto más bajo de este "infierno" fue que el Padre lo abandonó: "Seguramente no se puede concebir un abismo más terrible que sentirse desamparado y alejado de Dios; y cuando le pidas que no sea escuchado. Es como si Dios mismo hubiera tramado su ruina."[121]

Esta comprensión del descenso al infierno fue compartida por figuras clave entre los sucesores de Calvino. Ursino, por ejemplo, ofreció una discusión concisa pero completa en su *Comentario* sobre la pregunta 44 del Catecismo de Heidelberg, y concluyó que "significa los tormentos extremos, dolores y angustia que Cristo sufrió en su alma". Al mismo tiempo, tuvo cuidado de vincular este descenso al infierno para nuestra salvación:

> Creer en Cristo, que descendió al infierno, es creer que sostuvo para nosotros, en su propia alma, agonías y dolores infernales, y esa ignominia extrema que espera a los impíos en el infierno, para que nunca lleguemos allí, ni seamos obligados a sufrir los dolores y tormentos que todos los diablos y réprobos sufrirán para siempre en el infierno.[122]

Es en la experiencia de Cristo de esta angustia que Calvino vio la refutación más clara del apolinarismo. Haciéndose eco del dicho de Gregorio Nacianceno (alrededor de 329-389) "el no consumado es el no curado", escribió Calvino, "a menos que su alma compartiera el castigo, Él mismo habría sido el Redentor de los cuerpos". Y si bien cuidamos de negar que Cristo alguna vez haya experimentado "una desesperación contraria a la fe", aún había en Cristo "una debilidad pura y libre". Esto se hace particularmente claro en Getsemaní, donde debemos confesar el dolor de Cristo, "a

---

[117] Vermigli, *Early Writings*, 43–44

[118] Calvino, *Institución*, 2.16.8.

[119] Aquino, *Summa Theologiae* 3a.52.2.

[120] Calvino, *Institución*, 2.16.10. La fraseología puede estar en deuda con Lutero, quien dijo que Cristo experimentó "la ansiedad y el terror de una conciencia atemorizada que siente la ira eterna". Citado en Althaus, *Theology of Martin Luther*, 205.

[121] Calvino, *Institución*, 2.16.11.

[122] Ursino, *Commentary on the Heidelberg Catechism*, 231–32.

menos que nos avergoncemos de la cruz". Esto, concluyó, es nuestra sabiduría, "para sentir cuánto costó nuestra salvación al Hijo de Dios."[123]

EL ALCANCE DE LA EXPIACIÓN

En contraste con sus sucesores inmediatos en la tradición Reformada, Calvino no ofreció ninguna discusión sobre el alcance de la expiación. Durante el siglo XX se puso de moda argumentar que Calvino enseñó la redención universal y que la doctrina de la "expiación limitada" fue una innovación perniciosa introducida por Teodoro Beza —un argumento adelantado por John Cameron y Moïse Amyraut incluso en el siglo diecisiete.[124] Es tentador para los admiradores de Calvino responder con el contra-argumento de que Calvino ya era un partidario de la doctrina de la expiación definitiva, pero la cuestión precisa de si Cristo murió para obtener la redención "para todos y cada uno de los hombres" nunca estuvo antes de la mente de Calvino, y no es seguro citarlo sobre un tema que nunca abordó directamente. Ciertamente, no es difícil extraer de las extensas declaraciones de Calvino que Cristo murió por todos, pero luego, como señaló Cunningham, "ningún calvinista, ni siquiera el Dr. Twisse, el gran campeón del supralapsarianismo alto, ha negado alguna vez que haya un sentido en el que se pueda afirmar que Cristo murió por todos los hombres."[125]

El hecho más pertinente aquí es que cuando Calvino comentó sobre los pasajes comúnmente citados en apoyo de la redención universal, no aprovechó la oportunidad para insistir en la exégesis de la redención universal. Esto es aún más notable en vista del hecho de que eruditos como R. T. Kendall argumentan no sólo que Cristo murió indiscriminadamente para todos, sino que esta doctrina fue fundamental para su teología, lo que refuerza toda su comprensión de la fe.[126] Sin embargo, la exégesis de Calvino de tales pasajes como 1 Timoteo 2 y 1 Juan 2 es exactamente la misma que se encuentra más adelante en la obra de los defensores de la expiación definitiva. Por ejemplo, al comentar las palabras "Dios quiere que todos los hombres sean salvos" (1 Timoteo 2: 4), Descartó "la ilusión infantil de quienes piensan que este pasaje contradice la predestinación", y concluyó que "el significado del apóstol aquí es simplemente que ninguna nación de la tierra y ningún rango de la sociedad está excluida de la salvación, ya que Dios quiere ofrecer el Evangelio a todos sin

---

[123] Calvino, *Institución*, 2.16.12. En 1535 *Lectures on Galatians*, Lutero expresó el mismo sentimiento cuando discutía sobre Gal. 2:20: "Por lo tanto, es una blasfemia intolerable pensar alguna obra por la cual presumas aplacar a Dios, cuando ves que no puede ser aplacado excepto por este precio inmenso e infinito, la muerte y la sangre del Hijo de Dios, una gota de la cual es más preciosa que toda la creación". LW 26: 176.

[124] Ver, por ejemplo, Basil Hall, "Calvin against the Calvinists," en *John Calvin: A Collection of Distinguished Essays*, ed. G. E. Duffield, trad. G. S. R. Cox y P. G. Rix, Courtenay Studies in Reformation Theology 1 (Appleford: Sutton Courtenay, 1966), 19–37; R. T. Kendall, *Calvin and English Calvinism to 1649* (Oxford: Oxford University Press, 1979), esp. 3–28; Brian G. Armstrong, *Calvinism and the Amyraut Heresy: Protestant Scholasticism and Humanism in Seventeenth-Century France* (Eugene, OR: Wipf and Stock, 2004), esp. 127–39. Ver *contra*, Paul Helm, "Calvin, Indefinite Language, and Definite Atonement," en *From Heaven He Came and Sought Her: Definite Atonement in Historical, Biblical, and Pastoral Perspective*, ed. David Gibson and Jonathan Gibson (Wheaton, IL: Crossway, 2013), 97–120; Raymond A. Blacketer, "Blaming Beza: The Development of Definite Atonement in the Reformed Tradition," en Gibson and Gibson, *From Heaven He Came and Sought Her*, 97–141.

[125] William Cunningham, "Calvin and Beza," en *The Reformers and the Theology of the Reformation* (Edinburgh: T&T Clark, 1862), 396.

[126] Como Kendall señala, "Fundamental para la doctrina de la fe de Juan Calvino es su creencia de que Cristo murió indiscriminadamente por todos los hombres." *Calvin and English Calvinism*, 13,

excepción."[127] Se acercó a 1 Juan 2:2 de la misma manera, argumentando que cuando el apóstol habló de Cristo como la propiciación de los pecados del mundo entero,

> su propósito era solo hacer esta bendición común a toda la Iglesia. Por lo tanto, bajo la palabra "todos" no incluye al réprobo, sino que se refiere a todos los que creerían y a los que fueron esparcidos por varias regiones de la tierra. Porque, como se encuentra, la gracia de Cristo se hace clara cuando se declara que es la única salvación del mundo.[128]

Dado que muchos suponen que Beza es el verdadero autor (o villano) de la doctrina de la "expiación limitada", es fascinante que su más joven contemporáneo Ursinio ya estuviese enseñando una doctrina cuidadosamente redactada de expiación definitiva en la Universidad de Heidelberg entre 1561 y 1577 (como lo atestigua su *Comentario al Catecismo de Heidelberg*, que, aunque publicado sólo en 1616, expone la esencia de sus conferencias de Heidelberg). No hay razón para pensar que Ursinio era parte del círculo de Beza; sus afinidades parecen haber sido con Melanchthon y Pedro Martyr Vermigli. La cuestión del alcance de la expiación tampoco surgió del Catecismo de Heidelberg. Sin embargo, lo enfrentó directamente, abordando el tema de los pasajes "aparentemente opuestos" de las Escrituras al invocar la distinción clásica entre la suficiencia de la expiación y su eficacia y al establecer que, si bien la expiación es *suficiente* para expiar los pecados de todos los hombres, su *eficacia* se limita a los elegidos y estaba destinado a ser así:

> Deseó morir solo por los elegidos en cuanto a la eficacia de su muerte, es decir, no solo mereció de manera suficiente la gracia y la vida solo para ellos, sino que también les confirió fe, y les otorgó el Espíritu Santo, y hace que se apliquen a sí mismos, por fe, los beneficios de su muerte, y así obtengan para sí mismos la eficacia de sus méritos.[129]

LA NECESIDAD DE LA EXPIACIÓN

Pero, aunque no ofreció ningún pronunciamiento sobre el alcance de la expiación, Calvino se refirió a la cuestión de su *necesidad*. La forma precisa de esta pregunta que trató Calvino fue: ¿por qué era necesario que el Mediador fuera a la vez Dios y hombre? Sin embargo, esto fue parte de la pregunta más amplia planteada por Anselmo: "¿Con qué lógica o necesidad se convirtió Dios en hombre, y con su muerte, como creemos y profesamos, restauramos la vida en el mundo, cuando pudo haberlo hecho a través de la agencia de algún otro, angelical o humano, o simplemente por quererlo?"[130] ¿Por qué la redención debe asegurarse a tal precio?

Calvino respondió en términos de lo que ha sido etiquetado como "necesidad hipotética consecuente."[131] No había una necesidad absoluta, solo una necesidad derivada del decreto celestial del que dependía la salvación del hombre: "Nuestro

---

[127] Calvino, *The Second Epistle of Paul the Apostle to the Corinthians and the Epistles to Timothy, Titus and Philemon*, 209.

[128] Juan Calvino sobre 1 Juan 2:2, en *CNTC* 5:244.

[129] Ursino, *Commentary on the Heidelberg Catechism*, 223. Calvino tenía reservas sobre la distinción suficiente / eficiente: "La solución común no sirve, que Cristo sufrió lo suficiente para todos, pero eficazmente solo para los elegidos".

[130] Anselmo, *Cur Deus Homo*, 1.1. Traduccion del inglés., *Why God Became Man, in Anselm of Canterbury: The Major Works*, ed. Brian Davies y G. R. Evans (Oxford: Oxford University Press, 1998), 265.

[131] John Murray, *Redemption: Accomplished and Applied* (Grand Rapids, MI: Eerdmans, 1955), 11.

Padre misericordioso decretó lo que era mejor para nosotros."[132] Calvino estaba haciendo una cuidadosa distinción aquí. Dios no tenía necesidad de salvar a la raza humana; era una cuestión de clemencia soberana impulsada por el amor eterno incondicional. Pero de este compromiso se desprende que debe haber expiación, porque Dios, para usar los términos de Anselmo, no pudo simplemente haber "querido" la salvación del mundo, y Calvino es absolutamente claro en cuanto a la razón por la cual: "La maldición justa de Dios impide nuestro acceso a Él, y Dios en su capacidad de juez está enojado con nosotros. Por lo tanto, una expiación debe intervenir para que Cristo como sacerdote pueda obtener el favor de Dios para nosotros y apaciguar su ira. Así que Cristo para realizar este oficio tuvo que presentar un sacrificio."[133] Esta misma pregunta fue abordada por Pedro Martyr Vermigli, quien preguntó: "¿No le parece extraño que si Dios podía reconciliar el mundo consigo mismo de una manera más fácil, Él eligió hacerlo exponiendo a su Hijo a estos sufrimientos?" Su respuesta básica fue que ninguna otra forma podría haber satisfecho la justicia de Dios. Pero amplificó este punto, resaltando tres verdades adicionales que, dijo, deben ser "notadas cuidadosamente": primero, que por este medio amargo Dios destacó cuán grande era la deuda en que incurrían nuestros pecados, cuando se requería una retribución tan severa; segundo, si no fuera por el castigo sufrido por Cristo, la conciencia humana no podría estar segura de su libertad de la condenación; y tercero, en el sufrimiento de Cristo vemos una demostración de perfecta paciencia, obediencia y amor. Este último punto lo llevó a explayarse sobre la forma en que esta demostración nos fortalece en cada aflicción: "¿Quién rehusará beber de ese cáliz que ve a su Señor Jesucristo tan voluntariamente drenado para la salvación de los demás?"[134] Vermigli era claramente consciente de que, si bien la cruz es, en primer lugar, expiatoria, esto no impide que tenga también una fuerza ejemplarista.

LA SUFICIENCIA DE LA EXPIACIÓN

Queda la cuestión de la finalidad del sacrificio de Cristo en la cruz: una cuestión planteada en forma aguda por la doctrina católica romana de la Misa. El Concilio de Trento definió la Misa como un sacrificio, estableció que en este "sacrificio divino" Cristo fue reimplantado "de una manera no sangrienta", y pasó a declarar que este sacrificio es verdaderamente propiciatorio. Por ella Dios se apacigua, y por ella obtenemos misericordia y encontramos gracia. La víctima, continuó el concilio, es una y la misma, el pan convertido por el misterio de la transubstanciación en el cuerpo, la sangre, el alma y la divinidad del Hijo de Dios y Cristo, ofreciendo ahora por el ministerio de los sacerdotes, el mismo sacrificio que Él mismo ofreció en la cruz.[135]

---

[132] Calvino, *Institución*, 2.12.1.

[133] Ibid., 2.15.6. Pero Calvino pareció tener una opinión diferente en su comentario sobre Juan 15:13: "Dios pudo habernos redimido con una palabra o un deseo, salvo que otra forma le pareció mejor por nosotros mismos: para que, al no perdonar a su Hijo unigénito, pueda testificar en su persona cuánto se preocupa por nuestra salvación". Más tarde, los teólogos reformados como Jerome Zanchius y Samuel Rutherford, argumentando desde la premisa de la libertad absoluta de Dios, creían que Dios, si hubiera elegido, podría haber dejado impune el pecado. Los teólogos luteranos parecen no haber abordado la cuestión de la necesidad de la expiación. Como hemos visto, sin embargo, Lutero mismo declaró que Dios no podía ser aplacado "excepto por este precio inmenso e infinito, la muerte y la sangre del Hijo de Dios".

[134] Vermigli, *Early Writings*, 41.

[135] Ver "The Canons and Decrees of the Council of Trent," session 22, caps. 1–2, y cánones 1–4, en Schaff, *Creeds of the Greek and Latin Churches*, 176–79, 184–85.

Cada detalle en esta construcción era anatema para los reformadores. Negaron que la Misa fuera un sacrificio, que aquellos que "ministraban en el altar" estuvieran actuando en calidad de sacerdotes, y que la Misa era en cualquier sentido propiciatoria. Por encima de todo, negaron que hubiera necesidad de más sacrificios. El único sacrificio en la cruz fue perfecto y, por lo tanto, absolutamente definitivo. En la *Cautividad Babilónica de la Iglesia*, Lutero describió "la creencia común de que la Misa es un sacrificio" como el mayor y más "peligroso obstáculo" de todos.[136] En su último tratado *Este es mi Cuerpo*, también escribió: "Es bastante cierto que Cristo no puede ser sacrificado más allá de la única vez que se sacrificó a sí mismo."[137] Melanchthon llamó la atención con la misma nota: "En todo el mundo solo había un sacrificio propiciatorio, a saber, el sufrimiento o la muerte de Cristo". Y en apoyo de esto, citó Hebreos 10:10, que dijo: "En esa voluntad somos santificados mediante la ofrenda del cuerpo de Jesucristo hecha una vez para siempre."[138]

Pero nuevamente, es en Calvino donde encontramos el tratamiento más sistemático. Ya en la primera edición de la *Institución* (1536), describió como "un error muy pestilente" la creencia de que la Misa es un sacrificio ofrecido para obtener el perdón de los pecados. El principio clave aquí es el exclusivo sacerdocio de Cristo: sólo el Hijo de Dios podía ofrecer al Hijo de Dios, porque solo Él era sacerdote divinamente designado, y no tenía sucesor: "Cristo, siendo inmortal, no necesita ningún vicario para reemplazarlo.... [El Padre] lo designó 'sacerdote para siempre, según el orden de Melquisedec', para que ejerciera un sacerdocio eterno."[139]

Estos puntos se amplifican en la edición definitiva de 1559 de la *Institución*. El honor del sacerdocio, escribió Calvino, "no era competente para nadie más que para Cristo, porque mediante el sacrificio de su muerte borró nuestra culpa e hizo satisfacción por el pecado."[140] Y cuando procedió en el libro 4 para discutir de la Misa, introdujo sus comentarios con la observación de que estaba en contra de la opinión que "infectó al mundo entero", es decir, que la Misa es una obra mediante la cual el sacerdote ofrece a Cristo como víctima expiatoria, mereciendo así el favor de Dios y reconciliándonos con Dios. El juicio de Calvino fue intransigente: esta noción "inflige una señal de deshonor sobre Cristo, entierra y oprime su cruz, consigna su muerte al olvido y quita el beneficio que nos vino de ella."[141] Luego, citando las palabras "Está consumado" de Juan 19:30, declaró: "Por su único sacrificio, todo lo que se refiere a nuestra salvación ha sido realizada y cumplida". "¿Estamos," desafió él, "para que se le permita coser diariamente innumerables parches sobre tal sacrificio, como si fuera imperfecto, cuando Él ha elogiado tan claramente su perfección?" Luego, basándose en Hebreos 9-10, concluyó: "En toda la discusión, el apóstol sostiene no solo que no hay otros sacrificios, sino que este fue ofrecido solo una vez y nunca se repetirá."[142] Solo hay un sacrificio, para que nuestra fe sea hecha firme en su cruz.[143]

---

[136] LW 36:51.

[137] LW 37:143.

[138] Melanchthon, *Chief Theological Topics*, 280.

[139] Calvino, *Institución de la religión cristiana* (1536 ed.), 115.

[140] Calvino, *Institución*, 2.15.6.

[141] Ibid., 4.18.1.

[142] Ibid., 4.18.3.

[143] Ibid., 4.18.6. Uno de los pilares del argumento católico romano en favor de la doctrina de la Misa como sacrificio fue la declaración de Génesis 14:18 de que Melquisedec, como sacerdote de Dios Altísimo, sacó "pan y vino". En esto, vea Calvino*Commentaries on the First Book of Moses Called Genesis*, trad. John King (Edinburgh: Calvin Translation Society, 1847–1850), 1:388–91

Cristo como Rey: ¿Fue Lutero Clásico en lugar de Ansélmico?

Calvino, Melanchthon, Vermigli, Ursino y Perkins parecen estar firmemente en la tradición de Anselmo, proclamando la cruz como un sacrificio vicario ofrecido para satisfacer nuestros pecados. Pero, ¿Lutero tenía una opinión diferente?[144] Este es el argumento de Gustaf Aulén,[145] quien sostiene que esta doctrina "latina" u "occidental" de la expiación, derivada de Anselmo, fue una desviación radical de la doctrina "clásica" de los primeros Padres, quienes vieron la expiación principalmente como una victoria sobre el pecado, la muerte y el demonio, una opinión expresada más notoriamente en el *Gran Catecismo* de Gregorio de Nisa.[146] Mediante el pecado, el hombre se había convertido en propiedad del diablo, y la única condición en la que el diablo lo liberaría era el pago de un rescate. Pero, ¿dónde podría encontrarse un rescate por tal premio? En nada menos que Dios mismo, quien, en la persona de su Hijo, se convirtió en el rescate pagado al diablo. En el curso de la transacción, sin embargo, un cierto engaño tuvo que ser practicado: "Para asegurarse de que el rescate sería aceptado fácilmente, la Deidad fue escondida bajo el velo de nuestra naturaleza, de modo que, como con los peces hambrientos, el anzuelo de la Deidad podría ser engullido junto con el cebo de la carne", y así "el que primero engañó al hombre con el anzuelo del placer sensual, es engañado por la presentación de la forma humana."[147]

¿Es esta doctrina, enfatizando la idea real de la victoria al descuido de la idea sacerdotal del sacrificio, lo que escuchamos en Lutero? Ciertamente, escuchamos ecos claros de ella, incluso en la medida en que adoptó la imagen de Nisa del engaño del diablo, incluida la idea de que la humanidad de Cristo es el cebo en el anzuelo. El diablo se traga a Cristo, pero no puede digerirlo, "porque Cristo se pega en las agallas, y debe vomitarlo otra vez, como la ballena el profeta Jonás, y mientras lo mastica, el diablo se estrangula y es asesinado, y es tomado cautivo por Cristo."[148] Es dudoso que el uso de dicho lenguaje sea gran crédito del reformador, aunque es fácil imaginar a un público rústico disfrutando de un predicador que se burla a expensas del diablo. Pero entonces, el tema de la victoria y la liberación también es despejado en las declaraciones más matizadas de Lutero. Por ejemplo, en su Catecismo Menor (1529) declaró: "Creo que Jesucristo... me libertó y me libró de todos mis pecados, de la muerte y del poder del diablo."[149] Habló con un efecto similar en su Catecismo Mayor (2.2): los tiranos y carceleros han sido derrotados, porque Cristo "nos ha arrebatado, pobres criaturas perdidas, de las fauces del infierno, nos ganó, nos hizo libres y nos restauró al favor y la gracia del Padre."[150] La misma nota se repite nuevamente en *La Libertad de un Cristiano*, donde Lutero habló de "una lucha bendita y la victoria y la salvación y la redención."[151] Fue precisamente para vencer el pecado, la muerte y los

---

[144] Para una visión general de la comprensión de Lutero de la obra de Cristo como reconciliador, véase Althaus, *Theology of Martin Luther*, 201–23.

[145] Gustaf Aulén, *Christus Victor: An Historical Study of the Three Main Types of the Idea of the Atonement*, trad. A. G. Herbert (London: SPCK, 1965), 101–22. Para una crítica de Aulén, véase Althaus, *Theology of Martin Luther*, 218–23.

[146] San Gregorio de Nisa, *Select Writings and Letters of Gregory, Bishop of Nyssa*, NPNF, 2da ser., vol. 5, ed. Philip Schaff y Henry Wace (Grand Rapids, MI: Eerdmans, 1983), 471–509.

[147] San Gregorio de Nisa, *The Great Catechism*, NPNF, 2nd ser., 5:24, 26.

[148] Citado en Aulén, *Christus Victor*, 104.

[149] Tappert, *Book of Concord*, 345.

[150] Ibid., 414.

[151] *LW* 31:351.

dolores del infierno que Cristo descendió al infierno, y como la muerte y el infierno no pudieron tragárselo, fueron engullidos por Él en un poderoso "duelo": "Porque su justicia es más grande que los pecados de todos los hombres, su vida más fuerte que la muerte, y su salvación invencible ante el infierno."[152] El tema del duelo aparece de nuevo en su *Comentario sobre Gálatas* de 1535 (Gal. 3:13), y para entonces se había convertido en el "duelo maravilloso" (*mirabile duellum*), con el tema del engaño todavía en el fondo. El diablo atacó a Cristo y quiso devorarlo, junto con toda la raza humana,

> pero como la vida era inmortal, salió victoriosa cuando fue conquistada, conquistando y matando a la muerte. Acerca de este maravilloso duelo, la iglesia canta bellamente: "Fue una gran y terrible lucha cuando la muerte contendió a la vida". El Príncipe de la vida, que murió, está vivo y reina. Por medio de Cristo, por lo tanto, la muerte es conquistada y abolida en todo el mundo, de modo que ahora no es más que una imagen de la muerte.[153]

Estas son declaraciones memorables del poder divino desplegado en nuestra salvación y de la victoria de Cristo sobre los poderes del mal, y sería fácil citar muchas más. Pero las afirmaciones sobre el mismo efecto también abundan en Calvino, aunque sin el vívido lenguaje de Lutero. En la primera edición de la *Institución*, Calvino relacionó la unción de Cristo específicamente con su realeza: "Creemos, en resumen, que por esta unción fue nombrado rey por el Padre para someter todo poder en el cielo y en la tierra [Salmos 2:1-6], que en Él podríamos ser reyes, teniendo dominio sobre el diablo, el pecado, la muerte y el infierno."[154] En la edición de 1559, la discusión sobre la realeza de Cristo se centró principalmente en la naturaleza espiritual de los beneficios que confiere a la iglesia, pero Calvino aún se esforzaba por enfatizar que Cristo era llamado Mesías especialmente en virtud de su realeza y que, como tal, Él sería el eterno protector y defensor de su pueblo. Dado que Él gobierna, dijo Calvino, más por nuestro bien que por el suyo, "no pensemos que siempre saldremos victoriosos del diablo, del mundo y de todo tipo de cosas dañinas."[155] De esto se sigue que "el diablo, con todos los recursos del mundo, nunca puede destruir la iglesia, fundada como está en el trono eterno de Cristo."[156]

El tratamiento de la realeza en la *Institución* es comparativamente breve, pero el tema en sí mismo se repite con frecuencia con Calvino. De hecho, Jansen llega a afirmar que "la conquista real sobre el diablo, la muerte y el pecado" es el tema más recurrente de Calvino e incluso que Calvino es "uno con Lutero al enfatizar la visión 'clásica' de la expiación."[157] Lo que es innegable es que, en sus *Comentarios*, Calvino aprovechó todas las oportunidades para explayarse sobre el trono triunfante del Mesías. Hay un buen ejemplo de esto en su *Comentario sobre Colosenses* (Col. 2:15), donde él se refería a la cruz como una marcha triunfal en la que Cristo exhibía a sus enemigos y como un carro triunfal "en el que aparecía ilustre":

---

[152] *LW* 31:252.
[153] *LW* 26:281.
[154] Calvino, *Institución de la religión cristiana* (1536 ed.), 54.
[155] Calvin, *Institución*, 2.15.4.
[156] Ibid., 2.15.3.
[157] Jansen, *Calvin's Doctrine of the Work of Christ*, 88.

Porque, aunque en la cruz no hay nada más que maldición, esto fue, sin embargo, tan absorbido por el poder del Hijo de Dios, que se ha puesto, como si fuera, una nueva naturaleza. Porque no hay un tribunal tan magnífico, ningún trono real tan señorial, ninguna demostración de triunfo tan distinguida, ningún carro tan elevado, como el patíbulo en el que Cristo sometió a la muerte y al diablo, el príncipe de la muerte; más, lo pisoteó por completo bajo Sus pies.[158]

Este elevado registro se sustenta en los sermones de Calvino sobre *La profecía de Isaías sobre la Pasión y Muerte de Cristo*. En su séptimo sermón (sobre Isaías 53:12), Calvino utilizó un lenguaje que recuerda el "duelo" de Lutero: Cristo ha saqueado a sus enemigos y los ha mantenido atados y anclados, sin poder para resistirlo.[159] Y en su primer sermón (sobre Isaías 52:13-15), declaró que en la cruz ("una horca infame"), Jesucristo no solo ha vencido al diablo "sino que ha demostrado que ahora podemos gloriarnos en que somos absueltos de toda condenación, que el pecado no tiene más dominio sobre nosotros y que todos los demonios en el infierno tienen que retirar su caso contra nosotros por completo."[160]

Entre los no luteranos, este énfasis no se limitaba a Calvino. Ginebra y Zúrich se pusieron de acuerdo sobre ello, como lo atestigua el artículo 4 del *Consensus Tigurinus* (el Acuerdo de Zúrich), redactado conjuntamente por Calvino y Bullinger, que declaró que Cristo "debe ser considerado como un rey, que nos enriquece con todo tipo de bendiciones, nos gobierna y nos defiende con su poder, nos proporciona armas espirituales, nos libera de todo daño, y nos gobierna y guía con el cetro de su boca."[161] Y en su sermón "Sobre las tentaciones de Cristo en el desierto", el reformador escocés John Knox utilizó un lenguaje tan dramático como el de Lutero. Se imaginó a Cristo desafiando al diablo:

He aquí, soy un hombre como mis hermanos, que tiene carne y sangre, y todas las propiedades de la naturaleza del hombre, el pecado, que es tu veneno, exceptuado. Tienta, prueba y asáltame. Te ofrezco aquí un lugar conveniente: el desierto: no habrá criatura mortal que me consuele contra tus asaltos; tendrás tiempo suficiente para hacer lo que puedas; No volaré del lugar de la batalla. Si eres vencedor, puedes continuar en posesión de tu reino en este mundo miserable: pero si no puedes vencerme, entonces tu presa y despojo injusto serán quitados de ti; debes permitirte ser vencido y confundido, y debes ser obligado a dejar de lado todas las acusaciones de los miembros de mi cuerpo; porque a ellos pertenece el fruto de mi batalla; mi victoria es de ellos, ya que estoy destinado a tomar el castigo de sus pecados en mi cuerpo.[162]

Pero si la victoria y la conquista son temas clave en Calvino, Bullinger y Knox, la expiación, la propiciación y la sustitución no lo son menos en Lutero. De hecho, el *Comentario sobre Gálatas* de Lutero de 1535 (Gálatas 3:13) ofrece la exposición más brillante de la doctrina de la sustitución penal en la historia de la teología cristiana. La

---

[158] Calvino, *Galatians, Ephesians, Felipeians and Colossians*, en CNTC, 11:336.

[159] Calvino, *Isaiah's Prophecy*, 137.

[160] Ibid., 38.

[161] Citado en Juan Calvino, *Tracts and Treatises*, vol. 2, *On the Doctrine and Worship of the Church*, trad. Henry Beveridge, ed. Thomas F. Torrance (1849; reimpr., Grand Rapids, MI: Eerdmans, 1958), 213.

[162] *The Select Practical Writings of John Knox* (Edinburgh: Banner of Truth, 2011), 182–83. Para el texto original (no moderno), consulte *The Works of John Knox*, ed. David Laing (1855; reimpr., Edinburgh: Banner of Truth, 2014), 4:103.

idea central es la imputación: "Dios ha puesto nuestros pecados, no sobre nosotros sino sobre Cristo su Hijo."[163] Lutero desarrolló esta idea con energía y audacia extraordinarias. "Y todos los profetas", escribió, "vieron esto, que Cristo se convertiría en el mayor ladrón, asesino, adúltero, profanador, blasfemo, etc., que haya existido alguna vez en el mundo". Continuó:

> Ahora Él no es el Hijo de Dios, nacido de la Virgen. Sino un pecador, que tiene y lleva el pecado de Pablo, el ex blasfemo, perseguidor y agresor; de Pedro, quien negó a Cristo; de David, que era un adúltero y un asesino.... En resumen, Él tiene y lleva todos los pecados de todos los hombres en Su cuerpo —no en el sentido en que los ha cometido, sino en el sentido de que tomó estos pecados, cometidos por nosotros, sobre Su propio cuerpo, para hacerles la satisfacción con Su propia sangre.

"Cualesquiera que sean los pecados", concluyó, "yo, usted y todos nosotros hemos cometido o podemos comprometernos en el futuro, son tanto de Cristo como si Él mismo los hubiera cometido."[164]

Por supuesto, la principal preocupación de Lutero era la justificación por la fe: "Así es como debemos magnificar la doctrina de la justicia cristiana en oposición a la justicia de la Ley y de las obras."[165] La fe pone su confianza en este pecado vicario, sabiendo que "nuestro pecado debe ser el pecado de Cristo o perecer eternamente."[166] Pero la verdad subyacente es que el concepto de victoria y el concepto de sacrificio, lejos de ser una antítesis, son elementos interrelacionados e interdependientes en la gran doctrina bíblica de la expiación. Fue precisamente al llevar la maldición que Cristo nos redimió de ella y nos liberó del diablo, como se hace inequívocamente claro en Hebreos 2:14-18, que declara que fue para expiar los pecados del pueblo que Cristo tomó carne y sangre y que fue por medio de esa expiación que destruyó al diablo. Una vez que expió el pecado, una vez que Cristo se los quitó y se los llevó Él mismo —Satanás perdió el poder de llevar a "los hijos" al infierno consigo mismo. Es a este "intercambio afortunado"[167] que debemos nuestra liberación: Él tomó esos pecados, cometidos por nosotros, sobre su propio cuerpo, para satisfacerlos con su propia sangre."[168] El resultado, como dijo Calvino, es que Cristo "nos ha liberado de una tiranía diabólica", y ahora tenemos que tratar solo con un adversario que no tiene poder contra nosotros: "El mismo diablo ha sido puesto tan bajo como para no tener más cuentas, como si él no existiera."[169]

Es por eso que podemos hablar de la obra sacerdotal de Cristo como fundacional. Tanto el ministerio profético como el gobierno real de Cristo se relacionan directamente sólo con la raza humana. Su obra sacerdotal de expiación, por otro lado, está dirigido hacia Dios, y en este acto de expiación, restaurando nuestra comunión con Dios, todo tiene bisagra. "Los poderes con los que Cristo luchó tenían su poder y autoridad solo a través de la ira de Dios", escribe Paul Althaus. "Esta es la razón por la cual Lutero al hablar de la obra de Cristo pone énfasis primario en su relación con la ira de Dios y, por lo tanto, en nuestra culpa más que en su relación con los poderes

---

[163] LW 26:279.
[164] LW 26:277–78.
[165] LW 26:280.
[166] LW 26:278.
[167] LW 26:284.
[168] LW 26:277
[169] Calvino, *The Epistle of Paul to the Hebrews and the First and Second Epistles of St. Peter*, 31.

demoníacos."[170] De ahí el orden explícito de Lutero: "La libertad por la cual estamos libres de la ira de Dios para siempre es mayor que el cielo y la tierra y toda la creación. *De esto sigue la otra libertad, por la cual somos liberados* a través de Cristo de la Ley, del pecado, la muerte, el poder del diablo, el infierno, etc."[171] Primero, libertad de la ira, luego (y solo entonces), libertad de los poderes.

La Teología de la Cruz

A pesar de su énfasis en la conquista y la victoria, la principal misión de Lutero era promover no una teología de la gloria, sino una "teología de la cruz."[172] Esta es la frase que utilizó en la Disputa de Heidelberg (mayo de 1518),[173] y, como lo señala Moltmann, lo eligió "para encontrar palabras para la comprensión de la Reforma del Evangelio liberador del Cristo crucificado, en contraste con la *theologia gloriae* de la iglesia institucional medieval."[174] La frase plantea una aguda antítesis: "Un teólogo de la gloria llama malo a lo bueno y a lo bueno malo. Un teólogo de la cruz llama a cada cosa como lo que realmente es."[175] Pero, ¿cuáles son los puntos de la antítesis? Lutero ofreció respuestas en su "Pruebas de la tesis."[176]

Primero, la teología de la cruz difiere radicalmente de la teología de la gloria en lo que entiende por "el conocimiento de Dios". El punto de partida de Lutero aquí fue Romanos 1:20, donde Pablo declara que las cualidades invisibles de Dios pueden conocerse por lo que Él ha hecho. Es tal conocimiento que "la sabiduría del mundo" (1 Corintios 1:20) busca, y Lutero no negó su validez: "Esa sabiduría no es en sí misma malvada."[177] La naturaleza invisible de Dios puede verse y reconocerse en sus obras.[178] Lo que sí negó fue, primero, que las obras de Dios son la principal fuente del conocimiento teológico, y segundo, que el reconocimiento de las cualidades invisibles de Dios (como su divinidad, poder y justicia) puede hacer que uno sea "digno o sabio."[179] Por el contrario, argumentó Lutero, nadie merece ser llamado teólogo a menos que "comprenda las cosas visibles y manifiestas de Dios vistas a través del sufrimiento y la cruz."[180] Lo que Lutero estaba haciendo aquí era introducir una nueva definición de "obra". No es en la majestuosa y gloriosa obra de la creación que la sabiduría real se encuentra, sino en la obra de Cristo, humillada y avergonzada. Aquí Lutero recordó el momento (Juan 14:8) cuando Felipe le preguntó a Jesús: "Muéstranos al Padre". Eso fue dicho, dijo Lutero, de acuerdo con la teología de la gloria, que asume que cualquier epifanía divina será poder resplandeciente y majestad. Pero Cristo dejó de lado "este pensamiento caprichoso" y dirigió a Felipe diciendo: "El

---

[170] Althaus, *Theology of Martin Luther*, 220.

[171] Lutero, *Lectures on Galatians* (1535), LW 27:4. Cursivas añadidas.

[172] Para una exposición más completa de la teología de la cruz de Lutero, ver Althaus, *Theology of Martin Luther*, 25–34; Jürgen Moltmann, *The Crucified God: The Cross of Christ as the Foundation and Criticism of Christian Theology*, trad. R. A. Wilson y John Bowden (London: SCM, 2001), 62–79.

[173] Para la "Disputa de Heidelberg", ver LW 31:35–70.

[174] Moltmann, *The Crucified God*, 67.

[175] Lutero, "Heidelberg Disputation," LW 31:53.

[176] Ibid., LW 31:39–70.

[177] Ibid., LW 31:55. Cf. su comentario sobre Rom. 1:19: "Este fue su error, que no adoraron esta divinidad intacta, sino que la cambiaron y ajustaron a sus deseos y necesidades." Lutero, *Lectures on Romans: Glosses and Scholia*, LW 25:157.

[178] Lutero, *Lectures on Romans*, LW 25:154 (Rom. 1:20).

[179] Lutero, "Heidelberg Disputation," LW 31:52.

[180] Ibid., LW 31:53.

que me ha visto a mí, ha visto al Padre" (Juan 14:9).[181] La gloria se hace visible no en la "grandiosa grandeza de la montaña", sino en forma de siervo, lavando pies y dando su vida.[182]

En segundo lugar, la teología de la cruz difiere de la teología de la gloria en su comprensión de la justificación. La teología de la gloria se jacta de sus obras, las obras de la ley, y se atribuye el mérito de ellas, olvidando que la "ley trae la ira de Dios, mata, denigra, acusa, juzga y condena todo lo que no está en Cristo."[183] La teología de la cruz, por otro lado, no deja espacio para la jactancia, porque sabe que "el hombre debe desesperarse por completo de su propia habilidad antes de estar preparado para recibir la gracia de Cristo."[184] El hombre justo, en consecuencia, no es el hombre que hace mucho sino el hombre que, sin obras, cree mucho en Cristo. "La ley dice, 'haz esto', y nunca termina. La gracia dice: "cree en esto", y todo ya está hecho", porque Cristo ha cumplido todas las leyes de Dios y porque también cumplimos todo por medio de Él.[185]

Tercero, el teólogo de la cruz espera que él mismo sea crucificado, porque se identifica con la debilidad y la locura de Dios, que "solo se puede encontrar en el sufrimiento y en la cruz."[186] Sin embargo, Él elegirá el "bien de la cruz", mientras que los que odian la cruz persiguen la sabiduría, la gloria y el poder. Es notable cuán central es esto para la psique de Lutero. Por ejemplo, en su comentario sobre Gálatas 6:14 ("Pero lejos esté de mí gloriarme excepto en la cruz de nuestro Señor Jesucristo"), donde esperaríamos una exultante exposición del Calvario, en su lugar, explicó Lutero: "'La cruz de Cristo' no significa, por supuesto, la madera que Cristo llevó sobre sus hombros y a la cual fue clavado. No, se refiere a todos los sufrimientos de los fieles, cuyos sufrimientos son los sufrimientos de Cristo." Continuó,

> Es útil saber esto para no estar demasiado tristes o incluso completamente desesperados cuando vemos que nuestros enemigos nos persiguen, excomulgan y asesinan, o cuando vemos que los herejes nos odian con tanta amargura. Entonces deberíamos pensar que, siguiendo el ejemplo de Pablo, debemos gloriarnos en la cruz *que hemos recibido por causa de Cristo*, no por nuestros propios pecados.[187]

Tal sufrimiento, sin embargo, no es simplemente la consecuencia inevitable de la fidelidad a la propia vocación. Es un elemento esencial en la formación de un teólogo de la cruz: el hombre que sufre "es el único hombre que puede entrar en comunidad con Dios."[188] Nadie puede ser un teólogo de la cruz a menos que haya sido crucificado primero con Cristo. Entonces, "vaciado por el sufrimiento", no se jacta si hace buenas obras, ni se perturba si Dios no hace buenas obras a través de él. Muriendo y resucitando con el Hijo del Hombre, él sabe que "es imposible que una persona no se jacta con sus buenas obras a menos que primero haya sido desinflado y destruido por

---

[181] Ibid., LW 31:53.

[182] "Oh, Señor, Dios mío, cuando yo en Awesome Wonder", poema original sueco de Carl G. Boberg, traducido y adaptado de una versión rusa al inglés por Stuart K. Hine, 1949.

[183] Lutero, "Heidelberg Disputation," LW 31:41.

[184] Ibid., LW 31:40.

[185] Ibid., LW 31:41, 56.

[186] Ibid., LW 31:53.

[187] Lutero, *Lectures on Galatians* (1535), LW 27:134.

[188] Althaus, *Theology of Martin Luther*, 28.

el sufrimiento y el mal hasta que sepa que no vale nada y que sus obras no son suyas, sino de Dios."[189]

Es precisamente porque Lutero fue un teólogo de la cruz que pudo escribir "*Crux probat Omnia*":[190] "La cruz es la prueba de todo". Es la prueba de nuestro sentido de la gravedad del pecado; es la prueba de doctrinas tales como la impasibilidad divina; es la prueba de nuestros estilos de vida cristianos; y, sobre todo, es la prueba de nuestra predicación: reclama el lugar central y debe reiterarse con énfasis urgente e incansable. Silenciarlo, oscurecerlo o marginarlo es una traición al lema programático de Pablo: "Predicamos a Cristo crucificado" (1 Corintios 1:23). Pero no menos es una traición a la Reforma, que dejó de lado toda obra humana y proclamó la obra de Cristo como el único fundamento para la seguridad y la esperanza cristianas.

Recursos para un Estudio Adicional

FUENTES PRIMARIAS

Bromiley, G. W., ed. *Zuinglio and Bullinger: Selected Translations with Introduction and Notes*. Library of Christian Classics 24. Philadelphia: Westminster, 1953.

Calvino, Juan. *Calvin: Theological Treatises*. Traducido por J. K. S. Reid. Library of Christian Classics 22. London: SCM, 1954.

_____.*Institución de la Religion Cristiana*. Grand Rapids: Libros Desafío, 2012.

_____.*Institutes of the Christian Religion* (1536 ed.). Traducido por Ford Lewis Battles. Rev. ed. H. H. Meeter Center for Calvin Studies. Grand Rapids, MI: Eerdmans, 1986.

_____.*Reply to Cardinal Sadolet*. En *John Calvin: Tracts and Letters*, editadopor Henry Beveridge y Jules Bonnet, traducido por Henry Beveridge, 1:25–68. 1844. Reprint, Edinburgh: Banner of Truth, 2009.

_____.*Sermons on Isaiah's Prophecy of the Death and Passion of Christ*. Traducido y editado por T. H. L. Parker. London: James Clarke, 1956.

Luter, Martín. *The Babylonian Captivity of the Church*. En *Luther's Works*. Vol. 36, *Word and Sacrament II*, editado por Abdel Ross Wentz, 3–126. Philadelphia: Fortress, 1959.

_____."Heidelberg Disputation", En *Luther's Works*. Vol. 31, *Career of the Reformer I*, editado por Harold J. Grimm, 38–70. Philadelphia: Fortress, 1957.

_____.*Lectures on Galatians* (1535). Vol. 26 en *Luther's Works*. Editadopor Jaroslav Pelikan. St. Louis, MO: Concordia, 1963.

Melanchthon, Felipe. *The Chief Theological Topics: Loci Praecipui Theologici 1559*. 2da edición inglesa. Traducido por J. A. O. Preus. St. Louis, MO: Concordia, 2011.

Pauck, Wilhelm, ed. *Melanchthon and Bucer*. Library of Christian Classics 19. Philadelphia: Westminster, 1969.

Perkins, William. *A Golden Chain*. In *The Works of William Perkins*, editadopor Ian Breward, 175–259. Courtenay Library of Reformation Classics 3. Appleford: Sutton Courtenay, 1970.

---

[189] Lutero, "Heidelberg Disputation," LW 31:53.

[190] Lutero, "Heidelberg Disputation," LW 31:53. La observación ocurre en el comentario de Lutero sobre Sal. 5:11 en el curso de su segunda serie de conferencias sobre los Salmos (1519-1521). Esta serie no se incluyó en la edición de 55 volúmenes de Concordia de *Luther's Works*.

Schaff, Philip. *The Creeds of the Greek and Latin Churches*. London: Hodder and Stoughton, 1877.

Tappert, Theodore G., ed. y trad. *The Book of Concord: The Confessions of the Evangelical Lutheran Church*. Philadelphia: Fortress, 1959.

Ursinio, Zacharias. *The Commentary of Dr. Zacharias Ursinio on the Heidelberg Catechism*. Traducido por G. W. Williard. 1852. Reimpresión, Phillipsburg, NJ: Presbyterian and Reformed, n.d.

Vermigli, Pedro Martyr. *The Peter Martyr Library*. Vol. 1, *Early Writings: Creed, Scripture, Church*. Traducido por Mariano Di Gangi y Joseph C. McLelland. Editado por Joseph C. McLelland. Sixteenth Century Essays and Studies 30. Kirksville, MO: Sixteenth Century Journal Publishers, 1994.

FUENTES SECUNDARIAS

Althaus, Paul. *The Theology of Martin Luther*. Traducido por Robert C. Schultz. Philadelphia: Fortress, 1996.

Armstrong, Brian G. *Calvinism and the Amyraut Heresy: Protestant Scholasticism and Humanism in Seventeenth-Century France*. Eugene, OR: Wipf and Stock, 2004.

Aulén, Gustaf. *Christus Victor: An Historical Study of the Three Main Types of the Idea of the Atonement*. Traducido por A. G. Herbert. London: SPCK, 1965.

Battles, Ford Lewis. "God Was Accommodating Himself to Human Capacity." En *Readings in Calvin's Theology, Donald K. McKim, 21–42*. Eugene, OR: Wipf and Stock, 1998.

Franks, R. S. *The Work of Christ: A Historical Study of Christian Doctrine*. London: Nelson, 1962.

Helm, Paul. *Calvin at the Centre*. Oxford: Oxford University Press, 2010.

Jansen, John Frederick. *Calvin's Doctrine of the Work of Christ*. London: James Clarke, 1956.

Kendall, R. T. *Calvin and English Calvinism to 1649*. Oxford Theological Monographs. Oxford: Oxford University Press, 1979.

Lindberg, Carter, ed. *The Reformation Theologians: An Introduction to Theology in the Early Modern Period*. Oxford: Blackwell, 2002.

McKim, Donald K. *Introducing the Reformed Faith: Biblical Revelation, Christian Tradition, Contemporary Significance*. Louisville: Westminster John Knox, 2001.

_____.ed. *Major Themes in the Reformed Tradition*. Grand Rapids, MI: Eerdmans, 1992.

Parker, T. H. L. *Calvin's Preaching*. Edinburgh: T&T Clark, 1992.

Van Buren, Paul. *Christ in Our Place: The Substitutionary Character of Calvin's Doctrine of Reconciliation*. Eugene, OR: Wipf and Stock, 2002.

Whitford, David M., ed. T&T Clark Companion to Reformation Theology. London: Bloomsbury, 2014.

11

El Espíritu Santo

Graham A. Cole

RESUMEN

Las pneumatologías de cuatro Reformadores Magisteriales (Lutero, Zuinglio, Calvino y Cranmer) y uno radical (Simons) se exploran en este capítulo con respecto a sus puntos de vista sobre la naturaleza de Dios como Trinidad, centrándose específicamente en la persona y la deidad de la Espíritu Santo. El capítulo destaca las similitudes y las diferencias. Los cinco creían que el Espíritu Santo de Dios estaba activo en la salvación, en la santificación, en nuestra respuesta a la Palabra y en los sacramentos. Los Reformadores Magisteriales, sin embargo, vieron una relación positiva entre la iglesia y el estado que los reformadores radicales perseguidos no tuvieron. Para Simons, la única iglesia verdadera era una iglesia de creyentes. Lutero, Zuinglio, Calvino, Cranmer y Simons creían que el Espíritu Santo es el gran aplicador de la salvación cuyo arquitecto es el Padre y cuyo ejecutor es el Hijo.

Introducción

Acercarse al pasado nunca se hace sin un ángulo de visión. Tampoco se aborda el pasado sin selectividad. En este caso, la doctrina del Espíritu Santo (pneumatología) es el sujeto y no la teología de una persona particular en general. Además, este estudio se centra en cuatro Reformadores magisteriales y un Reformador radical. Los Reformadores magisteriales "intentaron trabajar dentro de estructuras eclesiales existentes o desarrollar otras nuevas que estaban especialmente conectadas con reyes o príncipes o el estado."[1] En contraposición, los Reformadores radicales "resistieron las formas de la iglesia que estaban demasiado conectadas con el estado y su poder."[2] Los Reformadores magisteriales elegidos incluyen a Martín Lutero (1483-1546), Huldrych Zuinglio (1484-1531), Juan Calvino (1509-1564) y Tomás Cranmer (1489-1556). El

---

[1] F. LeRon Shults y Andrea Hollingsworth, *The Holy Spirit* (Grand Rapids, MI: Eerdmans, 2008), 44.

[2] Ibid., 44-45. Curiosamente, Anthony C. Thiselton describe a estos reformadores como "los principales reformadores" en lugar de los magisteriales en su muy fino *The Holy Spirit—In Biblical Teaching,through the Centuries, and Today* (Grand Rapids, MI: Eerdmans, 2013), 255 -69. Significativamente también, en su historia de la doctrina, Thiselton no trata a los reformadores radicales por derecho propio sino como los objetos de la ira de los principales reformadores, lo cual es una laguna sorprendente. Menno Simons, por ejemplo, no se menciona.

Reformador radical elegido es Menno Simons (1496-1561).[3] Si bien este enfoque establece los movimientos de Reforma en el fondo en lugar de en primer plano, no se perderán de vista.[4]

Cinco preguntas en particular animan este capítulo:

1. ¿Cómo ven Lutero, Zuinglio, Calvino, Cranmer y Simons al Espíritu en relación con la Divinidad trina?
2. ¿Cómo ve cada uno la relación del Espíritu con la Palabra de Dios?
3. ¿Cómo ve cada uno la relación del Espíritu con los sacramentos?
4. ¿Cómo ve cada uno el rol del Espíritu en la salvación, especialmente la santificación?
5. ¿Cómo entiende cada uno la relación del Espíritu Santo con la iglesia?

El enfoque es por lo tanto sistemático.[5]

Una fe Trinitaria Común

Los Reformadores considerados en este capítulo, ya sean magisteriales o radicales, se comprometieron a creer en el Dios trino. Ellos afirmaron la unidad de la Deidad y la trinidad de las personas. Por lo tanto, también afirmaron la deidad y la personalidad del Espíritu Santo.

Los Reformadores magisteriales vieron sus puntos de vista de Dios y Cristo no como una mera novedad. Ellos apreciaron el fiel pasado cristiano. Carl L. Beckwith afirma con precisión,

> Los reformadores históricos nunca dudaron en aceptar los decretos de los Concilios Ecuménicos sobre la doctrina de la Trinidad y Cristo o los grandes credos de la Iglesia primitiva. No hubo disputa sobre estos asuntos. La necesidad de un credo simplemente se asumió. De hecho, los luteranos colocaron los credos de los Apóstoles, de Nicea y de Atanasio ante sus propios documentos confesionales en el *Libro de la Concordia*. Se hace un movimiento similar en los Treinta y Nueve Artículos. Aunque Calvino nunca

---

[3] Según Olson, los reformadores radicales se dividieron en tres grupos distintos: los anabaptistas, los espiritualistas y los racionalistas antitrinitarios. Roger E. Olson, *The Story of Christian Theology: Twenty Centuries of Tradition and Reform* (Downers Grove, IL: IVP Academic, 1999), 415. El presente capítulo no tratará a todos los subgrupos.

[4] Para una visión general de la teología de la Reforma, ver David Bagchi y David C. Steinmetz, eds., *The Cambridge Companion to Reformation Theology* (Cambridge: Cambridge University Press, 2004). Está más allá de mi breve capítulo considerar la Reforma católica, pero para un breve tratamiento de la pneumatología y la Reforma católica, o la Contrarreforma, ver Veli-Matti Kärkkäinen, ed., *Holy Spirit and Salvation: The Sources of Christian Theology* (Louisville: Westminster John Knox, 2010), 177-84.

[5] Hay limitaciones en el empleo de dicho método. Otra limitación en este capítulo surge de las fuentes utilizadas para cada uno de los reformadores. Cada uno merece una monografía por derecho propio, y el material fuente es voluminoso: tratados, sermones, comentarios, catecismos, liturgias y correspondencia. La selectividad ha sido ineludible. La fuerza radica en delimitar el foco de una manera manejable. Este es un capítulo en un libro, no un libro. La debilidad es que estoy acercándome a estas figuras con mis preguntas, no necesariamente las de ellos. Por ejemplo, la formulación de la justificación por la fe de Martín Lutero fue caracterizada más tarde por otros como *articulus stantis et cadentis ecclesiae*. Véase Richard A. Muller, *Dictionary of Latin and Greek Theological Terms: Drawn Principally from Protestant Scholastic Theology* (Grand Rapids, MI: Baker, 1986), 46. No se puede decir lo mismo de la doctrina del Espíritu Santo de Lutero. Un enfoque alternativo habría sido adoptar el método de elucidación problemática. Para un ejemplo de este enfoque, ver E. Osborn, ""Elucidation of Problems as a Method of Interpretation – 1", *Colloquium 8*, no. 2 (1976): 24-32, y "Elucidation of Problems as a Method of Interpretation – 2", *Colloquium* 9, no. 2 (1976): 10-18. En resumen, este método busca descubrir la problemática con la que Lutero, Zuinglio, Calvino, Cranmer y Simons lucharon y con qué éxito la abordaron. La fuerza de este enfoque es que sitúa directamente una teología magisterial o radical de reformador en su *Sitzim Leben* ("situación en la vida").

promovió el Credo de Nicea de la misma manera oficial, sin duda abrazó su contenido y significado.[6]

Así también Roger Olson y Christopher Hall argumentan acertadamente: "En su mayor parte, los reformadores protestantes consideraron que la doctrina de la Trinidad era un asunto resuelto y se negaron a reconsiderar su contenido esencial expresado en el Credo de Nicea y resuelto en los escritos de Agustín."[7]

Lutero, Zuinglio, Calvino y Cranmer no estaban impresionados con la especulación escolástica Trinitaria. Aun así, estaban preparados para usar un lenguaje no bíblico, como *persona*, en la articulación de la doctrina, así como para atraer a los Padres de la Iglesia primitiva. En su opinión, el Espíritu Santo era una persona distinta de la Deidad trina, y adoptaron la posición occidental sobre la cláusula *filioque*, que postula que el Espíritu procede del Padre *y del Hijo*. En esto estaban en marcado contraste con los maestros anti-Trinitarios como Miguel Servet (1511-1553) y Fausto Socino (1539-1604), el último de los cuales vieron al Espíritu Santo ni como una persona ni como una deidad, sino "una la actividad de Dios."[8]

El reformador radical Menno Simons afirmó así mismo el Dios trino, pero trató de articular esa fe en categorías y lenguaje estrictamente bíblicos.[9] Olson y Hall están en lo correcto al argumentar que "Claramente, Menno Simons y los otros grandes líderes anabaptistas eran al menos mínimamente ortodoxos en términos de su creencia en la Trinidad."[10] Simons no tenía problemas para decir que el Espíritu Santo "procede del Padre a través del Hijo, a pesar de que se mantiene con Dios y en Dios".[11] Esta forma de palabras resuena con la posición oriental sobre la cuestión del *filioque*, pero hay poca evidencia de algún préstamo directo de ellas.

Nuestra discusión ahora se dirige a la pneumatología per se.

Lutero y el Espíritu

En un momento anterior en la erudición de Lutero, se argumentó que Lutero tenía poco interés o poca contribución que hacer a la pneumatología.[12] Después de todo, para Lutero la justificación solo por la fe era "el artículo que mantenía en pie o hacía caer a la iglesia", como Alsted lo declaró en el siglo diecisiete. Sin embargo, el trabajo de Regin Prenter en la década de 1950 desafió este consenso. Él sostuvo que "el concepto del Espíritu Santo domina completamente la teología de Lutero."[13]Académicos más recientes toman el punto de vista de Prenter, pero lo equilibran con el redescubrimiento del acento de Lutero en la unión con Cristo (más abajo).[14]

---

[6] Carl L. Beckwith, "The Reformers and the Nicene Faith: An Assumed Catholicity," en *Evangelicals and the Nicene Faith: Reclaiming the Apostolic Witness*, ed. Timothy George (Grand Rapids, MI: Baker Academic, 2011), 65.

[7] Roger E. Olson y Christopher A. Hall, *The Trinity* (Grand Rapids, MI: Eerdmans, 2002), 67.

[8] Ibid., 76, 79.

[9] Timothy George señala que Simons no siempre fue consistente a este respecto. Simons empleó, por ejemplo, la categoría patrística de la persona cuando se habla de Cristo. *Theology of the Reformers* rev. ed. (Nashville: Broadman, 2013), 289-90.

[10] Olson y Hall, *The Trinity*, 74.

[11] Citado en George, *Theology of the Reformers*, 290.

[12] Para una bibliografía excelente y actualizada de las obras primarias y secundariassobre Lutero, véase ibid., 107-11.

[13] Regin Prenter, *Spiritus Creator*, trad. John M. Jensen (Philadelphia: Muhlenberg, 1953), ix.

[14] Véase la útil discusión en Veli-Matti Kärkkäinen, *Pneumatology: The Holy Spirit in Ecumenical, International, and Contextual Perspective* (Grand Rapids, MI: Baker Academic, 2002), 79-80. Extrañamente, Kärkkäinen se refiere a "Reginald" [*sic*] Prenter. Ibid., 79.

El Espíritu y la Palabra

Lutero creía que su Biblia era la Palabra de Dios. También creía que había un nexo vital entre esa Palabra y el Espíritu Santo. Argumentó en los artículos de Smalcald (también referidos como Schmalcald),

> En estos asuntos, que conciernen a la Palabra hablada externamente, debemos mantener firmemente la convicción de que Dios no le da a nadie su Espíritu o gracia excepto a través de o con la Palabra externa que viene antes. Así estaremos protegidos de los entusiastas —es decir, de los espiritualistas que poseen el Espíritu sin y antes de la Palabra y que, por lo tanto, juzgan, interpretan y tuercen las Escrituras o la Palabra hablada según su placer. Thomas Müntzer hizo esto…En consecuencia, deberíamos y debemos sostener constantemente que Dios no nos tratará sino a través de su Palabra y sacramento externos. Todo lo que se atribuye al Espíritu aparte de tal Palabra y sacramento es del diablo.[15]

Sin embargo, para apreciar esta Palabra, el ministerio del Espíritu es esencial. Lutero hizo este contraste en su comentario sobre Gálatas, donde describió "a la gente común, que no ama la palabra, sino que la desprecian, como si no les concerniera en absoluto. Pero cualquiera que sienta amor o deseo por la palabra, que reconozcan con agradecimiento, que este afecto les es derramado por el Espíritu Santo."[16]

No todos sus contemporáneos quedaron impresionados por la insistencia de Lutero en la objetividad de la Palabra. El anabaptista radical Thomas Müntzer (1489-1525), mencionado en la cita anterior de Lutero, es un ejemplo de ello.[17] Afirmó que Lutero "no sabe nada de Dios, a pesar de que pueda tragarse cien Biblias". Lutero respondió con la famosa frase: "No me gustaría escuchar a Thomas Müntzer si se tragara el Espíritu Santo, plumas y todo". Müntzer apeló al Espíritu. Lutero apeló a Palabra y Espíritu en un nexo inseparable. A los ojos de Lutero, Müntzer era "un Schwärmer 'inestable', o 'visionario', mientras que para Münzer, Lutero era el 'Dr. Mentiroso'.".[18]

El Espíritu y los Sacramentos

La doctrina de Lutero de los sacramentos está más cargada de Cristología que de pneumatología explícita. Con respecto al bautismo, Lutero argumentó: "Porque no es el bautismo del hombre, sino el bautismo de Cristo y de Dios, que recibimos por mano de un hombre; así como todas las demás cosas creadas que utilizamos de la mano de otro, es solo de Dios."[19] En relación con la Cena del Señor, este acento cristológico —especialmente su doctrina de la ubicuidad de la humanidad de Cristo— saltó a primer plano en sus celebrados debates con Zuinglio. Sin embargo, Lutero no descuidó la pneumatología en su teología sacramental, como se puede ver en esta afirmación que vale la pena citar nuevamente: "En consecuencia, deberíamos y debemos mantener que Dios no tratará con nosotros sino a través de su Palabra y sacramento externos. Todo lo

---

[15] "Schmalcald Articles," 3.8.3–12, en Kärkkäinen, *Holy Spirit and Salvation*, 156–57.

[16] Lutero, *Commentary on Galatians*, citado en Hugh T. Kerr, ed., *A Compend of Luther's Theology* (Philadelphia: Westminster, 1974), 70.

[17] La estatura de Müntzer como teólogo ha sido sometida a una reevaluación. De hecho, según Matheson, "Müntzer puede ser el destacado teólogo de la Reforma radical". Peter Matheson, "Müntzer, Thomas (ca. 1489-1525)", en *The Dictionary of Historical Theology*, ed. Trevor A. Hart (Grand Rapids, MI: Eerdmans, 2000), 382.

[18] Ibid., 381-82. Tenga en cuenta que la ortografía de "Müntzer" en la literatura secundaria varía.

[19] Lutero, *The Babylonian Captivity of the Church*, en Kerr, *Compend of Luther's Theology*, 65.

que se atribuye al Espíritu aparte de tal Palabra y sacramento es del diablo."[20] Esta afirmación fue hecha originalmente sobre el bautismo en debate con los anabaptistas, pero también se aplica *mutatis mutandis* a la Cena del Señor.

EL ESPÍRITU Y LA SALVACIÓN

Para Lutero, el logro de Cristo en la cruz para nuestra salvación no tiene efecto a menos que el Espíritu Santo tome lo que Cristo ha hecho y lo aplique a nosotros. Lutero mantuvo,

> Ni usted ni yo podríamos conocer algo de Cristo, ni creer en él y tomarlo como nuestro Señor, a menos que nos lo ofrecieran y nos lo dieran nuestros corazones mediante la predicación del Evangelio por el Espíritu Santo. La obra está terminada y completada, Cristo ha adquirido y ganado el tesoro para nosotros por sus sufrimientos, muerte y resurrección, etc. Pero si la obra permaneciera oculta y nadie lo supiera, habría sido en vano, todo habría estado perdido. Para que este tesoro no pueda ser enterrado sino utilizado y disfrutado, Dios ha hecho que la Palabra sea publicada y proclamada, en la cual Él ha dado al Espíritu Santo para ofrecernos y aplicarnos este tesoro de salvación.[21]

En su manera generalmente colorida, Lutero usó el lenguaje de la imagen. Él habló de la obra de Cristo como un tesoro. El tesoro es inútil si se pierde de vista y se entierra. Es el Espíritu quien saca el tesoro a la luz y lo hace nuestro.

La obra del Espíritu es para el uno y para muchos, y esa obra no cesa con la expresión inicial de la fe. Al exponer el tercer artículo del Credo de los Apóstoles en su Catecismo Menor, Lutero declaró,

> Creo que no puedo por mi propia razón o fuerza creer en Jesucristo, mi Señor, o venir a Él; pero el Espíritu Santo me llamó por el Evangelio, me iluminó con Sus dones, me santificó y me mantuvo en la fe verdadera; incluso cuando Él llama, reúne, ilumina y santifica a toda la Iglesia cristiana en la tierra, y la guarda con Jesucristo en la única fe verdadera; en la cual Él perdona todos los pecados todos los días y a todos los creyentes, y en el último día nos levantará a mí ya todos los muertos, y nos dará a mí ya todos los creyentes en Cristo la vida eterna. Esto es ciertamente la verdad.[22]

El alcance del rol del Espíritu Santo en la salvación se extiende desde el llamado inicial a través del Evangelio escuchado hasta el último día. Los beneficios de ese papel son para Lutero y para todos los creyentes en Cristo. Lutero no fue individualista.

EL ESPÍRITU Y LA IGLESIA

Lutero era un hombre de iglesia. Para él, el cristianismo no era un asunto solitario. Por el Espíritu él pertenecía a un cuerpo, el cuerpo de Cristo. Él escribió sobre la iglesia en su Catecismo Mayor de la siguiente manera:

---

[20] "Schmalcald Articles", 3.8.3–12, en Kärkkäinen, *Holy Spirit and Salvation*, 156–57.

[21] Martín Lutero, "The Large Catechism," *The Apostles' Creed*, art. 3, part. 38–39, en Kärkkäinen, *Holy Spirit and Salvation*, 158.

[22] Lutero, "Small Catechism," en Kerr, *Compend of Luther's Theology*, 65.

Es convocado por el Espíritu Santo en una sola fe, mente y entendimiento. Posee una variedad de dones, pero unidos en amor sin secta o cisma. De esta comunidad también soy parte y miembro, participante y compañero en todas las bendiciones que posee. Yo fui traído por el Espíritu Santo e incorporado en él a través del hecho de que escuché y todavía escucho la Palabra de Dios, que es el primer paso para ingresar a ella...Hasta el último día, el Espíritu Santo permanece con la comunidad santa o el pueblo cristiano. A través de él nos reúne, usándolo para enseñar y predicar la Palabra.[23]

Claramente, para Lutero, la obra del Espíritu Santo era vital para la existencia misma y la vida de la iglesia entendida como la comunidad (*Gemeinde*) de la fe, no como un edificio y no como una institución. Esta cita también muestra lo que para Lutero fue uno de los dos signos de la verdadera iglesia, a saber, la predicación fiel de la Palabra de Dios. De hecho, el Espíritu es el predicador.[24]

Zuinglio y el Espíritu

Nuestro enfoque ahora se dirige a Huldrych Zuinglio, desde Gutenberg a Zúrich.[25] De las cinco figuras consideradas en este capítulo, él fue el único en morir en el campo de batalla (empuñando un hacha de dos cabezas durante la batalla de Kappel en 1531).[26] Es importante destacar que Zuinglio no era solo un soldado; él también era un agudo teólogo cuya enseñanza sobre el Espíritu Santo todavía vale la pena ponderar.

EL ESPÍRITU Y LA PALABRA

Zuinglio valoró la Palabra de Dios escrita pero no con descuido del Espíritu Santo, como se muestra a continuación:

Si el Espíritu de Dios está contigo se demuestra, ante todo, si su palabra es tu guía, y si no haces nada excepto lo que está claramente establecido en la palabra de Dios para que la escritura sea tu maestro y no tú mismo, amos de las Escrituras... Siempre que prestamos atención a la palabra, adquirimos un conocimiento puro y claro de la voluntad de Dios y somos atraídos por su Espíritu y transformados a su semejanza.[27]

Para Zuinglio, las Escrituras eran la Palabra de Dios en general y la Palabra del Espíritu en particular. Una señal segura de la presencia del Espíritu en el creyente es si ella o él viven bajo la autoridad de esa Palabra. La obediencia a la Palabra de Dios conduce a la transformación por el Espíritu en la semejanza divina. Zuinglio evidenció un fuerte sentido de la conectividad entre la Palabra y el Espíritu.

---

[23] Lutero, "Large Catechism," *Creed*, art. 3, pars. 47–53, en Kärkkäinen, *Holy Spirit and Salvation*, 161–62.

[24] Uno de los himnos congregacionales de Lutero dirigidos al Espíritu Santo: "Ven, Dios Creador, Espíritu Santo"— tiene este versículo:

6. Enséñanos bien al Padre a saber,
De la misma manera, su único Hijo nuestro Señor,
Tú mismo muéstranos para creer,
Espíritu de ambos, sí adorado.

Ver *Martin Luther: Hymns, Ballads, Chants, Truth* (St. Louis, MO: Concordia, 2009), disco compacto. El himno es una obra latina del siglo IX que Lutero tradujo y reestructuró.

[25] Para una bibliografía excelente y actualizada sobre Zuinglio de obras primarias y secundarias, véase George, *Theology of the Reformers*, 167-68.

[26] Ibid., 115.

[27] Huldrych Zuinglio, *The Defense of the Reformed Faith*, in Kärkkäinen, *Holy Spirit and Salvation*, 163.

EL ESPÍRITU Y LA SALVACIÓN

Para Zuinglio, entregarnos a Dios está más allá de la capacidad humana. El Padre celestial debe atraernos hacia sí mismo. Zuinglio escribió en relación con la educación de los jóvenes, "Sin embargo, sigue siendo el caso, en palabras de San Pablo, que 'la fe viene por el oír y el oír por la Palabra de Dios', aunque esto no significa que se pueda lograr mucho mediante la predicación de la palabra externa aparte de la dirección interna y la compulsión del Espíritu."[28] ¿Qué parte entonces tiene que desempeñar el maestro cristiano en esto? Zuinglio aconsejó la oración: "Por lo tanto, es necesario no solo infundir fe en los jóvenes por las palabras puras que proceden de la boca de Dios, sino orar para que aquel que solo puede dar fe ilumine con su Espíritu a aquellos a quienes instruimos en su palabra."[29]

Hay una serie de ideas teológicas clásicas en la obra de Zuinglio: el llamado externo del predicador y el llamado interno del Espíritu, la fe como un don divino y la necesidad de que los oyentes de la Palabra experimenten la iluminación del Espíritu.

La articulación de Zuinglio de su soteriología también es sorprendente en algunos lugares. A veces escribió de una manera que un teólogo ortodoxo oriental aplaudiría. Por ejemplo, afirmó: "Que una persona se sienta atraída hacia Dios por el Espíritu de Dios y deificada, se vuelve bastante clara desde las Escrituras."[30]Zuinglio en esta proposición no estaba aboliendo la distinción criatura-criatura; más bien, esta afirmación hizo eco de Atanasio: Jesús se convirtió en lo que somos para que podamos llegar a ser lo que él es. Por gracia, el creyente es restaurado a la imagen de Dios. Tal creencia es obra del Espíritu Santo. Zuinglio escribió: "Porque nadie sabe o cree que Cristo sufrió por nosotros, salvo aquellos a quienes el Espíritu interior ha enseñado a reconocer el misterio de la bondad divina. Porque solo ellos reciben a Cristo. Por lo tanto, nada da confianza en Dios, excepto el Espíritu."[31] La seguridad de la salvación depende del Espíritu.

EL ESPÍRITU, LA IGLESIA Y LOS SACRAMENTOS

Así como Lutero, Zuinglio creía que donde la Palabra se predica fielmente y los sacramentos se administran debidamente, allí está la iglesia. Sin embargo, su comprensión muy diferente de la Cena del Señor significó que Zúrich y Wittenberg tomaran direcciones muy diferentes con respecto a la naturaleza de este sacramento. TimothyGeorge capta la diferencia de esta manera sorprendente: "Lutero enfatizó el 'Esto es' en las palabras de la institución, mientras que Zuinglio hizo hincapié en el 'Haz esto'."[32]

Para Zuinglio, sin el Espíritu, quien concede fe, los sacramentos solo pueden evocar "fe histórica" (*fides historica*) y no fe salvadora. Escribió en relación con la Cena del Señor (aunque sus palabras también se aplican *mutatis mutandis* al bautismo): "Primero, porque ninguna cosa externa sino solo el Espíritu Santo puede dar esa fe que

---

[28] Huldrych Zuinglio, "Of the Education of Youth," en *Zwingli and Bullinger: Selected Translations with Introductions and Notes*, ed. G. W. Bromiley, LCC 24 (Philadelphia: Westminster, 1953), 104.

[29] Ibid.

[30] Zuinglio, *Defense of the Reformed Faith*, en Kärkkäinen, *Holy Spirit and Salvation*, 165.

[31] Huldrych Zuinglio, "On Providence," en Kärkkäinen, *Holy Spirit and Salvation*, 167.

[32] George, *Theology of the Reformers*, 153. Explorar la supuesta contienda de la cena, por fascinante que sea, nos llevaría mucho más allá de nuestra brevedad.

es confianza en Dios. Los sacramentos sí tienen fe, pero solo fe histórica".[33] Para Zuinglio, "la fe debe estar presente ya antes de que nosotros vengamos".[34] Con respecto al bautismo, el bautismo crucial es el bautismo del Espíritu, ya que sin ese bautismo no hay salvación.[35] Tal bautismo no requiere agua; el bautismo del Espíritu es "el bautismo de la enseñanza interior, llamado y adhesión a Dios".[36]

Calvino y el Espíritu

Con Calvino pasamos de Wittenberg y Zúrich a Ginebra —y podría decirse que es el colaborador más importante de la pneumatología que se muestra en este capítulo.[37] De hecho, B. B. Warfield describió a Calvino como "eminentemente el teólogo del Espíritu Santo". Warfield colocó a Calvino en una línea de luminarias:

> En el mismo sentido en que podemos decir que la doctrina del pecado y la gracia data de Agustín, la doctrina de la satisfacción de Anselmo, la doctrina de la justificación por la fe de Lutero—debemos decir que la doctrina de la obra del Espíritu Santo es un regalo de Calvino a la iglesia.[38]

A ese regalo ahora dirigimos nuestra atención.

EL ESPÍRITU Y LA PALABRA

Calvino vio las relaciones más cercanas entre las Escrituras y el Espíritu Santo, tanto que Willem Balke argumenta que: "la inseparabilidad de la Palabra y el Espíritu era una de las enseñanzas principales de Calvino."[39] El título del capítulo 7 del libro 1 de su *Institución* apoya la afirmación de Balke: "La Escritura debe ser confirmada por el testimonio del Espíritu. De modo que su autoridad se establezca como cierta."[40] Calvino prosiguió a discutir,

> Pero yo respondo: el testimonio del Espíritu es más excelente que toda razón. Porque como Dios solo es un buen testigo de sí mismo en su Palabra, así también la Palabra no encontrará aceptación en los corazones de los hombres antes de que sea sellada por el testimonio interno del Espíritu. El mismo Espíritu, por lo tanto, que ha hablado por boca

---

[33] Zuinglio, *An Exposition of the Faith*, en *Zwingli y Bullinger*, 260. Para Zuinglio y otros Reformadores sobre el bautismo, véase Robert Letham, "Baptism in the Writings of the Reformers", *SBET* 7, no. 2 (1989): 21 - 44.

[34] Zuinglio, *Exposition of the Faith*, 261. Ver Bruce A. Ware, "The Meaning of the Lord's Supper in the Theology of Ulrich Zwingli (1484–1531)," en *The Lord's Supper: Remembering and Proclaiming Christ until He Comes*, ed. Thomas R. Schreiner y Matthew R. Crawford (Nashville: B&H Academic, 2010).

[35] Huldrych Zuinglio, "On Baptism", en *Zwingli y Bullinger*, 136.

[36] Ibid., 133. Los intentos de Zuinglio de encajar el bautismo infantil en este marco teológico se discuten ampliamente en George, *Theology of the Reformers*, 146-47. Lutero enfrentó un desafío similar.

[37] Para una bibliografía excelente y actualizada sobre Calvino de obras primarias y secundarias, véase George, *Theology of the Reformers*, 259-64. Es extraordinario que en su *Pneumatology: The Holy Spirit in Ecumenical, International, and Contextual Perspective*, Veli-Matti Kärkkäinen no tenga sección per se en pneumatología reformada y solo una referencia a Calvino en el libro, según el índice.

[38] Benjamin Breckinridge Warfield, "John Calvin the Theologian," en *Calvin and Augustine*, ed. Samuel G. Craig (Philadelphia: Presbyterian and Reformed, 1956), 485.

[39] Willem Balke, citado en un fino artículo de Eifon Evans, "John Calvin: Theologian of the Holy Spirit", R & R 10, no. 4 (2001): 94.

[40] Calvino, *Institución*, 1.7. El reclamo de Balke también es respaldado por los comentarios de Calvino. Por ejemplo, al comentar sobre Ezequiel, Calvino escribe: "Para que sepamos que la palabra externa no sirve de nada, a menos que esté animada por el poder del Espíritu". Juan Calvino, *Commentary on the First Twenty Chapters of the Book of the Prophet Ezekiel*, trad. Thomas Myers (Edimburgo: Calvin Translation Society, 1849), 108.

de los profetas debe penetraren nuestros corazones para persuadirnos de que proclamaron fielmente lo que se ha ordenado divinamente.[41]

Esta importante declaración muestra la contribución fundamental de Calvino al nexo entre bibliología y pneumatología: la idea del testimonio interno del Espíritu (*testimonium Spiritus sancti internum*).

El testimonio interno del Espíritu en la visión de Calvino es más fuerte que la razón. Sostuvo que "debemos buscar nuestra convicción en un lugar más elevado que las razones humanas, juicios o conjeturas, es decir, en el testimonio secreto del Espíritu". De nuevo, argumentó,

> Dejemos claro por lo tanto este punto: que aquellos a quienes el Espíritu Santo ha enseñado interiormente verdaderamente descansan en las Escrituras, y que las Escrituras en verdad se auto-autentican; por lo tanto, no es correcto someterla a pruebas y razonamientos. Y la certeza que merece con nosotros, lo logra por el testimonio del Espíritu. Porque incluso si gana reverencia por sí misma por su propia majestad, nos afecta seriamente solo cuando está sellada en nuestros corazones a través del Espíritu.[42]

Aquí hay algunos temas familiares en Calvino: el testimonio del Espíritu, su naturaleza interna, su carácter secreto, la obra iluminadora del Espíritu con relación a las Escrituras, y la naturaleza auto-autentificadora de las Escrituras.

La idea de una Escritura auto-autenticada plantea preguntas sobre la coherencia de la discusión de Calvino. El argumento parece implicar un llamamiento tanto a la Palabra como al Espíritu, con el Espíritu autenticando la Palabra, por un lado, y las Escrituras autenticándose a sí mismas, por el otro —el último caso parece sugerir que las Escrituras tienen vida propia. Sin embargo, el argumento de Calvino es que el Espíritu con la Palabra es la clave. De hecho, el Espíritu es el gran persuasivo de que esta Escritura es de hecho la Palabra de Dios.[43]

EL ESPÍRITU Y LOS SACRAMENTOS

Para Calvino, los sacramentos —bautismo y la cena del Señor— son usados por el Espíritu Santo para confirmar y aumentar la fe. La actividad del Espíritu es una condición necesaria para su eficacia: "Solo cumplen su oficio cuando están acompañados por el Espíritu, ese Maestro interno, por cuya energía solamente penetramos nuestros corazones, nuestros afectos se mueven, y se abre una entrada para los sacramentos en nuestras almas."[44]

"El bautismo", explicó Calvino, "es el signo de la iniciación, por el cual somos recibidos en la sociedad de la Iglesia, para que, injertados en Cristo, podamos ser contados entre los hijos de Dios."[45] En el bautismo, las promesas de Dios están en exhibición: "Así, primero se nos promete el perdón de los pecados y la imputación de la justicia, y luego la gracia del Espíritu Santo para reformarnos a la novedad de la

---

[41] Calvino, *Institución*, 1.7.4.

[42] Ibid.

[43] Sobre el Espíritu como persuasor, y con una deuda reconocida con Calvino, vea la discusión en Bernard L. Ramm, *The God Who Makes a Difference: A Christian Appeal to Reason* (Waco, TX: Word Books, 1972), 38-44.

[44] Calvino, *Institución*, 4.19.9.

[45] Ibid., 4.15.1.

vida."[46] El papel de la fe, sin embargo, no es descuidado por Calvino: "Pero de este sacramento, como de todos los demás, obtenemos solo lo que recibimos en la fe."[47]

La pneumatología también figura en el entendimiento de Calvino de la Cena del Señor. Según Calvino, la presencia del Cristo resucitado en la Cena del Señor debe entenderse en términos pneumatológicos. En su *Institución* sostuvo: "Sin embargo, se comete un grave error al Espíritu Santo, a menos que creamos que es a través de su poder incomprensible que llegamos a participar de la carne y sangre de Cristo". Sostuvo, además:

> Aunque parece increíble que la carne de Cristo, separada de nosotros por tan gran distancia, nos penetra, para que se convierta en nuestro alimento, recordemos hasta qué punto el poder secreto del Espíritu Santo domina todos nuestros sentidos, y cuán tonto es medir su inconmensurabilidad por nuestra medida. Entonces, nuestra mente no comprende, deja que la fe conciba: que el Espíritu realmente une las cosas separadas en el espacio.[48]

Para Calvino, el Señor Jesús está a la diestra del Padre. Sin embargo, su Espíritu está con nosotros y en nosotros. Así Cristo está presente por su Espíritu. Hay una presencia real, pero no una que se reduzca al pan y el vino. En esto, Calvino se separó de los católicos y los luteranos.

Calvino resumió su posición con su habitual lucidez en lo que describió como "un breve resumen":

> Mis lectores ahora poseen, recogidos en forma resumida, casi todo lo que pensé que debería conocerse acerca de estos dos sacramentos, cuyo uso ha sido transmitido a la iglesia cristiana desde el comienzo del Nuevo Testamento hasta el fin del mundo; es decir, que el bautismo debería ser, por así decirlo, una entrada a la iglesia y una iniciación en la fe; pero la Cena, debe ser una especie de alimento continuo en el que Cristo alimenta espiritualmente a la familia de la fe.[49]

De manera importante, para Calvino, a través de "los sacramentos no benefician ni un ápice sin el poder del Espíritu Santo."[50]

EL ESPÍRITU Y LA SALVACIÓN

En la soteriología de Calvino, a menos que el creyente esté unido a Cristo de una manera real, entonces los beneficios de la obediencia de Cristo (*obediencia cristiana*) se nos pierden.[51] Sin embargo, si el Espíritu Santo nos une a Cristo como una rama se une a la vid, entonces todos los beneficios que Cristo ha ganado son nuestros. En este sentido, Calvino comenzó el libro 3 de su *Institución* planteando una pregunta:

> Debemos examinar esta pregunta. ¿Cómo recibimos estos beneficios que el Padre otorgó a su Hijo unigénito—no para uso privado de Cristo sino para enriquecer a

---

[46] Ibid., 4.15.5.

[47] Ibid., 4.15.15.

[48] Ibid., 4.17.10.

[49] Ibid., 4.18.19.

[50] Ibid., 4.14.9.

[51] Este punto está bien hecho por Lewis B. Smedes, *Union with Christ: A Biblical View of the New Life in Jesus Christ*, 2da ed. (Grand Rapids, MI: Eerdmans, 1983), 11.

hombres pobres y necesitados? Primero, debemos entender que mientras Cristo permanezca fuera de nosotros, y estemos separados de él, todo lo que él ha sufrido y hecho por la salvación de la raza humana sigue siendo inútil y sin ningún valor para nosotros. Por lo tanto, para compartir con nosotros lo que él ha recibido del Padre, tenía que hacerse nuestro y morar dentro de nosotros. Por esta razón, se le llama "nuestra cabeza" [Ef. 4:15], y "el primogénito entre muchos hermanos" [Rom. 8:29]. También, a su vez, se dice que estamos "injertados en él" [Rom. 11:17], y "revestidos de Cristo" [Gál. 3:27]; porque, como he dicho, todo lo que posee no es nada para nosotros hasta que crezcamos en un solo cuerpo con él... En resumen, el Espíritu Santo es el vínculo por el cual Cristo nos une efectivamente a sí mismo.[52]

¡Esto es una pneumatología rica![53] Según Lewis Smedes, la afirmación de Calvino de que mientras Cristo permanezca fuera de nosotros, la salvación que trae no nos sirve "controla la discusión completa de Calvino sobre la gracia de la santificación y la justificación."[54] Significativamente, sin embargo, Calvino no descuidó al agente humano en su tratamiento de la unión con Cristo. En el mismo lugar, argumentó: "Es cierto que obtenemos esto por fe."[55] Sin embargo, esta fe, afirmó Calvino, "es la obra principal del Espíritu Santo."[56]

EL ESPÍRITU, LA GRACIA COMÚN Y LA CULTURA

Calvino tenía una teología completa, como muestra la *Institución*. Él no solo creía en Dios el Redentor (libro 2) sino también en Dios el Creador (libro 1). En su teología, el orden de la creación y el orden de redención no estaban divorciados. Él no era maniqueo, como si la vida como criatura careciera de valor.

En su *Institución*, Calvino distingue entre la comprensión de la humanidad caída de las cosas terrenales o inferiores y la incapacidad de la humanidad para captar las cosas celestiales o superiores.[57] En el postulado de la creación interrumpida, la razón humana todavía era competente en diferentes grados, como lo demuestran las artes mecánicas, las artes manuales, las artes liberales, las artes médicas, la ciencia matemática, la retórica, etc. Estas artes y ciencias son el producto de nuestras dotes naturales, que son el regalo de Dios.[58] También muestran "algunos restos de la imagen divina."[59] Aun así, cuando se trata del conocimiento de Dios y la salvación, los filósofos "son más ciegos que los topos."[60]

Calvino estaba escribiendo sobre lo que una teología posterior llamaría *gracia común*. La gracia común es la bondad general de Dios hacia los portadores caídos de su imagen.[61] La gracia especial o la gracia salvadora, por otro lado, en el pensamiento reformado, es la bondad inmerecida de salvación de Dios hacia sus elegidos para

---

[52] Calvino, *Institución*, 3.1.1. El encabezado del Calvino del cap. 1 del libro 3: "Las cosas habladas con respecto a Cristo nos benefician con la obra secreta del Espíritu", y la de la primera sección: "El Espíritu Santo como el vínculo que nos une a Cristo".

[53] Un sorprendente espacio sin llenar en George, *Theology of the Reformers*, es que él no hace referencia a la unión con Cristo por el Espíritu en su tratamiento de la doctrina de la vida en el Espíritu de Calvino, 231-43.

[54] Smedes, *Union With Christ*, 10.

[55] Calvino, *Institución*, 3.1.1.

[56] Ibid., 3.1.4.

[57] Ibid., 2.2.13.

[58] Ibid., 2.2.14–16.

[59] Ibid., 2.17.

[60] Ibid., 2.18.

[61] Donald K. McKim, *Westminster Dictionary of Theological Terms* (Louisville: Westminster John Knox, 1996), 120.

reconciliarlos consigo mismo. El Espíritu Santo está íntimamente involucrado en ambas. Toma la gracia común, por ejemplo. Calvino trazó lo que sea arte, ciencia o la habilidad de la humanidad caída muestra la obra del Espíritu Santo. De hecho, afirmó que, al despreciar tales dones, "deshonramos al Espíritu."[62] Este es un lenguaje fuerte. Además, argumentó, "si el Señor ha querido que se nos ayude en las disciplinas de física, dialéctica, matemáticas y similares, por el trabajo y el ministerio de los impíos, usemos esta ayuda. Porque si descuidamos el regalo de Dios ofrecido gratuitamente en estas partes, debemos sufrir un castigo justo por nuestra pereza."[63]

Calvino apeló a las Escrituras para justificar su posición, pero su elección de evidencia es sorprendente. Él discutió el tabernáculo del período de desierto y la habilidad y el conocimiento de Bezalel y Oholiab utilizados en su construcción (Éxodo 31:2, 35:30). Su conocimiento y habilidad vino del Espíritu. El argumento es algo oscuro: si su excelencia proviene del Espíritu, también lo hace la más alta excelencia en la vida humana.[64] Sin embargo, hay una diferencia entre los piadosos y los impíos. Se dice que el Espíritu mora en los creyentes, convirtiéndolos en santos templos por su presencia. Los impíos no son así. Sin embargo, el Espíritu no los ha dejado privados de su influencia: "No obstante, él llena, mueve y agiliza todas las cosas por el poder del mismo Espíritu, y lo hace de acuerdo con el carácter que le otorgó a cada especie por la ley de la creación."[65]

EL ESPÍRITU, LA IGLESIA Y LOS SACRAMENTOS

Para Calvino, la iglesia incluía tanto lo visible como lo invisible. Él escribió en relación con el credo, "El artículo en el Credo en el que profesamos 'creer en la Iglesia' se refiere no solo a la iglesia visible (nuestro tema actual) sino también a todos los elegidos de Dios, en cuyo número también están incluidos los muertos."[66] El bautismo es el rito de iniciación en la iglesia irrepetible, y la Cena del Señor es la fiesta continua de Cristo resucitado a la diestra del Padre por la fe a través del Espíritu Santo. Escribiendo sobre los sacramentos (bautismo y la Cena del Señor), Calvino observó,

> Creemos que esta comunicación es (a) mística e incomprensible para la razón humana, y (b) espiritual, ya que es efectuada por el Espíritu Santo; a quien, como es la virtud del Dios viviente, procede del Padre y del Hijo, atribuimos la omnipotencia, mediante la cual él nos une a Cristo, nuestra Cabeza, no de una manera imaginaria, sino más poderosa y verdaderamente, para que nos convirtamos en carne de su carne y hueso de sus huesos, y de su carne vivificante transfunda la vida eterna en nosotros.[67]

Esta declaración es rica en carga teológica. La afirmación del *filioque* de Calvino está a la vista, así como su comprensión realista de la unión con Cristo como efectuada pneumatológicamente. Además, se afirma la deidad del Espíritu, ya que la omnipotencia solo puede predicarse de la deidad.

---

[62] Calvino, *Institución*, 2.2.15.
[63] Ibid., 2.2.16.
[64] Ibid.
[65] Ibid.
[66] Ibid., 4.1.2.
[67] Juan Calvino, "Summary of Doctrine concerning the Ministry of the Word and the Sacraments," en *Calvin: Theological Treatises*, trad. J. K. S. Reid, LCC 22 (Louisville: Westminster John Knox, 2006), 171.

Cranmer y el Espíritu

A pesar de su genio litúrgico, pocos eruditos mantendrían que el arzobispo Thomas Cranmer estaba a la vanguardia de la teología de la Reforma. Jonathan Dean escribe,

> Thomas Cranmer no fue uno de los grandes pensadores o teólogos originales de la Reforma. Él no hizo, como Martín Lutero, desatar las energías de toda una generación en un movimiento monumental de cambio religioso. Él no era Calvino, definiendo los contornos de la teología y la práctica reformadas a través de una exposición sistemática masiva y meticulosa destinada a la orientación de las generaciones futuras. Ni siquiera fue un Zuinglio, reinventando la Eucaristía de manera polémica y dinámica.[68]

Entonces, ¿por qué considerar a Cranmer? Una vez más, Jonathan Dean ofrece una observación útil: "Es quizás el líder más brillante o crítico de los variados movimientos de la Reforma del siglo XVI, su trabajo es de lejos el más influyente en la vida de los cristianos comunes que tanto le importaba, y ha disfrutado de una longevidad mucho mayor."[69]

Cierto, Cranmer no era Lutero, Zuinglio o Calvino. Sin embargo, él sabía cuáles eran las necesidades de la iglesia inglesa y se esforzó por encontrarlos de una manera bíblicamente informada y teológicamente hábil. Gerald Bray lo expresa bien:

> Los formularios históricos fueron diseñados por el arzobispo Cranmer... para darle a la Iglesia inglesa una sólida base en las tres áreas fundamentales de la vida —*doctrina, devoción y disciplina*. Los Artículos proporcionaron su marco doctrinal, el Libro de Oración estableció el patrón de su vida devocional y el Ordinal delineó lo que se esperaba del clero, cuyo papel era la clave de la disciplina de la iglesia.[70]

Con respecto al Libro de Oración (también conocido como el Libro de Oración Común), StephenNeill ofrece una observación astuta. Primero, él hace este punto general: "Nada es más sorprendente en la Reforma que la recuperación de la casi olvidada doctrina del Espíritu Santo". Luego, dirige su atención a Cranmer en particular: "El especial interés de Cranmer en esta doctrina es el Libro de Oración en sí, con sus constantes referencias al Espíritu Santo, es evidencia."[71]

¿Cuál fue, entonces, la pneumatología de Cranmer? Comenzamos nuestra discusión con su doctrina de la Palabra de Dios.

---

[68] Jonathan Dean, ed., *God Truly Worshipped: Thomas Cranmer and His Writings* (Norwich: Canterbury Press, 2012), 1. J. I. Packer agrega un matiz necesario aquí: "Es cierto que él [Cranmer] no fue ni prolífico ni original ni argumentativo, pero esto por sí mismo no lo señala como un segundo evaluador... Si los servicios de Cranmer [1549 y 1552 especialmente] pasan la prueba como obras maestras del culto cristiano, hay al menos una presunción de que la teología detrás de ellos también está en la clase magistral". "Introduction", en *The Works of Thomas Cranmer*, ed. G. E. Duffield (Filadelfia: Fortaleza, 1965), xvii-xviii.

[69] Dean, *God Truly Worshipped*, 1.

[70] Gerald Bray, *The Faith We Confess: Exposition of the Thirty-Nine Articles* (Londres: Latimer, 2009), 1. Énfasis originalmente en negrita pero aquí en cursiva. Cranmer fue martirizado en 1556, por lo que los artículos a considerar son los Cuarenta y Dos Artículos de 1553, y el Libro de Oración es el de 1552.

[71] Stephen Neill, *Anglicanism*, 4th ed. (New York: Oxford University Press, 1982), 79.

El Espíritu y la Palabra

Al igual que los otros reformadores magisteriales, Cranmer tenía una gran visión de la autoridad bíblica. Su alta visión de las Escrituras queda expresada en el artículo 5 de los Cuarenta y Dos Artículos, que dice,

> La Sagrada Escritura contiene todas las cosas necesarias para la Salvación: por lo que, todo lo que no se lee en ellas, ni se puede probar de este modo, aunque en algún momento se reciba de los fieles, como piadoso, y provechoso para un orden y hermosura: sin embargo, ningún hombre debería verse obligado a creerlo como un artículo de fe, ni a ser considerado como un requisito para la necesidad de la Salvación.[72]

La Biblia para Cranmer fue en primera instancia un libro de evangelios. Para él era *norma normans* ("la norma normativa"). Sabía que otras autoridades tienen su lugar en el cristianismo, pero solo como *norma normata* ("normas gobernadas", es decir, gobernadas por las Escrituras). Los consejos generales de la iglesia, por ejemplo, tienen algo de peso, pero pueden y han errado en el pasado. Esto es así, de acuerdo con el artículo 22 de los Cuarenta y Dos Artículos, porque tales concilios no siempre han sido "gobernados con el Espíritu y la Palabra de Dios."[73]

En opinión de Cranmer, las Escrituras no solo deben ser leídas por los sabios. En su prefacio a la Biblia, afirmó: "Porque el espíritu santo ha ordenado y templado las escrituras, para que en ellas también los publicanos, los pescadores y los pastores puedan encontrar su edificación, como los grandes doctores su erudición."[74] Sobre todo, ya sea que estemos aprendiendo o no, las Escrituras son el instrumento del Espíritu Santo por el cual nos llega el conocimiento de la salvación: "como mazos, martillos, sierras, cinceles, hachas y hachas, sean las herramientas de su ocupación; así sean los libros de los profetas, y los Apóstoles, y todos los escritores santos inspirados por el Espíritu Santo, los instrumentos de nuestra salvación."[75] Además, es el Espíritu el que proporciona la certeza epistémica en cuanto a la veracidad de las Escrituras: "Existe la iluminación del Espíritu Santo, el fin de todos nuestros deseos y la misma luz por la cual se ve y se percibe la verdad de las Escrituras."[76]

El Espíritu y la Salvación

Al igual que Lutero, Zuinglio y Calvino, Cranmer tenía una visión robusta de la soberanía divina y sostenía la predestinación en su soteriología.[77] Era, de hecho, un Agustiniano Protestante.[78] El Artículo 17 de los Cuarenta y Dos Artículos expresa la posición de Cranmeriana y es el más largo de los artículos. Cito *in extenso*:

---

[72] En Dean, *God Truly Worshiped*, 165. Los Cuarenta y Dos artículos fueron escritos por primera vez en latín por Cranmer. Como señala Gerald Bray, "los cuarenta y dos artículos no eran solo declaraciones de posición en puntos de doctrina disputados, sino una exposición general de lo que él [Cranmer] pensó que la iglesia debería creer". Ver *Bray, Faith We Confess*, 8.

[73] En Dean, *God Truly Worshipped*, 169–70.

[74] Thomas Cranmer, "Preface to the Bible," en Duffield, *Works of Thomas Cranmer*, 35.

[75] Ibid.

[76] Ibid.

[77] En Cranmer como a favor de la predestinación, vea la biografía definitiva de Diarmaid MacCulloch, *Thomas Cranmer: A Life* (New Haven, CT: Yale University Press, 1996), 211.

[78] Un punto bien hecho por Ashley Null, *Doctrine of Repentance de Thomas Cranmer: Renewing the Power to Love* (Oxford: Oxford University Press, 2006), 215, 251.

La predestinación a la Vida es el propósito eterno de Dios, por el cual (antes de que se establecieran los fundamentos del mundo), él constantemente ha decretado por su consejo secreto por nosotros, el librar de maldición y condenación a aquellos a quienes han elegido en Cristo de la humanidad, y traerlos por Cristo a la salvación eterna, como vasos hechos para honra. Por lo tanto, los que son investidos con tan excelente beneficio de Dios, sean llamados según el propósito de Dios por medio *de su Espíritu* trabajando a su debido tiempo: por medio de la gracia obedecen el llamado: serán justificados gratuitamente: serán hechos hijos de Dios por adopción; serán hechos como la imagen de su Hijo unigénito Jesucristo: caminando religiosamente en buenas obras, y finalmente, por la misericordia de Dios, alcanzando la felicidad eterna.

Como la consideración piadosa de la Predestinación, y nuestra Elección en Cristo, está llena de consuelo dulce, agradable e indescriptible para las personas piadosas, y tales como la sensación en sí mismas *la obra del Espíritu de Cristo*, mortificando las obras de la carne y sus miembros terrenales, y estableciendo su mente a las cosas altas y celestiales, también porque establece y confirma grandemente que su fe de la Salvación eterna se puede disfrutar por medio de Cristo, porque excita fervientemente su amor hacia Dios: Entonces, para las personas curiosas y carnales, *carecer del Espíritu de Cristo*, tener continuamente ante sus ojos la sentencia de la predestinación de Dios, es una caída muy peligrosa, por la cual el diablo los empuja a la desesperación, o en la imprudencia de la vida más inmunda, no menos peligrosa que la desesperación.

Además, debemos recibir las promesas de Dios de una manera tan sabia, como generalmente se nos presentan en las Sagradas Escrituras: y, en nuestros hechos, debe seguirse la Voluntad de Dios, que expresamente hemos declarado a nosotros en la Palabra de Dios.[79]

La importación de las tres referencias pneumatológicas aquí es múltiple. El Espíritu es el aplicador de los propósitos salvíficos de Dios si uno tiene en vista la justificación, la adopción, la transformación a la semejanza de Cristo, la producción de buenas obras en la vida cristiana, o la llegada segura de los elegidos en el mundo por venir. Además, en cuanto a la santificación, el Espíritu Santo mata las obras de la carne, pone nuestra mente en las cosas de arriba, establece y confirma nuestra fe en la salvación eterna, y enciende nuestro amor por Dios. Finalmente, si uno carece del Espíritu Santo, entonces esta doctrina, cuando se contemple, puede fomentar la desesperación o un estilo de vida imprudente.

En cuanto a la justificación, Cranmer era un *solifidian* ("solo por la fe"). Como dice el artículo 11 de los Cuarenta y Dos Artículos, "la justificación solo por la fe en Jesucristo, en ese sentido como se declara en la homilía de la justificación, es una doctrina muy cierta y sana para los hombres cristianos."[80] Ashley Null resume bien la posición de Cranmer sobre la justificación y la relación del Espíritu Santo con ella: "La fe del creyente se apoderó de la justicia extrínseca de Cristo, sobre cuya base se perdonaron sus pecados. Al mismo tiempo, el Espíritu Santo moraba en el creyente, incitando en él un amor por Dios en gratitud por la seguridad de la salvación."[81] ¡Una doctrina sana en verdad!

Uno de los problemas teológicos que enfrenta Cranmer fue cómo entender el papel de las buenas obras en la vida de la fe. Tenía muy claro que los trabajos realizados

---

[79] En Dean, *God Truly Worshipped*, 168. Cursivas añadidas.

[80] Ibid., 167.

[81] Ashley Null, *Cranmer's Doctrine*, 252. Null sostiene que la fuerte doctrina de Cranmer de "elección incondicional" protegió "la absoluta gratuidad de esta fe salvadora". Ibid.

antes de la justificación no cuentan para nada ante Dios, como lo muestra el artículo 12:

> Las obras hechas antes de la gracia de Cristo y la inspiración de su Espíritu no son agradables a Dios, ya que no brotan de la fe en Jesucristo, ni tampoco hacen que los hombres se encuentren en condición para recibir la gracia o merezcan gracia de congruencia: sí, más bien, debido a que no son hechos como Dios quiso y como se les ordenó que fueran, no dudamos que no tengan la naturaleza del pecado.

La gracia divina y la acción del Espíritu Santo son condiciones necesarias para que el creyente haga obras agradables a Dios. Cranmer no era pelagiano.

Cranmer fue pastoralmente consciente de que los cristianos pecan después de ser justificados por la gracia. El perfeccionismo sin pecado no era parte de su teología, como el artículo 15 de los Cuarenta y Dos Artículos deja en claro:

> No todos los pecados mortales voluntariamente cometidos después del Bautismo son Pecados contra el Espíritu Santo e imperdonables; por lo que el lugar para la penitencia, no debe negarse al caer en pecado después del bautismo. Después de haber recibido el Espíritu Santo, podemos apartarnos de la gracia dada, y caer en el pecado, y por la gracia de Dios podemos resucitar y enmendar nuestras vidas. Y, por lo tanto, deben ser condenados, lo que significa que ya no pueden pecar mientras vivan aquí, o negar el lugar de la penitencia a quienes verdaderamente se arrepienten y enmendar sus vidas.[82]

Aun así, para Cranmer existe el pecado imperdonable contra el Espíritu Santo, y de acuerdo con el artículo 16, ocurre cuando un hombre malicioso y obstinado de la mente defiende la verdad de la palabra de Dios manifiestamente percibida, y siendo enemigo de eso la persigue."[83] Tales hombres y mujeres están bajo una maldición divina.

EL ESPÍRITU, LA IGLESIA Y LOS SACRAMENTOS

El anglicanismo que surgió durante la Reforma del siglo XVI en Inglaterra fue un catolicismo occidental reformado. Siguió siendo una iglesia litúrgica dirigida por el año eclesiástico. El lenguaje de los sacramentos fue retenido pero reformado. ¿Cómo entendió Cranmer, entonces, el papel del Espíritu en los dos sacramentos dominicales del bautismo y la Cena del Señor?

En la visión de Cranmer, el Espíritu Santo juega un papel vital en la vida sacramental de la iglesia. Geoffrey Bromiley capta esto cuando escribe sobre la teología eucarística de Cranmer: "Por lo tanto, ningún relato puede ser satisfactorio y no hace justicia al hecho y la misión del Espíritu Santo en relación con Jesucristo."[84] De nuevo, Bromiley es muy claro: "El oficio del Espíritu Santo no es simplemente darnos un recordatorio simbólico de la persona y la obra de Cristo, sino hacer de Él nuestro contemporáneo, de modo que en las señales estamos genuinamente confrontados con Cristo y Su redención."[85] Estas palabras podrían haberse escrito

---

[82] En Dean, *God Truly Worshipped*, 167–68.
[83] Ibid., 168.
[84] G. W. Bromiley, *Thomas Cranmer: Theologian* (New York: Oxford University Press, 1956), 83.
[85] Ibid., 82.

igualmente sobre la teología bautismal de Cranmer. El artículo 27, "Del Bautismo", afirma,

> El bautismo no es solo un signo de profesión y marca de diferencia, por lo cual los hombres cristianos son discernidos de otros que no son bautizados; pero también es un signo de nuestro nuevo nacimiento, mediante el cual, como por un instrumento, los que reciben el bautismo correctamente son injertados en la Iglesia; las promesas de perdón de pecado, y nuestra adopción a ser hijos de Dios por el Espíritu Santo, está visiblemente firmada y sellada; la fe está confirmada; y la gracia aumentó en virtud de la oración a Dios. La costumbre de la Iglesia de bautizar a los niños pequeños debe ser recomendada y conservada en la Iglesia.[86]

Cranmer rechazó la raíz y la ramificación de la transubstanciación.[87] Además, como con Zuinglio y Calvino, Cranmer creía que el Cristo ascendido estaba en el cielo a la diestra del Padre. No abrazó la teoría del ubicuismo [o ubiquitismo] de Lutero con respecto a la humanidad de Cristo compartiendo el atributo divino de omnipresencia a través de la *communicatio idiomatum* ("comunicación de propiedades"). Sin embargo, él sí creía que Cristo estaba en cierto sentido presente en la Cena del Señor. Bromiley subraya bien la comprensión de Cranmer: "Él [Cristo] no está ahora presente como encarnado, sino crucificado, resucitado y ascendido. Está presente por el Espíritu."[88] Diarmaid MacCulloch describe útilmente la visión madura de Cranmer de la presencia de Cristo desde 1548 en adelante como una "presencia espiritual" a través del "don del Espíritu Santo" en contraposición a una "presencia real."[89]

Menno Simons y el Espíritu

Menno Simons no era el más astuto teológicamente de los escritores anabaptistas, pero era "el líder más destacado".[90] Al discutir la pneumatología de Simons, surgen algunos temas nuevos más allá de lo que hemos visto hasta ahora con los reformadores magisteriales. En particular, a diferencia de Lutero, Zuinglio, Calvino y Cranmer, Simons rechazó el bautismo de infantes. Y como anabaptista, Simons hizo la prohibición (más abajo) una tercera marca de la verdadera iglesia junto con la predicación fiel de la Palabra y los sacramentos debidamente administrados.[91]

---

[86] "Los Cuarenta y Dos artículos", en *Documents of the English Reformation, 1526-1701*, ed. Gerald Bray (Cambridge: James Clarke, 2004), 301, https://books.google.com/books?Id=UGi6WWtzkJYC&pg. He alterado el texto en la traducción de Bray del latín en un punto. Él puso "por el Espíritu Santo" entre corchetes, indicando que era una adición posterior. Sin embargo, el latín de 1553 dice *"per Spiritum Sanctum"*. En consecuencia, he eliminado sus corchetes.

[87] En la lectura de Cranmer de la historia de la iglesia, Satanás fue desatado, como en Apocalipsis 20, alrededor de mil años después de Cristo, y el Cuarto Concilio de Letrán de 1215 que aprobó oficialmente la doctrina de la transubstanciación fue evidencia de esa pérdida de Satanás. Ver Graham A. Cole, "Cranmer's Views on the Bible and the Christian Prince: An Examination of His Writings and the Edwardian Formularies" (ThM tesis, Universidad de Sydney, 1983), 49-54.

[88] Bromiley, *Thomas Cranmer: Theologian*, 79.

[89] MacCulloch, *Cranmer*, 392.

[90] Este es el juicio de George, *Theology of the Reformers*, 269. Para obtener una bibliografía excelente y actualizada sobre Simons de obras primarias y secundarias, véase ibid., 323-25.

[91] George lo explica bien en *Theology of the Reformers*, 310.

EL ESPÍRITU Y LA PALABRA

En el pensamiento de Simons, la Palabra inspirada de la Escritura es la *norma normans* ("norma normativa"). Él se expresó de esta manera:

> Ciertamente esperamos que nadie de una mente racional sea tan tonto como para negar que todas las Escrituras, tanto el Antiguo como el Nuevo Testamento, fueron escritas para nuestra instrucción, amonestación y corrección, y que son el verdadero cetro y norma por el cual el reino del Señor, la casa, la iglesia y la congregación deben ser gobernados. Todo lo contrario a las Escrituras, por lo tanto, ya sea en doctrinas, creencias, sacramentos, adoración o vida, debe medirse por esta regla infalible y ser demolido por este cetro justo y divino, y destruido sin ningún respeto por las personas.[92]

Al igual que los reformadores magisteriales, Simons tenía una gran visión de la autoridad bíblica. Curiosamente, sin embargo, para él la Palabra canónica se extendió a las escrituras apócrifas. En esto él estaba fuera de paso con la mayoría de los reformadores magisteriales.[93] Al mismo tiempo, no privilegió la razón como lo hicieron los racionalistas evangélicos, ni acentuó el Espíritu interior como lo hicieron los espiritualistas.[94]

Simons no hizo ningún reclamo de ningún tipo de acceso experiencial privilegiado a los misterios de Dios. Él escribió, "Hermanos, les digo la verdad y no miento. Yo no soy Enoc. No soy Elías. No soy alguien que ve visiones. No soy un profeta que pueda enseñar y profetizar de otra manera que lo que está escrito en la Palabra de Dios y entendido en el Espíritu".[95] Esta es una modestia epistémica impresionante.

EL ESPÍRITU Y LOS SACRAMENTOS

Como era de esperar de un anabaptista, Simons sostuvo que solo aquellos que podían confesar la fe podían ser candidatos apropiados para el bautismo. Él escribió: "La iglesia de Cristo [está] compuesta de verdaderos creyentes, quebrantados en sus corazones por el molino de la Palabra divina, bautizados con las aguas del Espíritu Santo, y con el fuego del amor puro, no fingido, convertido en uno cuerpo."[96] Tal confesión tuvo que venir del corazón. Él argumentó: "Oh, no, el bautismo externo no

---

[92] Menno Simons, "Foundations", citado en *Anabaptism in Outline: Selected Primary Sources*, ed. Walter Klaassen, Classics of the Radical Reformation 3 (Waterloo, ON: Herald, 1981), 151.

[93] Este aspecto de la teología de Simons es bien discutido en George, *Theology of the Reformers*, 291. El reformador magisterial Thomas Cranmer pensó que la apócrifa valía la pena leerla con provecho pero que no se debería construir ninguna doctrina sobre ella. El artículo 6 del Libro de Oración Común dice:

> Y los otros Libros (como dice Hierome [Jerónimo]) la Iglesia lee, por ejemplo, de la vida y la instrucción de los modales; pero aún no los aplica para establecer ninguna doctrina; tales son los siguientes:
> El tercer libro de Esdras, el resto del libro de Ester,
> El Cuarto Libro de Esdras, El Libro de la Sabiduría,
> El Libro de Tobías, Jesús el Hijo de Sirac,
> El Libro de Judit, Baruc el Profeta,
> La canción de los tres niños, La oración de Manases,
> La historia de Susana, El primer libro de los Macabeos,
> De Bel y el dragón, El segundo libro de los Macabeos.

[94] George, *Theology of the Reformers*, 269. Véase también la discusión de Werner O. Packull, "An Introduction to Anabaptist Theology," en Bagchi and Steinmetz, *Cambridge Companion to Reformation Theology*, 194–219, esp. 218.

[95] Citado en George, *Theology of the Reformers*, 295.

[96] Citado en ibid., 308.

sirve de nada siempre que no seamos interiormente renovados, regenerados y bautizados con el fuego celestial y el Espíritu Santo de Dios."[97]

Con respecto a la Cena del Señor, Simons se volvió lírico: "Oh, la asamblea deliciosa y la fiesta del matrimonio cristiano… donde las conciencias hambrientas son alimentadas con el pan celestial de la Palabra divina, con el vino del Espíritu Santo, y donde las almas pacíficas y alegres cantan y tocan delante del Señor."[98]

EL ESPÍRITU Y LA SALVACIÓN

Para Simons, el nuevo nacimiento fue de suma importancia salvífica, y el Espíritu Santo tiene un papel fundamental en el evento y el discipulado que surge de él.[99] Con respecto al proceso de conversión, escribió que "el corazón es traspasado y movido a través del Espíritu Santo con un poder inusual de regeneración, renovación y vivificación, que produce antes que nada el temor de Dios."[100] Él describió la vida cristiana que fluye de la regeneración en estos términos:

> Estas personas regeneradas tienen un rey espiritual sobre ellos que los gobierna con el cetro ininterrumpido de Su boca, es decir, con Su Espíritu Santo y Palabra. Él los viste con la ropa de justicia de seda blanca pura. Él los refresca con el agua viva de Su Espíritu Santo y los alimenta con el Pan de Vida.[101]

Según Roger Olson, "la conversión sincera [de Menno] que involucra el arrepentimiento consciente y la confianza en Jesucristo, seguida de una llenura del Espíritu Santo, se convirtió en el paradigma de la temprana teología Anabaptista de la salvación."[102]

EL ESPÍRITU, LA IGLESIA Y LA PROHIBICIÓN

En la eclesiología de Simons, la iglesia es una iglesia de creyentes en lugar de un cuerpo mixto (*corpus per mixtum*). El escribió,

> Verdaderamente no son la verdadera congregación de Cristo aquellos que simplemente se jactan de su nombre. Sino que son la verdadera congregación de Cristo aquellos que son verdaderamente convertidos, que nacen de lo alto de Dios, que son de una mente regenerada por la operación del Espíritu Santo a través del oír de la Palabra divina, y se convierten en hijos de Dios, han entrado en obediencia a él, y viven impunemente en sus santos mandamientos, y de acuerdo con su santa voluntad con todos sus días, o desde el momento de su llamado.[103]

La Palabra debe ser escuchada para ser respondida. Los infantes son incapaces de esto. Entonces para Simons, "aquellos que sostienen que el irracional bautismo de niños es un lavado de regeneración que violenta la Palabra de Dios, resisten al Espíritu Santo,

---

[97] Simons, "Foundations," en Klaassen, *Anabaptism*, 188.

[98] Citado en George, *Theology of the Reformers*, 309.

[99] Max Göbel escribió en 1848, "La característica esencial y distintiva de esta iglesia [anabaptista] es su gran énfasis en la conversión personal real y la regeneración de cada cristiano a través del Espíritu Santo". Citado en George, *Theology of the Reformers*, 280.

[100] Citado en George, *Theology of the Reformers*, 281.

[101] Menno Simons, "The New Birth," en Kärkkäinen, *Holy Spirit and Salvation*, 189.

[102] Olson, *The Story of Christian Theology*, 423.

[103] Citado en George, *Theology of the Reformers*, 300.

hacen a Cristo un mentiroso y sus santos apóstoles."[104] ¿Por qué? Argumentó: "Porque Cristo y sus apóstoles enseñan que la regeneración, así como también la fe, viene de Dios y de su Palabra, que la Palabra no se debe enseñar a los que no pueden oír o entender, sino a aquellos que tienen la capacidad tanto para escuchar y entender."[105]

El acento en la congregación es puro y verdadero encaja con la noción anabaptista de la prohibición. George Williams y Angel Mergal señalan: "El bautismo y la prohibición fueron las dos llaves que controlaban la entrada y la salida de la iglesia regenerada del anabaptismo". ¿Cómo es eso? "Por [re]bautismo, uno ingresaba a la iglesia. Por la prohibición, el miembro pródigo era expulsado. Solo los puros podrían participar en la comunión de la carne celestial de Cristo."[106]

Para Simons, las restricciones de Mateo 18:15-18 constituyeron una característica definitoria de una iglesia pura. Los que se extraviaban en la doctrina y la conducta no tenían lugar en una asamblea santa. Debían ser excluidos y rechazados. La retórica es fuerte y sin sentimientos:

> Pero ahora el Espíritu Santo no nos enseña a destruir a los malvados, como lo hizo Israel, sino que debemos expulsarlos con pesar de la iglesia, y que, en el nombre del Señor, por el poder de Cristo y el Espíritu Santo, ya que un poco de levadura leuda toda la masa... Por lo tanto, el Espíritu Santo nos ha enseñado abundantemente a separar a tales personas de entre nosotros.[107]

Esta prohibición se aplicará ampliamente a la familia, esposos, esposas, padres e hijos. En la práctica, sin embargo, Simons en ocasiones aconsejó clemencia.[108]

Las referencias al Espíritu Santo abundan en la articulación de Simons de la prohibición. Recibir a los que han caducado, por ejemplo, comiendo con ellos, es rechazar al Espíritu Santo. Evitar a los caídos es seguir el consejo del Espíritu Santo. Hacerlo con miras a su reforma esperanzada también es seguir el consejo del Espíritu Santo. Obedecer al Espíritu Santo al practicar la prohibición nunca debe causar vergüenza. De hecho, el Espíritu Santo ordenó la prohibición.[109]

Conclusión

Hemos considerado cuatro reformadores magisteriales (Lutero, Zuinglio, Calvino y Cranmer) y un reformador radical (Simons). Al hacerlo, tanto las reformas continentales como las inglesas han estado a la vista. Todos coincidieron en la naturaleza de Dios como Trinidad y, por lo tanto, en la personalidad y la deidad del Espíritu Santo. Todos estaban de acuerdo en que el Espíritu Santo de Dios estaba activo en la salvación, en la santificación, en nuestra respuesta a la Palabra y en los sacramentos. Los reformadores magisteriales, sin embargo, vieron un nexo entre la iglesia y el estado que los reformadores radicales rechazaron. Los reformadores magisteriales también se sentían cómodos con la práctica del bautismo infantil,

---

[104] Menno Simons, "Foundations," en Klaassen, *Anabaptism*, 187.

[105] Ibid.

[106] George Huntston Williams y Angel M. Mergal, eds., *Spiritual and Anabaptist Writers*, LCC 25 (Louisville: Westminster John Knox, 2006), 261.

[107] Menno Simons, "Account of Excommunication," en Klaassen, *Anabaptism*, 229.

[108] La prohibición está bien discutida en George, *Theology of the Reformers*, 312.

[109] Para el contenido de este párrafo, estoy en deuda con Menno Simons, "On the Ban: Questions and Answers by Menno Simons", en Williams y Mergal, *Spiritual and Anabaptist Writers*, 263-71, passim.

mientras que los reformadores radicales no lo estaban. Para los reformadores radicales, la única iglesia verdadera era una iglesia de creyentes. De particular interés es cómo se debe interpretar la relación entre la Palabra de Dios escrita y el ministerio del Espíritu. Algunos de los reformadores radicales privilegiaron la Palabra interna (los espiritualistas) o la razón (los racionalistas evangélicos) sobre la Palabra externa en formas que los reformadores magisteriales no lo hicieron. Por el contrario, los reformadores magistrales acentuaron la Palabra externa. En ese sentido, Menno Simons se parecía más a los reformadores magisteriales que a Servet o Schwenckfeld. Todos nuestros personajes seleccionados le otorgaron un inmenso valor teológico a la persona y obra del Espíritu Santo como el gran aplicador de la salvación planificada por el Padre y realizada por medio del Hijo.

Recursos para un estudio adicional

FUENTES PRIMARIAS

Bromiley, G. W., ed. *Zwingli and Bullinger: Selected Translations with Introductions and Notes*. Library of Christian Classics 24. Filadelfia: Westminster, 1953.

Calvino, Juan. *Institución de la Religion Cristiana*. Grand Rapids: Libros Desafío, 2012.

Cranmer, Thomas. *Works*. Cambridge: Parker Society, 1844–1846.

Dillenberger, John, ed. *Martin Luther: Selections from his Writings*. Garden City, NY: Doubleday, 1961.

Duffield, G. E., ed. *The Work of Thomas Cranmer*. Philadelphia: Fortress, 1965.

Kärkkäinen, Veli-Matti, ed. *Holy Spirit and Salvation: The Sources of Christian Theology*. Louisville: Westminster John Knox, 2010.

Klaassen, Walter, ed. *Anabaptism in Outline: Selected Primary Sources*. Classics of the Radical Reformation 3. Waterloo, ON: Herald, 1981.

Simons, Menno. *The Complete Works of Menno Simons*. London: Forgotten Books, 2012.

Williams, George Huntston, y Angel M. Mergal, eds. *Spiritual and Anabaptist Writers*. Library of Christian Classics 25. Louisville: Westminster John Knox, 2006.

FUENTES SECUNDARIAS

Bagchi, David, y David C. Steinmetz, eds. *The Cambridge Companion to Reformation Theology*. Cambridge: Cambridge University Press, 2004.

Campos, Bernardo. *La Reforma Radical y las Raíces del Pentecostalismo: De la Reforma Protestante a la Pentecostalidad de la iglesia*. Salem: Publicaciones Kerigma, 2017.

George, Timothy. *Theology of the Reformers*. Rev. ed. Nashville: B&H, 2013.

Hart, Trevor A., ed. *The Dictionary of Historical Theology*. Grand Rapids, MI: Eerdmans, 2000.

Hughes, Philip E. *Theology of the English Reformers*. 2da ed. Grand Rapids, MI: Baker, 1980.

Kärkkäinen, Veli-Matti. *Pneumatology: The Holy Spirit in Ecumenical, International, and Contextual Perspective*. Grand Rapids, MI: Baker Academic, 2002.

Keener, Craig S. *Hermenéutica del Espíritu: Leyendo las Escrituras a la luz de Pentecostés*. Salem: Publicaciones Kerigma, 2017.

12

Unión con Cristo

J. V. Fesko

RESUMEN

Teólogos del siglo dieciséis de todas las tendencias (luteranos, reformados, católicos romanos, arminianos y socinianos) defendían la doctrina de la unión con Cristo. Los teólogos protestantes (luteranos y reformados) hicieron eco de las primeras formulaciones medievales de la doctrina, especialmente la de Bernardo de Clairvaux, pero distinguieron entre la justificación y la santificación para argumentar que la justificación del creyente descansa únicamente en la justicia imputada de Cristo. Esto contrasta con las formulaciones católicas romanas y con los desarrollos posteriores a la Reforma, como los de Jacobo Arminio y Fausto Socino. Las opiniones de los católicos romanos y arminianos mantuvieron la importancia y la necesidad de la unión con Cristo, pero combinaron la justificación y la santificación. Los socinianos sostenían que los creyentes están unidos a Dios a través de un poder impersonal que fluye hacia Cristo, no la morada personal de Cristo por el Espíritu. Estas opiniones divergentes proporcionan un telón de fondo para apreciar las características únicas de las formulaciones protestantes de unión con Cristo.[1]

Introducción

Una lectura superficial del Nuevo Testamento rápidamente mostrará al lector la frecuencia de la frase "en Cristo" (o "en Él"), que denota la doctrina de la unión con Cristo.[2] Esta frase aparece repetidamente en todo el corpus Paulino, que naturalmente ha producido una reflexión significativa sobre esta doctrina a lo largo de la historia de la iglesia, pero especialmente dentro de la Reforma Protestante, que se ha caracterizado como un renacimiento del Paulinismo. Pero, ¿qué enseñaron los reformadores protestantes con respecto a la doctrina de la unión con Cristo? ¿Cómo lo definieron? Y en términos más generales, ¿cómo se comparaban las formulaciones de la Reforma con las opiniones de los católicos romanos, arminianos y socinianos?

---

[1] Me gustaría agradecer a Korey Maas y Robert Kolb por leer un borrador inicial de este capítulo y ofrecer comentarios útiles, comentarios y sugerencias de fuentes.
[2] E.g., Constantine R. Campbell, *Paul and Union with Christ: An Exegetical and Theological Study* (Grand Rapids, MI: Zondervan, 2012).

Antes de proceder, es importante presentar una definición del tipo usual u ordinario de la doctrina para establecer sus parámetros. Por muy tentador que pueda ser citar una fuente o definición contemporánea, es metodológicamente preferible emplear una definición tempranamente moderna para que las opiniones históricas de la Reforma ocupen un lugar central en lugar de versiones posteriores de la doctrina.

Uno de esos ejemplos proviene de Girolamo Zanchi (1516-1590), un reformador de segunda generación. Zanchi explicó la unión con Cristo en una confesión personal, una que estaba destinada a reemplazar la Segunda Confesión Helvética (1566), escrita por Henry Bullinger (1504-1575). La confesión de Zanchi, por lo tanto, fue escrita para una amplia aceptación y presenta lo que él creía eran convicciones comunes acerca de la doctrina. Zanchi escribió que la participación en la rectitud [o justicia] y la salvación dependen totalmente de una comunión necesaria con Cristo. Él describió esta unión como triple: "Una, que una vez fue hecha en nuestra naturaleza; otra, que se hace diariamente en las personas elegidas, que, sin embargo, se extravían del Señor; y la última, que será igualmente con el Señor en nuestras personas cuando estén presentes con él, es decir, cuando Dios sea todo en todos nosotros." La primera unión implica la encarnación del Hijo como ser humano. La segunda unión es cuando Cristo mora místicamente en los creyentes, lo que Pedro llama participación en la naturaleza divina (2 Pedro 1:4). La tercera unión es la glorificación del pecador.[3] Inmediatamente evidente a partir de esta descripción y definición funcional es que la unión con Cristo tiene un alcance más amplio que las versiones contemporáneas de la doctrina. Las declaraciones de Zanchi abarcan Cristología, Soteriología y Escatología, mientras que las definiciones contemporáneas a veces se centran principalmente en la soteriología.[4]

Con esta descripción básica en la mano, este capítulo procederá a examinar las opiniones de la Reforma sobre la unión con Cristo, principalmente a través de las principales figuras de la Reforma, como los teólogos luteranos Martín Lutero (1483-1546), Felipe Melanchthon (1497-1560), Andreas Osiander (1498-1552) y Martin Chemnitz (1522-1586) y los teólogos reformados Pedro Martyr Vermigli (1499-1562), Juan Calvino (1509-1564), Wolfgang Musculus (1497-1563) y Zanchi. Mediante el muestreo de las formulaciones de estos teólogos luteranos y reformados, podremos identificar los elementos principales y los contornos de la unión con Cristo según los reformadores. La segunda parte del ensayo comparará y contrastará las formulaciones protestantes con las ofrecidas por los teólogos católicos romanos, principalmente a través del lente del Concilio de Trento (1545-1563), y también examinará brevemente los puntos de vista socinianos sobre la unión con Cristo, principalmente a través de los escritos de Fausto Socino (1539-1604) y el Catecismo de Racovia (1605), así como a través de las obras de Jacobo Arminio (1560-1609). Aunque los puntos de vista de los socinianos y la formulación de la unión de Arminio yacen más allá de la Reforma, sin embargo, proporcionan un contexto histórico más amplio por el cual podemos apreciar y comprender mejor las opiniones protestantes en la Reforma. Si tuviéramos que examinar meramente los entendimientos protestantes, sería como pintar una figura

---

[3] Girolamo Zanchi, *De Religione Christiana Fides – Confession of Christian Religion*, ed. Luca Baschera y Christian Moser, Studies in the History of Christian Traditions 135 (Leiden: Brill, 2007), 12.5.

[4] Cf., e.g., Wayne Grudem, *Systematic Theology: An Introduction to Biblical Doctrine* (Grand Rapids, MI: Zondervan, 1994), 840; John M. Frame, *Systematic Theology: An Introduction to Christian Belief* (Phillipsburg, NJ: P&R, 2013), 913–14; Gerald Bray, *God Is Love: A Biblical and Systematic Theology* (Wheaton, IL: Crossway, 2012), 620–25. Ver el tratamiento más expansivo ofrecido en Michael Horton, *The Christian Faith: A Systematic Theology for Pilgrims on the Way* (Grand Rapids, MI: Zondervan, 2011), 587–619.

solitaria en un lienzo en blanco. Tan interesante como podría ser la figura solitaria, solo el contexto circundante de la pintura cuenta el resto de la historia. Al comparar y contrastar los puntos de vista de la Iglesia católica romana, sociniana y arminiana con la unión de Cristo con las construcciones protestantes en la Reforma, se demostrarán sus características únicas.

Precursores Medievales

En cualquier estudio de la enseñanza protestante moderna temprana, es importante señalar que la Reforma no fue una ruptura completa con el pasado teológico. La Reforma fue un movimiento de reforma, lo que significa que buscó corregir errores, no crear una comprensión completamente nueva de la Biblia. Tal observación es necesaria cuando consideramos la doctrina de la unión con Cristo. Algunos, en los últimos tiempos, han presentado la doctrina como si fuera exclusiva de la Reforma, y específicamente a la visión innovadora de Juan Calvino.[5] Pero tal narrativa tiene más que ver con el saber y el mito de la Reforma que con los hechos reales de la historia. Mucho antes de la Reforma, teólogos como Tomás de Aquino (1225-1274) y Thomas Kempis (1380-1471) escribieron sobre la unión con Cristo.[6] Aquino sostuvo que la encarnación establece una unión entre Dios y el hombre (generalmente considerada) a través de la unión hipostática de las dos naturalezas de Cristo.[7] Uno de los teólogos más famosos para exponer sobre la doctrina, sin embargo, fue Bernardo de Clairvaux (1090-1153), la cual hizo famosa en sus sermones sobre el Cantar de los Cantares.[8] Los sermones de Bernardo están repletos de referencias a la doctrina de la unión con Cristo. De hecho, Bernardo discutió la unión en términos de una doble gracia: arrepentimiento y perseverancia.[9]

Una de las obras más importantes para comprender la amplia gama de puntos de vista durante la Edad Media es la de Jean Gerson (1363-1429) y su tratado *De Mystica Theologia Speculative* (Sobre la Teología Especulativa Mística).[10] En su trabajo, Gerson identificó una serie de diferentes puntos de vista existentes, como el de Pedro Lombardo (1090-1160), quien propuso que la unión es la residencia del Espíritu Santo por medio de la cual los pecadores pueden amar a Dios. De esta manera, Dios está en nosotros, y nosotros estamos en Dios.[11] Gerson identificó otra visión, una que empleaba una cantidad de analogías diferentes para expresar la doctrina, como cuando

---

[5] E.g., William B. Evans, *Imputation and Impartation: Union with Christ in American Reformed Theology*, Studies in Christian History and Thought (Eugene, OR: Wipf & Stock, 2009), 7n1; Richard B. Gaffin Jr., "Justification and Union with Christ," in *A Theological Guide to Calvin's Institutes: Essays and Analysis*, ed. David W. Hall y Peter A. Lillback, Calvin 500 Series (Phillipsburg, NJ: P&R, 2008), 248; Charles Partee, *The Theology of John Calvin* (Louisville: Westminster John Knox, 2008), 19n65, 24–27, esp. 27.

[6] Thomas à Kempis, *The Imitation of Christ* (London: Oxford University Press, 1906), 4.2.6, 4.4.2; Richard A. Muller, *Calvin and the Reformed Tradition: On the Work of Christ and the Order of Salvation* (Grand Rapids, MI: Baker Academic, 2012), 205.

[7] Tomás de Aquino, *Summa Theologica* (repr., Allen, TX: Christian Classics, 1948), 3a.1.2.

[8] Bernardo de Clairvaux, *On the Song of Songs*, trad. Kilian Walsh y Irene M. Edmonds, 4 vols., Cistercian Fathers 4, 7, 31, 40 (Kalamazoo: Cistercian Publications, 1971–1980).

[9] Ibid., sermón 3.3; cf. Dennis E. Tamburello, *Union with Christ: John Calvin and the Mysticism of St. Bernard* (Louisville: Westminster John Knox, 1994), 48.

[10] Jean Gerson, *Selections from "A Deo Exivit," "Contra Curiositatem Studentium," y "De Mystica Theologia Speculativa,"* ed. y trad. Steven E. Ozment (Leiden: Brill, 1969).

[11] Gerson, *Selections from "Mystica Theologia,"* 87n15; cf. Pedro Lombardo, *The Sentences, Book 1: The Mystery of the Trinity*, trad. Giulio Silano, Mediaeval Sources in Translation 42 (Toronto: Pontifical Institute of Medieval Studies, 2007), 17.4.

una gota de agua se libera en una botella de vino fuerte —la gota de agua pierde sus propiedades y se absorbe por completo en el vino. Tal es la naturaleza de la unión con Cristo según Agustín (354-430), afirmó Gerson.[12] Gerson atribuyó otra variación a Bernardo, quien argumentó que, a través del amor, el alma humana se abandona a sí misma y su cuerpo, y pasa completamente a Dios.[13] Esta imaginería y expresión particular eventualmente se abrió paso en los primeros escritos de un joven Martín Lutero, en sus 1517 lecturas sobre Romanos.[14]

Otra voz que eventualmente alimentaría el desarrollo de los puntos de vista de la Reforma sobre la unión con Cristo fue el jefe de la orden monástica de Lutero, Johan von Staupitz (1460-1524). En su sermón de 1517 "Predestinación eterna y su ejecución en el tiempo", Staupitz expuso las doctrinas de elección y justificación y las unió bajo la rúbrica de la unión con Cristo. Staupitz empleó la analogía del matrimonio para describir la unión entre Cristo y el creyente. Como dos personas se convierten en una en el matrimonio, así es con Cristo y el creyente. Cristo le dice a la iglesia o al creyente, "'Te acepto como Mío, te acepto como Mi preocupación, te acepto a Mí Mismo'. Y a la inversa, la Iglesia, o el alma, le dice a Cristo: 'Te acepto como mío, eres mi preocupación, te acepto en mí mismo'."[15] Staupitz, como Aquino antes que él, también relacionó la unión con Cristo a la encarnación.[16]

Todos estos teólogos medievales (Bernardo, Aquino, Gerson y Staupitz) emplearon la doctrina de la unión con Cristo. Gerson también notó que hay varias formas de explicar la naturaleza de la unión entre Cristo y el creyente. Otra característica de estos puntos de vista medievales fue conectar la unión no solo con la soteriología sino también con la Cristología, es decir, a través de la unión hipostática. El Hijo se une a toda la humanidad en un sentido general, no redentor, en virtud de su encarnación.

Perspectivas de la Reforma sobre la Unión con Cristo

PERSPECTIVAS LUTERANAS

Cuando cruzamos el umbral de la Reforma, popularmente asociado con el 31 de octubre de 1517, el día en que Lutero clavó sus *Noventa y cinco tesis* en la puerta del castillo de Wittenberg, encontramos muchos de los mismos temas de unión con Cristo en la teología de los reformadores protestantes. Pero donde los teólogos medievales no pudieron distinguir entre las doctrinas de la justificación y la santificación, los teólogos protestantes tomaron un camino diferente. Lutero escribió acerca de una *iustitia aliena*, una "justicia ajena". Es decir, cuando un creyente es declarado justo ante el tribunal divino, el veredicto no depende de sus propias buenas obras sino de la justicia ajena de Jesús.[17] La justificación no fue, por lo tanto, lograda por la fe formada por el amor

---

[12] Gerson, *Selections from "Mystica Theologia,"* 87n19; cf. Agustín, *Confessions*, trad. Henry Chadwick (Oxford: Oxford University Press, 1991), 7.10.

[13] Gerson, *Selections from "Mystica Theologia,"* 53.

[14] Ibid., 87n20; Martín Lutero, *Lectures on Romans: Glosses and Scholia*, LW 25:364.

[15] Johann von Staupitz, "Eternal Predestination and Its Execution in Time," en *Forerunners of the Reformation: The Shape of Late Medieval Thought*, ed. Heiko A. Oberman, trad. Paul L. Nyhus, Library of Ecclesiastical History (Cambridge: James Clark, 1967), 187; Staupitz, *Libellus de Executione Eterne Predestinationis: Fratris Ioannis de Staupitz* (Nuremburg: Peypus, 1517), 9.56.

[16] Staupitz, "Eternal Predestination," 188; Staupitz, *Eterne Predestinationis*, 9.61.

[17] Ver Mark Mattes, "Luther on Justification as Forensic and Effective," en *The Oxford Handbook of Martin Luther's Theology*, ed. Robert Kolb, Irene Dingel, y L'ubomír Batka (Oxford: Oxford University Press, 2014), 264–73; Klaus Schwarzwäller, "Verantwortung des Glaubens: Freiheit und Liebe nach der Dekalogauslegung Martin Luthers," en

(*fides charitatae formata*) o la fe trabajando por amor, una visión común entre los teólogos medievales como Lombardo y Aquino.[18] Por el contrario, Lutero argumentó que Cristo, no el amor, era la forma de fe.[19] En este sentido, Lutero sostuvo: "Cristo que es captado por la fe y vive en el corazón es la verdadera justicia cristiana."[20] A causa de esta justicia ajena, la justicia perfecta de Cristo, Dios cuenta a los creyentes como justos.[21]

Con este énfasis en la justicia ajena de Cristo, Lutero envolvió su comprensión de la justificación en la doctrina de la unión con Cristo:

> En lo que respecta a la justificación, Cristo y yo debemos estar tan unidos que Él vive en mí y yo en Él. ¡Qué maravillosa forma de hablar! Porque Él vive en mí, cualquiera que sea la gracia, la justicia, la vida, la paz y la salvación que hay en mí, todo es de Cristo; sin embargo, es mío también, por la consolidación y el apego que son a través de la fe, por el cual nos convertimos en un solo cuerpo en el Espíritu.[22]

A diferencia de sus predecesores medievales, salvo Staupitz, Lutero fundamentó la justificación en la justicia ajena. Pero al igual que sus antepasados medievales, articuló su comprensión de la redención bajo la rúbrica de la unión con Cristo. Sin embargo, solo porque Lutero distinguió la justificación y la santificación no significa que despreciara a esta última. Para Lutero, la unión con Cristo era el contexto desde el cual el creyente podía proceder a manifestar buenas obras. Empleando imágenes que recuerdan a Bernardo, Lutero describió la unión y la santificación de la siguiente manera:

> Por fe estamos en Él y Él está en nosotros (Juan 6:56). Este Novio, Cristo, debe estar solo con Su novia en su cámara privada, y toda la familia y el hogar deben ser apartados. Pero más tarde, cuando el Novio abra la puerta y salga, dejen que los sirvientes regresen para cuidarlos y servirles comida y bebida. Entonces dejen que las obras y el amor comiencen.[23]

Para Lutero, la unión con Cristo fue el anillo que envuelve a la gema, la fuente y manantial último de la santificación y las buenas obras de un creyente.[24]

Dada la condición de Lutero como reformador de primera generación, tuvo el beneficio y la libertad de arar en tierra fértil y no cultivada —ser un pionero. Cayó sobre otros teólogos, como Felipe Melanchthon, colega de Lutero y co-Reformador, defender la fortaleza teológica que había construido Lutero. Por ejemplo, Melanchthon fue responsable de escribir la Confesión de Augsburgo (1530), la primera expresión confesional de la teología luterana. Además, a lo largo de sus escritos Melanchthon defendió vigorosamente la doctrina de la justicia imputada. Dado los grandes esfuerzos que hizo para defender la naturaleza forense de la justificación, algunos concluyen

---

Freiheit als Liebe bei Martin Luther / Freedom as Love in Martin Luther, ed. Dennis O. Bielfeldt y Klaus Schwarzwäller (Frankfurt am Main: Lang, 1995), 133–58.

[18] Lombardo, *Sentences, Book 1: The Mystery of the Trinity*, 3.23.3; Aquino, *Summa Theologiae* 2a2ae.4.3.

[19] Martín Lutero, *Lectures on Galatians* (1535), LW 26:129.

[20] Ibid., LW 26:130.

[21] Ibid., LW 26:132–33.

[22] Ibid., LW 26:167–68.

[23] Ibid., LW 26:137–38.

[24] Ibid., LW 26:131–32.

erróneamente que Melanchthon no mantuvo una doctrina de unión con Cristo.[25] Sugieren, más bien, que la justificación era simplemente una doctrina independiente.[26] Y en lugar de que la unión con Cristo sirva como la rúbrica omnicomprensiva a través de la cual el creyente recibe la justificación y la santificación, Melanchthon supuestamente creía que la justificación era la fuente y la causa de la santificación.[27] La historia, sin embargo, revela una imagen diferente.

Melanchthon creía que, en la salvación, había dos principales beneficios o "cosas" (*zwei Ding*) —el perdón de los pecados y el don de la presencia de Dios que mora en Él— y que Cristo obtiene ambas cosas a través de su mérito.[28] Melanchthon describió la unión con Cristo de la siguiente manera:

> No decimos que Dios está presente en ellos como el poder del sol en acción sobre las venas de la tierra, sino que el Padre y el Hijo están realmente presentes, inspirando el Espíritu Santo en el corazón del creyente. Esta presencia o permanencia es lo que se llama renovación espiritual. Esta unión personal, sin embargo, no es lo mismo que la unión de las naturalezas divina y humana en Cristo, sino que es una morada como alguien que vive en un domicilio separable en esta vida.[29]

Melanchthon sostuvo que los creyentes estaban habitados por Cristo y, por lo tanto, en unión con él. Pero al igual que Lutero antes que él, quería asegurarse de que el terreno para la aceptación del creyente ante el tribunal divino se encontrase únicamente en Cristo y su obediencia.[30]

Uno de los puntos importantes a tener en cuenta sobre las declaraciones de Melanchthon sobre la unión con Cristo es que las hizo en el contexto de los debates con Andreas Osiander.[31] Osiander fue profesor en la Universidad de Königsberg, quien creó controversia con sus doctrinas de justificación y unión con Cristo. A diferencia de Lutero y Melanchthon, Osiander negó que la justificación fuera una declaración forense y, en cambio, afirmó que requería la residencia divina para que los creyentes compartieran la rectitud personal y esencial de Cristo. El punto de vista de Osiander era la justificación no por la justicia imputada, sino por la justicia habitada, o la justificación por la unión con Cristo.[32] Por mucho que Melanchthon rechazara enérgicamente la opinión de Osiander, esto no significaba que, por lo tanto, se deshiciera por completo de la doctrina de la unión con Cristo a favor de una doctrina

---

[25] Alister E. McGrath, *Iustitia Dei: A History of the Christian Doctrine of Justification*, 3ra ed. (Cambridge: Cambridge University Press, 2005), 238.

[26] Richard B. Gaffin Jr., *By Faith, Not by Sight: Paul and the Order of Salvation*, 2nd ed. (Phillipsburg, NJ: P&R, 2013), 56–57.

[27] Mark A. Garcia, *Life in Christ: Union with Christ and Twofold Grace in Calvin's Theology* (Milton Keynes: Paternoster, 2008), 145–46, 248.

[28] Felipe Melanchthon, "Iudicum de Osiandro 1552, no. 5017," en CR 7:893–94.

[29] Felipe Melanchthon, "Confutation of Osiander (September 1555)," en *Documents from the History of Lutheranism, 1517–1750*, ed. Eric Lund (Minneapolis: Fortress, 2002), 208.

[30] Ibid.

[31] Para un estudio histórico del debate de Osiander dentro de los círculos luteranos, ver Timothy J. Wengert, *Defending the Faith: Lutheran Responses to Andreas Osiander's Doctrine of Justification*, 1551–1559, Spätmittelalter, Humanismus, Reformation 65 (Tübingen: Mohr Siebeck, 2012).

[32] Timothy J. Wengert, "Philip Melanchthon and John Calvin against Andreas Osiander: Coming to Terms with Forensic Justification," en *Calvin and Luther: The Continuing Relationship*, ed. R. Ward Holder, Refo500 Academic Studies 12 (Göttingen: Vandenhoeck & Ruprecht, 2013), 64; cf. Andreas Osiander, *Disputatio de Iustificatione* (1550), en *Gesamtausgabe* (Gütersloh: Gütersloher Verlagshaus, 1994), 9:422–47.

de justificación independiente.[33] Melanchthon escribió: "Afirmamos claramente la presencia o morada de Dios en el renacido."[34] Sin embargo, él cuidadosamente estipuló la relación entre la permanencia y la justificación de la siguiente manera:

> Aunque Dios habitó en Moisés, Elías, David, Isaías, Daniel, Pedro y Pablo, ninguno de ellos afirmó ser justo delante de Dios a causa de su morada o de su renovación, sino a causa de la obediencia del Mediador y su amable intercesión, ya que, en esta vida, los restos del pecado todavía estaban en ellos.[35]

Melanchthon creía que Osiander había errado al apartar el terreno de la justificación de la justicia ajena de Cristo y moverlo al creyente, que era el problema con la doctrina de la justificación de la Iglesia católica romana. Melanchthon explicó,

> Osiander especialmente hace una edición de este artículo y sostiene que el hombre es justo a causa de la morada de Dios, o a causa de la residencia de Dios, no a causa de la obediencia del Mediador, y no por la justicia imputada del Mediador a través de la gracia. Corrompe la proposición "Por la fe somos justificados" en "Por la fe estamos preparados para llegar a ser justos por otra cosa", a saber, la morada de Dios. En realidad, él está diciendo lo que dicen los papistas: "Somos justos por nuestra renovación", excepto que menciona la causa donde los papistas mencionan el efecto. Somos justos cuando Dios nos renueva.[36]

Melanchthon estaba preocupado de que la justificación por la unión con Cristo —esto es, morar o habitar— fuera apenas diferente de los puntos de vista de la Iglesia Católica Romana. Osiander, él creía, hizo que la justificación dependiera de la causa (la presencia permanente de Cristo), mientras que los católicos romanos hacían que la justificación dependiera del efecto (las buenas obras producidas por la presencia de Cristo a través de la disposición de un *habitus*, o la infusión de justicia).[37] Ambas visiones comprometieron la naturaleza ajena de la justicia imputada de Cristo. Así que Melanchthon mantuvo la doctrina de la unión con Cristo, pero distinguió entre la justicia imputada y el morar divino para no mover el fundamento legal de la justificación de Cristo al creyente. El rechazo de Melanchthon a los puntos de vista de Osiander fue recibido positivamente por la tradición confesional luterana y se incorporaron sustantivamente a la Fórmula de la Concordia (1577).[38] Además, la Fórmula de la Concordia también elogió el comentario de Lutero de 1535 sobre Gálatas como una "maravillosa y magnífica exposición" del "elevado y sublime artículo sobre la justificación ante Dios", lo que significa que los autores de la Fórmula mantuvieron la compatibilidad de los puntos de vista de Melanchthon y Lutero sobre la justificación y la unión con Cristo.

---

[33] En su comentario de 1556 sobre Romanos, Melanchthon gastó doce columnas de texto en el *Corpus Reformatorum*, edición para refutar la visión de Osiander antes de exponer la doctrina de la justificación. Wengert, "Melanchthon and Calvin," 65–66; cf. CR 15:855–67.

[34] Melanchthon, "Confutation of Osiander," 208.

[35] Ibid., 208–9.

[36] Ibid., 209.

[37] Wengert, "Melanchthon and Calvin," 66.

[38] Ver "The Solid Declaration of the Formula of Concord," art. 3, en *Robert Kolb and Timothy J. Wengert*, eds., *The Book of Concord: The Confessions of the Evangelical Lutheran Church*, trad. Charles P. Arand et al. (Minneapolis: Fortress, 2000), 573; cf. Charles P. Arand, James Nestingen, y Robert Kolb, eds., *The Lutheran Confessions: History and Theology of the Book of Concord* (Minneapolis: Fortress, 2012), 217–26.

Antes de proceder a discutir los puntos de vista reformados sobre la unión, debemos notar que algunos teólogos luteranos, como Martín Chemnitz, discutieron la doctrina en relación con la encarnación. Chemnitz creía que la salvación requería no solo la imputación de la justicia de Cristo sino también la encarnación. A través de la encarnación, el Hijo divino de Dios asumió la naturaleza humana y así unió divinidad y humanidad, "para que tengamos menos dudas de que su carne es de la misma sustancia que la nuestra y de que podemos estar seguros de que la encarnación del Hijo de Dios contribuye a la restauración de nuestra propia concepción, nacimiento y naturaleza entera."[39] En este sentido, Chemnitz creía que la encarnación marcaba la unión futura entre el pecador y Dios.[40] Para Chemnitz, la unión con Cristo y la encarnación iban mano a mano:

> Porque Cristo imparte y prodiga sus bendiciones sobre nosotros por la comunicación de sí mismo y por la unión con Él mismo. Él no hace esto mediante la comunicación y el intercambio de solo su naturaleza divina, sino también la de su carne y sangre (que se mencionan expresamente varias veces en Juan 6). La fe que agarra, sostiene y aplica a sí misma a Cristo se apoya no solo en su naturaleza divina, sino particularmente en esa naturaleza que está relacionada con nosotros y de la misma sustancia con nosotros, en la cual Él realizó la obra de la redención.[41]

Chemnitz mantuvo la doctrina de una justicia imputada y, como Lutero y Melanchthon, enfatizó que esta justicia ajena venía de la unión con Cristo —una comunión o *koinonía* entre Cristo y el creyente por la cual este último comparte en la naturaleza divina (2 Pe. 1:4).[42]

PERSPECTIVAS REFORMADAS

En el ala Reformada, los teólogos estaban igualmente ansiosos por afirmar la doctrina de la unión con Cristo.[43] Un teólogo reformado que escribió sobre la doctrina fue Juan Calvino. Como reformador de segunda generación, Calvino irrumpió en la escena con la publicación de su *Institución de la Religión Cristiana* de 1536.[44] Esta edición inicial de la *Institución* es un volumen bastante pequeño en contraste con la edición definitiva de 1559; tiene capítulos sobre la ley, el Credo de los Apóstoles, el Padrenuestro, los sacramentos, los cinco falsos sacramentos y la libertad cristiana. Calvino no trató la doctrina de la justificación, por ejemplo, en esta edición inicial. En 1539, sin embargo,

---

[39] Martin Chemnitz, *The Two Natures in Christ*, trans. J. A. O. Preus, vol. 6 of *Chemnitz's Works* (St. Louis, MO: Concordia, 2007), 56

[40] Olli-Pekka Vainio, *Justification and Participation in Christ: The Development of the Lutheran Doctrine of Justification from Luther to the Formula of Concord* (1580), Studies in Medieval and Reformation Traditions 130 (Leiden: Brill, 2008), 139. Para críticas mordaces de la tesis general de Vainio y la debilidad de su enjuiciamiento en puntos clave, ver Timothy J. Wengert, "Review of *Justification and Participation in Christ*," *Renaissance Quarterly 61*, no. 4 (2008): 1305–7.

[41] Chemnitz, *Two Natures*, 332.

[42] Ibid., 309; cf. Chemnitz, *Examination of the Council of Trent*, Part 1, trad. Fred Kramer, vol. 1 of *Chemnitz's Works* (St. Louis, MO: Concordia, 2007), 462; Chemnitz, *Loci Theologici*, Parts 2–3, trad. J. A. O. Preus, vol. 8 de*Chemnitz's Works* (St. Louis, MO: Concordia, 2008), 813–1042; cf. Vainio, *Justification and Participation*, 150–61.

[43] Para un estudio de varios teólogos reformados sobre la unión con Cristo, véase J. V. Fesko, *Beyond Calvin: Union with Christ and Justification in Early Modern Reformed Theology* (1517–1700), Reformed Historical Theology 20 (Göttingen: Vandenhoeck & Ruprecht, 2012).

[44] Juan Calvino, *Institutes of the Christian Religion* (1536 ed.), trad. Ford Lewis Battles, H. H. Meeter Center for Calvin Studies (Grand Rapids, MI: Eerdmans, 1975).

cuando Calvino publicó una segunda edición ampliada, incorporó la unión con Cristo en su capítulo recién agregado sobre la justificación. Calvino escribió,

> Cristo, que nos es dado por la bondad de Dios, es aprehendido y adquirido por nosotros por la fe, por una participación de la cual recibimos especialmente dos beneficios. En primer lugar, siendo por su inocencia reconciliado con Dios, tenemos en el cielo un Padre propicio en lugar de un juez; en el siguiente lugar, al ser santificados por su Espíritu, nos dedicamos a la inocencia y la pureza de la vida.[45]

Desde un punto de vista, Calvino se hizo eco de la construcción de Bernardo de la unión con Cristo y, como el doctor medieval, habló de una doble gracia. Pero a diferencia de Bernardo, quien denominó la doble gracia como arrepentimiento y perseverancia, Calvino los identificó como justificación y regeneración o santificación.[46]

Tan famosa como la *Institución* de Calvino por su lenguaje sobre el beneficio doble de la unión con Cristo, el famoso reformador de Ginebra no dio más detalles sobre la doctrina de la unión con Cristo. No hay un lugar o tratado particular, por ejemplo, donde Calvino explicara esta doctrina. En muchos aspectos, simplemente asumió la categoría y la empleó a lo largo de sus escritos.[47] Sin embargo, el único lugar donde aparecen detalles sobre su comprensión de la unión con Cristo se encuentra en varias cartas de Pedro Martyr Vermigli a Calvino y Teodoro Beza (1519-1605).

Vermigli se relacionó con los dos teólogos de Ginebra en la primavera de 1555, y el principal tema de discusión fue la unión con Cristo. En sus cartas a Beza y Calvino, Vermigli expuso una triple doctrina de unión con Cristo. Comenzó con la unión encarnacional: la unión universal que Cristo comparte con todas las personas en virtud de su encarnación como hombre. Vermigli basó esta unión, que él denominó la *unión natural*, en su comprensión de Hebreos 2:14.[48]

La segunda unión que Vermigli identificó, la llamó una *unión espiritual*. En su carta a Calvino, Vermigli describió estas dos uniones de la siguiente manera:

---

[45] Juan Calvino, *Institutes of the Christian Religion*, trad. John Allen (Grand Rapids, MI: Eerdmans, 1948), 3.11.1; cf. Calvino, *Institutio Christiane Religionis* (Strasbourg: Wendelinum Rihelium, 1539).

[46] Muchos reformadores del siglo dieciséis escribieron sobre la doctrina de la santificación bajo el término regeneración. Los desarrollos posteriores en teología distinguen entre el acto inicial de conversión (regeneración) y la transformación del creyente (santificación). A menos que se indique lo contrario, empleo la regeneración y la santificación en su uso contemporáneo.

[47] Existe un debate contemporáneo sobre la función de la unión con Cristo en la teología de Calvino, así como su relación con los tratamientos posteriores de la unión en la tradición reformada. Ver, por ejemplo, el siguiente intercambio: Thomas L. Wenger, "The New Perspective on Calvin: Responding to Recent Calvin Interpretations," *JETS* 50, no. 2 (2007): 311–28; Marcus Johnson, "New or Nuanced Perspective on Calvin? A Reply to Thomas Wenger," *JETS* 51, no. 3 (2008): 543–58; Thomas L. Wenger, "Theological Spectacles and a Paradigm of Centrality: A Reply to Marcus Johnson," *JETS* 51, no. 3 (2008): 559–72. En general, Wenger presenta un recuento más preciso de la visión de Calvino, una presentación impulsada por la sensibilidad histórica en lugar de las afirmaciones dogmáticas, como sucede con Johnson. Cf. Muller, *Calvin and the Reformed Tradition*, 202–43, 277–84, esp. 281. También tenga en cuenta J. Todd Billings, *Calvin, Participation, and the Gift: The Activity of Believers in Union with Christ* (Oxford: Oxford University Press, 2008); Billings, "Union with Christ and the Double Grace: Calvin's Theology and Its Early Reception," y Michael S. Horton, "Calvin's Theology of Union with Christ and the Double Grace: Modern Reception and Contemporary Possibilities". en *Calvin's Theology and Its Reception: Disputes, Developments, and New Possibilities*, ed. J. Todd Billings y I. John Hesselink (Louisville: Westminster John Knox, 2012), 49–71, 72–96.

[48] Pedro Martyr Vermigli, "Vermigli to Beza," en *The Peter Martyr Library*, vol. 5, *Life, Letters, and Sermons*, trad. y ed. John Patrick Donnelly, Sixteenth Century Essays and Studies 42 (Kirksville, MO: Thomas Jefferson University Press, 1999), 134–37; Vermigli, "Vermigli to Calvin," en *Gleanings of a Few Scattered Ears during the Period of the Reformation in England and of the Times Immediately Succeeding*, A.D. 1533 to A.D. 1588, ed. y tras. George C. Gorham (London: Bell and Daldy, 1857), 342.

"Tenemos aquí, hasta ahora, dos comuniones con Cristo. Una es natural, que derivamos a través de nuestro origen de nuestros padres; la otra se efectúa por el Espíritu de Cristo por el cual somos, desde nuestra propia regeneración, renovados a la manera de su gloria."[49]

Vermigli calificó a la tercera unión como una *unión mística*, que descansa entre las uniones natural y espiritual: "Otorgamos y creemos, tiene que haber un medio, que es secreto, entre el comienzo y el final de este tipo de comunión."[50] Por lo tanto, Vermigli postuló una unión triple: encarnacional, mística y espiritual. Es importante destacar en este punto el acuerdo de Calvino con Vermigli sobre esta triple unión: "Al dirigirme a usted, lo he visto brevemente, con la simple idea de mostrarle que estamos totalmente de acuerdo en el sentimiento."[51]

La unión triple que afirmaron Vermigli y Calvino fue muy similar a la opinión de Zanchi, que se presentó al comienzo de este capítulo. Es digno de mención el hecho de que Zanchi estudió con Vermigli y Calvino en diferentes momentos de su vida, lo que sugiere al menos dos de las fuentes de los puntos de vista de Zanchi sobre la unión. Esta unión triple abarca la encarnación hasta el eschaton. Al igual que la comprensión de Calvino del doble beneficio de la unión, a saber, la justificación y la santificación, Vermigli localizó los mismos dos aspectos de la redención en la unión mística y secreta que los creyentes comparten con Cristo. Vermigli escribió,

> A su debido tiempo, la fe se respira en los elegidos, por lo que pueden creer en Cristo; y así tienen no solo la remisión de los pecados y la reconciliación con Dios (en donde consiste el verdadero y sólido método de justificación), sino que, además, recibe la influencia renovadora del Espíritu por la cual nuestros cuerpos también, nuestra carne, sangre y naturaleza, son capaces de la inmortalidad, y se vuelven cada vez más y más conformes con Cristo (*Christiformia*), por así decirlo.[52]

Vermigli explicó además la naturaleza de esta unión mística:

> Pero creo que entre estas [uniones naturales y espirituales] hay una intermedia [unión mística], que es la fuente y el origen de toda la semejanza celestial y espiritual que obtenemos, junto con Cristo. Es aquello por lo cual, tan pronto como creemos, obtenemos a Cristo mismo, nuestra verdadera cabeza, y somos hechos sus miembros. Desde la Cabeza misma (como dice San Pablo [Efesios 4:15-16]) su Espíritu fluye, y se deriva a través de las articulaciones y ligamentos en nosotros, como sus miembros verdaderos y legítimos. Esta comunión con nuestra Cabeza es anterior, al menos en la naturaleza, si no en el tiempo, a esa comunión posterior que se introduce a través de la renovación.[53]

El argumento general de Vermigli, uno al cual Calvino dio su aprobación, es que la unión natural conduce a la unión mística, la residencia del creyente por la cual recibe su justificación, que sigue a su unión espiritual, una que encuentra su consumación en

---

[49] Vermigli, "Vermigli to Calvin," 343.

[50] Pedro Martyr Vermigli, "Vermigli to Beza," en *Loci Communes D. Petri Martyris Vermigli* (London: Henry Denham and Henry Middleton, 1583), 1109.

[51] Juan Calvino, "Calvin to Vermigli," en *Gleanings of a Few Scattered Ears During the Time of the Reformation in England and the Times Immediately Succeeding: 1533–88*, ed. y trad. George C. Gorham (London: Bell and Daldy, 1857), 352.

[52] Vermigli, "Vermigli to Calvin," 342–43; Vermigli, *Loci Communes*, 1095

[53] Vermigli, "Vermigli to Calvin," 343.

la completa glorificación del creyente, su transformación total a la imagen y semejanza de Cristo.

Al igual que sus homólogos luteranos, los teólogos reformados adoptaron y emplearon la doctrina de la unión con Cristo, y se mostraron igualmente preocupados por refutar las enseñanzas de Andreas Osiander. De hecho, en la edición definitiva de 1559 de su *Institución*, Calvino agregó siete nuevos párrafos específicamente para refutar los puntos de vista de Osiander.[54] Calvino estaba preocupado porque Osiander había introducido su "monstruosa noción de justicia esencial" y porque el mismo Calvino fue acusado por varios luteranos de tener una visión similar a la de Osiander.[55] Si alguna vez hubo un momento en que Calvino podría haber sido tentado a abandonar la doctrina de la unión con Cristo, sin duda habría sido frente a la doctrina de Osiander. Pero al igual que sus homólogos luteranos, en lugar de rechazar la doctrina, Calvino hizo una cuidadosa distinción. Calvino escribió: "Él dice que somos uno con Cristo. Esto lo admitimos; pero al mismo tiempo negamos que la esencia de Cristo se mezcle con la nuestra."[56] En un pasaje que hace eco de la declaración anterior de 1535 de Lutero enfatizando temas similares, a saber, que estamos cimentados a Cristo a través de la fe y de ese modo llegamos a ser uno con Él para recibir su justicia imputada, Calvino escribió:

> Atribuyo, por lo tanto, la mayor importancia a la conexión entre la cabeza y los miembros; a la inhabitación de Cristo en nuestros corazones, y a la unión mística mediante la cual gozamos de Él, para que al hacerse nuestro, nos haga partícipes de las bendiciones con las que está dotado. No afirmo que debamos mirar a Cristo de lejos y fuera de nosotros, para que su justicia pueda ser imputada a nosotros, sino en cuanto somos injertados en su cuerpo; en suma, en cuanto ha tenido a bien hacernos una sola cosa consigo mismo. He aquí por qué nos gloriamos de tener derecho a participar de su justicia.[57]

Calvino estaba contento de seguir empleando la doctrina de la unión con Cristo, pero tuvo cuidado, al igual que sus homólogos luteranos, al distinguir entre la morada divina y la justicia imputada.

De hecho, académicos recientes han ofrecido un análisis detallado de la refutación de Osiander por parte de Calvino y han determinado que Calvino se basó en varios teólogos luteranos, incluido Melanchthon, para construir su propia formulación.[58] Probablemente, Calvino hizo uso de los comentarios de Melanchthon de 1556 sobre Romanos, donde este último ofreció una serie de argumentos en contra de Osiander antes de exponer la doctrina de la justificación. Los paralelos entre los dos reformadores aparecen en varios frentes. Ambos apelan a (1) el hecho de que el lenguaje de la justificación es la terminología hebrea; (2) la naturaleza inseparable, pero distinta de la justificación y la santificación; (3) la experiencia del creyente acerca de las huellas del pecado que permanecen en los pecadores justificados; y (4) la

---

[54] Calvino, *Institución*, 3.11.5–12; Wengert, "Melanchthon and Calvin," 72.
[55] Calvino, *Institutes*, 3.11.5, traduccion de Allen; Wengert, "Melanchthon and Calvin," 75n43.
[56] Calvino, *Institutes*, 3.11.5, traducción de Allen.
[57] Ibid., 3.11.10, traducción de Allen; cf. Lutero, *Lectures on Galatians* (1535), LW 26:167–68.
[58] Wengert, "Melanchthon and Calvin," 71–82.

conciencia del creyente.[59] Esto no quiere decir que Melanchthon y Calvino refutaron a Osiander exactamente de la misma manera; ciertamente hay algunas diferencias entre ellos. Pero, en general, los teólogos reformados y luteranos se opusieron igualmente y de manera similar a la construcción de la unión de Osiander con Cristo.

Como se señaló en la introducción, una de las declaraciones más completas acerca de la unión con Cristo proviene de la confesión de fe de Zanchi. A diferencia de Calvino, que trató la unión esporádicamente en toda su *Institución*, Zanchi cubrió el tema como un encabezado importante en su confesión. Esta estructura organizacional es el resultado de las propias reflexiones de Zanchi sobre esta doctrina, una que se originó a partir de su trabajo exegético sobre la epístola de Pablo a los Efesios. Zanchi escribió un excurso doctrinal que apareció originalmente en su comentario sobre Efesios y luego fue traducido y publicado por separado como un tratado en sí mismo.[60] Zanchi argumentó que la primera unión, la natural, es el medio por el cual Cristo entró en la condición humana para que las personas pecaminosas pudieran participar de la segunda unión y así obtener acceso a su satisfacción.[61] En esta segunda unión, los redimidos se unieron e incorporaron a Cristo por el poder del Espíritu Santo.[62] Pero a pesar de que esta unión era espiritual, Zanchi estaba ansioso por argumentar que, sin embargo, era verdadera y real. A pesar de que los creyentes permanecían en la tierra, sin embargo, estaban realmente unidos al cuerpo y al alma de Cristo, que estaba sentado y reinando en el cielo.[63] Zanchi apeló a dos textos para apoyar estos argumentos: 2 Pedro 1:4, que somos "participantes de la naturaleza divina" y Efesios 5:30, que somos "miembros de su cuerpo", hueso de sus huesos y carne de su carne. En muchos sentidos, la confesión de Zanchi es un bosquejo de su comprensión de la unión con Cristo, mientras que su excurso ofrece una presentación completa de la doctrina.

En la actualidad, las discusiones sobre la unión con Cristo generalmente tratan asuntos que pertenecen a la soteriología, pero durante la Reforma, la unión abarcaba mucho más. Como ya hemos visto, las discusiones sindicales abarcaban la Cristología, pero también abrazaban la doctrina de la Cena del Señor.[64] Wolfgang Musculus ofrece un ejemplo de un teólogo que conecta la unión y la Cena del Señor. En su gran obra *Loci Communes Sacrae Theologiae* (Lugares comunes de la teología sagrada), Musculus no expuso la unión con Cristo en su soteriología, aunque sí reconoció la categoría en su discusión de la justificación.[65] Cuando Musculus discutió quién específicamente debería participar en la Cena del Señor, trazó una línea de

---

[59] Ibid., 78–80; cf. Calvino, *Institutes*, 3.11.11; Felipe Melanchthon, *Commentary on Romans*, trad. Fred Kramer (St. Louis, MO: Concordia, 1992), 106–21.

[60] Girolamo Zanchi, *An Excellent and Learned Treatise, of the Spiritual Marriage Betweene Christ and the Church, and Every Faithfull Man* (Cambridge: John Legate, 1592).

[61] Zanchi, *De Religione*, 12.6.

[62] Ibid., 12.7.

[63] Ibid., 12.8. Tenga en cuenta que tal afirmación sin duda encarna la enseñanza de Zanchi sobre la unión con Cristo, pero se forjó en medio de las controversias sacramentales reformadas por luteranos durante la época de Zanchi en Estrasburgo. Esta idea refleja así la comprensión reformada de Zanchi de la Cena del Señor en contraste con los puntos de vista luteranos. Ver Zanchi, *De Religione*, 1.4–6; Arand, Nestingen, y Kolb, *Lutheran Confessions*, 212–14.

[64] Las formulaciones reformadas después de la Reforma también abarcaron la doctrina de la elección, donde los teólogos postularon la unión del decreto, así como las uniones legales y federales, para integrar las doctrinas del pacto y la imputación. Ver Fesko, *Beyond Calvin*, 318–79.

[65] Wolfgang Musculus, *Loci Communes Sacrae Theologiae* (Basel: Johannes Hervagius, 1567), 582; Musculus, *Common Places of Christian Religion* (London: R. Wolfe, 1563), fols. 227–28; Muller, *Calvin and the Reformed Tradition*, 217.

demarcación con la doctrina de la unión con Cristo. Musculus escribió, "Primero, debemos ser miembros en el cuerpo de Cristo. Porque el que aún no ha sido injertado en Cristo, pero todavía es miembro de una ramera, no puede ser alimentado con esta carne, el cuerpo de Cristo con el cual la iglesia es alimentada."[66] Solo aquellos que están en unión con Cristo, por lo tanto, pueden participar de la Cena y comer sacramentalmente su carne y beber su sangre.

Para los teólogos reformados, la unión con Cristo tocaba la doctrina de los sacramentos porque fueron los medios por los cuales los creyentes podían fortalecer y alimentar su comunión con Cristo. La unión y la comunión van de la mano. A este respecto, Calvino, por ejemplo, sostuvo que, para efectuar la unión del creyente con Cristo, el Espíritu Santo emplea un doble instrumento: Palabra y sacramento.[67] Calvino argumentó que en la predicación de la Palabra y la administración de los sacramentos hay dos ministros, el externo y el interno. El ministro externo administra la Palabra vocal y los signos sagrados, mientras que el ministro interno, el Espíritu Santo, trabaja libremente en los corazones de quien elija para lograr su unión con Cristo. "Esta unión", escribió Calvino, "es algo interno, celestial e indestructible."[68] Por lo tanto, Calvino explicó:

> En la predicación de la Palabra, el ministro externo pronuncia la palabra vocal, y es recibida por los oídos (Hechos 16:14). El ministro interno, el Espíritu Santo, comunica verdaderamente lo que se proclama por medio de la Palabra, es decir, Cristo, a las almas de todos los que lo desean, de modo que no es necesario que Cristo o su Palabra sea recibido a través de los órganos del cuerpo, sino que el Espíritu Santo efectúa esta unión mediante su virtud secreta, al crear fe en nosotros, mediante la cual nos hace miembros vivos de Cristo, verdadero Dios y verdadero hombre.[69]

Este tipo de relación entre la unión con Cristo, la predicación y los sacramentos es común, y aparece en otros teólogos reformados como Zanchi.

Zanchi, por ejemplo, describió la relación entre la unión y los sacramentos de una manera similar a la de Calvino:

> Creemos que su Espíritu, mediante el cual Cristo se une a nosotros y nosotros a Él, y une su carne con la nuestra y la nuestra con la suya, nos es comunicado del mismo Cristo por su mera gracia, cuándo, dónde y cómo le place, pero ordinariamente en la predicación del Evangelio y la administración de los sacramentos. De lo cual fue un testimonio visible, que leemos, cómo ellos en la iglesia primitiva, que abrazaron el Evangelio por la fe, y eran bautizados en el nombre de Cristo o sobre quienquiera que eran puestas las manos, además de la gracia invisible también recibió diversos dones sensibles del Espíritu.[70]

Para Zanchi, como para Calvino, la unión viene a través de la Palabra y la Santa Cena, pero esta unión se nutre a través de la comunión con Cristo. Observe cómo Zanchi

---

[66] Musculus, *Loci Communes*, 820; Musculus, *Common Places*, fol. 324. Modifiqué la traducción ofrecida en la última edición citada.

[67] Juan Calvino, "Summary of Doctrine concerning the Ministry of the Word and the Sacraments," en *Calvin: Theological Treatises*, trad. J. K. S. Reid, LCC 22 (London: SCM, 1960), 172.

[68] Ibid., 173.

[69] Ibid.

[70] Zanchi, *De Religione*, 12.11.

unió todas estas ideas (unión, salvación, morada, sacramentos y comunión) en la siguiente declaración:

> Con lo cual nos reunimos fácilmente, que es el principal objetivo tanto de predicar el Evangelio como de administrar los sacramentos, a saber, esta comunión con Cristo, el Hijo de Dios encarnado, que sufrió y murió por nosotros, pero ahora reina en el cielo e imparte salvación y vida a sus elegidos. Que la comunión fue comenzada aquí, pero debía ser perfeccionada en el cielo, para que nosotros, mediante esta verdadera y real copulación de nosotros mismos con su carne y sangre y toda su persona, también podamos ser hechos partícipes de la salvación eterna, la cual fue comprada por Él y aún persiste y permanece en Él.[71]

Zanchi no empleó los términos específicos en su explicación, pero su comprensión de la unión triple (natural, mística y escatológica) yace debajo de la superficie. La Cristología, la soteriología, la pneumatología, la eclesiología y la escatología descansan bajo la rúbrica de la triple doctrina de la unión de Zanchi con Cristo. Recordemos una vez más que tales formulaciones eran parte de la confesión de fe de Zanchi, una destinada a una amplia aceptación. Es decir, tales puntos de vista eran comunes entre los teólogos reformados.[72]

Contexto más amplio

CATOLICISMO ROMANO

Para apreciar y captar la naturaleza de las comprensiones protestantes de la unión con Cristo, deben ponerse en el contexto de otras formulaciones del siglo XVI, especialmente las de la Iglesia católica romana, socinianos y Jacobo Arminio. Algunos análisis históricos recientes dan la impresión de que una de las grandes diferencias entre Calvino y la Iglesia Católica Romana fue que el primero enseñó la unión con Cristo, mientras que la segunda no.[73] Tal caracterización, sin embargo, es engañosa. Primero, como se señaló anteriormente en este capítulo, varios teólogos medievales, como Tomás de Aquino, Kempis, Bernardo y Gerson, escribieron sobre la unión con Cristo. Estas diferentes formulaciones alimentaron la comprensión católica de la unión con Cristo, que encontró su principal codificación en los pronunciamientos del Concilio de Trento. Las afirmaciones de Trento no tienen un decreto o sesión específica que trate la unión con Cristo, pero la doctrina aparece en varios lugares, como en el decreto sobre la justificación. Trento, por ejemplo, afirma, "Porque el mismo Jesucristo continuamente imparte fortaleza a los justificados, como la cabeza a los miembros y la vid a las ramas, y esta fuerza siempre precede, acompaña y sigue sus buenas obras."[74] Trento emplea la *unión con* el lenguaje de *Cristo*, que proviene del famoso discurso de la vid y las ramas de Cristo (Juan 15:1-11). Por lo tanto, Trento, al igual que los teólogos protestantes, entrelaza la justificación y la unión con Cristo.

---

[71] Ibid., 12.12.

[72] Para contribuciones de otros teólogos reformados, como Heinrich Bullinger (1504-1575), ver Fesko, *Beyond Calvin,* 173–87. Cristo recibe tratamiento disperso a través de varias confesiones reformadas. Ver, por ejemplo, la confesión escocesa, art. dieciséis; la segunda confesión helvética, cap. 17; la confesión belga, arts. 14-15, 22-24, 28-29. La unión también aparece en las confesiones reformadas posteriores a la Reforma, como los Estándares de Westminster; ver el Catecismo Mayor, p. 58, 66 y CFW 25.1-2.

[73] Craig B. Carpenter, "A Question of Union with Christ? Calvin and Trent on Justification," *WTJ* 64 (2002): 363–86

[74] *Dogmatic Decrees of the Council of Trent* (1545–63), sess. 6, cap. 16, en *CCFCT* 2:835.

Pero, ¿cómo explica Trento el origen de esta unión? El catecismo oficial creado por Trento explica,

> Por el bautismo también estamos unidos a Cristo, como miembros de su Cabeza. Por lo tanto, desde la cabeza procede el poder por el cual los diferentes miembros del cuerpo se mueven en el desempeño apropiado de sus respectivas funciones, así desde la plenitud de Cristo el Señor se difunden la gracia divina y la virtud a través de todos los que están justificados, calificándolos para el desempeño de todos los deberes de la piedad cristiana.[75]

Según Trento, el bautismo acerca a las personas a la unión con Cristo. Los teólogos católicos, por lo tanto, enseñaron la doctrina de la unión con Cristo. Tanto los católicos romanos como los protestantes creían que el Espíritu Santo regenera a los pecadores y los une a Cristo. Pero para Roma esto ocurre *ex opere operato* ("de la obra realizada") a través de las aguas del bautismo, mientras que para los teólogos protestantes esto sucede en la *sola fide*. Los teólogos protestantes, tanto luteranos como reformados, se unieron en su énfasis en la *sola fide*.[76]

Por ejemplo, según Lutero, la fe era el medio por el cual Cristo moraba en los pecadores; para el reformador alemán, Cristo estuvo presente en la fe.[77] En contraste, Trento sostuvo que el bautismo, aparte de la fe, une a los pecadores con Cristo. En el bautismo de la persona, el agua imparte la infusión de las virtudes habituales —fe, esperanza, amor— y la morada de Cristo. El bautismo del pecador constituye su justificación *inicial* a través de la unión con Cristo y la infusión de estas virtudes. Por la fe trabajando a través del amor y a través de estas virtudes infundidas, la persona bautizada busca ser más justa. En la consumación y el juicio final, Dios juzgará a la persona bautizada y determinará si realmente es justa. Solo en el juicio final Dios pronunciará el veredicto de su justificación *final*; por lo tanto, para los teólogos de Trento y católicos romanos, la justificación es doble.[78]

Las diferentes doctrinas de unión con Cristo, informadas por entendimientos dispares de justificación, aparecen claramente en la descripción de Lutero de los dos puntos de vista diferentes:

> Donde hablan de amor, hablamos de fe. Y mientras dicen que la fe es el mero bosquejo, pero el amor son sus colores vivos y su terminación, decimos en oposición que la fe se apodera de Cristo y que Él es la forma que adorna e informa la fe como el color lo hace.

---

[75] *Catechism of the Council of Trent*, trad. John A. McHugh y Charles J. Callan (Rockford, IL: Tan Books, 1982), 188.

[76] El acuerdo general entre los puntos de vista luterano y reformado sobre *sola fide* y la justificación aparece en la *Armonía de las Confesiones de Fe* (1581), un documento reunido bajo la guía de Teodoro Beza. Era la contraparte reformada de la Fórmula de la Concordia, y uno de sus principales propósitos era demostrar el acuerdo entre las iglesias reformada y luterana en una serie de cuestiones doctrinales. Ver Jean-François Salvard, *The Harmony of Protestant Confessions: Exhibiting the Faith of the Churches of Christ, Reformed after the Pure and Holy Doctrine of the Gospel, throughout Europe*, ed. Peter Hall (London: John F. Shaw, 1842), 148–210; cf. Jill Raitt, "Harmony of Confessions of Faith," OER 2:211–12. También es digno de notar J. Todd Billings, "The Contemporary Reception of Luther and Calvin's Doctrine of Union with Christ: Mapping a Biblical, Catholic, and Reformational Motif," en *Calvin and Luther: The Continuing Relationship*, ed. R. Ward Holder, Refo500 Academic Studies 12 (Göttingen: Vandenhoeck & Ruprecht, 2013), 165, 173–80.

[77] Lutero, *Lectures on Galatians* (1535), LW 26:129.

[78] En la justificación doble, ver, por ejemplo, Ambrosius Catharinus Politus, *Liber de Perfecta Iustificatione a Fide et Operibus*, en *Speculum Haerticorum* (Lugduni: Antonium Vicentium, 1541), 180–248; *Decrees of the Council of Trent*, sess. 6, caps. 10–13, en *CCFCT* 2:831–33.

Por lo tanto, la fe cristiana no es una cualidad ociosa ni una cáscara vacía en el corazón, que puede existir en un estado de pecado mortal hasta que llega el amor para hacerlo vivir. Pero si es verdadera fe, es una confianza segura y una firme aceptación en el corazón. Se apodera de Cristo de tal manera que Cristo es el objeto de la fe, o más bien no el objeto sino, por así decirlo, el que está presente en la fe misma.[79]

Las diferencias entre las dos perspectivas son palpables. Trento presentó una doctrina de la justificación por la unión con Cristo, que viene inicialmente a través del bautismo y se complementa con las buenas obras del creyente y los esfuerzos de Cristo para lograr su justificación final.[80] Los teólogos protestantes, por otro lado, sostuvieron que el Espíritu lleva a los pecadores a la unión con Cristo por medio de la fe sola y que en Cristo reciben la doble gracia de la justificación y la santificación. Los teólogos reformados argumentaron que la Palabra y los sacramentos juegan un papel para unir a los pecadores a la unión con Cristo, pero no *ex opere operato*. Para los protestantes, el Espíritu Santo, no el agua, une a la gente a Cristo solo por la fe.[81]

SOCINIANISMO

Los teólogos socinianos ofrecieron su punto de vista único sobre la doctrina de la unión con Cristo. La teología Sociniana surgió en gran medida del cuerpo de escritos y enseñanzas de Fausto Socino, aunque escribió muy poco para las masas. Sin embargo, el espíritu de su teología finalmente fue capturado y codificado en el Catecismo de Racovia (1605). Los socinianos eran teólogos anti-Trinitarios, lo que significa que no creían en la deidad de Cristo o del Espíritu Santo. Por lo tanto, desde el principio, es evidente que la opinión de los socinianos difería significativamente de los teólogos católicos romanos, luteranos y reformados, quienes abrazaban y promovían la doctrina de la Trinidad. Sin embargo, esto no significa que la teología Sociniana esté desprovista de una doctrina de unión con Cristo.

El Catecismo de Racovia, por ejemplo, afirma que Jesús, que no es divino, está en unión con Dios:

Su unión es discernible en esto, que Dios, desde el comienzo del nuevo pacto, ha realizado, a través de la instrumentación de Cristo, y en lo sucesivo logrará finalmente, todas las cosas que de alguna manera se relacionan con la salvación de la humanidad, y también, en consecuencia, a la destrucción de los malvados.[82]

El catecismo sostiene que Cristo, por lo tanto, está en unión con Dios a través del Espíritu Santo, que no es la tercera persona divina de la Trinidad, sino una "virtud o energía que fluye de Dios a los hombres y se comunica con ellos."[83] Por extensión, aquellos que creen en Cristo también están en unión con Él: "Porque nadie es miembro

---

[79] Lutero, *Lectures on Galatians* (1535), LW 26:129

[80] Hubert Jedin, *A History of the Council of Trent*, vol. 2, *The First Sessions at Trent*, 1545–47, trad. Dom Ernest Graf (London: Thomas Nelson and Sons, 1961), 185, 188–89, 247, 255–56, 308.

[81] Vea, por ejemplo, el Catecismo de Heidelberg, p. 65–66; la Confesión belga, arts. 33–34; la Segunda Confesión Helvética, 19.11; "The Augsburg Confession," art. 13, en Kolb and Wengert, *Book of Concord*, 47; "Apology of the Augsburg Confession," art. 4, en Kolb y Wengert, *Book of Concord*, 140.

[82] Thomas Rees, ed. y trad., *The Racovian Catechism: With Notes and Illustrations, Translated from the Latin; to Which Is Prefixed a Sketch of the History of Unitarianism in Poland and the Adjacent Countries* (London: Longman, Hurst, Orme, and Brown, 1818), 4.1.

[83] Ibid., 5.6.

de esta iglesia que no tenga verdadera fe en Cristo y verdadera piedad; porque por fe somos injertados en el cuerpo de Cristo, y por fe y piedad permanecemos en Él."[84]

La negación sociniana de la Trinidad no significa que carecían de una doctrina de unión con Cristo. Los creyentes están unidos a Cristo al creer en Él. Juntos, Cristo y su cuerpo están unidos a Dios por el poder y la energía que fluye de Él a ambos. No están habitados por la tercera persona de la Trinidad, sino que se apoderan del poder impersonal de un dios unitario. Este tipo de construcción impacta obviamente en cómo los socinianos articulan la justificación y la santificación, que son denominadas como la doble bendición de la unión con Cristo por los teólogos luteranos y reformados. En las formulaciones protestantes, la unión con Cristo otorga al creyente tanto la residencia de Cristo a través del Espíritu Santo como la justicia imputada de Cristo. Pero en las formulaciones socinianas, el creyente no recibe la justicia imputada de Cristo. Socino creía que Cristo no merecía la recompensa ni por sí mismo ni por los demás.[85] Esto significa que cualquier persona unida a Cristo tuvo que rendir su propia obediencia para asegurar su justificación.

En contraste con la enseñanza clásica de la Reforma, que define la fe como la confianza en Cristo, Socino creía que la obediencia es la sustancia y la forma de la fe. Socino hizo este punto en términos muy claros: "La fe que justifica es esto, obediencia a Dios."[86] Por lo tanto, los creyentes reciben el perdón de los pecados a través de "la penitencia y una vida cambiada."[87] En el entendimiento sociniano, la unión con Cristo proporciona al creyente la oportunidad de aferrarse al poder impersonal de Dios mediante el cual puede llevar una vida de penitencia cambiada y así asegurar su justificación y vida eterna. Hay algunas similitudes entre los puntos de vista sociniano y protestante, pero las diferencias son mucho más significativas. Para los reformadores, Cristo salva; para los socinianos, Cristo solo señala una puerta a través de la cual los creyentes deben entrar y salvarse por su propia obediencia. Sin embargo, tanto los reformadores protestantes como los socinianos discuten sus opiniones ampliamente divergentes bajo la rúbrica de la unión con Cristo.

ARMINIANISMO

Arminio representa otra variante de la doctrina de la unión con Cristo, una que tiene grandes similitudes con los puntos de vista de la Reforma, pero también está en contraste con ellos. Muy parecido a los teólogos luteranos y reformados, Arminio argumentó que la unión es una categoría teológica clave: "La teología puede llamarse, con la mayor corrección, la unión de Dios con el hombre."[88] Los humanos entran en unión con Dios a través del Redentor, a través de Jesús. Arminio, por lo tanto, define la unión con Cristo de la siguiente manera:

---

[84] Ibid., 8.4.

[85] Alan W. Gomes, "Faustus Socinus' *De Jesu Christo Servatore*, Part III: Historical Introductions, Translation, and Critical Notes" (PhD diss., Fuller Theological Seminary, 1990), 3.5. En lo sucesivo citado como Socino, *De Jesu Christo Servatore*.

[86] Fausto Socino, *Tractatus Justificatione*, en *Opera Omnia in Duos Tomos Distincta* (Amsterdam, 1656), 1:610.

[87] Socinus, *De Jesu Christo Servatore*, 3.2.

[88] Jacobo Arminio, "Oration II: The Author and End of Theology," en *The Works of James Arminius*, trad. James Nichols y William Nichols (1825–1875; repr., Grand Rapids, MI: Baker, 1996), 1:362–63. Todas las citas posteriores de Arminio se toman de esta traducción al inglés y enumerarán el nombre del tratado seguido de la ubicación en *Works*.

Esa conjunción espiritual y más estricta y por lo tanto místicamente esencial, por la cual los creyentes, siendo conectados inmediatamente por Dios el Padre y Jesucristo por el Espíritu de Cristo y de Dios, con Cristo mismo, y por medio de Cristo con Dios, se hacen uno con Él y el Padre, y se hacen partícipes de todas sus bendiciones, para su propia salvación y la gloria de Cristo y de Dios.[89]

En esta etapa, Arminio abogó por una definición común y una formulación de unión con Cristo. Él también, al igual que los teólogos luteranos y reformados, presentó la justificación y la santificación como el doble beneficio de la unión con Cristo.[90] Pero para Arminio, la justificación no fue un juicio indefectible; un creyente podría perder su estado justificado. Arminio afirmó que "era posible que los creyentes finalmente se negaran o cayeran de la fe y la salvación."[91] A este respecto, Arminio creía que "si David hubiera muerto en el mismo momento en que había pecado contra Urías por adulterio y asesinato, habría sido condenado a muerte eterna."[92]

Arminio, por lo tanto, sostuvo el doble beneficio de la unión con Cristo, la justificación y la santificación, pero en su opinión, la justificación era defectuosa y dependía de la perseverancia final del creyente. Era un proceso en lugar de una declaración de una vez por todas, como afirmaron Lutero y otros teólogos protestantes.[93] Arminio creía que la justificación era doble y, por lo tanto, incompleta hasta el juicio final:

Pero el fin y la consumación de la justificación se acercarán al final de la vida, cuando Dios otorgue, a aquellos que terminan sus días en la fe de Cristo, para encontrar su misericordia absolviéndolos de todos los pecados que se han perpetrado a través de la totalidad de sus vidas. La declaración y la manifestación de la justificación estarán en el futuro juicio general.[94]

La formulación de Arminio fue similar a los desarrollos luteranos posteriores con respecto a las elecciones, la perseverancia de los santos y una justificación defectuosa, pero está en contraste con Lutero y la tradición confesional reformada.[95]

Conclusión

Según los teólogos de la Reforma, la unión con Cristo es una doctrina clave, que abarca una serie de enseñanzas tales como la encarnación, la soteriología (justificación y santificación), la eclesiología (incluidos los sacramentos) y la escatología. Pero solo porque alguien invoca la categoría no significa que automáticamente conlleve los mismos compromisos doctrinales. Los teólogos católicos, luteranos, reformados, arminianos e incluso socinianos defendían las doctrinas de la unión con Cristo. Todos

---

[89] Jacobo Arminio, *Private Disputations*, 45.3, en *Works*, 2:402.

[90] Ibid., 48.1, en *Works*, 2:405.

[91] Jacobo Arminio, *The Apology or Defense of James Arminius*, art. 2, en *Works*, 1:741.

[92] Jacobo Arminio, *Certain Articles*, 20.8, en *Works*, 2:725.

[93] Ver, por ejemplo, Daphne Hampson, *Christian Contradictions: The Structures of Lutheran and Catholic Thought* (Cambridge: Cambridge University Press, 2001), 9–55.

[94] Arminio, *Private Disputations*, 48.12, en *Works*, 2:407.

[95] Cf., por ejemplo, "Solid D eclaration", art. 11, en Kolb y Wengert, *Book of Concord*, 640–56; cf. Arand, Nestingen, y Kolb, *Lutheran Confessions*, 201–16; Theodor Mahlmann, "Die Stellung der unio cum Christo in der lutherischen Theologie des 17 Jahrhunderts," en *Unio: Gott und Mensch in der nachreformatorischen Theologie*, ed. Matti Repo y Rainer Vinke (Helsinki: Luther-Agricola-Gesellschaft, 1996), 72–199. Agradezco a Robert Kolb por alertarme sobre esta última fuente citada.

estuvieron de acuerdo en que la doctrina es bíblica y, por lo tanto, necesaria, pero no todos estuvieron de acuerdo en los detalles. Todos estuvieron de acuerdo en que hay un bosque, pero no todos vieron los mismos árboles. Dependiendo del punto de vista de uno, literalmente, el demonio está en los detalles.

Recursos para un Estudio Adicional

FUENTES PRIMARIAS

Aquino, Tomás. *Summa Theologica*. Reimpresión, Allen, TX: Christian Classics, 1948.

Arminio, Jacobo. *The Works of James Arminius*. Traducido por James Nichols y William Nichols. 3 vols. 1825–1875. Reimpresión, Grand Rapids, MI: Baker, 1996.

Calvino, Juan. *Institución de la Religion Cristiana*. Grand Rapids: Libros Desafío, 2012.

Catechism of the Council of Trent. Traducido por John A. McHugh and Charles J. Callan. Rockford, IL: Tan Books, 1982.

Chemnitz, Martin. *Chemnitz's Works*. Traducido por Fred Kramer, Luther Poellot, J. A. O. Preus, y Georg Williams. 8 vols. St. Louis, MO: Concordia, 2007.

Gerson, Jean. *Selections from "A Deo Exivit," "Contra Curiositatem Studentium," and "De Mystica Theologia Speculativa."* Editado y traducido por Steven E. Ozment. Textus Minores 38. Leiden: Brill, 1969.

Lombardo, Pedro. *The Sentences*. Traducido por Giulio Silano. 4 vols. Mediaeval Sources in Translation 42–43, 45, 48. Toronto: Pontifical Institute of Mediaeval Studies, 2007–2010.

Lutero, Martín. *Lectures on Galatians (1535)*. Vols. 26–27 en *Luther's Works*. Editado por Jaroslav Pelikan. St. Louis, MO: Concordia, 1963.

Melanchthon, Felipe. "Confutation of Osiander (September 1555)." En *Documents from the History of Lutheranism 1517–1750*. Editado por Eric Lund. Minneapolis: Fortress, 2002.

Musculus, Wolfgang. *Common Places of Christian Religion*. London: R. Wolfe, 1563.

_____. *Loci Communes Sacrae Theologiae*. Basel: Johannes Hervagius, 1567.

Osiander, Andreas. *Disputatio de Iustificatione (1550)*.En *Gesamtausgabe*, *9:422–47*. Gütersloh: Gütersloh Verlagshaus, 1994.

Rees, Thomas, ed. y trad. *The Racovian Catechism: With Notes and Illustrations, translated from the Latin; to Which Is Prefixed a Sketch of the History of Unitarianism in Poland and the Adjacent Countries*. London: Longman, Hurst, Rees, Orme, and Brown, 1818.

Salvard, Jean-François. *The Harmony of Protestant Confessions: Exhibiting the Faith of the Churches of Christ, Reformed after the Pure and Holy Doctrine of the Gospel, throughout Europe*. Editado por Peter Hall. London: John F. Shaw, 1842.

Staupitz, Johann von. "Eternal Predestination and Its Execution in Time." En *Forerunners of the Reformation: The Shape of Late Medieval Thought*, editado por Heiko A. Oberman y traducido por Paul L. Nyhus, 175–203. Library of Ecclesiastical History. Cambridge: James Clark, 1967.

Vermigli, Pedro Martyr. "Vermigli to Beza." En *The Peter Martyr Library. Vol. 5, Life, Letters, and Sermons*, traducido y editado por John Patrick Donnelly, 134–37. Sixteenth Century Essays and Studies 42. Kirksville, MO: Thomas Jefferson University Press, 1999.

_____. "Vermigli to Calvin." En *Gleanings of a Few Scattered Ears during the Period of the Reformation in England and of the Times Immediately Succeeding, A.D. 1553 to A.D. 1588.* Editado y traducido por George C. Gorham. London: Bell and Daldy, 1857.

Zanchi, Girolamo. *De Religione Christiana Fides – Confession of Christian Religion.* Editado por *Luca Baschera* y *Christian Moser.* 2 vols. Studies in the History of Christian Traditions 135. Leiden: Brill, 2007.

_____. *An Excellent and Learned Treatise, of the Spiritual Marriage Betweene Christ and the Church, and Every Faithfull Man.* Cambridge: John Legate, 1592.

FUENTES SECUNDARIAS

Arand, Charles P., James A. Nestingen, y Robert Kolb, eds. *The Lutheran Confessions: History and Theology of the Book of Concord.* Minneapolis: Fortress, 2012.

Billings, J. Todd. "The Contemporary Reception of Luther and Calvin's Doctrine of Union with Christ: Mapping a Biblical, Catholic, and Reformational Motif." En *Calvin and Luther: The Continuing Relationship*, editadopor R. Ward Holder, 165–82. Refo500 Academic Studies 12. Göttingen: Vandenhoeck & Ruprecht, 2013.

Fesko, J. V. *Beyond Calvin: Union with Christ and Justification in Early Modern Reformed Theology (1517–1700).* Reformed Historical Theology 20. Göttingen: Vandenhoeck & Ruprecht, 2012.

Hampson, Daphne. *Christian Contradictions: The Structures of Lutheran and Catholic Thought.* Cambridge: Cambridge University Press, 2001.

Jedin, Hubert. *A History of the Council of Trent.* Vol. 2. The First Sessions at Trent, 1545–47. Traducido por Dom Ernest Graf. London: Thomas Nelson and Sons, 1961.

Mattes, Mark. "Luther on Justification as Forensic and Effective." En *The Oxford Handbook of Martin Luther's Theology*, editado por Robert Kolb, Irene Dingel, y L'ubomír Batka, 264–73. Oxford: Oxford University Press, 2014.

Muller, Richard A. *Calvin and the Reformed Tradition: On the Work of Christ and the Order of Salvation.* Grand Rapids, MI: Baker Academic, 2012.

Wengert, Timothy J. *Defending the Faith: Lutheran Responses to Andreas Osiander's Doctrine of Justification, 1551–1559.* Spätmittelalter, Humanismus, Reformation 65. Tübingen: Mohr Siebeck, 2012.

_____. "Philip Melanchthon and John Calvin against Andreas Osiander: Coming to Terms with Forensic Justification." En *Calvin and Luther: The Continuing Relationship, edited by R. Ward Holder, 63–88.* Refo500 Academic Studies 12. Göttingen: Vandenhoeck & Ruprecht, 2013.

La Esclavitud y la Libertad de la Voluntad

Matthew Barrett

RESUMEN

Reformadores de primera y segunda generación como Martín Lutero, Juan Calvino y Pedro Martyr Vermigli fueron fuertes defensores del monergismo, argumentando que la voluntad del hombre está en esclavitud al pecado y que, por lo tanto, solo Dios debe obrar para llamar y regenerar efectivamente a sus elegidos. El pecador no es activo, cooperando en este evento salvífico, sino que es pasivo, está muerto en el pecado y esclavizado a su naturaleza corrupta. Sin embargo, Felipe Melanchthon finalmente introdujo un énfasis interpretado por los reformadores compañeros como sinérgico, sugiriendo que, si bien la habilitación del Espíritu es necesaria, incluso el Espíritu depende de la cooperación y el consentimiento de la voluntad. Este capítulo explora los debates que estos reformadores ingresaron no solo con sus némesis católicos y humanistas sino también, como en el caso de Melanchthon, con sus compañeros reformadores y discípulos sobre cómo definir el libre albedrío, la necesidad divina, la contingencia y el llamado de Dios sobre los pecadores.

Introducción

Es "una mezcla miserable" (*unglückliches Machwerk*). Esa fue la evaluación que Albrecht Ritschl dio al *De servo arbitrio* de Martín Lutero.[1] Ciertamente, numerosos católicos en el siglo dieciséis habrían estado de acuerdo. Sin embargo, donde Ritschl veía una "mezcolanza", Lutero y muchos otros reformadores veían doctrina bíblica. En otras palabras, los reformadores afirmaron la esclavitud de la voluntad porque creían que la Escritura lo enseñaba, y la Escritura era su autoridad final (*sola Scriptura*). Sin embargo, aunque su atractivo estaba ante todo en las Escrituras, también creían que su afirmación de una voluntad esclavizada estaba bien fundada en la tradición de Agustín, particularmente en sus escritos anti-Pelagianos. En su núcleo, los reformadores se vieron a sí mismos recuperando el Agustinianismo.

---

[1] Albrecht Ritschl, *Die christliche Lehre von der Rechtfertigung und Versöhnung* (Bonn: Marcus, 1870), 1:221.

Sin embargo, las tradiciones que evolucionaron después de Agustín y llevaron hasta la era de la Reforma fueron diversas. Mientras que la *via moderna* (Guillermo de Ockham, Pierre d'Ailly, Robert Holcot y Gabriel Biel) mantuvo una visión optimista de las capacidades del hombre, la *schola Augustiniana moderna* (Thomas Bradwardine, Gregory de Rimini y Hugolino de Orvieto) fue mucho más pesimista, exponiendo la incapacidad del hombre aparte de la gracia soberana.

La *via moderna*, sin embargo, tuvo un impacto incalculable en la iglesia de finales de la Edad Media, particularmente en el nivel laico, ya que las formas de sinergia se enraizaron en el contexto de una teología sacramental. Con una melodía de alianza, la *via moderna* cantaba: "Dios no negará la gracia a cualquiera que haga lo que está dentro de ellos" *(facienti quod in se est Deus non denegat gratiam)*.[2] Por el contrario, los reformadores encendieron un renacimiento agustiniano impulsado soteriológicamente, uno que una vez más expuso la inhabilidad espiritual del hombre y la confianza absoluta en la gracia eficaz de Dios y la soberanía divina en la salvación.

El *De servo arbitrio* de Martín Lutero

Quizás ninguna disputa encapsuló la esencia de este debate tan temprano en la historia de la Reforma como el combate entre Martín Lutero y Erasmo.[3] En los años previos al debate Erasmo-Lutero, el primero sentía la presión de hablar a favor o en contra de Lutero y su reforma. Erasmo había tenido éxito relativamente en resistir tales peticiones, lo que le agradó, ya que deseaba permanecer neutral. Aunque Lutero había escrito a Erasmo en 1519 para persuadirlo de unirse a su causa, Erasmo insistió en que no debía tomar partido. Sin embargo, con el tiempo, Erasmo se volvió cada vez menos comprensivo y se irritó aún más con los ataques de Lutero contra Roma. Eventualmente, Erasmo decidió que debía desvincularse de Lutero mientras simultáneamente intentaba no dañar la causa de la reforma que ambos deseaban.[4] Dado su desacuerdo con los puntos de vista de Lutero sobre la gracia y el libre albedrío en *An Assertion of All the Articles of Martin Luther Condemned by the Latest Bull of Leo X* [Una afirmación de todos los artículos de Martín Lutero condenados por la última bula de Leo X] (1520), Erasmo creyó que había encontrado la oportunidad correcta de criticar y distanciarse de Lutero.[5] Así que en 1524, Erasmo publicó su diatriba, *De libero arbitrio* (*La Libertad de la Voluntad*), que sostenía que la negación de libre albedrío y la afirmación de que todo sucedía por necesidad contradecía las creencias de la Iglesia en épocas pasadas. Lutero respondió a Erasmo con *De servo arbitrio* (*La Voluntad Determinada* [o *La Esclavitud de la Voluntad*]) en 1525, argumentando tanto en las Escrituras como en la tradición que la voluntad es esclava y depende totalmente de la gracia de Dios para la liberación. Como resultado de estas publicaciones, la postura de Erasmo hacia el reformador y la percepción que Lutero tenía del humanista ya no era un secreto. Ahora todos sabían que Erasmo no apoyaría la reforma de Lutero ni se pondría de su parte contra Roma, sino que se opondría a la teología de la gracia soberana de Lutero.

---

[2] Dado que la *via moderna* se aborda en el capítulo de Korey Maas en este libro, no lo exploraré aquí.

[3] Para un tratamiento mucho más completo de lo que se puede proporcionar aquí, ver Gerharde O. Forde, *The Captivation of the Will: Luther vs. Erasmus en Freedom and Bondage*, ed. Steven Paulson, Lutheran Quarterly Books (Grand Rapids, MI: Eerdmans, 2005).

[4] Ver a Philip S. Watson, "Introducción", *LW* 33: 8.

[5] Martín Lutero, *Assertio omnium articulorum M. Lutheri per bullam Leonis X. novissimam damnatorum* (Diciembre 1520), WA 7:94–151.

LIBRE ALBEDRÍO, CONTINGENCIA Y NECESIDAD

Para entender completamente cómo la visión de Lutero de la voluntad difería de la perspectiva de Erasmo, debemos comenzar con la definición de elección libre de Erasmo. Por ejemplo, Erasmo dijo, "Por libre elección en este lugar nos referimos a un poder de la voluntad humana mediante el cual un hombre puede dedicarse a las cosas que conducen a la salvación eterna, o alejarse de ellas."[6] Sin duda, Erasmo afirmó el poder de elección contraria de la voluntad, y tal definición parece descartar la necesidad divina. También hace que el hombre activo y cooperativo (o resistivo) en el proceso de conversión, ya que puede dedicarse a la salvación o alejarse de ella.

Si queremos comprender por qué la definición de Erasmo era insostenible para Lutero, debemos repasar la visión de Lutero sobre la contingencia y la necesidad en lo que respecta a la elección humana y divina. En la mente de Lutero, el argumento que refuta el libre albedrío, tal como Erasmo lo entendió, era el conocimiento previo inmutable y eterno de Dios. Para explicarlo, "Dios no conoce nada de manera contingente", sino que "prevé y tiene propósitos, y hace todas las cosas con su voluntad inmutable, eterna e infalible."[7] Se sigue, por lo tanto, que, si Dios no sabe nada contingentemente, la humanidad no puede poseer una libertad de elección contraria. Porque todo lo que hace el hombre no solo ha sido previsto por Dios, sino que también sucederá exactamente como Dios lo propuso en la eternidad.

Otra forma de expresar tal punto es decir que Dios "conoce de antemano necesariamente" y, por lo tanto, el hombre no puede poseer la capacidad de elegir otra cosa que no sea la que Dios necesariamente conoce y quiere.[8] Lutero hizo esta afirmación sin rodeos: "Si Dios sabe algo por anticipado, esa cosa necesariamente sucede". Por lo tanto, "no existe tal cosa como la libre elección."[9] Tenga en cuenta que Lutero se negó a divorciar el conocimiento previo de Dios de la voluntad de Dios de todas las cosas. Los dos son inseparables. "Si él sabe de antemano lo que quiere", dijo Lutero, "entonces su voluntad es eterna e inmutable (porque su naturaleza es así), y si quiere como lo sabe antes, entonces su conocimiento es eterno e inmutable (porque su naturaleza es así)."[10] Lutero anticipó la conclusión que debe seguir:

> De esto se deduce irrefutablemente que todo lo que hacemos, todo lo que sucede, incluso si nos parece suceder de forma mutable y contingente, de hecho, sin embargo, es necesario e inmutable, si tenemos en cuenta la voluntad de Dios. Porque la voluntad de Dios es eficaz y no puede ser obstaculizada, ya que es el poder de la naturaleza divina misma.[11]

¿Cómo, entonces, prefirió Lutero relacionar las decisiones voluntarias del hombre con el previo conocimiento y decreto de Dios? Mientras que Lutero usó el término "necesidad", él lamentó que no fuera lo ideal, ya que podría transmitir erróneamente una "especie de coacción", que Lutero negó rotundamente. Para ser claros, Lutero rechazó cualquier punto de vista que diga, fatalistamente, que Dios o el hombre harán

---

[6] Como se cita en Martín Lutero, *The Bondage of the Will*, *LW* 33: 103.

[7] Ibid., *LW* 33:37.

[8] Ibíd. Para la discusión extendida de Lutero sobre la presciencia y la necesidad, véase *LW* 33: 184-92.

[9] Ibid., *LW* 33:195.

[10] Ibid., *LW* 33:37.

[11] Ibid., *LW* 33:195, 37.

algo bajo compulsión más que por "placer o deseo" (dos palabras que, para Lutero, describieron "verdadera libertad").[12] Al negar la coacción, Lutero de ninguna manera tuvo la intención de negar que la voluntad de Dios es inmutable e infalible. No debemos perder el contraste de Lutero: mientras que la voluntad de Dios permanece inmutable, nuestra voluntad permanece mutable, y la primera gobierna (incluso controla) la última. Como dijo poéticamente Boecio: "Permaneciendo fijo, Tú haces que todas las cosas se muevan". Ciertamente, la voluntad del hombre está incluida: "Nuestra voluntad, especialmente cuando es malvada, no puede por sí misma hacer el bien."[13] En resumen, la voluntad de Dios funciona por necesidad, pero no por coerción. La distinción de Lutero tenía implicaciones obvias para la voluntad del hombre: la voluntad del hombre está bajo necesidad divina, aunque no bajo coacción. Entonces él hará necesariamente pero no por la fuerza. Como muchos pasajes de las Escrituras confirman, "todas las cosas suceden por necesidad."[14]

Además, la necesidad no solo está sobre nosotros desde el exterior (es decir, Dios) sino que también es un efecto debido a algo dentro de nosotros (es decir, la esclavitud del pecado). Antes del poder de conversión de Dios, el hombre está atado y esclavizado al pecado y al diablo. La salvación, por lo tanto, "está más allá de nuestros propios poderes y recursos, y depende solo de la obra de Dios". Si Dios "no está presente y obrando en nosotros", Lutero comentó, "todo lo que hacemos es malo y necesariamente hacemos lo que no sirve para la salvación". "Porque si no somos nosotros, sino solo Dios, quien obra la salvación en nosotros, entonces, antes de que él trabaje, no podemos hacer nada que guarde importancia, lo queramos o no."[15] La esclavitud del hombre, en otras palabras, exige una obra monergista de Dios en su interior.

Lutero, sin embargo, una vez más agregando una calificación importante, aclaró que tal necesidad no es lo mismo que la coacción. Aquí llegamos a la carne de la nuez, porque Lutero articuló una libertad de inclinación. Necesidad, en otras palabras, no excluye el deseo, sino que en realidad implica el deseo del hombre. Observe cuán cuidadosamente luchó Lutero para evitar la coacción. Lutero podría decir que el hombre peca necesariamente y no por coacción precisamente porque tal miseria es una necesidad de inclinación y deseo, no de coacción. Lutero explicó,

> Cuando un hombre está sin el Espíritu de Dios, no hace el mal contra su voluntad, como si fuera tomado por el cuello y obligado a ello, como un cleptómano o ladrón llevado en contra de su voluntad de castigo, sino que lo hace por su propia voluntad y con una voluntad dispuesta. Y esta disposición o voluntad para actuar no la puede, por sus propios poderes, omitir, restringir o cambiar, sino seguir dispuesto y presto para actuar.[16]

---

[12] Ibid., *LW* 33:39.

[13] Ibid.

[14] Ibid., LB 33:39, 60. Lutero también intentó establecer su argumento apelando a Rom. 9:18, 22 ("él endurece a quien quiere" y "Dios, que desea mostrar su ira"), así como las palabras de Jesús en Mt. 22:14 ("muchos son llamados, pero pocos son escogidos") y Juan 13:18 ("Yo sé a quién he elegido"). Además, las Escrituras dicen que "todas las cosas permanecen o caen por la elección y la autoridad de Dios, y toda la tierra debe guardar silencio delante del Señor [Hab. 2:20]". Ibid., *LW* 33:60. ¿Cómo puede la necesidad, Lutero preguntó, ser eliminada de estos pasajes? (Lutero también apeló a Isaías 46:10).

[15] Ibid., *LW* 33:64.

[16] Ibid.

Lutero solo promovió su caso por una libertad de inclinación que es compatible con la necesidad cuando explicó cómo el Espíritu obra dentro del pecador. Antes del Espíritu, la voluntad está en esclavitud, y sin embargo es una esclavitud voluntaria y deseada. No obstante, cuando el Espíritu obra dentro del pecador esclavizado, la "voluntad es cambiada" y "suavemente inspirada por el Espíritu de Dios". ¿Acaso semejante obra del Espíritu aniquila o coacciona la voluntad del hombre puesto que es irresistible? De ninguna manera. El Espíritu trabaja en la voluntad para que la voluntad actúe desde

> voluntad e inclinación puras y por su propia voluntad, no por compulsión, para que no pueda ser dirigida de otra manera por ninguna oposición, ni ser vencida u obligada ni siquiera por las puertas del infierno, sino que continúa dispuesto, deleitándose y amando al bien, tal como antes deseó, se deleitó y amaba el mal.[17]

Para reiterar el punto de Lutero, la voluntad es libre no porque tenga un poder de elección contraria sino porque necesariamente elige lo que más desea, aquello a lo que se siente inclinado. Antes de la obra del Espíritu, la voluntad peca necesariamente porque está esclavizada al pecado y, sin embargo, no es una esclavitud coaccionada, sino una que desea más que cualquier otra cosa. Sin embargo, cuando el Espíritu viene sobre los elegidos de Dios, la voluntad se transforma, con nuevos deseos. De nuevo, la necesidad está muy en juego, porque el Espíritu obra eficazmente en la voluntad.[18] Sin embargo, tal eficacia no es coerción ya que las nuevas inclinaciones del pecador ahora lo llevan a desear a Cristo más que a cualquier otra cosa. En resumen, mientras que antes necesariamente desea el mal, ahora necesariamente desea el bien, encuentra el bien como su mayor deleite.

La Esclavitud de la Voluntad

Debería ser evidente ahora que Lutero, en contraste con Roma y muchos padres de la Baja Edad Media, no dudaron en afirmar la esclavitud de la voluntad y la incapacidad espiritual del pecador en asuntos de salvación antes de la obra del Espíritu del nuevo nacimiento y la conversión.

Tal esclavitud, sin embargo, tenía múltiples fuentes. Lutero identificó dos: el diablo y el mundo. Teniendo en cuenta 2 Timoteo 2:26, Lutero demostró que todo hombre está bajo el dios de este mundo, cautivo para hacer su voluntad. ¿Esta cautividad a Satanás implica necesidad? Absolutamente. "No podemos hacer nada más que lo que

---

[17] Ibid., *LW* 33:65.

[18] Cuando se trata del lenguaje de "necesidad absoluta" de Lutero, debería matizarse que Lutero usó este lenguaje, como lo demuestra este capítulo, en el contexto de su disputa con Erasmo, Sin embargo, no parece que Lutero se apoyó en ese lenguaje en sus escritos después de 1525. Más tarde (por ejemplo, en sus conferencias sobre Génesis), Lutero advirtió contra el malentendido de su *De servo arbitrio*, aunque nunca se retractó de lo que escribió. En mi correspondencia personal con el erudito sobre Lutero, Robert Kolb, él señala que después de 1525, Lutero, en cambio, se apoyó en la promesa dada en la Palabra (oral y escrita) y en los sacramentos con el fin de proporcionar al pueblo de Dios con seguridad, la seguridad de que buscó apoyarse apelando a la elección en su *De servo arbitrio*. Tal vez esto se remonta al énfasis en desarrollo de Lutero sobre la ley y el evangelio. Si bien la ley revela que somos culpables de nuestra propia condenación, el evangelio revela que Dios recibe el crédito por nuestra salvación. Lutero no trató de resolver lógicamente la tensión entre estas verdades gemelas; sin embargo, él creía que todos ellos eran críticos en el cuidado pastoral. Lutero, por lo tanto, predicó la ley. Sabía que predicar la predestinación a la condenación podría tener el desafortunado efecto de crear presunción o libertinaje entre aquellos que podrían aventurarse a usar la elección como excusa o como desesperación en aquellos que no escucharon la promesa del evangelio. Para Lutero, por lo tanto, la predestinación estaba destinada a sustentar la promesa del evangelio.

él quiere."[19] Con Lucas 11:18-21 en mente, Lutero enseñó que se necesita uno "Más fuerte" (Cristo) para vencer al diablo, y Cristo lo hace a través del Espíritu. Somos transferidos de una esclavitud a otra, aunque nuestra esclavitud a Cristo es en realidad una "libertad real" que nos permite "obrar de buena gana y hacer lo que él quiere."[20]

Lutero hizo una famosa representación de la voluntad situada entre Dios y el diablo como una bestia de carga: "Si Dios la monta, irá y vendrá donde Dios quiera", como dice el salmo: 'Me he convertido en una bestia [ante ti] y siempre estoy contigo'." Pero si Satanás lo monta, "irá donde vaya". Uno podría pensar, entonces, que la voluntad solo debe correr(o elegir) hacia donde el montador le plazca. Lutero respondió: "Tampoco puede [la voluntad] elegir correr hacia cualquiera de los dos jinetes o buscarlo, sino que los jinetes se disputan la posesión y el control de la misma."[21]

EL MONERGISMO DE LUTERO

¿Lutero era un monergista? Como es evidente ya, lo fue en verdad. Pero también considere la apelación de Lutero a 1 Pedro 5:5. Lutero creía que "Dios ciertamente ha prometido su gracia a los humildes". ¿Pero quiénes son los humildes? Son aquellos "que se lamentan y se desesperan de sí mismos". Para que el lector no piense que tal arrepentimiento no proviene de Dios, Lutero rápidamente afirmó, "Pero ningún hombre puede ser completamente humillado hasta que sepa que su salvación está completamente más allá de sus propios poderes, artimañas, esfuerzos, voluntad y obras, y depende completamente de la elección, la voluntad y la obra de otro, es decir, Dios solamente". Lutero pasó a eliminar la sinergia, incluso la sinergia en lo más mínimo:

> Mientras él [el hombre] esté convencido de que puede hacer lo más mínimo para su salvación, conserva cierta confianza en sí mismo y no desespera por completo de sí mismo, y por lo tanto, no es humillado ante Dios, sino que supone que hay —o al menos espera o desea que pueda haber— algún lugar, tiempo y trabajo para él, por el cual alcanzará finalmente la salvación.

¿Cuál es, entonces, la solución a la difícil situación del hombre? "Cuando un hombre no tiene dudas de que todo depende de la voluntad de Dios, entonces se desespera por completo y no elige nada para sí mismo, sino que espera que Dios obre; luego se ha acercado a la gracia y puede salvarse."[22]

En resumen, la primera señal de que el hombre está en el camino correcto es cuando reconoce que nada puede venir de sí mismo, sino que todo debe provenir de Dios. Dicho de otra manera, el hombre debe enfrentarse con el hecho de que él

---

[19] Lutero, *Bondage*, en *LW* 33:65.

[20] Ibid., *LW* 33:65.

[21] Ibid., LW 33: 65-66. En esa luz, Lutero deseaba que los teólogos simplemente evitaran la frase *libre albedrío*. No es útil, sino que agrega una enorme confusión (e incluso es peligroso, dijo Lutero). Dado que "hacemos todo por necesidad y nada por libre elección". la frase *"libre albedrío"* debería abandonarse para que no le dé a la gente la impresión contraria, a saber, que la libre elección es un "poder que puede girar libremente en cualquier dirección, sin estar bajo la influencia o el control de nadie". Ibid., *LW* 33:68. No obstante, Lutero fue razonable al darse cuenta de que la frase *libre albedrío* se niega a desaparecer. Por lo tanto, insistió, si se va a utilizar, entonces uno debe asegurarse de que se usa correctamente. Si el término se usa honestamente, significaría que la libre elección solo se aplica al hombre "con respecto a lo que está debajo de él y no a lo que está por encima de él", es decir, lo que concierne a Dios, la salvación y la condenación. Ibid., 33:70. Para los lectores del siglo veintiuno, debería ser obvio que Lutero rechazó rotundamente lo que los filósofos y teólogos llaman *libertad libertaria*.

[22] Ibid., *LW* 33:61–62.

depende total y absolutamente de la gracia y misericordia de Dios y no puede hacer nada, ni lo más mínimo, para salvarse a sí mismo: "La libre elección sin la gracia de Dios no es gratuita, sino inmutablemente cautiva y esclava del mal, ya que no puede por sí mismo volverse hacia lo bueno."[23] Lutero reconoció, sin embargo, cuán común es para los hombres resistirse a una visión tan humillante de sí mismos. Condenan "esta enseñanza de auto-desesperación, deseando que algo, por pequeño que sea, les quede a ellos mismos; así que permanecen secretamente orgullosos y enemigos de la gracia de Dios."[24]

Para presionar aún más el monergismo de Lutero, en contraste con la sinergia de Erasmo, sería sabio revisar la definición de Erasmo una vez más: "Por libre elección en este lugar nos referimos a un poder de la voluntad humana mediante el cual un hombre puede dedicarse a las cosas que conducen a la salvación eterna, o alejarse de ellas."[25] Comentando sobre la definición de Erasmo, Lutero elaboró sobre su significado: "Sobre la autoridad de Erasmo, entonces, la libre elección es un poder de la voluntad que es capaz de querer y no querer la palabra y la obra de Dios, por lo cual es llevado a esas cosas que exceden tanto su comprensión como su percepción."[26] Lutero continuó señalando que si, para Erasmo, el hombre puede "querer o no querer", entonces también puede "amar y odiar", lo que también significa que puede "en un pequeño grado hacer las obras de la ley y creer en el Evangelio."[27] ¿Cuál fue la crítica de Lutero? ¡Si así es como definimos el libre albedrío, entonces nada en la salvación se deja a la gracia de Dios y del Espíritu Santo! "Esto claramente significa atribuir la divinidad a la libre elección, ya que la voluntad de la ley y el evangelio, de renunciar al pecado y la muerte, pertenece solo al poder divino, como dice Pablo en más de un lugar."[28]

En contraste, Lutero fue convencido por las Escrituras de que el Espíritu obra dentro de nosotros sin nuestra ayuda (es decir, monergismo): "Antes que el hombre sea transformado en una nueva criatura del Reino del Espíritu, él no hace nada y no intenta nada para prepararse a sí mismo para esta renovación y este Reino."[29] En otro lugar, Lutero igualmente cuidó a sus lectores de semi-Pelagianismo y semi-Agustinianismo. Contrariamente a Erasmo, sostuvo que no es como si el hombre solo necesitara un poco de la ayuda de Dios, y así él puede entonces "prepararse a sí mismo mediante obras moralmente buenas para el favor divino". Por el contrario, "si por medio de la ley abunda el pecado, ¿cómo es posible que un hombre pueda prepararse por obras morales para el favor divino? ¿Cómo pueden ayudar las obras cuando la ley no ayuda?"[30]

En resumen, Lutero no otorgaría ni siquiera una pulgada al libre albedrío en el nuevo nacimiento y conversión del hombre. Para citar a Lutero, debemos evitar la tentación de encontrar un "camino intermedio" que conceda incluso "un poquito" al libre albedrío.[31] Era todo o nada para Lutero: "Por lo tanto, debemos irnos por

---

[23] Ibid., *LW* 33:67.
[24] Ibid., *LW* 33:62.
[25] Como se cita en ibid., *LW* 33: 103.
[26] Ibid., *LW* 33:106.
[27] Ibid., *LW* 33:106–7.
[28] Ibid., *LW* 33:107.
[29] Ibid., *LW* 33:243.
[30] Ibid., *LW* 33:219.
[31] Ibid., *LW* 33:245.

completo y negar por completo la libre elección, refiriéndolo todo a Dios; entonces no habrá contradicciones en las Escrituras."[32] Una afirmación más fuerte del monergismo divino es difícil de imaginar.

LEY Y EVANGELIO

Si Lutero estaba en lo cierto, entonces, ¿qué hay que hacer con los muchos mandamientos de la Biblia? ¿Estas leyes e imperativos no implican capacidad por parte del hombre? ¿*Deber* no significa *poder*? De hecho, este fue un argumento al que Erasmo se aferró en su defensa del libre albedrío. Sin embargo, Lutero creía que Erasmo había malinterpretado el propósito de la ley en referencia al incrédulo.

Los imperativos de Dios de ninguna manera implican que el hombre tenga dentro de sí el cumplimiento de tales órdenes. En cambio, Dios está conduciendo al hombre hacia la ley para revelar su impotencia, como Pablo afirma en Romanos 3:20. "Porque la naturaleza humana", dijo Lutero, "es tan ciega que no conoce sus propios poderes, o más bien las enfermedades, y es tan orgullosa como para imaginar que sabe y puede hacer todo; y por este orgullo y ceguera, Dios no tiene más remedio que la proposición de su ley."[33] Lejos de probar la libertad del hombre, los imperativos bíblicos exponen su corrupción y cautiverio, por no mencionar su orgullo, desprecio e ignorancia. Por lo tanto, cuando uno encuentra preceptos en la ley, uno debe reconocer que tales preceptos no son lo mismo que las promesas. Por ejemplo, Dios puede mandar a los pecadores a no tener otros dioses o cometer adulterio, pero estos mandamientos de ninguna manera le prometen al hombre que no pecará o quebrantará los preceptos de Dios o que el hombre incluso lo tiene dentro de su capacidad para cumplir tales mandamientos.

La misma precaución se aplica a las invitaciones divinas también. Por ejemplo, Dios dice en Deuteronomio 30:15, 19: "He puesto delante de ti hoy la vida y el bien, la muerte y el mal… Por lo tanto, elige la vida". Erasmo pensó que tales versos demostraban su caso. Después de todo, Dios se lo deja al hombre, porque el hombre tiene la libertad de elegir. Pero Lutero no estuvo de acuerdo. Pasajes como Deuteronomio 30 ofrecen vida, pero Dios nunca dice que el hombre tenga la capacidad de elegir la vida, ni Dios garantiza que otorgará vida. Ciertas condiciones deben cumplirse, y aunque Dios sinceramente coloca dos caminos frente al hombre (la vida y la muerte), las Escrituras muestran que el hombre no regenerado elige la muerte sobre la vida en todo momento. De modo que la ley solo muestra al hombre cuán imposibles son los preceptos divinos, no porque haya algún error en los mandamientos de Dios, sino más bien porque el hombre es corrupto y está cautivado por el pecado, el mundo y el diablo. A menos que Dios envíe el Espíritu, este es el estado en el cual el hombre permanecerá.[34] Como dijo sucintamente Lutero: "El hombre perpetua y necesariamente peca y yerra hasta que el Espíritu de Dios lo corrige."[35]

Es precisamente en este punto del debate de Lutero con Erasmo donde la distinción de Lutero entre la ley y el evangelio desempeña un papel clave. Cuando se lo enfrenta a la ley, la incapacidad del hombre es evidente; de ahí que el evangelio brille como la única esperanza del hombre. Si revertimos este orden bíblico, como Lutero creía que lo

---

[32] Ibid., *LW* 33:245.
[33] Ibid., *LW* 33:121.
[34] Ibid., *LW* 33:126.
[35] Ibid., *LW* 33:177.

hizo Erasmo, entonces convertiríamos la ley en evangelio y evangelio en ley. Por lo tanto, entender la ley como ley es esencial.[36]

No debe perderse que para Lutero la ley jugó un papel crucial en la preparación de los pecadores para el evangelio. La ley hace que "la situación del hombre sea clara para él", derribándolo, confundiéndolo por "conocimiento propio, para prepararlo para la gracia y enviarlo a Cristo para que sea salvo."[37] Si la ley le mostrara al hombre su habilidad espiritual en vez de su cautiverio, entonces la ley no conduciría al evangelio y la gracia, sino que llevaría al hombre de regreso a sí mismo como el que puede y logra su propia justicia. Pero si la ley expone la cautividad y la depravación del hombre, el hombre debe depender totalmente de lo que Cristo ha hecho por él y darse cuenta de su confianza en los dones del Espíritu de un nuevo nacimiento, fe y arrepentimiento. En esa luz, Lutero fue inflexible en que sus lectores no cometieran el error de Erasmo al confundir el evangelio con la ley y la ley con el evangelio.

FELIPE MELANCHTHON Y LA CONTROVERSIA DEL SINERGISMO

A menudo ha sido el caso que Lutero se encuentra en el centro de atención de la Reforma, mientras que Felipe Melanchthon se encuentra a la sombra de Lutero. Contrariamente a donde podríamos poner el foco de atención, a veces Lutero en realidad llamaría la atención sobre Melanchthon, incluso elogiando las escrituras de Melanchthon sobre las suyas. Lutero hizo exactamente esto en su elogio a *Loci Communes* de Melanchthon. Por ejemplo, en su *Tabla de Discurso*, Lutero dio una prescripción muy clara sobre cómo uno podría convertirse en teólogo. Primero, lee la Biblia; "Después deberías leer las *Loci Communes* de Felipe". Si uno da estos dos pasos, entonces nada puede evitar que uno sea un teólogo, ¡y ni siquiera "el diablo" o un "hereje" pueden "sacudirlo"![38]

Lutero elogió la obra *Loci Communes* de Melanchthon no por mera amistad, sino por la utilidad del libro en teología y en la iglesia. Como Lutero explicó,

> No hay ningún libro bajo el sol en el que toda la teología esté tan compactamente presentada como en *Loci Communes*. Si lees a todos los padres y sentencias [comentaristas de la Baja Edad Media sobre los *Cuatro Libros de Sentencias* de Pedro Lombardo] no tienes nada. No se ha escrito un libro mejor después de las Sagradas Escrituras que el de Felipe. Se expresa de manera más concisa que yo cuando discute e instruye.[39]

Del mismo modo, Lutero reservó grandes elogios para las *Loci Communes* de Melanchthon al comienzo de *La voluntad determinada*. En un esfuerzo por desacreditar los argumentos de Erasmo en favor del libre albedrío, Lutero dijo que tales argumentos habían sido "refutados tan a menudo por mí y golpeados y pulverizados por completo en los *Loci Communes* de Felipe Melanchthon —un

---

[36] Ibid., *LW* 33:127, 132–33.
[37] Ibid., *LW* 33: 130-31. Lutero también mostró cómo la ley y Satanás difieren en este respecto: mientras que Satanás engaña al hombre haciéndole creer que es libre (cuando realmente el hombre está a merced de Satanás), Moisés y el dador de la ley usan la ley para mostrar al hombre que él no es libre sino que está atado y condenado.
[38] Lutero, *Table Talk*, *LW* 54:439–40.
[39] Ibid., *LW* 54:440.

pequeño libro incontestable que a mi juicio merece no solo ser inmortalizado sino incluso canonizado." [40] ¡Mayor elogio es difícil de conseguir!

Estos elogios para *Loci Communes* de Melanchthon no carecen de importancia, ya que muestran que desde el principio Lutero pensó que estaba de acuerdo con la teología de Melanchthon como se describe en *Loci Communes* de 1521 cuando se trataba de pecado, necesidad y libre albedrío. [41] Sin embargo, en ediciones subsecuentes de *Loci Communes*, el desacuerdo de Melanchthon con Lutero y las simpatías por Erasmo se hicieron visibles. [42] Por ejemplo, Melanchthon afirmó tres causas (o factores) de la conversión: el Espíritu Santo, la Palabra de Dios y la voluntad del hombre. [43] Y en el locus 4 su partida de Lutero se hizo aún más transparente: "La libre elección en el hombre es la capacidad de aplicarse a la gracia" (*facultas applicandi se ad gratiam*). [44] Esta oración difiere poco de la definición de libre voluntad de Erasmo revisada anteriormente. Tal énfasis en la libre elección eventualmente resultó en que la Fórmula de Concordia abordara el problema. En ese momento, los luteranos habían estado debatiendo el asunto durante casi cincuenta años. Sin embargo, como observa J. A. O. Preus, el asunto fue resuelto, y "el luteranismo ya no habla de tres causas, solo de las dos causas de la conversión." [45]

Dicho esto, comenzaremos con la edición de 1521 de Melanchthon y el próximo paso a su trabajo en la Confesión de Augsburgo de 1530 y la Apología de la Confesión de Augsburgo, que finalmente pasará a su *Loci Communes* de 1543. En el último de estos descubriremos que la visión del libre albedrío de Melanchthon sufrió una revisión significativa y, al menos, dejó la puerta abierta para que otros lo interpreten como un defensor del sinergismo, creando así una futura controversia entre los luteranos. [46]

---

[40] Lutero, *Bondage, LW* 33:16.

[41] Uno podría preguntarse, entonces, por qué Lutero no reprendió a Melanchthon por cambiar su posición hacia la libre voluntad más adelante. Algunos argumentarían que el silencio de Lutero demuestra que Melanchthon ha sido mal interpretado, que Melanchthon nunca se convirtió realmente en un sinergista. Sin embargo, este es un argumento del silencio (aunque no uno sin la debida consideración, dado que Lutero no dudó en enfrentar incluso a sus amigos más cercanos), y parece imprudente determinar la posición de Melanchthon en función de la reacción de Lutero o la falta de ella. Drickamer reconoce el peculiar silencio, pero puede tener una mejor solución para este enigma: "Es desconcertante que Lutero no haya hablado sobre esta idea en desarrollo. El mismo Melanchthon puede no haber sido consciente de las implicaciones de la dirección que estaba siguiendo, pero en este período [1530] ya estaba haciendo declaraciones que favorecían en gran medida el error de sinergia". John M. Drickamer, "Did Melanchthon Become a Synergist?", *The Springfielder* 40, no. 2 (1976): 98. Otra posibilidad, aunque admitidamente especulativa, es que la amistad de Lutero con Melanchthon (que era muy fuerte) podría haber evitado que viera cambios sutiles en el lenguaje de Melanchthon hacia un énfasis en el libre albedrío.

[42] Preus observa que Melanchthon mantuvo su acuerdo con Erasmo en privado. J. A. O. Preus, "Translator's Preface", en Felipe Melanchthon, *Loci Communes* 1543, trad. J. A. O. Preus (St. Louis, MO: Concordia, 1992), 11. Sin embargo, debería estar calificado que en décadas anteriores Melanchthon tuvo problemas con Erasmo. Para una excelente historia de su conflicto con Erasmo, ver Timothy J. Wengert, *Human Freedom, Christian Righteousness: Philip Melanchthon's Exegetical Dispute with Erasmus of Rotterdam*, Oxford Studies in Historical Theology (Nueva York: Oxford University Press, 1998).

[43] Para ser históricamente preciso, debe calificarse que la conversión puede referirse a esa conversión inicial a Cristo o al arrepentimiento continuo en la vida del creyente. Por supuesto, a veces es difícil descifrar cuál de los dos está en uso. Sin embargo, en las citas que siguen, parece que Melanchthon a menudo tiene una conversión inicial a la vista, especialmente porque en contexto se refiere a otros indicadores, como el nuevo nacimiento y el no regenerado.

[44] Preus, "Translator's Preface," 11.

[45] Ibid., 11–12.

[46] Si se le debería llamar a Melanchthon un "sinergista" no solo era controvertido en su época, sino que también sigue siendo un tema controvertido entre los luteranos de la actualidad.

MELANCHTHON *LOCI COMMUNES* DE 1521

Al comienzo de su tratamiento del libre albedrío de 1521, Melanchthon admitió cuánto le desagradaba la frase porque es "completamente ajena a las Escrituras divinas y al sentido y juicio del Espíritu."[47] Cuando Melanchthon se refirió a si la voluntad es libre, respondió negativamente porque creía que la predestinación divina implica que todo sucede por necesidad. Dado que "todo lo que sucede, sucede necesariamente de acuerdo con la predestinación divina, nuestra voluntad no tiene libertad."[48]

Las pruebas escritas de Melanchthon para tal postura son muchas, incluyendo textos como Efesios 1:11, que dice que Dios "obra todas las cosas según el juicio de su voluntad."[49] Melanchthon también recurrió a Romanos 9 y 11, donde Pablo consigna "todo lo que le sucede a la predestinación divina"; Proverbios (14:12, 27; 16:4, 11-12, 33; 20:24); Eclesiastés 9:1, donde Salomón cree "que todas las cosas suceden por la voluntad de Dios"; y Lucas 12:7, donde Jesús afirma con "gran efecto" que "todos los cabellos de tu cabeza están contados."[50]

A la luz de estos pasajes, Melanchthon luego preguntó si existe tal cosa como "contingencia" (azar, suerte). Respuesta: "Las Escrituras enseñan que todo sucede por necesidad". ¿Qué puede uno concluir, excepto que "las Escrituras niegan cualquier libertad a nuestra voluntad a través de la necesidad de predestinación?" Todas las cosas "se producen no por planes o esfuerzos humanos, sino de acuerdo con la voluntad de Dios."[51]

Melanchthon reaccionó contra la "teología impía de los sofistas" (es decir, teólogos escolásticos) que pensaban que la predestinación era "demasiado dura" y consecuentemente "recalcaban la contingencia de las cosas y la libertad de nuestra voluntad" tanto que "nuestros oídos tiernos ahora retroceden de la verdad de la Escritura."[52] Y sin embargo, Melanchthon tuvo cuidado de no ignorar las distinciones teológicas apropiadas. Por ejemplo, reconoció que, si simplemente estamos discutiendo la libertad de la voluntad en el ámbito de la "capacidad natural", entonces es apropiado afirmar "la libertad en las obras externas". Lo que Melanchthon tenía en mente, en otras palabras, eran las funciones humanas más básicas de la sociedad, como saludar a alguien en la carretera, decidirse a vestirse por la mañana o sentarse a cenar. Sin embargo, si nos referimos a la "afectos internos", entonces el hombre posee el poder de la voluntad.[53] Melanchthon recordó a sus lectores que la voluntad es la fuente de los afectos, tanto que la palabra "corazón" podría usarse en su lugar. Melanchthon replicó una vez más contra los sofistas que pensaban que "naturalmente se opondrán a sus afectos o pueden dejar de lado el afecto, siempre que el intelecto lo aconseje y lo recomiende". No, dijo Melanchthon, los afectos fluyen de la voluntad o del corazón, el último de los cuales las Escrituras llaman la "facultad más elevada del hombre" y esa

---

[47] Felipe Melanchthon, *Commonplaces: Loci Communes 1521*, trad. Christian Preus (St. Louis, MO: Concordia, 2014), 26.

[48] Ibid., 29.

[49] Cf. Gen. 15:16; 1 Sam. 2:25, 26; 1 Re. 12:15; Prov. 16:4, 9; 20:24; Jer. 10:23; Mt. 10:29; Rom. 11:36.

[50] Melanchthon, *Commonplaces:Loci Communes1521*, 30. Las traducciones bíblicas en este párrafo provienen de Melanchthon.

[51] Ibid., 30–31.

[52] Ibid., 31.

[53] "Porque la experiencia práctica nos muestra que nuestra voluntad no puede, por su propio poder, dejar de lado el amor, el odio o afectos similares, sino que uno se impone a otro, de modo que, por ejemplo, dejas de amar a alguien porque te lastima". Ibid., 32.

"parte del hombre de donde surgen los afectos."[54] Más tarde, Melanchthon expandió sobre tal punto cuando negó que "haya un poder en el hombre que pueda oponerse seriamente a sus afectos."[55] En su opinión, la voluntad es impulsada por los afectos del corazón.

Tal enfoque en el corazón transita al lector de Melanchthon al problema central: el corazón está corrupto, y por lo tanto se deduce que la voluntad está en esclavitud del pecado. En la "selección externa de las cosas hay una cierta libertad" —es decir, en responsabilidades civiles. Sin embargo, el corazón es un asunto completamente diferente. Melanchthon proclamó: "Yo rechazo por completo la idea de que nuestros afectos interiores estén bajo nuestro poder. Tampoco concedo que cualquier voluntad posea el poder genuino de oponerse a sus afectos."[56] Y dado que Dios requiere pureza de corazón, el hombre natural está en un grave problema, porque su corazón es corrupto, como afirma Jeremías 17:9. Por lo tanto, "tan pronto como los afectos han comenzado a enfurecerse y hervir, no pueden ser controlados y brotan."[57] Es tal furia y ebullición lo que nos lleva a la doctrina del pecado de Melanchthon, al menos tal como lo articuló en 1521.

¿Qué es el pecado? Más específicamente, ¿qué es el pecado original? "El pecado original", sostuvo Melanchthon, "es una propensión innata y un impulso natural que nos impulsa activamente a pecar, que se origina en Adán y se extiende a toda su posteridad". Melanchthon pretendía ilustrar el poder innato del hombre para pecar comparándolo con el fuego que arde más debido a un poder innato dentro de él o a un imán que atrae al hierro hacia sí mismo por un poder innato. Por lo tanto, concluyó Melanchthon, el pecado es una "disposición interna corrupta [*affectus*] y una agitación depravada del corazón contra la Ley de Dios."[58]

Para probar tal doctrina, Melanchthon apeló a una gran cantidad de textos bíblicos (Gen. 6:3, Rom. 8:5, 7), así como a los escritos de Agustín contra los pelagianos (por ejemplo, *On the Spirit and the Letter, Against Two Letters of the Pelagians, Against Julian* [Sobre el Espíritu y la letra, Contra dos cartas de los pelagianos, Contra Julián]). Melanchthon no dudó en seguir a Pablo, quien dice en Efesios 2:3 que el hombre es por naturaleza un hijo de ira. Para que no haya incertidumbre, Melanchthon interpretó que Pablo quería decir que "si somos hijos de la ira por naturaleza, ciertamente nacemos hijos de ira… ¿Qué más está diciendo Pablo aquí, excepto que hemos nacido con todos nuestros poderes sujetos al pecado y que ningún bien existe en los poderes humanos?"[59] Ciertamente, la esclavitud de la voluntad del hombre se deriva de la sujeción innata de la voluntad al pecado.

Melanchthon también mencionó Romanos 5, porque allí Pablo enseña "que el pecado ha sido transmitido a todos los hombres". Melanchthon negó que Pablo simplemente tenga en mente los pecados personales reales de uno. En cambio, tiene en mente el pecado original. De lo contrario, Pablo no podría decir "que muchos han muerto por la transgresión de un hombre."[60]

---

[54] Curiosamente, en este punto Melanchthon es similar a Lutero quien, en *La voluntad determinada*, vio el libre albedrío como hacer lo que uno más desea. Melanchthon, *Commonplaces: Loci Communes 1521*, 33.

[55] Melanchthon, *Commonplaces: Loci Communes 1521*, 35.

[56] Ibid.

[57] Ibid., 36.

[58] Ibid., 38–39.

[59] Ibid.

[60] Ibid., 39.

Melanchthon encontró más apoyo para el pecado original en 1 Corintios 15:22, donde Pablo escribe: "Porque, así como en Adán todos mueren, así también en Cristo todos serán vivificados". Melanchthon comentó: "Ahora bien, si todos somos bendecidos en Cristo, se sigue necesariamente que estamos malditos en Adán". De manera similar, en el Salmo 51:5, David reconoce: "He aquí, fui engendrado por la iniquidad, y en pecado me concibió mi madre". ¿Qué debemos concluir, sino que el hombre "nació con pecado" (ver Gen. 6:5)?[61] Melanchthon creía que Jesús capta el punto precisamente en Juan 3:6: "Lo que es nacido de la carne, carne es". Por lo tanto, a la luz del pecado original, cada pecador necesita desesperadamente un nuevo nacimiento por el Espíritu, uno que contrarresta su primer nacimiento de la carne en la culpa y la corrupción.[62]

Volviendo a pasajes como Romanos 8, Melanchthon también mostró que, según la carne, el hombre no regenerado no puede cumplir la ley de Dios. ¿Por qué? Porque "los que son de la carne desean las cosas de la carne."[63] Melanchthon, por lo tanto, concluyó cómodamente con Pablo que aquellos en la carne están en enemistad con Dios y sujetos a la ley. La falta de obedecer la ley es pecado, y "cada movimiento e impulso del alma contra la ley es pecado."[64] O, para ver nuestro estado desde otro ángulo, "dado que carecemos de vida, no hay nada en nosotros excepto el pecado y la muerte" (véase Ef. 2:3). Además del Espíritu, todo lo que está dentro de nosotros es solo "oscuridad, ceguera y error."[65]

En vista de la depravación a la que todo hombre está esclavizado, Melanchthon se encontró de acuerdo con Agustín, quien negó que el comienzo del arrepentimiento resida en el hombre.[66] Después de todo, el mismo Jesús dijo en Juan 6:44: "Nadie puede venir a mí si el Padre que me envió no lo atrae". Pero, ¿acaso los mandatos de las Escrituras no dan por supuesto que tenemos la capacidad dentro de nosotros de venir a Jesús? Para nada, respondió Melanchthon:

> El hecho de que nos ordena que recurramos a él no significa que esté en nuestro poder arrepentirnos o recurrir a él. Dios también nos ordena que lo amemos sobre todas las cosas. Pero de esto no se desprende que tengamos el poder de hacerlo simplemente porque él lo ordena. Por el contrario, es precisamente porque él lo ordena que no está en nuestro poder. Porque él ordena lo imposible para encomendarnos su misericordia.[67]

Como Zacarías 10:6 explica, Dios es el que hace la conversión, no el hombre.

Al final de su tratamiento de la doctrina del pecado, Melanchthon identificó útilmente el meollo de la cuestión. Los afectos pecaminosos y corruptos "están tan arraigados en el hombre que ocupan toda su naturaleza y la mantienen cautiva". Tal depravación no se limita a un rincón del hombre, sino que impregna todo su ser. La

---

[61] Ibid.

[62] Ibid., 40. Tal contraste por Melanchthon entre "carne" y "Espíritu" es central en todo su argumento. Melanchthon se mantuvo en Romanos y Gálatas, por ejemplo, así como en el Evangelio de Juan. "Carne" designaba al "viejo hombre" y "significaba todos los poderes que pertenecen a la naturaleza humana". El punto de Melanchthon era negar la suposición de que "hay algo en el hombre no regenerado, en un hombre no lavado por el Espíritu, que no puede llamarse carne y por lo tanto vicioso". No, la carne "incluye todo en nosotros ajeno al Espíritu Santo". Ibid., 46-47.

[63] Ibid., 47.

[64] Ibid., 48.

[65] Ibid.

[66] Ibid., 54.

[67] Ibid., 55.

Escritura nos enseña que estos "afectos carnales no pueden superarse excepto por el Espíritu de Dios, ya que solo aquellos a quienes el Hijo ha liberado son verdaderamente libres (Juan 8:[36])."[68]

LA CONFESIÓN DE AUGSBURGO 1530 Y SU APOLOGÍA

Ciertamente, otros trabajos de Melanchthon en la década de 1520 podrían ser consultados, pero es la Confesión de Augsburgo 1530, así como la Apología de la Confesión de Augsburgo de Melanchthon, lo que debe tomar nuestra atención ahora.[69] La Confesión de Augsburgo fue presentada audazmente el 25 de junio de 1530 por teólogos luteranos y laicos, dirigidos por Felipe Melanchthon, en respuesta al emperador Carlos V con el propósito de defender sus creencias luteranas y distinguir sus puntos de vista de Roma, anabaptistas y zuinglianos.[70] Después los luteranos esperaron para ver cómo el emperador respondería. El 3 de agosto, emitió su respuesta, la *Refutación Pontificia de la Confesión de Augsburgo*, que fue seguida en los meses siguientes con amenazas y demandas de que los luteranos retrocedieran. Pero con el apoyo moral de Lutero, los luteranos no lo hicieron. En respuesta a la *Refutación Pontificia* del emperador, Melanchthon escribió su Apología (o defensa), que es una refutación completa de los puntos de vista de Roma, como se ve, por ejemplo, en su afirmación de *sola gratia, sola fide y solus Christus*.

Los artículos 2 y 18 de la Confesión de Augsburgo son especialmente relevantes para nuestros propósitos. Primero, considere el artículo 2 sobre el pecado original:

> Desde la caída de Adán, todos los seres humanos que se propagan según la naturaleza nacen con pecado, es decir, sin temor a Dios, sin confianza en Dios y con concupiscencia. Y enseñan que esta enfermedad o defecto original [*vitium originis*] es verdaderamente pecado, que incluso ahora daña y trae la muerte eterna a aquellos que no han nacido de nuevo a través del bautismo y el Espíritu Santo.[71]

Aquí la confesión enseña que el pecado de Adán es heredado por su posteridad. Nacer en pecado significa que el hombre, desde el principio, está inclinado a pecar.

La mención de concupiscencia por parte de la confesión no es insignificante tampoco, ya que al hacerlo evita el error de pensar en el pecado como una mera acción más que como una enfermedad interna que corrompe e inclina al hombre hacia el mal.

---

[68] Ibid., 56.

[69] El espacio no permite la exploración del tratamiento de Melanchthon de Colosenses en 1527/28, pero Kolb observa que en este trabajo Melanchthon "afirmó que la voluntad no tiene poder para elegir entregarse a Dios. "La ley es capaz de forzar la obediencia externa de los incrédulos, pero esta clase de obediencia aparte de la fe es fatalmente defectuosa por el pecado original que mora en nosotros". Ver Robert Kolb, *Bound Choice, Election, and Guttenberg Theological Method: From Martin Luther to the Formula of Concord*, Lutheran Quarterly Books (Grand Rapids, MI: Eerdmans, 2005), 80.

[70] El ala radical de la Reforma no es el foco de este capítulo. Sin embargo, por sus diversos puntos de vista sobre la predestinación, la gracia, el pecado original, el libre albedrío, vea a Michael W. McDill, "Balthasar Hubmaier y libre albedrío," en *The Anabaptists and Contemporary Baptists: Restoring New Testament Christianity: Essays in Honor of Paige Patterson,* ed. Malcolm Yarnell (Nashville: B & H Academic, 2013), 137-54; Meic Pearse, *The Great Restoration: The Religious Radicals of the 16th and 17th Centuries* (Carlisle: Paternoster, 1998), 144-45; Thor Hall, "Possibilities of Erasmian Influence on Denck and Hubmaier in Their Views on the Freedom of the Will", *MQR* 35, no. 2(1961): 149 - 70; Werner O. Packull, "An Introduction to Anabaptist Theology", en *The Cambridge Companion to Reformation Theology*, ed. David Bagchi y David C. Steinmetz (Nueva York: Cambridge University Press, 2004), 203-7.

[71] "La Confesión de Augsburgo", art. 2, en Robert Kolb y Timothy J. Wengert, eds., *The Book of Concord: The Confessions of the Evangelical Lutheran Church*, trad. Charles P. Arand y otros. (Minneapolis: Fortress, 2000), 37, 39.

Por esta razón, la Apología de Melanchthon afirma que la concupiscencia misma es pecado.[72] La concupiscencia, la cual todos los nacidos según la carne tienen por naturaleza, es la "tendencia continua de nuestra naturaleza", y debido a que la naturaleza encuentra su origen en Adán, Melanchthon negó "la capacidad de la naturaleza humana", es decir, el "don y poder necesarios para producir temor y fe en Dios". Para aclarar, la concupiscencia significa que las personas no solo carecen de este "temor y fe en Dios" sino que "no pueden producir verdadero temor y confianza en Dios."[73] El pecado original, por lo tanto, no puede separarse de la incapacidad espiritual del hombre y la naturaleza corrupta.

Al final, la Apología de Melanchthon rechaza explícitamente a cualquiera que diga que el pecado original no es "una falta o corrupción en la naturaleza humana, sino solo un sometimiento o una condición de mortalidad."[74] Por el contrario, el pecado original es la ausencia de la rectitud original, así como la corrupción de la naturaleza del hombre. Naturalmente, entonces, tanto la Confesión como la Apología niegan que algo en el hombre contribuya a su justificación. Mientras los "escolásticos trivializan tanto el pecado como su castigo cuando enseñan que los individuos por su propio poder son capaces de guardar los mandamientos de Dios", los luteranos encuentran apoyo en las Escrituras que la naturaleza "humana está esclavizada y cautiva por el diablo". Por lo tanto, así "como el diablo no es conquistado sin la ayuda de Cristo, así nosotros, por nuestros propios poderes, somos incapaces de liberarnos de esa esclavitud."[75] Por lo tanto, tanto Cristo como el Espíritu son absolutamente necesarios. Cristo debe eliminar nuestro pecado y nuestro castigo, así como destruir al diablo, el pecado y la muerte. El Espíritu debe dar un nuevo nacimiento.[76]

En segundo lugar, la Confesión aborda el "libre albedrío" en el artículo 18 también. Igual quela obra *Loci Communes* de 1521 de Melanchthon, la confesión distingue entre la libertad en el ámbito de la sociedad y la libertad en el ámbito del corazón. Si bien la voluntad puede tener "libertad para producir justicia civil y para elegir cosas sujetas a la razón", no tenemos "poder para producir la justicia de Dios o la justicia espiritual sin el Espíritu Santo."[77] Su base bíblica para tal afirmación de la esclavitud de la voluntad es 1 Corintios 2:14: "la persona natural no acepta las cosas del Espíritu de Dios."[78]

Nuevamente, la confesión culpa a los "Pelagianos y otros" (es decir, Gabriel Biel) pero realmente incluye a cualquiera que enseñe que "sin el Espíritu Santo solo por los poderes de la naturaleza, podemos amar a Dios sobre todas las cosas y podemos también guarda los mandamientos de Dios 'según la sustancia de los actos'."[79] Si bien la naturaleza del hombre puede abstenerse externamente de, digamos, asesinar o robar,

---

[72] Por ejemplo, "[Nuestros oponentes] sostienen que la concupiscencia es un castigo, no un pecado. Lutero sostiene que es pecado". En apoyo se menciona Rom. 7:, 23. "La Apología de la Confesión de Augsburgo", art. 2, en Kolb y Wengert, *The Book of Concord*, 118.

[73] Ibid., 112.

[74] Ibid., 112–13.

[75] Ibid., 119.

[76] Ibid., 118–19.

[77] "La Confesión Augsburg", art. 18, en Kolb y Wengert, *The Book of Concord*, 51.

[78] La Confesión también apela al *Hypognosticon* de Agustín (libro 3) para hacer el mismo comentario: mientras que el hombre puede ser libre "para trabajar en el campo, comer y beber, tener un amigo, vestirse, construir una casa, casarse", para criar ganado", y así sucesivamente, esto no significa que podamos"sin Dios, comenzar —mucho menos terminar— todo lo que pertenece a Dios". Ibid., 51.

[79] Ibid., 53.

"no puede producir movimientos internos, como el temor a Dios, la confianza en Dios, la paciencia, etc."[80] Para este último, la gracia de Dios debe intervenir. Además de la gracia de Dios, el hombre no puede hacer nada espiritualmente bueno. Como dijo Melanchthon en su Apología, no tenemos ningún Dios, porque "el árbol malo no puede dar buenos frutos [Mt. 7:18], y 'sin fe es imposible agradar a Dios' [Heb. 11:6]".Por lo tanto, no debemos "atribuir al libre albedrío esas capacidades espirituales". Por lo tanto, la necesidad de que el Espíritu Santo renazca es realmente grande. Mientras que la justicia civil se "atribuye al libre albedrío", la justicia espiritual se "atribuye a la operación del Espíritu Santo en el regenerado."[81]

LOCI COMMUNES DE 1543 DE MELANCHTHON Y EL LIBRE ALBEDRÍO

Hasta ahora en nuestra visión general de la teología de Melanchthon, así como su contexto más amplio en la Confesión de Augsburgo, hemos visto mucha consistencia en el pecado original, el libre albedrío y la gracia divina. Sin embargo, es justo decir que la teología de Melanchthon mostró signos sustanciales de cambio, por lo que sus descripciones teológicas posteriores de libre albedrío difieren notablemente de sus declaraciones anteriores.[82] Quizás esto se vea mejor si examinamos su obra *Loci Communes* de 1543.[83]

Como ya se descubrió, el texto *Loci Communes* de 1521 pone mucho énfasis en la esclavitud y el cautiverio de la voluntad a la luz de la doctrina del pecado original. Sin embargo, en *Loci Communes* de 1543 Melanchthon enfatizó la libertad de la voluntad y su participación activa y cooperación con la gracia divina. Eso no quiere decir que eliminó toda discusión sobre la esclavitud de la voluntad. Sin embargo, sí significa que se produjo un cambio en el énfasis. Tal cambio es notable y su motivación se puede ver, al menos en parte, en la reacción de Melanchthon contra el fatalismo y el determinismo del estoicismo y el maniqueísmo. Kolb también se pregunta si Melanchthon podría haber tenido en mente las opiniones de Juan Calvino ya que los dos habían comenzado una correspondencia, y "La doctrina de la predestinación de Calvino y el intento de los ginebrinos de alistar a Melanchthon en su defensa preocuparon a los deWittenberg y ensombrecieron su correspondencia en 1543 (y lo volverían a hacer en 1552)."[84] Como veremos, aunque muchos aspectos de *Loci Communes* de Melanchthon no se modificaron, parece claro que mientras *Loci*

---

[80] Ibid., 53.

[81] "La Apología de la Confesión de Augsburgo", art. 18, en Kolb y Wengert, *The Book of Concord*, 234.

[82] Para una crónica útil del cambio de Melanchthon hacia el sinergismo, ver Gregory B. Graybill, *Evangelical Free Will: Felipe Melanchthon's Doctrinal Journey on the Origins of Faith*, Oxford Theological Monographs (Nueva York: Oxford University Press, 2010).

[83] Sin embargo, debe notarse que ya en la década de 1530 Melanchthon rechazaba la visión de la necesidad de Lutero. La "repugnancia de Melanchthon hacia la afirmación de Lutero de que todas las cosas suceden por absoluta necesidad divina comenzó a manifestarse abiertamente a través de su tratamiento de la contingencia en los asuntos humanos dentro del marco de una *necessitas consequentiae*, que Melanchthon distinguió de las *necessitas consequentis*, la distinción escolástica a la que Lutero se había opuesto". Además, "expandir su nueva comprensión de la necesidad, la contingencia debe existir y no puede haber una necesidad absoluta", que fue un "repudio de su posición en 1521, así como la de Lutero en 1525". Kolb, *Bound Choice*, 87, 88. Ver también Timothy J. Wengert, "'We Will Feast Together in Heaven Forever': The Epistolary Friendship of John Calvin and Philip Melanchthon". en *Melanchthon in Europe: His Work and Influence beyond Guttenberg*, ed. Karin Maag, Texts and Studies in Reformation and Post-Reformation Thought (Grand Rapids, MI: Baker, 1999), 26–33; Anthony N. S. Lane, "The Influence upon Calvin of His Debate with Pighius", en *Auctoritas Patrum II. Neue Beiträge zur Rezeption der Kirchenväter im 15. Um 16. Jahrhundert*, ed. Leif Grane, Alfred Schindler, y Markus Wriedt (Mainz: Zabern, 1998), 125–39.

[84] Kolb, *Bound Choice*, 88. Véase también Barbara Pitkin, "The Protestant Zeno: Calvin and the Development of Melanchthon's Anthropology", *JR* 84, núm. 3 (2004): 345-78.

Communes de 1521 parecían afirmar el monergismo, su edición de 1543 pasó a ser lo que podría interpretarse como sinergia, aunque puede debatirse hasta qué punto.[85]

Considera tres observaciones. Primero, en el locus 3 Melanchthon hizo un gran esfuerzo para argumentar que Dios no es la causa del pecado, ni nunca pecará. Por ejemplo, Melanchthon citó Éxodo 7:3 ("Endureceré el corazón de Faraón"), pero dijo que "en la expresión hebrea, Él [Dios] se está refiriendo a la promesa de estas cosas, no a su voluntad efectiva."[86] Si bien Melanchthon pudo haber enfatizado la necesidad en su versión de 1521, aquí mantuvo la contingencia: "Cuando se ha establecido que Dios no es la causa del pecado y que no peca, se deduce que el pecado ocurre por contingencia, es decir, que no todas las cosas que suceden ocurren por necesidad."[87] ¿Cuál es la "causa" de tal contingencia? La voluntad del hombre. La "causa de la contingencia de nuestras acciones es la libertad de nuestra voluntad."[88] Ciertamente, tal afirmación de contingencia difería de la postura previa de Melanchthon a favor de la necesidad.

Sin embargo, y, en segundo lugar, Melanchthon no creía que la contingencia funcionara como si fuera absoluta. Incluso la contingencia tiene límites, dijo: "Por un lado, Dios establece límites a las cosas que Él quiere, y, por otro lado, a las cosas que él no quiere. Además, limita las cosas que dependen completamente de su voluntad y de las cosas que él mismo hace en parte y que la voluntad del hombre hace en parte". En el argumento posterior, Melanchthon buscó mostrar que existe un cierto grado de "libertad de elección para la voluntad humana". No sigue, insistió, que "todas las cosas buenas y malas necesariamente provienen de Dios."[89] Tercero, en esa luz, la pregunta clave se convierte en esto: ¿suceden algunas cosas aparte de la voluntad de Dios? Melanchthon matizó cuidadosamente su respuesta (distinguiendo entre necesidad absoluta y necesidad de consecuencia, así como causas primarias y secundarias), pero concluyó que, si bien ciertos eventos "dependen de la voluntad de Dios y surgen de ella", otros "provienen de otra fuente."[90] Por un lado, Melanchthon no quería negar la necesidad. Sin embargo, tampoco estaba dispuesto a decir que todas las cosas suceden por necesidad, porque eso negaría la contingencia. Esto se pone de manifiesto cuando Melanchthon, con el objetivo de contrarrestar el estoicismo, preguntó críticamente: "Porque, ¿cómo puede el hombre orar a Dios cuando sostiene que todas las cosas suceden por necesidad?"[91] Para demostrar que la voluntad del hombre puede actuar independientemente de Dios (negando así la necesidad de todas las cosas), Melanchthon recurrió a Eva. En cierto sentido, uno debe decir que Eva, apartándose de Dios, lo hizo de manera independiente: "Así, la voluntad de Eva al apartarse de Dios es una causa personal e independiente de su acción."[92]

¿Tiene algo que ver con el libre albedrío en cuanto a la salvación una discusión tan abstracta sobre la necesidad y la contingencia? En el locus 4, "*Human Powers or Free Choice*" [Los poderes humanos o la libertad de elección], Melanchthon demostró que

---

[85] Drickamer cree que el cambio de Melanchthon hacia la sinergia se remonta a 1535. Por sus razones, ver Drickamer, "Did Melanchthon Become a Synergist?", 98.
[86] Melanchthon, *Loci Communes* 1543, 36.
[87] Ibid., 37.
[88] Ibid.
[89] Ibid., 38.
[90] Ibid., 39.
[91] Ibid.
[92] Ibid., 40.

sí. Una vez más con el objetivo de contrarrestar el estoicismo, Melanchthon comenzó rechazando la necesidad de todas las cosas para afirmar la contingencia. Melanchthon estaba muy preocupado de que no le quitáramos el libre albedrío al hombre. "No debemos importar ideas estoicas a la iglesia o defender la necesidad fatalista de todas las cosas; sino que debemos admitir que hay un lugar para la contingencia."[93]

Melanchthon no renunció a su distinción entre la libertad en las obras civiles y la libertad en las obras religiosas. Mientras que el hombre puede tener una libertad en el primero, Melanchthon aún afirmó que el hombre está corrompido por el pecado, lo que sin duda afecta al último. ¿Pero hasta qué punto? Melanchthon creía que, si el hombre no hubiera sido corrompido por el pecado, entonces tendría un "conocimiento más claro y firme de Dios", sin mencionar "temor verdadero" y "confianza en Dios". Seguramente el hombre podría obedecer la ley si no fuera por una corrupción de su naturaleza. Entonces Melanchthon continuó afirmando que "la naturaleza del hombre está bajo la opresión de la enfermedad de nuestros orígenes."[94] Él no puede "satisfacer la ley de Dios."[95]

Pero la pregunta permanece —usar las propias palabras de Melanchthon— "¿Qué y cuánto puede hacer la voluntad del hombre?"[96] Melanchthon confesó que "la naturaleza humana está oprimida por el pecado", que los hombres "no tienen la libertad de vencer esta depravación que nace dentro de nosotros" y que la "libertad de la voluntad se ve disminuida". "Porque la voluntad no puede arrojar la depravación que nace en nosotros, ni puede satisfacer la ley de Dios… Por lo tanto, esta voluntad es cautiva y no libre para eliminar la muerte y la depravación de la naturaleza humana."[97] Melanchthon también afirmó la necesidad del Espíritu: "La voluntad humana sin el Espíritu Santo no puede producir los deseos espirituales que Dios exige."[98] Así que el Pelagianismo, argumentó, está fuera de discusión.

Si uno se detuviera aquí, uno podría pensar que Melanchthon siguió siendo un monergista comprometido. Pero es lo que dijo a continuación lo que ha levantado sospechas entre sus intérpretes. Al afirmar la necesidad del Espíritu para librar al hombre de su corrupción, Melanchthon no descartó por completo la actividad de la voluntad, como si el hombre fuera absolutamente pasivo. Alguna actividad permanece en el poder de la voluntad, incluso si es pequeña y está acompañada por el Espíritu.

La visión de Melanchthon, sin embargo, está matizada. Al principio, pareció afirmar el monergismo: "Debemos saber que el Espíritu Santo es eficaz por medio de la voz del evangelio mientras se escucha y se medita como dice Gal. 3:2 en adelante". Sin embargo, Melanchthon luego calificó que cuando el Espíritu viene y somos guiados por la Palabra, quedan tres causas: la Palabra, el Espíritu, "y la voluntad humana que asiente y no se opone a la Palabra de Dios."[99] En otras palabras, el Espíritu y la Palabra están trabajando, pero la voluntad del hombre debe elegir no resistir y en su lugar cooperar: "Porque la voluntad puede ignorar la Palabra de Dios, como hizo Saúl por su propia voluntad. Pero cuando la mente, oyendo y manteniéndose a sí misma, no se resiste ni se entretiene con vacilación, sino que con la

---

[93] Ibid., 41.
[94] Ibid.
[95] Ibid.
[96] Ibid.
[97] Ibid., 42.
[98] Ibid.
[99] Ibid., 43.

ayuda del Espíritu Santo trata de dar su consentimiento, en este menester la voluntad no está inactiva."[100] En resumen, el hombre no es pasivo sino activo, incluso si se trata de una actividad que está acompañada por el Espíritu. La voluntad del hombre debe aceptar y abstenerse de resistir. Kolb observa agudamente que aquí la "mención del Espíritu Santo no es lo suficientemente clara como para asegurar que la actividad de la voluntad en realidad esté determinada por la acción recreativa del Espíritu". En consecuencia, algunos "estudiantes creían que su preceptor estaba asumiendo un compromiso de la voluntad antes, y por lo tanto como una causa de, su regeneración por el Espíritu."[101] La observación de Kolb es importante. Mientras que las tres causas de buena acción de Melanchthon (Palabra, Espíritu y voluntad humana) podrían posiblemente interpretarse como si aún le diera a la voluntad un rol pasivo (al menos si se aplican las categorías de causalidad de Aristóteles), muchas "otras frases en los escritos de Melanchthon" (como la anterior sobre la voluntad no estando inactiva) otorgan a la voluntad un "rol activo y contributivo" como la "causa material en la conversión."[102]

Tal énfasis por Melanchthon se hizo aún más evidente cuando luego describió cómo funciona la gracia de Dios en relación con la voluntad del hombre. Melanchthon identificó tanto una "gracia anterior" como una "voluntad de asentimiento": "Dios nos ha vuelto anteriormente, nos llama, nos advierte y nos ayuda; pero deberíamos asegurarnos de que no nos resistamos. Porque es manifiesto que el pecado surge de nosotros y no por la voluntad de Dios. Crisóstomo dice: 'El que dibuja, atrae a los que desean'." Y luego vino la frase clave de Melanchthon: "Pero como la lucha es grande y difícil, la voluntad no está inactiva, sino que asiente débilmente."[103]

La preservación del libre albedrío de Melanchthon se hizo aún más evidente en la forma en que respondió la siguiente pregunta: "¿Cómo puedo esperar ser recibido en gracia, ya que no siento que se me haya transfundido nueva luz o nuevas virtudes? Además, la libre elección no tiene nada que hacer hasta que sienta que este nuevo nacimiento del que estás hablando ha tenido lugar, continuaré en mi rebelión y en otras actividades perversas". En respuesta, Melanchthon negó que no podamos hacer nada hasta que ocurra el nuevo nacimiento. En cambio, argumentó que "la libre elección sí hace algo."[104] El énfasis de Melanchthon en el papel activo de la voluntad no podría ser más fuerte que cuando concluyó:

> Sepan que Dios quiere que de esta misma manera seamos convertidos, cuando recemos y contemos contra nuestra rebeldía y otras actividades pecaminosas. Por lo tanto, algunos de los antiguos lo expresan así: la libre elección en el hombre es la capacidad de aplicarse a la gracia, es decir, nuestra libre elección escucha la promesa, intenta asentir y rechaza los pecados que son contrarios a la conciencia.[105]

---

[100] Ibid.

[101] Kolb, *Bound Choice*, 94, cursivas añadidas.

[102] Ibid., 93.

[103] Melanchthon, *Loci Communes* 1543, 43. Es difícil decir cuándo Melanchthon está hablando de los no regenerados y cuándo se está refiriendo a lo regenerados. Si bien esta discusión, citada anteriormente, comienza describiendo la conversión, uno se pregunta en qué momento está hablando él de la santificación. Dado que la discusión anterior se refiere al "hombre natural", parece que todavía habla de conversión.

[104] Ibid.

[105] Ibid., 44. Melanchthon a menudo usaba la palabra "efectiva" o "eficaz." Sin embargo, este término no tenía la misma connotación que cuando Lutero o Calvino usaban ese lenguaje. En cambio, Melanchthon aprobó la eficacia del

La Fórmula de Concordia (1577)

En los últimos años de su vida, Melanchthon persistió en su esfuerzo por separarse de la doctrina de absoluta necesidad de Lutero, así como de la afirmación de la doble predestinación de Calvino.[106] "Hay contingencia", declaró Melanchthon sin reservas, "y la fuente de la contingencia en nuestras acciones es la libertad de la voluntad."[107]

Sin embargo, su posición se encontró con la oposición. Melanchthon insistió en que "la gracia precede" (separándose así del Pelagianismo y del semi-Pelagianismo) pero que, sin embargo, "la voluntad la acompaña, y Dios atrae, pero atrae a la persona cuya voluntad está funcionando."[108] La voluntad, en otras palabras, es activa y cooperativa en el proceso regenerativo. Algunos de los estudiantes de Melanchthon "no pudieron erradicar sus temores de que su descripción de la acción del ser humano comprometiera su insistencia en la exclusividad de la gracia de Dios y su don de fe."[109] En contraste, argumentaron que la voluntad del pecador es totalmente pasiva, esperando el nuevo nacimiento del Espíritu que produce las nuevas inclinaciones de la voluntad. La imagen de un nuevo nacimiento representa tal pasividad, ya que el padre da a luz al bebé, por lo que el Espíritu da a luz al no regenerado a través del poder de la Palabra.[110]

Sin embargo, el debate de monergismo-sinergismo continuó en las décadas de 1560 y 1570 con los luteranos en ambos lados.[111] Kolb identifica el eje de toda la división entre los dos campos:

> En el calor de la batalla….los filipistas seguían convencidos de que los gnesio-luteranos eran estoicos y maniqueos en su insistencia de que la voluntad humana se opondrá activamente a Dios hasta que el Espíritu Santo supere esa oposición, y los gnesio-luteranos no podían dejar de lado sus sospechas de que la insistencia filipista en la integridad humana dio lugar a expresiones que ejercieron un papel controlador en la fe en los poderes de la voluntad de hacer algún movimiento, aunque sea muy pequeño, en dirección a Dios.[112]

¿Cómo encajó la Fórmula de la Concordia en este acalorado debate? "La Fórmula de la Concordia", dice Kolb, "produjo un acuerdo que complació a la mayoría de los gnesio-luteranos, aparte de los discípulos más devotos de Flacio, y también a la mayoría de los filipistas."[113] Sin embargo, al mismo tiempo, la Fórmula de Concordia se alineó explícitamente con la postura de Lutero sobre el libre albedrío como se articula en *La Voluntad Determinada.*

Espíritu en la medida en que correspondiera a la voluntad no resistente del hombre. Es, por lo tanto, una eficacia condicional.

[106] Sobre este punto, vease Kolb, *Bound Choice*, 99.

[107] Felipe Melanchthon, *Melanchthons Werke* en *Auswahl* [*Studien-Ausgabe*], ed. Robert Stupperich (Gütersloh: Bertelsmann, 1955), 6:312–13.

[108] CR 9: 769. Ver Kolb, *Bound Choice*, 113.

[109] "De la misma manera, su preceptor no podía escuchar lo suficiente como para responder a sus inquietudes, sino que caricaturizaba su posición para poder rechazarla sin comprometerse". Creían que Melanchthon estaba en conflicto directo con los argumentos de Lutero en contra de Erasmo, así como con la Confesión de Augsburgo y la Apología de Melanchthon. Kolb, *Bound Choice*, 113 (cf. 116). Para un extenso tratamiento del debate entre los que vinieron despuésde Melanchthon, véase 118–34, 135–69.

[110] Kolb, *Bound Choice*, 117.

[111] La mejor visión general de este debate es ibid., 103–243.

[112] Ibid., 287–88.

[113] Ibid., 288.

Considere, por ejemplo, los primeros dos artículos de la *Fórmula*. El artículo 1 afirma que el pecado original no es una corrupción leve", sino que es "tan profundo que no queda nada sano o incorrupto en el cuerpo o alma humana, en sus poderes internos o externos."[114] Entre sus muchas negaciones, la Fórmula rechaza el Pelagianismo, que alega que "incluso después de la caída, la naturaleza humana ha permanecido incorrupta y especialmente en asuntos espirituales permanece completamente buena y pura en su *naturalia*, es decir, en sus poderes naturales."[115] También niega cualquier punto de vista que diría que el pecado original es solo "una mancha leve e insignificante que se ha corrido sobre la naturaleza humana, una mancha superficial, debajo de la cual la naturaleza humana conserva sus buenos poderes, incluso en asuntos espirituales.[116] También rechaza la enseñanza de que el pecado original es "solo un obstáculo externo para estos buenos poderes espirituales, y no una pérdida o falta de ellos."[117] Tales declaraciones excluyen no solo el semi-Pelagianismo sino cualquier punto de vista que diga que la naturaleza humana y su esencia no están "completamente corrompidas sino que la gente todavía tiene algo bueno en ellas, incluso en asuntos espirituales, como la capacidad, aptitud, habilidad, o la capacidad de iniciar o afectar algo en asuntos espirituales o de cooperar en tales acciones."[118] Tal negación exhaustiva y detallada parece eliminar cualquier espacio para el sinergismo, incluso en lo más mínimo.

El artículo 2 sobre el "Libre albedrío" es aún más importante para nuestra discusión. Dada la devastadora imagen del hombre pintada en el artículo anterior, el artículo 2 naturalmente procede a hacer esta pregunta: "¿Qué tipo de poderes tienen los seres humanos después de la caída de nuestros primeros padres, antes del renacimiento, por sí mismos, en asuntos espirituales?" Y nuevamente, "¿Pueden, con sus propios poderes, recibir un nuevo nacimiento por el Espíritu de Dios, disponerse favorablemente de la gracia de Dios y prepararse para aceptar la gracia ofrecida por el Espíritu Santo en la Palabra y en los santos sacramentos?"[119]

La fórmula es para nada oscura en su respuesta. Por ejemplo, comienza afirmando, sin reservas, la depravación total y la incapacidad espiritual del hombre a partir de textos como 1 Corintios 2:14. "La razón y el entendimiento humano" son "ciegos en asuntos espirituales y no entienden nada sobre la base de sus propios poderes."[120] Y para que nadie piense que el hombre solo está herido, sino que aún es capaz de cooperar, la Fórmula descarta esa idea desde el principio. Apelando a Génesis 8:21y Romanos 8:7, sostiene que la "voluntad humana no regenerada no solo se aleja de Dios, sino que también se ha convertido en enemiga de Dios", y "solo tiene el deseo y la voluntad de hacer el mal y todo lo que se oponga a Dios."[121] El lenguaje monergista de la Fórmula aparece incluso en su descripción negativa del hombre: "Al igual que un cadáver no puede cobrar vida para la vida corporal y terrenal, tampoco pueden las personas que a través del pecado están espiritualmente muertas levantarse a una vida

---

[114] "The Epitome of the Formula of Concord," art. 1, aff. tesis 3, en Kolb y Wengert, *Book of Concord*, 488.
[115] Ibid., art. 1, neg. tesis 3, en Kolb y Wengert, *Book of Concord*, 489.
[116] Ibid., art. 1, neg. tesis 4, en Kolb y Wengert, *Book of Concord*, 489.
[117] Ibid., art. 1, neg. tesis 5, en Kolb y Wengert, *Book of Concord*, 489.
[118] Ibid., art. 1, neg. tesis 6, en Kolb y Wengert, *Book of Concord*, 489–90.
[119] Ibid., art. 2, Status controversiae, en Kolb y Wengert, *Book of Concord*, 491.
[120] Ibid., art. 2, aff. tesis 1, en Kolb y Wengert, *Book of Concord*, 491.
[121] Ibid., art. 2, aff. tesis 2, en Kolb y Wengert, *Book of Concord*, 492.

espiritual" (Ef. 2: 5; 2 Corintios 3:5).[122] Ciertamente, el hombre es pasivo, por lo tanto, y no está activo antes de la obra regeneradora del Espíritu.

A la luz de la esclavitud y la muerte espiritual de la voluntad, el Espíritu, a través de la Palabra (Sal. 95: 8, Rom. 1:16), abre corazones (Hch. 16:14) para que los pecadores puedan "escucharlo y así convertirse, únicamente a través de la gracia y el poder del Espíritu Santo, que es el único que logra la conversión del ser humano."[123] El Espíritu, y el Espíritu solamente, es quien está obrando en el espiritualmente muerto.

> Porque aparte de su gracia, nuestro "querer y ejercer" [Rom. 9:16], nuestra siembra y riego no equivalen a nada "si él no da el crecimiento" [1 Cor. 3:7].Como dice Cristo, "aparte de mí, no puedes hacer nada" [Juan 15:5]. Con estas breves palabras, niega al libre albedrío, su poder, y lo atribuye todo a la gracia de Dios, de modo que nadie tiene motivos para jactarse delante de Dios (1 Cor. [9:16]).[124]

La Fórmula no deja espacio para el libre albedrío. Todo se atribuye a la gracia de Dios (*sola gratia*).

La Fórmula también contrarresta el sinergismo en sus "Tesis Negativas". No solo nombra Pelagianismo y semi-Pelagianismo, sino que también rechaza cualquier otro tipo de sinergia menor que apunte a adscribir algo, incluso la cooperación más pequeña, al hombre antes de la regeneración. En otras palabras, en la declaración que sigue, la Fórmula niega incluso la sinergia *iniciada por Dios* o *habilitada por Dios*, rechazando la enseñanza de que,

> aunque los seres humanos son demasiado débiles para iniciar la conversión con su libre albedrío antes del renacimiento, y así se conviertan a Dios en la base de sus propios poderes naturales y ser obediente a la ley de Dios con todo su corazón, sin embargo, una vez que el Espíritu Santo haya comenzado por la predicación de la Palabra y haya ofrecido su gracia, *la voluntad humana es capaz, hasta cierto punto, aunque sea pequeña y débil, de sus propios poderes naturales para hacer algo, para ayudar y cooperar, para disponer y prepararse para la gracia, para captar esta gracia, para aceptarla, y para creer el Evangelio.*[125]

La Fórmula también rechaza la cita de Crisóstomo que Melanchthon usó para apoyar su punto de vista: "Dios atrae, pero atrae a los que están dispuestos" (*Deus trahit, sed volentem trahit*), así como la afirmación de Melanchthon de que "la voluntad humana no está inactiva en la conversión, sino que también está haciendo algo" (*hominis voluntas en conversión no estética, sed agit aliquid*).[126] Estas afirmaciones, argumenta la Fórmula, devuelven algo al libre albedrío del hombre (incluso si es leve) y van en contra de la gracia de Dios.[127]

La Fórmula concluye su afirmación sobre el libre albedrío aclarando la afirmación de Lutero (a veces malentendida) de que la voluntad es puramente pasiva, creyendo que está del lado del Reformador:

---

[122] Ibid., art. 2, aff. tesis 1–2, en Kolb y Wengert, *Book of Concord*, 492.

[123] Ibid., art. 2, aff. tesis 2, en Kolb y Wengert, *Book of Concord*, 492.

[124] Ibid., art. 2, aff. tesis 2–3, en Kolb y Wengert, *Book of Concord*, 492.

[125] Ibid., art. 2, neg. tesis 4, en Kolb y Wengert, *Book of Concord*, 493, cursiva añadida.

[126] Ibid., art. 2, neg. tesis 8, en Kolb y Wengert, *Book of Concord*, 493.

[127] Ibid., art. 2, neg. tesis 8, en Kolb y Wengert, *Book of Concord*, 493.

Cuando el Dr. Lutero escribió que la voluntad humana se conduce *puramente pasiva* (es decir, que no hace absolutamente nada), debe entenderse *respectu divinae gratiae in accendendis novis motibus* ["Puramente pasivamente" y "con respecto a la gracia divina en la creación de nuevos movimientos"], es decir, en la medida en que el Espíritu de Dios se apodera de la voluntad humana a través de la Palabra que se escucha o mediante el uso de los santos sacramentos y efectúa un nuevo nacimiento y conversión. Porque cuando el Espíritu Santo ha efectuado y realizado un nuevo nacimiento y conversión, y ha alterado y renovado la voluntad humana únicamente a través de su poder y actividad divinos, *entonces* la nueva voluntad humana es un instrumento y una herramienta de Dios el Espíritu Santo, en que la voluntad no solo acepta la gracia, sino que también coopera con el Espíritu Santo en las obras que proceden de ella.[128]

"Puramente pasivamente", "no hace absolutamente nada" —estas son frases clave que demuestran que el monergismo se afirma en esta apelación al patriarca de la Fórmula. Y, sin embargo, la Fórmula trabaja para demostrar que por "puramente pasivamente" Lutero no tuvo la intención de excluir la obra del Espíritu para cambiar la voluntad a través de la instrumentalidad de la Palabra. En otras palabras, la Fórmula pretende evitar la noción fatalista de que Dios se mueve mecánicamente, como si se tratara de una mera roca o bloque de madera. En cambio, argumenta, se mueve de tal manera que crea fe y una relación personal con el pecador.[129] Por lo tanto, la Fórmula puede concluir que al pecador le queda una voluntad renovada, y no nos dejará olvidar, que esta obra de renovación es solo obra del Espíritu.

Pero tal vez la afirmación que saca provecho del énfasis monergista más se puede ver en el párrafo final. Mientras que Melanchthon afirmó tres causas de un nuevo nacimiento y conversión (la Palabra, el Espíritu y el libre albedrío del hombre), la Fórmula solo reconoció dos "causas eficientes": el Espíritu Santo y la Palabra de Dios.[130] El libre albedrío está completamente ausente de la ecuación.

La Esclavitud y la Liberación de la Voluntad[131] de Juan Calvino

REACCIÓN DE JUAN CALVINO A MELANCHTHON

¿Cómo manejaron la posición de Melanchthon los reformadores (incluso los reformadores de segunda generación), particularmente aquellos que están fuera del redil luterano? En la tradición reformada, la visión de Juan Calvino de Melanchthon es reveladora.

Entre 1538 y 1558, Calvino abordó a Melanchthon en correspondencia, y la mayor parte del tiempo fue cordial. A fines de la década de 1530, sin embargo, Calvino notó el silencio de Melanchthon sobre la predestinación y el libre albedrío, que Calvino señaló, aunque gentilmente, en su *Comentario sobre Romanos* de 1539.[132] Sin embargo, después de la publicación de *Loci Communes* de 1543 de Melanchthon, donde el alejamiento de Melanchthon de Lutero es evidente, era imposible que Calvino

---

[128] Ibid., Art. 2, neg. tesis 9, en Kolb y Wengert, *Book of Concord*, 494. Obsérvese cómo esta mención de la cooperación con el Espíritu se refiere a las buenas obras que siguen al nuevo nacimiento y la conversión, y no las preceden.

[129] Le debo esta idea a Robert Kolb en una correspondencia personal.

[130] "Epítome de la Fórmula", art. 2, neg. tesis 9, en Kolb y Wengert, *Book of Concord*, 494.

[131] Título en inglés: *The Bondage and Liberation of the Will*.

[132] Juan Calvino, *Calvin's Commentaries*, vol. 19, *Commentaries on the Epistle of Paul the Apostle to the Romans*, ed. y trad. John Owen (Grand Rapids, MI: Baker, 1979), xxv, xxvi.

no dijera nada en absoluto. De hecho, el momento fue impecable. Como veremos en breve, Albert Pighius había escrito un libro defendiendo el libre albedrío, al tiempo que refutaba las opiniones de Calvino. Pighius la tenía agarrada Calvino, pero también censuró a Melanchthon por su alejamiento de Lutero y Calvino. ¡A sabiendas, Calvino dedicó su libro respondiendo a Pighius a Melanchthon! Graybill observa cómo Calvino "estaba haciendo una sutil excavación en Melanchthon sobre sus formulaciones recién cambiadas"[133] aunque también puede ser el caso de que Calvino estuviera intentando llevar a Melanchthon al apoyo público de su posición.

En la correspondencia posterior entre los dos, quedó claro que Melanchthon no estaba de acuerdo con la distinción de Calvino entre un llamado general al evangelio y un llamado especial. Para Melanchthon, solo el primero era viable. Esto significaba, entonces, que finalmente la obra del Espíritu dependía de la decisión de voluntad propia del hombre. Es difícil mejorar el resumen de Graybill sobre la visión de Melanchthon contra Calvino:

> Todas las personas, cuando oyeron la Palabra de Dios (que siempre era iluminada por el Espíritu Santo) tuvieron, en ese momento, la libre elección de tener o no fe en Cristo. La predestinación no estaba involucrada en absoluto. La efectividad del llamado del Espíritu estaba supeditada a la respuesta libre de la voluntad humana individual.[134]

Tal vez deberíamos matizar tal afirmación al reconocer que Melanchthon sí creía que era el Espíritu Santo quien movía la voluntad humana para dar esa respuesta. Sin embargo, el éxito del llamado del Espíritu parecía estar supeditado a la voluntad —incluso si era una voluntad habilitada por el Espíritu— y esto era suficiente para causar consternación a Calvino, así como a los colegas del monergismo luterano de Melanchthon.

Aunque Calvino no entró en un debate abierto con Melanchthon como lo hizo con Pighius, sin embargo, Calvino insinuó ocasionalmente su desaprobación. Por ejemplo, en 1546, Calvino escribió el prefacio de la edición francesa de *Loci Communes* Melanchthon. Allí Calvino notó cómo Melanchthon había cambiado su posición en cuanto al libre albedrío. Aun así, los dos evitaron el debate público ya que ninguno de ellos deseaba crear una barrera innecesaria para una reforma posterior.[135]

Melanchthon murió en 1560. Aun así, incluso después de su muerte, su punto de vista siguió invitando a la crítica. Mientras que Calvino había sido cordial en el pasado, en este punto Calvino condenó los puntos de vista de Melanchthon desde el púlpito, usando un lenguaje muy fuerte para demostrar cuán perturbado era que Melanchthon asociara un predestinarianismo/determinismo cristiano con el estoicismo.[136] Para Calvino, Melanchthon había tergiversado y comprometido la visión bíblica que el propio Calvino había defendido en sus escritos contra Pighius.

---

[133] Graybill, *Evangelical Free Will*, 247.

[134] Ibid., 249.

[135] Wengert, "Epistolary Friendship of John Calvin and Philip Melanchthon," 32; *Graybill, Evangelical Free Will*, 249.

[136] Juan Calvino, *Traité de la predestination éternelle de Dieu, par laquelle les uns sont éleuz à salut, les autres laissez en leur condemnation* (Ginebra, 1560); Calvino, "Una respuesta a ciertas calumnias y blasfemias, con el cual ciertas personas malvadas han ido a llevar la doctrina de la predestinación eterna de Dios al odio" en *Sermons on Election and Reprobation*, ed. Ernie Springer, trad. John Field (Audubon, NJ: Old Paths, 1996), 305-17.

EL DEBATE DE PIGHIUS Y CALVINO (1542-1543)

¿Cómo surgió por primera vez el debate Pighius-Calvino?[137] En 1536, la primera edición de la *Institución de la religión cristiana* de Calvino vio la luz. En 1539, apareció una segunda edición, pero esta vez tres veces más larga. Esto es relevante debido a dos nuevos capítulos, "El conocimiento de la humanidad y la libre elección" (capítulo 2) y "La predestinación y la Providencia de Dios" (capítulo 8). Naturalmente, esta edición llamó la atención del obispo católico de Aquila, Bernardo Cincio. Luego se lo pasó al cardenal Marcelo Cervini, quien compartía el disgusto de Cincio, incluso acordó que era más peligroso que las obras que los luteranos habían producido. En su indignación, los dos se acercaron a Albert Pighius (1490-1542), un teólogo católico holandés, que prontamente escribió *Ten Books on Human Free Choice and Divine Grace* [Diez libros sobre la libre elección humana y la gracia divina](1542).

Calvino sintió que la necesidad de responder era urgente. Sin embargo, dado que quería que su respuesta estuviera lista a tiempo para la feria del libro de Frankfurt de 1543, Calvino solo podía responder a los primeros seis libros de Pighius sobre el libre albedrío. Su tratado se tituló *Defence of the Sound and Orthodox Doctrine of the Bondage and Liberation of Human Choice against the Misrepresentations of Albert Pighius of Kampen* [Defensa de la sana y ortodoxa doctrina de la esclavitud y la liberación de la elección humana contra las tergiversaciones de Albert Pighius de Kampen]. La respuesta de Calvino a los otros cuatro libros de Pighius sobre la providencia y la predestinación se habría publicado en la feria del libro al año siguiente, pero Pighius murió y el ímpetu por Calvino para responder se evaporó.

Todo cambió cuando la controversia estalló una vez más, esta vez con Jerónimo Bolsec en Ginebra en 1551. Los ataques de Bolsec contra la doctrina de la predestinación de Calvino se encontraron con *Eternal Predestination of God* [Predestinación eterna de Dios] de Calvino (1552).En esta respuesta, Calvino no solo respondió a Bolsec, sino que aprovechó la oportunidad para seguir su crítica pendiente de Pighius. Para 1559, Calvino había completado lo que sería su última edición de la *Institución*, en el que nuevamente articuló su comprensión de la gracia y el libre albedrío, pero esta vez con toda la experiencia de sus debates con Pighius.

Aunque que el debate Erasmo-Lutero es muy diferente en muchos aspectos del Pighius-Calvino, hay similitudes cuando uno considera la aversión de Pighius al control divino y su defensa del libre albedrío en la conversión.[138] Dado que nuestro propósito aquí es concentrarnos en la esclavitud y la liberación de la voluntad, nos limitaremos a la respuesta de Calvino en 1543 a Pighius y su *Institución* de 1559.

---

[137] El trasfondo que sigue se puede encontrar con mayor profundidad en la "Introducción" de Lane, de la cual estoy en deuda: A. N. S. Lane, "Introducción", en Juan Calvino, *The Bondage and Liberation of the Will: A Defence of the Orthodox Doctrine of Human Choice against Pighius*, ed. A. N. S. Lane, trad. G. I. Davies, Texts and Studies in Reformation and Post-Reformation Thought (Grand Rapids, MI: Baker, 1996), xii-xxxiv.

[138] Para una revisión de las comparaciones y contrastes, vea ibid., Xxvii-xxix.

DEPRAVACIÓN GENERALIZADA Y LA ESCLAVITUD DE LA VOLUNTAD[139]

Calvino comenzó con el primer pecado de Adán y, como Pablo en Romanos 5, trazó la conexión de Adán con toda la humanidad. Cuando Adán pecó, "enredó y sumergió a su descendencia en la misma miseria."[140] Calvino definió el pecado original como "una depravación hereditaria y corrupción de nuestra naturaleza, difundida en todas las partes del alma, lo que primero nos hace responsables de la ira de Dios, luego también produce en nosotros esas obras que la Escritura llama 'obras de la carne'."[141] Según Calvino, el resultado de descender de la "simiente impura" de Adán y "nacer infectado con el contagio del pecado" es la corrupción generalizada de la naturaleza del hombre.[142] Calvino explicó,

> Aquí solo quiero sugerir brevemente que todo el hombre está abrumado —como por un diluvio— de pies a cabeza, de manera que ninguna parte es inmune al pecado y todo lo que procede de él debe ser imputado al pecado. Como dice Pablo, todas los designios de los pensamientos de la carne son enemistades contra Dios [Rom. 8:7], y por lo tanto son muerte [Rom. 8:6].[143]

Calvino concluyó,

> Por lo tanto, si es correcto declarar que el hombre, debido a su naturaleza viciada, es naturalmente abominable para Dios, también es correcto decir que el hombre es naturalmente depravado y defectuoso. De ahí que Agustín, en vista de la naturaleza corrupta del hombre, no tenga miedo de llamar "naturales" a aquellos pecados que necesariamente reinan en nuestra carne dondequiera que la gracia de Dios esté ausente.[144]

En otra parte, Calvino declaró: "Tan depravada es la naturaleza [del hombre] que puede ser movido o impulsado solo al mal."[145] Si el hombre ha sido corrompido como por un diluvio, y si el pecado impregna cada receso de modo que "ninguna parte es inmune al pecado", se sigue que la voluntad del hombre está en esclavitud del pecado.

---

[139] Esta y las siguientes dos secciones sobre Calvino están adaptadas de la sección "John Calvin: Theologian of Sovereign Grace" en "Monergism in the Calvinist Tradition", cap. 2 de Matthew Barrett, *Reclaiming Monergism: The Case for Sovereign Grace in Effectual Calling and Regeneration* (Phillipsburg, NJ: P & R, 2013). Usado con el permiso de P & R Publishing.

[140] Calvino, *Institución*, 2.1.1. En 2.1.6, Calvino explicó además su comprensión de Romanos 5, así como su rechazo al pelagianismo, el cual Calvino acusó a Pighius de adoptar y llamó a Pighius un hijo espiritual de Pelagio. Sobre las tendencias pelagianas de Pighius, véase L. F. Schulze, "Calvin's Reply to Pighius—A Micro and a Macro View", en *Calvin's Opponents*, vol. 5 de *Articles on Calvin and Calvinism*, ed. Richard C. Gamble (Nueva York: Garland, 1992), 179.

[141] Calvino, *Institución*, 2.1.8. "Por lo tanto, Calvino se apega al pecado original en el sentido tanto de la culpa original (los bebés recién nacidos no son inocentes ante Dios) como de la depravación original". Anthony N. S. Lane, "Anthropology", en *The Calvin Handbook*, ed. Herman J. Selderhuis (Grand Rapids, MI: Eerdmans, 2008), 278.

[142] Calvino, *Institución*, 2.1.6. Cf. Eberhard Busch, "God and Humanity," en Selderhuis, *The Calvin Handbook*, 231.

[143] Calvin, *Institución*, 2.1.9 (ver 2.3). Lane afirma: "Toda la naturaleza humana está corrompida, no solo la parte sensual, sino también la mente y la voluntad". Lane, "Anthropology", 278. Véase también Suzanne Selinger, *Calvin against Himself: An Inquiry in Intellectual History* (Hamden, CT: Archon Books, 1984), 42; Lanier Burns, "From Ordered Soul to Corrupted Nature: Calvin's View of Sin," en *John Calvin and Evangelical Theology*, ed. Sung Wook Chung (Louisville: Westminster John Knox, 2009), 90–91, 97–101.

[144] Calvino, *Institución*, 2.2.12. Vease también T. H. L. Parker, *Calvin: An Introduction to His Thought* (Louisville: Westminster John Knox, 1995), 51-52.

[145] Juan Calvino, *Instituciónde la religión cristiana* (1539), 2.3.5, CR 29. Lane comenta: "Nuestra naturaleza es depravada, y es inútil buscar algo bueno en ella". Lane, "Anthropology", 278-79. Ver también Williston Walker, *John Calvin: The Organiser of Reformed Protestantism*, 1509-1564 (Nueva York: Schocken Books, 1969), 412.

Calvino, contra Pighius, escribió: "Porque la voluntad está tan abrumada por la maldad y tan invadido por el vicio y la corrupción que de ninguna manera puede escapar a un esfuerzo honorable o dedicarse a la rectitud."[146]

Calvino rechazó a los filósofos medievales en lo que hoy se denomina libertad libertaria, o el poder de la elección contraria:

> Dicen: Si hacer esto o aquello depende de nuestra elección, el no hacerlo también depende de ello. De nuevo, si depende de no hacerlo, también de hacerlo. Ahora parece que hacemos lo que hacemos y evitamos lo que rehuimos, por libre elección. Por lo tanto, si hacemos algo bueno cuando queremos, también aplica no hacerlo; si hacemos algún mal, también podemos evitarlo.[147]

Sin embargo, los filósofos no estaban solos, ya que algunos de los Padres de la Iglesia primitiva eran incluso poco claros en su comprensión del libre albedrío, sostuvo Calvino.[148] Por ejemplo, dijo Crisóstomo,

> Dado que Dios ha colocado el bien y el mal en nuestro poder, ha otorgado la libre decisión de elección, y no restringe la falta de voluntad, sino que abraza a los dispuestos. De nuevo: El que es malo, si lo desea, a menudo se convierte en un buen hombre; y el que es bueno cae por la pereza y se vuelve malvado. Porque el Señor ha hecho que nuestra naturaleza sea libre de elegir.[149]

Jerónimo pareció estar de acuerdo: "De nosotros es comenzar, lo que Dios debe cumplir; de nosotros es ofrecer lo que podamos, de él suministrar lo que no podemos."[150] Sin embargo, Calvino se opuso a este pensamiento y se puso de parte de Agustín, quien no dudó en etiquetar la voluntad como "no libre."[151] Como argumentaba Agustín, sin el Espíritu, la voluntad no es libre, sino que está encadenada y conquistada por sus deseos.[152] Calvino elaboró:

---

[146] Calvino, *Bondage*, 77. Véase también Wilhelm Niesel, *The Theology of Calvin,* trad. Harold Knight (Philadelphia: Westminster, 1956), 82; Arthur Dakin, *Calvinism* (Philadelphia: Westminster, 1946), 33–40.

[147] Calvino, *Institución*, 2.2.3.

[148] Ibid., 2.2.4.

[149] Como se cita en ibid.

[150] Como se cita en ibid.

[151] Calvino observó cómo Agustín reaccionó en un momento contra aquellos que dicen que la voluntad no está "libre", pero explicó que fue solo porque trataron de negar la decisión de la voluntad "como para desear excusar el pecado". Ibid., 2.2.7.

[152] Pighius, por supuesto, habría rechazado tal afirmación argumentando que "debe" implicar "poder" o "capacidad". En otras palabras, Dios ordena que su ley sea obedecida ("debe"); por lo tanto, el hombre debe poder obedecerlo ("puede") —de lo contrario, tal mandato es falso. ¿Cómo respondió Calvino? Para Calvino, "debe" no necesitaba "habilidad" y al mismo tiempo, Dios solo permanece para exigir la ley. Calvino explicó por qué este es el caso: "Porque no debemos medir por nuestra propia habilidad el deber al que estamos destinados ni investigar las capacidades del hombre con este poder de razonamiento sin ayuda. Más bien deberíamos mantener la siguiente doctrina. En primer lugar, incluso si no podemos cumplir o incluso comenzar a cumplir la justicia de la ley, sin embargo, se requiere de nosotros con razón, y no estamos excusados por nuestra debilidad o el fracaso de nuestra fuerza. Porque como la culpa de esto es nuestra, entonces la culpa debe ser imputada a nosotros. En segundo lugar, la función de la ley es diferente de lo que la gente comúnmente supone que es. Porque no puede hacer que [los pecadores] sean buenos, sino que solo puede condenarlos por su culpa, primero al eliminar la excusa de la ignorancia y luego refutar su opinión errónea de que son justos y sus afirmaciones vacías sobre su propia fuerza. De esta forma, no se deja excusas para que los impíos eviten que sean condenados por su propia conciencia y, les guste o no, se den cuenta de su culpabilidad…Por lo tanto, al emitir órdenes y exhortaciones, Dios no toma en cuenta nuestra fortaleza, ya que él da eso mismo que él exige y lo da por la razón de que por nosotros mismos somos impotentes". Calvino, *Bondage*, 41-42 (véase 141- 42).

Del mismo modo, cuando la voluntad fue conquistada por el vicio en el que había caído, la naturaleza humana comenzó a perder su libertad. Una vez más, el hombre, usando mal el libre albedrío, ha perdido tanto a sí mismo como a su voluntad. Una vez más, el libre albedrío ha sido tan esclavizado que no puede tener poder para la rectitud. De nuevo, lo que la gracia de Dios no ha liberado no será gratis. Nuevamente, la justicia de Dios no se cumple cuando la ley así lo ordena, y el hombre actúa como si lo hiciera por su propia fuerza; pero cuando el Espíritu ayuda, y la voluntad del hombre, no libre, sino liberada por Dios, obedece. Y él da un breve recuento de todos estos asuntos cuando escribe en otra parte: el hombre, cuando fue creado, recibió grandes poderes de libre albedrío, pero los perdió al pecar.[153]

Esto no significa, sin embargo, que el hombre sea coaccionado. Más bien, el hombre peca voluntariamente —por *necesidad*, sí, pero no por *coacción*.[154] Tal distinción fue uno de los puntos principales de Calvino en su tratado contra Pighius, quien argumentó que *necessitas* ("necesidad") implica *coactio* ("coacción"). Sin embargo, como explica Paul Helm, para Calvino, "no se sigue de la negación del libre albedrío que lo que una persona elige es el resultado de la coacción."[155] Para Calvino, la coacción niega la responsabilidad, pero la necesidad es "consistente con ser considerado responsable de la acción y ser alabado o culpado por ello."[156] Por lo tanto, Calvino declararía que el hombre "actúa perversamente por voluntad, no por coacción" (*male voluntate agit, non coactione*).[157]

Entonces, ¿qué pensar del término *libre albedrío* (*liberum arbitrium*)? Calvino, como Lutero antes que él, preferiría haber eliminado el término.[158] ¿Cuál es el propósito de etiquetar una "cosa tan pequeña" con un "nombre tan ostentoso"? Calvino bromeó: "Una noble libertad, de hecho —para que el hombre no sea forzado a servir al pecado, sin embargo, ¡para ser un esclavo tan dispuesto [*ethelodoulos*] que su voluntad está atada por las cadenas del pecado!"[159] Además, el término se le da a la incomprensión de los hombres pecadores que son propensos a escuchar el término *libre albedrío* y piensan que son sus propios maestros, que tienen el poder de entregarse al bien o al mal.[160] Por lo tanto, es mejor evitar el término. Sin embargo, esto no significa que Calvino no creía en el "libre albedrío".[161] Si por libertad uno quiere decir, como argumentaron Lombardo, los papistas y Pighius, esa voluntad del hombre que de ninguna manera está determinada, sino que el hombre tiene el poder

---

[153] Calvino, *Institución*, 2.2.7. Con Agustín, Calvino apeló a 2 Cor. 3:17, donde Pablo dice: "Donde está el Espíritu del Señor, allí hay libertad". Tal pasaje implica que donde no se encuentra el Espíritu del Señor (es decir, el hombre depravado), no hay libertad. Del mismo modo, Jesús declara en Juan 15: 5 que "aparte de mí no puedes hacer nada".

[154] Ibídem. La comprensión de Calvino de la necesidad no es lo mismo que la comprensión estoica de la necesidad. Ver Charles Partee, "Calvin and Determinism," en *An Elaboration of the Theology of Calvin*, vol. 8 of *Gamble, Articles on Calvin and Calvinism*, 351-68.

[155] Paul Helm, *John Calvin's Ideas* (New York: Oxford University Press, 2004), 162. Vease tambien Niesel, *Theology of Calvin*, 87.

[156] Calvino, *Bondage*, 150. Vease tambien John H. Gerstner, "Augustine, Luther, Calvin, and Edwards on the Bondage of the Will," en *The Grace of God, the Bondage of the Will*, vol. 2, *Historical and Theological Perspectives on Calvinism*, ed. Thomas R. Schreiner and Bruce A. Ware (Grand Rapids, MI: Baker, 1995), 287.

[157] Calvino, *Institución*, 2.2.7; cf. 3.5. "No podemos liberarnos de la dirección equivocada de nuestra voluntad. Somos liberados de ella solo a través de la bondad de Dios. Pero esta bondad libera", Busch, "God and Humanity", 232.

[158] Hugh T. Kerr, ed., *A Compend of Luther's Theology* (Philadelphia: Westminster, 1943), 88, 91.

[159] Calvino, *Institución*, 2.2.7.

[160] Ibídem. Calvino reafirmó este punto de vista en *Bondage*, 68.

[161] "Como lo atestiguan mi *Institución*, siempre he dicho que no tengo ninguna objeción a que la elección humana se considere libre, siempre que se establezca una definición sólida de la palabra entre nosotros". Calvino, *Bondage*, 311. Véase también Calvino, *Institución*, 2.2 .7-8.

propio de la voluntad del bien o el mal hacia Dios, para que por su propia fuerza pueda hacerlo igualmente, entonces Calvino rechazó el libre albedrío. Pero si por libre albedrío uno quiere decir, como sostenía Agustín, que el hombre lo obrará por *necesidad voluntaria* (no por coacción), entonces se puede afirmar la elección voluntaria.[162] Sin embargo, incluso si el hombre quiere obrar por necesidad, tal necesidad es, antes de la aplicación de la gracia efectiva, solo una necesidad de pecar: "Porque no decimos que el hombre sea arrastrado involuntariamente al pecado, pero debido a que su voluntad es corrupta, él se mantiene cautivo bajo el yugo del pecado y, por lo tanto, necesariamente desea de mala manera. Porque donde hay esclavitud, hay necesidad."[163] Por lo tanto, la esclavitud de la voluntad de pecar permanece, y, sin embargo, tal esclavitud es voluntaria y en cautividad voluntaria (*voluntariae suae electioni*). Como lo hizo evidente Calvino en su *Catecismo* de 1538, que contiene una de sus definiciones más claras y precisas del *libre albedrío,* el hombre no peca por una "necesidad violenta" (*violenta necessitate*) sino que transgrede "por una voluntad totalmente propensa al pecado" (la "necesidad de pecar"):

> Que el hombre está esclavizado al pecado, las Escrituras lo testifican repetidamente. Esto significa que su naturaleza está tan alejada de la justicia de Dios que concibe, desea y se esfuerza por nada que no sea impío, distorsionado, malvado o impuro. Porque un corazón profundamente empapado en el veneno del pecado no puede traer más que los frutos del pecado. Sin embargo, no debemos suponer por esa razón que el hombre ha sido impulsado por la necesidad violenta de pecar. Él transgrede por una voluntad totalmente propensa al pecado. Pero debido a que la corrupción de sus sentimientos detesta completamente toda la justicia de Dios y se inflama a toda clase de maldad, se niega que esté dotado de la capacidad libre de elegir el bien y el mal, la cual los hombres llaman "libre albedrío".[164]

Para aclarar este punto, Calvino distingue entre necesidad y compulsión (o coacción):

> El punto principal de esta distinción, entonces, debe ser que el hombre, como fue corrompido por la caída, pecó voluntariamente, no de mala gana o por compulsión; por la inclinación más ansiosa de su corazón, no por la compulsión forzada; por el impulso de su propia lujuria, no por la compulsión del exterior. Sin embargo, su naturaleza es tan depravada que puede ser movido o impulsado solo al mal. Pero si esto es cierto, entonces se expresa claramente que el hombre seguramente está sujeto a la necesidad de pecar.[165]

Calvino ilustró cómo un agente puede ser libre y estar bajo necesidad usando el ejemplo del diablo. El diablo solo puede hacer el mal todo el tiempo, y sin embargo es

---

[162] Calvino, *Institución*, 2.3.5. Vea también, *Theology of Calvin*, 87; John H. Leith, *John Calvin's Doctrine of the Christian Life* (Louisville: Westminster John Knox, 1989), 141–42. Para una defensa de Calvino como compatibilista, ver Helm, *John Calvin's Ideas*, 157–83.

[163] Calvino, *Bondage*, 69. Y nuevamente, "La falta de libertad será necesariamente atraída o conducida al mal".*Institución* (1539), 2.3.5, CR 29. "Introducción", en Calvin, *Bondage*, xix-xx.

[164] "Catechism 1538", trad. Ford Lewis Battles, en I. John Hesselink, *Calvin's First Catechism: A Commentary*, Columbia Series in Reformed Theology (Louisville: Westminster John Knox, 1997), 9–10 (cf. 69).

[165] Calvino, *Institución*, 2.3.5. Lane amablemente resume, "La necesidad de pecar significa que los pecadores no pueden sino ser pecadores, pero esta necesidad es impuesta por la corrupción de la voluntad y la maldad humana innata. Los pecadores no son forzados por ningún impulso externo, sino que voluntariamente pecan". Lane, "Anthropology", 279.

totalmente culpable de sus acciones y las comete voluntariamente, incluso si es por necesidad. Por lo tanto, el pecado es simultáneamente necesario y voluntario.[166]

Aunque Calvino afirmó la esclavitud de la voluntad (o, como lo llamó él, la "depravación de la voluntad"), no redujo a los hombres a "bestias brutales". Más bien, reconoció que, dado que la voluntad es inseparable de la naturaleza humana, "no pereció, sino que estaba tan ligada a deseos malvados que no puede luchar por lo correcto."[167] De la misma manera con la mente: mientras que el hombre todavía posee la comprensión humana, permanece esclavizado por la perversidad de su mente.[168] Debe notarse que, en la edición de 1539 de la *Institución*, el lenguaje de Calvino fue muy fuerte, diciendo que la voluntad fue abolida. Sin embargo, cuando Pighius en 1542 calificó a Calvino contra Agustín al malinterpretar a Calvino diciendo que no hay sustancia en la voluntad desde que fue abolida, Calvino respondió en *Bondage* (1543) y en la *Institución* (1559) aclarando a qué se refería. Lo que ocurre en la conversión del hombre no es una destrucción de la *sustancia* o *facultad* de nuestra voluntad y mente, como Pighius pensaba de Calvino, sino la destrucción y eliminación del hábito o las cualidades de la voluntad, que por supuesto es malvada.[169] Por lo tanto, Calvino hizo la calificación de que la naturaleza no es tanto destruida como reparada y renovada (*nova creadoi*), en el sentido de que la naturaleza corrupta debe ser transformada radicalmente.[170] La voluntad es "cambiada de una mala a una buena voluntad."[171]

¿Cuán total es la depravación del hombre según Calvino? Como lo menciona Calvino arriba, dado que el hombre todavía "posee entendimiento humano" y dado que la naturaleza del hombre no pereció, debe concluirse que para Calvino la depravación no fue total en *intensidad* sino total en *extensión*.[172] Michael Horton explica:

En otras palabras, no hay ningún punto de apoyo de la bondad en ninguna parte de nosotros —en nuestra mente, voluntad, emociones o cuerpo— donde podríamos levantarnos hacia Dios. El pecado ha corrompido a la persona en su totalidad, como un veneno que funciona en mayor o menor intensidad a lo largo de toda la corriente. Sin embargo, a pesar de nosotros mismos, esto no elimina la posibilidad de reflejar la gloria de Dios. La humanidad, por lo tanto, no es tan mala como podría ser, pero está tan mal como podría estar. No hay residuo de piedad obediente en nosotros, sino solo un *sensus divinitatis* que explotamos por idolatría, autojustificación y superstición. Así, los mismos remanentes de la rectitud original que permiten incluso a los paganos crear un

---

[166] Calvino, *Institución*, 2.3.5; Calvino, *Bondage*, 149–50.

[167] Calvino, *Institución*, 2.2.12. Cf. Niesel, *Theology of Calvin*, 81.

[168] Calvino, *Institución*, 2.2.12. Cf. ibid., 2.2.19–21; 2.3.1–2. Véase también Anthony N. S. Lane, *A Reader's Guide to Calvin's Institutes* (Grand Rapids, MI: Baker, 2009), 67–68.

[169] Calvino, *Institución*, 2.3.5. "La facultad de la voluntad es permanente en la humanidad, pero la voluntad del mal proviene de la caída y la buena voluntad de la regeneración. La voluntad permanece como fue creada, el cambio teniendo lugar en su hábito, no en su sustancia". Lane, "Anthropology", 284. Del mismo modo, véase Euan Cameron, *The European Reformation* (Oxford: Oxford University Press, 1991), 113.

[170] Ver Calvino, *Institución*, 2.3.6. Cf. Lane, "Anthropology", 283. Lane observa que la "Institución de 1539 de Calvino estuvo peligrosamente cerca de enseñar la destrucción de la voluntad". Sin embargo, "el desafío de Pighius en este punto, tan vehementemente rechazado por Calvino, hizo que calificara su enseñanza, primero en *The Bondage and Liberation of the Will* y más tarde en la *Institución* 1559. La razón por la que se deja mover en esta dirección es que el debate se refería a las enseñanzas de Agustín, a quien tenía tanto aprecio". Véase también Leith, *Calvin's Doctrine*, 141.

[171] Calvino, *Institución*, 2.3.6.

[172] T. F. Torrance, *Calvin's Doctrine of Man* (Londres: Lutterworth, 1949), 83-84. Sin embargo, es precisamente en este punto que varios estudiosos parecen malinterpretar a Calvino y ponerlo en contra de los calvinistas posteriores, como si Calvino nunca hubiera afirmado la depravación total y la necesidad de irresistible gracia. Por ejemplo, vea Charles Partee, *The Theology of John Calvin* (Louisville: Westminster John Knox, 2008), 133.

orden cívico razonablemente equitativo en las cosas terrenales los provocan en su corrupción a la religión falsa en las cosas celestiales.[173]

Es evidente en este punto en el pensamiento de Calvino que el hombre, aparte del Espíritu, no puede hacer nada bueno con respecto a Dios (es decir, incapacidad espiritual).[174] Debido a la depravación del hombre, él es voluntariamente un esclavo del pecado. En consecuencia, ningún acto voluntario hacia Dios precede a la "gracia del Espíritu."[175] Por lo tanto, la única esperanza del hombre es la gracia soberana.

LLAMAMIENTO ESPECIAL Y GRACIA EFICAZ

Hasta ahora está claro que, para Calvino, la gracia es necesaria para la liberación de la voluntad del hombre.[176] Tal gracia viene antes que la voluntad del hombre (es decir, es previniente) para liberarlo efectivamente de la esclavitud en lugar de limitarse a venir junto a la voluntad del hombre para ayudarlo (lo cual es semi-Pelagianismo).[177] Como Lane explica: "El corolario es que la gracia es previniente —que la gracia de Dios precede a cualquier buena voluntad humana. Pero Calvino desea decir más que esto. *La gracia previniente no solo hace personas capaces de responder. La gracia es eficaz y afecta la conversión.*"[178] En otras palabras, a diferencia del semi-Agustinianismo y el Arminianismo que vendrían después de Calvino en el siglo diecisiete, la gracia no es previniente en el sentido de que simplemente hace posible la salvación si el hombre decide cooperar con ella. Más bien, la gracia previniente de la que habló Calvino es efectiva, de modo que la conversión de los elegidos necesariamente sigue. Lane, citando a Calvino, explica,

> La gracia previniente [para Calvino] no es meramente suficiente, trayendo a la voluntad humana "libertad de elección contraria". Calvino conoce y rechaza lo que más tarde se conocería como el punto de vista arminiano, que Dios "ofrece luz a las mentes humanas, y está en su poder elegir aceptarla o rechazarla, y mueve sus voluntades de tal manera que está en su poder seguir su movimiento o no seguirlo" (DSO [*Bondage*] 204). Dios no solo nos ofrece gracia y nos deja a nosotros aceptarla o resistirla. En cambio, la conversión es "completamente obra de gracia", y *Dios no solo nos da la capacidad de querer lo bueno, sino que también hace que lo hagamos* (DSO [*Bondage*] 252).[179]

O, como argumentaba Calvino en su tratado contra Pighius, ya que la voluntad humana es solo malvada y necesita transformación y renovación para hacer el bien, la gracia de

---

[173] Michael Horton, "A Shattered Vase: The Tragedy of Sin in Calvin's Thought," en *A Theological Guide to Calvin's Institutes*, ed. David W. Hall y Peter A. Lillback, Calvin 500 Series (Phillipsburg, NJ: P&R, 2008), 160–61. Vease tambien *Torrance, Calvin's Doctrine of Man*, 106; James Edward McGoldrick, "Calvin and Luther: Comrades in Christ," en *Tributes to John Calvin: A Celebration of His Quincentenary*, ed. David W. Hall, Calvin 500 Series (Phillipsburg, NJ: P&R, 2010), 179.

[174] "La voluntad, debido a que es inseparable de la naturaleza del hombre, no pereció, sino que estaba tan ligada a deseos malvados que no puede perseguir lo correcto". Calvino, *Institución*, 2.2.12. Ver Leith, *Calvin's Doctrine*, 141.

[175] Calvino, *Institución*, 2.2.27.

[176] "Debido a la esclavitud del pecado por la cual la voluntad se mantiene unida, no puede avanzar hacia el bien, y mucho menos aplicarse a él; porque un movimiento de este tipo es el comienzo de la conversión a Dios, que en las Escrituras se atribuye por completo a la gracia de Dios". Ibid., 2.3.5.

[177] Lane, "Introduction," en Calvino, *Bondage*, xx.

[178] Ibid., Cursivas añadidas.

[179] Lane, "Anthropology," 283. DSO significa *Defensio sanae et orthodoxae doctrinae de servidumbre y liberación humani arbitrii adversus calumnia de Calvin Alberti Pighii Campensis.*

Dios "no es simplemente una herramienta que puede ayudar a alguien si le agrada extender su mano para [tomarlo]". Calvino explicó, "Es decir, [Dios] no solo lo ofrece, dejando [al hombre] la elección entre recibirlo y rechazarlo, sino que dirige la mente para elegir lo que es correcto, también mueve la voluntad efectivamente a la obediencia, él despierta y avanza en el esfuerzo hasta que se alcanza la finalización real de la obra."[180] Citando a Agustín, concluyó: "La voluntad humana no obtiene la gracia a través de su libertad, sino más bien la libertad a través de la gracia."[181]

La naturaleza eficaz de la gracia también revela la particularidad de la elección de Dios. Calvino argumentó que el libre albedrío "no es suficiente para permitirle al hombre hacer buenas obras, a menos que sea ayudado por la gracia, de hecho, por una especial gracia, que solo los elegidos reciben a través de la regeneración."[182] Calvino explicó: "Porque no me quedo con esos fanáticos que balbucean que la gracia se distribuye por igual e indiscriminadamente."[183] Contra Pighius, afirmó,

> Además, esta gracia no se da a todos sin distinción o en general, sino solo a aquellos a quienes Dios quiere; el resto, a quien no se le da, sigue siendo malvado y no tiene absolutamente ninguna capacidad de alcanzar el bien porque pertenece a la masa que se pierde y se condena y se deja a su condena. Además, esta gracia no es de tal naturaleza como para otorgar a [sus destinatarios] el poder de actuar bien a condición de que lo hagan, para que luego tengan la opción de querer o no. Pero efectivamente los mueve a quererlo; de hecho, hace que su mal sea bueno, de modo que necesariamente lo harán bien.[184]

Por lo tanto, Calvino sin duda habría rechazado lo que los arminianos más tarde quisieron decir al afirmar una gracia preveniente universal. Más bien, la gracia especial de Dios es discriminatoria, particular y eficaz.

El detestación de Calvino por el sinergismo se hace especialmente evidente no solo en sus argumentos contra Pighius, sino también en su oposición a Pedro Lombardo ("El Maestro de las Sentencias"), quien utilizó la distinción medieval entre la gracia "operativa" y la "cooperadora". De acuerdo con Lombardo, la gracia operativa asegura que efectivamente lo conseguiremos, mientras que la gracia cooperadora sigue "la buena voluntad como ayuda."[185] Calvino no se inmutó. Lo que le disgustó fue que aunque Lombardo "atribuía el deseo efectivo de bien a la gracia de Dios, insinúa que el hombre por su propia naturaleza de alguna manera busca el bien—aunque ineficazmente."[186] En resumen, esto es semi-Pelagianismo en su mejor momento. Parker ha redactado la insatisfacción de Calvino de la siguiente manera:

> Esta distinción no le gusta a Calvino. Aunque atribuir la eficacia de cualquier apetito por el bien a la gracia, implica que el hombre tiene un deseo de bueno de su propia naturaleza, incluso si este deseo es ineficaz. Tampoco le agrada la segunda parte, con su

---

[180] Calvino, *Bondage*, 114.

[181] Ibid., 114, 130.

[182] Calvino, *Institución*, 2.2.6.

[183] Ibid. Cf. ibid., 3.22.10.

[184] Calvino, *Bondage*, 136.

[185] Calvino, *Institución*, 2.2.6. "Inicialmente (operando) la gracia convierte la voluntad del mal al bien. El convertido entonces desea lo bueno y entonces trabaja junto con la gracia (cooperadora)". Lane, "Anthropology", 286.

[186] Calvino, *Institución*, 2.2.6.

sugerencia de que está en el poder del hombre renunciar a la primera gracia al rechazarla o confirmarla mediante la obediencia.[187]

La frustración de Calvino solo aumentó cuando Lombardo "fingió" seguir a Agustín en esa distinción.[188] En cambio, en la evaluación de Calvino, cuando Agustín decía algo claramente, Lombardo lo oscurecía. Si bien es cierto que Agustín hizo la distinción, el giro medieval de la misma difirió considerablemente, permitiendo a Lombardo interpretar a Agustín a través de una lente semipelagiana, un movimiento común entre los teólogos medievales. Calvino insistió en que Agustín nunca habría afirmado tal cooperación o sinergia.[189] Calvino protestó: "La ambigüedad en la segunda parte me ofende, porque ha dado lugar a una interpretación pervertida. Pensaron que cooperamos con la gracia de Dios que nos ayuda, porque es nuestro derecho o bien hacerla ineficaz rechazando la primera gracia, o confirmarla obedeciéndola obedientemente."[190] Por lo tanto, Calvino rechazó la visión de Lombardo porque (1) la gracia cooperante sugiere que la gracia no es eficaz, (2) la cooperación con la gracia resulta en el mérito humano, y (3) la cooperación con la gracia significa que la perseverancia es un regalo dado solo sobre la base de cómo elegimos cooperar con ella, todo lo cual Pighius afirmó. Como explica Lane, para Calvino la consecuencia fue que esto "nos haría dueños de nuestro propio destino en lugar de solo Dios."[191] Calvino intentó interpretar a Agustín correctamente, argumentando que la gracia cooperante no se refiere a nuestra capacidad para determinar si la gracia inicial de Dios será aceptada o resistida, sino que se refiere a la voluntad del hombre *subsecuente* a y *después* de que haya sido llamado y despertado eficazmente a una nueva vida, mediante el cual trabaja con Dios en santificación y perseverancia final.[192]

Contrariamente a la sinergia de Lombardo, Calvino abogó por la particularidad y la naturaleza efectiva de la gracia en su exégesis de Ezequiel 36, donde Dios quita el corazón de piedra e implanta un corazón de carne, haciendo que el pecador muerto camine en una nueva vida:

Si en una piedra hay tal plasticidad que, suavizada por algún medio, se torna un poco torcida, no negaré que el corazón del hombre puede moldearse para obedecer lo correcto, con tal que lo imperfecto en él sea provisto por la gracia de Dios. Pero si con esta comparación el Señor deseaba mostrar que nada bueno puede ser exprimido de nuestro corazón, a menos que se vuelva completamente otro, *no dividamos entre él y nosotros lo que él reclama para sí mismo.* Si, por lo tanto, una piedra se transforma en carne cuando Dios nos convierte en celo por el derecho, todo lo que sea de *nuestra voluntad queda borrada. Lo que toma su lugar es totalmente de Dios. Lo que toma su lugar es totalmente de Dios. Yo digo que la voluntad se borró; no en la medida en que lo haga, porque en la conversión del hombre lo que pertenece a su naturaleza primordial permanece entero. También digo que se creó de nuevo; no significa que la*

---

[187] Parker, *Calvin*, 53.

[188] Calvino, *Institución*, 2.2.6.

[189] Parker, *Calvin*, 56. Sobre la interpretación de Calvino de Agustín y otros Padres de la Iglesia, véase Anthony N. S. Lane, *John Calvin: Student of the Church Fathers* (Edimburgo: T & T Clark, 1999).

[190] Calvino, *Institución*, 2.2.6.

[191] Con respecto a la primera razón, Lane dice: "Así fue como Pighius lo tomó, manteniendo que ya cooperamos en el punto de conversión y que Dios otorga la gracia inicial solo a aquellos que cooperan con ella (DSO 275f.). Frente a esto, Calvino enfatiza la gracia eficaz previniente que, en palabras de Agustín, "funciona sin que nosotros hagamos que lo hagamos (DSO 195)". Lane, "Anthropology", 286.

[192] Calvino, *Institución*, 2.3.11.

voluntad ahora comienza a existir, sino que se cambia de un mal a una buena voluntad. Yo afirmo que esto es totalmente obra de Dios, porque según el testimonio del mismo apóstol, "ni siquiera somos capaces de pensar" [II Cor. 3:5].[193]

Refiriéndose a las palabras de Pablo en Efesios 2, Calvino continuó diciendo que en esta "segunda creación" que alcanzamos en Cristo, Dios trabaja solo. La salvación es un regalo gratis; por lo tanto, "si incluso la menor capacidad viniera de nosotros mismos, también tendríamos parte del mérito."[194] Con el Salmo 100:3 en mente, Calvino comentó: "Además, vemos cómo, no simplemente contentos de haber dado a Dios la debida alabanza por nuestra salvación, Él nos excluye expresamente de toda participación en ella. Es como si dijera que ni un ápice le queda al hombre para gloriarse, porque toda la salvación viene de Dios."[195] Si toda la salvación proviene de Dios, incluido el primer momento de vida nueva, entonces la cooperación humana con la gracia de Dios es inaceptable y no bíblica.

Sin embargo, Calvino anticipó una objeción: "Pero tal vez algunos admitirán que la voluntad se aparta del bien por su propia naturaleza y se convierte solo por el poder del Señor, pero de tal manera que, habiendo sido preparado, entonces tiene su propia parte en la acción."[196] Tal objeción proviene del punto de vista semi-agustiniano, que sostiene que mientras que Dios inicia la gracia y prepara la voluntad para posteriores actos de gracia, finalmente el hombre debe hacer su parte para que tal gracia sea finalmente exitosa. Contrario a tal punto de vista, Calvino respondió que la misma actividad de la voluntad de ejercitar la fe es un regalo gratuito de Dios,[197] eliminando cualquier posible participación de la voluntad del hombre.[198] Como se formula en su Catecismo de 1538: "Si reflexionamos debidamente sobre cuánto nuestras mentes están cegadas a los misterios celestiales de Dios y con cuánta infidelidad nuestros corazones trabajan en todas las cosas, no tendremos duda de que la fe sobrepasa todos nuestros poderes naturales y es un excelente regalo de Dios."[199] Por lo tanto, se sigue que "cuando nosotros, que por naturaleza somos inclinados al mal con todo nuestro corazón, empezamos a tener el bien, lo hacemos por mera gracia."[200] Después de exponer Ezequiel 36:26 y Jeremías 32:39-40, Calvino explicó: "Porque siempre se

---

[193] Ibid., 2.3.6, cursivas añadidas.
[194] Ibid.
[195] Ibid.
[196] Ibid., 2.3.7.
[197] Victor A. Shepherd, *The Nature and Function of Faith in the Theology of John Calvin* (Macon, GA: Mercer University Press, 1983), 80–81; Timothy George, *Theology of the Reformers* (Nashville: B&H, 1988), 223–28. Sobre la relación de la fe con el intelecto para Calvino, ver Richard A. Muller, *"Fides and Cognitio* in Relation to the Problem of Intellect and Will in the Theology of John Calvin",*CTJ* 25, no. 2 (1990): 207–24.
[198] Calvino tenía mucho que decir acerca de cómo el Espíritu utiliza la Palabra para crear fe en el corazón de los elegidos. Es el Espíritu Santo quien toma la Palabra y la hace eficaz, produciendo la fe como un obsequio. Debido a la falta de brillo y la ceguera del hombre, es absolutamente necesario que el Espíritu ilumine la mente y despierte el corazón a una nueva vida. Calvino citó numerosos pasajes en su defensa, incluyendo Lc. 24:27, 45; Jn. 6: 44-45; 16:13; Rom. 11:34; 1 Cor. 2: 10-16. Calvino, *Institución*, 2.2.33-34. Según Calvino, no solo la fe sino también el arrepentimiento es un regalo de Dios. Calvino apoyó tal afirmación con pasajes como Is. 63:17; Hch. 11:18; 2 Cor. 7:10; Ef. 2:10; 2 Tim. 2:25-26; Heb. 6:4-6. Al afirmar que tanto la fe como el arrepentimiento son dones de Dios, Calvino reafirmó el monergismo y exaltó la voluntad soberana de Dios en lugar de la elección voluntaria del hombre. Ibid., 2.3.21.
[199] Hesselink, *Calvin's First Catechism*, 18.
[200] Calvino, *Institución*, 2.3.8. La implicación obvia para Calvino es que el Espíritu debe cambiar nuestra voluntad para que el hombre pecador pueda tener fe. Como explica Muller, "no podemos querer lo bueno, ni podemos tener fe". Ambas resultan únicamente de la actividad amable del Espíritu que cambia la voluntad del mal al bien". Richard Muller, *The Unaccommodated Calvin: Studies in the Foundation of a Theological Tradition*, Oxford Studies in Historical Theology (Nueva York: Oxford University Press, 2000), 166-67.

sigue que nada bueno puede surgir de nuestra voluntad hasta que haya sido reformado; y después de su reforma, en la medida en que es bueno, es de Dios, no de nosotros mismos."[201] Él concluyó,

> Él [Dios] no mueve la voluntad de la manera que se le ha enseñado y creído por muchas épocas —que luego podemos *elegir obedecer o resistir el movimiento*— pero *disponiéndolo de manera eficaz*. Por lo tanto, uno debe negar esa declaración tan repetida de Crisóstomo: "A quien atrae, atrae". Con esto, él significa que el Señor solo extiende su mano para esperar que estemos complacidos de recibir su ayuda.[202]

Contrariamente a la sinergia de Crisóstomo, Calvino rechazó la noción de que la gracia de Dios es efectiva solo si la aceptamos ("A quien atrae, atrae"). Más bien, Dios quiere trabajar en sus elegidos de tal manera que su gracia especial sea siempre efectiva: "Esto no significa nada más que el Señor por su Espíritu dirige, dobla y gobierna, nuestro corazón y reina en él como en su propia posesión."[203] Citando a Agustín, Calvino explicó que, si bien lo haremos, es Dios quien nos hace querer lo bueno. A menos que Dios primero cree dentro de nosotros un corazón nuevo, haciendo que deseemos lo bueno, permaneceremos muertos en el pecado. Calvino apeló no solo a Ez. 11:19-20 y 36:27 sino también al Evangelio de Juan:

> Ahora puede el dicho de Cristo ("Todo el que ha escuchado... del Padre viene a mí" [Juan 6:45]) debe entenderse de otra manera que la de que *la gracia de Dios es eficaz en sí misma*. Esto también sostiene Agustín. El Señor no considera indiscriminadamente a todos dignos de esta gracia, como dice el dicho común de Ockham (a menos que esté equivocado): la gracia no se le niega a nadie que haga lo que está en él. En verdad, a los hombres se les debe enseñar que la bondad amorosa de Dios se manifiesta a todos los que la buscan, sin excepción. Pero dado que son aquellos a quienes la gracia celestial ha inhalado y que, por fin, comienzan a buscarlo, no deben reclamar para sí la menor parte de su alabanza. Obviamente, es el privilegio de los elegidos que, regenerados a través del Espíritu de Dios, son movidos y gobernados por su liderazgo. Por esta razón, Agustín injustamente ridiculiza a quienes reclaman para sí mismos cualquier parte del acto de querer, del mismo modo que reprende a otros que piensan que el testimonio especial de la elección libre se da indistintamente a todos. "La naturaleza", dice, "es común a todos, no a la gracia." La visión de que lo que Dios otorga a quien quiere generalmente se extiende a todos, llama Agustín a una frágil sutileza de ingenio vidrioso, que reluce con mera vanidad. En otra parte dice: "¿Cómo has venido? Por creer. Teme que mientras estés afirmando por usted mismo que ha encontrado el camino justo, perecerá por el camino justo. He venido, dices, de mi propia elección; He venido por mi propia voluntad. ¿Por qué estás engreído? ¿Deseas saber que esto también te ha sido dado? Oídlo llamando, 'Nadie viene a mí a menos que mi Padre lo atraiga'" [Juan 6:44].[204]

Calvino fue enfático: a menos que el hombre sea atraído eficazmente por el llamado especial del Espíritu, no tiene esperanza, ya que su voluntad no sirve de nada.

---

[201] Calvino, *Institución*, 2.3.8–9.

[202] Ibid., 2.3.10, cursiva añadida. Cf. Calvino, *Bondage*, 174.

[203] Calvino, *Institución*, 2.3.10. Cf. Lane, "Anthropology", 284. Vease también Christian Link, "Elección y Predestinación", en *John Calvin's Impact on Church and Society*, 1509-2009, ed. Martin Ernst Hirzel y Martin Sallmann (Grand Rapids, MI: Eerdmans, 2009), 116.

[204] Calvino, *Institución*, 2.3.10, cursivas agregadas.

Calvino nuevamente usó un lenguaje bíblico similar en el medio de su exposición sobre la predestinación. Él vio el llamado especial del Espíritu como la salida de la elección incondicional de Dios:

> Por lo tanto, Dios designa como sus hijos a los que ha elegido, y se ha designado a sí mismo como su Padre. Además, *al llamar*, los recibe en su familia y los une a él para que juntos sean uno. Pero cuando el llamado se combina con la elección, de este modo la Escritura sugiere suficientemente que en ella no se debe buscar nada más que la misericordia gratuita de Dios. Porque si preguntamos a quién llama, y la razón por la cual, él responde: a quién había elegido.[205]

Calvino elaboró sobre este "llamado" en su exégesis de Mateo 22:14:

> La declaración de Cristo "Muchos son llamados, pero pocos son escogidos" [Mt. 22:14] es, de esta manera, muy mal entendida. Nada será ambiguo si nos aferramos a lo que debería quedar claro de lo anterior: que hay *dos tipos de llamadas*. Existe el llamado general, por el cual Dios invita a todos por igual a sí mismo a través de la predicación externa de la palabra —incluso aquellos a quienes lo presenta como un sabor de muerte [cf. II Cor. 2:16], y como ocasión para una condenación más severa. *El otro tipo de llamado es especial,* y Él se digna en su mayoría a darlo solo a los creyentes, mientras que mediante la iluminación interior de su Espíritu hace que la Palabra predicada more en sus corazones.[206]

Como señala Muller, no solo la *Institución* sino también los comentarios de Calvino sobre Amós e Isaías tienen esta misma distinción entre el llamado general y el especial.[207] Por ejemplo, al comentar sobre Isaías 54:13, Calvino observó cómo el apóstol Juan cita a Isaías para demostrar la eficacia del llamado de Dios a los elegidos: "El Evangelio se predica indiscriminadamente a los elegidos y los réprobos; pero sólo los elegidos vienen a Cristo, porque han sido 'enseñados por Dios' y, por lo tanto, el profeta indudablemente se refiere a ellos."[208] Al comentar sobre la "eficacia del Espíritu", Calvino concluyó: "Además, este pasaje nos enseña que el llamado de Dios es eficaz en los elegidos."[209] En su comentario sobre el Evangelio de Juan, Calvino regresó una vez más al llamado eficaz del Espíritu. Con respecto a Juan 6:44, Calvino primero explicó que, aunque el Evangelio se predica a todos, no todos lo aceptan, ya que se requiere una "nueva comprensión y una nueva percepción."[210] Calvino luego describió lo que significa para el Padre atraer pecadores a sí mismo:

---

[205] Ibid., 3.24.1, cursivas añadidas. Calvino también trazó la conexión entre la elección y el llamado en ibid., 3.24.2.

[206] Ibid., 3.24.8, cursivas añadidas.

[207] Muller, *The Unaccommodated Calvin*, 151.

[208] Juan Calvino, *Calvin's Commentaries*, vol. 8, *Commentary on the Book of the Prophet Isaiah, Chapters 33–66*, trad. y ed. William Pringle (Grand Rapids, MI: Baker, 2005), 146.

[209] Ibid., 146-47. Cameron correctamente comenta que, para Calvino, dado que "la fe fue dada e inspirada, en lugar de alcanzada, Dios, por razones inescrutables, eligió dar fe a algunas personas y no a otras". Cameron, *The European Reformation*, 119. El mismo punto es expresado por Vermigli: "No sabemos de ninguna manera que la gracia sea común a todos los hombres, sino que se da a algunos; y para otros, según el placer de Dios, no se da". Pedro Martyr Vermigli, *The common places of the most famous and renowned diuine Doctor Peter Martyr*, trad. Anthonie Marten (Londres: Henry Denham y Henry Middleton, 1583), 31.38. Cf. David Neelands, ""Predestination and the ThirtyNine Articles" en *A Companion to Peter Martyr Vermigli*, ed. Torrance Kirby, Emidio Campi y Frank A. James III, Brill's Companions to the Christian Tradition 16 (Leiden: Brill, 2009), 364.

[210] Juan Calvino, *Calvin's Commentaries*, vol. 17, *Commentary on the Gospel according to John*, trad. y ed. William Pringle (Grand Rapids, MI: Baker, 2005), 257.

Venir a Cristo aquí se usa metafóricamente para creer, el evangelista, para llevar a cabo la metáfora en la cláusula apropiada, dice que esas personas se sienten atraídas por el entendimiento que Dios ilumina, y cuyos corazones Él doblega y forma para la obediencia de Cristo. Las declaraciones equivalen a esto, que no debemos preguntarnos si muchos se niegan a abrazar el Evangelio; porque nunca ningún hombre podrá venir a Cristo, pero Dios primero debe acercarse a él por su Espíritu; y de ahí se deduce que no todos son atraídos, sino que Dios otorga esta gracia a aquellos que Él eligió. Ciertamente, en cuanto al tipo de dibujo, no es violento, para obligar a los hombres por la fuerza externa; pero aun así es un poderoso impulso del Espíritu Santo, que hace que los hombres quieran, que antes no estaban dispuestos y renuentes. Es una afirmación falsa y profana, por lo tanto, que ninguno se dibuja sino aquellos que están dispuestos a ser atraídos, como si el hombre se hiciera obediente a Dios por sus propios esfuerzos; porque la disposición con que los hombres siguen a Dios es lo que ya tienen de sí mismos, quienes han formado sus corazones para obedecerle.[211]

Calvino continuó explicando que tal imagen no consiste en una mera voz externa, sino que es la operación secreta del Espíritu Santo, mediante la cual Dios interiormente enseña a través de la iluminación del corazón.[212] Calvino reveló su monergismo cuando concluyó diciendo que el hombre no es apto para creer hasta que haya sido atraído y que ese dibujo por la gracia de Cristo es "eficaz, para que necesariamente crean."[213]

SOLA GRATIA Y SOLI DEO GLORIA

Como se vio anteriormente, la gracia de Dios, según Calvino, no depende de la voluntad humana, sino que la voluntad humana depende de la gracia de Dios. Citando a Agustín, Calvino expuso la cuestión central del debate: "Este es el punto principal sobre el que gira el tema, 'si esta gracia precede o sigue la voluntad humana, o (para hablar más claramente) si nos la dan por el hecho de que lo haremos o si a través de

---

[211] Pero, ¿qué pasa con la frase "todos serán enseñados por Dios?" ¿Esto no se refiere a todas las personas? Calvino no estuvo de acuerdo: "En cuanto a la palabra todo, debe limitarse a los elegidos, que son los únicos verdaderos hijos de la Iglesia". Ibid., 258.

[212] Calvino no estaba solo en esa distinción entre una llamada o llamamiento general y un llamamiento eficaz o especial. Como observa David Steinmetz, algunos de los contemporáneos de Calvino, como Martin Bucer, también distinguieron entre *vocatio congrua y vocatio incongrua*. La *vocación congrua* "es la predicación del evangelio a los elegidos, quienes son movidos por Dios para abrazarla". La *vocatioincongrua* es la predicación del Evangelio a los no elegidos, "que no son asistidos por la misericordia de Dios y son también, dejado en sus pecados". Mientras que la *vocatio incongrua* es ineficaz o resistible, la *vocación congrua* es eficaz o irresistible. Por supuesto, tal distinción no era original con Bucer o Calvino (como podría llamarse el término calvinismo) sino que en realidad se originó con Agustín. Como explica Steinmetz, más tarde los calvinistas utilizarían tal distinción entre el llamamiento eficaz y el ineficaz. La vocación a los elegidos es siempre *efficax* ("efectiva"), pero el llamado al no elegido está diseñado para ser *inefficax* ("ineficaz") porque no está acompañado por el Espíritu. Por lo tanto, como señala Muller, los reformados afirmarían una *vocatio specialis* ("vocación especial"), también denominada *vocatio interna* ("vocación interna") porque el Espíritu obra dentro, lo que hace que la *vocatio externa* ("vocación externa") sea *eficaz*. Tales distinciones entre los reformados no eran novedosas, sino que, como se demostró anteriormente, son evidentes en el pensamiento de Calvino en un esfuerzo por permanecer fieles al diversolenguaje de tipo*vocatio* en la Escritura y al mismo tiempo refutar a aquellos como Pighius que buscaban minimizar el *vocatio* a un acto de gracia único, universal, resistible e ineficaz. David C. Steinmetz, *Calvin in Context* (New York: Oxford University Press, 1995), 149; cf. Richard Muller, *"vocatio,"* en *Dictionary of Latin and Greek Theological Terms: Drawn Principally from Protestant Scholastic Theology* (Grand Rapids, MI: Baker, 2004), 329.

[213] Calvino, *Commentary on John*, 256 (cf. 258–59). Vease tambien Paul Helm, *Calvin: A Guide for the Perplexed* (London: T&T Clark, 2008), 84; Edward A. Dowey Jr., *The Knowledge of God in Calvin's Theology* (New York: Columbia University Press, 1952), 150, 175–76.

ella Dios también trae sobre eso lo haremos'."[214] Según Calvino, el pecador depravado no coopera con la gracia de Dios, pero Dios trabaja solo, llamando al pecador a sí mismo de una manera eficaz, produciendo nueva vida dentro a través de su Espíritu.

¿Por qué era tal debate tan crucial en opinión de Calvino? Para él, la gloria de Dios estaba en juego en cómo uno entiende la gracia. Hesselink argumenta, "Si esa gracia es socavada por alguna forma de cooperación (sinergia) entre un ser humano 'libre' semiautónomo y el Señor soberano, la gloria de Dios se ve comprometida, en lo que concierne a Calvino."[215] Tal compromiso de la gloria de Dios era, para Calvino, no solo no bíblico sino también un asalto contra Dios mismo. Calvino, en su controversia con Jerónimo Bolsec en 1551, lo hizo aparente. Cuando se le preguntó por qué algunos creen y otros no, Bolsec respondió que era porque algunos ejercen su libre albedrío mientras que otros no. Calvino pensó que tal respuesta contradecía las Escrituras, particularmente Romanos 3:10-11, que dice: "Nadie es justo, ni siquiera uno; nadie entiende; nadie busca a Dios". La voluntad no regenerada no tiene la capacidad de volverse hacia Dios. Más bien, es solo Dios quien debe salvar a los pecadores depravados, y al hacerlo, solo él recibe la gloria. Godfrey explica bien el contraste entre Calvino y Bolsec: "La religión de Bolsec está centrada en el hombre. Dios ha hecho todo lo que pudo para salvar, pero la decisión final sobre la salvación descansa en la respuesta humana. Para Calvino, tal religión quita la gloria de la salvación a Dios y trivializa la obra de Cristo."[216]

La Reforma Eduardiana de Pedro Martyr Vermigli y Thomas Cranmer

No podemos olvidar que mientras Calvino tiende a ocupar la atención central en muchos tratamientos del ala Reformada de la Reforma en la literatura de hoy, en el siglo XVI Calvino era una voz entre varios otros pastores y teólogos reformados impresionantes. Si bien se podrían dar muchos ejemplos, nos centraremos en el erudito bíblico Pedro Martyr Vermigli (1499-1562), cuyos comentarios dieron lugar a su notoriedad.

Nuestro enfoque ha gravitado hacia Wittenberg y Ginebra, pero con Vermigli somos transportados a Inglaterra, al menos por un tiempo.[217] La Reforma iniciada por Lutero se extendió a Inglaterra cuando los comerciantes alemanes introdujeron de contrabando los libros del reformador. Que los libros y folletos de Lutero tenían influencia se puede ver por el hecho de que fueron quemados públicamente en 1521.

---

[214] Calvino, *Bondage*, 176. Cf. ibid., 188.

[215] Hesselink, *Calvin's First Catechism*, 72. Vease tambien Alister E. McGrath, *A Life of John Calvin: A Study in the Shaping of Western Culture* (Cambridge, MA: Basil Blackwell, 1990), 145–73. Warfield pudo decir con confianza, "El hecho central del calvinismo es la gloria de Dios". Benjamin Breckenridge Warfield, *Calvin as a Theologian and Calvinism Today* (Grand Rapids, MI: Evangelical Press, 1969), 26. O como lo expresa Cameron, "En la exposición de Calvino se destacó un tema: la soberanía y majestad ilimitada y única de Dios. Dios debe permitirse ser Dios, en el sentido más completo posible". Cameron, *The European Reformation*, 129.

[216] W. Robert Godfrey, *John Calvin: Pilgrim and Pastor* (Wheaton, IL: Crossway, 2009), 116-17. Godfrey continúa señalando que este mismo problema brotó nuevamente en 1552 con John Trolliet. Sobre la sinergia de Bolsec, véase Richard A. Muller, "The Use and Abuse of a Document: Beza's *Tabula Praeedestinationis*, the Bolsec Controversy, and the Origins of Reformed Orthodoxy", en *Protestant Scholasticism: Essays in Reassessment*, ed. Carl R. Trueman y R. Scott Clark (Carlisle: Paternoster, 1999), 45, 49-50.

[217] Para un estudio mucho más profundo de los puntos de vista de Vermigli, ver *John Patrick Donnelly, Calvinism and Scholasticism en Vermigli's Doctrine of Man and Grace*, Studies in Medieval and Reformation Thought 18 (Leiden: Brill, 1976); Neelands, "*Predestination and the Thirty-Nine Articles*," 364; Frank A. James III, *Peter Martyr Vermigli and Predestination: The Augustinian Inheritance of an Italian Reformer*, Oxford Theological Monographs (Oxford: Clarendon, 1998).

Sin embargo, no debemos tener la impresión de que la única influencia fue alemana o luterana; en realidad, la Reforma en Inglaterra también fue saboreada por los suizos y la tradición reformada. Por ejemplo, el arzobispo Tomás Cranmer se comunicó con Martín Bucer de Estrasburgo,[218] y Frank Santiago III observa cómo es esto,

> La relación con los suizos se manifestó en un plan abortivo para formar una alianza teológica entre la iglesia inglesa y los protestantes suizos y suramericanos en el continente…Con gran parte del protestantismo continental en desorden después de la victoria de Carlos V en la guerra de Schmalkald, Cranmer creía que Inglaterra podría ser el punto de reunión para un resurgimiento del protestantismo. (1545-1563), consultando con teólogos como Juan Calvino, Felipe Melanchthon y Henry Bullinger sobre la propuesta.[219]

Con tantas esperanzas puestas en la reforma en Inglaterra, Cranmer invitó al italiano Vermigli, de quien probablemente aprendió Bucer, a venir a Inglaterra en 1547, donde Vermigli permaneció hasta 1553, sirviendo como Profesor Regio de Divinidad en Oxford.[220] Aunque su estadía en Inglaterra duró poco debido a la repentina muerte del rey Eduardo VI, sin embargo, se ha argumentado que de "todos los reformadores continentales, Mártir ejerció la mayor influencia."[221] Sin duda, el "creciente consenso académico es que Vermigli fue una de las influencias teológicas más importantes, aunque poco conocidas, sobre Cranmer y, a través de Cranmer, sobre la Reforma Eduardiana."[222] Si tales afirmaciones son verdaderas, entonces es correcto que prestemos atención al punto de vista teológico de este teólogo reformado.

Vermigli fue comprensiblemente celebrado por su comentario sobre Romanos. Sin embargo, no debemos dejar de darnos cuenta de que, aunque él era ante todo un erudito bíblico, Vermigli también escribió teología, incluidos los tratamientos de las doctrinas de la predestinación y la justificación.[223] Si bien no podemos ocupar nuestra atención con tales debates históricos, debe señalarse que Vermigli defendió una visión reformada de la predestinación en varias disputas. Por ejemplo, en 1553 y 1554, se encontró con la oposición de ciertos luteranos, y Vermigli le escribió a Calvino que

---

[218] Bucer también contribuyó a los temas de predestinación, elección, pecado original, llamamiento y libre albedrío. Ver Martin Bucer, *The Common Places of Martin Bucer*, trad. y ed. D. F. Wright, Courtenay Library of Reformation Classics 4 (Appleford: Sutton Courtenay, 1972), esp. 96-157. Para la contribución de Bucer a los Libros de Oración Común de 1549 y 1552, ver especialmente 25-26 de la "Introduction" de Wright. Para la vida y la teología de Bucer, véase Martin Greschat, *Martin Bucer: A Reformer and His Times*, trad. Stephen E. Buckwalter (Louisville: Westminster John Knox, 2004).

[219] Frank A. James III, "Translator's Introduction," in Peter Martyr Vermigli, *The Peter Martyr Library*, vol. 8, *Predestination and Justification: Two Theological Loci*, trad. y ed. Frank A. James III, Sixteenth Century Essays and Studies 68 (Kirksville, MO: Truman State University Press, 2003), xvii.

[220] El espacio me impide explorar en profundidad la reforma inglesa, así como los debates a partir de entonces, pero véase Dewey D. Wallace Jr., *Puritans and Predestination: Grace in English Protestant Theology, 1525-1695* (Chapel Hill: University of North Carolina Press, 1982); Philip E. Hughes, *Theology of the English Reformers* (Londres: Hodder y Stoughton, 1965), 54-76; Carl R. Trueman, *Luther's Legacy: Salvation and English Reformers, 1525-1556* (Oxford: Clarendon, 1994); Peter White, *Predestination, Policy and Polemic: Conflict and Consensus in the English Church from the Reformation to the Civil War* (New York: Cambridge University Press, 1992); Peter Newman Brooks, "The Theology of Thomas Cranmer," en Bagchi y Steinmetz, *Cambridge Companion to Reformation Theology*, 150–60; Carl R. Trueman, "The Theology of the English Reformers," en Bagchi y Steinmetz, *Cambridge Companion to Reformation Theology*, 161–73.

[221] James, "Translator's Introduction", xviii.

[222] Ibid., xviii–xix.

[223] Citado en James, *Peter Martyr Vermigli and Predestination*, 31.

habían "difundido informes muy viles y falsos sobre la elección eterna de Dios, contra la verdad y en contra de tu nombre."[224]

Al igual que otros aliados reformados, Vermigli mantuvo la tradición de Agustín cuando se trataba de la matriz que involucraba la depravación del hombre y la gracia de Dios, así como la defensa del Agustinianismo de Gregorio de Rímini (hacia 1300-1358). Esto puede explicar por qué los reformadores de Estrasburgo en 1542 "reconocieron en Vermigli un espíritu afín y un protestante ya hecho."[225] Como tal, Vermigli y Calvino tenían mucho en común, ambos refutando al teólogo católico holandés Albert Pighius. No debería sorprendernos, por lo tanto, que Vermigli tuviera algo significativo que decir en términos de cómo opera la gracia sobre la voluntad esclavizada.[226]

LA PARTICULARIDAD DE LA GRACIA DIVINA

De manera similar a otros teólogos reformados, Vermigli no dudó en afirmar la depravación total del hombre, que incluye la esclavización de su voluntad, lo que significa que el hombre es completamente dependiente de la gracia salvadora de Dios. Pero, ¿qué tipo de gracia afirmó Vermigli? ¿Fue una gracia universal, dada a todas las personas por igual? Vermigli reconoció cómo algunos han imaginado que la predestinación de Dios es común a todos. Vermigli sostuvo, sin embargo, que, si este fuera el caso, entonces "estaría en el propio poder de [su hombre] o en sus propias manos" estar predestinado, "para que reciban la gracia cuando se la ofrezca."[227]

En contraste, Vermigli negó que "la gracia sea común para todos" y argumentó en cambio que "se da a unos y no a otros, según el placer de Dios". Hizo un llamamiento a Jesús para que apoyara tal particularidad en su enseñanza sobre la llamada efectiva: "Nadie viene a mí a menos que el Padre que me envió lo atraiga" (Juan 6:44). Vermigli preguntó retóricamente: "Me pregunto por qué los oponentes dicen que todos se sienten atraídos por Dios, pero no todos vendrán…Entonces dicen que todos son atraídos por Dios, pero además de ser atraídos por Dios, se requiere que estemos dispuestos y demos su consentimiento; de lo contrario, no somos llevados a Cristo."[228] Vermigli demostró cómo esa visión está en contradicción con las palabras de Jesús, no solo en Juan 6:44 sino también en Juan 3:5: "A menos que uno nazca de agua y del Espíritu, no puede entrar en el reino de Dios". Si seguimos la lógica de aquellos que afirman la gracia universal, entonces tendríamos que decir que "todos han nacido de nuevo del agua y el Espíritu". Pero, por supuesto, este no es el caso, entonces ¿por qué leeríamos Juan 6:44 para decir que todos los hombres son atraídos por el Padre? Vermigli, apelando a Agustín, concluyó que "no todos son atraídos por Dios", porque Dios no les da este regalo a todos, sino solo a los elegidos, a quienes solo el Padre

[224] Pedro Martyr Vermigli, *Locorum Communium Theologicorum ex ipsius scriptis sincere decerptorum* (Basel: P. Perna, 1582), 231–32. Ver James, "Translator's Introduction", xxiv.

[225] James, "Introducción del traductor", xxx, xxxi.

[226] Nos enfocaremos específicamente en el locus de Vermigli sobre la predestinación (pero enfocaremos solo en su visión del llamamiento y conversión eficaces), que se ubicó al final de su exégesis de Romanos 9 en su comentario romano de 1558, publicado en Basilea por Peter Perna. Ver James, "Introducción del traductor", xliii. Sin embargo, debe tenerse en cuenta que, aunque el comentario de Vermigli sobre Romanos se publicó en 1558, las conferencias en las que se basaron se pronunciaron en Oxford entre 1550 y 1552. Ver James, *Peter Martyr Vermigli y Predestination*, 62.

[227] Vermigli, *Predestination and Justification*, 53.

[228] Ibid.

atrae irresistiblemente. Vermigli concluyendo el pensamiento sobre este asunto lo resumió bien:

> Está escrito en el mismo capítulo, "Todo lo que mi Padre me da, vendrá a mí" [Juan 6:44]. Si todos fueran atraídos, todos vendrían a Cristo. En el mismo lugar está escrito: "Todos los que oyeron y aprendieron de mi Padre vienen a mí" [Juan 6:46]. Como muchos no vienen a Cristo, se dice que muchos no han escuchado o aprendido. Y en el capítulo 10, cuando Cristo dijo que él es el pastor y tiene sus propias ovejas, dice entre otras cosas, "Los que mi Padre me dio, nadie puede arrebatármelos de mis manos" [Juan 10:28]. Vemos que muchos caen de la salvación, y entonces debemos concluir que ellos no han sido dados por el Padre a Cristo.[229]

LA EFICACIA DE LA GRACIA DIVINA

Es primordial notar la irresistibilidad de esta atracción y no solo su particularidad. Siguiendo a Agustín en sus escritos a Simpliciano, Vermigli distinguió entre dos llamamientos en las Escrituras. Por un lado, hay un *llamado general* del evangelio a todas las personas. En esta llamada —que sale con la proclamación del Evangelio— "Los hombres son llamados en común, pero no de una manera que se mueva y se convierta."[230] La calificación Vermigli es clave. Mientras que los hombres en todas partes reciben este llamado general al Evangelio, no es el llamado por el cual el Espíritu obra para convertir a los hombres. Más bien, es un llamado que las personas de todo el mundo oyen, un llamado a venir a Cristo. Como lo expresó Vermigli, "Dios llama a todos los hombres por una vocación externa, a saber, a través de sus profetas, apóstoles, predicadores y las Escrituras. Un hombre no está ya más excluido de las promesas o advertencias que otro, ya que están expuestos a todos por igual, aunque no todos están predestinados a alcanzar su fruto."[231]

Vermigli advirtió, sin embargo, en contra de asumir que tales invitaciones generales en la Escritura, arraigadas en este llamado del Evangelio, significan que el hombre puede convertirse a sí mismo: "Dios invita universalmente a todos los hombres, que los profetas fueron enviados indiscriminadamente a todos, y que las Escrituras son dadas a todos, pero esto no dice nada acerca de la eficacia de la gracia, de la que hablamos."[232] Mientras el Evangelio se apaga, llamando a todos a mirar a Jesús, hay un problema masivo: el hombre espiritualmente es incapaz de volverse y creer debido a su depravación y esclavitud de la voluntad. Por lo tanto, lo que se necesita es un llamado interior del Padre por el poder del Espíritu por el cual los elegidos se sienten atraídos por Cristo.

La segunda llamada, por la cual el Espíritu trabaja dentro para convertir, es una vocación diferente (aunque no una divorciada de la llamada general). Si bien Vermigli

---

[229] Ibid., 54. Más tarde, Vermigli demostró tal particularidad nuevamente cuando apeló a Mt. 11:25-27 y 13:11, así como Is. 6:9, para mostrar que la revelación de salvación no se da a todos sino a los elegidos. Vermigli también apeló a Rom. 9:15 (véase Ex. 33:19) para mostrar que "la gracia no se ofrece por igual a todos". Ibid., 55, 56.

[230] Ibid., 58.

[231] Ibid., 60.

[232] Ibid., 66. Vermigli también pasó tiempo respondiendo a las objeciones que apelan a textos como Mt. 23:37 ("¡Cuántas veces quise juntar a tus hijos, como la gallina a sus polluelos debajo de sus alas, y no quisiste!"). Apeló a la distinción entre el antecedente de Dios y las voluntades efectivas: "Aquí también se quiere decir la voluntad antecedente del signo. Dios por medio de sus profetas, predicadores, apóstoles y Escrituras invitaron a los judíos a volar a él por arrepentimiento una y otra vez, pero se negaron, pero por su voluntad efectiva, que se llama consecuente, siempre atraía hacia sí a los que eran suyos". Ibid., 64-65.

no le dio un nombre preciso, podemos llamarlo el llamamiento *específico, especial o eficaz*. Es ese llamado por el cual los elegidos "son llamados porque están inclinados a ser movidos." Estas dos llamadas son importantes porque es un recordatorio de que no todos los hombres son "conmovidos y atraídos por Dios de la misma manera."[233]

Cuando el Padre atrae, lo hace de manera eficaz; esa es la intención de esta segunda llamada. Tal eficacia es evidente en Juan 6:37, 44, como se señaló anteriormente, así como en Juan 3:8, 27. Por ejemplo, los textos en Juan 3 afirman que "una persona no puede recibir ni una sola cosa a menos que se le haya dado del cielo" (3:27) y que el Espíritu "sopla donde quiere" (3:8). Aquí hay una referencia al poder omnipotente del Espíritu "que regenera" tan fuertemente como sopla el viento. Claramente, Jesús muestra que "el símil se toma de la naturaleza del viento para mostrar el poder del Espíritu Santo."[234] Como es evidente en la apertura del corazón de Lidia (Hch. 16:14), el Espíritu es libre de trabajar soberanamente en uno y no en otro.

Además, tal eficacia se manifiesta no solo en la regeneración (Juan 3), sino también en la conversión que sigue, porque incluso la fe y el arrepentimiento son dones de la mano misericordiosa de Dios. Cuando leemos acerca del arrepentimiento en la segunda carta de Pablo a Timoteo (2:25), por ejemplo, descubrimos que "incluso el arrepentimiento es un don de Dios." Debemos concluir, por lo tanto, "que no está en las manos de todos los hombres volver al camino correcto, a menos que Dios se lo haya dado."[235]

El punto de vista de Vermigli se encuentra en conflicto directo con aquellos que dicen no solo que la gracia es común a todos, sino también que "está en el poder de todos para recibir la gracia cuando se les ofrece."[236] Pero tal suposición una vez más pasa por alto las Escrituras, dijo Vermigli. Por ejemplo, Pablo dice: "Entonces, no depende de la voluntad o el esfuerzo humanos, sino de Dios, que tiene misericordia" (Romanos 9:16). Vermigli concluyó que esto "no podría ser cierto si está dentro de nuestra voluntad de recibir la gracia cuando se nos ofrece."[237] Él entendió que Jesús asumió lo mismo en su ilustración de un árbol y su fruto:

> Cristo enseñó con bastante claridad que un árbol malo no puede dar buenos frutos; por lo tanto, mientras los hombres no sean regenerados, no podrán producir frutos lo suficientemente buenos para permitirles asentir a la gracia de Dios cuando golpee. Primero es necesario que el árbol sea cambiado y que los árboles malvados se conviertan en buenos. Como en la generación humana, nadie que sea procreado contribuye a nada. También lo es en la regeneración, porque allí también nacemos de nuevo por medio de Cristo y en Cristo.[238]

Para concluir, el llamamiento de Vermigli a Cristo exhibe vívidamente su afirmación del monergismo en la regeneración. Por lo tanto, cuando oramos por la regeneración de los no regenerados, dijo Vermigli, "lo hacemos porque creemos que está en manos de Dios abrir sus corazones, si quiere."[239]

---

[233] Ibid., 58.
[234] Ibid., 55.
[235] Ibid., 56.
[236] Ibid.
[237] Ibid., 57.
[238] Ibid.
[239] Ibid., 58.

Conclusión: Continuidad Notable

No es poco menos que notable que en una época de controversia doctrinal, la mayoría de los reformadores se vieron de la mano en su afirmación de la esclavitud de la voluntad y la eficacia de la gracia de Dios. Melanchthon, por supuesto, se destaca como alguien que puede nadar contra esta corriente, aunque fue debatido entre sus sucesores luteranos en qué medida se apartó de Lutero. Sin embargo, la mayoría de los reformadores se mantuvieron unidos en su defensa del monergismo. Teniendo en cuenta cómo los reformadores podrían estar separados por mundos geográficos, y a veces doctrinalmente en otros asuntos (por ejemplo, la Cena del Señor), y a la luz de la frecuencia con que Roma buscaba resaltar la división que veían dentro de las filas protestantes, tal acuerdo sobre el monergismo no solo fortaleció la causa de la Reforma, sino que también mostró que su convicción con *sola gratia* no era terciaria; más bien, constituía el núcleo de su misión de encontrar un Dios misericordioso.

Recursos para un Estudio Adicional

FUENTES PRIMARIAS

Bucer, Martin. *The Common Places of Martin Bucer*. Traducido y editado por David F. Wright. Courtenay Library of Reformation Classics 4. Appleford: Sutton Courtenay, 1972.

Calvino, Juan. *The Bondage and Liberation of the Will: A Defence of the Orthodox Doctrine of Human Choice against Pighius*. Editadopor A. N. S. Lane. Traducido por G. I. Davies. Texts and Studies in Reformation and Post-Reformation Thought 2. Grand Rapids, MI: Baker, 1996.

_____.*Concerning the Eternal Predestination of God*. Traducido por J. K. S. Reid. London: James Clarke, 1961.

Kolb, Robert, y Timothy J. Wengert, eds. *The Book of Concord: The Confessions of the Evangelical Lutheran Church*. Traducido por Charles P. Arand y otros. Minneapolis: Fortress, 2000.

Lutero, Martín. *The Bondage of the Will. En Luther's Works*. Vol. 33, *Career of the Reformer III*. Editado por Philip S. Watson. Philadelphia: Fortress, 1972.

Melanchthon, Felipe. *Commonplaces: Loci Communes* 1521. Traducido por Christian Preus. St. Louis, MO: Concordia, 2014.

_____.*Loci Communes* 1543. Translated by J. A. O. Preus. St. Louis, MO: Concordia, 1992.

Rupp, E. Gordon, y Philip S. Watson, eds. *Luther and Erasmus: Free Will and Salvation*. Library of Christian Classics 17. Philadelphia: Westminster, 1969.

Vermigli, Pedro Martyr. *The Peter Martyr Library*. Vol. 8, *Predestination and Justification: Two Theological Loci*. Traducido y editado por Frank A. James III. Sixteenth Century Essays and Studies 68. Kirksville, MO: Truman State University Press, 2003.

FUENTES SECUNDARIAS

Donnelly, John Patrick. *Calvinism and Scholasticism in Vermigli's Doctrine of Man and Grace*. Studies in Medieval and Reformation Thought 18. Leiden: Brill, 1976.

Forde, Gerhard O. *The Captivation of the Will: Luther vs. Erasmus on Freedom and Bondage*. Editadopor Steven Paulson. Lutheran Quarterly Books. Grand Rapids, MI: Eerdmans, 2005.

Graybill, Gregory B. *Evangelical Free Will: Philipp Melanchthon's Doctrinal Journey on the Origins of Faith*. Oxford Theological Monographs. New York: Oxford University Press, 2010.

Holtrop, Philip C. *The Bolsec Controversy on Predestination from 1551–1555*. Lewiston, NY: Edwin Mellen, 1993.

Hughes, Philip E. *Theology of the English Reformers*. London: Hodder and Stoughton, 1965.

James, Frank A., III. *Peter Martyr Vermigli and Predestination: The Augustinian Inheritance of an Italian Reformer*. Oxford Theological Monographs. New York: Oxford University Press, 1998.

Kolb, Robert. *Bound Choice, Election, and Guttenberg Theological Method: From Martin Luther to the Formula of Concord*. Lutheran Quarterly Books. Grand Rapids, MI: Eerdmans, 2005.

_____."Human Nature, the Fall, and the Will". En *T&T Clark Companion to Reformation Theology*, ed. David M. Whitford, 14–31. New York: T&T Clark, 2012.

Lane, A. N. S. "Did Calvin Believe in Free Will?" *Vox Evangelica* 12 (1981): 72–90.

Slenczka, Notger. "Luther's Anthropology." En *The Oxford Handbook of Martin Luther's Theology*, edited by Robert Kolb, Irene Dingel, and L'ubomír Batka, 212–32. Oxford: Oxford University Press, 2014.

Trueman, Carl R. *Luther's Legacy: Salvation and English Reformers, 1525–1556*. Oxford: Clarendon, 1994.

Wallace, Dewey D., Jr. *Puritans and Predestination: Grace in English Protestant Theology, 1525–1695*. Chapel Hill: University of North Carolina Press, 1982.

Wengert, Timothy J. *Human Freedom, Christian Righteousness: Philip Melanchthon's Exegetical Dispute with Erasmus of Rotterdam*. Oxford Studies in Historical Theology. New York: Oxford University Press, 1998.

_____."Philip Melanchthon's Contribution to Luther's Debate with Erasmus over the Bondage of the Will." En *By Faith Alone: Essays on Justification in Honor of Gerhard O. Forde*, ed. Joseph A. Burgess and Marc Kolden, 110–24. Grand Rapids, MI: Eerdmans, 2004.

White, Peter. *Predestination, Policy and Polemic: Conflict and Consensus in the English Church from the Reformation to the Civil War*. New York: Cambridge University Press, 1992.

Justificación por la fe sola

Korey D. Maas

RESUMEN

En medio de la confusión doctrinal, los reformadores alcanzaron un consenso relativamente rápido sobre la naturaleza fundamental y los medios de justificación. La justificación solamente por gracia a través de la fe sola a causa de la justicia imputada de Cristo llegó a ser aceptada y consagrada en las confesiones de luteranos y reformados por igual. Al clarificar posteriormente su propia soteriología, Roma condenaría esta doctrina. Aunque los estudios modernos intentan reducir la brecha sobre la justificación, tales esfuerzos a menudo implícita o explícitamente abandonan la doctrina de la Reforma. Las controversias resultantes y la centralidad de la justificación a la teología de la Reforma revelan que, incluso quinientos años después, la Reforma no ha terminado.

Introducción

A modo de introducción y —si la expresión puede ser perdonada— justificando su amplio estudio histórico de la doctrina cristiana de la justificación, Alister McGrath expuso la proposición de que "constituye el verdadero centro del sistema teológico de la iglesia cristiana."[1] Sin embargo, las excepciones y objeciones a tal comprensión ciertamente no son desconocidas.[2] El teólogo jesuita Avery Dulles, por ejemplo, ha observado que "la justificación no es una categoría central en la dogmática católica contemporánea."[3] Menos en la observación que en la afirmación, el teólogo católico Hans Küng ya había declarado de manera más directa que "la justificación no es el dogma central del cristianismo."[4] Tal vez de una manera más sutil, pero con

---

[1] Alister E. McGrath, *Iustitia Dei: A History of the Christian Doctrine of Justification*, 2da ed. (Cambridge: Cambridge University Press, 1998), 1.

[2] De hecho, el mismo McGrath descarta esta afirmación de la tercera edición (2005) de *Iustitia Dei*.

[3] Avery Dulles, "Justification in Contemporary Catholic Theology," en *Justification by Faith*, ed. H. George Anderson, T. Austin Murphy, y Joseph A. Burgess, Lutherans and Catholics in Dialogue 7 (Minneapolis: Augsburg, 1985), 256. En la misma página, Dulles señala además que "rara vez se discute en detalle, excepto en polémicas contra, o en diálogo con, protestantes".

[4] Hans Küng, *Justification: The Doctrine of Karl Barth and a Catholic Reflection*, trad. Thomas Collins, Edmund E. Tolk, y David Grandskou (London: Burns and Oates, 1964), 118.

implicaciones aún mayores, un comentario moderno sobre Gálatas va tan lejos como para eliminar por completo los conceptos justificativos del texto paulino, convirtiendo el griego *dikaioō* y sus cognados en términos de "rectificación" en lugar de "justificación".[5]

Como una simple descripción del lugar de la justificación en la historia del pensamiento cristiano, entonces, una afirmación como la de McGrath es discutible. Sin embargo, mucho menos lo es una evaluación del lugar de la justificación en la teología de los reformadores protestantes del siglo XVI. La figura más destacada de la primera generación de la Reforma, Martín Lutero, fue bastante enfático en su exclamación de que la justificación era "el primer y principal artículo" de la teología cristiana.[6] Su colega de Wittenberg, Felipe Melanchthon, no fue menos insistente en que era "el tema más importante de la enseñanza cristiana."[7] Vale la pena enfatizar también que estas afirmaciones —ninguna inusual de parte de sus autores— fueron consideradas más que opiniones privadas; las obras en las que cada una aparece serían adoptadas como confesiones formales de las iglesias Luteranas. Tampoco esos sentimientos eran exclusivos de los reformadores luteranos. Juan Calvino, incuestionablemente la figura más influyente de la segunda generación de la Reforma, habló de manera similar de que la justificación es "la principal bisagra sobre la cual gira la religión."[8] También fue desde dentro de la tradición reformada que se evidenció la primera articulación clara de la justificación como "el artículo sobre el cual la iglesia se mantiene de pie o se cae."[9]

Mucho más significativo que el acuerdo entre confesiones sobre la centralidad de la doctrina de la justificación, sin embargo, es el amplio acuerdo de los reformadores sobre una comprensión, explicación y confesión particular de esta doctrina central. Por las diferencias que hayan podido tener los católicos y protestantes del siglo XVI en su comprensión del lugar ocupado por la justificación en el esquema más completo del dogma cristiano, no se condenaron mutuamente las doctrinas de los demás simplemente porque percibieron que se les había concedido demasiada o muy poca importancia. Sin embargo, reconocer que nadie considera la justificación un artículo periférico explica en cierto modo no solo la intensidad de los debates de la Reforma, sino también las ansiedades potencialmente provocadas por las confusiones de la Baja Edad Media que precipitaron parcialmente estos debates. Para poner en contexto la definición y el desarrollo de la doctrina de la justificación de los reformadores, pasamos primero a estas controversias previas a la Reforma.

Justificación en el Contexto de la Baja Edad Media

Para quienes están acostumbrados a profesar la justificación como "bisagra principal" o "artículo principal" del cristianismo, podría parecer extraño que la iglesia de la Baja Edad Media no confesara ninguna doctrina definida dogmáticamente sobre la manera en que se salva a los individuos. Sin embargo, tal vez parezca menos extraño cuando

---

[5] J. Louis Martyn, *Galatians: A New Translation with Introduction and Commentary*, Anchor Bible 33A (New York: Doubleday, 1997).

[6] "The Smalcald Articles," pt. 2, art. 1, en Robert Kolb y Timothy J. Wengert, eds., *The Book of Concord: The Confessions of the Evangelical Lutheran Church*, trad. Charles P. Arand y otros. (Minneapolis: Fortress, 2000), 301.

[7] "Apology of the Augsburg Confession", art. 4.2, en Kolb y Wengert, *Book of Concord*, 120.

[8] Calvino, *Institución*, 3.11.1.

[9] El primer uso existente de la frase, a menudo atribuido a Lutero, parece ser el de Johann Heinrich Alsted, *Theologia scholastica didactica* (Hanover: Conradi Eifridi, 1618), 711; ver McGrath, *Iustitia Dei*, 448n3.

se lo vea a la luz de doctrinas de similar importancia que, en ese momento, también permanecieron indefinidas. Ninguno, por ejemplo, cuestionó la importancia central de la Sagrada Escritura, y, sin embargo, a lo largo de la Edad Media, los contenidos precisos del canon bíblico nunca fueron consagrados en un decreto oficial de la iglesia. La razón en este caso es simplemente que un consenso implícito sobre el canon hizo innecesaria cualquier definición dogmática. Con respecto a algunas doctrinas, sin embargo, precisamente sucedió lo contrario: la misma falta de consenso impidió una identificación clara de lo que "la iglesia" confesaba.

Es esta segunda explicación para la ausencia de cualquier enunciado dogmático lo que más claramente se relaciona con la doctrina de la justificación. Como McGrath ha señalado acertadamente, "en ciertas áreas de la doctrina —más notablemente la doctrina de la justificación— parece haber una considerable confusión durante las primeras décadas del siglo XVI con respecto a la enseñanza oficial de la iglesia."[10] La razón de esto, observa además, es que "una asombrosa diversidad de puntos de vista sobre la justificación del hombre ante Dios estaba en circulación."[11] Dos merecen especialmente una breve explicación por la luz que arrojan sobre el medio intelectual a partir del que surgió la doctrina de la Reforma.

La escuela de pensamiento medieval que más se aproxima a la soteriología definida finalmente por Roma en el Concilio de Trento es la de la *via antiqua,* más frecuentemente asociada con la teología madura de Tomás de Aquino. Esquemáticamente, el orden de salvación encontrado en la magistral *Summa Theologiae* de Aquino podría resumirse como un proceso de tres pasos. Iniciando el proceso por el cual uno es salvo, Dios concede gracia gratuitamente al individuo. Así dotado, el individuo está facultado para cooperar con la gracia de Dios. Finalmente, esta cooperación meritoria, combinada con y hecha posible por la gracia, es recompensada con la vida eterna.[12]

Mientras adoptó y abrazó en gran medida cada aspecto del orden de salvación tomista, la *via moderna*, representada por teólogos como Guillermo de Ockham y Gabriel Biel, alteró radicalmente el sistema de Tomás al introducir un cuarto, y anterior, paso. Según los teólogos "modernos", la cooperación meritoria no solo seguía y fluía de la gracia divina, sino que era posible incluso sin ella. De hecho, fue tal el esfuerzo, que fue recompensado con el primer otorgamiento de la gracia de Dios. Por lo tanto, esta escuela moderna de soteriología se identificó con su proposición de que "Dios no negará la gracia a los que hacen lo que hay en ellos."[13]

Sin embargo, incluso este claro contraste entre las dos escuelas medievales más prominentes de la época tardía restaba importancia a la confusión a la que podían conducir tales diferencias. Una de las razones para esto se encuentra en la referencia a la teología "madura" de Aquino descrita anteriormente. Al principio de su carrera, lo más importante en su comentario sobre las *Libri Quattuor Sententiarum* de Pedro Lombardo, Tomás mismo había abrazado el "hacer lo que hay en uno" típicamente asociado con la escuela de Ockham y Biel. Además, a pesar de que algunos

---

[10] Alister E. McGrath, *The Intellectual Origins of the European Reformation* (Grand Rapids, MI: Baker, 1995), 16.

[11] Ibid., 26.

[12] Tomás de Aquino, *Summa Theologica*, trad. Fathers of the English Dominican Province (Notre Dame, IN: Christian Classics, 1981), 1a2ae.113–14.

[13] Ver, por ejemplo, Gabriel Biel, "Doing What Is in One", en *The European Reformations Sourcebook*, ed. Carter Lindberg (Oxford: Blackwell, 2000), 17.

argumentaron que la *Summa* posterior de Tomás era definitiva de su pensamiento, muchos teólogos de la Edad Media continuaron reconociendo su comentario sobre las *Libri Quattuor Sententiarum* como autoritativo.[14] En algunos aspectos, esto no es sorprendente, ya que el propio trabajo de Lombardo siguió siendo el libro de texto estándar para la teología universitaria en el siglo XVI.

La autoridad continua de las *Libri Quattuor Sententiarum* de Lombardo también resultó ser potencialmente confusa en un aspecto más. A pesar de la asociación de Tomás de Aquino con la *via antiqua* de la teología escolástica, Lombardo mismo representó una tradición soteriológica medieval aún más antigua. Para Tomás de Aquino y la *via antiqua*, la gracia necesaria en el proceso de justificación se entendía como una cualidad creada dentro del o impartida al individuo. Lombardo había levantado esta posibilidad anteriormente, pero inmediatamente la descartó. El don que produce la salvación, concluyó, no es una cualidad adquirida que un individuo pueda considerar suyo; es la presencia activa del mismo Espíritu Santo.[15] Especialmente notable es no solo que Santo Tomás rechazaría este punto de vista sino también su razón para hacerlo: implicaría que el amor de Dios hecho posible por la gracia "dejaría de ser voluntario y meritorio."[16]

También con respecto a la cuestión de la gracia, la *via moderna* abrió la puerta a una mayor confusión incluso dentro de su propio sistema. Si bien Tomás y sus seguidores sostuvieron que la gracia es necesaria para lograr la salvación, Ockham solo afirmó que este es generalmente el caso. Temiendo que hablar de necesidad restringiría la libertad divina, Ockham y sus seguidores sostuvieron que "cualquier cosa que Dios pueda producir por medio de causas secundarias, puede producir y preservar directamente sin ellas."[17] Por lo tanto, al menos en teoría, Dios podría justificar a los pecadores incluso sin el otorgamiento de su gracia y su cooperación posterior. Además, y lo que es más preocupante, también se entendió lo contrario: no estando obligado por ninguna necesidad, Dios puede negar la salvación incluso a aquellos que cooperan con la gracia que ha provisto. El razonamiento de Ockham, siguiendo el de su predecesor Duns Scoto, fue que "nada creado debe, por razones intrínsecas a Él, ser aceptado por Dios."[18] Es decir, ni la gracia ni la cooperación de uno con ella merecen la salvación en sí mismas; son aceptadas y recompensadas solo porque Dios ha aceptado voluntariamente hacerlo. Finalmente, entonces, se entendía que la salvación de uno dependía no solo de la gracia divina junto con la cooperación humana sino también, y más fundamentalmente, de que Dios cumpliera su promesa de considerar que estos merecían la vida eterna.

Incluso estos breves resúmenes de solo dos teologías prominentes de la justificación ponen de relieve la confusión inherente en el contexto medieval y las posibles ansiedades que produjo. No quedó claro si la soteriología *antiqua* o la *moderna* debían considerarse correctas, si se prefería una de ellas a la teología del

[14] Ver, Heiko A. Oberman, "'*Iustitia Christi*' y '*Iustitia Dei*': Luther and the Scholastic Doctrines of Justification," en *The Dawn of the Reformation: Essays in Late Medieval and Early Reformation Thought* (Edinburgh: T&T Clark, 1992), 108.

[15] Pedro Lombardo, *The Sentences, Book 1: The Mystery of the Trinity*, trad. Giulio Silano, Mediaeval Sources in Translation 42 (Toronto: Pontifical Institute of Mediaeval Studies, 2007), 17.1–6.

[16] Aquino, *Summa Theologica* 2a2ae.23.2.

[17] Guillermo de Ockham, Quodlibeta 6, ques. 6, en *Ockham: Philosophical Writings*, ed. Philotheus Boehner (Edinburgh: Thomas Nelson and Sons, 1957), 26.

[18] Citado en Steven Ozment, *The Age of Reform, 1250–1550: An Intellectual and Religious History of Late Medieval and Reformation Europe* (New Haven, CT: Yale University Press, 1980), 33.

"libro de texto" de Pedro Lombardo. No quedó claro, si uno siguió a Tomás de Aquino, si la teología de su comentario de *Libri Quattuor Sententiarum* o de su *Summa* fue definitiva. Y si uno abrazó a Ockham, no quedó claro cómo determinar si uno había "hecho lo que hay en uno" lo suficiente como para merecer la gracia y si un Dios radicalmente libre de hecho cumpliría su promesa de recompensar la cooperación de uno con la gracia.

Sin embargo, antes de pasar a la doctrina de la Reforma que se desarrolla y reacciona a este contexto medieval, es necesario destacar un aspecto soteriológico en el que coincidían prácticamente todos los teólogos medievales. Si bien los desacuerdos esbozados anteriormente giraban en torno a la manera en que se produce la justificación, seguía habiendo un acuerdo fundamental sobre la naturaleza de la justificación: consistía en un verdadero cambio moral y ontológico en el individuo. Una lectura literal y etimológica del término del latín *iustificare*, un compuesto de *iustum* ("justo") y *facere* ("hacer"), implica una comprensión del pecador siendo hecho justo en el proceso de justificación. Es decir, el cambio que se entiende que tiene lugar en el justificado no fue simplemente un cambio de estado declarado; los pecadores eran aceptados por Dios no simplemente porque los consideraba justos. Más bien, eran aceptados porque, de hecho, en un grado suficiente, se convirtieron en justos. Una distinción firme entre la justificación y la santificación permaneció desconocida para los teólogos medievales. Sin embargo, es esta distinción la que ha sido llamada la "característica esencial" de la soteriología de la Reforma.[19] Es a los orígenes de esta soteriología a la que ahora nos dirigimos.

El "Desarrollo" luterano

De la misma manera que no había una sola doctrina medieval de justificación, también debemos ser cautelosos al hablar de la soteriología de Martín Lutero. De hecho, al igual que Tomás de Aquino, Lutero modificaría su teología en el curso de su carrera y comentaría regularmente que sus ideas sobre la Reforma no se descubrieron todas a la vez, sino que se desarrollaron lentamente.[20] Como se ha señalado con razón, "la doctrina de la justificación de Lutero fue una cosa en 1513 y se convirtió en otra antes de 1536. Este desarrollo, y el fracaso (o negativa) a observarlo cuidadosamente, también ha contribuido a la confusión."[21] Antes de explicar la teología de la justificación "madura" de Lutero, será necesario rastrear su evolución desde la doctrina medieval que inicialmente abrazó.

DESARROLLOS TEMPRANOS EN LA SOTERIOLOGÍA DE LUTERO

La propia educación de Lutero estuvo dominada por profesores que se adhirieron a la *via moderna*.[22] No es de extrañar, entonces, que en su nombramiento en la facultad de la Universidad de Wittenberg, el primer curso de conferencias de Lutero (1513-1515) reflejaría las opiniones de sus profesores. El tenor modernista de tales opiniones es

---

[19] McGrath, *Iustitia Dei*, 186.

[20] Por ejemplo, Martín Lutero, *Table Talk*, LW 54:50 (no. 352); 54:442–43 (no. 5518); y Lutero, "Preface to the Complete Edition of Luther's Latin Writings," LW 34:327–28.

[21] R. Scott Clark, "*Iustitia Imputata Christi*: Alien or Proper to Luther's Doctrine of Justification?" CTQ 70, no. 3/4 (2006): 273.

[22] Martin Brecht, *Martin Luther*, vol. 1, *His Road to Reformation*, 1483–1521 (Philadelphia: Fortress, 1985), 34–38, 91–95.

especialmente claro en su afirmación de que "los maestros correctamente dicen que a un hombre que hace lo que hay en él, Dios le otorga gracia sin falta."[23] De acuerdo con la teología medieval en términos más generales, él constantemente habló de la justificación como un proceso de renovación por el cual uno se convierte en justo.[24] Que Lutero permaneciera en este período completamente dentro de la órbita de la doctrina medieval aceptada queda claro incluso por algunos de sus críticos más duros de la modernidad. El jesuita del siglo XX Hartmann Grisar, por ejemplo, podía admitir no solo que estas conferencias no revelan desviaciones de la teología romana, sino también que su contenido estaba en total contradicción con lo que consideraba los errores posteriores de Lutero.[25]

El desarrollo en la teología de Lutero ya era evidente, sin embargo, en su próxima serie de conferencias. En estas conferencias de 1515-1516 sobre la epístola de Pablo a los romanos, él ya rechazó el "hacer lo que hay en uno" del modernista e insistió en que la gracia de Dios se recibe de manera totalmente pasiva.[26] Al enfatizar su deuda con Agustín, identificó la "justicia de Dios" como la causa de la salvación y definió esta justicia no como la justicia inherente de Dios, sino como aquella por la cual justifica a los pecadores por la fe.[27] A la luz del recuerdo posterior de Lutero de su "avance" teológico, estas conferencias romanas a menudo se han leído como su fruto obvio. Las observaciones autobiográficas en 1545 describen realmente este avance como una nueva comprensión pasiva de la frase "justicia de Dios" y enfatizan que este fue el entendimiento encontrado en Agustín.[28] Sin embargo, al igual que en sus anteriores conferencias sobre los Salmos, incluso los críticos católicos de Lutero han destacado que la "nueva" enseñanza de Lutero sobre este punto no es otra cosa que la "vieja" enseñanza de los doctores medievales.[29] Es decir, mientras que las conferencias romanas evidenciaron la ruptura de Lutero con la soteriología de la *via moderna*, esta ruptura simplemente lo puso en línea con el énfasis agustiniano que siempre había prevalecido en la *via antiqua*; no reveló nada parecido a su doctrina madura de la justificación. Una lectura cuidadosa de estas conferencias y la manera en que se basan en Agustín respaldan tal conclusión.

Agustín de hecho definió la justicia de Dios como aquella por la cual justifica a los pecadores[30] —como lo hicieron los últimos teólogos de la *via antiqua*. Pero esta justificación, según Agustín, consiste en ser "hecho justo" de tal manera que la persona impía "pueda volverse piadosa."[31] De nuevo, igual que los medievales, Agustín vio la justificación en términos sanativos. Ciertamente es iniciado y hecho posible por la gracia divina, pero es la gracia entendida —una vez más, igual que los herederos medievales de Agustín— como una sustancia curativa impartida al hombre. Con todo esto Lutero estuvo de acuerdo en 1515-1516. Por lo tanto, podría describir al cristiano

---

[23] Martín Lutero, *First Lectures on the Psalms II*, LW 11:396.

[24] Ibid., *LW* 10:191–92; cf. Martín Lutero, *Lectures on Romans: Glosses and Scholia*, LW 25:260.

[25] Hartmann Grisar, *Luther*, trad. E. M. Lamond, ed. Luigi Cappadelta (London: Kegan Paul, Trench, Trübner, 1913), 1:74.

[26] Lutero, *Lectures on Romans*, LW 25:496.

[27] Ibid., *LW* 25:151–52.

[28] Lutero, "Preface to the Complete Edition of Luther's Latin Writings", *LW* 34:337.

[29] Por ejemplo, Heinrich Denifle demostró ampliamente que la interpretación de Lutero de la "justicia de Dios" era completamente típica de sus predecesores católicos en *Luther und Luthertum. Ergänzungen*, vol. 1, *Quellenbelege: Die abendländischen Schriftausleger bis Luther über Justitia Dei* (Rom. 1,17) *und Justificatio* (Mainz: Kirchheim, 1905).

[30] Agustín, *On the Spirit and the Letter*, 15, NPNF, 1ra ser., vol. 5, ed. Philip Schaff (Grand Rapids, MI: Eerdmans, 1956), 89.

[31] Ibid., 45, *NPNF*, 1ra ser., vol. 5, 102.

como enfermo y sano al mismo tiempo: enfermo de hecho, pero sano debido a la promesa de salud del médico.[32] O, más claramente, el cristiano es pecador y justo al mismo tiempo: parcialmente pecador y parcialmente justo.[33]

Las conferencias romanas de Lutero representaron un desarrollo teológico significativo; evidenciaron una clara ruptura con la soteriología de la Edad Media que había asimilado como estudiante. Pero aún no revelaban la doctrina distintivamente "protestante" que comenzó a florecer solo cuando se movió más allá del esquema progresivo y sanativo formulado por Agustín y adoptado virtualmente por todos los teólogos medievales. Que él no lo haya hecho antes de 1518 es evidente, por ejemplo, en sus conferencias en hebreo de ese año. Aun entendiendo la cooperación con la gracia como un aspecto esencial de la justificación, explicó que los cristianos son llamados justos "no porque lo sean, sino porque han comenzado a ser y deben convertirse en personas de este tipo haciendo un progreso constante."[34] Fue en este año, 1518, sin embargo, que el joven humanista Felipe Melanchthon se unió a la facultad en Wittenberg; no por casualidad, fue poco después que la soteriología de Lutero dio un giro dramático hacia lo que se convertiría en su doctrina madura.

INFLUENCIA DE MELANCHTHON EN LA SOTERIOLOGÍA DE LUTERO

La relación entre la soteriología de Melanchthon y la de Lutero se ha convertido en una fuente de interminables controversias.[35] Antes del siglo XX, la opinión predominante sostenía que sus doctrinas eran esencialmente idénticas y que era esta doctrina compartida la que recibía formulación incluso en el último de los documentos confesionales luteranos, la Fórmula de Concordia de 1577. Pero a partir de comienzos del siglo XX, el "Renacimiento de Lutero" —provocado en parte por el redescubrimiento de las conferencias romanas discutidas anteriormente— se han hecho muchos intentos para abrir una brecha entre los dos. En tales casos, los primeros trabajos de Lutero a menudo habían sido vistos como definitivos de su soteriología, de la cual partieron Melanchthon y los luteranos confesionales posteriores. Si bien puede ser justo describir ciertas articulaciones soteriológicas como de Melanchthon en su origen o énfasis, la implicación de que tales ideas eran desconocidas —o incluso rechazadas— por Lutero es completamente injustificada. Si lo siguiente es aceptado como una declaración concisa de la doctrina madura de la justificación de la Reforma —que uno es justificado solamente por gracia por medio de la fe sola sobre la base de la justicia imputada únicamente por Cristo— quedará claro que esto no representa una partida melanchthoniana de Lutero. Lutero no solo abrazó esta confesión, sino que también lo hizo en gran parte siguiendo el liderazgo inicial de Melanchthon.

Con respecto a la *gracia*, el primer término clave en la fórmula anterior, Roma, por supuesto, nunca negó su papel necesario en la justificación. Tampoco lo hizo Lutero.

---

[32] Lutero, *Lectures on Romans*, *LW* 25:260.

[33] Ibid., *LW* 25:434. Por lo tanto, en la misma obra, Lutero podría declarar sin rodeos que "Dios aún no nos ha justificado, es decir, que no nos ha hecho perfectos ni ha declarado nuestra justicia perfecta, sino que ha hecho un comienzo para que nos haga perfectos." Ibid., *LW* 25:245.

[34] Martín Lutero, *Lectures on Hebrews*, *LW* 29:139.

[35] Por ejemplo, Mark A. Seifrid, "Luther, Melanchthon and Paul on the Question of Imputation: Recommendations on a Current Debate", en *Justification: What's at Stake in the Current Debates*, ed. Mark A. Husbands y Daniel J. Treier (Downers Grove, IL: InterVarsity Press, 2004), 137–52; Aaron O'Kelley, "Luther and Melanchthon on Justification: Continuity or Discontinuity?," en *Since We Are Justified by Faith: Justification in the Theologies of the Protestant Reformations*, ed. Michael Parsons (Milton Keynes, UK: Paternoster, 2012), 30–43.

Pero aún en fecha tan tardía como 1518, todavía concibió la gracia como lo hacían los "antiguos" y "nuevos" teólogos medievales, como una cualidad inherente o sustancia por la cual uno está preparado para volverse justo. Tres años después, sin embargo, abandonó completamente esta visión tradicional, redefiniendo la gracia simplemente como el "favor de Dios"[36]. Habiendo rechazado la noción de la gracia como una cualidad que hace posible la "curación" progresiva del pecador, entonces pudo ser tan atrevido como para decir: "La gracia es un bien mayor que la salud de la justicia.... Todos preferirían —si eso fuera posible— estar sin la salud de la justicia en lugar de la gracia de Dios."[37] La importancia de este cambio se vuelve más clara cuando se observa que solo dos años antes de esta definición de gracia no era meramente una que Lutero aún tenía que aceptar, sino una que él había rechazado explícitamente.[38]

El ímpetu por este cambio repentino casi con certeza estaba en el recién llegado Melanchthon, quien desde al menos 1520 estaba defendiendo la gracia como el favor de Dios o la buena voluntad.[39] Lo hizo tal vez más claramente en el mismo año en que Lutero abrazó por primera vez esta definición, en la primera edición de los *Loci Communes*, donde escribió que "la palabra 'gracia' no significa una cualidad en nosotros, sino la misma voluntad de Dios, o la buena voluntad de Dios hacia nosotros."[40] Esta articulación en los *Loci* de Melanchthon es significativa no solo porque esta obra puede considerarse justificadamente como la primera "teología sistemática" de la Reforma, sino también porque influenció profundamente a Lutero, quien regularmente expresaba su acuerdo sin reservas con él, llegando incluso a afirmar hiperbólicamente que merecía ser canonizado.[41]

Durante este mismo período, a medida que desarrolló su comprensión madura de la fe, Lutero fue aún más explícito acerca de su deuda con Melanchthon. Siguiendo la interpretación Vulgata de Hebreos 11:1, donde la fe se define como "la sustancia [*substantia*] de las cosas esperadas" (RVR),[42] Lutero, en armonía con los medievales, había entendido por mucho tiempo que la fe era un presente de calidad en los que se hacían justos. Al igual que la gracia, jugó un papel necesario en la justificación, pero solo a medida que se "formaba" adecuadamente. Por lo tanto, la fórmula medieval "fe formada por el amor" sirvió para distinguir el mero asentimiento intelectual de esa fe unida con el amor y así contribuir a la rectitud. Quizás siguiendo el ejemplo de la anotación del compañero humanista Desiderio Erasmo de Hebreos 11:1, Melanchthon, desde al menos 1519, comenzó a leer el griego *pistis* ("fe") como sinónimo del latín *fiducia* ("confianza").[43] Para cuando redactó la primera edición de *Loci*, insistía en que, de acuerdo con el uso antiguo, los usos bíblicos de *pistis* y su forma verbal casi siempre significan "confianza".[44] No solo Lutero también abrazó esta definición, sino que le dio crédito a Melanchthon por corregir su interpretación tradicional anterior. Melanchthon, explicó, que el término griego traducido como "sustancia" en Hebreos

[36] Martín Lutero, *Against Latomus*, LW 32:227.

[37] Ibid., LW 32:227.

[38] Martín Lutero, *Lectures on Galatians* (1519), LW 27:252.

[39] Ver, Lowell C. Green, *How Melanchthon Helped Luther Discover the Gospel: The Doctrine of Justification in the Reformation* (Fallbrook, CA: Verdict: 1980), 159.

[40] Felipe Melanchthon, *Loci Communes Theologici* (1521), en *Melanchthon and Bucer*, ed. Wilhelm Pauck, trad. Lowell J. Satre, LCC 19 (Philadelpia: Westminster, 1969), 87.

[41] Martín Lutero, *The Bondae of the Will*, LW 33:16.

[42] Tenga en cuenta que la *ESV* utiliza "seguridad" en lugar de "sustancia."

[43] Ver Green, *How Melanchthon Helped Luther*, 144.

[44] Melanchthon, *Loci Communes*, 92–102.

11 se entiende mejor como "esencia" o "existencia".[45] Así llegó a entender que la fe justificativa no era simplemente como confianza sino como confianza que la justicia "esperaba", a causa del favor de Dios, ya existía. Como tal, Lutero ahora podría hablar de justificación en tiempo presente, no simplemente como el resultado futuro de un proceso continuo.[46] Lo más revelador de este nuevo énfasis fue el replanteamiento radical de ese concepto del que ya había hecho uso en sus primeras conferencias romanas, la de que el cristiano era justo y pecador al mismo tiempo. Esta fórmula ya no expresaba la idea de que uno era parcialmente pecaminoso y parcialmente justo, o un pecador presente con la esperanza futura de ser hecho justo; el cristiano ahora permaneció en sí mismo completamente pecador, sin embargo, por medio de la fe y ante los ojos de Dios, completamente justo.[47]

Desde entonces, Lutero continuó insistiendo, el cristiano permanece pecaminoso en sí mismo, que la justicia recibida por la fe llegó a entenderse como una justicia necesariamente extrínseca. Del mismo modo, dado que no es meramente una justicia parcial sino completa en el presente, solo podría concebirse como una justicia imputada al creyente. Ni la gracia ni la fe, por lo tanto, se les permitió permanecer abstracciones. El favor de Dios se expresa en su inmerecida imputación de la justicia de Cristo al creyente, y es en esto que el creyente confía para su justificación.[48]

Así entendido, Lutero podría decir crudamente que "nuestra justicia no es otra cosa que la imputación de Dios."[49] Al hacerlo, una vez más siguió el ejemplo de Melanchthon, quien ya decía en 1519 que "toda nuestra justicia es la imputación gratuita de Dios."[50] Hay una pequeña ironía en que Lutero haya resaltado este punto en su controversia con Erasmo, ya que es probable que la propia percepción inicial de Melanchthon sobre la imputación derive de su lectura de Erasmo. En su traducción latina revisada del Nuevo Testamento en Romanos 4:5, Erasmo sustituyó *imputatum* por el *reputatum* de la Vulgata, explicando que esto debe entenderse como la remisión de una deuda pendiente por pagar como si hubiera sido pagada.[51] Esta comprensión "forense" es precisamente la que Melanchthon defendió posteriormente en su Apología de la Confesión de Augsburgo. Fue allí, por ejemplo, que dio el estatus confesional a la doctrina forense de la justificación: "'Justificar' se usa de manera judicial [*forensi*] para significar 'absolver a un culpable y pronunciarlo justo', y hacerlo a causa de la justicia de otra persona, es decir, la de Cristo, que se nos comunica por medio de la fe."[52]

Que Lutero estuvo totalmente de acuerdo con Melanchthon sobre esta comprensión de la justificación se hace especialmente evidente a la luz de dos breves controversias contemporáneas. En el mismo año en que Melanchthon escribió la Apología, percibió que el compañero reformador Johan Brenz aún aceptaba la visión sanadora de la

---

[45] Lutero, *Lectures on Galatians* (1519), LW 27:377.

[46] Martín Lutero, "Two Kinds of Righteousness," LW 31:298–99.

[47] Por ejemplo, Lutero, *Against Latomus*, LW 32:172–73; Lutero, *The Private Mass and the Consecration of Priests*, LW 38:158.

[48] Por ejemplo, Martín Lutero, *Lectures on Galatians* (1535), LW 26:132: "Estas tres cosas se unen: fe, Cristo, y aceptación o imputación".

[49] Martín Lutero, *Lectures on Isaiah*, WA, vol. 31, bk. 2, 439. Cf. Lutero, *Bondage*, LW 33:271.

[50] Felipe Melanchthon, *Baccalaureatsthesen*, en *Melanchthons Werke*, ed. Robert Stupperich (Gütersloh: Bertelsmann, 1951), 1:24.

[51] Ver, McGrath, *Iustitia Dei*, 211, 218.

[52] "Apology of the Augsburg Confession" (quarto ed.), art. 4.305, en Theodore G. Tappert, ed. Y trad., *The Book of Concord: The Confessions of the Evangelical Lutheran Church* (Philadelphia: Fortress, 1959), 154.

justificación por la cual uno se volvía intrínsecamente justo. No solo Melanchthon compuso una carta a Brenz defendiendo la doctrina forense e imputativa, sino que también Lutero adjuntó a esta carta su propia posdata expresando su acuerdo con Melanchthon.[53] Cinco años más tarde, en 1536, cuando se sospechaba un desacuerdo entre los dos, se organizó un diálogo formal en el que Melanchthon le planteó a Lutero la cuestión precisa, "¿Hay alguien justo por renovación, como en Agustín, o por la imputación libre de algo que está fuera de nosotros, por fe, entendida como confianza?" Nuevamente expresando su acuerdo con Melanchthon, Lutero afirmó la imputación de la justicia de Cristo.[54]

A la luz de la discusión anterior, emergen dos énfasis importantes. Primero, la soteriología madura de Lutero no surgió instantáneamente, sino que se desarrolló gradualmente a lo largo de las décadas segunda y tercera del siglo XVI. En segundo lugar, la doctrina a la que finalmente llegó —y mantuvo durante el resto de su carrera— se desarrolló en concordancia y se confesó de acuerdo con la de Melanchthon. Es decir, a mediados de la década de 1520 uno podría hablar no solo de la doctrina de la justificación de Lutero sino también de una doctrina "luterana" consistente. La importancia de esta observación se vuelve más obvia cuando pasamos a examinar la soteriología de los reformadores no luteranos. Si incluso los principales arquitectos de las confesiones luteranas estaban fundamentalmente en desacuerdo sobre este "artículo principal", como sugieren algunos estudiosos modernos, un acuerdo aún más amplio entre las alas luterana y reformada de la Reforma parecería muy poco probable. Sin embargo, un acuerdo fundamental luterano-reformado sobre la justificación solamente por gracia a través de la fe sola a causa de la justicia imputada de Cristo es precisamente lo que encontramos.

Adopción y adaptación de la Justificación *Sola Fide*

Los intentos de abrir una brecha entre las doctrinas reformadas y luteranas de la justificación —como el intento de separar las de Lutero y Melanchthon— giran en gran medida en torno a preguntas sobre la naturaleza forense de la justificación y la fe sola como sus medios. Ciertamente, es correcto observar que no todos los teólogos reformados del siglo XVI articularon una doctrina de imputación tan claramente como Melanchthon (o incluso Lutero) y que algunos quizás incluso conservaron una doctrina de justificación progresiva e intrínseca más cercana a la teología de Roma que la de Wittenberg.[55] Sin embargo, la corriente más sustantiva y representativa del pensamiento reformado —la de su teólogo preeminente, Juan Calvino, y la formulada en las diversas confesiones reformadas— defiende clara y consistentemente la imputación de la justicia como la naturaleza de la justificación, la justicia extrínseca de Cristo como su fundamento, y la fe sola como su medio.

---

[53] Felipe Melanchthon y Martín Lutero, "Letter to Johann Brenz" (1531), *WABr* 6:98–101.

[54] Martín Lutero, "Answer to Melanchthon's Question" (1536), *WABr* 12:191, 194nc.

[55] Como lo hicieron incluso algunos teólogos luteranos, como Johann Brenz (mencionado anteriormente) y Andreas Osiander. La doctrina de este último, por ejemplo, fue resumida concisamente por Calvino como que profesaba "que ser justificado no es solo reconciliarse con Dios por medio del perdón libre sino también ser hecho justo, y la justicia no es una imputación libre, sino la santidad y la rectitud de la esencia de Dios, que mora en nosotros". Calvino, *Institución*, 3.11.6.

A diferencia de su predecesor suizo Huldrych Zuinglio, quien insistió rápidamente, "No aprendí las enseñanzas de Cristo de Lutero."[56] Calvino, llegando a la escena más de una década después, no dudó en reconocer su deuda con el reformador de Wittenberg. Como se observa a menudo, algo de esta deuda ya es evidente en el esbozo de la primera edición de su *Institución*, siguiendo el modelo del Catecismo Menor de Lutero.[57] Calvino también animó a los impresores a ver las propias obras de Lutero a través de la prensa.[58] Calvino hizo que dicho respaldo implícito fuera más explícito en ocasiones, incluso con respecto a la soteriología, como cuando elogió la "eficiencia y poder de la declaración doctrinal" de Lutero, especialmente en sus intentos de "difundir lejos y cerca la doctrina de la salvación."[59] Por lo tanto, más de una vez, Calvino entró en la batalla en contra de los ataques dirigidos específicamente a la teología de Lutero. Lo más revelador fue que lo hizo en refutación de ciertos "Artículos" de la facultad de teología de París, que se habían opuesto a lo que se describía como la doctrina "luterana" y que defendían la necesidad de buenas obras para la justificación. Aunque no fue atacado, Calvino respondió en defensa de la justificación "únicamente por la fe en Cristo."[60]

Es curioso, entonces, que algunos hayan considerado que la doctrina de la justificación por la *sola fide* es una doctrina luterana no confesada por los reformados,[61] o afirmar, por ejemplo, que "para Lutero, fue 'solo la fe'; para los reformados fue 'fe obrando por el amor'."[62] En contraste, W. Stanford Reid ha señalado con razón que "si la justificación por la fe sola es una doctrina específicamente luterana, debemos poner a Calvino en el campo luterano en lugar de en el campo reformado."[63] De hecho, una colección reciente de ensayos sobre la doctrina de la justificación no contiene una perspectiva claramente luterana porque, explica el editor, "la visión reformada tradicional es funcionalmente idéntica en todos los aspectos teológicos significativos de la visión tradicional luterana."[64] Ciertamente, Calvino, Lutero y sus co-confesionalistas revelaron ciertas diferencias de matices y énfasis, e indudablemente diferían en asuntos importantes íntimamente relacionados

---

[56] Huldrych Zuinglio, *Exposition of the Sixty-Seven Articles*, en *Huldrych Zwingli: Writings*, vol. 1, *The Defense of the Reformed Faith*, ed. E. J. Furcha (Allison Park, PA: Pickwick, 1984), 119.

[57] Ver, por ejemplo, Karla Wübbenhost, "Calvin's Doctrine of Justification: Variations on a Lutheran Theme," en *Justification in Perspective: Historical Developments and Contemporary Challenges*, ed. Bruce L. McCormack (Grand Rapids, MI: Baker, 2006), 99.

[58] Como lo hizo Lutero con el comentario de Génesis. Ver CO 12:317 (n. 781).

[59] Juan Calvino, "Letter to Heinrich Bullinger" (1544), en *Selected Works of John Calvin: Tracts and Letters*, ed. Henry Beveridge y Jules Bonnet (Grand Rapids, MI: Baker, 1983), 4:433. Lutero también elogió la soteriología de Calvino; cuando habló del placer con que leyó una de las obras de Calvino, casi con seguridad se refirió a la *Respuesta a Sadoleto*, que había defendido la gracia, la fe y la justicia imputada en términos prácticamente idénticos a la teología Luterana. Ver, Martín Lutero, "Letter to Martin Bucer" (1539), *WABr* 8:569 (no. 3394).

[60] Juan Calvino, *Articles Agreed upon by the Faculty of Sacred Theology of Paris, with the Antidote*, en Beveridge y Bonnet, *Selected Works*, 1:82. Calvino respondió de manera similar a una reimpresión de la *Afirmación de los siete Sacramentos* del rey Enrique VIII, que había sido escrita contra la *Cautividad Babilónica de la Iglesia* de Lutero. Ver, CO 9:421–56.

[61] W. Stanford Reid toma nota de esta curiosidad específicamente para desafiarla. "Justification by Faith according to John Calvin", *WTJ* 42, no. 2 (1980): 290.

[62] Peter A. Lillback, *The Binding of God: Calvin's Role in the Development of Covenant Theology*, Texts and Studies in Reformation and Post-Reformation Thought (Grand Rapids, MI: Baker Academic, 2001), 125.

[63] Reid, "Justification by Faith", 296. Cf. Thomas Coates, "Calvin's Doctrine of Justification", *CTM* 34, no. 6 (1963): 33, quien también concluye que, "en general, se puede decir que en su tratamiento de la justificación Calvino era 'luterano'".

[64] James K. Beilby y Paul Rhodes Eddy, eds., *Justification: Five Views* (Downers Grove, IL: IVP Academic, 2011), 10.

con el artículo principal —los más famosos, aquellos que tocan la predestinación y el lugar de los sacramentos en la justificación.[65] Una mirada más cercana a la soteriología de Calvino, sin embargo, no revela una ruptura fundamental con la articulada por los teólogos de Wittenberg.

LA ARTICULACIÓN DE CALVINO DE LA JUSTIFICACIÓN POR LA FE

Calvino expuso su doctrina de la justificación de manera más sistemática en la edición final de su *Institución*, donde más de una vez también presentó definiciones concisas de la doctrina. Dos de estas definiciones, vistas juntas, resaltan los temas y énfasis consistentes en la soteriología de Calvino. En el libro 3, capítulo 17, él escribió:

> Definimos la justificación de la siguiente manera: el pecador, recibido en comunión con Cristo, se reconcilia con Dios por su gracia, mientras que, purificado por la sangre de Cristo, obtiene el perdón de los pecados y se viste con la justicia de Cristo como si fuera suya, se para confiado ante el asiento del juicio celestial.[66]

Anteriormente, en el capítulo 11 del mismo libro, había ofrecido lo siguiente:

> Explicamos la justificación simplemente como la aceptación con la cual Dios nos recibe en su favor como hombres justos. Y decimos que consiste en la remisión de los pecados y la imputación de la justicia de Cristo.[67]

Aunque cada definición emplea un vocabulario ligeramente diferente, la del capítulo 11 explica útilmente la del capítulo 17. En el último capítulo, por ejemplo, Calvino dijo que la reconciliación se efectúa por la gracia de Dios. La definición anterior deja en claro que esta gracia debe ser entendida no como una cualidad sino, como lo fue para Lutero y Melanchthon, como el favor de Dios. Aún más claramente, Calvino señaló su acuerdo con la comprensión de la gracia de los luteranos con respecto a la comprensión medieval al rechazar el punto de vista agustiniano, que "todavía incluye la gracia bajo la santificación."[68]

La definición de Calvino en el capítulo 11 sirvió de manera similar como una glosa sobre la mención del capítulo 17 de la justicia con la cual el pecador está "vestido". El pecador puede ver esta rectitud justificadora "como si fuera la suya", no porque lo sea intrínsecamente sino, como lo aclara el capítulo 11, porque ha sido imputada como tal. Si bien reconocen que Calvino empleó el vocabulario de la imputación, algunos argumentan que no enfatizó el concepto, revelando una clara diferencia entre su soteriología y, por ejemplo, la de Melanchthon.[69] Otros han llegado a sugerir que, para Calvino, cualquier imputación de la justicia de Cristo habría sido "redundante" ya que "la justificación no requiere transferencia o imputación de nada."[70] Sin embargo, tales

---

[65] Para el tratamiento de una sutil diferencia, ver, por ejemplo, Phillip Cary, "*Sola Fide*: Luther and Calvin",*CTQ* 71, no. 3/4 (2007): 265–81.

[66] Calvino, *Institución*, 3.17.8.

[67] Ibid., 3.11.2.

[68] Ibid., 3.11.15.

[69] Ver, por ejemplo, Stephen Strehle, *The Catholic Roots of the Protestant Gospel: Encounter between the Middle Ages and the Reformation*, Studies in the History of Christian Thought 60 (Leiden: Brill, 1995), 66.

[70] Rich Lusk, "A Response to 'The Biblical Plan of Salvation,'" en *The Auburn Avenue Theology, Pros and Cons: Debating the Federal Vision*, ed. E. Calvin Beisner (Fort Lauderdale, FL: Knox Theological Seminary, 2004), 142.

conclusiones no se corroboran con una simple lectura de la explicación consistente de Calvino de la doctrina de la justificación.

Calvino era claro y enfático, por ejemplo, cuando escribió:

> Somos justificados ante Dios únicamente por la intercesión de la justicia de Cristo. Esto es equivalente a decir que el hombre no es justo en sí mismo, sino porque la justicia de Cristo le es comunicada por imputación —algo que vale la pena notar cuidadosamente.

Vale la pena "notar cuidadosamente", continuó, porque la "noción frívola" de que uno está justificado "porque por la justicia de Cristo, él comparte al Espíritu de Dios, por quien se hace justo" es "demasiado contraria a la doctrina anterior como para reconciliarla con ella."[71] Siendo este el caso, no es de extrañar que el mismo Calvino "haya notado cuidadosamente" la naturaleza forense de la justificación no solo por medio de la *Institución* sino también en sus comentarios sobre las Escrituras y en sus tratados polémicos.[72]

Además, no solo notó que esta era su propia doctrina, sino que también explicó regularmente por qué esto tenía que ser reconocido como la doctrina bíblica. Y no fue ni vacilante ni ambiguo al hacerlo. Al explicar, como Melanchthon, que el término *justificación* "fue tomado del uso legal", señaló que "cualquiera moderadamente versado en el idioma hebreo, siempre que tenga un cerebro sobrio, no ignora el hecho de que la frase surgió de esta fuente y extrajo de ella su tendencia e implicación."[73] A modo de ilustración, señaló aquellos pasajes bíblicos en los que el término solo podía entenderse de manera forense o declarativa, en lugar de denotar una impartición transformativa de la justicia, muy obviamente en descripciones de hombres que "justifican" a Dios.[74] Él además observó que la justicia de Cristo siendo imputada a los pecadores en la justificación simplemente reflejaba la pecaminosidad humana siendo imputada a Cristo en la expiación; así, el pecador se vuelve justo delante de Dios "de la misma manera en que Cristo se hizo pecador."[75]

Dichas articulaciones claras, lejos de evidenciar una falta de compromiso con la doctrina forense, respaldan las conclusiones de que la imputación es central en la doctrina de la justificación de Calvino y que es clara y consistente.[76] Las objeciones a esta lectura de Calvino sobre la naturaleza de la justificación a menudo se basan en la misma preocupación que ha llevado a algunos a minimizar la clara confesión de Calvino de que la fe es el único medio para la justificación. La preocupación es que una justicia únicamente extrínseca, asignada únicamente por la fe, no explique adecuadamente el énfasis igualmente claro de Calvino sobre la regeneración —que, en

---

[71] Calvino, *Institución*, 3.11.23.

[72] Juan Calvino describió la justificación de la justicia como existente "como una propiedad en Cristo", así que "lo que propiamente le pertenece a Cristo se nos imputa". *The Epistles of Paul the Apostle to the Romans and to the Thessalonians*, trad. Ross Mackenzie, ed. David W. Torrance y Thomas F. Torrance (Grand Rapids, MI: Eerdmans, 1960), 118. En controversia con el cardenal católico Jacopo Sadoleto, él también defendió la proposición de que no hay justificación sino "en la mera bondad de Dios, por la cual el pecado es perdonado, y la justicia imputada a nosotros". Calvino, *Reply to Sadoleto*, en *A Reformation Debate: Sadoleto's Letter to the Genevans and Calvin's Reply*, ed. John C. Olin (Grand Rapids, MI: Baker, 1976), 67.

[73] Calvino, *Institución*, 3.11.11.

[74] Ibid., 3.11.3.

[75] Juan Calvino, *The Second Epistle of Paul the Apostle to the Corinthians and the Epistles to Timothy, Titus and Philemon*, trad. T. A. Smail, ed. David W. Torrance y Thomas F. Torrance (Grand Rapids, MI: Eerdmans, 1964), 81.

[76] Para un detalle más completo de algunos de los temas y autores abordados en esta sección, ver especialmente J. V. Fesko, "Calvin on Justification and Recent Misinterpretations of His View", *MAJT* 16 (2005): 83–114.

la *Institución*, trata incluso antes de la justificación— y la justicia intrínseca evidente en las obras del creyente. Ciertamente, Calvino puso gran énfasis en "la naturaleza inseparable de la 'justicia y justificación inherentes'", pero esto no es evidencia de una justificación inherente que produzca justificación ni, como se ha sugerido, que "Lutero y Calvino estén en agudo desacuerdo" en este punto.[77]

Calvino insistió en que "en la justificación no hay lugar para las obras"[78], y que es "solo la fe lo que justifica."[79] Y, sin embargo, era igualmente claro que la fe no se justifica "por sí misma o por algún poder intrínseco"; más bien, es simplemente "una especie de vasija."[80] Como tal, la fe justificadora no es aquello que se forma o se hace efectivo por el amor, sino que "es algo meramente pasivo."[81] Siendo un recipiente o instrumento pasivo, el valor y el beneficio de la fe se encuentran solo en su objeto, Cristo y su justicia.[82]

Mientras que Calvino claramente abrazó la justificación por *sola fide*, no es difícil ver cómo podría surgir alguna confusión sobre este punto. Usando un lenguaje que no es el suyo, uno podría decir con justicia que, para Calvino, solo la fe justifica, pero la fe no solo justifica.[83] Así, por ejemplo, él habló no solo de "reconciliación libre" sino también de "novedad de vida" que "alcanzamos por medio de la fe."[84] Por lo tanto, él podría mantener consistentemente que "la justificación no está separada de la regeneración", mientras que al mismo tiempo insiste en que "son cosas distintas" y que "la justificación debe ser muy diferente de la reforma en novedad de vida."[85] A modo de aclaración de su propia formulación concisa de este punto centralmente importante —"Por lo tanto, solo la fe es lo que justifica y, sin embargo, la fe que justifica no está sola"— Calvino, en paralelo a Lutero, ofreció la ilustración del calor del sol, por sí solo, calentando la tierra, aunque el calor del sol permanece "constantemente unido a la luz."[86]

Estos efectos distintos pero inseparables de la fe que Calvino podría describir como una "doble gracia" o un doble regalo: el primero de la justificación y el segundo de la santificación.[87] En otro lugar, discutió lo mismo bajo la terminología de "dos clases de justicia", una formulación popularizada por Lutero en 1519.[88] Que Calvino y Lutero emplearon la misma fraseología y las mismas ilustraciones en este contexto indican que no hubo discontinuidad radical entre ellos en las naturalezas distintivamente diferentes de la relación, sin embargo, inseparables entre la justificación y la

---

[77] Lillback, *Binding of God*, 190.

[78] Calvino, *Institución*, 3.11.6.

[79] Juan Calvino, *Canons and Decrees of the Council of Trent, with the Antidote*, en Beveridge y Bonnet, *Selected Works*, 3:152

[80] Calvino, *Institución*, 3.11.7.

[81] Ibid., 3.13.5.

[82] Ibid., 3.11.7, 17. La analogía empleada por Calvino en 3.11.7, un recipiente lleno de oro, es prácticamente la misma que fue usada por Martín Lutero, "Sermons on John 6",*LW* 23:28.

[83] O, más precisamente, solo el Cristo cuya justicia es recibida por la fe justifica, pero Cristo no solo justifica. Calvino comentó así en su *Respuesta a Sadoleto*, 68: "Si entendieran debidamente cuán inseparables son la fe y las obras, miren a Cristo, quien, como el Apóstol enseña (1 Corintios 30), nos ha sido dado para justificación y para santificación".

[84] Calvino, *Institución*, 3.3.1.

[85] Ibid., 3.11.11. Cf. 3.3.1: "El hombre se justifica solo por la fe y el simple perdón; sin embargo, la verdadera santidad de la vida, por así decirlo, no está separada de la libre imputación de la justicia".

[86] Calvino, *Canons and Decrees*, en Beveridge y Bonnet, *Selected Works*, 3:152. Ver también, *Institucións*, 3.11.6. Cf. Martín Lutero, "Preface to the Epistle of St. Paul to the Romans", LW 35:371: "Es imposible separar las obras de la fe, tan imposible como separar el calor y la luz del fuego."

[87] Calvino, *Institución,* 3.11.1.

[88] Por ejemplo, ibid., 3.11.12. Cf. Lutero, "Two Kinds of Righteousness",*LW* 31:293–306.

santificación. De hecho, estas interpretaciones compartidas no son sorprendentes a la luz de que ambos reformadores se vieron obligados a responder a la acusación de que su doctrina de la justificación solo por la fe solo podía juzgar el antinomianismo. Respondiendo, por ejemplo, a la acusación romana de que "al atribuir todo a la fe, no dejamos lugar para las obras", Calvino aclaró que "negamos que las buenas obras tengan alguna participación en la justificación, pero reclamamos plena autoridad para ellas en las vidas de los justos"; de hecho, continuó, "es obvio que la justicia gratuita está necesariamente relacionada con la regeneración."[89]

CALVINO EN COMPARACIÓN CON LAS POSICIONES LUTERANAS Y REFORMADAS

Precisamente, la misma respuesta a las mismas objeciones fue ofrecida por Lutero y los reformadores luteranos, a pesar de las continuas sugerencias —incluso por parte de los compañeros protestantes— de que "los luteranos advierten al cristiano contra la santificación."[90] De hecho, los de Wittenberg firmemente insistieron en ello, solo, como Calvino, insistiendo igual de categóricamente en que la justificación de ninguna manera está condicionada. Tan franco como Calvino, si no más, Lutero podría incluso decir que "las obras son necesarias para la salvación, pero no causan la salvación, porque la fe sola da vida."[91] Lutero era muy consciente de la confusión que podría causar esta sutil pero crucial distinción entre las buenas obras que son necesarias (como consecuencia) pero no (como una condición) *para* la justificación. Él reconoció francamente que, dados los errores gemelos del legalismo y el antinomianismo, "es difícil y peligroso enseñar que somos justificados por la fe sin obras y aún requerir obras al mismo tiempo."[92] Sin embargo, es precisamente esto lo que enseñó consistentemente desde principios de la década de 1520 en adelante. Por lo tanto, Melanchthon estaba disgustado por el hecho de que una década más tarde "nuestro pueblo sea acusado falsamente de prohibir las buenas obras."[93] Hablando no solo por sí mismo, sino como representante de la teología luterana, reiteró que "la fe produce buenos frutos y debe hacer buenas obras ordenadas por Dios" y, sin embargo, "no para que podamos confiar en estas obras para merecer la justificación."[94]

Quizás sea el caso que Lutero, temiendo más al legalismo que al antinomianismo, puso menos énfasis en la regeneración que Calvino; sin embargo, permanecieron en un acuerdo fundamental sobre la justificación y la santificación que se distinguen claramente, pero, son inseparables. Quizás también sea cierto que algunos teólogos reformados además de Calvino —así como algunos luteranos del siglo XVI— desdibujaron esta distinción en sus propios escritos.[95] Esos escritos confesionales que se convirtieron en definitivos de la teología Reformada, sin embargo, no solo reflejan

---

[89] Calvino, *Reply to Sadoleto*, 66, 68. Cf. *Institución*, 3.16.

[90] P. Andrew Sandlin, "Lutheranized Calvinism: Gospel or Law, or Gospel and Law," R&R 11, no. 2 (2002): 124.

[91] Martín Lutero, *Disputation concerning Justification, LW* 34:165.

[92] Lutero, *Lectures on Galatians (1535), LW* 27:62.

[93] "The Augsburg Confession", art. 20.1, en Kolb y Wengert, *Book of Concord*, 53.

[94] Ibid., art. 6.1, en Kolb y Wengert, *Book of Concord*, 41.

[95] McGrath sugiere, por ejemplo, que Ecolampadio subordinó la justificación a la regeneración y que la enseñanza de Bucer de una "doble justificación" confundió las distinciones mantenidas por Calvino. *Iustitia Dei*, 220–22. Sin embargo, estas interpretaciones no han sido cuestionadas. Ver, por ejemplo, Jeff Fisher, "The Doctrine of Justification in the Teaching of John Oecolampadius (1482–1531)", en *Parsons, Since We Are Justified by Faith*, 44–57; Carl R. Trueman, *Luther's Legacy: Salvation and English Reformers, 1525–1556* (Oxford: Clarendon, 1994), 78–79; y las referencias adicionales en cada uno.

la soteriología de Calvino, sino que, al igual que ésta, no se desvían sustancialmente de la de Lutero, Melanchthon y los escritos confesionales luteranos.

Aunque ninguno por sí solo se convertiría en definitivo de la teología reformada, los documentos confesionales de mediados del siglo, como el frances (1559), el belga (1561) y las segundas confesiones helvéticas (1566) y el Catecismo de Heidelberg (1563) siguen siendo representativos. Cada uno justifica explícitamente la justificación en la imputación de la justicia de Cristo.[96] Cada uno profesa fe solo para ser el medio de salvación,[97] a menudo definiendo el término explícitamente como "confianza"[98] y aclarando su papel meramente pasivo e instrumental.[99] Y a la vez que distingue claramente la justificación de la regeneración y sus obras, cada uno enfatiza claramente su inseparabilidad.[100]

Reacciones y Respuestas Romanas

En parte debido a que el propio Lutero había sido lento en llegar a las conclusiones anteriores, las primeras respuestas católicas a la teología de la Reforma se centraron mucho más en cuestiones tales como la autoridad eclesiástica que en la doctrina específica de la justificación. Como se ha señalado acertadamente, "Lo sorprendente de la respuesta católica temprana a la Reforma fue que esta doctrina simplemente no figuraba en forma prominente en la controversia."[101] Incluso en la Confesión de Augsburgo de 1530, Melanchthon podría resumir la doctrina luterana en solo dos oraciones[102] y sugerir que "no hay nada aquí que se aparte de las Escrituras o la iglesia católica, o de la iglesia romana, en la medida en que podamos decir de sus escritores."[103] Si él creía sinceramente esto, sin embargo, rápidamente y finalmente quedó claro que Roma no lo hizo. La confutación romana de la Confesión de Augsburgo, inmediatamente de próxima aparición, fue inequívoca: la "atribución de la justificación a la fe sola es diametralmente opuesta a la verdad del Evangelio por la cual las obras no están excluidas", y "no se admite la atribución de la justificación a la fe, ya que pertenece a la gracia y el amor". La confutación concluyó no solo que "la fe sola no justifica" sino que "el amor es la principal virtud."[104]

---

[96] "La Confesión Francesa". 18 (147); "La Confesión Belga", 22 (437); "El Catecismo de Heidelberg", 60 (783); y "LaSegunda Confesión Helvética", 15 (839–40).

[97] "La Confesión Francesa", 20 (147); "La Confesión Belga", 22 (437); "El Catecismo de Heidelberg", 60 (782); "La Segunda Confesión Helvética", 15 (839).

[98] "El Catecismo de Heidelberg", 21 (774); "LaSegunda Confesión Helvética", 16 (841).

[99] "La Confesión Belga", 22 (437); "El Catecismo de Heidelberg", 61 (783); "LaSegunda Confesión Helvética", 15 (840).

[100] "La Confesión Francesa", 22 (148); "La Confesión Belga", 24 (438); "El Catecismo de Heidelberg", 64 (783); "La Segunda Confesión Helvética", 16 (842–44).

[101] David Bagchi, "Luther's Catholic Opponents," en *The Reformation World*, ed. Andrew Pettegree (London: Routledge, 2000), 106.

[102] "La Confesión de Augsburg", art. 4, en Kolb y Wengert, *Book of Concord*, 38 y 40

[103] Ibid., concl. de pt. 1, art. 1, en Kolb y Wengert, *Book of Concord*, 59.

[104] *Confutatio Pontificia*, 1.6, trad. H. E. Jacobs, en *The Augsburg Confession: A Collection of Sources*, ed. J. M. Reu (Chicago: Wartburg, 1930), 352. En Augsburgo, Eck afirmó aún más claramente que, para la justificación, el amor es más necesario que la fe. Ver George *Spalatin, Annales Reformationis* (Leipzig: Gleditsch, 1718), 163. Cf. el cardenal romano Jacopo Sadoleto, quien igualmente afirmó que debido a que la fe incluye y está formada por el amor, "el amor es esencialmente comprendido como la principal causa de nuestra salvación". *Letter to the Genevans*, en Olin, *A Reformation Debate*, 36. Calvino confesó estar "asombrado cuando leí tu afirmación." *Respuesta a Sadoleto*, 69. Lutero, de manera más desapasionada pero no inexacta, notó que "donde hablan de amor, hablamos de fe". *Lectures on Galatians* (1535), *LW* 26:129.

Sin embargo, en la década siguiente se hicieron intentos para llegar a un consenso sobre la justificación, y en vista del coloquio protestante-católico en Ratisbona en 1541, Melanchthon podría proclamar una vez más que "no tenemos doctrina diferente de la Iglesia Romana."[105] Los participantes en el coloquio acordaron una redacción aceptable para todos; sin embargo, los cuerpos eclesiales a los que representaban rechazaron la formulación por ser ambigua y, por lo tanto, potencialmente engañosa.[106] La clave en este sentido fue la confesión de que el pecador se justifica por medio de una "fe viva y eficaz", que Lutero, por ejemplo, temía no impedía hablar de "la fe formada por el amor."[107] Y, de hecho, Melanchthon informó que algunos involucrados entendieron que la justificación no tenía lugar solo por la fe, sino solo por el amor.[108] Si bien esta no fue la conclusión a la que se llegó en el Concilio de Trento, el hecho de no llegar a un consenso sobre la soteriología significó que aclarar la doctrina romana de la justificación— y condenar la doctrina protestante— se convertiría en un foco central del concilio, que se abrió solo cuatro años después de las negociaciones fallidas de Ratisbona.

Que los mismos padres tridentinos se dieron cuenta de la seriedad de la división concerniente a la doctrina de la justificación es evidente en su informe de junio de 1546 a Roma, en el que reconocieron que "la importancia del consejo, con respecto al dogma, depende principalmente del artículo de la justificación."[109] Siendo este el caso, el decreto de Trento sobre la justificación, pasando por casi una docena de borradores en siete meses, recibió más atención que cualquier otro producido por el consejo. Un borrador del decreto hizo especialmente explícita la razón de esta atención extendida: "En este momento, nada es más molesto e inquietante para la iglesia de Dios que una doctrina novedosa, perversa y errónea acerca de la justificación."[110] Aunque Lutero mismo había muerto justo cuando el concilio estaba comenzando, y aunque los cánones y decretos de Trento no identifican a los reformadores por su nombre, está claro que los Wittenberg fueron especialmente visibles. Como un comentarista católico observa concisamente, "Lutero estableció la agenda para el concilio."[111]

A pesar del hecho de que varios miembros prominentes del consejo no eran del todo antipáticos con la doctrina "luterana" de la justificación, los puntos de vista de tales hombres, tal vez como era de esperar, fueron sistemáticamente marginados.[112] Sin embargo, el rechazo definitivo de la soteriología de los reformadores no puede atribuirse —como lo está cada vez más— a un simple malentendido de vocabulario o a que cada parte hable más allá de la otra. Como se ha observado a menudo, por el envío de los términos cruciales con sus propias definiciones recibidas, los teólogos tridentinos bien podrían haber estado de acuerdo con la definición de justificación confesional Luterana; a diferencia de Ratisbona, sin embargo, rechazaron esta

---

[105] Felipe Melanchthon, "Letter to Cardinal Campeggio" (1541), CR 2:170 (no. 761).

[106] Para un resumen de los procedimientos en Ratisbona, así como una traducción del artículo sobre la justificación, vea Anthony N. S. Lane, "A Tale of Two Cities: Justification at Regensburg and Trent (1546–1547)," en McCormack, *Justification in Perspective*, 119–45.

[107] Ver, por ejemplo, su correspondencia en *WABr* 9: 406-10 (no. 3616); 9:436–45 (no. 3629); 9:459–63 (no. 3637).

[108] Ver, por ejemplo, Melanchthon, "Opinion," CR 4:430 (no. 2279), y "Response," CR 4:485 (no. 2301).

[109] *Concilium Tridentinum*, ed. Societas Goerresiana (Freiburg: Herder, 1901–2001), 10:532 (no. 444).

[110] Ibid., 5:420 (no. 179).

[111] John W. O'Malley, *Trent: What Happened at the Council* (Cambridge: Belknap, 2013), 12.

[112] Ver, por ejemplo, Hubert Jedin, *A History of the Council of Trent*, vol. 2, *The First Sessions at Trent: 1545–47*, trad. Dom Ernest Graf (Edinburgh: Thomas Nelson, 1961), 172–73, 181, 190–91, 279.

formulación precisamente porque entendieron que estos términos fueron definidos de manera muy diferente por los reformadores.[113]

Aunque Trento se distanciaría de la vía moderna al confesar muy claramente que "el comienzo de esa justificación debe proceder de la gracia predispuesta de Dios"[114], el concilio fue igualmente claro al anatematizar a todos los que dirían que "la gracia por la cual somos justificados es solo la buena voluntad de Dios."[115] Manteniendo la comprensión de la gracia como una cualidad dentro del hombre, el decreto sobre la justificación habla de la gracia otorgada y obtenida, y por lo tanto de los pecadores siendo "hechos" justos.[116] Además, la distinción entre "gracia predispuesta" y "gracia de justificación" permite insistir en que la primera se recibe sin ningún mérito por parte del hombre, mientras que la segunda se obtiene por medio de la cooperación humana.[117]

Debido a esta insistencia en la cooperación humana en la justificación, cualquier afirmación de que los decretos de Trento "no son necesariamente incompatibles con la doctrina luterana de *sola fide*" siguen siendo muy cuestionables.[118] Una vez más, los padres tridentinos entendieron bien lo que los reformadores querían decir cuando hablaron de justificar la fe como "confianza en la misericordia divina", y específicamente condenaron este significado.[119] Más rechazada fue la fórmula de "solo por la fe, lo que significa que no se requiere nada más para cooperar a fin de obtener la gracia de la justificación".[120] Para estar seguros, Trento habló tan bien de la fe como de la gracia, pero de nuevo solo de manera cualificada. Así como la gracia sola —sin cooperación humana— se consideró insuficiente para la justificación, así también se declaró que la fe no puede justificarse sin las virtudes de la esperanza y la caridad.[121] Manteniendo el punto de vista de que la justificación fue progresivamente sanativa, el concilio podría permitir solo que la fe constituya "el comienzo de la salvación humana."[122]

También fue esta comprensión sanadora de la justificación lo que condujo a la condena final de Trento por cualquiera que dijera que "los hombres son justificados ya sea por la única imputación de la justicia de Cristo o por la única remisión de los pecados."[123] Ciertamente, Trento no condenó la proposición de que Dios ciertamente reconoce o considera a los hombres justos; sin embargo, contrario a los Reformadores, el concilio sostuvo que uno es considerado justo cuando y porque uno se ha vuelto inherentemente así[124] —no solo como resultado de una infusión divina de justicia sino

---

[113] Robert Preus, *Justification and Rome* (St. Louis, MO: Concordia, 1997), 27; Louis A. Smith, "Some Second Thoughts on the *Joint Declaration*," *Lutheran Forum 31* (Fall 1997): 8.

[114] *Canons and Decrees of the Council of Trent*, trad. H. J. Schroeder (Rockford, IL: Tan Books, 1978), sexta sesión, "Concerning Justification," cap. 5 (p. 31). Las citas de Trento a continuación se refieren a la sexta sesión, "Concerning Justification"; los capítulos de decretos y los cánones se citan, y los números de página para la traducción anterior se incluyen entre paréntesis.

[115] Ibid., canon 11 (43).

[116] Cf., por ejemplo, ibid., cap. 3 (31); canon 9 (43).

[117] Cf., por ejemplo, ibid., canones 4 (42) y 9 (43).

[118] "Justification by Faith (Common Statement)," §56, en Anderson, Murphy, y Burgess, *Justification by Faith*, 35.

[119] *Canons and Decrees of the Council of Trent*, canon 12 (43).

[120] Ibid., canon 9 (43).

[121] Ibid., cap. 7 (34).

[122] Ibid., cap. 8 (35). Los luteranos rechazaron esta opinión, al igual que Calvino. "Apology of the Augsburg Confession,", art. 4.71-72, en Kolb y Wengert, *Book of Concord*, 132; Calvin, *Canons and Decrees*, en Beveridge y Bonnet, *Selected Works*, 3:114.

[123] *Canons and Decrees of the Council of Trent*, canon 11 (43).

[124] Cf. ibid., caps. 7 (33) y 16 (41).

también, una vez más, sobre la base de la cooperación humana.[125] Esto tal vez se hace más evidente en la condena de Trento a la insistencia de los reformadores de que, en lugar de ser una condición de justificación, las buenas obras son simplemente los "frutos y signos de justificación obtenidos."[126]

Tales anatemas no fueron pronunciados en hombres de paja; los padres del concilio entendieron bien los principios fundamentales de la doctrina protestante de la justificación. Y si hubo alguna confusión acerca de la doctrina oficial romana antes de Trento, después sus características centrales se volvieron igualmente claras para los reformadores. Como era de esperar, no tardaron en responder a su formalización. El mismo Calvino rápidamente lo hizo en su breve *Antídoto* a los actos del concilio, donde señaló con precisión que "toda la disputa es sobre la causa de la justificación. Los Padres de Trento", resumió, "fingen que es doble, como si estuviéramos justificados en parte por el perdón de los pecados y en parte por la regeneración espiritual". Por lo tanto, pudo rechazar concisamente las conclusiones soteriológicas de Trento al escribir que "el todo puede resumirse así: su error consiste en compartir la obra entre Dios y nosotros."[127]

Dos décadas más tarde, el teólogo luterano y coautor de la Fórmula de Concordia Martin Chemnitz llegó a la misma conclusión en su examen multivolumen *Examen del Concilio de Trento*. Allí sugirió que el "único argumento principal" de Trento contra la doctrina de la Reforma era la afirmación de que, dado que la renovación espiritual se inicia al mismo tiempo que los pecados son remitidos, la justificación debe atribuirse a ambos.[128] A modo de explicación de la diferencia fundamental entre las doctrinas católica y protestante, Chemnitz observó que los teólogos romanos

> comprenden la palabra "justificar" de acuerdo con la manera de la composición latina que significa "hacer justo" a través de una cualidad donada o infundida de justicia inherente, de la cual proceden las obras de rectitud. Los luteranos, sin embargo, aceptan la palabra "justificar" en la manera hebrea de hablar; por lo tanto, definen la justificación como la absolución de los pecados, o la remisión de los pecados, a través de la imputación de la justicia de Cristo.[129]

Esta "manera hebrea de hablar", demostró Chemnitz extensamente, es precisamente la misma manera en que el término "justificar" se usa consistentemente tanto en la literatura sagrada como en la profana de la antigüedad griega.[130] "Entre los autores griegos, por lo tanto, la palabra 'justificar' no se usa en ese sentido por el cual solo los papistas sostienen", concluyó, de hecho, "su significado forense, como solemos decir, es tan manifiesto" que incluso para los defensores de Trento esto fue difícil de negar.[131]

---

[125] Ver, por ejemplo, ibid., cap. 7 (33–34). Para un breve comentario, vea también Anthony N. S. Lane, *Justification by Faith in Catholic-Protestant Dialogue: An Evangelical Assessment* (New York: T&T Clark, 2002), 71–72, 74–75.

[126] *Canons and Decrees of the Council of Trent*, canon 24 (45).

[127] Calvino, *Canons and Decrees*, en Beveridge y Bonnet, *Selected Works*, 3:116, 113.

[128] Martin Chemnitz, *Examination of the Council of Trent*, trad. Fred Kramer, vol. 1, *Sacred Scripture, Free Will, Original Sin, Justification, and Good Works* (St. Louis, MO: Concordia, 1971), 579-80.

[129] Ibid., 1:467.

[130] Ver, por ejemplo, ibid., 1:470–76.

[131] Ibid., 1:471. Robert Preus también señala que "a medida que pasaba el tiempo, Roma no cuestionó seriamente que la palabra *dikaioō* fuera un término forense. La evidencia masiva de este hecho presentada por Chemnitz y los posteriores luteranos fue absolutamente convincente." *Justification and Rome*, 68. En otra parte, también señala la

Controversias Continuas

Dada la gran duración a la que tanto Roma como los reformadores fueron a articular, explicar y defender sus doctrinas de justificación, así como la evidencia de que cada parte entendía bien los fundamentos de la doctrina que criticaba y condenaba, vale la pena repetir que las divisivas disputas soteriológicas del siglo dieciséis no fueron simplemente el desafortunado resultado de malentendidos no reconocidos. Esto es especialmente así porque, en las últimas décadas, más de una escuela de pensamiento ha hecho que los supuestos malentendidos sean fundamentales para su interpretación de la teología de la justificación de la Reforma. Los diálogos ecuménicos que culminaron en la Declaración Conjunta sobre la doctrina de la justificación (1999), por ejemplo, tipifican la creencia de que las soteriologías luteranas y católicas son esencialmente compatibles, incluso si los reformadores (y sus críticos) no entendieron esto por sí mismos. Una mala interpretación de un tipo diferente es planteada por la "Escuela Finlandesa" de Lutero, la cual sugiere que incluso los herederos inmediatos de Lutero no entendieron y distorsionaron su doctrina de la justificación, la cual se parecía más a la soteriología de la Ortodoxia Oriental que a la de las confesiones Luteranas o Reformadas. Tal vez lo más parecido a los debates de la era de la Reforma, defensores de lo que se ha llamado la "Nueva Perspectiva sobre Pablo" postulan que los reformadores fundamentalmente malinterpretaron la doctrina de la justificación del apóstol Pablo, la misma doctrina que afirmaron estar reviviendo y defendiendo. Claramente, si alguna de estas interpretaciones es correcta, estaría justificado un replanteamiento radical de la soteriología de la Reforma. Si estas lecturas revisionistas pueden ser fundamentadas es la pregunta que se tratará en esta sección final.

Declaración Conjunta sobre la Doctrina de la Justificación (1999)

Aunque la *Declaración Conjunta sobre la Doctrina de la Justificación* es una declaración estrictamente luterana-católica, que ya no llama la atención que recibió sobre su firma, merece una breve atención por varias razones. No solo es el fruto de casi dos décadas de discusiones ecuménicas específicamente dedicadas a las doctrinas más polémicas de la iglesia del siglo XVI, sino que también afirma haber articulado finalmente un "entendimiento común" y un "consenso sobre las verdades básicas de la doctrina de la justificación", tal que las "condenas doctrinales del siglo dieciséis ya no se aplican" a los cuerpos de la iglesia que se suscriben.[132] Como era de esperar, por lo tanto, el documento ha sido promocionado como lo que ha llevado a "el final de la Reforma."[133] Si bien reconoce que las soteriologías católicas y luteranas del siglo XVI eran de hecho "de un carácter diferente", la Declaración proclama que "nuestras

---

confirmación filológica moderna de la interpretación de Chemnitz. Ver Robert D. Preus, "The Doctrine of Justification in the Theology of Classical Lutheran Orthodoxy", *The Springfielder* 29, no. 1 (1965): 29.

[132] La Federación Luterana Mundial y la Iglesia Católica Romana., *Joint Declaration on the Doctrine of Justification* (Grand Rapids, MI: Eerdmans, 2000), 5, 13. Debe observarse, sin embargo, que la respuesta oficial católica al texto de la Declaración señala que la explicación del documento de cómo el luteranismo entiende lo justificado como *simul justus et peccator* ("al mismo tiempo justo y pecador") no es aceptable, "y así sigue siendo difícil ver cómo [eso]... no es tocado por los anatemas del decreto tridentino". "Response of the Catholic Church to the Joint Declaration of the Catholic Church and the Lutheran World Federation on the Doctrine of Justification", aclaración 1. El texto está disponible en el sitio web del Vaticano:
http://www.vatican.va/roman_curia/pontifical_councils/chrstuni/documents/rc_pc_chrstuni_doc_01081998_off-answer-catholic_en.html.

[133] Matthias Gierth, "A Time to Embrace," *The Tablet*, November 20, 1999, 6.

iglesias han llegado a nuevas ideas."[134] Sin embargo, que esto sea completamente cierto en ambas iglesias, se pone en duda tanto por el texto de la Declaración como por otros documentos contemporáneos. Avery Dulles, por ejemplo, un participante católico en los diálogos previos a la producción de la Declaración, admitió que en su curso "la teología de la justificación en la enseñanza católica no ha sufrido cambios dramáticos desde el Concilio de Trento."[135] Esta observación queda parcialmente confirmada por la forma en que el *Catecismo oficial de la Iglesia Católica* define la *justificación*: "incluye la remisión de los pecados, la santificación y la renovación del hombre interior."[136] Dentro de la Declaración en sí, la justificación definida como "perdón de los pecados y hacerse justo" se describe con precisión como el "entendimiento católico."[137] Pero esta es también la definición que los firmantes luteranos reclaman ahora para "confesar juntos" con Roma.[138] Por el contrario, el documento en ninguna parte compromete, y mucho menos afirma, la justificación como la imputación de la justicia ajena de Cristo. Es difícil ver la "omisión grave" de este concepto central de la soteriología de la Reforma como algo menos intencional.[139]

El empleo ambiguo de otras palabras clave parece igualmente intencional. El término gracia, por ejemplo, se invoca con frecuencia, pero la Declaración nunca indica si esto debe entenderse como el favor de Dios o como una cualidad en el alma. Por lo tanto, la transposición de preposiciones para describir la justificación como que ocurre "por fe y por gracia", en lugar de en la articulación luterana tradicional, "por gracia y mediante la fe", permite la impresión de que la gracia es el medio instrumental de la justificación mientras que la fe es su causa real.[140] Tal lectura es además plausible por la definición de justificación del documento que *incluye* la esperanza y el amor.[141]

Tales formulaciones han llevado a algunos comentaristas a caracterizar la Declaración Conjunta como "Regensburg Redivivus"[142] y describir sus conclusiones como "muy parecidas a las de Ratisbona, donde se aceptó la sustancia protestante a cambio de la aceptación de una medida de ambigüedad."[143] Incluso esto, sin embargo, puede exagerar el caso, ya que gran parte de la "sustancia protestante" de Ratisbona, que con frecuencia se refería a que el ser justificado era "reconocido" como justo, está ausente en la Declaración Conjunta, que consistentemente "opta por usar la palabra 'justificación' en el sentido católico."[144] No es completamente injustificado, entonces, creer que la Declaración Conjunta sí habla con precisión cuando dice que "las enseñanzas de las iglesias luteranas presentadas en esta Declaración no caen bajo las

---

[134] *Joint Declaration*, 1, 7.

[135] Dulles, "Justification in Contemporary Catholic Theology," 256.

[136] *Catechism of the Catholic Church* (New York: Image, 1995), 2019; cf. ibid., 2027: "Movidos por el Espíritu Santo, podemos merecer para nosotros y para los demás todas las gracias necesarias para alcanzar la vida eterna."

[137] *Joint Declaration*, 27.

[138] *Joint Declaration*, "Anexo a la declaración común oficial" 2A; *Joint Declaration*, 4.2. Este es el caso, aunque la respuesta oficial católica al documento, que "pretende completar algunos de los párrafos que explican la doctrina católica", lo hace al afirmar claramente que "la vida eterna es, al mismo tiempo, la gracia y la recompensa dada por Dios por buenas obras y méritos". "Response of the Catholic Church," aclaraciones 5 y 3.

[139] Lane, *Justification by Faith in Catholic-Protestant Dialogue*, 126, 158.

[140] Departamento de Teología Sistemática, Concordia Seminary, St. Louis, "A Response to the Joint Declaration on the Doctrine of Justification," en *The Joint Declaration on the Doctrine of Justification in Confessional Lutheran Perspective* (St. Louis, MO: Lutheran Church— Missouri Synod, 1999), 48n9.

[141] *Joint Declaration*, 25.

[142] Paul McCain, "Regensburg Redivivus?" CTQ 63, no. 4 (1999): 305–9.

[143] Lane, *Justification by Faith in Catholic-Protestant Dialogue*, 226.

[144] Ibid., 157.

condenas del Concilio de Trento" —pero solo porque la enseñanza luterana "presentada en esta Declaración" no es la del propio Lutero, las Confesiones Luteranas o el Protestantismo de la era de la Reforma en general.[145]

LA INTERPRETACIÓN FINLANDESA DE LA ESCUELA DE LUTERO

Cualesquiera que sean las deficiencias de la Declaración Conjunta, la premisa de que los luteranos y los católicos han entendido mal la teología de los demás no es intrínsecamente inverosímil. Incluso en apariencia, parecería mucho menos probable que los propios colegas y sucesores inmediatos de Lutero malinterpretaran tanto su soteriología que pudieran proponer una doctrina radicalmente diferente bajo su nombre. Este es, sin embargo, un reclamo central de lo que se ha llegado a conocer como la interpretación "finlandesa" de Lutero. Así, Tuomo Mannermaa, el teólogo más estrechamente asociado con esta interpretación, habla desdeñosamente de "la doctrina forense unilateral de la justificación adoptada por la Fórmula de la Concordia y por el Luteranismo posterior" y argumenta que "la idea de la *theosis* se puede encontrar en el núcleo de la teología de Martín Lutero."[146] Otros, como se indicó anteriormente, argumentan que la imputación nunca fue enfatizada en Lutero (o Calvino), sino que solo se destacó con la teología posterior de Melanchthon.[147] Gran parte del tratamiento anterior de Lutero y Melanchthon sirve, incluso en forma abreviada, para resaltar los problemas con tales tesis. Incluso si en algún sentido puede decirse que la doctrina de la imputación de la Reforma fue de origen Melanchthoniano, no solo se articuló al principio de su carrera, sino que también fue subsecuentemente y claramente adoptada por Lutero, Calvino y sus herederos.

Al negar esta comprensión largamente aceptada, la escuela finlandesa afirma que el énfasis central y primordial de la propia doctrina de la justificación de Lutero no es la noción forense de la recepción pasiva de la fe de la justicia ajena e imputada de Cristo, sino una verdadera "participación ontológica en la esencia de Dios en Cristo."[148] Por lo tanto, se entiende que Lutero confiesa que "la justicia que está frente a Dios se basa en la morada de Cristo" y que esta justicia inherente es "la condición necesaria para el favor de Dios."[149] La escuela finlandesa está indudablemente en lo correcto al observar que esta no es la enseñanza luterana articulada en la Fórmula de Concordia[150]; si la Fórmula se puede establecer tan fácilmente contra el propio Lutero es bastante menos clara. Además de citar regularmente a Lutero, por ejemplo, los autores de la Fórmula concluyen el artículo relevante al referir a los lectores a "la maravillosa y magnífica exposición del Dr. Lutero de la Epístola a los Gálatas de San Pablo" por "cualquier otra explicación necesaria de este elevado y sublime artículo sobre justificación."[151] Es

---

[145] *Joint Declaration*, 41; véase, Departamento de Teología Sistemática, "A Response to the Joint Declaration," 45.

[146] Tuomo Mannermaa, "Justification and Theosis in Lutheran-Orthodox Perspective", en *Union with Christ: The New Finnish Interpretation of Luther*, ed. Carl E. Braaten y Robert W. Jenson (Grand Rapids, MI: Eerdmans, 1998), 28, 25.

[147] Strehle, *Catholic Roots of the Protestant Gospel*, 66.

[148] Tuomo Mannermaa, *Christ Present in Faith: Luther's View of Justification*, ed. Kirsi Stjerna (Minneapolis: Fortress, 2005), 17.

[149] Simo Peura, "Christ as Favor and Gift (*donum*): The Challenge of Luther's Understanding of Justification", en Braaten y Jenson, *Union with Christ*, 66.

[150] Esto no niega en absoluto la unión o la permanencia de Cristo, pero insiste en que "esta morada de Dios no es la justicia de la fe... por el bien de lo cual somos declarados justos ante Dios. Más bien, esta residencia es el resultado de la justicia de la fe que lo precede". "The Solid Declaration of the Formula of Concord," art. 3, par. 54, en Kolb y Wengert, *Book of Concord*, 572.

[151] "Solid Declaration", art. 3, par. 67, en Kolb y Wengert, *Book of Concord*, 573.

especialmente en este comentario de Gálatas de 1535 que Lutero argumentó con mayor fuerza que "podemos obtenerla [esto es, la justicia justificadora] solo a través de la imputación libre y el don indescriptible de Dios."[152]

Para estar seguros, Lutero a menudo explicaba la justificación en términos de una unión mística u ontológica con Cristo y la justicia inherente resultante; tales explicaciones, sin embargo, se concentran en gran medida en sus primeras publicaciones. Al construir su caso especialmente sobre la base de estas obras "previas a la Reforma"[153], la escuela finlandesa a menudo no presta suficiente atención al desarrollo de la teología de Lutero.[154] Quizás en parte se explica la elección de énfasis finlandesa en el contexto en el que surgió esta interpretación —los diálogos ecuménicos entre las iglesias luteranas finlandesas y las ortodoxas rusas. Como Roberto Jenson, él mismo un defensor de la erudición finlandesa, admite, en el curso de sus diálogos los teólogos finlandeses "buscaban... cómo arreglárselas."[155] Tan admirable como podría ser el objetivo ecuménico del consenso doctrinal sobre la justificación, ya sea con Roma o con los Ortodoxos orientales, tal objetivo no puede alcanzarse de manera responsable restando importancia o ignorando pruebas importantes de diferencias reales.

LA NUEVA PERSPECTIVA DE PABLO

Lo que se llamaría la Nueva Perspectiva sobre Pablo también surgió de las reflexiones sobre una especie de ecumenismo, en este caso, más antiguo que contemporáneo. Las obras seminales de Krister Stendahl y E. P. Sanders, por ejemplo, argumentaban que las enseñanzas de San Pablo sobre la justificación y la ley se formularon no a la luz de la pregunta de cómo los pecadores individuales —ya sea judío o gentil— podrían ser salvados, sino en respuesta a la pregunta de cómo los gentiles podrían ser incluidos dentro de la comunidad ya establecida por el pacto de Dios.[156] Como el prominente representante de la Nueva Perspectiva, N. T. Wright, ha resumido concisamente, la justificación para Pablo "no se trata tanto de la salvación como de la iglesia"[157]; por lo tanto, es "la doctrina ecuménica original."[158] Comprendiendo la doctrina de la justificación de Pablo principalmente en términos eclesiológicos en lugar de

---

[152] Lutero, *Lectures on Galatians* (1535), LW 26:6.

[153] Para algunos ejemplos y críticas, vea, por ejemplo, Carl R. Trueman, ¿"Is the Finnish Line a New Beginning? A Critical Assessment of the Reading of Luther Offered by the Helsinki Circle," *WTJ* 65, no. 2 (2003): 235–36.

[154] A veces citan pasajes incluso del comentario de Lutero de Gálatas de 1535 (y otras obras maduras), pero la tendencia a menudo es leer tales pasajes a través del lente de sus obras anteriores e ignorar no solo los énfasis claramente imputables de los párrafos que lo rodean sino también el prefacio paradigmático del trabajo. Nuevamente, ver, Trueman, "Is the Finnish Line a New Beginning?" 238–39.

[155] Robert Jenson, "Response to Mark Seifrid, Paul Metzger, and Carl Trueman on Finnish Luther Research",*WTJ* 65, no. 2 (2003): 245. En otra parte, Jenson señala su propia motivación ecuménica para apropiarse de la interpretación finlandesa: "Puedo hacer muy poco con Lutero, como suele interpretarse". Robert W. Jenson, "Response to Tuomo Mannermaa, 'Why Is Luther So Fascinating?'" en Braaten y Jenson, *Union with Christ*, 21.

[156] Ver, por ejemplo, Krister Stendahl, "The Apostle Paul and the Introspective Conscience of the West," HTR 56, no. 3 (1963): 199–215; E. P. Sanders, *Paul and Palestinian Judaism: A Comparison of Patterns of Religion* (Philadelphia: Fortress, 1977)

[157] N. T. Wright, *What Saint Paul Really Said: Was Paul of Tarsus the Real Founder of Christianity?* (Grand Rapids, MI: Eerdmans, 1997), 119. Incluso más claramente, él dice que "la justificación no es 'cómo alguien se convierte en cristiano'". N. T. Wright, "New Perspectives on Paul," en McCormack, *Justification in Perspective*, 260.

[158] Wright, "New Perspectives on Paul," 261. En la misma página, explica que esta reubicación de la justificación de la categoría de soteriología a eclesiología continúa ofreciendo "un poderoso incentivo para trabajar juntos a través de las barreras denominacionales".

soteriológicos, Wright puede ir tan lejos como para traducir el uso del apóstol de la palabra "justicia" (*dikaiosynē*) como "membresía del pacto."[159]

Lo que los defensores de la Nueva Perspectiva consideran el malentendido radical de la doctrina de Pablo fue supuestamente introducida por Agustín, pero reafirmada, y con mayor consecuencia, por los reformadores protestantes, especialmente por Lutero. No solo fue la lectura de Agustín de Pablo, sugiere, coloreada por sus propias disputas con el Pelagianismo y su afirmación de que uno podría ser salvado por los propios méritos sin la ayuda de la gracia divina, sino también se entiende que Lutero y sus sucesores leyeron las disputas de Pablo con el judaísmo a través de la lente distorsionadora de sus propias disputas con Roma. Una vez más, Wright resume de manera concisa este punto de vista cuando él habla de intérpretes que "metían a Pelagio en Gálatas."[160] El problema fundamental con tales interpretaciones, de acuerdo con la Nueva Perspectiva, es que el judaísmo de los días de Pablo no abrazó para nada una soteriología "pelagiana" legalista. Por lo tanto, Pablo no podría haber estado tratando de refutar tal teología a favor de una doctrina de la salvación solamente por gracia a través de la fe sola.

Así como la interpretación finlandesa ha enfocado la atención en la teología de la Reforma de la unión con Cristo —incluso si los reformadores no entendieron que esta unión era el fundamento o la causa de la justificación— también la Nueva Perspectiva ha corregido amablemente algunas veces las presentaciones inexactas del judaísmo del primer siglo como una religión protopelagiana de la justicia de las obras. Al enfatizar la importancia de la membresía del pacto, por ejemplo, Sanders ha demostrado cuán penetrantemente los rabinos enfatizaban que la elección divina era la consecuencia de la gracia gratuita de Dios.[161] Al hacerlo, sin embargo, también hace hincapié en la distinción entre lo que coloquialmente se refiere a "entrar" y "permanecer" en el pacto.[162] Es en este contexto que Sanders acuña la etiqueta "nomismo pactual" para describir el judaísmo del primer siglo. Uno "entra" por gracia solamente (pacto) pero "permanece" cumpliendo la ley (nomismo). Mientras que el propio Sanders se niega a describir la teología de Pablo como nomismo pactual,[163] otros defensores de Nueva Perspectiva afirman mucho más claramente que, incluso para Pablo, "la obediencia humana como respuesta a la gracia divina es una condición necesaria para la salvación."[164]

Las implicaciones de tales interpretaciones para la doctrina de la justificación de la Reforma son claras. La Nueva Perspectiva "estrecha la distancia entre Pablo y el

---

[159] Ver, por ejemplo, N. T. Wright, "The Letter to the Romans: Introduction, Commentary, and Reflections," en *The New Interpreters Bible*, ed. Leander E. Keck (Nashville: Abingdon, 2002), 10:491; Wright, *What Saint Paul Really Said*, 124. Para una breve crítica de esta interpretación, vea Simon Gathercole, "The Doctrine of Justification in Paul and Beyond", en McCormack, *Justification in Perspective*, 236–37.

[160] Wright, *What Saint Paul Really Said*, 121.

[161] Ver, por ejemplo, Sanders, *Paul and Palestinian Judaism*, 106, donde Sanders señala este punto, pero también reconoce que los rabinos apelaron "a veces al concepto de mérito". El compromiso posterior con las fuentes literarias del judaísmo del primer siglo ha demostrado que Sanders quizás minimiza la diversidad de puntos de vista rabínicos y que la obediencia era de hecho a menudo entendida como un requisito previo para entrar en el pacto. Ver especialmente D. A. Carson, Peter T. O'Brien, y Mark A. Seifrid, eds., *Justification and Variegated Nomism*, vol. 1, *The Complexities of Second Temple Judaism* (Grand Rapids, MI: Baker Academic, 2001).

[162] Por ejemplo, Sanders, *Paul and Palestinian Judaism*, 17.

[163] Ibid., 543.

[164] Francis Watson, *Paul, Judaism and the Gentiles: A Sociological Approach*, Society for New Testament Studies Monograph Series 56 (Cambridge: Cambridge University Press, 1986), 179.

judaísmo de su época, mientras que amplía la brecha entre Pablo y la Reforma."[165] Pero lo hace, en parte, al malinterpretar las preocupaciones reales de los reformadores.[166] Como se ha destacado en las secciones anteriores, Roma nunca abrazó una negación "pelagiana" de la necesidad de la gracia para la salvación, ni los reformadores entendieron que lo habían hecho.[167] Los reformadores, en cambio, se opusieron a la insistencia de Roma, la misma que se encuentra en el judaísmo del primer siglo, en una cooperación posterior con la gracia divina necesaria para la salvación. La razón, como lo señala concisamente un crítico de la Nueva Perspectiva, es que, ya sea en el primer siglo o en el siglo XVI, "el nomismo pactual sigue siendo nomismo."[168] Como tal, se encuentra en marcado contraste con la doctrina de la Reforma de la justificación por la gracia solamente a través de la fe sola a causa de la justicia imputada de Cristo solamente.[169]

Conclusión

La doctrina de la justificación de la Reforma no es el único capricho de Melanchthon ni la conclusión tardía y reductiva de un documento como la Fórmula de la Concordia. Su formulación y la comprensión específica de sus términos clave ya se habían articulado claramente a principios de la década de 1520, fueron adoptados y abrazados por Lutero y Calvino por igual, y fueron consagrados en numerosos documentos confesionales que fueron y siguen siendo representativos y definitivos de las tradiciones luterana y reformada. Por lo tanto, sigue siendo posible, con solo calificaciones menores, hablar de la doctrina de la justificación de la Reforma.

Mientras continúen las objeciones y los desafíos a la confesión de esta doctrina, ya sea que estén articulados en los cánones y decretos aún normativos del Concilio de Trento o en esfuerzos académicos y ecuménicos más recientes, la Reforma ciertamente no se "acabará". Ni, uno podría agregar, debería hacerlo; porque como Lutero mismo nunca dejó de insistir, "si perdemos la doctrina de la justificación, perdemos simplemente todo."[170]

---

[165] Richard B. Gaffin, "Paul the Theologian," *WTJ* 62 (2000): 121.

[166] Y, como muchos críticos de la Nueva Perspectiva argumentan, la teología de Pablo mismo. Para una introducción a este debate, vea, por ejemplo, D. A. Carson, Peter T. O'Brien, y Mark A. Seifrid, eds., *Justification and Variegated Nomism*, vol. 2, *The Paradoxes of Paul* (Grand Rapids, MI: Baker Academic, 2004).

[167] Ver, por ejemplo, Paul F. M. Zahl, "Mistakes of the New Perspective on Paul," *Themelios* 27, no. 1 (2001): 5–11.

[168] Charles A. Gieschen, "Paul and the Law: Was Luther Right?" en *The Law in Holy Scripture: Essays from the Concordia Theological Seminary, Symposium on Exegetical Theology*, ed. Charles A. Gieschen (St. Louis, MO: Concordia, 2004), 126.

[169] Para las críticas de la Nueva Perspectiva sobre una soteriología de imputación forense, ver, por ejemplo, Sanders, *Paul and Palestinian Judaism*, 506; Wright, "New Perspectives on Paul," 252–53.

[170] Lutero, *Lectures on Galatians* (1535), LW 26:26.

Recursos para un Estudio Adicional

FUENTES PRIMARIAS

Calvino, Juan. *Institución de la Religion Cristiana*. Grand Rapids: Libros Desafío, 2012.

_____.*Joannis Calvini Opera Quae Supersunt Omnia*. Editado por Guilielmus Baum, Eduardus Cunitz, and Eduardus Reuss. 59 vols. Corpus Reformatorum 29–88. Brunswick and Berlin: Schwetschke, 1863–1900.

_____.*Selected Works of John Calvin: Tracts and Letters*. Editado por Henry Beveridge y Jules Bonnet. 7 vols. 1844–1858. Reimpresión, Grand Rapids, MI: Baker, 1983.

Calvino, Juan, y Jacopo Sadoleto. *A Reformation Debate: Sadoleto's Letter to the Genevans and Calvin's Reply*. Editado por John C. Olin. Grand Rapids, MI: Baker, 1976.

Dennison, James T., Jr., ed. *Reformed Confessions of the 16th and 17th Centuries*. 4 vols. Grand Rapids, MI: Reformation Heritage Books, 2008–2014.

Kolb, Robert, y Timothy J. Wengert, eds. *The Book of Concord: The Confessions of the Evangelical Lutheran Church*. Traducido por Charles P. Arand y otros. Minneapolis: Fortress, 2000.

Lutero, Martín. *D. Martin Luthers Werke, Kritische Gesamtausgabe, Schriften*. 62 vols. Weimar: Böhlau, 1833–1986.

_____.*Luther's Works*. Editado por Jaroslav Pelikan y Helmut Lehman. American ed. 75 vols. Philadelphia: Fortress; St. Louis, MO: Concordia, 1955.

Melanchthon, Felipe. *Loci Communes Theologici* (1521). En *Melanchthon and Bucer*, editado por Wilhelm Pauck, traducido por Lowell J. Satre, 3–152. Library of Christian Classics 19. Philadelphia: Westminster, 1969.

_____.*Philippi Melanthonis Opera Quae Supersunt Omnia*. Editadopor C. G. Bretschneider y H. E. Bindseil. 28 vols. Corpus Reformatorum 1–28. Halle and Brunswick: Schwetschke, 1834–1860.

Schroeder, H. J., ed. y trad. *The Canons and Decrees of the Council of Trent*. Rockford, IL: Tan Books, 1978.

FUENTES SECUNDARIAS

Anderson, H. George, T. Austin Murphy, y Joseph A. Burgess, eds. *Justification by Faith. Lutherans and Catholics in Dialogue* 7. Minneapolis: Augsburg, 1985.

Braaten, Carl E., y Robert W. Jenson, eds. *Union with Christ: The New Finnish Interpretation of Luther*. Grand Rapids, MI: Eerdmans, 1998.

Cary, Phillip. "Sola Fide: Luther and Calvin". *Concordia Theological Quarterly* 71, no. 3/4 (2007): 265–81.

Clark, R. Scott. "Iustitia Imputata Christi: Alien or Proper to Luther's Doctrine of Justification?" *Concordia Theological Quarterly* 70, no. 3/4 (2006): 269–310.

Fesko, J. V. "Calvin on Justification and Recent Misinterpretations of His View." *Mid-America Journal of Theology* 16 (2005): 83–114.

Green, Lowell C. *How Melanchthon Helped Luther Discover the Gospel: The Doctrine of Justification in the Reformation*. Fallbrook, CA: Verdict: 1980.

Hamm, Berndt. "What Was the Reformation Doctrine of Justification?" En *The German Reformation: The Essential Readings*, editado por C. Scott Dixon, 53–90. Blackwell Essential Readings in History. Oxford: Blackwell, 1999.

Husbands, Mark A., y Daniel J. Treier, eds. *Justification: What's at Stake in the Current Debates?* Downers Grove, IL: InterVarsity Press, 2004.

Jiménez, Mauricio A., *La Justicia de Dios revelada: Hacia una teología de la Justificación*. Salem: Publicaciones Kerigma, 2017.

Lane, Anthony N. S. *Justification by Faith in Catholic-Protestant Dialogue: An Evangelical Assessment*. New York: T&T Clark, 2002.

Lehmann, Karl, ed. *Justification by Faith: Do the Sixteenth-Century Condemnations Still Apply?* Traducido por Michael Root y William G. Rusch. New York: Continuum, 1997.

The Lutheran World Federation and the Roman Catholic Church. *Joint Declaration on the Doctrine of Justification*. Grand Rapids, MI: Eerdmans, 2000.

McCormack, Bruce L., ed. *Justification in Perspective: Historical Developments and Contemporary Challenges*. Grand Rapids, MI: Baker, 2006.

McGrath, Alister E. *Iustitia Dei: A History of the Christian Doctrine of Justification*. 2da ed. Cambridge: Cambridge University Press, 1998.

Parsons, Michael, ed. *Since We Are Justified by Faith: Justification in the Theologies of the Protestant Reformations*. Milton Keynes, UK: Paternoster, 2012.

Reid, W. Stanford. "Justification by Faith according to John Calvin". *Westminster Theological Journal* 42, no. 2 (1980): 290–307.

Trueman, Carl R. "Is the Finnish Line a New Beginning? A Critical Assessment of the Reading of Luther Offered by the Helsinki Circle". *Westminster Theological Journal* 65, no. 2 (2003): 231–44.

_____."Justification." In T&T Clark Companion to Reformation Theology, editadopor David M. Whitford, 57–71. London: T&T Clark, 2012.

Waters, Guy Prentiss. *Justification and the New Perspective on Paul: A Review and Response*. Phillipsburg, NJ: P&R, 2004.

Westerholm, Stephen. *Perspectives Old and New on Paul: The "Lutheran" Paul and His Critics*. Grand Rapids, MI: Eerdmans, 2003.

Santificación, Perseverancia y Seguridad

Michael Allen

RESUMEN

Las teologías de la Reforma de la santificación en las tradiciones luterana y reformada no fueron completamente iconoclastas ni reaccionarias contra la tradición católica del discipulado. Al examinar los enfoques luteranos y reformados de la santificación, este capítulo muestra cómo buscaron reformar la fe y práctica patrística y medieval reenfocando la doctrina cristológicamente, profundizando el carácter misericordioso de la doctrina yendo más allá en el camino de los agustinianos, redefiniendo la prioridad de la naturaleza del bien al enfatizar el papel central de la fe (yendo más allá del camino agustiniano), limitando la definición de santidad y discipulado a lo que tiene validez bíblica, y observando cómo la ley de Dios juega un papel en el proceso de santificación (no solo como un recordatorio de nuestra necesidad de Cristo, sino también como una guía para una vida santa).

Introducción: Pensando bien sobre la Reforma de la Iglesia Católica

Los reformadores no deploraron las bases de la fe patrística y medieval y la práctica con respecto a la formación cristiana. El credo continuó siendo confesado y expuesto, el Padrenuestro aún se rezó y se analizó, y el Decálogo se leyó regularmente y se reflexionó extensamente. Sin embargo, los reformadores reconfiguraron algunas de las formas en que estos recursos fundamentales se pusieron en juego en la vida diaria y en la estructura de la iglesia. Al hacerlo, los reformadores no sugirieron una forma individualista o biblicista de piedad, pero sí promovieron una forma de discipulado eclesiástico que siempre estuvo enraizado en los principios de las Escrituras y, por lo tanto, en deuda con la argumentación exegética. Intentaron ejemplificar una catolicidad reformada con respecto a la búsqueda de la santidad y la forma de la vida cristiana practicada en conjunto.

Los malentendidos de la Reforma pueden virar en una de dos direcciones. En primer lugar, pueden hacer que los Reformadores se conviertan en iconoclastas de un tipo basado en principios, que corren lo más lejos posible del *status quo* religioso. En segundo lugar, pueden dejar de notar las formas en que los reformadores presionaron para un cambio genuino y, al hacerlo, creían que estaban llamando a la iglesia católica a profundizar más en sus propias raíces y catolicidad. Es cierto que hay razones por las cuales estos malentendidos pueden surgir. En muchos aspectos, los reformadores no han dejado un legado simple. Tomemos a Martin Lutero como el ejemplo más obvio. Jaroslav Pelikan ha comentado,

> Martin Lutero fue el primer protestante, y, sin embargo, era más católico que muchos de sus oponentes católicos. Esta paradoja se encuentra en el centro mismo de la Reforma de Lutero. Él afirmó que su teología se derivaba de las Escrituras, como si los padres de la iglesia nunca hubieran vivido; aun así, la teología que afirmó derivar de "solo las Escrituras" tenía un sorprendente parecido familiar con la tradición de los Padres de la Iglesia. Habló de "odiar" los términos teológicos abstractos en el lenguaje dogmático tradicional sobre la Trinidad y la persona de Cristo, pero el dogma tradicional de la Trinidad era de hecho básico para toda su teología. Podría atacar la distinción entre clérigos y laicos como una distorsión de la institución de Cristo; sin embargo, exaltó el ministerio de la predicación como "el más alto cargo en la cristiandad". Podría sonar completamente individualista en sus pronunciamientos sobre cuestiones morales, pidiendo a los cristianos que estén solos cuando tomen sus decisiones éticas; al mismo tiempo, también podía reconocer que la mayoría de los cristianos no eran muy heroicos en sus elecciones éticas y necesitaban el apoyo moral y la disciplina tanto de la iglesia como del estado. A veces sonaba como un iconoclasta, a veces sonaba como un tradicionalista.[1]

Una lectura juiciosa de Lutero, y mucho menos de la Reforma protestante más amplia, tendrá que hacer un trabajo sintético cuidadoso para evitar convertir a los reformadores en defensores de la iconoclasia pura o del tradicionalismo indiferente. "Rebeldes" entendemos, y personas "obedientes" que podemos imaginar. Pero ¿"rebeldes obedientes"? Tal es una caracterización compleja, y discernir esta realidad es la tarea de la historiografía reformada. Tal vez en ninguna parte sea esto más difícil y necesario que con respecto a la doctrina de la santificación y la forma en que los reformadores imaginaron que la vida cristiana se desarrollaba personal y públicamente.

Lo que se vuelve aparente es que las preocupaciones historiográficas pueden estar haciendo otro trabajo cuando uno está ostensiblemente contando la historia de la Reforma. Patrick Collinson ha identificado la tendencia de contar "historia como una continua victoria" o algo así cuando se dirige a las generaciones inmediatamente posteriores a este período de tiempo: el asentamiento isabelino y la era puritana.[2] Los esfuerzos de reforma pueden convertirse fácilmente en ideales paradigmáticos, buenos o malos, y uno debe seguir siendo disciplinado para evaluar los datos de manera justa, especialmente cuando es complejo. Aquí debemos tener cuidado, no sea que las lecturas de la reflexión de la Reforma sobre la santificación se conviertan en una letanía de formas en que las prácticas y creencias romanistas eran deplorables y nada más, o una cuenta contextualizada de ocurrencias localizadas contingentes que no tenían una relación general de oposición en ningún aspecto con el *status quo* en la iglesia católica de la Baja Edad Media. Como afirma Pelikan en su estudio de Lutero,

---

[1] Jaroslav Pelikan, *Obedient Rebels: Catholic Substance and Protestant Principle in Luther's Reformation* (New York: Harper & Row, 1964), 11.
[2] Patrick Collinson, *The Reformation: A History* (London: Weidenfeld & Nicolson, 2003).

los reformadores se veían a sí mismos como "rebeldes obedientes", y estaban igualmente preocupados por Roma y por la amenaza anabaptista. Tales preocupaciones son fluidas y dinámicas, variando de un tema a otro, de vez en cuando, y de un lugar a otro en base a preocupaciones concretas, realidades político-religiosas e interacciones literarias. Si bien ser consciente de esas dinámicas no garantiza que se pueda evaluar con precisión su apariencia concreta en un punto dado, debe ser, no obstante, una guía preliminar para una buena historiografía.

Para reflexionar sobre los reformadores del siglo XVI y sus puntos de vista con respecto a la doctrina de la santificación, consideraremos las dos principales corrientes de la reforma de la iglesia en su desarrollo histórico —el Luterano y el Reformado— antes de pasar a considerar algunos juicios sintéticos.

Santificación y la Iglesia Luterana

EL PENSAMIENTO EN DESARROLLO DE LUTERO SOBRE LA SANTIFICACIÓN

La reforma de Martín Lutero comenzó con preocupaciones sobre asuntos de santificación. Una lectura sobria de las *Noventa y Cinco Tesis* lleva a uno a notar que dicen muy poco acerca de la justificación y la conversión y que en cambio se enfocan en asuntos de la vida cristiana y el proceso continuo de llegar a ser santos.[3] Por ejemplo, se entretienen con las indulgencias y el papel que desempeñan en la piedad cristiana; no deberíamos perdernos que Lutero allí protestó por lo que él consideraba el abuso de las indulgencias, no su uso legítimo de acuerdo con las enseñanzas de la iglesia de la época. Lutero no sugirió que el papado, o el purgatorio, estuviera equivocado; de hecho, las tesis son, en general, notablemente conservadoras, pero fueron un tiro en la proa de muchas culturas religiosas (incluso si no fuera contra la teología escolástica) del día.[4] Aquí Lutero buscó una reforma bíblica de ciertas prácticas que se cree desempeñan un papel fundamental en el ejercicio y la profundización de la santidad de las criaturas.

Sin embargo, Lutero no pensó demasiado en la santificación, sin relacionarla con la justificación. Y sus protestas rápidamente se volvieron a la teología escolástica, así como a la cultura religiosa popular. Además, Lutero no creía que uno pudiera buscar la santidad bien sin pensar primero en por qué debería hacerlo, y esto casi siempre lo sobresaltaba para que reflexionara sobre la justificación. De hecho, su pensamiento sobre esta conexión se muestra claramente en sus "Dos clases de justicia", que se cree que se predicó el Domingo de Ramos en 1519 y se basa en Filipenses 2:5-6. Allí distinguió entre la justicia ajena y la propia. La primera justicia es "primaria; es la base, la causa, la fuente de toda nuestra propia justicia actual". La justicia, entonces, viene desde el exterior hacia adentro, así como el pecado vino de Adán a nosotros: "Por lo tanto, esta justicia ajena, inculcada en nosotros sin nuestras obras por la sola gracia —mientras que el Padre, ciertamente, nos atrae hacia Cristo— se sitúa frente al pecado original, igualmente extraño, que adquirimos sin nuestras obras solo por el nacimiento."[5] Sin embargo, la segunda justicia es "nuestra propia justicia, no porque

---

[3] Martín Lutero, *Ninety-Five Theses* (1517), *LW* 31:17–34.

[4] Para obtener una explicación esclarecedora del sistema penitencial y la piedad laical en ese momento, consulte Thomas N. Tentler, *Sin and Confession on the Eve of the Reformation* (Princeton, NJ: Princeton University Press, 1977).

[5] Martín Lutero, "Two Kinds of Righteousness," *LW* 31:298, 299.

trabajemos solos, sino porque trabajamos con esa justicia primera y ajena". Es nuestro trabajo, pero nuestra acción es un compañero participando en el movimiento de la justicia de Cristo que nos sigue siendo ajena:

> Esta justicia sigue el ejemplo de Cristo a este respecto [1 Ped. 2:21] y se transforma a su semejanza [2 Cor. 3:18]. Es precisamente esto lo que Cristo requiere. Así como Él mismo hizo todas las cosas por nosotros, no buscando su propio bien sino solo el nuestro —y en esto fue el más obediente a Dios el Padre— entonces desea que también demos el mismo ejemplo a nuestros vecinos.[6]

La justicia humana es fundamentalmente un don y solo un logro secundario por gracia. La teología de Lutero proporciona un camino hacia la seguridad profunda y duradera, si las personas pueden mirar a Cristo por su identidad espiritual y posición judicial ante Dios en lugar de su propia historia de guardar la ley o romper la ley. Lutero tuvo la intención de protestar directamente contra la noción tomista de "fe formada" (*fides formata*), en la que la función de la fe es dependiente e inoperante hasta que la fe se haya completado en el acto del amor. En el esquema de Lutero, la justicia ajena se da en el propio comienzo del ejercicio de la fe; es seguido por actos de amor, que pueden llamarse rectitud propia, pero no está en deuda o en espera hasta que aparezca.

Cuando se trataba de describir la forma de la fe, Lutero a menudo recurría al primer mandamiento. Tal vez más claramente en su *Treatise on Good Works* [Tratado sobre las buenas obras], dijo que todas las fallas en mantener la ley provienen de tener otros dioses.[7] En su Catecismo Mayor ofreció un esbozo paradigmático del estado axiomático del primer mandamiento:

> "No debes tener otros dioses". Es decir, debes considerarme solo como tu Dios. ¿Qué significa esto y cómo se debe entender? ¿Qué significa "tener un dios" o qué es Dios?
> Respuesta: Un "dios" es el término para aquello a lo que debemos buscar todo lo bueno y en el que debemos encontrar refugio en toda necesidad. Por lo tanto, tener un dios no es otra cosa que confiar y creer en ese con todo tu corazón. Como he dicho a menudo, solo la confianza y la fe del corazón son lo que hace a Dios y a un ídolo. Si su fe y confianza son correctas, entonces su Dios es el verdadero. Por el contrario, donde tu confianza es falsa y errónea, allí no tienes el verdadero Dios. Porque estos dos pertenecen juntos, fe y Dios. Cualquier cosa en la que confíe tu corazón y de la que dependas, te digo, ese es realmente tu Dios.[8]

El relato de Lutero sobre el Decálogo en su *Tratado sobre las buenas obras* esbozó la forma en que el primer mandamiento es el camino para cumplir cada una de las otras leyes. Él se movió de mandamiento en mandamiento, mostrando cómo cada uno fluye de confiar en sí mismo al Dios del Evangelio. En este sentido, entonces, Lutero constantemente señaló el carácter evangélico de las buenas obras y de la vida santa: la obediencia cristiana siempre debe derivarse directamente de la fe en el Dios trino.

Por ejemplo, Lutero insistió en decir la verdad. Él notó que el octavo mandamiento exige no solo que evitemos la mentira, sino incluso que hagamos las declaraciones de

---

[6] Ibid., *LW* 31:300.

[7] Martín Lutero, *Treatise on Good Works*, *LW* 44:15–114.

[8] Martín Lutero, "The Large Catechism," en Robert Kolb y Timothy J. Wengert, eds., *The Book of Concord: The Confessions of the Evangelical Lutheran Church*, trad. Charles P. Arand y otros. (Minneapolis: Fortress, 2000), 386.

los demás de la mejor manera posible. La fe potencia el compromiso con la verdad: "Donde hay tanta fe y confianza, también hay un corazón valiente, desafiante e intrépido que arriesga todo y defiende la verdad, sin importar el costo, ya sea contra el Papa o el rey, como vemos que los queridos mártires lo hicieron". ¿Por qué? "Porque ese corazón está satisfecho y serenamente seguro de que tiene un Dios amable y bondadoso. Por lo tanto, desprecia todos los favores, la gracia, los bienes y el honor de los hombres, y no les da ningún valor a estas cosas transitorias". Y este vínculo entre la fe y la obediencia no es exclusivo de este solo comando: "Porque, así como nadie hace la obra de este mandamiento a menos que sea firme e inconmovible en su confianza del favor divino, así tampoco hace ningún trabajo de ninguno de los otros mandamientos sin esta misma fe."[9] La ética de Lutero se fija aquí en el poder formativo de la fe.

TRES EPISODIOS DETERMINANTES

Tres episodios trajeron claridad con respecto a la forma de la vida santa, cuyas raíces están en Cristo y cuya recepción se encuentra en esta fe cristiana. Primero, los Profetas de Zwickau (tres itinerantes influyentes llamados Nicholas Storch, Thomas Drechsel y Marcus Thomae) creían que las personas debían ser enseñadas por el Espíritu sin conexión con la Biblia, y Thomas Müntzer (1489-1525) también afirmó haber recibido revelación extrabíblica. Sebastian Franck profesó este tipo de enfoque experiencial y carismático de la vida cristiana: "Creo que la iglesia exterior de Cristo, incluidos todos sus dones y sacramentos, debido a la ruptura y la colocación del Anticristo inmediatamente después de la muerte de los apóstoles, subió al cielo y yace oculta en el Espíritu y en la verdad."[10] Al abogar por una experiencia inmediata de la guía del Espíritu, estos entusiastas también abordaron polémicamente la piedad de Lutero y otros protestantes, refiriéndose burlonamente a su adhesión a la enseñanza de las Escrituras como un enfoque en "Biblia, Babel, Balbuceo" (*Bibel, Babel, Babbel*). Mientras que Müntzer dijo que Lutero "no sabe nada de Dios, aunque se haya tragado cien biblias", Lutero respondió señalando, "¡No me gustaría escuchar a Thomas Münzer si se tragara el Espíritu Santo, plumas y todo!" Por lo tanto, Lutero ligó inextricablemente la santificación a la Escritura.

En segundo lugar, Lutero pasó mucho tiempo en la década de 1520 oponiéndose a las prácticas espirituales y religiosas de la Baja Edad Media que se centraron en el *contemptus mundi* ("desprecio del mundo") y la división religiosa/secular. Durante la Edad Media, la distinción entre hombres y mujeres religiosos (sacerdotes, monjes y monjas) y hombres y mujeres seculares (todos los demás) se expandió en su significado por varias razones. No es de extrañar que la comprensión de que los religiosos ejercitaran un llamamiento más santo llegara a tener un importante dominio entre la población. Una de las protestas más señaladas de Lutero, entonces, iba a reventar esta burbuja de espiritualidad dualista. Lo hizo casándose con una ex monja y teniendo una casa llena de niños, elecciones escandalosas en ese momento para un sacerdote. Él también predicó y reflexionó, no obstante, sobre la forma de vida mundana relacionada con la fe cristiana. En *La Cautividad Babilónica de la Iglesia* de

---

[9] Lutero, *Treatise on Good Works*, LW 44:112, 113.
[10] Sebastian Franck, "A Letter to John Campanus," en *Spiritual and Anabaptist Writers*, ed. George Huntston Williams and Angel M. Mergal, LCC 25 (Philadelphia: Westminster, 1957), 149.

1520, había afirmado que las vocaciones religiosas no eran más santas que otras, y durante las décadas de 1520 y 1530, amplió su reflexión con gran detalle.[11] Lutero notó que el matrimonio era una propiedad piadosa (exaltando la vida familiar), que la regla del reino secular era un llamado de Dios (exaltando el gobierno y la participación cívica), y que todos los hombres y las mujeres recibían llamamientos de Dios (exaltando una doctrina de la vocación más expansiva).[12] Esto se ilustra con la famosa historia de la respuesta de Lutero a la pregunta de qué haría al día siguiente si supiera de antemano que Jesús regresaría; Lutero respondió que plantaría un manzano, ya que su esposa, Katie, le había asignado esta tarea. Incluso una tarea aparentemente tonta — ¿quién piensa que un manzano crecerá dentro de un día?— tiene importancia, porque es parte de la vocación humana. No necesita medirse por un valor supuestamente espiritual o por una lógica utilitaria. Se valora mediante su adecuación con la fe en Dios y el amor al prójimo. Más tarde, en sus conferencias de Génesis en la década de 1530, Lutero también comentó que tal comportamiento encaja con nuestra naturaleza y vocación creacional.

Tercero, Lutero se vio obligado a ser aún más específico con respecto a la forma de la enseñanza de las Escrituras en la vida santa. Mientras que su compromiso con los entusiastas se centró en ser bíblico, y su oposición al dualismo de la Baja Edad Media hizo referencia a la necesidad de ser humano, sus encuentros con antinomianos le obligaron a hablar sobre los mandatos y las leyes en la economía salvífica de Dios. Lutero creía que una falsa antropología yacía debajo del error antinomiano:

> Estamos tan seguros, sin miedo ni preocupación; el diablo está lejos de nosotros, y no tenemos nada de esa carne en nosotros que estaba en San Pablo y de la que él se queja en Romanos 7:23, exclamando que no puede librarse de ella como a él le gustaría, sino que es cautivo a ella. No, somos los héroes que no necesitan preocuparse por nuestra carne y nuestros pensamientos. Somos puro espíritu, hemos cautivado nuestra propia carne junto con el diablo, de modo que todos nuestros pensamientos e ideas están segura y ciertamente inspirados por el Espíritu Santo, y ¿cómo puede ser encontrado deficiente? Por lo tanto, todo tiene una buena terminación, es decir, que tanto el corcel como el jinete se rompen el cuello.[13]

Lutero creía que las leyes eran necesarias porque las personas carecían de una fe perfecta; el autor del famoso texto *La Voluntad determinada* no tuvo tiempo para la antropología de los antinomianos.[14] En la década de 1530, insistió en que Dios había dado órdenes para dar forma a la vida moral de los cristianos; típicamente se refería a ellos como "mandamientos" en lugar de "leyes", restringiendo este término a la función acusatoria de los imperativos de las Escrituras.[15] La teología moral de Lutero es visible en varias de sus exposiciones bíblicas, que van desde sermones sobre el Sermón del Monte hasta sus conferencias sobre el Salmo 119.[16] Mientras que la

---

[11] Martín Lutero, *The Babylonian Captivity of the Church* (1520), *LW* 36:78.

[12] El texto más significativo sobre estos temas sigue siendo Gustaf Wingren, *Luther on Vocation*, trad. Carl C. Rasmussen (Eugene, OR: Wipf & Stock, 2004).

[13] Martín Lutero, *Against the Antinomians* (1539), LW 47:119.

[14] Lutero, *Treatise on Good Works*, LW 44:34–35.

[15] Ver, Martín Lutero, *Only the Decalogue Is Eternal: Martin Luther's Complete Antinomian Theses and Disputations*, ed. Holger Sonntag (Minneapolis: Lutheran Press, 2008).

[16] Martín Lutero, *Commentary on the Sermon on the Mount*, LW 21:1–294, esp. 21:72–73; Lutero, *Lectures on Psalm 119*, LW 11:414–534.

justificación otorga libertad al cristiano, los mandamientos de Dios dan la forma para la santidad.

La tradición luterana, en gran parte bajo la influencia de Felipe Melanchthon, iría aún más lejos al afirmar un tercer uso de la ley, un movimiento retórico que Lutero nunca hizo. Lutero había reducido el uso bíblico del término "ley" y se centró en un solo uso de una manera sistemática: la ley como acusador. Usó el término "mandamiento" para hablar de los imperativos morales que se le dieron para dar forma a las vidas de aquellos cristianos liberados por Cristo y fortalecidos por el Espíritu. Melanchthon llevó más tarde a los luteranos a apegarse al término "ley" al referirse a estas exhortaciones y no hacer una distinción entre "ley" y "mandamiento", sino más bien una distinción entre el segundo uso de la ley y el tercer uso exclusivamente cristiano de la ley.[17] Si bien fue Melanchthon quien presionó a la iglesia luterana para que confesara estas exhortaciones a la santidad como "ley" para los cristianos, Lutero lo había practicado de manera similar, leyendo los mandatos bíblicos como imperativos obligatorios para los cristianos (aunque no catalogándolos analíticamente como "ley").[18]

En la tradición luterana en el siglo XVI, entonces, hemos visto que su teología de la santificación comenzó con la consideración de su distinción y vinculación con la justificación solo en Cristo, así como su énfasis en la *sola fide*. Los luteranos se vieron obligados a reflexionar sobre la forma externa de la santidad, desarrollando gradualmente una teología bíblica, encarnada y comprometida con el mundo, y alerta a la forma específica de los mandamientos de Dios (incluso, en Melanchthon y la "Declaración sólida", de la ley de Dios) como la brújula moral para la vida cristiana de hoy.

La Santificación y las Iglesias Reformadas

La segunda gran corriente de la Reforma protestante fue la de las iglesias reformadas. Incluso en sus formas más primitivas, dirigidas por Huldrych Zuinglio, fueron posteriores a las primeras protestas de Martín Lutero y sus seguidores. Y a lo largo de su historia, las iglesias reformadas se vieron a sí mismas compartiendo con Lutero y los luteranos sus principios soteriológicos clave. No nos tomaremos el tiempo para mencionar las formas en que estuvieron de acuerdo, pero seguiremos adelante para resaltar algunas formas en que los teólogos reformados profundizaron la reflexión protestante sobre la santificación y la vida cristiana. Debido a que la teología y el ministerio de Martín Lutero dominan la teología confesional luterana, él ha influido en nuestro relato de la visión luterana de la santificación. Como veremos, si bien las preocupaciones teológicas materiales eran muy similares en la tradición reformada, la forma formal de esa tradición era bastante diferente. Mientras Juan Calvino ejerció una gran influencia, ni él ni ninguna otra figura significativa (ya sea Zuinglio, Bucer, Bullinger, Vermigli o Ursino) ejercerían el tipo de influencia y tendrían el tipo de

---

[17] Para esta distinción en su discusión sobre el tercer uso de la ley, ver "The Solid Declaration of the Formula of Concord," art. 6, en Kolb y Wengert, *Book of Concord*, 587–91. Ver también, Timothy J. Wengert, *Law and Gospel: Philip Melanchthon's Debate with John Agricola of Eisleben over Poenitentia*, Texts and Studies in Reformation and Post-Reformation Thought (Grand Rapids, MI: Baker, 1997), esp. 177–210, donde el debate y su terminología en desarrollo se rastrean desde 1525 hasta 1537.

[18] Por ejemplo, él habló del Salmo 119, "Donde la ley ya no es la ley." Martín Lutero, *On the Councils and the Church* (1539), WA 50:565.

autoridad que Lutero tiene en el mundo luterano. Primero consideraremos dos enlaces doctrinales que los reformados destacaron al hablar sobre santidad: Cristología y Eclesiología. Luego, consideraremos cómo las confesiones reformadas abordaron la naturaleza de las buenas obras, los actos de obediencia que pueden llamarse fruto de la santidad o de la santificación de Dios.

SANTIDAD Y CRISTOLOGÍA

La primera manera en que las iglesias reformadas profundizaron la reflexión de la Reforma sobre la santidad fue trazando su relación con dos doctrinas: Cristología y Eclesiología. Primero, la santificación estaba ubicada dentro de nuestra unión con Cristo. Como dijo Juan Calvino, "toda la sustancia de nuestra salvación no debe buscarse en ningún otro lugar que no sea en Cristo."[19] Al tratar de estudiar las formas en que "toda la sustancia" se encuentra en Cristo, Calvino habló de una doble gracia (*duplex gratia*): "Al participar de Él, nosotros... recibimos una doble gracia: es decir, que estando reconciliados con Dios por la irreprensible condición de Cristo, podemos tener en el cielo en lugar de un juez a un Padre misericordioso; y en segundo lugar, que, santificados por el espíritu de Cristo, podamos cultivar la inocencia y la pureza de la vida."[20] Lutero había hablado de la relación entre Cristo y la fe, y había utilizado el lenguaje de la imputación para abordar este vínculo, con mayor frecuencia centrándose en el tema de la justificación. Calvino estuvo de acuerdo, y pensó que la unión con Cristo formaba la seguridad cristiana. Al comentar sobre 1 Corintios 1: 9, por ejemplo, dijo:

> En resumen, cuando el cristiano se mira a sí mismo, solo puede tener motivos para la ansiedad, incluso la desesperación, pero, debido a que es llamado a la comunión con Cristo, puede pensar en sí mismo, en lo que respecta a la seguridad de la salvación, de ninguna otra manera que, como miembro de Cristo, haciendo así todas las bendiciones de Cristo suyas.[21]

Calvino y los teólogos reformados creyeron que esta "comunión con Cristo" traía la seguridad como una de sus muchas bendiciones, porque realmente traía la sustancia de Cristo al creyente.[22]

Calvino fue quien claramente abordó cómo la santificación también se buscaba en Cristo como una gracia, un igual incluso si el segundo aspecto de esta "doble gracia" se disfrutaba en unión con Cristo. Primera de Corintios 1:30 era un texto clásico que apunta en esta dirección. Como señaló Calvino, "la fe ejerce la regeneración tanto como el perdón de los pecados en Cristo."[23] Vale la pena señalar, por supuesto, que Lutero habló metafóricamente en formas que apuntaban en esta dirección, e hizo comentarios indirectos en este sentido. Pero fue Calvino y otros teólogos reformados quienes hicieron de esto un principio estructurante para todas las facetas del Evangelio,

---

[19] Juan Calvino sobre Juan 3:16, en *CNTC* 4:73. Calvino extiende aquí un enfoque agustiniano para vincular la cristología y la ética: ver, por ejemplo, Agustín, *On Faith and Works*, trad. Gregory J. Lombardo, Ancient Christian Writers 48 (New York: Newman, 1988), 20.

[20] Calvino, *Institución*, 3.11.1.

[21] Juan Calvino en 1 Cor. 1:9, en *CNTC* 9:24.

[22] Calvino no dudó en usar el lenguaje de la participación sustancial en Cristo; ver J. Todd Billings, *Calvin, Participation, and the Gift: The Activity of Believers in Union with Christ*, Changing Paradigms in Historical and Systematic Theology (New York: Oxford University Press, 2007), 61–65.

[23] Calvino sobre 1 Cor. 1:30, en *CNTC* 9:46.

en particular para la santificación y la glorificación. Como Pablo enseña, "Porque todas las promesas de Dios encuentran su Sí en Cristo" (2 Corintios 1:20) —la unión con Él trae reconciliación, pero también trae renovación.

La "doble gracia" ayuda a clarificar la manera en que las Escrituras hablan de la fe y el arrepentimiento como respuestas distintas pero relacionadas del ser humano a la gracia de Dios:

> Dios obra en nosotros estas dos cosas al mismo tiempo, para que ambos seamos renovados por el arrepentimiento y liberados de la esclavitud del pecado y también justificados por la fe y liberados de su maldición. Estos son los dones inseparables de la gracia y, debido al vínculo invariable entre ellos, el arrepentimiento puede llamarse correcta y adecuadamente el comienzo del camino que conduce a la salvación, pero más como un acompañamiento que como una causa. Estas no son evasiones sutiles, sino una explicación simple de la dificultad, mientras que las Escrituras enseñan que nunca recibimos el perdón de nuestros pecados sin arrepentimiento, al mismo tiempo, enseña en muchos lugares que el único motivo de nuestro perdón es la misericordia de Dios.[24]

Debido a que tanto el perdón como la renovación se encuentran en Cristo, ambos pueden caracterizarse como misericordiosos, ambos pueden esperarse por medio de la promesa de Dios, y ambos pueden estar seguros del "acompañamiento", ya que son verdaderamente "dones de gracia inseparables". Por lo tanto, los teólogos reformados no encontraron obstáculo conceptual para hablar de arrepentimiento y obediencia como condiciones para la bendición de Dios, aunque insistieron en que no son causas (materiales) de la bendición de Dios, sino que son signos de unión con Cristo, que es la causa inicial y perfeccionadora de nuestra salvación.[25]

Un gran debate estalló más tarde en la carrera de Calvino con Andreas Osiander. Osiander murió en 1552, una figura controvertida condenada por sus compañeros luteranos. Él enseñó la importancia, no solo de la unión con Cristo, sino también de la participación en Dios a través de Cristo. Él tomó una lectura fuerte de 2 Pedro 1:4 —"participantes de la naturaleza divina"— para decir que los cristianos fueron infundidos con la vida divina. Para Osiander, esta infusión significaba que la justificación se basaba en la residencia y la impartición de la vida divina, más que en la base forense del perdón y la imputación de la justicia ajena de Cristo.[26] Calvino fue acusado por algunos luteranos de ser "Osiandriano", y él respondió extensamente en su edición final de la *Institución* (1559). Calvino notó que el pensamiento reformado sobre la unión con Cristo no significaba que la vida divina se infundiera en nosotros o que la obra sustitutiva del Hijo encarnado fuera discutible. En cambio, la unión con Cristo implicó la participación en Dios a través de la mediación encarnada de Jesús (estar unido con el Dios-hombre y no directamente con lo divino como tal), y la unión con Cristo trajo consigo los beneficios del Justo como justos y santos. Contra Osiander, Calvino confirmó el énfasis luterano y reformado en nuestra necesidad de

---

[24] Ibid., 100.

[25] Para el análisis de cómo la unión con Cristo se relacionó con la aplicación de la salvación en otros teólogos reformados del siglo XVI, desde Viret, Vermigli y Musculus hasta Zanchi, Beza y Olevianus, véase Richard A. Muller, "Union with Christ and the *Ordo Salutis*: Reflections on Developments in Early Modern Reformed Thought," en *Calvin and the Reformed Tradition: On the Work of Christ and the Order of Salvation* (Grand Rapids, MI: Baker Academic, 2012), 202–43, esp. 212–26.

[26] En la teología de Osiander, ver especialmente Patricia Wilson-Kastner, "Andreas Osiander's Theology of Grace in the Perspective of the Influence of Augustine of Hippo", *SCJ* 10, no. 2 (1979): 73–91.

santidad humana, no por las propiedades divinas como tales.[27] La unión con Cristo, para Calvino y la tradición reformada, trajo la residencia del Dios trino por el poder del Espíritu, pero lo hizo en conjunto con traer la justificación de los impíos. La santificación por la habitación divina en Cristo nunca fue yuxtapuesta ni confundida con una explicación radicalmente forense de la justificación, basada en la obra de Jesucristo fuera de nosotros y traída a nosotros por la unión gloriosa que ahora tenemos con Él.

SANTIDAD Y ECLESIOLOGÍA

En segundo lugar, los teólogos reformados vincularon la santidad con la doctrina de la iglesia. Los "Sesenta y Siete Artículos" de Zuinglio de 1523 hicieron un uso fuerte de la metáfora corporal de las enseñanzas de Pablo a los corintios. La tesis 8 señala que "todos los que viven en la Cabeza son Sus miembros e hijos de Dios. Y esta es la Iglesia o compañerismo de los santos."[28] Zuinglio identificó claramente a la iglesia como los "santos" tanto como lo son en Cristo. Al mismo tiempo, en varias tesis (tesis 7, 9 y 10), Zuinglio también insistió en que la identidad como santos es imposible, aparte de la Cabeza de ese cuerpo, Jesucristo. De hecho, la Confesión Tetrapolitana de 1530 se volvió aún más específica y declaró que de la iglesia "Cristo nunca está ausente, pero Él lo santifica para presentarlo extensamente a sí mismo sin culpa, sin mancha ni arruga."[29] Cristo hace santa una Iglesia —no simplemente un conjunto de individuos sino una congregación de santos. La elección de los teólogos reformados fue individual, pero fue personal y específica dentro de un propósito corporativo más amplio: los hombres y mujeres son elegidos para estar en el cuerpo de Cristo, donde disfrutan de esa unión con la Cabeza encarnada y florecen en armonía con su guía. Como dice la Confesión Belga, "Todos los hombres están obligados a acoplarse y unirse con ello... para unirse a esta congregación, donde Dios les haya establecido."[30]

Los teólogos reformados también atestiguaron que el lugar de crecer en la gracia estaba ligado a la práctica continua de ciertos medios de gracia: la lectura y la predicación de la Palabra y la correcta administración de los sacramentos. La teología reformada insistió en que los sacramentos requerían la orden señorial del mandato específico de Cristo. Otras prácticas espirituales pueden ser buenas (como la confesión y el arrepentimiento del pecado), pero no merecen el sacramento del título a menos que sean mandadas perpetuamente por el Señor mismo, es decir, las prácticas "que Cristo nuestro Señor ha instituido."[31]

Un desarrollo particularmente distintivo fue el lugar de la disciplina en la visión reformada de la vida cristiana. Martin Bucer fue fundamental en este sentido, señalando que la disciplina era una tercera marca de la iglesia cristiana (junto con la predicación de la Palabra y la correcta administración de los sacramentos). La iglesia siempre fue vista como un proyecto escatológico, en su camino a la gloria, pero, aún

---

[27] Para el análisis de la respuesta de Calvino a Osiander, ver Billings, *Calvin, Participation, and the Gift*, 53–61.

[28] "Zwingli's Sixty-Seven Articles" (1523), en Arthur C. Cochrane, ed., *Reformed Confessions of the Sixteenth Century* (Louisville: Westminster John Knox, 2003), 37.

[29] "The Tetrapolitan Confession" (1530), en Cochrane, Reformed Confessions, 73.

[30] "The Belgic Confession" (1561), en Cochrane, *Reformed Confessions*, 209.

[31] Ibid., 213.

no está allí.[32] Bucer creía que Dios había dado tres medios de gracia para ser administrados por el clero, para la construcción y maduración de los santos: dispensar la doctrina de Cristo, administrar los sacramentos y disciplinar "la vida y los modales", la penitencia y el culto de la congregación.[33] El énfasis de Bucer en tres signos de la verdadera iglesia se convirtió en el estándar entre las comuniones reformadas, mientras que las iglesias luteranas se centraron más estrechamente en la predicación de la Palabra y la administración de los sacramentos.[34] Mientras que las iglesias luteranas mantuvieron una cadencia aparentemente más elevada para describir la vocación pastoral (usando la terminología de sacerdotes y obispos, que solían descartarse en los círculos reformados —a excepción de las iglesias reformadas en Inglaterra), fueron las iglesias reformadas quienes consideraron el ejercicio de la disciplina pastoral (tanto por el clero ordenado como por los consistorios) como una marca genuina de la verdadera iglesia a la par con la predicación y los sacramentos. El ejercicio de esta disciplina fue visto cristológicamente, como una forma en que el cuerpo es gobernado por su Cabeza.

EL CARÁCTER DE LAS BUENAS OBRAS

Habiendo considerado las formas en que el enfoque teológico reformado vinculó la santificación a la persona de Cristo y su cuerpo, la iglesia, ahora estamos en posición de considerar cómo los teólogos reformados en el siglo XVI describieron el carácter de los actos sagrados o las buenas obras. El Catecismo de Heidelberg ofrece un juicio sintético con respecto a las creencias compartidas de las iglesias reformadas en el Palatinado con respecto a los actos sagrados a los que se llama al cristiano:

P. 91 ¿Qué son buenas obras?
R. Solo aquellas que se hacen por fe verdadera, se conforman a la ley de Dios, y se hacen para la gloria de Dios; y no aquellos basados en nuestra propia opinión o tradición humana.[35]

Reflexionaremos sobre esta definición tomándola en orden inverso. Aquí se encuentran cuatro principios y extraen una teología moral más completa de lo que se discutió cuando consideramos las enseñanzas luteranas sobre la santificación. Más importante aún, estos principios representan una mayor reflexión reformada sobre la forma de la santidad y el alcance de la teología moral a la luz del Evangelio.

Primero, las buenas obras no son meramente "aquellas basadas en nuestra propia opinión o tradición humana". Las iglesias reformadas compartieron las preocupaciones de la Reforma con los luteranos con respecto a la necesidad de juzgar toda la fe y la práctica por la Palabra de Dios: "La Iglesia de Cristo no hace leyes ni mandamientos sin la Palabra de Dios. Por lo tanto, todas las tradiciones humanas, que se llaman mandamientos eclesiásticos, son vinculantes para nosotros solo en la medida en que se

---

[32] Ver, especialmente, Heinrich Bullinger, "Of the Holy Catholic Church," en *Zwingli and Bullinger: Selected Translations with Introductions and Notes*, ed. G. W. Bromiley, LCC 24 (Louisville: Westminster John Knox, 2006), 288–325, esp. 314–17.

[33] Martin Bucer, *De Regno Christi, in Melanchthon and Bucer*, ed. Wilhelm Pauck, LCC 19 (Louisville: Westminster John Knox, 2006), 232–55.

[34] "The Belgic Confession". en Cochrane, *Reformed Confessions*, 210–11.

[35] "The Heidelberg Catechism" (1563), en Cochrane, *Reformed Confessions*, 322.

basan y son ordenados por la Palabra de Dios."[36] Esta segunda de las Diez Tesis de Berna habla de "tradiciones humanas" que son autoritarias "solo en la medida en que están basadas y ordenadas por" las Sagradas Escrituras.[37] La "tradición humana" se convierte en un término técnico para cualquier práctica que se vuelva vinculante sin orden de las Escrituras. Los "Sesenta y Siete Artículos" de Zuinglio de 1523 dicen que "en el Evangelio aprendemos que las doctrinas y tradiciones humanas no sirven para la salvación"; la Primera Confesión Helvética de 1536 establece que "consideramos que todas las demás doctrinas y artículos humanos nos alejan de Dios y la fe verdadera es vana e ineficaz"; y la Confesión de Ginebra de 1536 declara que "todas las leyes y regulaciones vinculantes para la conciencia que obligan a los fieles a cosas no ordenadas por Dios, o establecen otro servicio de Dios que el que él exige" son tradiciones humanas y "doctrinas perversas de Satanás."[38] Las "tradiciones humanas" se yuxtaponen con "tradiciones divinas" en este vocabulario técnico.[39]

Las confesiones reformadas no se oponían a la necesidad de la tradición humana como tal, sin embargo, siempre que no fueran meramente tradiciones humanas. En otras partes, las confesiones atestiguan la autoridad necesaria de la iglesia, sus sínodos y concilios, sus pastores y ancianos, y su tradición confesional. La Confesión Belga afirma,

> Creemos, aunque es útil y beneficioso, que quienes gobiernan la iglesia, instituyen y establecen ciertas ordenanzas entre ellos para mantener el cuerpo de la iglesia; sin embargo, deben cuidar esmeradamente que no se aparten de aquellas cosas que Cristo, nuestro único maestro, ha instituido. Y, por lo tanto, rechazamos todos los inventos humanos, y todas las leyes que el hombre introduciría en la adoración de Dios, para atar y obligar a la conciencia en cualquier asunto.[40]

De manera similar, la Confesión Escocesa de 1560 sugiere que no "condenamos precipitadamente" ni "recibimos acríticamente" lo que se hace en la asamblea legal de los líderes de la iglesia.[41] La autoridad confesional debe ser recibida con cuidado y atención —ni "imprudentemente" ni "sin crítica" porque tiene un valor instrumental como desarrollo autorizado y eclesiástico de la enseñanza de las Escrituras. Por lo tanto, las confesiones reformadas señalan cómo debemos relacionarnos con las enseñanzas de la iglesia católica: "Donde los Santos Padres y los primeros maestros, que explicaron y expusieron las Escrituras, no se apartaron de esta regla, queremos reconocerlos y considerarlos, no solo como expositores de las Escrituras, sino como instrumentos elegidos por medio de los cuales Dios ha hablado y ha operado."[42] Estos "instrumentos elegidos" deben ser agradecidos y respetados en la medida en que ministran la Palabra.

---

[36] "The Ten Theses of Berne" (1528), en Cochrane, *Reformed Confessions*, 49.

[37] La terminología de "tradiciones humanas" o "los mandamientos de los hombres" deriva de Mateo 15:9.

[38] "Zwingli's Sixty-Seven Articles" (1523), en Cochrane, *Reformed Confessions*, 37; "The First Helvetic Confession" (1536), en Cochrane, *Reformed Confessions*, 101; "The Geneva Confession" (1536), en Cochrane, *Reformed Confessions*, 124.

[39] Ver, "The Tetrapolitan Confession" (1530), en Cochrane, *Reformed Confessions*, 71–72.

[40] "The Belgic Confession," en Cochrane, *Reformed Confessions*, 212.

[41] "The Scots Confession" (1560), en Cochrane, *Reformed Confessions*, 178.

[42] "The First Helvetic Confession" (1536), en Cochrane, *Reformed Confessions*, 101. Ver también, Huldrych Zwingli, *An Exposition of the Faith*, en Bromiley, *Zwingli and Bullinger*, 266.

Segundo, las buenas obras son "hechas para la gloria de Dios". Hemos considerado la base epistemológica de las buenas obras: cómo podemos saber que algo es santo, a saber, por la autoridad suprema de Dios expresada en la Sagrada Escritura —su Palabra— y a través de las autoridades eclesiásticas. Las confesiones reformadas son igualmente insistentes en que el fin de la santidad merece nuestra atención. Los actos sagrados deben hacerse por motivos sagrados. El Catecismo de Heidelberg usa el lenguaje de "la gloria de Dios" para expresar este punto. La obediencia y el servicio amoroso deben hacerse por el amor de Dios, no solo por el nuestro. Este énfasis en la gloria de Dios se remonta aún más temprano, evidenciado por su inclusión en el primer artículo de la Confesión de Fe usada en la congregación inglesa en Ginebra en 1556, donde se afirma que Dios hizo a la humanidad "según su propia imagen que en Él podría ser glorificado."[43]

Por supuesto, la declaración más famosa de la tradición reformada sobre la gloria de Dios sería escrita casi un siglo después. El Catecismo Menor de Westminster comienza definiendo el fin principal de la humanidad: "glorificar a Dios y disfrutarlo para siempre". Y, sin embargo, esto no era una novedad en las iglesias reformadas, en las que se creía regularmente que vivir para la gloria de Dios era nuestro orden de marcha. Primera de Corintios 10:31 ejerció una importancia significativa a este respecto, dando forma al pensamiento reformado sobre cómo todo comportamiento moral debe terminar dando gloria al Dios trino. La teología importa para la ética; la intención subjetiva (en este caso, la gloria de Dios en lugar de la gloria del agente moral) configura el valor moral de una acción. No es suficiente hacer algo que sea objetivamente válido; debe hacerse por el propósito correcto (para la gloria de Dios).

Tercero, las buenas obras "se ajustan a la ley de Dios". Las iglesias reformadas creían que las buenas obras deben ser no solo escriturales (en oposición a ser simplemente atestiguadas por las costumbres sociales de una tribu humana en particular), sino también específicamente ordenadas por la ley divina que se encuentra en esas Sagradas Escrituras. Los pensadores reformados generalmente hablaban de tres usos de la ley (uniéndose a la tradición confesional luterana posterior, desde Melanchthon en adelante): la ley nos muestra nuestro pecado, la ley ayuda a mantener el orden cívico y la ley guía la vida cristiana. En el culto cristiano, las iglesias reformadas hicieron uso del Decálogo durante un tiempo de confesión y también siguiendo el sermón y la Santa Cena como una guía para la respuesta a la presencia de Dios. En otras palabras, la liturgia reformada enfatiza tanto el primero como el tercer uso de la ley (mientras que la liturgia luterana tendía a mantener el propio enfoque de Lutero en el primer uso de la ley). La lectura de la ley fue vista por las confesiones reformadas como un gran regalo (como lo demuestran, por ejemplo, sus sermones sobre el Salmo 119), porque los humanos plagados de pecado necesitan la ayuda de una recalibración moral, conscientes de que, en sí mismos, los pecadores carecen de un barómetro nativo para la toma de decisiones morales que obedece a las justas demandas de Dios. La ley de Dios es un regalo, entonces, en eso es una guía.

En cuarto lugar, las buenas obras son "solo las que se hacen por fe verdadera". Como Lutero había enfatizado la importancia del primer mandamiento y el llamado a la fe, la tradición reformada también enfatizó que todas las buenas obras verdaderas

---

[43] "The Confession of Faith Used in the English Congregation at Geneva" (1556), en Cochrane, *Reformed Confessions*, 131.

fluyen de la confianza en Dios. La fraseología de "santidad evangélica" se utilizó para transmitir este mismo punto. La obediencia justa no era meramente conformidad externa a las leyes santas de Dios (aunque eso era importante) sino el comportamiento externo que fluía de una postura subjetiva apropiada de fe. Al igual que con la búsqueda de la gloria de Dios, este cuarto punto aborda la naturaleza motivadora y educada de la acción moral. Nuestra búsqueda de la gloria de Dios es tomar esta forma: vida dependiente delante de Él, recurrir a Él para nuestro bien. Y este tipo de vida dependiente toma la forma de obediencia a sus órdenes (como el que nos impulsa y nos guía a vivir de acuerdo con su ley). No solo existe un vínculo continuo sino también un vínculo interpenetrante entre estas diversas descripciones, ya que, por ejemplo, respetar el mandato de Dios es una manifestación de confiarse a la guía moral de Dios. Estas no son caracterizaciones dispares de la acción santa que se dan en el Catecismo de Heidelberg, aunque son descripciones distintas que hacen puntos ligeramente diferentes (pero complementarios y uncidos).

La reflexión reformada sobre la santificación compartió muchas cosas con las iglesias luteranas en el siglo dieciséis. La teología reformada investigó más profundamente el vínculo entre la santificación, la unión con Cristo y la eclesiología. Al hacerlo, presentó una forma de piedad eclesiástica, así como una que enfatizaba el papel no solo de la proclamación de la Palabra y de las prácticas sacramentales del pueblo de Dios, sino también de la disciplina pastoral. Estos son los contextos en los que la santidad echa raíces. La tradición reformada también reflexionó sobre los frutos de la santidad, señalando su forma bíblica, su propósito de dar gloria a Dios, su conformidad con la ley divina y su impulso impartido por la fe misma. Habiendo considerado algunos de los aspectos distintivos de las doctrinas luteranas y reformadas de la santificación, ahora estamos en posición de ofrecer algunos juicios sintéticos sobre el movimiento protestante del siglo XVI como un todo.

Juicios Sintéticos sobre la Santificación y el Evangelio

Como hemos visto, las iglesias luterana y reformada compartían mucho con respecto a la doctrina de la santificación. La naturaleza de la vida cristiana y el lugar de las buenas obras en la forma del Evangelio fueron temas centrales en la Reforma Protestante del siglo XVI. Al finalizar nuestro estudio, hacemos bien en ver cómo su pensamiento sobre la santificación se relacionó con algunas de las características del pensamiento y la práctica de la Reforma más amplia.

Solo Cristo

La marca más definitiva del pensamiento protestante sobre la santificación en la era de la Reforma del siglo XVI fue su enfoque en solo Cristo como fuente y sustentador de la santidad: "Reconocemos que, sin embargo, está presente con su Iglesia, incluso hasta el fin del mundo, que la renueva y santifica y la adorna como su única novia amada con todo tipo de adornos de virtudes."[44] Cristo funciona aquí, no solo como un fundamento o un baluarte, sino como una persona continua de interés, que sigue renovando, santificando y adornando a la iglesia con gracia sobre gracia. El enfoque centrado en Cristo en la enseñanza de la Reforma no se centró meramente en la obra

---

[44] "The Tetrapolitan Confession," en Cochrane, *Reformed Confessions*, 57.

terminada de Cristo, sino que también fue consciente de la necesidad de su ejercicio continuo de su triple función como Profeta, Sacerdote y Rey.[45]

Si bien la obra de Cristo no estaba terminada, el solo hecho de que la santificación fuera en última instancia su obra fue una fuente de seguridad profunda. Los reformadores estaban trabajando pastoralmente en una situación de profunda ansiedad, como lo atestiguan los relatos historiográficos de la época medieval tardía y de la era moderna temprana.[46] Los reformadores no solo localizaron la justificación solo en Cristo, sino que también articularon un enfoque de santificación igualmente centrado en Cristo. Primera de Corintios 1:30 fue crucial en este sentido, en la medida en que Cristo certifica que Pablo no es solo "justicia" sino también "santificación" para los santos que están en Cristo. Cristo es la esfera dentro de la cual y la identidad de la cual la santidad vivida fluye en la actividad diaria de los creyentes ordinarios. Por lo tanto, la santificación fue vista no simplemente como un mensaje (que era, y, podríamos añadir, severo) sino también como una promesa del mismo Salvador.

Que la santidad está solo en Cristo también nos recuerda el carácter escatológico de nuestra santidad. Aquí la tradición reformada ha enfatizado la naturaleza de la iglesia similar a Israel. Si bien podemos sentirnos tentados de vernos a nosotros mismos como viviendo en un plano superior de existencia espiritual y moral, las confesiones reformadas nos llaman a imaginarnos como israelitas modernos. Calvino se dirigió a esto al comentar el argumento bíblico introducido por Pablo en 1 Corintios 10: "Pablo dice, en primer lugar, que no hay ningún punto de diferencia entre los israelitas y nosotros, lo que pondría toda nuestra situación en una categoría diferente a la de ellos.... Comienza así: no te enorgullezcas de un privilegio especial, como si tu posición con Dios fuera mejor que la de ellos."[47]

SOLA GRACIA

Los reformadores articularon la naturaleza centrada en Cristo de la santificación y la vida cristiana mediante la extensión de la enseñanza posterior de Agustín y la tradición agustiniana con respecto a la gracia y la acción humana. Por lo tanto, la enseñanza de la Reforma enfatizó, no solo la importancia de la agencia de la Palabra, sino también la necesidad del la obra del Espíritu para regenerar, iluminar y capacitar a los santos a lo largo del camino de esa Palabra. Las doctrinas de elección y predestinación funcionaron para salvaguardar este énfasis solo en la gracia en la teología de Lutero, Zuinglio y otros primeros reformadores.

La tradición luterana no articuló consistentemente esta noción de la misma manera que Martín Lutero. Melanchthon matizó más tarde la enseñanza predestinaria de la iglesia luterana de tal manera que el énfasis de Lutero en la gracia ya no se mantuvo precisamente en la misma forma. Las iglesias reformadas, sin embargo, fueron más consistentes en mantener la fuerte enseñanza agustiniana de los primeros reformadores durante todo el siglo dieciséis. No solo la segunda generación de pensadores

---

[45] Ver, por ejemplo, "The Heidelberg Catechism" (1563), en Cochrane, *Reformed Confessions*, 310. Tres veces el catecismo usa el tiempo presente al describir tanto la posesión de sus oficios como la manera en que los cumple. En ningún caso, esta respuesta habla de manera cerrada o en tiempo pasado.

[46] Sobre la piedad de laicos y la ansiedad de la Baja Edad Media en ciudades alemanas y suizas, vea Stephen E. Ozment, "Lay Religious Attitudes on the Eve of the Reformation", en *The Reformation in the Cities: The Appeal of Protestantism to Sixteenth-Century Germany and Switzerland* (New Haven, CT: Yale University Press, 1975), 15–46.

[47] Calvino en 1 Corintios 10, en *CNTC* 9:200.

reformados como Calvino o Bullinger, sino también teólogos y confesiones posteriores, mantuvieron el fuerte énfasis en la soberanía y la gracia de Dios como lo tenían los primeros teólogos reformados, como Zuinglio.[48]

SOLA FE

Un área donde los reformadores empujaron más allá de la herencia agustiniana que tanto apreciaban, era con respecto al papel de la fe en la salvación. En su tratado *Sobre la fe y las obras*, Agustín había dicho: "Deberíamos aconsejar a los fieles que pondrían en peligro la salvación de sus almas si actuaban con la falsa seguridad de que solo la fe es suficiente para la salvación o que no necesitan realizar buenas obras para ser salvos."[49] Los reformadores fueron más allá de Agustín para insistir en que la fe sola justifica. Sin embargo, estuvieron de acuerdo con su padre norafricano en que esta fe que justifica no puede y no estará sola, sino que estará acompañada de buenas obras o un comportamiento santificado. Los reformadores insistieron, sin embargo, en que estas dos respuestas se distinguieran en términos de justificación y santificación; en este sentido, fueron más allá del aparato conceptual de Agustín, que no los distinguió. La distinción conceptual entre justificación y santificación fue crucial en el pensamiento de la Reforma no solo para proporcionar seguridad a los santos imperfectos, sino también para honrar la amplitud total de la obra de Dios en Cristo —fuera de nosotros y dentro de nosotros. Las iglesias de la Reforma llamaron a sus creyentes a confiar en toda la obra de Cristo: tanto que nos reconcilió con Dios y nos hizo santos.

La santificación también era por fe, como se vio anteriormente en el *Tratado sobre las buenas obras* de Lutero y en la descripción del Catecismo de Heidelberg de las buenas obras. La fe no es meramente nocional o noética en la tradición de la Reforma. Calvino lo definió de esta manera: "Ahora poseeremos una definición correcta de fe si la llamamos un conocimiento firme y cierto de la benevolencia de Dios hacia nosotros, fundado sobre la verdad de la promesa dada libremente en Cristo, ambos revelados a nuestras mentes y sellados en nuestros corazones a través del Espíritu Santo."[50] Más tarde, Calvino notó un doble énfasis en su definición: el Espíritu Santo debe hacer que la "mente sea iluminada" y el "corazón... fortificado."[51] La fe es una cuestión de confianza que involucra el corazón y la mente, no solo para conocer a Dios como bueno, sino para confiarse a uno mismo y al bien de Dios solo. La santificación —la transformación progresiva del creyente— se veía como una realidad que dependía de las buenas acciones de Dios, y por lo tanto era un asunto de fe o confianza.

SOLA ESCRITURA

Quizás nada ejercitaron tanto los reformadores como el tema de la autoridad. El sermón de despedida de Martin Lutero habló sobre este tema de manera conmovedora:

---

[48] Para una discusión más completa de estos asuntos, ver cap. 13, "The Bondage and Liberation of the Will," por Matthew Barrett.

[49] Agustín, *On Faith and Works*, 28

[50] Calvino, *Institución*, 3.2.7. Calvino nunca abandonó esta definición, según Barbara Pitkin, *What Pure Eyes Could see: Calvin's Doctrine of Faith in Its Exegetical Context*, Oxford Studies in Historical Theology (Oxford: Oxford University Press, 1999), 29.

[51] Calvino, *Institución*, 3.2.33; ver, también 3.2.36, donde estos dos énfasis están explícitamente vinculados a las dos facultades del cerebro y el corazón.

Tenemos la idea de que Dios no podría reinar si no tuviera personas sabias y comprensivas para ayudarlo.... [El sabio y el entendimiento] siempre se están ejerciendo a sí mismos; hacen cosas en la iglesia cristiana de la manera que quieren para ellos mismos. Todo lo que Dios hace ellos deben mejorar, de modo que no haya un discípulo más pobre, más insignificante y menospreciado en la tierra que Dios; él debe ser el alumno de todos, todos quieren ser sus maestros.... No están satisfechos con lo que Dios ha hecho e instituido, no pueden dejar que las cosas sean como fueron ordenadas.... Estos son los verdaderos sabios, de quienes Cristo está hablando aquí, que siempre tienen que hacer algo especial para que la gente pueda decir, "¡Ah, nuestro pastor o predicador no es nada, ahí está el verdadero hombre, él hará las cosas!"... ¿Debería Dios estar tan contento con estos compañeros que son demasiado listos y sabios para él y que siempre quieren enviarlo a la escuela?... Las cosas están en buen estado cuando el huevo quiere ser más sabio que la gallina.[52]

La doctrina de *sola Scriptura* no pretendía ser un reproche a toda la tradición, sino una declaración sobre el tipo de tradición bíblica que se ejercía legítimamente en la comunión de los santos. En el ámbito de la moral y de la santificación, la enseñanza cristiana sobre la virtud a veces corría el riesgo de inclinarse hacia la exaltación de ciertos hábitos y prácticas que eran valorados culturalmente pero que no se enseñaban bíblicamente. Aún más, ciertos enfoques sacramentales y pietistas de la vida cristiana se infiltraron en la vida de la iglesia. Los reformadores creían que las virtudes eran necesarias, los sacramentos un regalo y la piedad un llamamiento elevado, pero insistían en que cada uno se definiera bíblicamente. Fue Lutero quien dijo: "Lo primero que debes saber es que no hay buenas obras, excepto aquellas que Dios ordenó, así como no hay pecado, excepto lo que Dios ha prohibido. Por lo tanto, quien quiera saber lo que las buenas obras son, además de hacerlas, necesita saber nada más que los mandamientos de Dios."[53]

Sin embargo, la regla de las Escrituras no es una restricción en la acción humana, sino una fuente generadora de la conducta moral de las criaturas: "Por Su Palabra, solo Dios santifica los templos para Sí mismo para el uso lícito. Y si intentásemos cualquier cosa sin su orden, extraños inventos se aferran inmediatamente al mal comienzo y propagan el mal sin medida."[54] Calvino y los otros reformadores insistieron en que la Palabra es "viva y activa" como la puso el autor anónimo a los Hebreos (4:12). Al atender la Palabra de Dios, los creyentes y las iglesias viven en medio del poder vivificante del Evangelio al dirigirse a sus personas y comunidades. Así que hacemos bien en no pensar en las Escrituras simplemente como un índice o regla de fe y práctica; los reformadores lo vieron como un medio de gracia y, como tal, como una regla. Es una regla porque es aquí y solo aquí donde Cristo promete hablar con perfecto dominio y autoridad infalible.

LA LEY

Todos los temas anteriores abordan los principales mantras de la historiografía de la Reforma. Y es crucial recordar que estos lemas solo son útiles si nos preguntamos cómo las diferentes doctrinas y prácticas se relacionan con cada uno de ellos, no los

---

[52] Martín Lutero, "The Last Sermon, Preached in Eisleben, Matt. 11:25–30, February 15, 1546," *LW* 51:383–84.

[53] Lutero, *Treatise on Good Works*, *LW* 44:23. Así que Lutero hizo una práctica de criticar a lo que los romanos llamaban celibato sacerdotal ya en su tratado de 1520, *An Address to the German Nobility*.

[54] Calvino, *Institución*, 4.1.5.

segmentamos unos de otros, sino que los tratamos como una red de compromisos bíblicos y espirituales que se refuerzan mutuamente. De nuevo, sin embargo, es importante recordar que fueron correctivos ofrecidos en medio de una herencia católica más amplia que no fue ignorada o rechazada sino refinada y reformada. Uno de los aspectos de este consenso clásico fue el papel de la ley divina en la forma o estructura de la vida santa. Martín Lutero no afirmó explícitamente que la ley da forma a la vida cristiana. Él no lo hizo porque su forma de presentar la distinción entre ley y Evangelio requería que usara siempre la *ley* bajo una luz negativa, lanzando la ley religiosamente como una herramienta para condenar el pecado. Pero si presionamos un poco más y preguntamos si Lutero utilizó o no el Decálogo y la Torá del Antiguo Testamento como una forma de moldear la ética cristiana, ¡la respuesta es un rotundo *sí*![55]

Los teólogos reformados fueron mucho más directos y consecuentes al señalar que la ley no solo apunta a la necesidad de Cristo, sino que también se dirige al creyente como un mensaje de vida santa y una guía para el comportamiento moral. Mientras que las liturgias luteranas típicamente se enfocaban en la recitación de los Diez Mandamientos como un aviso a la confesión de pecado, las iglesias reformadas también las emplearon como una lectura receptiva destinada a guiar el servicio de la congregación a Dios a la luz del don de la lectura y la predicación de la Palabra de Dios. Si bien la fe en el Dios trino es la manera y la gloria de Dios es la motivación para la vida santa, la ley de Dios continúa siendo tratada como una forma objetiva por la cual la santidad está marcada. Esto está atestiguado por los muchos comentarios sobre el Decálogo, el uso catequético continuo de los Diez Mandamientos y su ubicación litúrgica en las tradiciones reformada y luterana.

Conclusión

Entonces volvemos al tema de la obediencia reformada y la rebelión católica: ¿Cómo evaluamos fiel y honestamente las enseñanzas de los reformadores del siglo XVI con respecto a la doctrina de la santificación? Seríamos negligentes si no enfatizáramos aún más la forma eclesial de santidad: guiados por la disciplina pastoral de la iglesia, alimentados por el ministerio sacramental de Cristo, y ordenados por los puntos de

---

[55] Para los intentos de pensar en la teología moral de Lutero sin estar obligado únicamente a la distinción ley-evangelio como principio estructurante, pero leyéndolo como un correctivo a un enfoque clásico más amplio de la santidad, véase David S. Yeago, "Gnosticism, Antinomianism, and Reformation Theology: Reflections on the Costs of a Construal," *ProEccl 2*, no. 1 (1993): 37–49; David S. Yeago, "'A Christian, Holy People': Martin Luther on Salvation and the Church," en *Spirituality and Social Embodiment*, ed. L. Gregory Jones y James J. Buckley, *Directions in Modern Theology* (Oxford: Blackwell, 1997), 101–20; y Reinhard Hütter, "The Twofold Center of Lutheran Ethics: Christian Freedom and God's Commandments," en *The Promise of Lutheran Ethics*, ed. Karen Bloomquist y John Stumme (Minneapolis: Fortress, 1998), 31–54.

La enseñanza de Lutero sobre el uso cristiano de la ley ha provocado un continuo debate en las últimas décadas. Frente a la enseñanza del siglo XX que a veces se acercaba a decir que la libertad cristiana es equivalente al juicio privado y la autonomía interpretativa personal, una serie de "católicos evangélicos" en el mundo luterano han tratado de revivir el doble centro de la ética de Lutero: la libertad y mandamiento. Al mismo tiempo, algunos "luteranos radicales" han tratado de minimizar esta faceta de las enseñanzas de Lutero. Es difícil leer su análisis sin pensar que a veces están tratando de superar a Lutero, en particular leyendo al joven Lutero contra el viejo Lutero y leyendo al Lutero más hiperbólico en contra de la tradición confesional luterana. Gerhard Forde y sus estudiantes Stephen Paulson y Mark Mattes ejemplifican esta tendencia de manera más consistente. Pero el argumento del "catolicismo evangélico" seguramente apunta a prácticas legítimas en el propio ministerio de Lutero que son atestiguadas confesionalmente en la iglesia luterana posterior, y atestiguadas en la práctica pastoral del mismo Lutero (aunque no teológicamente articuladas con claridad por el reformador).

contacto moral de la tradición cristiana (el Decálogo especialmente, pero también el Credo de los Apóstoles y la Oración del Señor).

Al mismo tiempo, hubo una calibración con respecto a la forma en que estas realidades católicas fueron experimentadas por hombres y mujeres específicos: La gloria de Dios era el llamamiento de todos, las Escrituras eran la máxima autoridad, y la fe personal era necesaria para que los actos fueran verdaderamente santos. Como fue evidente en las vidas de Lutero, Calvino, Bucer, Cranmer y otros, los teólogos de la Reforma creían que la fe y práctica correctas en cuanto a la santidad y la piedad cristiana estaban en peligro de tener dos flancos: El catolicismo romano, por un lado, y el anabaptismo o el entusiasmo, por el otro. La búsqueda de una vía media no fue el resultado de una maniobra política calculadora sino la creencia de principio de que un enfoque cristológico requería un compromiso eclesiológico, ya que Cristo prometió obrar a través de su iglesia. Por lo tanto, estos reformadores se comprometieron a ser evangélicos y a ser eclesiásticos. Con Jaroslav Pelikan, entonces, podemos decir no solo de Martín Lutero o de Juan Calvino, sino también del amplio movimiento reformista, sus reflexiones sobre la santidad y la vida cristiana fueron esfuerzos dirigidos por "rebeldes obedientes", y en su mayoría constituyeron movimientos hacia una catolicidad reformada.

Recursos para un Estudio Adicional

FUENTES PRIMARIAS

Calvino, Juan. *Institución de la Religion Cristiana*. Grand Rapids: Libros Desafío, 2012.

Cochrane, Arthur C., ed. *Reformed Confessions of the Sixteenth Century*. Louisville: Westminster John Knox, 2003.

Kolb, Robert, y Timothy J. Wengert, eds. *The Book of Concord: The Confessions of the Evangelical Lutheran Church*. Traducido por Charles P. Arand y otros. Minneapolis: Fortress, 2000.

Lutero, Martín. *Treatise on Good Works*. En *Luther's Works*. Vol. 44, The Christian in Society I, editado por James Atkinson, 15–114. Philadelphia: Fortress, 1966.

FUENTES SECUNDARIAS

Allen, Michael. *Sanctification. New Studies in Dogmatics*. Grand Rapids, MI: Zondervan Academic, 2017.

Barth, Karl. *The Theology of the Reformed Confessions*. Columbia Series in Reformed Theology. Traducido y con anotaciones por Darrell L. Guder y Judith J. Guder. Louisville: Westminster John Knox, 2002.

Billings, J. Todd. *Calvin, Participation, and the Gift: The Activity of Believers in Union with Christ*. Changing Paradigms in Historical and Systematic Theology. New York: Oxford University Press, 2007.

Null, Ashley. *Thomas Cranmer's Doctrine of Repentance: Renewing the Power to Love*. New York: Oxford University Press, 2000.

Yeago, David S. "Gnosticism, Antinomianism, and Reformation Theology: Reflections on the Costs of a Construal." *Pro Ecclesia* 2, no. 1 (1993): 37–49.

16

La Iglesia

Robert Kolb

RESUMEN

Todos los reformadores protestantes rechazaron la definición jerárquicamente controlada y centrada en el ritual de la Iglesia de Cristo que prevalecía en la teología y piedad medievales, en lugar de definir a la Iglesia como la creación de Dios a través de su Palabra. Caracterizaron la relación de los sacramentos a la Palabra de Dios de diversas maneras, pero todos enfatizaron el lugar de los sacramentos como signos de la Iglesia. El término *signos* también se usó de diferentes maneras entre los reformadores, con la Palabra de Dios en el corazón del concepto. Los protestantes organizaron la iglesia con diferentes formas de gobierno: luteranos con alguna variedad, calvinistas con los cuatro oficios de Calvino en forma presbiteriana, anglicanos con un sistema episcopal y anabaptistas con un sistema congregacional. Toda la adoración centrada en la predicación con los ritos sacramentales es una parte importante de la vida pública de la congregación. Cada uno insistió en la disciplina de los pecadores públicos, practicados con diversos grados de seriedad. Con la excepción de los anabaptistas, los protestantes asociaron sus iglesias con los gobiernos seculares, que ejercían diversos grados de control sobre sus iglesias territoriales.

La Reforma y las Doctrinas Medievales de la Iglesia

La publicación de las *Noventa y Cinco Tesis sobre Indulgencias* de Martín Lutero a fines de 1517 provocó reacciones que alimentaron anhelos más amplios de la reforma de la cristiandad. Sin embargo, las condenas de los funcionarios de la iglesia occidental pronunciaron consecuencias letales sobre Lutero y todos los que compartían sus puntos de vista. La doctrina y la práctica en torno a las indulgencias para rendir satisfacción por los castigos temporales que la iglesia medieval impuso a los pecadores no había sido bien definida en ese momento,[1] y, por lo tanto, el desafío de Lutero de ellos no debería haber causado controversia. Pero las tesis de Lutero hicieron más que eso. Implicaron implícitamente la estructura de la autoridad en la iglesia occidental. "La respuesta literaria católica temprana a Lutero se puede caracterizar mejor por su

---

[1] Bernhard Alfred R. Felmberg, *Die Ablasstheologie Kardinal Cajetans* (1469–1534), Studies in Medieval and Reformation Thought 66 (Leiden: Brill, 1998).

preocupación por la autoridad", particularmente la autoridad eclesiástica o papal.[2] En su defensa ante sus hermanos agustinianos en Heidelberg en abril de 1518, Lutero demostró rápidamente que pensaba que la reforma se centraba en la relación de Dios con los pecadores,[3] mientras que sus oponentes habían definido la eclesiología como la cuestión central a resolver.[4]

Los practicantes de estudios religiosos comparativos sugieren que seis elementos constituyen los sistemas religiosos: doctrina, narrativa, ritual, ética, comunidad (incluida la política) y lo que une a estos elementos (por ejemplo, fe, sumisión, anhelo por la nada).Cada sistema religioso construye las relaciones entre estos elementos de una manera diferente, colocando uno o más en una posición esencial y reguladora.[5] En el corazón de la relación entre Dios y los pecadores, el cristianismo occidental medieval había puesto en práctica el ritual humano de ritos y ceremonias sagradas — sobre todo, la misa— y el gobierno de la iglesia a través del obispo de Roma y los obispos subordinados a él. La forma precisa de esta política gobernante había despertado ambas divisiones críticas dentro de la cristiandad occidental en reacción al gran cisma de Occidente de los siglos XIV y XV y los desafíos a esta eclesiología por parte de los defensores conciliares y por Jan Hus, el reformador de Bohemia quemado en el Concilio de Constanza en 1415.[6] Durante el siglo XV, las fuerzas que apoyaban la opinión de que el obispo de Roma tenía el poder supremo en la iglesia triunfaron sobre los que defendían las limitaciones del poder papal a través de los concilios ecuménicos. La crítica de los humanistas alemanes se unió a aquellos que luchaban por determinar el lugar apropiado de autoridad dentro de la iglesia, aparte de la dominación papal total.[7]

Lutero creció en el contexto de este debate. Su estudio de las Escrituras como instructor universitario novato y su propia experiencia lo convencieron de que la definición de ser cristiano expresado en términos de ritual y política no se correspondía con la presentación de Dios en las Escrituras. Formuló una nueva definición de ser cristiano basada en la narrativa de la acción salvadora de Dios, que culminó en la muerte y resurrección de Jesucristo, y en la estructura doctrinal derivada de esta narración bíblica. De hecho, todos los reformadores del siglo XVI consideraban vital para la vida de la iglesia tanto la adaptación de formas rituales apropiadas para expresar esa fe en Cristo como un medio para proclamarla. El ritual bíblicamente fiel podría ayudar a la comunicación del Evangelio. Lutero creyó que Dios ejerció su autoridad y poder en su iglesia a través de su Palabra, dada en las Escrituras y

---

[2] David V. N. Bagchi, *Luther's Earliest Opponents: Catholic Controversialists*, 1518–1525 (Minneapolis: Fortress, 1991), 265.

[3] Martín Lutero, "Disputa de Heidelberg", *WA* 1: 353-74; *LW* 31: 35-70.

[4] En este momento, la discusión occidental sobre la doctrina de la iglesia todavía estaba modelada significativamente por la disputa entre conciliaristas y curialistas. Los conciliaristas habían promovido un papel poderoso para los concilios en el gobierno de la iglesia, y bajo su dirección el gran cisma de Occidente fue puesto fin en el Concilio de Constanza en 1414-1418. El gobierno papal reunido apoyó la posición curialista, que defendía la concentración del poder en el papado y su curia. En el transcurso del siglo XV, los curialistas silenciaron en gran medida a los conciliaristas, aún cuando Lutero inicialmente intentó promover su llamado a la reforma con una apelación a un concilio.

[5] Ninian Smart, *Worldviews: Crosscultural Explorations of Human Beliefs* (New York: Scribner, 1983), esp. 79–95.

[6] Matthew Spinka, *John Hus' Concept of the Church* (Princeton, NJ: Princeton University Press, 1966); Antony Black, *Council and Commune: The Conciliar Movement and the Fifteenth-Century Heritage* (London: Burns & Oates, 1979); Karl Binder, *Konzilsgedanken bei Kardinal Juan de Torquemada O.P.* (Vienna: Dom, 1976).

[7] Kurt Stadtwald, *Roman Popes and German Patriots: Antipapalism in the Politics of the German Humanist Movement from Gregor Heimburg to Martin Luther* (Geneva: Droz, 1996); Götz-Rüdiger Tewes, *Die römische Kurie und die europäischen Länder am Vorabend der Reformation* (Tübingen: Niemeyer, 2001).

transmitida en una variedad de formas orales, escritas y sacramentales, incluso en la liturgia.

Enseñanzas Luteranas del siglo XVI sobre la Iglesia

DEFINIENDO LA IGLESIA Y SUS NOTAS (O MARCAS)

En los Artículos de Smalcald (1537), la agenda de Lutero para negociar con los teólogos católicos en el llamado concilio papal, Lutero definió a la iglesia simplemente como "santos creyentes y las pequeñas ovejas que oyen la voz de su pastor" (véase Juan 10:3). Contrastando su propia definición de la asamblea de creyentes basada en la Palabra con la definición medieval que se basaba en la realización del ritual bajo la obediencia clerical, Lutero explicó lo que significan las palabras del Credo de los Apóstoles "Yo creo en la santa iglesia cristiana": "Esta santidad no consiste en sobrepellices, tonsuras, albas largas u otras ceremonias que han inventado más allá de las Sagradas Escrituras. Su santidad existe en la Palabra de Dios y en la fe verdadera."[8]

Lutero estaba reflejando el resumen de la eclesiología de Wittenberg en la Confesión de Augsburgo, que su colega Felipe Melanchthon había compuesto siete años antes:

[La] única iglesia santa, cristiana… es la asamblea de todos los creyentes entre quienes el evangelio es predicado puramente y los santos sacramentos son administrados de acuerdo con el evangelio. Porque esto es suficiente para la verdadera unidad de la iglesia cristiana: que allí el evangelio se predica armoniosamente de acuerdo con un entendimiento puro y los sacramentos se administran de conformidad con la Palabra divina. No es necesario para la verdadera unidad de la iglesia cristiana que las ceremonias uniformes, instituidas por los seres humanos, observadas en todas partes.[9]

Tanto Lutero como Melanchthon buscaron fervientemente la unidad cristiana, pero solo en conformidad con la Palabra de Dios y el corazón de su mensaje de justificación por la fe en Cristo.[10]

Los dos criterios de Melanchthon para definir la iglesia —la predicación apropiada del evangelio y la administración apropiada de los sacramentos— reflejó su deseo en esta confesión de defender la legitimidad y la validez de la pretensión de Wittenberg de pertenecer a la iglesia católica, ya que adaptaron la definición legal de ser cristiano en el Código Justiniano, el estándar legal predominante del imperio.[11] La ley civil y la teología coincidieron muy bien porque la comprensión de Wittenberg de la iglesia fluyó de su Creador, el Espíritu Santo, trabajando a través de la Palabra de Dios en sus formas oral, escrita y sacramental. Para evitar las acusaciones de donatismo, Melanchthon reiteró la insistencia de Wittenberg que dentro de la comunidad de

---

[8] *BSELK* 777; Robert Kolb y Timothy J. Wengert, eds., *The Book of Concord: The Confessions of the Evangelical Lutheran Church*, trad. Charles P. Arand et al. (Minneapolis: Fortress, 2000), 324–25. Para una visión general de la eclesiología de Lutero, vea David P. Daniel, "Luther on the Church", en *The Oxford Handbook of Martin Luther's Theology*, ed. Robert Kolb, Irene Dingel y L'ubomír Batka (Oxford: Oxford University Press, 2014), 333-52.

[9] *BSELK* 102–3; Kolb y Wengert, *Book of Concord*, 42–43.

[10] Con respecto a los intentos de Melanchthon para promover la unidad de los cristianos, véase Irene Dingel, "Melanchthon's Paraphrases of the Augsburg Confession, 1534 and 1536, in the Service of the Smalcald League", en Irene Dingel, Robert Kolb, Nicole Kuropka, y Timothy J. Wengert, *Philip Melanchthon: Theologian in Classroom, Confession, and Controversy*, Refo500 Academic Studies 7 (Göttingen: Vandenhoeck & Ruprecht, 2012), 104–22.

[11] Robert C. Schultz, "An Analysis of the Augsburg Confession, Article VII, 2 in Its Historical Context, May and June 1530", *SCJ* 11, no. 3 (1980): 25-35.

creyentes aquellos fuera de la fe permanecen como cizaña entre el trigo. Sin embargo, solo aquellos que realmente confían en Cristo son salvos.[12]

En sus *Loci Communes* de 1543, Melanchthon enfatizó que la iglesia es el pueblo escogido de Dios y que no es una entidad espiritual indefinible, sino que es la gente reunida alrededor de la voz del evangelio. El compromiso de Dios en su promesa de vida y salvación a través del perdón proclamado en la asamblea de creyentes debe cumplirse con el compromiso del creyente con esa asamblea. El *Loci* reiteró que el Espíritu Santo obra a través de su Palabra en la congregación.[13]

El propio Lutero no desarrolló una eclesiología a gran escala en ninguna obra, pero en 1539, con la posibilidad de un llamado concilio papal en el aire, sí escribió *Sobre los Concilios y la Iglesia*. Abrazó la tradición del credo de la iglesia antigua, particularmente el Credo de Nicea, como una guía fiel para el testimonio bíblico. Este trabajo estableció ocho "notas de la iglesia". Los teólogos medievales habían empleado ocasionalmente el término *notas de la iglesia*, pero ninguna categoría dogmática propia como tal surgió bajo la etiqueta.[14] Lutero no intentó crear una categoría tan dogmática cuando describió cómo identificar a la asamblea de creyentes que estaba escuchando a Cristo. Su orientación a la Palabra de Dios fue clara en su insistencia de que el Espíritu Santo crea la iglesia perdonando el pecado y otorgando así confianza en Cristo en su pueblo elegido, quienes bajo la guía del Espíritu producen los frutos de la fe. Las actividades del Espíritu dan fortaleza y consuelo a las conciencias problemáticas, moviendo a la gente a temer y a amar a Dios por encima de todo lo demás. Ese amor por Dios a su vez produce una vida de servicio y un amor por los demás creyentes y el mundo.

La proclamación de la Palabra de Dios es la primera nota(o marca) que identifica a la verdadera iglesia. Desde y junto con la proclamación de la Palabra, otras formas de la Palabra marcan a la iglesia: el bautismo, la Cena del Señor y el ejercicio público del oficio de las llaves, o la confesión y la absolución, que Lutero consideró como el corazón de la vida de arrepentimiento que los creyentes practican a lo largo de sus vidas. Aunque Lutero no desarrolló ningún plan detallado para la disciplina congregacional, presumió que, en el ejercicio de las llaves, la disciplina personal surgiría de los pastores y otros cristianos que llaman a los pecadores abiertos a arrepentirse. Esta vida en las diversas formas de la Palabra de Dios se lleva a cabo bajo el cuidado y la guía de pastores, siendo la oficio pastoral la quinta marca de la iglesia. La respuesta de los fieles a la Palabra de Dios se expresa en la sexta marca de la iglesia, "oración, alabanza pública y acción de gracias a Dios" e instrucción en la fe. Además, la iglesia se identifica por su sufrimiento, la "cruz sagrada", ya que el diablo, el mundo y los deseos pecaminosos internos infligen "tristeza, timidez, temor desde adentro y afuera, pobreza, desprecio, enfermedad y debilidad" en creyentes corporativamente e individualmente. La persecución, creía Lutero, era solo una —pero una significativa— parte de la batalla escatológica de Satanás contra Dios y su verdad

---

[12] *BSELK* 102/103, 408-17; Kolb y Wengert, *Book of Concord*, 42/43, 179. En sus *Loci Communes* (1543), Melanchthon dedicó una sección más larga para refutar el rechazo donatista de la objetividad de la Palabra de Dios, aparte de la calificación moral o doctrinal de la iglesia de monasterio de la Palabra. *Melanchthons Werke in Auswahl*, ed. Robert Stupperich, vol. 2, bk. 1 (Gütersloh: Gerd Mohn, 1951–1975), 487–92; *Loci Communes* 1543, trad. J. A. O. Preus (St. Louis, MO: Concordia, 1992), 135–37.

[13] Melanchthon, *Melanchthons Werke in Auswahl*, vol. 2, bk. 1 (Gerd Mohn), 474–97, *Loci Communes* 1543, 131–38.

[14] Gordon W. Lathrop y Timothy J. Wengert, *Christian Assembly: Marks of the Church in a Pluralistic Age* (Minneapolis: Fortress, 2004), 20–21.

en la que la iglesia y los creyentes individuales fueron enredaros. La octava "marca pública", las buenas obras de amor que el Espíritu Santo produce en vidas santificadas, no era una marca única de la existencia de la iglesia, porque Lutero creía que los creyentes falsos podían realizar obras que exteriormente se ajustaban a la ley de Dios. Sin embargo, sin la práctica del amor, Lutero descubrió que la iglesia no se vuelve perceptible.[15] En presentaciones similares de las marcas de la iglesia, mencionó que la iglesia es "gente que ama la Palabra y la confiesa ante otros"[16] y es el lugar "donde los cristianos creen en Cristo, se salvan por fe y se dan humildemente unos a otros."[17]

En otros trabajos, Lutero agregó a las ocho notas o marcas en *Sobre los concilios* usando el Credo de los Apóstoles como un resumen de la fe, recitar el Padrenuestro, estimar a los gobernantes seculares, honrar el matrimonio y no derramar la sangre de otros cristianos —los últimos tres puntos una crítica de la iglesia papal.[18] La exposición de Melanchthon de las marcas de la iglesia se convierte generalmente en la transmisión del perdón a través de la Palabra de Dios en sus diversas formas. También rechazó otros signos que marcaron a la iglesia en la teología medieval, especialmente "la sucesión regular de obispos y la obediencia en las tradiciones humanas" y, sobre todo, el reclamo de los obispos para interpretar las Escrituras y establecer nuevas leyes y prácticas de adoración para la iglesia.[19]

Martin Chemnitz proporcionó un puente desde Melanchthon y Lutero hasta la enseñanza del siglo XVII, especialmente en su comentario a *Loci* de Melanchthon, pero también en otras obras, como su *Examen del Concilio de Trento*. En esta última obra él ancló las enseñanzas de la iglesia y la autoridad de sus concilios en "la regla y la norma de las Sagradas Escrituras", la única autoridad máxima para los creyentes.[20] Los intercambios con las definiciones de la iglesia católica romana y anabaptista proveyeron orientación para la repetición de Chemnitz de las ideas de Lutero y Melanchthon. Afirmó que cualquier definición de "iglesia" debe "aplicarse tanto a iglesias verdaderas particulares en lugares particulares como a la iglesia verdaderamente católica esparcida por todo el mundo, que es un solo cuerpo."[21] Es una asamblea, y como una ciudad situada en una colina (Mateo 5:14), brilla el evangelio de Cristo en el mundo a través de la fiel proclamación de su Palabra y el uso correcto de los sacramentos.[22] Pero no se puede comparar con una institución, como el papado; permaneció, como dijo Melanchthon, "el rebaño de tales ovejas, como las conoce Cristo y, a su vez, lo conocen a él... nadie las arrebatará de su mano (Juan 10:14, 28)."[23]

---

[15] Martín Lutero, *On the Councils and the Church* (1539), WA 50:625.33, 643.37; *LW* 41:145–67.

[16] Martín Lutero, *Lectures on Psalm 90* (1534), WA, vol. 40, bk. 3, 506.7–31; *LW* 13:90.

[17] Martín Lutero, "Sermón del Jueves Santo" (1538), WA 46: 285.7-10.

[18] Martín Lutero, *Against Hans Wurst*, WA 51:477.28–486.22; *LW* 41:194–98.

[19] *Melanchthons Werke en Auswahl*, vol. 2, bk. 1 (Gerd Mohn), 492-97, *Loci Communes*, 137-38.

[20] Martin Chemnitz, *Examination of the Council of Trent, Part 1*, trad. Fred Kramer (St. Louis, MO: Concordia, 1971), 31.

[21] Martin Chemnitz, *Loci Theologici, Parts 2–3*, trad. J. A. O. Preus, vol. 8 of *Chemnitz's Works* (St. Louis, MO: Concordia, 2008), 695.

[22] La acusación de que los luteranos del siglo XVI no tuvieron ningún sentido de la misión de la iglesia en otras naciones no es cierta. Cf. Robert Kolb, "Late Reformation Lutherans on Mission and Confession",*LQ* 20, no. 1 (2006): 26-43.

[23] Chemnitz, *Loci Theologici*, en *Chemnitz's Works*, 8:695–98.

La Política de la Iglesia y el Estado

La distinción de Lutero entre los dos reinos o dimensiones de la vida humana, vertical y horizontal, colocó la proclamación del evangelio de la iglesia en la primera dimensión, y la mayoría de sus estructuras y acciones mundanas en la segunda, donde la razón informa las decisiones en gran medida. Por lo tanto, sus puntos de vista de la política de la iglesia eran bastante abiertos. Usó el término "iglesia" para referirse a la "iglesia invisible", que todavía no había llegado a la terminología técnica de Wittenberg. Lutero describió la comunión de los santos en todo el mundo como "la iglesia oculta"[24], que se vuelve no solo visible sino, sobre todo, audible y perceptible a medida que las personas se reúnen alrededor de la Palabra de Dios en formas orales, escritas y sacramentales. Su uso de la "iglesia" también abarcaba las iglesias territoriales y nacionales de tipo institucional, como en Sajonia o Inglaterra, en su mundo usualmente asociado con la gestión por o en estrecha cooperación con las autoridades seculares (por ejemplo, en Francia, donde, desde la Sanción Pragmática de Bourges en 1438, el rey había asegurado significativamente más poder en la iglesia que el Papa, en paralelo a acuerdos similares en tierras ibéricas y algunos principados italianos). Más específicamente, sin embargo, "iglesia" designó a aquellos reunidos físicamente alrededor de las formas predicadas y sacramentales de la Palabra de Dios en las comunidades locales de los fieles.

Lutero creía que la forma episcopal medieval de gobierno de la iglesia podría servir al evangelio de Cristo de manera efectiva si promoviera la enseñanza bíblica; él aprobó que su colega Nikolaus von Amsdorf asumiera el oficio de un obispo en Naumburg-Zeitz.[25] También podría, al menos al principio de su carrera, promover el ejercicio de la responsabilidad de una congregación local para su propia vida.[26] Aunque estaba relativamente abierto a varias formas de gobierno, Lutero rechazó tajantemente las afirmaciones del papado de gobernar la iglesia por derecho divino. Scott Hendrix ha rastreado la crítica de Lutero de estas afirmaciones de la "ambivalencia" hacia el Papa y su oficio en los primeros años de Lutero —una actitud compartida por muchos en el momento— de "protestar" después de las primeras reacciones duras a sus *Noventa y Cinco Tesis* a finales de 1517 y 1518. A medida que las amenazas de ejecución por herejía se volvieron cada vez más frecuentes y finalmente oficiales, el profesor de Wittenberg pasó de la "resistencia" en 1518 a las "desafiantes" reclamaciones papales el año siguiente a la abierta oposición en 1520.

Para 1521, la convicción de Lutero de que el papado como institución cumplía las profecías del Nuevo Testamento con respecto a la venida del Anticristo al final de los tiempos comenzó a dominar sus críticas al papado y sus partidarios, respondiendo a las amenazas, el ridículo y la denuncia de una forma similar.[27] Sin embargo, si las formas específicas de política no interferían con la predicación del evangelio, Lutero creía que muchas formas podrían ser apropiadas en diferentes situaciones para apoyar esta

---

[24] Sobre el desarrollo de la eclesiología de Lutero en los primeros años de su carrera, véase Scott H. Hendrix, *Ecclesia in Via: Ecclesiological Developments in the Medieval Psalms Exegesis and the* Dictata super Psalterium (1513-1515) *of Martin Luther* (London: Brill, 1974), y Carl-Axel Aurelius, *Verborgene Kirche: Luthers Kirchenverständnis in Streitschriften und Exegese*, 1519–1521 (Hannover: Lutherisches Verlags-Haus, 1983).

[25] Peter Brunner, *Nikolaus von Amsdorf als Bischof von Naumburg: Eine Untersuchung zur Gestalt des evangelischen Bischofamtes in der Reformationszeit* (Gütersloh: Mohn, 1961).

[26] Martín Lutero, *That a Christian Assembly or Congregation Has the Right and Power to Judge All Teaching and to Call, Appoint, and Dismiss Teachers…* (1523), WA 11:408–16; LW 39:305–14.

[27] Scott H. Hendrix, *Luther and the Papacy: Stages in a Reformation Conflict* (Philadelphia: Fortress, 1981).

proclamación, que era lo que, en su opinión, forma y sostiene a la iglesia. Los luteranos en los reinos nórdicos, Dinamarca-Noruega-Islandia y Suecia-Finlandia, tuvieron un amplio control real durante gran parte del período moderno temprano. En los reinos polaco y húngaro, la Contrarreforma reprimió a las iglesias luteranas a través de diversos medios; allí las iglesias luteranas se preservaron en pequeños grupos, a menudo dirigidas por laicos, usando la Biblia, el catecismo y el himnario.

En tierras alemanas, la Reforma de Lutero fue posible en parte gracias a gobernantes de apoyo que protegieron a los líderes de la causa. Lutero y Melanchthon consideraban al gobierno secular como el principal miembro de la iglesia y cooperaban estrechamente con muchos gobiernos alemanes y nórdicos[28], aunque Lutero fue generalmente más rápido que Melanchthon para criticar a los gobernantes y llamarlos al arrepentimiento.[29] Después de la derrota de los príncipes y ciudades evangélicas en la Guerra de Smalcald (1547), se abrió una brecha dentro del círculo de Wittenberg con respecto a la "Propuesta de Leipzig" de 1548, que Melanchthon ayudó a idear para salvar los púlpitos luteranos de los predicadores luteranos. Este documento ofrecía el compromiso de utilizar adiaphora para convencer al emperador Carlos V de que la Sajonia electoral se ajustaba a las costumbres y enseñanzas medievales a las que quería regresar. El acuerdo de la disputa evitó abordar la relación entre la iglesia y el gobierno secular, y los luteranos siguieron colaborando estrechamente con gobiernos amigos mientras que repetidamente se metían en problemas con sus señores seculares por criticar las políticas gubernamentales de varios tipos.[30]

LA IGLESIA REUNIDA

Aunque Lutero se rebeló contra la dominación del ritual en la comprensión medieval del camino de la salvación, no obstante, sostuvo que el culto público, tanto en su liturgia como en su predicación, desempeñaba un papel significativo en la forma de la vida cristiana.[31] En los servicios regulares, la congregación expresó la fe de su pueblo, ya que esa fe se alimentó con la Palabra de Dios en forma oral, escrita y sacramental. El bautismo y la Cena del Señor transmiten la promesa de Dios como parte del enfoque multimedia del Espíritu Santo, no a través de ningún poder que descansa en los elementos materiales o la acción ritual, sino debido a la promesa del Evangelio transmitida con los elementos. El sermón formó el centro de la adoración litúrgica. Lutero insistió, "Predicar y enseñar la Palabra de Dios es la parte más importante del servicio divino"[32], junto con la absolución pública de los pecados de los adoradores, "la verdadera voz del evangelio que anuncia la remisión de los pecados."[33] La Cena del Señor también debía llevar el evangelio del perdón y la vida a los creyentes cada semana, a medida que el cuerpo y la sangre de Cristo llegaban en forma única y

---

[28] Eike Wolgast, "Luther's Treatment of Political and Societal Life", en Kolb, Dingel y Batka, *Oxford Handbook of Luther's Theology*, 397-413; James M. Estes, Peace, *Order, and the Glory of God: Secular Authority and the Church in the Thought of Luther and Melanchthon, 1518–1559*, Studies in Medieval and Reformation Traditions 111 (Leiden: Brill, 2005).

[29] Robert Kolb, "Luther on Peasants and Princes", *LQ* 23, no. 2 (2009): 125-46.

[30] W. D. J. Cargill Thompson, *The Political Thought of Martin Luther* (Sussex: Harvester, 1984), 119–54.

[31] Vilmos Vajta, *Luther on Worship: An Interpretation* (Philadelphia: Muhlenberg, 1958); Carter Lindberg, "Piety, Prayer, and Worship in Luther's View of Daily Life", en Kolb, Dingel, y Batka, *Oxford Handbook of Luther's Theology*, 414–26.

[32] Martín Lutero, "The German Mass" (1526), WA 19:78.26–27; *LW* 53:68.

[33] Martín Lutero, "An Order of Mass and Communion" (1523), WA 12: 213.9-11; *LW* 53:28.

misteriosa a los destinatarios de los elementos.[34] La liturgia brindó a las personas la oportunidad de unirse a otros para responder a la Palabra de Dios con alegría en alabanza y acción de gracias. Idealmente, Lutero creía que pequeños grupos de creyentes deberían encontrarse para el consuelo mutuo, el estudio y la oración.[35]

Aunque a menudo se sugiere que las opiniones de Lutero sobre el oficio pastoral y su relación con los laicos cambiaron con el tiempo, nunca dejó de insistir en que Dios había ordenado que las congregaciones tuvieran pastores en una oficina formalmente encargada de la proclamación pública de la Palabra de Dios y la administración de los sacramentos.[36] Él nunca abandonó su creencia de que Dios ha comisionado a todos los cristianos bautizados como sus sacerdotes para compartir la Palabra de Dios con otros, tanto aquellos que todavía no creen como aquellos que lo hacen y necesitan escuchar, ya sea su amonestación o su consuelo.[37] En la Confesión de Augsburgo y en su "Tratado sobre el poder y la primacía del Papa". Melanchthon definió la oficio pastoral en términos del oficio de las llaves, el poder confiado por Cristo a su iglesia para perdonar o retener pecados: los obispos, como todos los demás pastores, tienen "un poder y un mandato de Dios para predicar el Evangelio, para perdonar o retener el pecado, y para administrar y distribuir los sacramentos."[38] En el "Tratado", agregó que tenían el poder de "excomulgar a los impíos sin el uso de la fuerza física."[39] Particularmente en contra de los anabaptistas y espiritualistas, quienes sostuvieron que el Espíritu Santo llama a las personas a la predicación pública y el ministerio aparte de las estructuras establecidas para una conducta ordenada de la vida de la iglesia, los teólogos de Wittenberg defendieron a los "correctamente llamados" ministros de la Palabra.[40]

Los maestros luteranos del siglo XVI legaron a sus sucesores una eclesiología centrada en el uso de la Palabra de Dios en las Escrituras que tomó forma en varias formas orales, escritas y sacramentales, todo bajo el liderazgo de aquellos llamados por Dios al ministerio público de la iglesia.

---

[34] Ibid., WA 12:206.15–209.10; *LW* 53:20–23.

[35] Lutero, "The German Mass" (1526), WA 19: 75.3–30; *LW* 53: 63–64.

[36] Robert Kolb, "Ministry in Martin Luther and the Lutheran Confessions", en *Called and Ordained: Lutheran Perspectives on the Office of the Ministry*, ed. Todd Nichol y Marc Kolden (Minneapolis: Fortress, 1990), 49–66.

[37] Martín Lutero, "Sermon on Matthew 9:1–8" (1526), WA, vol. 10, bk. 1, 412–14; *Sermons of Martin Luther,* ed. John Nicholas Lenker (1905; repr., Grand Rapids, MI: Baker, 1983), 5:209; cf. WA 19:13–15; *LW* 36:359; WA 45:540.14–23; *LW* 24:87–88; WA 47:297.36–298.14; WA 44:712.33–36, 713.5–8; *LW* 8:183; WA 44:95.41–46; *LW* 6:128.

[38] *BSELK* 186–91; Kolb y Wengert, *Book of Concord*, 92–93.

[39] *BSELK* 489–90, 822–825; Kolb y Wengert, *Book of Concord*, 340–41.

[40] Ver, e.g., *Luther's Against Infiltrating and Clandestine Preachers* (1532), WA, vol. 30, bk. 3, 518–27; *LW* 40:383–94; y el artículo 14 de Melanchthon's Augsburg Confession, *BSELK* 108–11; Kolb y Wengert, *Book of Concord*, 46–47. Cf. tambien Chemnitz sobre el tema, *Loci Theologici, Parts 2–3,* en *Chemnitz's Works*, 8:698, cf. 8:698–719; y*Ministry, Word, and Sacraments: An Enchiridion*, trad. Luther Poellot (St. Louis, MO: Concordia, 1981). Melanchthon inventó este género con su *Examen ordinandum* (1552), *Melanchthons Werke enAuswahl* (Gerd Mohn), 6: 168–259; ver 6: 212–21 en "The Church" Chemnitz no había abandonado el sacerdocio de todos los creyentes, pero en contra de aquellos que decían poder predicar públicamente sin un llamado ordenado de la iglesia, explicó 1 Ped. 2:9 de la siguiente manera: "Todos los cristianos son sacerdotes —no que todos deben llevar a cabo la función del ministerio público de manera promiscua, sin un llamado específico, sino que deben ofrecer sacrificios espirituales." ("Sacrificios espirituales" aludiendo a 1 Pedro 2:5 y descrito en Romanos 12:1; Hebreos 13:15–16). Deben hablar la Palabra de Dios en el hogar y entre amigos, consolándose unos a otros y confesando el Evangelio, pero no deben asumir los deberes públicos del oficio pastoral.

Enseñanzas Reformadas en la Iglesia

MARTIN BUCER SOBRE LA IGLESIA

La presentación de Lutero de su "teología de la cruz" a sus hermanos agustinianos en Heidelberg en 1518 ganó la mente de un joven oyente dominico, Martin Bucer. Bucer se convirtió en el líder de la iglesia en Estrasburgo, donde las circunstancias de la ciudad dieron forma a su comprensión de la iglesia, especialmente su forma y gobierno. En la Dieta de Augsburgo en 1530, Bucer y otros pastores de tres ciudades del sur de Alemania confesaron en la Confesión Tetrapolitana que la iglesia de Cristo, "frecuentemente llamada el reino de los cielos", es "la comunión de aquellos que se alistaron bajo Cristo y se comprometieron completamente con su fe", "con quien, sin embargo, hasta el fin del mundo se mezclan aquellos que fingen la fe en Cristo pero que realmente no la tienen". En el sentido estricto, sin embargo, solo aquellos en quienes "el Salvador realmente reina" se llaman propiamente iglesia. El Espíritu Santo la gobierna, y se revela a sí mismo en los frutos de la fe a pesar de que no se puede ver.[41]

La Confesión Tetrapolitana enfatiza la necesidad del ministerio dentro de la iglesia, de los ministros que proclaman que no hay error. Las ovejas de Cristo no siguen la voz de un extraño.[42] Los ministros no tienen poder aparte de los oidores edificantes con la Palabra de Dios. Sirven a la iglesia en respuesta a la llamada del Espíritu Santo, que proporciona la sabiduría y la voluntad de predicar la Palabra de Dios adecuadamente y de cuidar a la gente. El Espíritu actúa a través de los ministros de la iglesia para lograr su objetivo de salvar a su pueblo. Se les acusa de ejercer disciplina en lugar de Cristo para que las almas puedan renovarse.[43] Como ministro responsable del bienestar espiritual de toda la población de Estrasburgo, Bucer reconoció que aquellos que rechazan el Espíritu Santo permanecen en la comunión externa de los creyentes y que los creyentes también todavía luchan contra sus deseos pecaminosos. Estos temas impregnan la comprensión de Bucer de la iglesia como centrado en la Palabra de Dios, a través de la cual el Espíritu Santo le da vida, con Cristo como su Cabeza. El Espíritu reúne al pueblo de Cristo en torno a su Palabra y sacramento para que puedan recibir el perdón de los pecados. Por lo tanto, la iglesia sirve como el instrumento del Espíritu para crear y mantener al pueblo de Dios. Palabra, sacramento y disciplina marcan a la iglesia.[44]

Los esfuerzos de Bucer a favor de restaurar la unidad de la iglesia occidental demuestran tanto su compromiso con esa unidad como su insistencia en que la unidad solo era posible con una reforma masiva de la doctrina y la práctica medievales.[45] Para él, la unidad de la iglesia descansaba en una definición de la iglesia basada en la Palabra. La reformulación de Lutero de la doctrina de la iglesia ayudó a formar el compromiso de Bucer de restaurar la unidad de la iglesia en su proclamación y vida.

---

[41] "Confession Tetrapolitana", en James T. Dennison Jr., ed., *Reformed Confessions of the 16th and 17th Centuries in English Translation*, vol. 1, 1523-1552 (Grand Rapids, MI: Libros de Heritage de Reforma, 2008), 154-58.

[42] Ibid., 1:156–58.

[43] Ibid., 1:154–56.

[44] W. P. Stephens, *The Holy Spirit in the Theology of Martin Bucer* (Cambridge: Cambridge University Press, 1970), 156–66.

[45] Volkmar Ortmann, *Reformation und Einheit der Kirche: Martin Bucers Einigungsbemühungen bei den Religionsgesprächen in Leipzig, Hagenau, Worms und Regensburg*, 1539–1541 (Mainz: Zabern, 2001).

HULDRYCH ZUINGLIO Y HENRY BULLINGER SOBRE LA IGLESIA

Huldrych Zuinglio formuló su doctrina de la iglesia en un entorno municipal también, en Zúrich. Había trabajado para la reforma antes de que aclamara a Lutero como el tercer Elías en 1520, y su doctrina de la iglesia refleja tanto las preocupaciones comunes de los dos reformadores como su propia comprensión de su naturaleza. Zuinglio estableció los orígenes de la iglesia sobre la base del pacto de Dios con los elegidos.[46] Las asambleas locales tomadas en conjunto constituyen la iglesia universal.[47] Su teología madura encuentra expresión en su *Exposición de la fe*, compuesta en 1530 pero publicada póstumamente en 1536, que es un llamamiento al rey Francisco I de Francia para la reforma de la iglesia, y en su *Recuento de la fe* presentado al emperador Carlos V en 1530 en la Dieta de Augsburgo.

La *Exposición* comenzó su tratamiento de la iglesia al enfocarse en la iglesia invisible, "que conoce y abraza a Dios mediante la iluminación del Espíritu Santo", y es universal; sus miembros no son invisibles, pero la percepción humana no puede identificarlos confiablemente como creyentes. La iglesia visible, insistió Zuinglio, no es la iglesia sujeta al Pontífice y otros obispos, sino que son aquellos que abiertamente profesan la fe, aunque entre ellos, pueden ser algunos que no tienen fe interna.[48] El *Recuento* repitió los temas de la *Exposición*, definiendo a la iglesia más claramente como la reunión de los elegidos, quienes tienen el Espíritu Santo como prenda de salvación, a quienes Dios da fe y así crea la iglesia.[49] Cristo solo es la Cabeza de la iglesia; Él le confiere su pureza y santidad. Son los que se adhieren a la Palabra de Dios y viven para Cristo. Sin embargo, dentro de la asamblea de los fieles, los hipócritas y las personas infieles permanecen; esto se convirtió en un punto de discordia entre Zuinglio y los anabaptistas locales.

Aunque, al igual que otros reformadores, rechazó los puntos de vista medievales de la ordenación como un sacramento, Zuinglio insistió en los pastores llamados y entrenados como una parte necesaria de la iglesia; su principal tarea la consideraba como la predicación de la Palabra de Dios.[50] El objetivo de Zuinglio de purificar la iglesia de usos supersticiosos requirió la simplificación de la adoración del domingo por la mañana a los elementos básicos de la audiencia de la Palabra de Dios, la oración y la alabanza.[51]

Zuinglio limitó la disciplina de los pecadores a quienes cometieron ofensas públicas, prescribió una serie de advertencias de acuerdo con Mateo 18:15-17, y luego colocó la ejecución de la excomunión en manos del gobierno secular. El sistema de gobierno eclesiástico de Zúrich le otorga la designación de "el lugar de nacimiento del Erastianismo", que lleva el nombre del profesor de Heidelberg Thomas Erastio, un discípulo de Zuinglio, quien en 1558 avanzó el argumento de que los gobiernos seculares tienen el derecho y el deber de ejercer su jurisdicción en asuntos eclesiásticos, incluida la disciplina de la iglesia. En 1530, Zuinglio postuló la posición "erastiana" en su *Exposición*: la presencia de lo insolente y hostil dentro de la

---

[46] J. Wayne Baker, *Heinrich Bullinger and the Covenant: The Other Reformed Tradition* (Athens: Ohio University Press, 1980), 1–19.

[47] W. P. Stephens, *The Theology of Huldrych Zwingli* (Oxford: Clarendon, 1986), 260–70.

[48] Huldrych Zuinglio, *An Exposition of the Faith*, in *Zwingli and Bullinger: Selected Translations with Introductions and Notes*, ed. G. W. Bromiley, LCC 24 (Philadelphia: Westminster, 1953), *265–66*.

[49] *BSRK*, 84–86.

[50] Stephens, *Theology of Zwingli*, 274–81.

[51] Charles Garside, *Zwingli and the Arts* (New Haven, CT: Yale University Press, 1966).

confraternidad externa crea "la necesidad del gobierno para el castigo de los pecadores flagrantes, ya sea el gobierno de los príncipes o de la nobleza...Hay pastores en la iglesia, y entre ellos podemos contar príncipes...Sin gobierno civil, una iglesia es mutilada e impotente."[52] Roberto Walton atribuye la asignación de Zuinglio de poder significativo para los gobernantes seculares en la iglesia a su "deseo de asegurar al Evangelio el lugar que le corresponde en la vida de la comunidad", así como a su desesperación "de la capacidad de reforma de la iglesia."[53]

El sucesor de Zuinglio como líder de la iglesia de Zúrich, Henry Bullinger, trató el tema de "la santa iglesia católica" en sus sermones catequéticos, publicados entre 1549 y 1552. El sermón sobre la iglesia lo definió como "toda la compañía y multitud de fieles...en parte en el cielo y en parte...sobre la tierra...en unidad de fe o verdadera doctrina y en la participación legítima de los sacramentos."[54] El regalo de Dios de una relación de pacto con su pueblo elegido y predestinado establece la iglesia; el pacto se le da al pueblo de Dios como un todo.[55] Su universalidad o catolicidad se extiende sobre la iglesia triunfante en el cielo y la iglesia militante en la tierra, que permanece encerrada en la batalla contra los deseos pecaminosos, el mundo y Satanás. Esta iglesia militante contiene a los "fieles y elegidos de Dios, miembros activos, unidos a Cristo...en espíritu y fe" como la novia elegida de Cristo; estos son conocidos solo por Dios. En un sentido más amplio, la iglesia militante también incluye personas malvadas e hipócritas.[56]

Bullinger enfatizó el papel esencial de la Palabra de Dios, que crea y preserva la iglesia. Sus ministros deben ser fieles a la Palabra; no poseen autoridad aparte de eso. La iglesia invisible no se equivoca, pero la iglesia visible puede caer en enseñanzas falsas a veces.[57] Estas posiciones fueron afirmadas en su Segunda Confesión Helvética (1562, 1566). Allí Bullinger distinguió a la iglesia universal de las iglesias particulares de tiempos y lugares específicos. Esta confesión reunió designaciones bíblicas para la iglesia: el hogar del Dios viviente, la virgen y la novia de Cristo, su rebaño de ovejas y el cuerpo de Cristo, del cual él es la Cabeza. Bullinger compartió la convicción de todos los reformadores de que fuera de la iglesia no hay salvación, mientras que dentro de la iglesia visible hay muchos hipócritas que no están entre los salvados. Los ritos externos no determinan la legitimidad de la iglesia.[58]

Bullinger consideraba que el magistrado civil ejercía un "papel fundamental como poder supremo de gobierno en el orden de la religión en el reino". Sus puntos de vista no solo continuaron el modelo desarrollado bajo Zuinglio en Zúrich, sino que también influyeron en el desarrollo del ejercicio del poder real dentro de la iglesia anglicana.[59]

Aunque Zuinglio y Bullinger sí aconsejaron a las autoridades municipales que ejercieran disciplina en la iglesia, incluida la excomunión, Bullinger no incluyó la disciplina entre las marcas externas de la iglesia. Él postuló solo dos en sus *Decades*:

---

[52] Zuinglio, *Exposition of the Faith, in Zwingli and Bullinger*, 266; cf. Stephens, *Theology of Zwingli*, 270–74.

[53] Robert C. Walton, *Zwingli's Theocracy* (Toronto: University of Toronto Press, 1967), 291, and passim.

[54] Bullinger, ""Of the Holy Catholic Church", en *Zwingli y Bullinger*, 289.

[55] Baker, *Bullinger and the Covenant*, 27–106.

[56] Bullinger, "Holy Catholic Church", en *Zwingli and Bullinger*, 288–99. Ver Peter Opitz, *Heinrich Bullinger als Theologe: Eine Studie zu den "Dekaden"* (Zurich: TVZ, 2004), 417–61.

[57] Bullinger, "Holy Catholic Church" en *Zwingli and Bullinger*, 314–25.

[58] *BSRK*, 195–99.

[59] W. J. Torrance Kirby, *The Zurich Connection y Tudor Political Theology*, Studies in the History of Christian Traditions 131 (Leiden: Brill, 2007), 25-57, 203-33. Kirby muestra la influencia continua del círculo de Zurich en las obras de Pedro Martyr Vermigli también. Ibid., 59-202.

"predicación sincera de la Palabra de Dios y la participación legítima de los sacramentos de Cristo". Observó que algunos agregarían "el estudio de la piedad y la unidad, la paciencia en la aflicción y el invocar el nombre de Dios por Cristo."[60] Sin embargo, quienes confían en Cristo, pero se ven privados de la participación en la predicación y los sacramentos permanecen en compañía de la iglesia. Bullinger también enseñó que los creyentes poseen marcas internos, "la comunión del Espíritu de Dios, una fe sincera y doble caridad", que los vinculan con Cristo su Cabeza y todos los miembros de su cuerpo.[61] La Segunda Confesión Helvética de Bullinger trató el ministerio pastoral en detalle, fundamentándolo en la institución de Cristo y enfocando su obra en transmitir la Palabra de Dios y ejercer el oficio de las llaves, mientras rechazaba la enseñanza papal en el oficio de sacerdote y monje.[62]

JUAN CALVINO SOBRE LA IGLESIA

La Reforma paralela que se desarrolló en Ginebra dio forma a su propia comprensión de la iglesia, sin duda con influencia tanto de Zúrich como de Wittenberg. La enseñanza de Juan Calvino sobre la iglesia surgió de su estudio de la Escritura y su comprensión del pacto que Dios hace con las criaturas humanas.[63] Tomando distintas formas en el Antiguo y el Nuevo Testamento, este pacto se basó en Cristo y se ejecutó mediante la elección de Dios de su pueblo elegido. El pacto estableció al pueblo de Dios, su iglesia, desde el principio, pero la renovación de la promesa de Dios tanto a Abraham como al éxodo constituyó desarrollos especiales en su trato con su pueblo.[64]

Definiendo las Marcas de la Iglesia

Cuando Guillaume Farel estaba presentando la Reforma, su manifiesto doctrinal, probablemente preparado con la ayuda de Calvino, confesó que

> mientras que solo hay una iglesia de Jesucristo…la necesidad exige que las empresas de los fieles se distribuyan en diferentes lugares…La marca apropiada por la cual discernir correctamente la iglesia de Jesucristo es que su santo evangelio sea predicado, proclamado, escuchado y mantenido pura y fielmente, que sus sacramentos sean administrados adecuadamente, incluso si hay algunas imperfecciones y fallas, como siempre habrá entre los seres humanos.[65]

Nueve años más tarde, Calvino escribió en su Catecismo de la iglesia de Ginebra que es necesario creer en esta enseñanza para evitar que la muerte de Cristo sea ineficaz. La santidad de la iglesia consiste en la justificación que Dios da sobre la base del sacrificio redentor de Cristo. Su santidad aún no es perfecta, porque "nunca está completamente purgada de los vestigios del vicio". Los signos visibles marcan a la

---

[60] Bullinger, "Holy Catholic Church" en *Zwingli and Bullinger*, 299–304.

[61] Ibid., 304–7.

[62] *BSRK*, 200–205.

[63] Véase Georg Plasger, "Kirche," y Robert M. Kingdon, "Kirche und Obrigkeit," en *Calvin Handbuch*, ed. Herman J. Selderhuis (Tübingen: Mohr Siebeck, 2008), 317-25, 349-55.

[64] Benjamin Charles Milner Jr., *Calvin's Doctrine of the Church*, Studies in the History of Christian Thought 5 (Leiden: Brill, 1970), 71-98. Vea el resumen de los debates sobre el concepto de pacto de Calvino en Baker, *Bullinger and the Covenant*, 193-215.

[65] *BSRK*, 115; *Calvin: Theological Treatises*, trans. J. K. S. Reid, LCC 22 (Philadelphia: Westminster, 1961), 31. Cf. Milner, *Calvin's Doctrine*, 99–133.

iglesia, pero la iglesia invisible en realidad consiste en "la compañía de aquellos a quienes, por elección secreta, ha adoptado para la salvación."[66]

Calvino relacionó estrechamente a la iglesia del Nuevo Testamento con el Israel del Antiguo Testamento, continuando la relación de pacto de aquellos a quienes Dios elige como suyos.[67] Él ató a la iglesia estrechamente a la Palabra de Dios y al ministerio de los medios de la gracia. "Iglesia" se refiere tanto a la iglesia visible como a la invisible, siendo estos últimos los elegidos de Dios. Calvino acentuó la naturaleza invisible de la asamblea de los santos de Dios colocándola en el contexto de su lucha contra el diablo. Dentro de este contexto, Satanás ataca no solo con enseñanzas falsas y prácticas idólatras engañosas, sino también con la persecución física, que los seguidores de Cristo habían experimentado y estaban experimentando en Francia, los Países Bajos, las Islas Británicas, Italia y Europa central.[68] Así, los martirologios, un género mucho menos importante para los luteranos (que de hecho enfrentaron persecución en algunas áreas pero que tenían un refugio relativamente seguro en muchas partes de las tierras alemanas y los reinos nórdicos), jugó un papel importante en la formación de la conciencia y la fidelidad a sus iglesias de creyentes reformados.[69] Sin embargo, Calvino no incluyó esta persecución en sus marcas de la iglesia; La Palabra y los sacramentos identificaban a la iglesia, y él advirtió contra el engaño de aquellos que decían ser la iglesia aparte de estas dos marcas.[70] Donde estén presentes en la iglesia visible, los creyentes deben permanecer, incluso si reconocen a personas malvadas dentro de la confraternidad externa, porque la iglesia no se vuelve totalmente pura en un mundo pecaminoso. En cambio, existe para llevar el mensaje de perdón a los pecadores en ese mundo.[71]

Aunque no es una marca de la iglesia en la visión de Calvino, la disciplina o el ejercicio del poder de las llaves, desempeñó un papel necesario en la vida de la iglesia, ya que proporcionó un vínculo que mantiene a la congregación unida y preserva a las personas en la fe. Comienza con amonestar en privado a otros creyentes que practican el pecado. Cuando se rechazan tales amonestaciones, se debe llamar a los testigos, y si eso falla, la asamblea de los ancianos debe intentar llevar al pecador al arrepentimiento. Si eso también falla, el mandato de Cristo de expulsar a los

---

[66] BSRK, 125–26; *Calvin: Theological Treatises*, 102–3. Cf. David Foxgrover, ed., *Calvin and the Church: Papers Presented at the 13th Colloquium of the Calvin Studies Society, May 24–26, 2001* (Grand Rapids, MI: CRC, 2002); Richard C. Gamble, ed., *Calvin's Ecclesiology: Sacraments and Deacons*, vol. 10 *of Articles on Calvin and Calvinism* (New York: Garland, 1992). Cf. also Jan Rohls, *Theologie reformierter Bekenntnisschriften: Von Zürich bis Barmen* (Göttingen: Vandenhoeck & Ruprecht, 1987), 198–210.

[67] Hermann J. Selderhuis, "Church on Stage: Calvin's Dynamic Ecclesiology," in Foxgrover, *Calvin and the Church*, 46–64.

[68] Calvino, *Institución*, 4.1.1–4.

[69] Sobre todo, *Actiones et Monumenta Martyrum* de Jean Crespin... (Geneva: Crespin, 1560); John Foxe, *Commentarii rerum ecclesia gestarum...* (Strasbourg: Rihel, 1554); Foxe, *Rerum in ecclesia gestarum...* (Basel: Brylinger and Oporinus, 1559); Foxe, *Acts and Monuments of these Latter and perilous days...* (London: John Daye, 1563); y Adrian van Haemstede, *De Geschiedenesse ende de doot der vromer Martelanen...* (Emden?, 1559). Cf. Jean François Gilmont, *Jean Crespin, un éditeur réformé du XVIe siècle* (Geneva: Droz, 1981), J. F. Mozley, *John Foxe and His Book* (London: SPCK, 1940); William Haller, *The Elect Nation: The Meaning and Relevance of Foxe's Book of Martyrs* (New York: Harper & Row, 1963); Fredrik Pijper, Martelaarsboek ('s Gravenhage: Nijhoff, 1924). Para los anabaptistas, el martirologio fue una forma muy significativa de expresión piadosa; ver Brad S. Gregory, "Anabaptist Martyrdom: Imperatives, Experience, and Memorialization", en *A Companion to Anabaptism and Spiritualism, 1521–1700*, ed. John D. Roth y James M. Stayer, Brill's Companion to the Christian Tradition 6 (Leiden: Brill, 2007), 467–506. Para una visión completa, vea Brad Gregory, *Salvation at Stake: Christian Martyrdom in Early Modern Europe* (Cambridge, MA: Harvard University Press, 1999).

[70] Calvino, *Institución*, 4.1.7–13.

[71] Ibid., 4.1.14–25.

despreciadores de la iglesia de la congregación debe obedecerse, según Mateo 18:15-17.[72] Tres preocupaciones rigen la práctica de esta disciplina: primero, el honor de Dios y su iglesia y la integridad de la Cena del Señor, que puede ser profanada administrándola indiscriminadamente; segundo, prevenir que las buenas personas en la iglesia se corrompan; y tercero, el arrepentimiento de incluso los pecadores obstinados.[73]

El contexto de Calvino exigió que los críticos católicos romanos lo acusasen de establecer una iglesia falsa. Jacopo Sadoleto, cardenal y obispo de Carpentras en el sur de Francia, dirigió una invitación al concilio de la ciudad de Ginebra para que volviera a la obediencia romana cuando la Reforma se estaba introduciendo allí (1539); la respuesta de Calvino expuso su crítica a la iglesia papal,[74] un tema que surge a menudo en sus escritos, incluidos la *Institución*. En detalle, explicó por qué la obediencia romana se había apartado de la verdadera doctrina y la adoración apropiada, usando estas dos marcas de la iglesia como criterios fundamentales para lo que constituye la verdadera iglesia. Roma había reemplazado el ministerio fiel de la Palabra de Dios con un compuesto de mentiras,

> que en parte extingue la luz pura, en parte la ahoga. El sacrilegio más sucio se ha introducido en lugar de la Cena del Señor. La adoración a Dios ha sido deformada por una misa diversa e insoportable de supersticiones. La doctrina, aparte de lo que el cristianismo no puede soportar, ha sido completamente enterrada y expulsada.

Esto resultó en "idolatría, impiedad, ignorancia de Dios y otros tipos de males."[75] Calvino específicamente criticó las prácticas asociadas con el celibato clerical y los votos monásticos.[76]

La Política de la Iglesia y el Estado

La enseñanza bíblica sobre el orden que Dios había entretejido en toda su creación formó un marco vital para la comprensión de Calvino de la iglesia y su ministerio.[77] Hizo hincapié en la importancia del ministerio público para la vida de la iglesia. La dispensación de los ministros de los medios de la gracia, disciplinados por la Palabra de Dios en las Escrituras, estuvo en el centro de todo lo que la iglesia es y hace.[78] La autoridad conciliar descansaba solo en las Escrituras; cuando los concilios enseñaban contrario a la Escritura, sus decretos debían ser ignorados.[79] Cristo es, de hecho, Cabeza de la iglesia, pero él designa a sus embajadores para que sirvan de enlace para la congregación. Como el principal tendón del cuerpo de Cristo y los principales siervos de su reino,[80] los ministros mantienen unida a la iglesia distribuyendo los dones de Dios a la iglesia y así preservando su unidad en la Palabra de Dios.[81]

---

[72] Ibid., 4.1.4–6.

[73] Ibid., 4.12.5; 4.12.10–11.

[74] *CR* 33:385–416; *Calvin: Theological Treatises*, 221–56.

[75] Calvino, *Institución*, 4.2.2; cf. 4.2.1–11.16. Calvino amplió su crítica a la iglesia romana y, sobre todo, al papado en *Institución*, 4.5.1–11.16.

[76] Ibid., 4.12.22–13.21.

[77] Milner, *Calvin's Doctrine*, 7–70, 134–63; Alexandre Ganoczy, *Ecclesia Ministrans: Dienende Kirche und Kirchlicher Dienst bei Calvin* (Freiburg: Herder, 1968).

[78] Calvino, *Institución*, 4.1.4–6.

[79] Ibid., 4.9.1–14.

[80] Milner, *Calvin's Doctrine*, 168–75, 179–89.

[81] Calvino, *Institución*, 4.3.1–3.

La iglesia de Ginebra creó una forma específica de gobierno eclesiástico que caracterizó a muchas (aunque no a todas) las iglesias reformadas, una forma que fluyó de su actividad misionera. Dios llamó a los pastores a "proclamar la Palabra de Dios, instruir, amonestar, exhortar y censurar, tanto en público como en privado, para administrar los sacramentos y ordenar correcciones fraternas junto con los ancianos y los colegas". El segundo orden de gobierno fueron los maestros, quienes debían instruir a los fieles "en verdadera doctrina, a fin de que la pureza del evangelio no fuera corrompida ni por ignorancia ni por malas opiniones". Este oficio abrazó a profesores de teología (particularmente estudios bíblicos) y a aquellos que "enseñan a los niños pequeños". "Supervisión de la vida de todos", la admonición y la corrección fraterna eran los deberes de los ancianos, la tercera orden del gobierno de la iglesia. Los diáconos, el cuarto orden, estaban "para recibir, distribuir y guardar bienes para los pobres, no solo limosnas diarias, sino también posesiones, rentas y pensiones," y "cuidar y cuidar a los enfermos y administrar subsidios a los pobres."[82]

La forma ginebrina de gobernar la iglesia encontró un desafío en 1562 cuando Jean Morély, sire de Villiers, un laico francés, comenzó a argumentar que la autoridad para ejercer la verdadera disciplina descansa en todo el cuerpo de creyentes en vez de los ancianos y el consistorio. El debate se prolongó durante una década dentro del Calvinismo francés,[83] y aunque la mayoría de las iglesias calvinistas adoptaron el modelo ginebrino con modificaciones adecuadas a sus situaciones específicas, algunos discípulos de la teología ginebrina vivieron dentro de otros sistemas, como la jerarquía episcopal de la iglesia de Inglaterra. En tierras más allá de Alemania, las iglesias calvinistas desarrollaron estructuras más grandes, organizándose en presbiterios y sínodos.[84]

En contraste con Zúrich, que colocó el poder para ejecutar la disciplina y administrar los asuntos de la iglesia en manos del gobierno municipal, Ginebra, bajo la guía de Calvino, reservó el poder para la enseñanza y la disciplina para el consistorio de la iglesia, aunque trató de mantener una relación consensuada entre la iglesia y el gobierno secular,[85] que, Calvino creía, Dios había ordenado. Dios había establecido dos reinos o gobiernos, uno para la administración de los asuntos de este mundo, el otro para proclamar la Palabra de Dios y servir a las necesidades espirituales de su pueblo elegido.[86] Si bien criticó duramente el ejercicio tiránico del poder político, insistió en que los súbditos obedecen a una autoridad legítimamente establecida, incluso cuando los gobernantes abusan de su poder,[87] compartiendo la preocupación por el orden público común a su tiempo.

A medida que las iglesias reformadas se establecieron más allá de Zúrich y Ginebra, revelaron diferentes combinaciones de los énfasis de Bullinger y Calvino,

---

[82] Como se especifica en el borrador del *Ecclesiastical Ordinances of Geneva, 1541*, en *Calvin: Theological Treatises*, 58–66. Cf. Calvino, *Institución*, 4.3.4–15.

[83] Robert M. Kingdon, *Geneva and the Consolidation of the French Protestant Movement*, 1564–1572 (Madison: University of Wisconsin Press, 1967), 37–137.

[84] Calvino concedió la libertad de predicar la teología ginebrina en otras formas. Cf. Kingdon, "Kirche und Obrigkeit," 350.

[85] Ver *Registers of the Consistory of Geneva in the Time of Calvin*, ed. Robert M. Kingdon, Thomas A. Lambert, Isabella M. Watt, y Jeffrey R. Watt, trad. M. Wallace McDonald (Grand Rapids, MI: Eerdmans, 2000–).

[86] David VanDrunen, *Natural Law and the Two Kingdoms: A Study in the Development of Reformed Social Thought* (Grand Rapids, MI: Eerdmans, 2010), esp. 67–99.

[87] Calvino, *Institución*, 4.20.1–32; cf. William G. Naphy, "Calvin and State in Calvin's Geneva," en Foxgrover, *Calvin and the Church*, 13–28.

pero la influencia de las doctrinas de la iglesia sostenida por cada uno formó la confesión con respecto a este artículo de fe, con varios énfasis tomados de las tradiciones suizas. La Palabra de Dios produjo la única iglesia universal; Cristo y el Espíritu Santo lo gobiernan y lo preservan, incluso cuando parece que solo un remanente persiste en la fidelidad, para los miembros infieles de la iglesia y sus oponentes directos luchan contra su verdad. Dios designa a los servidores de su Palabra, aunque las confesiones difieren sobre si se debe prescribir el orden completo de los cuatro oficios.[88]

Las iglesias reformadas prestaron especial atención a las formas de gobierno, pero todas anclaron sus eclesiologías en la proclamación adecuada de la Palabra de Dios y el uso correcto de los sacramentos. Por lo tanto, el ministerio público de la iglesia y su vida de adoración ganó una atención cuidadosa en su enseñanza pública como elementos necesarios de la vida común del pueblo de Dios.

Enseñanzas Anglicanas sobre la Iglesia

Cuando el rey Enrique VIII declaró la independencia de la iglesia inglesa de Roma en 1532, su acción se asemejó a movimientos que protegían a las iglesias nacionales del poder papal en varios momentos de la Edad Media en Inglaterra, Francia y otras tierras. En el contexto de la Reforma protestante en el continente, sin embargo, su movimiento tomó finalmente una forma más radical y permanente, a pesar de que esa dirección futura no fue inmediatamente evidente e incluso fue contraria a las intenciones del rey. Enrique buscó un cambio tan pequeño en las enseñanzas y la vida de la iglesia como fuera posible, satisfecho como estaba, en general, con la piedad y la doctrina con la que había sido educado.[89] Los nombramientos reales de los obispos a raíz de la declaración de independencia de Enrique VIII aseguraron que la corona desempeñó un papel importante en la vida eclesiástica inglesa, aunque los así llamados puritanos aseguraron que las actividades piadosas se desarrollaran al borde del control episcopal o más allá en las últimas décadas del siglo dieciséis.[90] Con la ascensión de Eduardo VI en 1547, la definición pública de la fe y la enseñanza cristiana cambió drásticamente, aunque la forma episcopal de gobierno de la iglesia y el control real de la iglesia, así como muchos elementos en la liturgia y el ritual de la iglesia, no lo hicieron. Los cuarenta y dos artículos de 1552-1553 definieron a la iglesia como "una congregación de hombres fieles en la que se predica la Palabra de Dios pura y los sacramentos se administran debidamente según la ordenanza de Cristo."[91] El Libro de Oración Común, que rápidamente se convirtió en el documento definitorio de la iglesia de Inglaterra, reformó la liturgia, pero dejó su estructura en su lugar.[92] Después del acceso de Isabel al trono, su rediseño de la vida de la iglesia legó a la iglesia inglesa oficial un moderado, tono inclusivo, establecido por los obispos, centrado en el Libro

---

[88] *BSRK* 229 (*Confessio gallicana*, 1559), 243 (*Confessio belgica*), 256–58 (*Confessio Scotiae*, 1561), 426–44 (*Confessio ungarica*, 1562), 936–37 (*Corte Belydinghe des* Gheloofs, 1566).

[89] G. W. Bernard, *The King's Reformation: Henry VIII and the Remaking of the English Church* (New Haven, CT: Yale University Press, 2005).

[90] Leo F. Solt, *Church and State in Early Modern England*, 1509–1640 (New York: Oxford University Press, 1990).

[91] Gerald L. Bray, ed., *Documents of the English Reformation* (Cambridge: Clarke, 1994), 296.

[92] Brian Cummings, ed., *The Book of Common Prayer*, *The Texts of 1549, 1559, and 1562* (Oxford: Oxford University Press, 2011); Charles Hefling y Cynthia Shattuck, eds., *The Oxford Guide to the Book of Common Prayer: A Worldwide Survey* (Oxford: Oxford University Press, 2006); Francis Procter y Walter Howard Frere, *A New History of the Book of Common Prayer* (London: Macmillan, 1949).

de Oración Común, y dirigido a la proclamación del evangelio de Jesucristo y una vida cristiana ordenada para el bien de toda la nación.

Quizás en ninguna parte las tensiones entre el mantenimiento de la integridad doctrinal de la iglesia y el mantenimiento de sus estrechas conexiones con la sociedad y especialmente con su establecimiento político juegan un papel más importante en la configuración de la reforma que en Inglaterra. Los defensores de la unidad y el establecimiento de la iglesia de Inglaterra se enfrentaron con los "puritanos", como los apodaron sus oponentes.[93] Los puritanos representaban a un amplio espectro de aquellos que impulsaban más reformas más allá del *Acuerdo Isabelino*, en general fomentando una práctica más estricta de la fe, un sistema doctrinal más estrictamente calvinista y la abolición de varios elementos de la práctica medieval, incluida la gobernanza episcopal y una multitud de usos litúrgicos.[94]

En la Controversia de la Admonición iniciada en 1572, John Whitgift, entonces maestro del Colegio Trinitario de Cambridge, defendió el acuerdo moderado que había restablecido la iglesia de Inglaterra bajo el mandato de Isabel contra de la petición puritana a un retorno a la estricta adhesión a las leyes del Antiguo Testamento, mientras se descartan todos los vestigios de la práctica medieval que parecían supersticiosos. Thomas Cartwright dirigió la crítica puritana, asistido especialmente por Walter Travers; ambos eran amigos de Teodoro Beza. Propusieron que el control de la vida de la iglesia se pusiera en manos de ministros ordenados que formaban un presbiterio regional. A través de la excomunión de los malhechores, se desarrollaría una iglesia pura. Los fieles discípulos de Calvino, Cartwright y Travers permanecieron dentro de la iglesia establecida, aunque otros puritanos formaron grupos independientes. Entre las críticas más incesantes del establecimiento se encontraban los "Tratados de Marprelate" (1588-1589), sátiras anónimas sobre la extravagancia y las debilidades del clero anglicano, que exigían una reforma estricta de la doctrina y la vida en una iglesia purificada.[95] Aunque la mayoría de los puritanos permanecieron dentro de la Iglesia de Inglaterra y agitados por una mayor purificación y reforma de la vida, el puritanismo contenía dentro de sí las semillas del separatismo y las iglesias independientes.[96]

Los puritanos se opusieron en diferentes grados al Libro de Oración Común. Todos encontraron en él ciertos agregados medievales a la adoración pura de Dios, pero muchos aceptaron su forma general y, al menos en principio, sus oraciones prescritas. Otros abogaron por la oración libre y el derecho de los ministros individuales a dar forma de adoración a sus congregaciones, rechazando cualquier cosa que pueda alimentar la dependencia supersticiosa de la práctica ritual de la práctica medieval. La organización de pequeños grupos para la oración y el estudio de la Biblia, una forma de iglesia en la casa, también despertó una feroz oposición del establecimiento.[97]

Los puritanos se aferraron intensamente a la creencia general anglicana de que

---

[93] Patrick Collinson, *Richard Bancroft and Elizabethan Anti-Puritanism*, Cambridge Studies in Early Modern British History (Cambridge: Cambridge University Press, 2013), 1–5.

[94] Ver, e.g., Patrick Collinson, *The Elizabethan Puritan Movement* (New York: Methuen, 1982); Collinson, *The Religion of Protestants: The Church in English Society*, 1559–1625 (Oxford: Clarendon, 1982); Collinson, Godly People: Essays on English Protestantism and Puritanism (London: Hambledon, 1983).

[95] Collinson, *Elizabethan Puritan Movement*, 391–418.

[96] Collinson, *Religion of Protestants*, 242–83.

[97] Collinson, *Elizabethan Puritan Movement*, 356–82.

la Iglesia fue constituida, no por los cristianos de quienes fue compuesta, ni por la sinceridad de su profesión, sino por la pureza de la doctrina públicamente predicada y defendida por la autoridad, y por la administración sincera y la recepción de los sacramentos, salvaguardada por el ejercicio de la disciplina de la iglesia…El evangelio era una buena noticia de salvación; pero también debía ser obedecido, y obedecido universalmente.

Los puritanos no solo buscaban la tolerancia de sus propias conciencias, sino la pureza de toda la iglesia y la finalización de su reforma.[98] Asociado con esa pureza era el gobierno de la iglesia no por obispos, sino por un sistema presbiterial que mostraba una influencia significativa de Ginebra.[99] En 1645, apareció un *Libro de Disciplina* impreso, una obra supuestamente encontrada en manuscrito en la biblioteca de Thomas Cartwright. El programa del libro ya había circulado en las décadas de 1570 y 1580 en el círculo alrededor de Travers y Cartwright. Propuso, en contraste con el sistema episcopal, una forma sinodal de gobierno de la iglesia, independiente del trono, administrando los asuntos de la iglesia a través de una organización presbiteriana en el nivel congregacional, con reuniones de pastores y ancianos representativos en clases para tratar los asuntos de toda la iglesia nacional.[100] El establecimiento reaccionó vigorosamente con su crítica.

En la década de 1580 y 1590, Richard Hooker surgió como defensor de la política episcopal, el Libro de Oración Común y una estrecha relación de trabajo entre la iglesia y el estado. Él distinguió las dimensiones visibles de la iglesia de sus dimensiones místicas. El cuerpo místico de Cristo, dijo, no puede ser identificado a través de la especulación con respecto a las elecciones. Dios conoce a los elegidos, pero los cristianos deben considerar a los que participan en la adoración y los sacramentos como verdaderos hermanos y hermanas en Cristo.[101]

Las tensiones no resueltas y enconadas se unieron en enfrentamientos entre puritanos y otros anglicanos bajo el arzobispo Laud y culminaron en una guerra civil a mediados del siglo XVII. Estos desarrollos condujeron gradualmente a la apertura de la tolerancia y la aceptación social de una gama de iglesias libres junto con la iglesia establecida, alterando así la cara pública de la iglesia en la edad moderna.

Enseñanzas Anabaptistas y Espiritualistas sobre la Iglesia

Los anabaptistas tenían una amplia gama de posiciones en muchos asuntos, pero la mayoría afirmaba que la iglesia no era más que un remanente y consistía en aquellos que se habían comprometido con Dios y permanecían fieles a él en obediencia a su ley en la vida diaria.[102] Dennis Bollinger concluye que "los anabaptistas eclesiales dieron prioridad a su desarrollo de la eclesiología implícita… Se concentraron, a la exclusión práctica de la mayoría de otras doctrinas, en la discusión de la naturaleza, función y

---

[98] Ibid., 25–26.

[99] Collinson, *Religion of Protestants*, 81–91, 177–88.

[100] Collinson, *Elizabethan Puritan Movement*, 291–316; sobre los detalles de la organización y vida congregacional, ver 333-55.

[101] Paul Avis, *Anglicanism and the Christian Church: Theological Resources in Historical Perspective*, 2nd ed. (New York: T&T Clark, 2002).

[102] Ver los ensayos en *A Companion to Anabaptism*, 39, 47, 61, 66–67, 71, 78, 90, 96, 352, 359, y George Huntston Williams, *The Radical Reformation*, 3ra ed., Sixteenth Century Essays and Studies 15 (Kirksville, MO: Sixteenth Century Journal Publishers, 1992), 92–93, 147–48, 575–82, 687–90, 913, 1017–23, 1076–78, 1178–83, 1262–63.

estructura de la iglesia local."[103] Mientras utilizaban gran parte de la terminología de los antiguos credos y de la eclesiología luterana y reformada, los anabaptistas toleraron la cizaña entre el trigo con mucha menos alegría; el ejercicio más estricto de la disciplina marcó sus comunidades. Los Artículos Schleitheim de Miguel Sattler, compuestos en febrero de 1527, resumen las primeras creencias del sur de Alemania y Suiza de aquellos que continuaban una tradición de protestas basada en una definición de cristianismo bíblico, moralista, antisacramental, anticlerical y milenaria. Sus siete artículos no trataban la doctrina de la iglesia como tal, pero enseñaban que aquellos que han sido llamados por Dios a una fe común, bautismo, Espíritu y cuerpo (Efesios 4:3-6) deben separarse del mal y la malicia. Los infieles son "una gran abominación delante de Dios", por lo que Cristo debe separarse de Belial, incluidos "todos los trabajos y culto de los papistas, las reuniones y los servicios, las casas de bebidas y los asuntos cívicos, los compromisos hechos en la incredulidad…toda la injusticia en el mundo". Los hijos de Dios también deben retirarse de Babilonia y Egipto "para que no seamos partícipes del dolor y del sufrimiento que el Señor traerá sobre ellos". Los pastores deben "leer, amonestar y enseñar, advertir, disciplinar, excomulgar, liderar en oración por la promoción de todos los hermanos y hermanas, levantar el pan cuando se va a romper, y en todas las cosas cuidar el cuerpo de Cristo". Esta enseñanza estableció a la congregación local como una "comunidad hermenéutica, en la cual las escrituras debían leerse e interpretarse" —y vivirse.[104] La eclesiología revolucionaria del reino de Münster, que supuso abarcar a toda la sociedad de la ciudad, fue una singular excepción a la organización anabaptista de la iglesia.[105]

La disciplina de estos verdaderos creyentes formó una parte importante de la vida de la comunidad. Aquellos que "se han entregado al Señor, para andar en sus mandamientos, y que son bautizados en el cuerpo de Cristo y se les llama hermanos o hermanas", deben ser amonestados dos veces en secreto si son inadvertidamente alcanzados por el pecado. Si no se arrepienten, deben ser disciplinados abiertamente y luego prohibidos según el mandato de Cristo en Mateo 18. Esto debe hacerse "para que pueda salir y comer con una sola mente y en un solo amor."[106]

El Recuento de la fe (1528) de Baltasar Hubmaier —contemporáneo de Sattler— también enfatizó la disciplina en el centro de la vida congregacional. Sin usar los términos "visible" e "invisible" él distinguió "a todas las personas que están reunidas y unidas en un Dios, un Señor, una fe, un bautismo, y que confiesan esta fe,…la iglesia cristiana corporal universal y la comunidad de santos reunidos solo en el Espíritu de Dios" de la "reunión, grupo o parroquia particular y externa, que pertenece a un pastor u obispo, que se reúne corporalmente para la enseñanza, el bautismo y la cena". Ambos están llamados a atar y desatar pecados. Pero la iglesia particular puede errar, como lo hizo la iglesia papal. La confesión verbal de que Jesús es Cristo es el fundamento de la iglesia. En la comunidad de creyentes, todos deben ejercer "el poder de la corrección fraternal", amonestando a los compañeros creyentes que han caído en

---

[103] Dennis E. Bollinger, *First-Generation Anabaptist Ecclesiology, 1525–1561: A Study of Swiss, German, and Dutch Sources* (Lewiston, NY: Mellen, 2008), 241.

[104] Werner O. Packull, "An Introduction to Anabaptist Theology", en *The Cambridge Companion to Reformation Theology,* ed. David Bagchi and David C. Steinmetz (Cambridge: Cambridge University Press, 2004), 196.

[105] James M. Stayer, *Anabaptists and the Sword* (Lawrence, KA: Coronado, 1967); Williams, Radical Reformation, 553–88.

[106] Mark Noll, ed., *Confessions and Catechisms of the Reformation* (Grand Rapids, MI: Baker, 1991), 52–54.

el pecado.[107] Aquellos que se nieguen a arrepentirse deberían ser excluidos, aislados de la comunidad, y los cristianos no deberían tener ninguna asociación con aquellos en contra de reconciliarse con la iglesia o renunciar al pecado. Aquellos que se arrepienten deben ser recibidos nuevamente en compañerismo con alegría.[108] Aquellos que permanecen fieles miran su bautismo en agua como la confirmación de la fe de la iglesia, y la iglesia, por lo tanto, tiene la obligación de llamar a los creyentes al arrepentimiento cuando se rompen los votos de fe.[109]

Otra expresión del énfasis en separar a la iglesia de la sociedad y especialmente de los gobiernos seculares porque tal asociación corrompería a los creyentes (a pesar de que Dios había ordenado ese poder coercitivo para preservar un mundo pecaminoso) se encuentra en la obra de Peter Riedemann, quien sintetizó la teología de los huterritas. Riedemann compuso un argumento y un programa estrictos e incisivos para separar a los miembros de la iglesia de las influencias malignas de la sociedad y ayudarlos a practicar la devota vida cristiana.[110]

En su mayor parte, los anabaptistas no formaron organizaciones eclesiásticas más grandes fácilmente, aunque huterritas y mennonitas, por ejemplo, formaron comunidades conectando a los de ideas afines que han mantenido una membresía sustancial a lo largo de los siglos.

Conclusión

Mientras que los reformadores del siglo XVI diferían en cuestiones eclesiológicas significativas, todos estuvieron de acuerdo en que la Palabra de Dios estaba en el centro de la vida de la iglesia, que determinaba su naturaleza y prescribía sus actividades. Estuvieron de acuerdo en el significado de los sacramentos, a pesar de que tenían una comprensión radicalmente diferente de la relación del bautismo y la Cena del Señor con la fe de los creyentes y la Palabra de Dios. Sus diferencias con respecto a la política suscitaron debates agudos, y vieron la relación entre la iglesia y la sociedad, particularmente el gobierno secular, de maneras considerablemente divergentes, especialmente con respecto a la asistencia de este último a la iglesia en asuntos tales como la disciplina. No obstante, todos definieron la naturaleza de la iglesia como la asamblea de creyentes que escuchan a Cristo y confían en él, viviendo en obediencia a su plan para la vida humana. Todos ellos profesaron que la Palabra de Dios gobierna la comunidad de los fieles de Cristo. Estas convicciones gobernaban las reacciones protestantes contra la definición medieval de la iglesia en términos de ritual, centrado en la Misa, y en términos de jerarquía, gobierno del Papa y obispos leales a él. De esa crítica de la creencia y práctica medieval y de la convicción complementaria de la centralidad de proclamar el evangelio de Cristo surgieron las doctrinas de la iglesia que dieron forma a las percepciones modernas de la iglesia y la vida cristiana.

---

[107] Balthasar Hubmaier, *Schriften*, ed. Gunnar Westin and Torsten Bergsten (Gütersloh: Mohn, 1962), 478–79; cf. Denis Janz, trad., *Three Reformation Catechisms: Catholic, Anabaptist, Lutheran*, Texts and Studies in Religion 13 (New York: Mellen, 1982), 151–56.

[108] Hubmaier, *Schriften*, 485–86.

[109] Ibid., 315–16.

[110] Andrea Chudaska, *Peter Riedemann: Konfessionsbildendes Täufertum im16. Jahrhundert* (Gütersloh: Gütersloher Verlagshaus, 2003), 273–330.

Recursos para un Estudio Adicional

FUENTES PRIMARIAS

Bray, Gerald L., ed. *Documents of the English Reformation*. Cambridge: Clarke, 1994.

Bromiley, G. W., ed. *Zwingli and Bullinger: Selected Translations with Introductions and Notes*. Library of Christian Classics 24. Philadelphia: Westminster, 1953.

Chemnitz, Martin. *Examination of the Council of Trent, Part I*. Traducido por Fred Kramer. St. Louis, MO: Concordia, 1971.

Cummings, Brian, ed. *The Book of Common Prayer, The Texts of 1549, 1559, and 1562*. Oxford: Oxford University Press, 2011.

Hubmaier, Balthasar. *Schriften*. Editadopor Gunnar Westin y Torsten Bergsten. Gütersloh: Mohn, 1962.

Janz, Denis, trad. *Three Reformation Catechisms: Catholic, Anabaptist, Lutheran*. Texts and Studies in Religion 13. New York: Mellen, 1982.

Melanchthon, Felipe. *Loci theologici*. Traducido por J. A. O. Preus. St. Louis, MO: Concordia, 1989.

Noll, Mark A., ed. *Confessions and Catechisms of the Reformation*. Grand Rapids, MI: Baker, 1991.

FUENTES SECUNDARIAS

Avis, Paul. A*nglicanism and the Christian Church: Theological Resources in Historical Perspective*. 2da ed. New York: T&T Clark, 2002.

Bagchi, David V. N. *Luther's Earliest Opponents: Catholic Controversialists, 1518–1525*. Minneapolis: Fortress, 1991.

Bernard, G. W. *The King's Reformation: Henry VIII and the Remaking of the English Church*. New Haven, CT: Yale University Press, 2005.

Black, Antony. *Council and Commune: The Conciliar Movement and the Fifteenth-Century Heritage*. London: Burns & Oates, 1979.

Bollinger, Dennis E. *First-Generation Anabaptist Ecclesiology, 1525–1561: A Study of Swiss, German, and Dutch Sources*. Lewiston, NY: Mellen, 2008.

Collinson, Patrick. *The Religion of Protestants: The Church in English Society*, 1559–1625. Oxford: Clarendon, 1982.

Daniel, David P. "Luther on the Church." En *The Oxford Handbook of Martin Luther's Theology*, editado por Robert Kolb, Irene Dingel, y L'ubomír Batka, 333–52. Oxford: Oxford University Press, 2014.

Estes, James M. *Peace, Order, and the Glory of God: Secular Authority and the Church in the Thought of Luther and Melanchthon*, 1518–1559. Studies in Medieval and Reformation Traditions 111. Leiden: Brill, 2005.

Foxgrover, David, ed. *Calvin and the Church: Papers Presented at the 13th Colloquium of the Calvin Studies Society*, May 24–26, 2001. Grand Rapids, MI: CRC, 2002.

Gamble, Richard C., ed. *Calvin's Ecclesiology: Sacraments and Deacons. Vol. 10 of Articles on Calvin and Calvinism*. New York: Garland, 1992.

Hendrix, Scott H. *Ecclesia in Via. Ecclesiological Developments in the Medieval Psalms Exegesis and the Dictata super Psalterium (1513–1515) of Martin Luther*. London: Brill, 1974.

_____. *Luther and the Papacy: Stages in a Reformation Conflict*. Philadelphia: Fortress, 1981.

Kingdon, Robert M. *Geneva and the Consolidation of the French Protestant Movement*, 1564–1572. Madison: University of Wisconsin Press, 1967.

Kirby, W. J. Torrance. *The Zurich Connection and Tudor Political Theology*. Studies in the History of Christian Traditions 131. Leiden: Brill, 2007.

Kolb, Robert. "Luther on Peasants and Princes". *Lutheran Quarterly* 23, no. 2 (2009): 125–46.

_____. "Ministry in Martin Luther and the Lutheran Confessions." En *Called and Ordained: Lutheran Perspectives on the Office of the Ministry*, ed. Todd Nichol y Marc Kolden, 49–66. Minneapolis: Fortress, 1990.

Lathrop, Gordon W., y Timothy J. Wengert. *Christian Assembly: Marks of the Church in a Pluralistic Age*. Minneapolis: Fortress, 2004.

Lindberg, Carter. "Piety, Prayer, and Worship in Luther's View of Daily Life".*The Oxford Handbook of Martin Luther's Theology*, editado por Robert Kolb, Irene Dingel, y L'ubomír Batka, 414–26. Oxford: Oxford University Press, 2014.

Procter, Francis, y Walter Howard Frere. *A New History of the Book of Common Prayer*. London: Macmillan, 1949.

Solt, Leo F. *Church and State in Early Modern England, 1509–1640*. New York: Oxford University Press, 1990.

Spinka, Matthew. *John Hus' Concept of the Church*. Princeton, NJ: Princeton University Press, 1966.

Stadtwald, Kurt. *Roman Popes and German Patriots: Antipapalism in the Politics of the German Humanist Movement from Gregor Heimburg to Martin Luther*. Geneva: Droz, 1996.

Thompson, W. D. J. Cargill. *The Political Thought of Martin Luther*. Sussex: Harvester, 1984.

Vajta, Vilmos. *Luther on Worship: An Interpretation*. Philadelphia: Muhlenberg, 1958.

VanDrunen, David. *Natural Law and the Two Kingdoms: A Study in the Development of Reformed Social Thought*. Grand Rapids, MI: Eerdmans, 2010.

Walton, Robert C. *Zwingli's Theocracy*. Toronto: University of Toronto Press, 1967.

Wolgast, Eike. "Luther's Treatment of Political and Societal Life". En *The Oxford Handbook of Martin Luther's Theology*, edited by Robert Kolb, Irene Dingel, and L'ubomír Batka, 397–413. Oxford: Oxford University Press, 2014.

17

Bautismo

Aaron Clay Denlinger

RESUMEN

Este capítulo explora las diferencias sobre el bautismo —su naturaleza, su eficacia y sus receptores apropiados— que llegó a definir identidades católicas romanas, protestantes y anabaptistas unas contra otras en el período de la Reforma. En primer lugar, se presta atención a Martín Lutero y Huldrych Zuinglio, reformadores de primera generación que criticaron conjuntamente la particular comprensión de Roma de la eficacia bautismal, pero expresó una comprensión muy diferente del sacramento. Mientras que Lutero mantuvo que el bautismo es principalmente una palabra divina de promesa que, cuando se combina con la fe, comunica las realidades espirituales que significa, Zuinglio reconoció el bautismo como principalmente una palabra humana de compromiso que significa estrictamente los beneficios salvíficos de la obra de Cristo. La insistencia anabaptista de que el bautismo se administre solo a individuos maduros en la profesión de su intención de seguir a Cristo, así como las respectivas respuestas de Lutero y Zuinglio a tal enseñanza, se explora luego. Los esfuerzos de los reformadores de segunda generación, como Juan Calvino y Henry Bullinger para lograr un consenso protestante sobre el bautismo y detener la marea del anabaptismo se observan posteriormente. A pesar de las similitudes en los argumentos de estos pensadores reformados a favor del paidobautismo, persistió un desacuerdo fundamental entre Calvino, quien —como Lutero— reconocía el bautismo como un instrumento de las realidades que significa, y Bullinger, quien sostuvo que el bautismo significa y sella las promesas de salvación de Dios para los creyentes sin comunicarles realidades de salvación. Una sección final de este capítulo explora las declaraciones confesionales de principios de los tiempos modernos que aclararon varias perspectivas bautismales y un desacuerdo solidificado entre las identidades católica romana, luterana, reformada y bautista en el sacramento.

Introducción

Pocos temas fomentaron tanta controversia en el siglo XVI como la de los sacramentos. El desacuerdo con respecto a su número, eficacia y destinatarios adecuados figura de manera crítica en el surgimiento gradual de identidades claramente protestantes, católicas romanas y radicales (anabaptistas). El desacuerdo con respecto a la relación precisa de los sacramentos con las realidades salvíficas que supuestamente significaron se extendió a los mismos reformadores magisteriales y, por lo tanto, demostró ser instrumental en el desarrollo de identidades protestantes claramente luteranas y reformadas. La sacramentología surgió como la única maldición de un protestantismo unificado, para el deleite de los apologistas romanos, quienes defendían la unidad como una marca de la iglesia genuina y transmitieron alegremente el fracaso de los reformadores para llegar a un consenso sobre un asunto de tal importancia.

Es la tarea de este capítulo y el siguiente explorar las doctrinas contendientes de los sacramentos en la era de la Reforma, tratando no solo las diferentes opiniones protestantes, sino también las perspectivas tridentinas católicas y anabaptistas, y rastrear los principales conflictos, así como los ocasionales intentos de aproximación exitosos que tuvieron lugar entre personas de diversas convicciones. Como antecedentes, hay una consideración general de la enseñanza sacramental de finales de la Edad Media y una breve atención a las principales características de la reserva inicial de Lutero contra la sacramentología medieval.

Los sacramentos en la perspectiva de la Baja Edad Media

La cantidad de espacio dedicado a los sacramentos en las *Sentencias* de Pedro Lombardo —cuarenta y dos de cincuenta distinciones en el cuarto y último libro— indica cuán significativa se había vuelto la teología sacramental para los teólogos occidentales a mediados del siglo XII.[1] Lombardo definió un sacramento como "un signo de la gracia de Dios [*gratia*] y una forma de gracia invisible"; es decir, un ritual que "lleva [la] imagen" de la gracia y "es su causa".[2] Con esta definición Lombardo identificó dos características constitutivas de un sacramento: primero, un sacramento significa alguna gracia; segundo, un sacramento comunica la gracia que significa.

Los teólogos medievales subsiguientes discutieron sobre la naturaleza precisa de la relación entre la causa sacramental (ritual) y el efecto (gracia), pero fueron unánimes en afirmar el doble carácter de un *sacramentum* como símbolo y, de una forma u otra, fuente de gracia salvadora. "Un sacramento", escribió Duns Escoto, "es un signo sensible, ordenado para la salvación del ser humano caminante, que *significa eficazmente* —por institución divina— la gracia de Dios."[3] De manera similar, Tomás de Aquino definió "un sacramento" como "el signo de una cosa santa [*res sacra*]" o "un signo de gracia" que "hace santos a los hombres" al servir como "una causa instrumental de gracia."[4]

Los teólogos medievales también se pusieron de acuerdo, recordando las escrituras de Agustín contra los donatistas, que los sacramentos comunican gracia en virtud de su promulgación como tal (*ex opere operato*), a diferencia de cualquier virtud del sacerdote que los administra o las personas que los reciben (*ex opere operantis*). Sin embargo, calificaron este punto al reconocer que el destinatario de un sacramento debe al menos poseer, en palabras de Tomás, la "intención de recibir la Santa Cena" para

---

[1] Pedro Lombardo, *The Sentences*, trad. Giulio Silano, Mediaeval Sources in Translation 42-43, 45, 48 (Toronto: Pontifical Institute of Mediaeval Studies, 2007-2010). Las ocho distinciones finales del libro 4, a modo de comparación, tratan de la resurrección y el juicio final.

[2] Lombardo, *The Sentences, Book 4: On the Doctrine of Signs*, 1.4.2.

[3] Juan Duns Scoto, *Ordinatio* 4.1.2n9, citas en Richard Cross, *Duns Scoto*, Great Medieval Thinkers (Nueva York: Oxford University Press, 1999), 136, cursivas añadidas.

[4] Tomás de Aquino, *Summa Theologiae* 3a.60.2, 4.

recibir gracia de ella.[5] Es decir, el receptor de un sacramento no puede, de acuerdo con la visión medieval, hacer el sacramento efectivo por fe personal o cualquier otra virtud, pero puede hacer que el sacramento sea ineficaz por falta de intención real de recibirlo.

Lombardo identificó siete rituales que cumplen con los criterios del estado sacramental: bautismo, confirmación, Eucaristía, penitencia, extremaunción, ordenación y matrimonio. La desproporcionada atención que Lombardo le prestó específicamente a la penitencia y el matrimonio en sus *Sentencias* refleja la necesidad que tenía de apuntalar las credenciales sacramentales de esos ritos particulares en su época.[6] Solo el bautismo y la Eucaristía habían sido universalmente reconocidos como sacramentos desde los primeros días de la reflexión teológica latina, y un buen número de rituales —más allá de los siete de Lombardo— habían sido presentados como candidatos para el redil sacramental en los siglos precedentes. Sin embargo, en el siglo XIII, la lista de Lombardo se había vuelto definitiva. Tomás ofreció una variedad de argumentos en defensa de reconocer la lista exacta de Lombardo. Su argumento más convincente, si bien implícito, fue su reconocimiento, que raya en una mayor definición de sacramento como tal, de que los propios sacramentos "son instituidos por Cristo mismo", ya sea que sepamos esto de las Escrituras o de la tradición extraescritural.[7]

Estos aspectos básicos de la enseñanza sacramental de finales de la Edad Media fueron oficialmente aprobados por el Concilio de Trento en marzo de 1547.En su séptima sesión, el concilio afirmó que los sacramentos "contienen la gracia que significan" y "confieren esa gracia a aquellos que no ponen un obstáculo a ello". Las personas que negaban que "alguno de los siete" sacramentos haya sido "instituido por Jesucristo" o que fueran "verdadera y propiamente un sacramento" era anatematizados.[8]

El Ataque de Lutero a la Sacramentología Medieval

En 1520, Martín Lutero, resignado en gran parte a su inminente excomunión, lanzó un ataque a gran escala contra la enseñanza sacramental de la Baja Edad Media con su *Cautividad Babilónica de la Iglesia*.[9] La polémica de Lutero descansaba en una redefinición del término *sacramentum* per se. Su redefinición de *sacramentum* descansaba, a su vez, en convicciones con respecto a la autoridad y el contenido de la Sagrada Escritura que recientemente había alcanzado la madurez en su pensamiento.

"Todo en las Escrituras", observó Lutero, "es una orden o una promesa."[10] Los mandamientos divinos sirven para hacer que los pecadores sean conscientes de su fracaso para cumplir con el estándar justo de Dios y su incapacidad para enmendar sus fechorías. Las promesas divinas señalan a los pecadores a la muerte sacrificial de Cristo y la resurrección en su nombre, extendiendo el perdón y la vida eterna sobre la base de la obra de Cristo. La respuesta adecuada, por parte de los pecadores, a la oferta de perdón gratuito de Dios es la fe de que Dios realmente cumple lo que promete. La

---

[5] Ibid., 3a.68.7. Véase también 3a.68.8.

[6] Ver Thomas M. Finn, "The Sacramental World in the Sentences of Peter Lombard", *Theological Studies* 69 (2008): 557–82.

[7] Aquino, *Summa Theologiae* 3a.64.2; Véase también 3a.65.1.

[8] *CCFCT* 2:840.

[9] Martín Lutero, *The Babylonian Captivity of the Church*, LW 36:3–126.

[10] Ibid., LW 36:124.

fe "une el alma con Cristo como la novia se une con su novio". Esta unión sirve de base para el intercambio feliz del alma de sus "pecados, muerte y condenación" por la "justicia, vida y salvación" de Cristo.[11] Y por la fe, sirve como el medio instrumental de justificación de que "toda la Escritura se ocupa de provocarnos a la fe".[12] Las promesas de Dios, sin embargo, desempeñan un papel peculiar en la obtención de la fe de aquellos en necesidad de reconciliación con Dios.

Con referencia inmediata al papel que los mandatos y las promesas desempeñan en el proceso de salvación, Lutero atribuyó "el nombre de la Santa Cena a aquellas promesas que tienen signos adjuntos a ellas", diferenciando así de las "promesas vacías."[13] Las definiciones medievales de *sacramentum* como un signo y causa de "gracia" (*gratia*) o una "cosa" santa (*res*) son poco claras en comparación con la definición de Lutero; para él, el signo debe señalar específicamente la *promissio* del perdón de Dios, o incluso más precisamente a la obra de Cristo (su muerte y resurrección) y la incorporación de un pecador en Cristo y su obra a través de la cual se realiza la *promissio*.[14] Los signos que califican como sacramentos deben, además, haber sido instituidos personalmente por Cristo según lo registrado en las Escrituras.[15]

Enarbolando esta definición, Lutero hizo un breve trabajo del catálogo de sacramentos de la Baja Edad Media. Los rituales de confirmación y ordenación fracasan en la prueba sacramental porque carecen del ingrediente de una promesa divina de perdón.[16] El matrimonio y la confesión privada (un elemento de penitencia) son prácticas buenas y apropiadas como tales, pero ninguno incluye el ingrediente de un signo necesario para un sacramento.[17] La extremaunción —es decir, la unción con aceite descrita en Santiago 5, que la iglesia tenía, mucho "en detrimento de todos los demás enfermos", cada vez más "administrada a nadie más que a los moribundos"— no fue instituida personalmente por Cristo.[18]

La redefinición de Lutero de un sacramento como una "promesa de perdón" acompañada de un "signo divinamente instituido" también tuvo profundas implicaciones para su comprensión de los ritos que reconoció como verdaderos sacramentos —el bautismo y la Cena del Señor. Su enseñanza requería que los signos instituidos se acompañaran de una declaración clara y comprensible de las promesas que encarnan. También requirió calificación crítica de la doctrina medieval de la eficacia sacramental *ex opere operato*. Así como "toda la Escritura" generalmente se refiere "a provocarnos a la fe", entonces "los sacramentos" fueron "instituidos de manera peculiar para alimentar la fe". De hecho, "toda su eficacia... consiste en la fe."[19] Lutero rechazó, entonces, la noción de que los sacramentos podrían comunicar la gracia salvífica independientemente de la fe, donde pertenece la intención pura de recibir el sacramento. Un sacramento sigue siendo *válido* —es decir, sigue siendo una promesa legítima— incluso cuando encuentra incredulidad en el receptor, pero al mismo tiempo, sigue siendo completamente *ineficaz*. Donde "la fe está

---

[11] Martín Lutero, *The Freedom of a Christian*, LW 31:351–52.

[12] Lutero, *Babylonian Captivity*, LW 36:124.

[13] Ibid., LW 36:124.

[14] Ibid., LW 36:124.

[15] Ibid., LW 36:118.

[16] Ibid., LW 36:91, 106-7.

[17] Ibid., LW 36:92, 124. Obsérvese que Lutero incluyó la penitencia entre los verdaderos sacramentos anteriormente en esta obra; véase LW 36:18, 81-90.

[18] Ibid., LW 36: 117-19, cita del 119.

[19] Ibid., LW 36:124, 61, 65.

inequívocamente presente", sin embargo, los sacramentos "ciertamente y efectivamente imparten gracia."[20]

El tratamiento de los sacramentos por Lutero tuvo implicaciones adicionales y más específicas para las doctrinas del bautismo y la Eucaristía, respectivamente. Paso ahora a considerar el primero de esos sacramentos en el pensamiento de la Reforma. Mi tratamiento de varias teologías del bautismo en la era de la Reforma procederá en cuatro etapas. Primero, examinaré la enseñanza de los reformadores magisteriales de primera generación, señalando específicamente puntos de acuerdo y divergencia en las doctrinas de Lutero y Huldrych Zuinglio. En segundo lugar, consideraré la aparición de enseñanzas radicales (anabaptistas) sobre el bautismo y la respuesta de los reformadores magisteriales a los problemas que plantearon. En tercer lugar, examinaré los intentos de los reformadores de segunda generación de abordar las diferencias entre los reformadores de primera generación y crear un consenso protestante con respecto al sacramento del bautismo. En cuarto lugar, examinaré la consolidación de los puntos de vista bautismales que ocurrieron en el proceso de confesionalización peculiar de los últimos años de la Reforma.

Enseñanza temprana de la Reforma sobre el Bautismo

Martin Lutero

"Lo *primero* que se debe considerar sobre el bautismo es la promesa divina."[21] Por lo tanto, en la *Cautividad babilónica*, Lutero trajo su comprensión de los sacramentos como "promesas que tienen signos adjuntos a ellos" para influir en la doctrina del bautismo. Con el tiempo definiría el bautismo como "agua usada según el mandamiento de Dios y conectada con la palabra de Dios", enfatizando tanto la naturaleza promisoria de la aplicación ritual del agua a los creyentes como las palabras divinas de la institución que establecen tal práctica (Mt. 28:19).[22] Lutero abogó por la inmersión total, incluso para los bebés, como el modo correcto de bautismo, basándose tanto en el significado del término griego *baptismos* como en la correspondencia apropiada entre el ritual y aquello que significa principalmente.[23] Él identificó a Dios como el máximo agente de este ritual; el receptor del bautismo debe "mirar a la persona que lo administra como simplemente el instrumento vicario de Dios, por el cual el Señor sentado en el cielo [lo] lanza bajo las aguas con sus propias manos, y [le] promete el perdón de [sus] pecados."[24] Al reconocer que Dios era el agente apropiado del bautismo, Lutero, siguiendo a Agustín, pudo reconocer la validez de los bautismos administrados por personas profanas o incluso apóstatas o heréticas.[25]

La promesa encarnada en el bautismo —ampliamente denotado "perdón de los pecados" o "justificación total y completa"— se traduce en mayor relieve al considerar el doble significado del ritual, que, unido a la palabra promisoria, constituye el bautismo.[26] El bautismo significa, antes que nada, el "lavado de los pecados", es decir,

---

[20] Ibid., *LW* 36:67.

[21] Ibid., *LW* 36:58. Para un tratamiento más completo de Lutero sobre el bautismo, véase Jonathan D. Trigg, *Baptism in the Theology of Martin Luther* (Leiden: Brill, 2001).

[22] *CCFCT* 2:40

[23] Martín Lutero, *The Holy Sacrament of Baptism* (1519), LW 35:29; Lutero, *BabylonianCaptivity*, *LW* 36:64, 68.

[24] Lutero, *Babylonian Captivity*, *LW* 36:62.

[25] Martín Lutero, *Concerning Rebaptism* (1528), *LW* 40:250.

[26] Lutero, *Babylonian Captivity*, *LW* 36:58–64 passim.

el perdón divino que hace "verdaderamente puros, sin pecado y totalmente inocentes" a los que abrazan con fe la promesa incorporada en el bautismo.[27] La realidad y el poder del pecado persisten en los creyentes bautizados, pero Dios "se compromete a no imputarles [los] pecados que permanecen en [su] naturaleza después del bautismo."[28]

En segundo lugar, aunque de primera importancia, el bautismo significa "una muerte bendita al pecado y una resurrección en la gracia de Dios, de modo que el viejo hombre, concebido y nacido en pecado, allí se ahoga, y un hombre nuevo, nacido en gracia, viene adelante y se levanta."[29] Las consecuencias de nuestra unión con Cristo van más allá del mero perdón: "El pecador no necesita tanto ser lavado como necesita morir, para ser completamente renovado y ser hecho otra criatura, y ser conformado a la muerte y resurrección de Cristo, con quien muere y resucita por el bautismo."[30] Lutero llamó a esta "muerte y resurrección" en y con Cristo "la nueva creación, la regeneración y el nacimiento espiritual." Comprende no solo el comienzo, sino el curso completo de la vida cristiana: "Mientras vivamos, estamos continuamente haciendo lo que significa el bautismo." De hecho, "toda nuestra vida debería ser el bautismo y el cumplimiento del signo o sacramento del bautismo, ya que hemos sido liberados de todo lo demás y entregados al bautismo solos, es decir, a la muerte y la resurrección."[31]

Basado en este entendimiento, Lutero propuso dos críticas fundamentales de la enseñanza medieval sobre el bautismo. Culpó a los escolásticos, primero, por reducir "el poder del bautismo a dimensiones tan pequeñas y delgadas que, mientras ellos dicen que la gracia de verdad es servida por ella, ellos sostienen que luego es derramada nuevamente a través del pecado."[32] Los teólogos medievales habían enseñado que "cada pecado" es "quitado" cuando se recibe el bautismo, pero que los pecados cometidos después del bautismo requieren una gracia (sacramental) posterior, obtenido especialmente a través de la penitencia.[33] En el juicio de Lutero, ningún pecado sino el de la incredulidad final podría erradicar la promesa permanente y el efecto del bautismo de uno, y por eso los creyentes debían mirar constantemente sus bautismos, más que medios adicionales de gracia, tanto por el consuelo como por la inspiración para cumplir con la muerte y el levantamiento de nuevo lo cual significa el bautismo.

En segundo lugar, Lutero culpó a los escolásticos por enseñar que el bautismo comunica lo que significa independientemente de la fe. En su juicio, los sacramentos como un todo "conllevan una palabra de promesa que requiere fe, y no pueden ser cumplidos por ninguna otra obra"; por lo tanto, en el análisis final, "todo lo debemos a la fe y nada a los rituales."[34] Allí donde la promesa de Dios y la fe humana se "encuentran", el bautismo posee "una eficacia real y más cierta."[35] Lutero criticó directamente, a este respecto, la definición medieval de los sacramentos como "signos efectivos de gracia" — "todas estas cosas se dicen en detrimento de la fe", que solo

---

[27] Ibid., *LW* 36:68; Lutero, *Holy Sacrament*, *LW* 35:32.
[28] Lutero, *Holy Sacrament*, *LW* 35:34.
[29] Ibid., *LW* 35:30.
[30] Lutero, *BabylonianCaptivity*, *LW* 36:68.
[31] Ibid., *LW* 36:70.
[32] Ibid., *LW* 36:69.
[33] Aquino, *Summa Theologiae* 3a.69.1.
[34] Lutero, *BabylonianCaptivity*, *LW* 36:64–65.
[35] Ibid., *LW* 36:67.

sirve como el instrumento apropiado por el cual los pecadores se aferran a la gracia salvadora de Dios.[36]

El énfasis de Lutero en la necesidad de la fe para la realización (o cumplimiento) apropiada del bautismo requiere una atención cuidadosa, especialmente dados sus comentarios que aparentemente atribuyen poder regenerativo al bautismo: "El bautismo realmente salva de cualquier manera que se administre"; el bautismo "produce el perdón de los pecados, libera de la muerte y del diablo, y otorga la salvación eterna."[37] Debido a que Lutero veía los sacramentos como palabras *divinas* de promesas (en lugar de palabras u obras *humanas*), su afirmación de que "el bautismo verdaderamente salva" fue simplemente una afirmación de que la palabra de promesa de Dios verdaderamente salva. Y esto recibió una mayor calificación: propiamente hablando, es la fe la que responde a la promesa de Dios en el sacramento que se adhiere a esas realidades significadas en el bautismo. Por lo tanto, en última instancia, "no es el bautismo lo que justifica o beneficia a nadie, sino la fe en esa palabra de promesa a la que se agrega el bautismo."[38] Y nuevamente, "No es el agua la que produce estos efectos, sino la palabra de Dios conectada con el agua, y nuestra fe que depende de la palabra de Dios conectada con el agua."[39]

La virtud bautismal así atribuida en última instancia a la fe en la promesa de Dios establece la posibilidad de que el bautismo sea efectivo en algún momento posterior a su administración, o incluso —en el caso de alguien que se cree falsamente bautizado— completamente separado de su administración.[40] En el caso de los bebés, a quienes algunos podrían reclamar "no pueden tener la fe del bautismo" Lutero sugirió que "la fe de los demás, es decir, aquellos que los traen para el bautismo", hace efectivos sus bautismos, apelando por analogía a "el paralítico en el Evangelio, que fue sanado por la fe de los demás" (Mc. 2:3-12).Lutero insinuó, además, la posibilidad de que la fe misma, que en última instancia es un don divino, pueda ser comunicada a los niños *a través* del bautismo, haciendo así efectivos sus bautismos y dejándolos "cambiados, limpiados y renovados."[41]

En años posteriores, Lutero demostró un celo creciente por aclarar sus puntos de vista bautismales en oposición a las enseñanzas anabaptistas y, por lo tanto, hizo mayor hincapié en la *promissio* objetiva en el bautismo y menos en la respuesta subjetiva de las *fides*. Pero las características principales de su doctrina se mantuvieron constantes, con la excepción, señalada a continuación, de su razón de ser para el bautismo de infantes.

HULDRYCH ZUINGLIO

En 1525, el reformador de Zúrich Huldrych Zuinglio anticipó sus propias convicciones bastante diferentes con respecto al bautismo en dos obras, su *Comentario sobre la verdadera y la falsa religión* y *Sobre el Bautismo, el rebautismo y el bautismo de*

---

[36] Ibid., *LW* 36:66.
[37] Ibid., *LW* 36:63; *CCFCT* 2:40.
[38] Lutero, *BabylonianCaptivity, LW* 36:66.
[39] *CCFCT* 2:41.
[40] Lutero, *ConcerningRebaptism, LW* 40:246, 260.
[41] Lutero, *BabylonianCaptivity, LW* 36:73.

infantes.[42] La teología bautismal de Zuinglio tal como se expresa en estas obras puede, tal vez, ser entendida más fácilmente al resaltar dos puntos fundamentales de contraste entre su doctrina y la enseñanza de Lutero.

Primero, en distinción al reconocimiento de Lutero del bautismo como una palabra divina de promesa, Zuinglio inicialmente vio el bautismo —es decir, "inmersión en agua"[43]— como palabra *humana* de promesa: "El bautismo es un sacramento de iniciación por el cual los que [van a] cambiar su vida y sus caminos [se distinguen] a sí mismos y [son] inscritos entre los arrepentidos."[44] El reconocimiento del bautismo como una promesa humana de "arrepentirse" de la "vida vieja" y de "comenzar una nueva" se siguió de la definición más amplia de Zuinglio de los sacramentos como "signos o ceremoniales...por el cual un hombre le prueba a la Iglesia que o bien pretende ser, o es, un soldado de Cristo."[45] Como esencialmente una palabra humana, el bautismo no puede servir adecuadamente como apoyo a esa fe salvadora que "ve sin vacilación" —y sin la asistencia de rituales— "a la muerte de Cristo y encuentra el descanso allí."[46]

Segundo, en distinción a la admisión de Lutero de que el bautismo —cuando se recibe en la fe como la promesa que es— comunica el "lavado de los pecados" y el "nacimiento espiritual" que significa, Zuinglio mantuvo firmemente que "la inmersión no tiene ningún efecto."[47] Mientras que, a juicio de Zuinglio, la noción escolástica de *ex opere operato* atribuía groseramente el "poder purificador" al agua, la doctrina de Lutero ofrecía pocas mejoras con su suposición de que "lo que significaban los sacramentos" se aplica "de inmediato" "dentro" de la persona que recibe el sacramento en la fe.[48] Esta asociación demasiado estrecha de *signum* ("signo") con *ressignificata* ("lo que significa") —incluso cuando se asume la fe en la promesa de Dios— solo puede servir, Zuinglio creía, para suplantar la fe con el "temor reverencial del agua" supersticioso y para perjudicar "la libertad del Espíritu divino", haciendo que Dios esté "absolutamente obligado por los signos."[49] Zuinglio instó a sus lectores a "dejar que los sacramentos sean verdaderos sacramentos" y a no "describirlos como signos que en realidad son las cosas que significan."[50]

Los puntos de vista bautismales de Zuinglio demostraron ser menos estáticos que los de Lutero, quizás como resultado de un compromiso más extenso con la doctrina anabaptista. En particular, su creciente empleo de motivos de pacto en defensa del paidobautismo perjudicaba específicamente su identificación del bautismo como una palabra exclusivamente humana. Zuinglio finalmente nombró el bautismo como "la señal del pacto que Dios hizo con nosotros a través de su Hijo", y vio reflejado en ese signo la iniciativa divina propia del pacto. De este modo, reconoció cada vez más que el bautismo era, al menos en un nivel, una palabra *divina* de promesa —un ritual que

---

[42] Huldrych Zuinglio, *Commentary on True and False Religion*, ed. Samuel Macauley Jackson y Clarence Nevin Heller (1929; repr., Durham, NC: Labyrinth, 1981). Una traducción parcial al inglés de *On Baptism, Rebaptism, and Infant Baptism exists in Zwingli and Bullinger: Selected Translations with Introductions and Notes*, ed. G. W. Bromiley, LCC 24 (Philadelphia: Westminster, 1953), 129-75. Para un tratamiento más completo de la teología bautismal de Zuinglio, ver W. P. Stephens, *The Theology of Huldrych Zwingli* (Oxford: Clarendon, 1986), 194-217.

[43] Zuinglio, *On Baptism, Rebaptism, and Infant Baptism*, 132.

[44] Zuinglio, *True and False Religion*, 186.

[45] Ibid., 184, 186.

[46] Ibid., 182.

[47] Ibid., 189.

[48] Ibid., 182–83.

[49] Ibid.

[50] Zuinglio, *OnBaptism, Rebaptism, and Infant Baptism*, 131.

simboliza, sin llegar a afectar o comunicar, los beneficios espirituales que Dios imparte en la salvación.[51] De esto siguió la creciente admisión de que el bautismo podría al menos reforzar la fe de los creyentes, un desarrollo reflejado en la voluntad de Zuinglio de suscribirse en Marburgo (1529) a la declaración de que el bautismo es "un signo y obra de Dios por el cual crece nuestra fe."[52]

El acuerdo expresado por Lutero y Zuinglio con respecto al bautismo en Marburgo es notable, sin embargo, dadas las diferencias muy reales que persisten entre ellos. En parte, el acuerdo que expresaron puede reflejar la simple verdad de que la concordia en cualquier frente es más fácil cuando dos partes se enfrentan a un adversario común. Para 1529, los reformadores magisteriales poseían un enemigo común en el tema del bautismo en aquellas personas típicamente llamadas anabaptistas.

La Enseñanza Anabaptista y la Respuesta de los Reformadores

Las preguntas sobre la legitimidad de bautizar a los bebés, estimuladas al menos en parte por el impulso de la Reforma para poner a prueba las creencias y prácticas tradicionales a la luz de las Escrituras, surgieron a principios de la década de 1520 tanto en la Sajonia de Lutero como en el Zúrich de Zuinglio. En Sajonia, la práctica establecida hace mucho tiempo del paidobautismo fue criticada por los profetas de Zwickau, Thomas Müntzer y Andreas Karlstadt. En Zúrich, las personas eventualmente conocidas como los "hermanos suizos" se separaron de Zuinglio en cuanto a la conveniencia del paidobautismo, a pesar del hecho de que el propio Zuinglio había hablado brevemente sobre el tema a principios de la década de 1520.[53]

Como señala George Huntston Williams, "Hay," de hecho, "una gran brecha entre anti-paidobautismo y anabaptismo" —es decir, el rebautismo real de las personas bautizadas en la infancia.[54] Dada esa verdad, debemos tener cuidado de no etiquetar a los primeros críticos del bautismo infantil como anabaptistas. Ellos, sin duda, negaron el bautismo de los niños dentro de su alcance eclesiástico, habiéndose persuadido de que la Santa Cena pertenece correctamente a las personas que se han comprometido con Cristo y su iglesia por su *propia* decisión informada. Pero no declararon inmediatamente los bautismos que ellos mismos y otros habían recibido como bebés inválidos, ni buscaron recibir o administrar bautismos secundarios (válidos).

La "brecha entre anti-paidobautismo y anabaptismo" se colocó en Zúrich el 21 de enero de 1525, cuando el profano Conrado Grebel rebautizó por afusión al ex sacerdote George Blaurock en la casa de Felix Mantz. Los tres hombres se convirtieron en líderes del movimiento anabaptista suizo; los tres fueron encarcelados por su doctrina, y Mantz fue ejecutado por los funcionarios de la ciudad en 1527, inaugurando así la persecución extendida y prolongada de los cristianos anabaptistas en los cantones suizos y más allá por las autoridades civiles protestantes y católicas. Múltiples factores informaron el maltrato de los anabaptistas, pero su práctica de rebautismo proporcionó la justificación para su persecución; la antigua ley romana incorporada en el Código de Justiniano prescribía la pena capital tanto para los rebautizadores como para la rebautización.

---

[51] Stephens, *Theology of Zwingli*, 206, 215.
[52] *CCFCT* 2:794.
[53] Ver Stephens, *Theology of Zwingli*, 194–95.
[54] George Huntston Williams, *The Radical Reformation* (Philadelphia: Westminster, 1975), 126.

A medida que el movimiento anabaptista creció y se expandió, asumió formas divergentes, por lo que es difícil, si no imposible, identificar convicciones consistentes con respecto a la naturaleza y eficacia del bautismo entre los que tradicionalmente recibieron la etiqueta anabaptista.[55] Los anabaptistas suizos y alemanes del sur generalmente consideraban el bautismo, al igual que Zuinglio en sus escritos de mediados de1520, como una palabra *humana* de testimonio y compromiso con Dios u otros creyentes. Así, por ejemplo, Baltasar Hubmaier, en un catecismo completado un año antes de ser quemado en la hoguera en Viena por sus puntos de vista anabaptistas, llamó "bautismo en agua" un "testimonio exterior y público del bautismo interior en el Espíritu" —un "compromiso hecho a Dios pública y oralmente"…en el cual la persona bautizada renuncia a Satanás "y hace un voto a" la iglesia "para obedientemente aceptar la disciplina fraternal de ella y sus miembros."[56] Como se insinúa en las palabras de Hubmaier, el bautismo puede ser considerado "eclesiológicamente constitutivo" por aquellos que hacen hincapié en su función testimonial, pero de ninguna manera se lo considera un vehículo de gracia salvífica.[57]

A modo de contraste, Miguel Servet —el famoso y anti-Trinitario español ejecutado en Ginebra en 1553, cuyas opiniones sobre el bautismo aparentemente se forjaron en diálogo con los anabaptistas de Estrasburgo a principios de la década de 1530— relegó el aspecto testimonial del bautismo a un estado insignificante y le atribuyó eficacia regenerativa e incluso deificante al sacramento.[58] Servet defendió su doctrina de la regeneración bautismal apelando a los paralelos del Antiguo Testamento tales como la limpieza de Namaan de la lepra al lavarse en el Jordán; defendió su doctrina de la deificación bautismal apelando a ciertos Padres de la Iglesia, por ejemplo, Clemente de Alejandría, quien supuestamente enseñó que "siendo bautizados, somos…hechos dioses."[59]

Lo que estos ejemplos bastante dispares de la enseñanza anabaptista —y, para el caso, todas las demás especies de enseñanza anabaptista— tenían en común fue el rechazo del paidobautismo en favor de la administración del sacramento a personas más maduras. La doctrina de Hubmaier suponía que los destinatarios del bautismo poseerían el nivel requerido de desarrollo cognitivo y espiritual para rendir testimonio público y comprometerse con Dios y con los demás. Servet, de manera similar, aunque no del todo evidente, creía que los niños carecían de la madurez necesaria para apropiarse de los beneficios regenerativos o deificantes del bautismo y que Jesucristo, en cualquier caso, había "establecido como la edad apropiada para el bautismo la de treinta años" por su propio ejemplo.[60]

Los reformadores, en consecuencia, aplicaron sus energías en relación con la enseñanza anabaptista a la defensa de la práctica de bautizar a los bebés. Lutero, en su *Con respecto al rebautismo* de 1528, defendió el paidobautismo sobre la base de su institución divina, que dedujo de varias líneas de evidencia: la antigüedad y el éxito aparente de la práctica (innumerables personas bautizadas como niños que claramente poseían el Espíritu en la edad adulta), la improbabilidad de que la iglesia haya retenido

---

[55] Ver el resumen de opiniones radicales sobre el bautismo en ibid., 300-319.

[56] *CCFCT* 2:678–79.

[57] Williams, *Radical Reformation*, 302.

[58] Ver ibid., 311–18.

[59] Miguel Servet, *Restitutio Christianismi* (1553; reimpr., Nuremberg: Christoph Gottlieb von Murr, 1790), 209–12; ver Williams, *Radical Reformation*, 312.

[60] Servet, *Restitutio*, 90, citado por Williams, *RadicalReformation*, 313.

el bautismo *válido* de sus miembros por más de un milenio (por lo tanto, efectivamente no la convertía en una verdadera iglesia), y textos bíblicos que exigen el bautismo sin un respeto explícito a la edad (Mt. 28:19) o evidencia positiva de la preocupación de Cristo por los niños (Mt. 18:10).[61] La mayor parte del argumento de Lutero, sin embargo, se dirigió a cuestionar la suposición anabaptista de que los infantes carecen de fe. Puso a sus oponentes la responsabilidad de producir "un único versículo de las Escrituras que demuestre que los niños no pueden creer."[62] Observó, además, que, si la *certeza* con respecto a la presencia de la fe era un requisito previo para administrar o recibir el bautismo, ni siquiera los adultos podían ser bautizados.[63]

El compromiso de Lutero con el anabaptismo marcó algún desarrollo en su doctrina. Anteriormente había abrazado la enseñanza medieval que justificaba el paidobautismo sobre la base de la fe de quienes trajeron a un niño al bautismo (*fides aliena*). Desde 1528 en adelante justificó el paidobautismo —en cualquier medida que requiera justificación a la luz de su institución divina— sobre la base de una fe presuntamente presente en, o impartida a, el infante bautizado (*fides infantium*).Ambas posiciones fueron consistentes con su énfasis en la eficacia que la fe imparte a la Santa Cena, mientras que la última posición fue posiblemente más consistente con su doctrina de la justificación sólo por la fe (personal).[64]

Zuinglio abordó el tema del paidobautismo más extensamente que Lutero, particularmente en respuesta a los escritos anabaptistas de Hubmaier y Caspar Schwenkfeld. Su primera defensa del paidobautismo fue informada por su percepción característica de los sacramentos como palabras humanas de compromiso: "El bautismo es la iniciación tanto de los que ya han creído como de los que van a creer."[65] Los bebés se comprometen a seguir a Cristo antes de cualquier experiencia personal de fe, tanto como los que recibieron el bautismo de Juan —cuál Zuinglio rechazó distinguir del bautismo cristiano— se comprometieron a seguir a Cristo antes de tener cierto conocimiento del Salvador. Cuando se le presiona para obtener una orden bíblica para bautizar a los niños, Zuinglio apeló, citando Colosenses 2:11-12, a la analogía entre la circuncisión y el bautismo, señalando que la circuncisión dio testimonio de una fe existente para Abraham, pero precedió a la fe real de los hijos de Abraham (véase Romanos 4:11-12).[66]

En los últimos escritos de Zuinglio, su énfasis en la analogía entre la circuncisión y el bautismo se vio reforzado por la discusión de la unidad esencial entre el antiguo y el nuevo pacto. Los creyentes de todas las épocas, insistió, pertenecen a un mismo pacto de gracia. El bautismo se reconoce cada vez más como la "señal" de este pacto iniciado divinamente —y por lo tanto una promesa de perdón para aquellos que cumplen con su obligación de pacto de creer— más que una palabra humana de testimonio o compromiso. La singularidad esencial del pacto misericordioso de Dios sugiere la práctica continua de aplicar el signo del padre a los hijos del miembro del pacto; en el bautismo, entonces, los bebés se convierten en herederos de las promesas del pacto de Dios, para ser realizados por una fe futura. Su negativa a reconocer el

---

[61] Martín Lutero, *Concerning Rebaptism*, LW 40:254–58.

[62] Ibid., *LW* 40:243.

[63] Ibid., *LW* 40:239–41.

[64] Véase, por ejemplo, ibid., *LW* 40: 241-45.

[65] Citado en Stephens, *Theology of Zwingli*, 196.

[66] Stephens, *Theology of Zwingli*, 196.

bautismo como en cualquier sentido un instrumento o causa de lo que significa permaneció intacto a través de los escritos de Zuinglio sobre el paidobautismo.[67]

Enseñanza Posterior de la Reforma sobre el Bautismo

Los reformadores de segunda generación heredaron dos problemas relacionados con la doctrina del bautismo: primero, el desacuerdo entre sus predecesores con respecto a la eficacia propia, si la hay, del bautismo; segundo, la marea creciente del anabaptismo, insatisfactoriamente rechazada por la primera generación de reformadores. Al explorar sus esfuerzos para resolver estos problemas, nuestro enfoque aquí estará en los teólogos en lo que finalmente se reconocerá como la tradición protestante reformada, especialmente Henry Bullinger y Juan Calvino. Estos reformadores evidenciaron un mayor interés que sus homólogos luteranos tanto en lograr un protestantismo unido como en desarrollar el argumento doctrinal contra el anabaptismo (quizás debido a una mayor exposición a los anabaptistas).Los pensadores luteranos de segunda generación generalmente evidenciaron toda intención de permanecer fieles, ante todo, a la enseñanza bautismal de Lutero.[68]

HENRY BULLINGER

Aunque se comprometió en principio a perseguir la unidad protestante en los sacramentos (y por lo tanto un mayor consenso sobre el bautismo), Henry Bullinger, que sucedió a Zuinglio como *antistes* (o cabeza de la iglesia) en Zúrich, también se dedicó a defender la reputación tan maltratada de su predecesor y mantener al menos algunas de sus características sacramentales. Bullinger dio un pequeño paso hacia sus compañeros protestantes al reconocer que el bautismo era *principalmente* una palabra divina para los pecadores. Mientras los cristianos "por el bautismo" de hecho "profesan y testifican [estar] bajo la bandera de Cristo [su] capitán", el bautismo es principalmente un testimonio "celestial y público...por lo cual el Señor testifica, que [él]...nos hace partícipes y herederos de toda su bondad."[69] Como una palabra de testimonio divino, el bautismo —una "acción santa instituida por Dios...mediante el cual el pueblo de Dios se sumerge en el agua en el nombre del Señor"— sirve dos propósitos fundamentales. En primer lugar, representa simbólicamente realidades salvíficas para la humanidad —a saber, la limpieza del pecado, la regeneración y la "mortificación y vivificación continua de los cristianos."[70] En segundo lugar, sirve para "sellar" o "confirmar" las promesas de perdón y renovación de Dios a aquellos que creen y, en consecuencia, funcionan para reforzar la fe humana en las promesas de Dios.

Bullinger probó ser menos flexible en cuanto a si el ritual del bautismo de alguna manera causa las realidades que significa. Su teología bautismal, al igual que su teología eucarística, fue informada por el principio de que *signum* ("signo") y *res significata* ("lo significado") "conservan sus naturalezas distinguidas, no propiedades

---

[67] Ibid., 203–11.

[68] Ver Robert Kolb, "The Lutheran Theology of Baptism," en *Baptism: Historical, Theological, and Pastoral Perspectives,* ed. Gordon L. Heath y James D. Dvorak, McMaster Theological Study Series 4 (Eugene, OR: Pickwick, 2011), 53–75.

[69] Henry Bullinger, *The Decades of Henry Bullinger,* ed. Thomas Harding (1849–1852; repr., Grand Rapids, MI: Reformation Heritage Books, 2004), 2:236, 316 (segundo conjunto de paginación).

[70] Ibid., 2:352, 329.

de comunicación". Los sacramentos, entonces, no confieren las realidades que significan, una verdad hecha aparente por el hecho de que "muchos participan de la señal y, sin embargo, están excluidos de la cosa significada."[71] En respuesta a las acusaciones de que él despojó al bautismo de cualquier fuerza real o eficacia, Bullinger respondió que el bautismo era, de acuerdo con su doctrina, completamente "efectivo, y no sin fuerza", produciendo ese mismo "efecto y fin" que Dios se propuso —la confirmación de la fe y el recuerdo del deber en los bautizados.[72]

La defensa de Bullinger del paidobautismo, como la de Zuinglio, descansaba en el reconocimiento de la unidad esencial del pacto de Dios con los pecadores a lo largo de la historia de la salvación y la correspondencia esencial entre el bautismo y la circuncisión. Los hijos de los miembros del pacto pertenecen al pacto en todas las épocas; por lo tanto, el bautismo —habiendo sucedido a la circuncisión como "un sello" de la promesa de Dios de ser el Dios de (y para) su pueblo— "se les debe a ellos."[73]

Bullinger no tuvo reparos en reconocer que los "infantes de cristianos" traídos para el bautismo "no creen".[74] En la medida en que el bautismo se distingue de las realidades salvadoras que significa, el bautismo es válido independientemente de la presencia de la fe. El bautismo simplemente establece la posición de un bebé en el pacto de Dios y el derecho de reclamar las promesas de Dios si ejerce la fe a medida que madura.[75]

MARTIN BUCER Y JUAN CALVINO

Mientras que Bullinger pisa en gran medida los pasos de Zuinglio en su teología del bautismo, Calvino —al menos desde su época en Estrasburgo (1538-1541) en adelante— persiguió un camino especialmente creado por el reformador de primera generación Martin Bucer, quien desde el principio intentó ocupar un término medio entre Zúrich y Wittenberg en los sacramentos.[76] En 1536, Bucer había logrado un progreso significativo en sus esfuerzos por lograr la unidad protestante al convencer a los reformadores de Wittenberg y los evangélicos del sur de Alemania —aunque no los líderes de la iglesia de habla alemana de Zúrich— a suscribirse a una declaración conjunta sobre los sacramentos (la Concordia de Wittenberg).[77] La sección de la Concordia de Wittenberg sobre el bautismo se refería exclusivamente al tema de los destinatarios apropiados de la Santa Cena (tal vez suponiendo un acuerdo sobre la naturaleza del bautismo a la luz de la suscripción conjunta de las partes involucradas a los Artículos de Marburgo). Defendió el paidobautismo sobre la base de que los bebés son susceptibles a la obra regeneradora de Dios y, en virtud de esa obra, poseen al menos "inclinaciones para creer en Cristo y amar a Dios", cuyas "inclinaciones"

---

[71] Ibid., 2:279, 270.

[72] Ibid., 2:314.

[73] Ibid., 2: 344. Bullinger desarrolló este tema especialmente en su 1534 De *testamentseufoedereDeiunicoetaeterno*, un trabajo significativo en la evolución de la teología del pacto reformado. Ver la traducción al inglés, *A Brief Exposition of the One and Eternal Testament or Covenant of God*, en Charles S. McCoy y J. Wayne Baker, Fountainhead of Federalism: Heinrich Bullinger and the Covenantal Tradition (Louisville: Westminster John Knox, 1991), 99–138.

[74] Bullinger, *Decades*, 2:323.

[75] Ibid., 2:323.

[76] Sobre la doctrina del bautismo de Bucer, véase David F. Wright, *Martin Bucer: Reforming Church and Community* (Cambridge: Cambridge University Press, 1994), 95-106 (compárese con 97-100).

[77] Vea el texto con la introducción en *CCFCT* 2: 796-801.

justifican la afirmación de que "los infantes tienen fe."[78] Esta doctrina de *fides infantium*, por supuesto, iba en contra de las enseñanzas de Zuinglio y Bullinger. Pero encontró expresión en la doctrina de Calvino, como lo hizo Bucer en un esfuerzo más general de distinguir sin separar por completo los signos sacramentales de las realidades que significan.[79]

La Doctrina del Bautismo de Calvino

Calvino definió "un sacramento" como "una palabra visible, o escultura e imagen de esa gracia de Dios, que la palabra ilustra más completamente."[80] El bautismo, en la comprensión de Calvino, es principalmente una "palabra" de Dios para los pecadores creyentes: Dios "nos promete en el bautismo y nos muestra por una señal dada que... hemos sido guiados y librados...de la esclavitud del pecado."[81] Pero, al igual que Bullinger (y, presumiblemente, en deferencia parcial a Zuinglio), Calvino estaba feliz de reconocer que el bautismo podría servir secundariamente como una palabra humana de testimonio a Dios y a la iglesia: "Bautismo... es la marca por la cual nosotros... afirmamos abiertamente nuestra fe."[82]

Como una "imagen" de la gracia salvífica, el bautismo representa, en primer lugar, la "purificación" que ocurre correctamente cuando los creyentes son lavados en "la sangre de Cristo" y, por lo tanto, son perdonados por sus pecados. Al igual que Lutero, Calvino enfatizó la continua seguridad que el bautismo proporciona a este respecto: "Tan pronto como nos alejamos, debemos recordar la memoria de nuestro bautismo y fortificar nuestra mente con él, para que siempre estemos seguros y confiados del perdón de los pecados."[83] El bautismo significa, segundo, el injerto en Cristo, y especialmente la participación de uno en la muerte y resurrección de Cristo, en la cual se basan tanto los beneficios justificadores como los santificadores de la obra de Cristo para los creyentes: en el bautismo "primero se nos promete el perdón gratuito de los pecados y la imputación de la justicia, y luego la gracia del Espíritu Santo para reformarnos a la novedad de la vida."[84]

Al examinar la relación entre *signum* y *res significata* en la teología bautismal de Calvino, y así el grado en que el bautismo podría constituir un vehículo de gracia salvadora, surgen diferencias con Bullinger. Ambos reformadores, sin duda, se esforzaron por *distinguir* el ritual del bautismo de aquello que significa, señalando en ese proceso que los receptores incrédulos del bautismo no poseen ninguna de las realidades salvadoras significadas por sus bautismos. Pero Calvino se mostró igualmente preocupado por no *separar* por completo el bautismo de las realidades que significa, por lo que estuvo dispuesto a reconocer el bautismo como un instrumento, dados ciertos términos, de esas realidades. Para Calvino, preservar una unión real (sacramental) entre *signum* y *ressignificata* era una cuestión de mantener la integridad de Dios: "[Dios] lava los pecados... tan real y seguramente como vemos nuestro

---

[78] *CCFCT* 2:801.

[79] Sobre la teología bautismal de Calvino, véase J. V. Fesko, *Word, Water, and Spirit: A Reformed Perspective on Baptism* (Grand Rapids, MI: Reformation Heritage Books, 2010), 79–94; y Wim Janse, "The Sacraments," en *The Calvin Handbook*, ed. Herman J. Selderhuis (Grand Rapids, MI: Eerdmans, 2009), 348–51.

[80] Citado por Fesko, *Word, Water, and Spirit*, 80.

[81] Calvino, *Institución*, 4.15.9.

[82] Ibid., 4.15.6.

[83] Ibid., 4.15.3.

[84] Ibid., 4.15.5.

cuerpo limpiado externamente, sumergido y rodeado de agua…Él no alimenta nuestros ojos con una mera apariencia solamente, sino que nos lleva a la realidad actual y efectivamente realiza lo que simboliza."[85]

Este vínculo más fuerte entre el signo sacramental y las cosas significadas en la doctrina de Calvino (frente a la de Bullinger) informa declaraciones que, como se observó con respecto a declaraciones similares de Lutero, podrían parecer equivalentes a una doctrina de regeneración bautismal: "En cualquier momento en que nos bauticemos, una vez para siempre nos lavamos y purgamos para toda la vida"; "a través del bautismo, Cristo nos hace partícipes de su muerte, para que podamos ser injertados."[86] Sin embargo, al igual que Lutero, el mismo Calvino calificó tales declaraciones. Insistió, por ejemplo, en que Dios es el agente apropiado de este sacramento; el bautismo "debe ser recibido de la mano del Autor mismo". Por lo tanto, "es *él* quien purifica y lava los pecados, y borra el recuerdo de ellos;… es *él* quien nos hace partícipes de su muerte."[87] Además, Calvino notó que, propiamente hablando, no es agua sino "la sangre de Cristo" (la primera relacionada con esta última como *signum* a *res significata*) que purifica a los bautizados.[88] El reconocimiento de "la sangre de Cristo" como la "verdadera y única fuente" en la cual los creyentes son lavados de manera salvadora debería, en el juicio de Calvino, servir para evitar opiniones supersticiosas o idólatras con respecto al agua bautismal.

Calvino también hizo todo lo posible para resaltar la indispensabilidad de la verdadera fe para la recepción de cualquier beneficio real del bautismo: "No es mi intención debilitar la fuerza del bautismo al no unir realidad y verdad al signo, en la medida en que Dios trabaja por medios externos. Pero de este sacramento, como de todos los demás, obtenemos solo lo que recibimos en la fe". La recepción del bautismo sin fe, agregó Calvino, es una falla en creer la promesa expresada específicamente *en* el bautismo.[89]

Este énfasis en la necesidad de la fe de recibir algún beneficio del bautismo establece la posibilidad de que el bautismo se reciba en algún intervalo de tiempo desde la recepción de esas realidades salvíficas significadas por el sacramento.[90] Por lo tanto, hay algunos que finalmente captan la promesa de Dios y ejercen fe salvadora en esa promesa en algún momento después de sus bautismos. Calvino se señaló a sí mismo y a otros que fueron bautizados en la iglesia romana de la Baja Edad Media, como para ilustrar esta posibilidad. El bautismo —es decir, la promesa de Dios de "perdón de los pecados"— administrado a aquellos que posteriormente rompieron con Roma fue completamente válido cuando fue entregado, pero "enterrado por mucho tiempo" y "descuidado" y fue apropiado solamente cuando nació la verdadera fe en la promesa de Dios.[91]

Mientras que algunos reciben las realidades significadas en algún momento después del signo, otros —y aquí, tal vez, surge una diferencia significativa con Lutero— reciben las realidades significadas antes de recibir el signo. En otras palabras, hay

---

[85] Ibid., 4.15.14.
[86] Ibid., 4.15.3, 5.
[87] Ibid., 4.15.14, cursivas añadidas.
[88] Ibid., 4.15.2
[89] Ibid., 4.15.14.
[90] Ver ibid., 4.15.15, 17.
[91] Ibid., 4.15.17.

personas que creen, y así obtienen todos los beneficios que la fe concede de manera apropiada, en algún momento antes de sus bautismos. Según Calvino, tal fue el caso de Cornelio, el centurión en Hechos 10 que "ya había recibido el perdón de los pecados y las gracias visibles del Espíritu Santo" antes de ser bautizado.[92] Calvino enfatizó que no se ofrece un "perdón más amplio de pecados" a los bautizados en un momento posterior a su creencia; el perdón de los pecados que se sigue inmediatamente de la fe en la obra consumada de Cristo es perfecto y por lo tanto imposible de mejorar. Para tales personas, entonces, el bautismo principalmente comunica un "aumento de seguridad" con respecto al perdón que ya han recibido a través de la fe en las promesas de Dios.[93]

Al responder a "ciertos espíritus frenéticos [que] han perturbado gravemente a la iglesia sobre el bautismo de infantes", Calvino, como Lutero, defendió la conveniencia del paidobautismo sobre la base, ante todo, de la institución divina de esa práctica.[94] "Al bautizar a los bebés obedecemos la voluntad del Señor."[95] Sin embargo, Calvino mantuvo un paso más cercano con Zuinglio y Bullinger al proporcionar un fundamento teológico para el paidobautismo. Por lo tanto, enfatizó la singularidad del pacto misericordioso hecho con creyentes en todas las épocas: "Si el pacto... permanece firme y constante, aplica hoy no menos a los hijos de cristianos de lo que... pertenecía a los infantes de los judíos."[96] Y en relación con su insistencia en la unidad del pacto de Dios con los creyentes de todas las épocas, enfatizó la correspondencia entre la circuncisión y el bautismo: "Además de la diferencia en la ceremonia visible, lo que pertenece a la circuncisión pertenece también al bautismo."[97]

Calvino admitió libremente que los infantes, a diferencia de los "hombres maduros," son iniciados en el pacto de Dios antes de que posean un "entendimiento" real de las "provisiones del pacto."[98] La ausencia de "comprensión" no se traduce necesariamente en ausencia de fe. En la primera edición de la *Institución de la Religión Cristiana*, Calvino habló con confianza sobre la presencia de fe en (algunos) recién nacidos bautizados: "El bautismo... con razón se aplica a los bebés, que poseen fe en común con los adultos."[99] En ediciones posteriores de esa obra, habló con más circunspección acerca de la "semilla" de la fe (o, análogamente, la "pequeña chispa" del "conocimiento de Dios") que "está escondida dentro de ellos por la obra secreta del Espíritu."[100] Al mismo tiempo, especuló más libremente en escritos posteriores sobre la regeneración de (algunos) hijos de creyentes en la infancia: "Está perfectamente claro que los bebés que deben ser salvos (como algunos seguramente se salvan de esa temprana edad) previamente han sido regenerados por el Señor."[101] Calvino razonó a esta posición desde la convicción de que las personas deben ser regeneradas "antes de que puedan ser admitidas en el reino de Dios"(véase Jn. 3:5), junto con la afirmación de Cristo de que los niños, de hecho, han sido admitidos en ese reino (Mt. 19:14). Él

---

[92] Ibid., 4.15.15.
[93] Ibid.
[94] Ibid., 4.16.1.
[95] Citado por Fesko, *Word, Water, and Spirit*, 92.
[96] Calvino, *Institución*, 4.16.5
[97] Ibid., 4.16.4.
[98] Ibid., 4.16.24.
[99] Citado por Fesko, *Word, Water, and Spirit*, 91.
[100] Calvino, *Institución*, 4.16.19–20.
[101] El término "regeneración" en Calvino comprende tanto lo que más tarde los teólogos reformados pretendían por el término como lo que típicamente llamaban "santificación".

descubrió un ejemplo bíblico-histórico de regeneración infantil en el caso de Juan el Bautista, que fue "lleno del Espíritu Santo" cuando todavía estaba en el vientre de su madre (Lc. 1:15).[102]

Compromiso Luterano y Reformado con la Doctrina Sacramental de Calvino

Es necesario, antes de concluir nuestra consideración de la doctrina de Calvino, destacar una cierta tensión que existía en la teología del bautismo de Calvino —una tensión que sus antagonistas luteranos de la década de 1550 percibieron y explotaron fácilmente. Calvino, como se señaló, estaba ansioso por mantener —más que Bullinger— una unión sacramental entre el ritual del bautismo y las realidades salvíficas significadas por ese ritual. Para Calvino, *signum* y *ressignificata* son *distinctio sed non separatio* ("distinto, pero no separado").[103] Por lo tanto, afirmó que el bautismo, donde la fe está presente, comunica las realidades espirituales que significa. Sin embargo, como se hace evidente en su defensa del paidobautismo, Calvino creía que, al menos en la mayoría de los casos, los niños elegidos, al igual que el centurión Cornelio, ya han recibido las realidades significadas por el bautismo cuando se bautizan. Si el perdón de los pecados apropiado a través de (la semilla de) la fe no puede ser aumentado, y si ocurre la regeneración y el injerto de un niño elegido en Cristo, al menos potencialmente, antes del bautismo, no parece haber nada para que el bautismo realmente comunique a los destinatarios más allá de la confirmación de lo que ya es suyo por la fe. Por lo tanto, los antagonistas luteranos de Calvino de la década de 1550 lo acusaron —como cargaron a Bullinger (y finalmente a Zuinglio)— de reducir el bautismo al estado de un signo de gracia salvífica y, al menos implícitamente, de negar que sea un *instrumento* genuino de la misma.[104]

En respuesta a sus críticos en este sentido, Calvino se negó, por un lado, a dejar de afirmar una conexión genuina (sacramental) entre el bautismo y esas realidades significadas por el bautismo, y por eso un papel instrumental del bautismo al comunicar esas realidades salvíficas. Así insistió, en defensa de su enseñanza sacramental contra el luterano de Hamburgo, Joachim Westphal, que "Dios verdaderamente realiza y efectúa por bautismo lo que él representa", que "el oficio propio del bautismo es [injertarnos] en el cuerpo de Cristo", y que las personas (creyentes) "son regeneradas por el bautismo."[105] Por otro lado, Calvino insistió en que el bautismo no necesariamente "funciona eficazmente en el mismo momento en que se realiza" (o, para el caso, necesariamente "funciona" en absoluto donde la fe no está presente). "Es erróneo", observó, "inferir que el curso libre de la gracia divina está ligado a los instantes del tiempo". Al parecer, Calvino no vio nada problemático al afirmar que el bautismo representa *y* presenta (para usar el lenguaje sacramental que empleó en otro lugar) las realidades significadas por el bautismo y que lo hace en algún punto en el tiempo eliminado, en un grado u otro, de la recepción real del

---

[102] Calvino, *Institución*, 4.16.17.

[103] Vease Fesko, *Word, Water, and Spirit*, 85; Jill Raitt, "Three Inter-Related Principles in Calvin's Unique Doctrine of Infant Baptism", *SCJ* 11, no. 1 (1980): 51–62.

[104] Ver especialmente la respuesta de Calvino a la crítica de Westphal sobre su teología bautismal en *Selected Works of John Calvin: Tracts and Letters*, ed. Henry Beveridge y Jules Bonnet, trad. Henry Beveridge (1849; reimpr., Grand Rapids, MI: Baker, 1983), 2: 336-45.

[105] Calvino, *Selected Works*, 2:337, 339, 340.

sacramento.[106] Puede que a sus oponentes se les perdone por haber sentido que Calvino intentaba tener su pastel sacramental y comérselo también.

La admisión de Calvino de que las cosas significadas por el bautismo podrían ser —de hecho, típicamente son— apropiadas en algún momento que no sea la recepción del bautismo *per se* al menos acercó su doctrina a la de Bullinger. Así facilitó el acuerdo que Calvin y Bullinger expresaron formalmente sobre los sacramentos con el Consenso de Zúrich de 1549.[107] El artículo 20 de ese documento afirmaba que "el beneficio que recibimos de los sacramentos no debe restringirse al momento en que se nos administran…Para los que [se] bautizaron en la infancia, Dios regenera en la infancia o al comienzo de la adolescencia, e incluso a veces en la vejez."[108] Este lenguaje podría ampliarse para dar cabida tanto a la suposición de Calvino de que la regeneración típicamente precede al bautismo de infantes como a la suposición de Bullinger de que la regeneración (como la fe) sigue al bautismo de infantes.[109]

El Consenso de Zúrich, en general, no llegó a atribuir explícitamente a los signos sacramentales un papel instrumental en la comunicación de las realidades salvíficas, aun cuando insistía en que "no separamos la verdad de los señales."[110] Lo más cerca que estuvo de expresar la propia comprensión de Calvino de la unión sacramental entre *signa* y *res significata* fue en su definición de los sacramentos como "órganos [*organa*] por los cuales Dios actúa de manera eficaz". Incluso esta afirmación, sin embargo, permanece vaga porque no detalla qué es exactamente lo que Dios "eficazmente" hace a través de los "órganos" del bautismo y de la Cena del Señor. ¿Dios, como Calvino creía, comunica "eficazmente" las realidades significadas por los sacramentos, o Dios, como Bullinger insistió, "de manera eficaz" confirmar la fe de los creyentes al ilustrar simbólicamente y sellar su promesa de salvar las realidades (qué realidades se comunican adecuadamente por completo, aparte de los sacramentos)?[111]

Cualesquiera que sean las ambigüedades de la sacramentología articuladas en el Consenso de Zúrich, el documento logró su propósito de llevar a Ginebra y Zúrich a una alianza teológica duradera y finalmente estableció los límites de "reformados" (a diferencia de la enseñanza católica romana, luterana o radical) tanto en el bautismo como en la Cena del Señor. Polemistas luteranos encontraron oportunidad en la publicación del Consenso (en 1551) para renovar las críticas a los líderes evangélicos de Zúrich, quienes, a su juicio, permanecieron comprometidos con la reducción de Zuinglio de ambos sacramentos a meros símbolos de realidades salvadoras. También encontraron la oportunidad de gritar "falta" a los líderes de la iglesia de otras ciudades que, en teoría, estaban comprometidos con la Concordia de Wittenberg, pero que ahora estaban suscritos al Consenso, interpretando su alianza con Zúrich y su compromiso

---

[106] "Dios, cada vez que ve, cumple y exhibe en efecto inmediato aquello que figura en la Santa Cena. Pero ninguna necesidad debe ser imaginada para evitar que su gracia algunas veces preceda, algunas veces siga, el uso del signo. La dispensación de [gracia], su Autor así modera como no separa la virtud de su Espíritu del símbolo sagrado". Calvino, *Selected Works*, 2: 342.

[107] *CCFCT* 2:802–15.

[108] *CCFCT* 2:811.

[109] Podría decirse que también implica que la "regeneración" es propiamente el "beneficio" del bautismo, lo que reflejaría la posición de Calvino más que la de Bullinger.

[110] *CCFCT* 2:808.

[111] Vease Paul E. Rorem, "The Consensus Tigurinus (1549): Did Calvin Compromise?" en *Calvinus Sacrae Scripturae Professor: Calvin as Confessor of Holy Scripture; Die Referate Des Congrès International Des Recherches Calviniennes Vom 20. Bis 23. August 1990 in Grand Rapids*, ed. Wilhelm H. Neuser (Grand Rapids, MI: Eerdmans, 1994), 72–90.

con una declaración que —en su juicio— negaba la eficacia salvífica a los sacramentos como una violación de sus lealtades previas.

El bautismo desempeñó un papel secundario a la Cena del Señor en los renovados conflictos entre pensadores reformados y luteranos en la década de 1550. El punto central en discusión entre las partes reformadas y luteranas sobre el bautismo en este período posterior fue si el bautismo realmente sirve o no como un instrumento de las realidades que significa.[112] Sin negar el énfasis de Lutero sobre la eficacia que la fe imparte al bautismo, los luteranos quisieron dejar en claro que el bautismo sí comunica las realidades que significa y por lo tanto sigue siendo indispensable para la salvación. La insistencia de Westphal de que los infantes moribundos *deben* ser bautizados para ser regenerados y obtener entrada al reino eterno de Dios, ilustra bien la postura luterana. La respuesta de Calvino que elige a las personas que mueren en la infancia se regenera y se admite en el reino de Dios, independientemente de que reciban o no el bautismo apenas capta los matices de su teología bautismal *in toto*. Pero los luteranos descubrieron en esa respuesta la prueba de que los pensadores reformados, cuando llegaban los empujones, prescindían de la necesidad del bautismo para la salvación como principio general.[113] La admisión adicional de Calvino de que los infantes *sobrevivientes* eran típicamente regenerados *antes* del bautismo, aun cuando simultáneamente insistió en que eran regenerados por el bautismo, golpeó a Westphal y compañía como un doble discurso y no les aseguró que los pensadores reformados le otorgaran al bautismo un papel instrumental genuino en la comunicación de la gracia salvadora.

Posiciones Confesionales sobre el Bautismo

Las controversias entre pensadores luteranos y reformados de la década de 1550 proporcionaron un impulso para aclarar y solidificar varios puntos de vista sacramentales en las declaraciones oficiales de fe. Roma ya había definido su posición sobre los sacramentos en relación con las doctrinas protestantes y anabaptistas en la séptima sesión del Concilio de Trento (1547). A fines de la década de 1550 y principios de la de 1560, las iglesias reformadas, en un número significativo de confesiones, definió su doctrina cara a cara no solo con la enseñanza romana y anabaptista sino también con la protestante luterana. Y en la década siguiente, los luteranos divinizan recíprocamente al agregar la Fórmula de la Concordia a sus catecismos y confesiones existentes como una declaración autorizada de su fe, aclarando así la teología sacramental luterana con relación a la romana, anabaptista y doctrinas protestantes reformadas. Como resumen y conclusión de este capítulo, se describirán varias posiciones confesionales sobre el bautismo. También se prestará una atención muy breve a ciertos desarrollos del siglo XVII relacionados con declaraciones confesionales sobre el bautismo.

Doctrina Católica Tridentina

El Concilio de Trento, que se ocupó de la sacramentología en su séptima sesión, formalizó la enseñanza medieval tardía sobre el bautismo y emitió anatemas contra las

---

[112] Ver especialmente Wim Janse, "The Controversy between Westphal and Calvin on Infant Baptism, 1555–1556," *Perichoresis* 6, no. 1 (2008): 1–43.

[113] Ibid., 13, 20–21.

teologías bautismales evangélicas y anabaptistas. Se declaró que el bautismo "contiene la gracia" que significa y "confiere esa gracia" —"a través de la acción sacramental en sí" (*ex opere operato*)— "en aquellos que no ponen un obstáculo a eso."[114] Las personas que afirman que "la gracia de la justificación" se apropia correctamente por "la fe sola" o que el bautismo "no es necesario para la salvación" fueron anatematizadas.[115] Trento también insistió en que la gracia que el bautismo confiere apropiadamente *puede* perderse a través del pecado mortal, y condenó a aquellos que extendieron la gracia del bautismo —o más bien, fe en la promesa encarnada en el bautismo— para cubrir todos los pecados futuros.[116] Al insistir en que se podía perder el beneficio del bautismo, Trento reforzó lo el carácter sacramental (y por lo tanto, indispensable) de la penitencia y la función propiamente dicha de la penitencia establecida de recuperar la "gracia de la justificación" en los casos en que se perdía por el pecado mortal. Los cánones finales de Trento sobre el bautismo trataban con los destinatarios apropiados de la Santa Cena, anatematizaban a las personas que retenían el bautismo de los bebés o rebautizaban a los que habían sido bautizados como bebés en los últimos años.[117]

LAS CONFESIONES REFORMADAS

La Confesión reformada francesa (1559), la Confesión escocesa (1560) y la Confesión belga (1561) formularon declaraciones muy similares sobre sacramentología en general y sobre el bautismo en particular. Las tres confesiones revelan una deuda con Calvino en el uso del lenguaje que —más que el descubierto en el Consenso de Zúrich— enfatizó la unión sacramental entre el bautismo y las realidades significadas por el bautismo y, por lo tanto, el papel instrumental que desempeña el bautismo en la comunicación de la gracia salvífica a los creyentes. La Confesión francesa dice: "Por [bautismo] somos injertados en el cuerpo de Cristo, para ser lavados y limpiados por su sangre, y luego renovados en pureza de vida por su Espíritu Santo", mientras que la Confesión escocesa afirma, "Por el bautismo somos injertados en Cristo Jesús, para ser hechos partícipes de su justicia, por la cual nuestros pecados son cubiertos y remitidos."[118] Tales declaraciones se basan en una relación cuidadosamente definida entre la *signa* sacramental y la *res significata*. Los signos y las cosas significadas no pueden separarse entre sí; así la Confesión francesa afirma, "Con estas señales se da la verdadera posesión y disfrute de lo que nos presentan."[119] Sin embargo, como afirma la Confesión escocesa, las señales y las cosas significadas no deben confundirse: "No adoraremos los signos en lugar de lo que ellos significan."[120] Contra Roma, la necesidad de la fe de recibir cualquier beneficio del bautismo se enfatiza en estas confesiones. También lo es la permanencia del beneficio espiritual que el bautismo comunica a los destinatarios creyentes, como se recoge en la Confesión belga: "Este bautismo es rentable no solo cuando el agua está sobre nosotros y cuando lo recibimos, sino a lo largo de toda nuestra vida."[121] La propiedad de bautizar a los infantes de los

---

[114] *CCFCT* 2:840.
[115] Ibid.
[116] Ibid., 2:841.
[117] Ibid., 2:842.
[118] Ibid., 2:384, 400.
[119] Ibid., 2:385.
[120] Ibid., 2:401.
[121] Ibid., 2:422.

creyentes se establece sobre la base de su membresía en la iglesia y el pacto y de —al menos en la Confesión belga— su participación en los beneficios espirituales que el bautismo significa y comunica: "Cristo ha derramado su sangre no menos por lavar a los niños pequeños de los creyentes que por los adultos."[122]

En 1566, se publicó la Segunda Confesión Helvética, escrita en su totalidad por Bullinger, aunque posteriormente respaldada por varias iglesias nacionales. Aunque similar en contenido a las confesiones reformadas que acabo de señalar, la confesión de Bullinger se caracterizó por una discusión más extensa de la relación entre *signa* y *res significata* en los sacramentos, y posiblemente redujo esa relación a una de mera significación.[123] Bullinger evitó cuidadosamente el lenguaje que sugería que el bautismo podía comunicar las bendiciones espirituales que significa, y enfatizó la *seguridad* de las bendiciones espirituales que el bautismo —como una señal y sello del pacto de Dios— ofrece a los creyentes: "interiormente somos regenerados, purificados y renovados por Dios a través del Espíritu Santo; y exteriormente recibimos la seguridad de [estos] dones en el agua, por los cuales también [estos] grandes beneficios se representan, y, por así decirlo, se ponen ante nuestros ojos para ser contemplados."[124]

Aunque nuestro tratamiento del bautismo en este capítulo se ha limitado en gran medida al siglo XVI, es necesario —antes de concluir con las confesiones reformadas— tomar nota de dos textos del siglo XVII y sus doctrinas del bautismo. El primero de ellos es la Confesión de Fe de Westminster, completada en 1646, que merece atención simplemente por la posición que ha llegado a ocupar como estándar teológico para tantas denominaciones presbiterianas en todo el mundo hoy en día. La Confesión de Westminster comienza su tratamiento del bautismo al detallar el significado del ritual y procede a delinear la forma y el modo apropiados ("verter o rociar agua sobre la persona") de la misma. Afirma la conveniencia de bautizar a los "que realmente profesan fe", así como a "los infantes de uno o ambos padres creyentes."[125] Al condenar el desprecio por el bautismo, la confesión reconoce que "la gracia y la salvación no están tan inseparablemente anexadas a ella… que ninguna persona puede ser regenerada o salvada sin ella", y observa que los recipientes incrédulos del bautismo no reciben ningún beneficio salvífico de la Santa Cena.[126] Con respecto a la pregunta crítica de si el bautismo, dados ciertos términos (particularmente la presencia de la fe), comunica las bendiciones que significa, la Confesión de Westminster concluye,

> La eficacia del bautismo no está ligada a ese momento en que se administra; sin embargo, a pesar del uso correcto de esta ordenanza, la gracia prometida no solo se ofrece, sino que realmente es exhibida y conferida por el Espíritu Santo a tales personas (ya sea de edad o infantes) como esa gracia pertenece, de acuerdo con el consejo de la propia voluntad de Dios, en su tiempo señalado.[127]

---

[122] Ibid., 2:423.
[123] Ibid., 2:504–8.
[124] Ibid., 2:509.
[125] Ibid., 2:641.
[126] Ibid., 2:641–42.
[127] Ibid., 2:642.

Uno encuentra reflejado en esta declaración la tensión en la doctrina de Calvino mencionada anteriormente: admite algún espacio de tiempo entre la aplicación del bautismo y la apropiación de las realidades espirituales significadas por el bautismo, sin embargo identifica el bautismo como un instrumento de gracia salvífica.

El siglo XVII fue testigo del surgimiento de grupos que, por primera vez, se unieron al rechazo del paidobautismo, al principio de la Escritura del protestantismo y al énfasis soteriológico en la justificación *sola fide*.[128] Los protestantes bautistas en Londres produjeron una serie de confesiones doctrinales consistentes con este desarrollo. La segunda de estas, publicado en 1677 y adoptada por una asamblea de iglesias bautistas particulares en 1689, fue modelada en gran parte en la Confesión de Westminster, pero se separó —naturalmente— con la enseñanza de esa Confesión sobre el tema del bautismo. Deben notarse tres puntos de contraste entre la Confesión de Westminster y la Segunda Confesión Bautista de Londres. Primero, la última confesión insistió en que "los que realmente profesan arrepentimiento hacia Dios, su fe y su obediencia a nuestro Señor Jesucristo son los únicos sujetos propios de esta ordenanza", por lo tanto, se debe excluir a los niños del sacramento del bautismo. Segundo, afirmó que "inmersión o el sumergir" era el modo apropiado de bautismo. Y tercero, identificó estrictamente el bautismo como "una señal" de unión con Cristo, de la "remisión de los pecados" y de la "novedad de vida", evitando así (sin negar explícitamente) cualquier sugerencia de que el bautismo —en virtud de una unión sacramental entre *signum* y *res significata*— podría servir de alguna manera para comunicar las realidades salvíficas que significa.[129]

LAS CONFESIONES LUTERANAS

La Fórmula de Concordia (1577) resolvió las diferencias entre los luteranos que habían surgido después de la muerte de Lutero en 1546. Con respecto a la sacramentología, la Fórmula se centró principalmente en la Cena. Su importancia para este estudio radica principalmente en la autoridad que imputa a las declaraciones anteriores de la fe luterana que contienen relatos más completos del bautismo, incluida la Confesión de Augsburgo, la Apología de Melanchthon sobre la misma, los catecismos de Lutero y los Artículos de Smalcald.

Entre estas declaraciones de fe luteranas anteriores, el Catecismo Mayor de Lutero contiene el tratamiento más completo del bautismo. El Catecismo Mayor identifica el bautismo como una práctica divinamente instituida y, por lo tanto, como "la obra de Dios", el "poder, efecto, beneficio, fruto y propósito" de lo cual es "salvar."[130] El "poder" del bautismo para liberar a los pecadores del "pecado, la muerte y el demonio" y traerlos al "Reino de Cristo" no compromete, según el catecismo, la verdad de que los pecadores son justificados solo por la fe. La fe sola aprehende el beneficio que el

---

[128] Yo diría que los grupos anabaptistas del siglo dieciséis rechazaron en gran medida la *sola Scriptura* y la *sola fide*, tal como esos principios fueron entendidos por los reformadores magisteriales. Tal afirmación tiene una relación con la cuestión de los orígenes de los bautistas, con respecto a lo que se refiere a David W. Bebbington, *Baptists through the Centuries: A History of a Global People* (Waco, TX: Baylor University Press, 2010).

[129] William J. McGlothlin, editor, *Baptist Confessions of Faith* (Filadelfia: American Baptist Publication Society, 1911), 269-70. El fracaso de la Confesión Bautista de Londres de 1689 al atribuir explícitamente la eficacia al bautismo no impidió que algunos bautistas del siglo XVII (o posteriores) lo reconocieran. Ver el argumento de Stanley K. Fowler en *More than a Symbol: The British Recovery of Baptismal Sacramentalism*, Studies in Baptist History and Thought 2 (Eugene, OR: Wipf y Stock, 1997).

[130] Theodore G. Tappert, ed. y trad., *The Book of Concord: The Confessions of the Evangelical Lutheran Church* (Philadelphia: Muhlenberg, 1959), 439.

bautismo comunica —la doctrina de Roma de la eficacia bautismal es rechazada. Pero la fe debe tener un objeto. En la medida en que Dios ha agregado su promesa al agua del bautismo, la fe con razón "se aferra al agua,…en el cual hay pura salvación y vida."[131] Aquí falta el nerviosismo que uno descubre en las confesiones reformadas sobre la idolatría de los elementos sacramentales. Los pecadores ejercen apropiadamente la fe (salvífica) en el compromiso de Dios de salvarlos *a través* "del agua comprendida en la palabra de Dios" —es decir, en la promesa de Dios de que "cualquiera que cree y es bautizado, será salvo" (Mc. 16:16).[132] El Gran Catecismo concluye su tratamiento del bautismo al defender la legitimidad del paidobautismo y al enfatizar la durabilidad de la gracia que el bautismo concede a los creyentes.[133]

La Fórmula de Concordia no incluye una sección discreta sobre el bautismo. Sin embargo, aborda cuestiones relacionadas con el bautismo en sus comentarios sobre "facciones y sectas". En armonía con las normas confesionales luteranas anteriores, la Fórmula condena lo que percibe como el error anabaptista de retener la Santa Cena de los hijos de los creyentes. La Fórmula también, curiosamente, condena (entre las doctrinas "heréticas" de los anabaptistas) la opinión de que "los hijos de cristianos, dado que nacen de padres cristianos y creyentes, son santos e hijos de Dios, incluso sin y *antes del bautismo*."[134] Esto podría verse como un ataque a las enseñanzas de Calvino tanto, o si no más, que la doctrina anabaptista. Si, de hecho, la doctrina de Calvino estuviera a la vista, esto simplemente reflejaría la tendencia entre los luteranos de fines del siglo XVI de agrupar a los protestantes reformados con sectarios radicales, aun cuando los protestantes reformados persistieron en reconocer a los luteranos como hermanos cristianos y promover la intercomunión entre sus respectivas confraternidades.

Conclusión

"Esfuércense por mantener la unidad del Espíritu mediante el vínculo de la paz. Hay un solo cuerpo y un solo Espíritu, así como también fueron llamados a una sola esperanza; un solo Señor, una sola fe, un solo bautismo; un solo Dios y Padre de todos, que está sobre todos y por medio de todos y en todos" (Ef. 4:3-6 NVI). Al comentar sobre este texto a fines de la década de 1540, Calvino descubrió en el reconocimiento de la Escritura "un solo bautismo" no un argumento en contra del rebautismo (tan tentador como debe haber sido esa interpretación en su contexto histórico), sino la doctrina de que hay "un solo bautismo… común a todos,… por medio de [que] comenzamos a formar un cuerpo y un alma". El reformador difícilmente podría haber escrito estas palabras sin una conciencia aguda de que el bautismo se había convertido, en su época, en algo que —aparentemente— dividía en lugar de unir el cuerpo de Cristo. Sin embargo, la posterior identificación de "un Dios y Padre" de todos los verdaderos creyentes aparentemente le dio esperanza a Calvino, incluso en medio de una era definida por el conflicto teológico. "¿Cómo es posible," escribió, "que estamos unidos por la fe, por el bautismo, o incluso por el gobierno de Cristo, sino porque Dios el Padre, que se extiende a cada uno de nosotros su presencia graciosa, emplea estos

---

[131] Ibid., 440.
[132] Ibid., 437–38.
[133] Ibid., 442–46.
[134] Ibid., 634, cursivas añadidas.

medios para reunirnos a él mismo?"[135] Contrariamente a todas las apariencias, concluyó Calvino, el bautismo une en vez de dividir a los verdaderos cristianos — independientemente de sus desacuerdos sobre él— porque es, simplemente, la única verdadera herramienta de Dios para hacer justamente eso. Dada la realidad de que las diferencias con respecto al bautismo que surgieron en el siglo XVI siguen siendo muy comunes entre nosotros hoy, la perspectiva de Calvino parece una conclusión que vale la pena tomar y repetir al servicio de este capítulo.

Recursos para un Estudio Adicional

FUENTES PRIMARIAS

Aquino, Tomás. *Summa Theologiae*. Vols. 13–20 of *The Latin/English Edition of the Works of St. Thomas Aquinas*. Traducido por Laurence Shapcote. Editado por John Mortensen y Enrique Alarcón. Lander, WY: Aquinas Institute for the Study of Sacred Doctrine, 2012.

Bromiley, G. W., ed. *Zwingli and Bullinger: Selected Translations with Introductions and Notes*. Library of Christian Classics 24. Philadelphia: Westminster, 1953.

Bullinger, Heinrich. *A Brief Exposition of the One and Eternal Testament or Covenant of God*. Traducido por Charles S. McCoy y J. Wayne Baker. En McCoy y Baker, *Fountainhead of Federalism: Heinrich Bullinger and the Covenantal Tradition*, 99–138. Louisville: Westminster John Knox, 1991.

————.*The Decades of Heinrich Bullinger*. Editadopor Thomas Harding. 2 vols. 1849–1852. Reimpresión, Grand Rapids, MI: Reformation Heritage Books, 2004.

Calvino, Juan. *Institución de la Religion Cristiana*. Grand Rapids: Libros Desafío, 2012.

————.*Second Defence of the Pious and Orthodox Faith concerning the Sacraments*. En *Selected Works of John Calvin: Tracts and Letters*, editadopor Henry Beveridge y Jules Bonnet, translated by Henry Beveridge, 2:245–345. 1849. Reimpresión, Grand Rapids, MI: Baker, 1983.

Lombardo, Pedro. *The Sentences*. Traducido por Giulio Silano. 4 vols. Mediaeval Sources in Translation 42–43, 45, 48. Toronto: Pontifical Institute of Mediaeval Studies, 2007–2010.

Lutero, Martín. *The Babylonian Captivity of the Church*. En *Luther's Works. Vol. 35, Word and Sacrament I*, editado por Abdel Ross Wentz, 3–126. Philadelphia: Fortress, 1959.

————.*Concerning Rebaptism. In Luther's Works. Vol. 40, Church and Ministry II*, editado por Conrad Bergendoff, 225–62. Philadelphia: Fortress, 1959.

McGlothlin, William J., ed. *Baptist Confessions of Faith*. Philadelphia: American Baptist Publication Society, 1911.

Melanchthon, Felipe. *Commonplaces: Loci Communes 1521*. Traducido por Christian Preus. St. Louis, MO: Concordia, 2014.

Pelikan, Jaroslav, y Valerie Hotchkiss, eds. *Creeds and Confessions of Faith in the Christian Tradition*. Vol. 2, part 4, *Creeds and Confessions of the Reformation Era*. New Haven, CT: Yale University Press, 2003.

---

[135] Juan Calvino, *Commentaries on the Epistles of Paul to the Galatians and Ephesians*, trad. William Pringle (Edinburgh: Thomas Clark, 1841), 251.

Tappert, Theodore G., ed. y trad. *The Book of Concord: The Confessions of the Evangelical Lutheran Church*. Philadelphia: Fortress, 1959.

Zuinglio, Huldrych. *Commentary on True and False Religion*. Editado por Samuel Macaulay Jackson y Clarence Nevin Heller. 1929. Reprint, Durham, NC: Labyrinth, 1981.

FUENTES SECUNDARIAS

Fesko, J. V. *Word, Water, and Spirit: A Reformed Perspective on Baptism*. Grand Rapids, MI: Reformation Heritage Books, 2010.

Heath, Gordon L., y James D. Dvorak, eds. *Baptism: Historical, Theological, and Pastoral Perspectives*. McMaster Theological Study Series 4. Eugene, OR: Pickwick, 2011.

Janse, Wim. "The Controversy between Westphal and Calvin on Infant Baptism, 1555–1556." *Perichoresis* 6, no. 1 (2008): 1–43.

Raitt, Jill. "Three Inter-Related Principles in Calvin's Unique Doctrine of Infant Baptism." *Sixteenth Century Journal* 11, no. 1 (1980): 51–62.

Riggs, John W. *Baptism in the Reformed Tradition*. Columbia Series in Reformed Theology. Louisville: Westminster John Knox, 2002.

Stephens, W. P. *The Theology of Huldrych Zwingli*. Oxford: Clarendon, 1986.

Trigg, Jonathan D. *Baptism in the Theology of Martin Luther*. Leiden: Brill, 2001.

Williams, George Huntston. *The Radical Reformation*. 3ra ed. Sixteenth Century Essays and Studies 15. Kirksville, MO: Truman State University Press, 1992.

Wright, David F. *Martin Bucer: Reforming Church and Community*. Cambridge: Cambridge University Press, 1994.

La Cena del Señor

Keith A. Mathison

RESUMEN

Los debates del siglo XVI sobre la naturaleza de la Cena del Señor dieron como resultado divisiones que existen hasta el día de hoy. Los reformadores estuvieron de acuerdo en que la doctrina católica romana, que entendía la Cena como una representación o repetición del sacrificio de Cristo, no era bíblica. También estuvieron de acuerdo en rechazar la doctrina católica romana de la transubstanciación. Sin embargo, cuando fueron presionados para proporcionar su propia explicación de la presencia de Cristo en la Cena, no pudieron llegar a un acuerdo. Martín Lutero insistió en que las palabras de Cristo "Este es mi cuerpo" significan que el pan es su cuerpo. Andreas Karlstadt, Huldrych Zuinglio, Juan Ecolampadio y otros no estuvieron de acuerdo, argumentando que las palabras de Cristo deben ser entendidas simbólicamente. El desacuerdo resultó en una larga y amarga controversia. A través de los esfuerzos de Martin Bucer, quien finalmente tomó una posición algo mediadora, se logró un mínimo de paz con la Concordia de Wittenberg de 1536. Cuando el protegido de Bucer, Juan Calvino y el colega más joven de Zuinglio, Henry Bullinger, elaboraron el Consenso de Zúrich en 1549, comenzó una segunda controversia porque algunos luteranos la veían como una capitulación de una doctrina totalmente simbólica de la Cena. Los debates escritos entre los reformados y los luteranos, particularmente Juan Calvino y Joachim Westphal, cimentaron aún más las divisiones entre estas ramas de la iglesia. A fines del siglo dieciséis, las confesiones reformadas y luteranas, así como el Concilio de Trento, habían trazado las líneas doctrinales que existen hasta el día de hoy.

Introducción

A fines del siglo dieciséis, el cuerpo de Cristo se había roto por desacuerdos y debates sobre la Cena del Señor. Varios teólogos ya habían comenzado a sistematizar los argumentos a favor y en contra de las diferentes opiniones, y las confesiones de varias iglesias como la católica, luterana y reformada habían establecido los límites. Las líneas de batalla fueron dibujadas para un conflicto que aún no ha terminado. Para entender dónde estamos hoy, debemos entender los diversos puntos de vista de la Eucaristía de quienes participaron en los grandes debates del siglo XVI, y para entender esos puntos de vista, primero debemos dar un paso atrás y observar su contexto histórico medieval.

El Contexto Medieval

Los conflictos de la época de la Reforma sobre la Cena del Señor no ocurrieron en un vacío histórico.[1] Sus raíces se pueden encontrar en la enseñanza y las prácticas de la iglesia latina primitiva y medieval. Durante los primeros ochocientos años de la existencia de la iglesia, la mayoría de los escritores hablaban de los elementos sacramentales del pan y el vino como el cuerpo y la sangre de Cristo, pero sin más explicaciones. En esto, simplemente estaban siguiendo el ejemplo de Jesús cuando dijo del pan de la Pascua, "Este es mi cuerpo" (Mt. 26:26). Sin embargo, como es el caso con las palabras de institución de Cristo, la identificación verbal de aquellos en la iglesia primitiva era capaz de más de una interpretación.

Algunos Padres de Iglesia (por ejemplo, Gregorio de Nisa, Cirilo de Alejandría) parecen haber usado ese lenguaje en un sentido más literal, mientras que otros (por ejemplo, Orígenes, Agustín) parecen haber tenido un propósito más figurativo. Haciendo las cosas más difíciles, muy pocos de los Padres de la Iglesia intentaron proporcionar cualquier clase de explicación doctrinal de su lenguaje. Algunos historiadores han intentado categorizar los puntos de vista de los Padres de la Iglesia como "realistas" o "simbólicos", pero esos términos son simplemente inadecuados dada la naturaleza de gran parte del comentario patrístico sobre el sacramento.[2]

A pesar de los diferentes énfasis encontrados en los escritos de los primeros Padres de la Iglesia, no se conocieron controversias eucarísticas durante los primeros ochocientos años de la historia de la Iglesia. La primera discusión eucarística que estuvo cerca de ser un debate real no ocurrió hasta el siglo IX, cuando Pascasio Radberto y Ratramno, dos monjes en la abadía de Corbie, escribieron tratados que delineaban diferentes conceptos de la presencia de Cristo en la Cena.[3]

Radberto presentó una opinión enfatizando que el pan y el vino consagrados se convirtieron en el mismo cuerpo que nació de la Virgen María. El pan y el vino visibles apuntan hacia esta realidad interna e invisible. Su punto de vista fue un precursor de la doctrina católica romana desarrollada más tarde de la transubstanciación. Ratramno, por otro lado, argumentó que el pan y el vino son el cuerpo y la sangre "espirituales" de Cristo. Por lo tanto, existe una diferencia entre el cuerpo nacido de la Virgen María y el cuerpo presente en la Cena.[4] En los siglos siguientes, la perspectiva de Radberto ganó el día.[5]

---

[1] Para una discusión más amplia de los sacramentos en la perspectiva medieval, ver Aaron Denlinger, introducción al cap. 17, "Bautismo", en el presente volumen.

[2] J. N. D. Kelly, *Early Christian Doctrines*, rev. ed. (San Francisco: Harper Collins, 1978), 440–49. Kelly usa la palabra "realista" aquí para referirse a la forma en que algunos hablan del pan y el vino como el cuerpo y la sangre de Cristo sin especificar necesariamente cómo o por qué se hace esta identificación. Utiliza "simbólico" para referirse a la forma en que otros a veces indican específicamente que los elementos son símbolos o signos. Los términos son inadecuados porque, entre otras razones, muchos padres cristianos primitivos usaban simultáneamente tanto el lenguaje que puede describirse como "realista" como el lenguaje que puede describirse como "simbólico".

[3] Para una traducción al inglés de ambos trabajos, vea George E. McCracken, trad. y ed., *Early Medieval Theology*, LCC 9 (Philadelphia: Westminster, 1957), 90–147.

[4] Para una buena visión general de la controversia y las enseñanzas de Radberto y Ratramno, ver John F. Fahey, *The Eucharistic Teaching of Ratramn of Corbie* (Mundelein, IL: Saint Mary of the Lake Seminary, 1951).

[5] Patricia McCormick Zirkel, "The Ninth-Century Eucharistic Controversy: A Context for the Beginnings of Eucharistic Doctrine in the West", *Worship* 68 (1994): 2–23.

En el siglo XI, el teólogo Berengario de Tours planteó objeciones a la visión radbertiana que había llegado a ser dominante en la iglesia en ese momento. Estas objeciones se encontraron con resistencia. La controversia de treinta años que siguió, finalmente resultó en la declaración dogmática de Roma "Ego Berengarius" (1079).[6] De acuerdo con esta declaración, el pan y el vino son "sustancialmente cambiados" (*substancialiter converti*) en el verdadero y propio cuerpo y sangre de Cristo.[7] El teólogo del siglo XII, Pedro Lombardo (1090-1160), mantuvo esta tradición: "Cuando estas palabras [de institución] son pronunciadas, ocurre el cambio del pan y el vino en la sustancia del cuerpo y la sangre de Cristo."[8] En 1215, el Cuarto Concilio de Letrán declaró: "Su Cuerpo y Sangre están verdaderamente contenidos en el sacramento del altar bajo las apariencias de pan y vino, siendo el pan transubstanciado en el cuerpo por el poder divino y el vino en la sangre."[9] El mero uso de la palabra "transubstanciación", sin embargo, no resolvió completamente las cosas. Los teólogos continuaron debatiendo sobre lo que la transubstanciación en realidad implicaba.[10]

Le tocó a Tomás de Aquino (1225-1274) proporcionarle a la iglesia romana una doctrina integral de la transubstanciación.[11] Lo hizo al usar categorías metafísicas aristotélicas.[12] Brevemente, en la metafísica de Aristóteles, la palabra "sustancia" (del griego *ousia*) describe la realidad o naturaleza fundamental de una cosa —aquello que hace que algo sea lo que es. La palabra "accidente", por otro lado, se refiere a atributos no esenciales como la altura, el peso y el color.[13] Según Tomás, el milagro de la transubstanciación implica un cambio en la sustancia del pan y el vino sin un cambio en los accidentes.[14]

Mientras se desarrollaba la doctrina de la presencia corporal de Cristo en la Cena, la iglesia romana, en conexión con esa idea, también estaba elaborando su doctrina de la Cena del Señor como una repetición o representación del sacrificio de Cristo. Las raíces de esta idea también se pueden encontrar en la iglesia primitiva.[15] Pero a comienzos del siglo XVI, la Misa llegó a ser entendida por muchos influyentes

---

[6] Giulio D'Onofrio, *History of Theology*, vol. 2, *The Middle Ages*, trad. Matthew J. O'Connell (Collegeville, MN: Liturgical Press, 2008), 132–35.

[7] Para ver el texto completo, consulte *DH* §700.

[8] Pedro Lombardo, *The Sentences, Book 4: On the Doctrine of Signs*, trad. Giulio Silano, Mediaeval Sources in Translation 48 (Toronto: Pontifical Institute of Mediaeval Studies, 2010), 8.4.

[9] *DH* §802.

[10] Gary Macy, "The Dogma of Transubstantiation in the Middle Ages", *JEH* 45, no. 1 (1994): 11–41; Macy, "The Medieval Inheritance," en *A Companion to the Eucharist in the Reformation*, ed. Lee Palmer Wandel, Brill's Companions to the Christian Tradition 46 (Leiden: Brill, 2014), 15–38.

[11] Estoy tentado de decir que Tomás fue el primero en "completar" el significado de la palabra *transubstanciación*.

[12] Ver, Brian Davies, *The Thought of Thomas Aquinas* (Oxford: Clarendon, 1992), 364–76.

[13] La definición metafísica de "sustancia" no debe confundirse con la definición que se encuentra en los libros de texto científicos modernos, donde "sustancia" generalmente se entiende como "materia con propiedades específicas." En Aristóteles y Tomás, "sustancia" no es igual a "materia".

[14] Tomás de Aquino, *Summa Theologiae*, vols. 13–20 of *The Latin/English Edition of the Works of St. Thomas Aquinas*, trad. Laurence Shapcote, ed. John Mortensen y Enrique Alarcón (Lander, WY: Aquinas Institute for the Study of Sacred Doctrine, 2012), 3a.75.1–8; ver también, 3a.77.1. No todos los teólogos medievales estuvieron de acuerdo con la interpretación de Tomás; ver, por ejemplo, James F. McCue, "The Doctrine of Transubstantiation from Berengar through Trent: The Point at Issue", *HTR* 61, no. 3 (1968): 393–402.

[15] Bengt Hägglund, *History of Theology*, trad. Gene J. Lund (St. Louis, MO: Concordia, 1968), 155; Kelly, *Early Christian Doctrines*, 449–55.

teólogos romanos como un sacrificio propiciatorio ofrecido por los sacerdotes a través del cual el arrepentido podía obtener misericordia.[16]

Precursores de la Reforma

No todos los cristianos medievales estaban contentos con la doctrina católica romana de la transubstanciación o la idea del sacrificio de la Misa. Uno de los oponentes más importantes de la doctrina romana fue Juan Wiclef (1328-1384). En su tratado *Sobre la Eucaristía*, expresó muchas ideas que los diferentes reformadores tomarían prestadas más tarde. Wiclef argumentó, por ejemplo, que las palabras de Cristo "Este es mi cuerpo" deberían tomarse en sentido figurado.[17] El pan no es literalmente el cuerpo de Cristo, sostuvo. En cambio, el pan es la "señal eficaz" del cuerpo de Cristo.[18] Además, no comemos físicamente el cuerpo de Cristo; en cambio, nuestras almas se alimentan de Cristo por fe.[19] En última instancia, los puntos de vista de Wiclef fueron condenados en el Concilio de Constanza en 1415.[20]

Una figura de la Baja Edad Media que influyó indirectamente en los debates del siglo XVI fue el teólogo holandés Wessel Gansfort (1419-1489). Su tratado *El sacramento de la Eucaristía* es una obra bellamente escrita de teología devocional. A diferencia de Wiclef, Gansfort aceptó la transubstanciación, pero el énfasis de Gansfort en la comunión espiritual fue ser el catalizador en una reacción en cadena de eventos con repercusiones que no podía él haber previsto.[21] Para Gansfort, "la remembranza de lo que nuestro Señor hizo y sufrió por nuestra salvación" fue la verdadera Eucaristía.[22] Ya que podemos recordar a Cristo en cualquier momento, podemos tener el beneficio de su Cena en cualquier momento. Sin embargo, si un hombre come los elementos visibles, pero no tiene fe, no come espiritualmente. Para comer espiritualmente, debe recordar a Cristo y todo lo que hizo. En otras palabras, él debe creer.[23]

Preludio a la Primera Controversia Eucarística (1520-1524)

Una de las dificultades más importantes que enfrentaba cualquier estudiante de la doctrina de la Cena del Señor en el momento de la Reforma fue el hecho de que los puntos de vista de casi todas las figuras principales experimentaban un desarrollo de uno u otro grado. Para algunos, el desarrollo implicó poco más que una aclaración de sus ideas y un fortalecimiento de sus argumentos. Para otros, el desarrollo de sus puntos de vista implicaba cambios totales de mentalidad. Por lo tanto, es insuficiente

---

[16] El cardenal Thomas Cajetan (1469-1534), por ejemplo, presentó esta visión, una visión que más tarde sería declarada dogma por el Concilio de Trento. Para un resumen de la doctrina de Cajetan, ver Edward J. Kilmartin, *The Eucharist in the West: History and Theology*, ed. Robert J. Daly (Collegeville, MN: Liturgical Press, 2004), 163–64.

[17] Juan Wiclef, *On the Eucharist, in Advocates of Reform: From Wyclif to Erasmus*, ed. Matthew Spinka, LCC 14 (Philadelphia: Westminster, 1953), 82.

[18] Ibid., 70.

[19] Ibid., 62–66.

[20] *DH* §1151–95. Este concilio también condenó y ejecutó a Jan Hus (alrededor de 1369-1415) por varias presuntas herejías. Una de las demandas que Hus y sus seguidores habían hecho era que la Cena fuera administrada "bajo los dos tipos". En otras palabras, Hus insistió en que los laicos reciban tanto el pan como el vino, en lugar del pan solo, como se había convertido en costumbre. Sus demandas fueron rechazadas. Ver, Steven Ozment, *The Age of Reform, 1250–1550: An Intellectual and Religious History of Late Medieval and Reformation Europe* (New Haven, CT: Yale University Press, 1980), 166.

[21] George Huntston Williams, *The Radical Reformation* (Philadelphia: Westminster, 1975), 30–31.

[22] Wessel Gansfort, "The Sacrament of the Eucharist," en Edward W. Miller, *Wessel Gansfort: Life and Writings*, trad. Jared W. Scudder (New York: G. P. Putnam's Sons, 1917), 2:4.

[23] Ibid., 17, 24–25, 31.

hablar meramente del punto de vista de Lutero o del punto de vista de Zuinglio, por ejemplo. Es necesario observar la visión de cada teólogo en el contexto de su propio desarrollo progresivo. En los años previos al estallido de las controversias entre los reformadores, los escritos de cuatro de tales figuras son de particular importancia: Martín Lutero, Felipe Melanchthon, Andreas Karlstadt y Cornelio Hoen.

Pasando primero a Martín Lutero, observamos que varios temas clave dominaron sus tres primeros escritos sobre la Cena del Señor.[24] Lo primero y más importante fue la idea de que el sacramento es un testamento en el que Cristo promete el perdón de los pecados y la vida eterna a su pueblo.[25] La mayor parte de los sacramentos son "las palabras y las promesas de Dios, sin las cuales los sacramentos están muertos y no son nada en absoluto."[26] Debido a que la Cena es una promesa o un testamento, no puede ser un sacrificio como lo enseña Roma. Si es un sacrificio o trabajo, perdemos el evangelio.[27] Además, la naturaleza promisoria de la Cena significa que la respuesta apropiada y necesaria es la fe, no las obras.[28]

El segundo tema principal que dominó los primeros escritos de Lutero sobre la Cena fue la doctrina de la presencia real de Cristo en el pan y el vino. Lutero argumentó que esta creencia es exigida por las palabras de Cristo "Este es mi cuerpo". Él creía que la iglesia no debería exigir que nadie aceptara la doctrina de la transubstanciación como la única explicación ortodoxa de la manera en que Cristo estaba presente.[29] Lutero nunca rechazó, sin embargo, la verdadera presencia corporal de Cristo en los elementos de la Cena.[30]

Un tercer tema clave en los primeros escritos de Lutero sobre la Cena fue la relación entre la palabra y el signo. Lutero explicó que "en cada promesa de Dios se nos presentan dos cosas, la palabra y el signo, para que comprendamos que la palabra es el testamento, pero el signo es el sacramento."[31] En otras palabras, el testamento es la promesa de Cristo, y el sacramento es el pan y el vino, en los que se encuentra el cuerpo y la sangre de Cristo. Comprender este aspecto del pensamiento de Lutero nos ayudará a captar mejor las razones de algunos de los desacuerdos posteriores entre él y los demás reformadores.[32] Mientras que la principal distinción de Lutero era entre la palabra y el signo (la promesa y el signo de la promesa), la distinción principal

---

[24] Martín Lutero, *The Blessed Sacrament of the Holy and True Body of Christ* (1519), LW 35:45–73; Lutero, *A Treatise on the New Testament, That Is, the Holy Mass* (1520), LW 35:75–111; Lutero, *The Babylonian Captivity of the Church* (1520), LW 36:3–126. Incluso entre los primeros escritos de Lutero, hay un cambio discernible en el énfasis entre *El Santísimo Sacramento* y el *Tratado sobre el Nuevo Testamento*. El primero enfatiza fuertemente la dimensión horizontal de la Eucaristía, a saber, el compañerismo y llevar las cargas unos de los otros. El segundo enfatiza la dimensión vertical, la promesa de perdón hecha por Dios al hombre.

[25] Lutero, *Holy Mass*, LW 35:86–87; Lutero, *Babylonian Captivity*, LW 36:37–40; Lutero, *The Misuse of the Mass* (1521), LW 36:179. Ver Carter Lindberg, *The European Reformations* (Malden, MA: Blackwell, 1996), 188; ver también, David C. Steinmetz, "Scripture and the Lord's Supper in Luther's Theology," *Int* 37, no. 3 (1983): 258.

[26] Lutero, *Holy Mass*, LW 35:91.

[27] Ibid., *LW* 35:97.

[28] Lutero, *Blessed Sacrament*, LW 35:63; Lutero, *Misuse of the Mass*, LW 36:169. Debido a la necesidad de la fe en la promesa, el sacramento tampoco justifica el *ex opere operato*. Ver, Gordon A. Jensen, "Luther and the Lord's Supper," en *The Oxford Handbook of Martin Luther's Theology*, ed. Robert Kolb, Irene Dingel, y L'ubomír Batka (Oxford: Oxford University Press, 2014), 323.

[29] Lutero, *Holy Mass*, LW 35:86–87; Lutero, *Babylonian Captivity*, LW 36:29–34.

[30] Lutero, *Blessed Sacrament*, LW 35:60–61; Lutero, *Holy Mass*, LW 35:86–87; Lutero, *Babylonian Captivity*, LW 36:29, 33–34. Ver, Hermann Sasse, *This Is My Body: Luther's Contention for the Real Presence in the Sacrament of the Altar* (Minneapolis: Augsburg, 1959), 100.

[31] Lutero, *Babylonian Captivity*, LW 36:44.

[32] Debo agradecer a mi colega Aaron Denlinger por esta idea.

enfatizada por muchos de los otros reformadores estaba entre el signo (el pan y el vino) y la cosa significada (el cuerpo y sangre de Cristo). En otras palabras, para Lutero, el cuerpo y la sangre de Cristo en el pan y el vino son los signos de la promesa. Para muchos otros, el pan y el vino son los signos del cuerpo y la sangre de Cristo.

En diciembre de 1521, Felipe Melanchthon, el discípulo y colega más devoto de Lutero, publicó la primera edición de *Loci Communes*.[33] Este trabajo es un resumen básico de la teología de Lutero. Lutero mismo elogió el libro como "digno, no solo de la inmortalidad, sino también del canon de la Iglesia."[34] Como Lutero, Melanchthon enfatizó la naturaleza promisoria de los sacramentos. En las Escrituras, "las señales se agregan a las promesas como sellos, tanto para recordarnos las promesas como para servir como testimonios seguros de la buena voluntad de Dios hacia nosotros, confirmando que ciertamente recibiremos lo que Dios ha prometido."[35] La Cena ciertamente no es un sacrificio, como enseña Roma. En cambio, es un "testimonio del Evangelio prometido."[36] Con respecto a la presencia real del cuerpo y la sangre de Cristo, Melanchthon asumió la doctrina de Lutero sin elaboración.[37] Finalmente, Melanchthon notó que el propósito de este sacramento es "fortalecernos cada vez que nuestras conciencias flaqueen y dudemos de la buena voluntad de Dios hacia nosotros."[38]

Andreas Karlstadt fue otro de los colegas de Lutero en Wittenberg. Su doctrina de la cena, como la de muchos de los otros reformadores, se desarrolló con el tiempo.[39] En sus primeros escritos, expresó puntos de vista que eran prácticamente indistinguibles de los de Lutero.[40] Él también enfatizó la naturaleza de la Santa Cena como un testamento o promesa. Él también afirmó la verdadera presencia del cuerpo y la sangre de Cristo en el pan y el vino. Él también afirmó que la distinción clave en el sacramento es entre la palabra/promesa de Dios y el signo (el cuerpo y la sangre de Cristo en el pan y el vino).[41] Sin embargo, la doctrina de la Cena de Karlstadt pronto experimentó una transformación radical.

Para 1521, los reformadores de Wittenberg ya conocían las interpretaciones de la Cena que implicaban el rechazo de la presencia corpórea de Cristo en el pan y el vino.[42] El holandés Hinne Rode había llevado los escritos de Wessel Gansfort y una carta de un abogado llamado Cornelio Hoen a Wittenberg en algún momento de la última parte de 1521.[43] Los teólogos de Wittenberg probablemente leyeron la carta de Hoen en este momento. Debido a su importancia para el posterior desarrollo de los

---

[33] Philip Melanchthon, *Commonplaces: Loci Communes* 1521, trad. Christian Preus (St. Louis, MO: Concordia, 2014).

[34] Martin Luther, *The Bondage of the Will*, LW 33:16.

[35] Melanchthon, *Commonplaces*, 167.

[36] Ibid., 182.

[37] Ibid.

[38] Ibid., 183.

[39] Las obras eucarísticas de Karlstadt se han traducido al inglés en *The Eucharistic Pamphlets of Andreas Bodenstein von Karlstadt*, trad. y ed. Amy Nelson Burnett, Early Modern Studies 6 (Kirksville, MO: Truman State University Press, 2011).

[40] Amy Nelson Burnett, *Karlstadt and the Origins of the Eucharistic Controversy: A Study in the Circulation of Ideas*, Oxford Studies in Historical Theology (Oxford: Oxford University Press, 2011), 23.

[41] Karlstadt, *Eucharistic Pamphlets*, 24, 30, 43, 45, 52, 62–63.

[42] Burnett, *Karlstadt and the Origins*, 56.

[43] Ibid., 16, 56. La carta de Hoen probablemente fue escrita a principios de 1521, pero no fue publicada hasta 1525.

debates eucarísticos, debemos examinar brevemente los antecedentes y el contenido de la carta de Hoen.[44]

Un encuentro con *El Sacramento de la Eucaristía* de Wessel Gansfort parece haber inspirado la reinterpretación de la Cena de Hoen más que cualquier otro evento individual.[45] Hoen hizo que el énfasis de Gansfort en la comunión espiritual fuera central para su propio punto de vista. La clave de la perspectiva exegética de Hoen fue su insistencia en que las palabras de institución de Cristo, "Este es mi cuerpo", deberían interpretarse como "Esto significa mi cuerpo."[46] Por lo tanto, no hay presencia corpórea del cuerpo y la sangre de Cristo en los elementos del pan y el vino. Hinne Rode llevó la carta de Hoen a Wittenberg en 1521. En enero de 1523, viajó a Basilea y se reunió con Johannes Oecolampadius, quien lo instó a compartir la carta con Huldrych Zuinglio. Rode obedeció. En 1524, se encontró con Martin Bucer en Estrasburgo.[47] Las reacciones a la carta variaron. Lutero rechazó las opiniones de Hoen.[48] Zuinglio, por otro lado, fue persuadido, y en 1525, publicó la carta. La carta de Hoen también influyó en Karlstadt, y muchos de los argumentos de Hoen encontraron su camino en sus escritos, a pesar del hecho de que Karlstadt rechazó la interpretación específica de Hoen de las palabras de la institución.

La Primera Controversia Eucarística (1524-1536)

Si un solo evento puede considerarse el punto de partida de la primera controversia eucarística, sería el acalorado intercambio entre Lutero y Karlstadt en el Black Bear Inn en Jena el 22 de agosto de 1524.[49] Lutero había predicado en Jena anteriormente en el día contra algunas de las reformas radicales en las cuales Karlstadt estuvo involucrado. Karlstadt solicitó reunirse con Lutero, y en la reunión, al escuchar la respuesta de Karlstadt a su sermón, Lutero arrojó el guante y desafió a Karlstadt a presentar sus argumentos por escrito. Karlstadt estaba más que dispuesto a complacer, y en octubre publicó cinco tratados separados que expresaban su nueva visión de la Cena del Señor.[50] Karlstadt fue el primero de los asociados con el movimiento de la Reforma que se hizo público con una visión de la Cena del Señor que difería significativamente de Lutero.[51] Él no sería el último.

LA FASE POLÉMICA

En cuatro de sus cinco panfletos, Karlstadt presentó su caso para rechazar la presencia corpórea de Cristo. En el tratado, *Si uno puede probar con las Sagradas Escrituras, que Cristo está en el sacramento con cuerpo, sangre y alma*, él respondió y rechazó

---

[44] Ver, Bart Jan Spruyt, *Cornelius Henrici Hoen (Honius) and His Epistle on the Eucharist (1525): Medieval Heresy, Erasmian Humanism, and Reform in the Early Sixteenth-Century Low Countries*, Studies in Medieval and Reformation Traditions 119 (Leiden: Brill, 2006).

[45] Williams, *Radical Reformation*, 35–36.

[46] Cornelisz Hoen, "A Most Christian Letter," en *Forerunners of the Reformation: The Shape of Late Medieval Thought*, ed. Heiko A. Oberman, trad. Paul L. Nyhus, Library of Ecclesiastical History (Cambridge: James Clarke, 1967), 269.

[47] Williams, *Radical Reformation*, 86–89.

[48] Martín Lutero, *The Adoration of the Sacrament* (1523), LW 36:279–80.

[49] Burnett, Karlstadt and the Origins, 3.

[50] Ibid. Ver también, Lindberg, *The European Reformations*, 137–38.

[51] Bernhard Lohse, *The Theology of Martin Luther: Its Historical and Systematic Development*, trad. Roy A. Harrisville (Minneapolis: Fortress, 1999), 170. Nuevamente, la carta de Hoen no fue publicada hasta 1525.

siete argumentos para la presencia corpórea de Cristo.[52] Por ejemplo, incluso si Cristo usó las palabras de la consagración para cambiar los elementos, argumentó Karlstadt, esto no significa que los sacerdotes puedan hacer lo mismo repitiendo esas palabras. Si es así, dijo, permítanles leer estas palabras: "'Dios habló, que haya tierra, y así fue' [Gen. 1:9]. Y ver si a través del poder de palabras tan poderosas y santas pueden crear cielo y tierra, agua y fuego, peces y animales."[53]

En su siguiente tratado, miró las palabras de la institución y argumentó que en ninguna parte afirman que el pan es el cuerpo de Cristo.[54] De hecho, según Karlstadt, la gramática griega prohíbe tal interpretación. En su *Diálogo*, puso en la boca de un laico imaginario la idea de que Cristo estaba señalando a su propio cuerpo cuando dijo: "Este es mi cuerpo."[55] Esta es la idea con la que Karlstadt es más comúnmente asociado, pero no era su principal preocupación. La convicción central de Karlstadt era "que el sacramento fue instituido para que los cristianos recordaran el sufrimiento y la muerte de Cristo como el cumplimiento de la profecía del Antiguo Testamento."[56] La defensa pública de Karlstadt de una visión simbólica animó a otros como Huldrych Zuinglio a escribir.

Al principio de la carrera de Zuinglio como reformador, su punto de vista había experimentado un desarrollo. Brevemente sostuvo una visión similar a la de Lutero. Sin embargo, en algún momento de 1523 o 1524, Zuinglio adoptó una visión radicalmente simbólica.[57] Su cambio de opinión parece haber resultado, al menos en parte, al leer la carta de Hoen. La publicación de los panfletos violentamente anti-luteranos de Karlstadt obligó a Zuinglio a expresar su propia visión claramente, distinguiéndola de la de Karlstadt. Zuinglio escribió su *Carta a Matthew Alber sobre la Cena del Señor* en noviembre de 1524. Su punto de partida teológico y exegético en esta carta fue Juan 6, y este continuaría siendo su punto de partida en todos sus escritos posteriores sobre la doctrina de la Eucaristía.

Zuinglio argumentó que Juan 6 proporciona el contexto teológico en el que deben interpretarse las palabras de institución de Cristo. Jesús se presenta allí como el "pan de vida" y distingue "comida espiritual" de la comida corporal.[58] Las palabras de Cristo en Juan 6, por lo tanto, indican claramente que cuando Jesús explica a quienes lo escuchan la necesidad de "comer su carne", realmente está hablando de la necesidad de la fe. *Comer* a Cristo es *creer* en él.[59] Si tenemos en cuenta las palabras de Jesús en Juan 6, la interpretación de sus palabras de institución se vuelve mucho menos difícil. De acuerdo con la visión de Hoen en lugar de la de Karlstadt, Zuinglio argumentó que "Este es mi cuerpo" debe interpretarse en el sentido de "Esto significa mi cuerpo."[60] La palabra "es" debe interpretarse como "significa", o bien el signo *es* lo que significa y ya no es un signo.[61] Aunque agregaría más argumentos a su caso en escritos

---

[52] Karlstadt, *Eucharistic Pamphlets*, 116–43.

[53] Ibid., 123.

[54] Ibid., 144–62.

[55] Ibid., 175.

[56] Ibid., 3.

[57] Carrie Euler, "Huldrych Zwingli and Heinrich Bullinger", en Wandel, *Companion to the Eucharist in the Reformation*, 58–59.

[58] Huldrych Zuinglio, *Letter to Alber*, en Zuinglio, *Writings*, vol. 2, *In Search of True Religion: Reformation, Pastoral, and Eucharistic Writings*, trad. H. Wayne Pipkin (Allison Park, PA: Pickwick, 1984), 132–33.

[59] Ibid., 136.

[60] Ibid., 138–39.

[61] W. P. Stephens, *The Theology of Huldrych Zwingli* (Oxford: Clarendon, 1986), 185.

posteriores, estas ideas básicas caracterizarían las enseñanzas de Zuinglio hasta su muerte.

Como había prometido que haría, Lutero respondió a Karlstadt, abordando el tema en su tratado de dos partes *Contra los profetas celestiales*, completado a principios de 1525.[62] En este trabajo, apuntó a la exégesis de Karlstadt de las palabras de la institución. Argumentó que la interpretación de Karlstadt hizo que Jesús hablara del pan ("Toma, come"), luego cambió súbitamente de tema para hablar de su propio cuerpo ("Este es mi cuerpo"), y luego volvió al tema del pan de nuevo ("Haz esto en mi memoria"). Esta interpretación, según Lutero, era absurda: "¿Cómo suena si le doy a alguien un trozo de pan y le digo: 'Toma y come', y cuando ofrecí y le pedí que lo comiera, de inmediato pasé a decir: 'Esto es una libra de oro en mi bolsillo'?"[63] Según Lutero, no debemos tratar de explicar las palabras de Cristo. Deberíamos creer que el pan es el cuerpo de Cristo simplemente porque eso es lo que Jesús dice que es. Para Lutero, el punto de partida siempre fue la clara declaración de Cristo: "Este es mi cuerpo."[64]

Durante el resto de 1525, se escribieron varias respuestas a Lutero. Zuinglio publicó su *Comentario sobre la verdadera y falsa religión* en marzo. En este trabajo, Zuinglio amplió los temas básicos que presentó en su *Carta a Matthew Alber*. Los sacramentos no son más que ceremonias de iniciación por las cuales un hombre se compromete a ser un soldado de Cristo.[65] En la Cena del Señor, argumentó, "damos pruebas de que confiamos en la muerte de Cristo."[66] El punto de partida para Zuinglio fue nuevamente Juan 6.[67] Apeló repetidamente a las palabras de Juan 6:63 en particular: "La carne en nada aprovecha."[68] Estas palabras nos ayudan a entender lo que Cristo quiere decir cuando dice: "Este es mi cuerpo". Según Zuinglio, "Esta expresión ['La carne en nada aprovecha'] es lo suficientemente fuerte como para demostrar que 'es' en este pasaje se usa para 'significa' o 'es un símbolo de'."[69] Karlstadt respondió a Lutero en dos tratados. Apelando a 1 Corintios 10:3, nuevamente afirmó que la única forma en que comemos y bebemos el cuerpo y la sangre de Cristo es a través de la fe.[70]

En septiembre de 1525, Ecolampadio añadió su voz con la publicación de *Sobre la exposición genuina de las Palabras del Señor*. Su trabajo difería de los demás debido a que se centró en gran medida en la evidencia patrística con el fin de demostrar que una comprensión simbólica de la Cena no debe considerarse una herejía. Aunque su punto de vista era, en muchos aspectos, similar al de Zuinglio, deberían mencionarse algunos de sus énfasis más significativos.[71] En cuanto a las palabras de la institución, Ecolampadio creía que la figura del habla se encontraba en el predicado ("cuerpo")

---

[62] Martín Lutero, *Against the Heavenly Prophets in the Matter of Images and Sacraments* (1525), LW 40:75–143, 144–223.

[63] Ibid., LW 40:169.

[64] Ibid., LW 40:216.

[65] Huldrych Zuinglio, *Commentary on True and False Religion*, ed. Samuel Macauley Jackson y Clarence Nevin Heller (1929; repr., Durham, NC: Labyrinth, 1981), 181, 184.

[66] Ibid., 184.

[67] Ibid., 200.

[68] Ibid., 212, 219, 220, 248. La traducción de Juan 6:63 proviene del Comentario de Zuinglio.

[69] Ibid., 231.

[70] Karlstadt, *Eucharistic Pamphlets*, 222–23.

[71] Para un resumen útil de la doctrina de Ecolampadio, ver Ian Hazlett, "The Development of Martin Bucer's Thinking on the Sacrament of the Lord's Supper in Its Historical and Theological Context, 1523–1534" (Dr. theol. diss., Universität Münster, 1975), 112–13.

más que en el verbo ("es"). Argumentó que la frase debería leerse, "Esto es un signo de mi cuerpo."[72] Segundo, Ecolampadio sugirió que para aquellos que participan de la Cena en la fe, participan en un comer espiritual de Cristo que ocurre de forma paralela al comer el pan. Un tercer énfasis importante fue su afirmación de que el objetivo de la Cena es elevar nuestros corazones a Cristo, que está sentado a la diestra de Dios.[73] Volveremos a encontrar estas ideas en los escritos de los reformadores posteriores.

En agosto de 1525, Zuinglio publicó su *Ensayo subsidiario sobre la Eucaristía* con el fin de dar más cuerpo a los argumentos que había presentado en su *Comentario*. El nuevo argumento exegético más significativo que Zuinglio añadió fue la apelación a Éxodo 12:11 para ayudar a aclarar las palabras de la institución. Él explicó los paralelos entre los dos pasajes:

> Se instituye una conmemoración en un caso y en el otro. En el uno es de liberación en la carne, en el otro de reconciliación al Dios Altísimo. En el primer caso, el símbolo de la conmemoración se instituyó antes de que la cosa se hubiera cumplido, de lo que iba a ser el símbolo en las edades fugaces. Así que en el otro se instituyó el símbolo de la muerte de Cristo antes de que lo mataran, lo que aún no había sido en el tiempo subsiguiente, el símbolo de su muerte. Se instituyó en la tarde la figura de la liberación que siguió al día siguiente.[74]

Estos paralelos indican que las palabras de Jesús deben interpretarse de la misma manera simbólica. Zuinglio argumentó que la palabra "es" en la declaración "Es la Pascua del Señor" es exactamente paralela a la palabra "es" en la declaración "Este es mi cuerpo". En ambos casos "es" quiere decir "significa."[75]

En marzo de 1526, el pastor y teólogo de Estrasburgo, Martin Bucer, hizo su primera contribución significativa al debate con *Apología*. Aunque Bucer tenía puntos de vista muy similares a los de Lutero en los primeros años de la Reforma, hacia 1526 había adoptado una visión fuertemente influenciada por Hoen, Zuinglio y Ecolampadio, que está representada en *Apología*. Allí argumentó que la Cena es un monumento conmemorativo, nada más que una conmemoración de la muerte de Cristo.[76] Bucer también introdujo una idea en este trabajo que mantuvo consistentemente a lo largo de su carrera, a saber, la negación de que los incrédulos participen del cuerpo y la sangre de Cristo en cualquier sentido.[77]

La siguiente contribución de Lutero provocó una fase amarga del debate. En *El Sacramento del Cuerpo y la Sangre de Cristo, contra los fanáticos*, él respondió a varios argumentos hechos por Karlstadt, Zuinglio y Ecolampadio y presentó varios argumentos nuevos para su propia opinión. De nuevo afirmó que las palabras de la institución son claras: "Estas son las palabras sobre las que nos apoyamos."[78] Luego respondió a varias objeciones, incluida la afirmación de que no es necesario que el

---

[72] Nicholas Piotrowski, "Johannes Oecolampadius: Christology and the Supper". *MAJT* 23 (2012): 134.

[73] Hazlett, "Development of Martin Bucer's Thinking," 112–13.

[74] Huldrych Zuinglio, *Subsidiary Essay*, en *Writings*, 2:212.

[75] Ibid., 209–12.

[76] Martin Bucer, *Apologia*, en *Common Places of Martin Bucer*, trad. y ed. David F. Wright, Courtenay Library of Reformation Classics 4 (Appleford: Sutton Courtenay, 1972), 319–21.

[77] Ibid., 331.

[78] Martín Lutero, *The Sacrament of the Body and Blood of Christ— Against the Fanatics*, LW 36:335–37.

cuerpo y la sangre de Cristo estén en el pan y el vino. Recordó a sus lectores que no decidimos lo que es necesario; Dios lo hace.[79]

Lutero también proporcionó varias analogías para probar que es posible que Cristo esté presente en el pan y el vino. Sostuvo, por ejemplo, que, si su propia voz pequeña podría estar presente en los oídos de muchas personas, entonces seguramente el cuerpo de Cristo podría estar presente en muchos lugares diferentes. Además, por medio de la predicación de la Palabra, muchos individuos separados tienen a Cristo en sus corazones. Si Cristo puede hacer esto mediante la predicación de la Palabra, Lutero preguntó: ¿por qué no también en la promesa asociada con el pan?[80] Finalmente, Lutero introdujo la idea de que el cuerpo de Cristo puede estar presente en tantos lugares diferentes porque su naturaleza humana "está presente en todas partes."[81] Esta noción de la ubicuidad de Cristo se convertiría más tarde en una fuente de controversia entre los luteranos y los reformados.[82]

Dos grandes obras sobre la Cena, de Zuinglio y Lutero, aparecieron simultáneamente en febrero de 1527. *Exégesis amistosa, es decir, Exposición de la materia de la Eucaristía a Martín Lutero* de Zuinglio fue su libro más importante sobre el tema. Comenzó respondiendo los argumentos de Lutero y luego procedió a delinear todos los argumentos para su propia comprensión de las palabras de Cristo. Su interpretación de las palabras de la institución siguió siendo la misma que había sido, y continuó interpretando estas palabras a la luz de Juan 6. Sostuvo que Lutero cayó en una petición de principio al apelar a las palabras de Cristo cuando era el significado de esas mismas palabras que se estaban considerando.[83] Lutero dijo que las palabras de la institución son tan claras como si uno le diera un panecillo a otra persona y dijera: "Toma, come. Esto es un panecillo". Zuinglio respondió que la analogía sería más relevante para el debate actual si Lutero le diera un panecillo a otra persona y le dijera: "Toma, come. Esto es una sandía."[84]

Zuinglio también introdujo un argumento cristológico a favor de su punto de vista. El cuerpo humano de Cristo, argumentó, es un verdadero cuerpo humano y por lo tanto finito. El cuerpo humano finito de Cristo está a la diestra de Dios en el cielo hasta la segunda venida, según los credos antiguos. Por lo tanto, no puede estar presente en el pan y el vino.[85] Decir, como lo hizo Lutero, que el cuerpo humano de Cristo puede estar en todas partes, conduce inevitablemente a una visión docética de Cristo, según Zuinglio.

El libro de Lutero que *Estas palabras de Cristo, "Este es mi cuerpo," sigue firme contra los fanáticos* fue una reafirmación y defensa de sus puntos de vista.[86] Insistió en que todo el debate se refería a la comprensión adecuada de las palabras de institución de Cristo. En este tema, no hay término medio: "un lado debe ser del diablo y enemigo de Dios".[87] Sus oponentes, argumentó, no pueden probar que "cuerpo" significa "signo

---

[79] Ibid., LW 36:338–44.

[80] Ibid., LW 36:339–340.

[81] Ibid., LW 36:342.

[82] Para el razonamiento cristológico de Lutero (es decir, *communicatio idiomatum*), ver cap. 9, "La Persona de Cristo", por Robert Letham.

[83] Huldrych Zuinglio, *Friendly Exegesis*, en *Writings*, 2:282–83.

[84] Ibid., 2:309–10.

[85] Ibid., 2:319–36.

[86] Martín Lutero, *That These Words of Christ, "This Is My Body," Still Stand Firm against the Fanatics*, LW 37:3–150.

[87] Ibid., LW 37:26.

del cuerpo" o que "es" quiere decir "significa" en las palabras de institución de Cristo.[88] También rechazó el argumento cristológico de Zuinglio, alegando que la mano derecha de Dios no es un lugar sino el poder de Dios. La mano derecha de Dios está en todas partes, y donde está la diestra de Dios, también está el cuerpo de Cristo.[89]

La última obra importante de Lutero sobre la Cena fue su *Confesión sobre la Cena de Cristo*, publicada en febrero de 1528. En ella, Lutero volvió a replantear todos los argumentos para su punto de vista, enfatizando las palabras de la institución. También intentó aclarar su punto de vista a la luz de las críticas que había recibido. Uno de los puntos más importantes que hizo fue declarar que Cristo no está presente en la Cena del Señor "en un modo visible, mortal y terrenal."[90] Para explicar a qué se refería, introdujo la distinción escolástica entre presencia local, definitiva y plena. Algo está presente localmente si se puede medir espacialmente. El cuerpo de Cristo puede estar presente de esta manera como lo ha estado en el pasado y lo estará en el último día. La presencia definitiva no se puede medir espacialmente. Los ángeles y las almas humanas están presentes definitivamente. Esta es también la manera en que el cuerpo de Cristo estuvo presente durante el breve período de tiempo durante el cual pasó por la piedra que cubre su tumba. Esto, de acuerdo con Lutero, es la manera en que Cristo está sustancialmente presente en el pan y el vino. La presencia plena es un tipo de presencia que solo es verdadera de Dios. Es omnipresencia. Según Lutero, es posible que el cuerpo de Cristo esté presente de esta manera en virtud de la unidad de las dos naturalezas en una sola persona.[91]

Para explicar cómo se puede hablar de la sustancia del pan y la sustancia del cuerpo de Cristo como un solo objeto, Lutero también elabora su idea de la unión sacramental (*unio sacramentalis*).[92] Aunque dos sustancias diferentes no pueden ser una sola sustancia, las palabras de Cristo "Este es mi cuerpo" hablan de los dos como una sola.[93] El pan está presente y el cuerpo está presente en este sacramento, y esto se llama con razón una unión sacramental. Debido a la unión sacramental, lo que se hace con el pan se atribuye correctamente al cuerpo de Cristo. Si uno come el pan, come el cuerpo de Cristo, pero no de la misma manera que comería cualquier otro tipo de carne.[94]

Aunque la *Confesión acerca de la Cena de Cristo* fue la última gran contribución de Lutero a la fase polémica de la controversia, no fue lo último que escribió sobre el tema. En 1529, escribió su Catecismo Menor y su Catecismo Mayor. Ambos discuten el "Sacramento del Altar", que definió en el Catecismo Menor como "el verdadero cuerpo y la sangre de nuestro Señor Jesucristo, bajo el pan y el vino, dado a nosotros los cristianos para comer y beber."[95] El beneficio de la Santa Cena se encuentra en las palabras "para ti" y "para el perdón de los pecados."[96] Las palabras de promesa cuando

[88] Ibid., LW 37:35.

[89] Ibid., LW 37:57, 63–64.

[90] Martín Lutero, *Confession concerning Christ's Supper*, LW 37:197.

[91] Ibid., LW 37:207–16.

[92] Según Bernhard Lohse, esta idea describe mejor la visión de Lutero que la palabra consubstanciación. Ver Lohse, *Theology of Martin Luther*, 309.

[93] Lutero, *Confession concerning Christ's Supper*, LW 37:295.

[94] Ibid., *LW* 37:300.

[95] "The Small Catechism", art. 6.2, en Theodore G. Tappert, ed. y trad., *The Book of Concord: The Confessions of the Evangelical Lutheran Church* (Philadelphia: Fortress, 1959), 351.

[96] Ibid., 6.6, en Tappert, *Book of Concord*, 352.

se acompañan de comer y beber "son las principales cosas en la Santa Cena, y el que cree en estas palabras tiene lo que dicen y declaran: el perdón de los pecados."[97]

LA FASE (MAYORMENTE) CONCILIADORA

Un punto de inflexión en la primera controversia eucarística se alcanzó en 1529 en el Coloquio de Marburg. Bucer se había convencido después de leer la *Confesión acerca de la Cena de Cristo* de Lutero, de que era posible algún tipo de acuerdo. Pasó los siguientes años trabajando para alcanzar esta meta.[98] Debido a sus esfuerzos, Lutero y Melanchthon se encontraron con Zuinglio, Ecolampadio y el propio Bucer en Marburgo en octubre de 1529. Las discusiones se llevaron a cabo durante cuatro días, y si bien llegaron a un consenso sobre una serie de cuestiones, los participantes no pudieron ponerse de acuerdo sobre la forma de la presencia de Cristo en la Cena del Señor.[99] Lutero compuso quince artículos. Ambas partes pudieron acordar catorce de ellas, pero el artículo quince indicó que aún había áreas de profundo desacuerdo:

> Todos creemos y sostenemos con respecto a la cena de nuestro querido Señor Jesucristo. . . que el sacramento del altar es un sacramento del verdadero cuerpo y sangre de Jesucristo, y que la participación espiritual de este cuerpo y sangre es especialmente necesaria para todo verdadero cristiano... Y aunque en este momento no estamos de acuerdo en si el cuerpo y la sangre están presentes en el pan y el vino, sin embargo, cada parte debe mostrar el amor cristiano al otro, hasta donde la conciencia lo permita, y ambos deben orar fervientemente al Dios Todopoderoso, porque Él, por su Espíritu, nos confirmaría en el entendimiento correcto. Amén.[100]

Estos quince artículos fueron firmados por todos los presentes, incluidos Lutero y Zuinglio. La imposibilidad de llegar a un acuerdo completo en Marburg fue un revés, pero no evitó que Bucer siguiera trabajando para alcanzar ese objetivo.

En 1530, el emperador del Santo Imperio Romano, Carlos V, anunció la Dieta de Augsburgo. Exigió que los reformadores se explicaran a sí mismos, lo que generó una oleada de actividad entre las diversas ciudades protestantes. El 25 de junio, Melanchthon presentó la Confesión de Augsburgo en nombre de los luteranos. El 8 de julio, Zuinglio presentó su *Fidei Ratio* en defensa de su punto de vista. Y el 11 de julio, esas ciudades del sur de Alemania alineadas con Estrasburgo presentaron la Confesión Tetrapolitana, escrita por Bucer y Wolfgang Capito.

El artículo 10 de la Confesión de Augsburgo sobre la Cena del Señor es muy breve. Presenta el corazón de la visión de Lutero de la presencia de Cristo en la Cena: "Se enseña entre nosotros que el verdadero cuerpo y la sangre de Cristo están realmente presentes en la Cena de nuestro Señor bajo la forma de pan y vino, y están allí distribuidos y recibidos". La confesión no intenta explicar cómo Cristo está presente. El artículo sobre la Cena en la Confesión Tetrapolitana de Bucer es más largo, pero no mucho más detallado, simplemente afirma que,

---

[97] Ibid., 6.8, en Tappert, *Book of Concord*, 352.

[98] David F. Wright, "Martin Bucer (1491–1551): Ecumenical Theologian," en Wright, *Common Places of Martin Bucer*, 33–34.

[99] Sobre la historia del Coloquio de Marburgo, ver Sasse, *This Is My Body*, 187–294.

[100] Jaroslav Pelikan, *Credo: Historical and Theological Guide to Creeds and Confessions of Faith in the Christian Tradition* (New Haven, CT: Yale University Press, 2003), 213

a todos aquellos que sinceramente han dado sus nombres entre Sus discípulos y reciben esta Cena según Su institución, Él se digna a dar Su verdadero cuerpo y verdadera sangre para ser verdaderamente comido y bebido para el alimento y la bebida de las almas, para su alimento a la vida eterna, para que ahora Él pueda vivir y permanecer en ellos, y ellos en Él, para ser levantado por Él en el último día a la vida nueva e inmortal.

La confesión también rechaza la idea de que "nada más que el simple pan y el simple vino se administre en nuestra Cena."[101] La *Fidei Ratio* de Zuinglio reafirmó la doctrina que él había enseñado en todos sus escritos anteriores: el cuerpo de Cristo está presente solo "por la contemplación de la fe" —no hay presencia real.[102]

Aunque el emperador se negó a presentar las últimas dos confesiones a la Dieta, sí les pidió a los teólogos católicos que las refutaran todas. El emperador católico no fue persuadido de acomodar a los protestantes, y el 22 de septiembre, les ordenó regresar a la fe católica el 15 de abril de 1531. La Reforma había alcanzado una etapa crítica. Muchos ahora consideran que un acuerdo sobre la Cena era necesario para la supervivencia. Bucer intensificó sus intentos de alcanzar la concordia, reuniéndose con muchos, incluidos Melanchthon, Lutero y Zuinglio. En este punto en el tiempo, debido a que Bucer se había alejado de la visión de Zuinglio, Melanchthon y Lutero se estaban volviendo mucho más receptivos a sus propuestas.[103]

En febrero de 1531, se formó una liga defensiva protestante. La membresía en la Liga de Esmalcalda originalmente requería la suscripción a la Confesión de Augsburgo, aunque durante un breve período de tiempo también se permitía la suscripción a la Confesión Tetrapolitana. La propia ciudad de Bucer, Estrasburgo, por lo tanto, pudo unirse a esta Liga defensiva, que estaba compuesta en gran parte por ciudades luteranas, pero no fue capaz de convencer a los suizos de unirse. En este momento, Zuinglio se había frustrado con Bucer, creyendo que había hecho demasiadas concesiones a Lutero. En la segunda reunión de la Liga de Esmalcalda en marzo y abril de 1531, muchos de los luteranos exigieron que la membresía estuviera condicionada a la aceptación de la Confesión de Augsburgo solamente. Esos suizos leales a Zuinglio estaban cada vez más aislados. El 11 de octubre, en la segunda Batalla de Kappel, los católicos suizos atacaron y derrotaron a los ejércitos de Zúrich. Zuinglio fue asesinado en la batalla.[104] Un mes después, el 24 de noviembre, Ecolampadio murió de peste. Los dos representantes más poderosos de la visión simbólica de la Cena ahora estaban silenciados.

Los eventos políticos se movieron rápidamente, y Bucer continuó trabajando incansablemente en sus intentos por llegar a un acuerdo entre los protestantes. Sus encuentros con los puntos de vista anabaptistas de la Cena les habían despertado a los peligros de una visión excesivamente simbólica, y su doctrina de la Cena del Señor se había desarrollado en una dirección más cercana a la de Lutero y Melanchthon.[105]

---

[101] Esta traducción se encuentra en James T. Dennison Jr., ed., *Reformed Confessions of the 16th and 17th Centuries in English Translation* (Grand Rapids, MI: Reformation Heritage Books, 2008), 1:159.

[102] Ibid., 1:126.

[103] Martin Greschat, *Martin Bucer: A Reformer and His Times*, trad. Stephen E. Buckwalter (Louisville: Westminster John Knox, 2004), 96–97.

[104] Ibid., 97–98.

[105] Hazlett, "Development of Martin Bucer's Thinking", 197–98. No hay una sola doctrina "anabaptista" de la Eucaristía. Más bien, hay tantas doctrinas anabaptistas de la Eucaristía como hay anabaptistas. Ver John D. Rempel, *The Lord's Supper in Anabaptism: A Study in the Christology of Balthasar Hubmaier, Pilgram Marpeck, and Dirk*

Bucer escribió tres de sus obras más importantes sobre la Cena durante este período. En 1532, escribió su Confesión de Schweinfurt, que Ian Hazlett llama "una de los mejores y más coherentes sumarios-recuentos que Bucer escribió alguna vez sobre el tema."[106] En 1534, escribió su *Informe de las Sagradas Escrituras* y su *Defensa contra el axioma católico*. Estas obras le ganaron una audiencia entre los luteranos.

Debido a los continuos intentos de Bucer para llegar a algún tipo de consenso entre los protestantes, algunas veces ha sido acusado de duplicidad. Sin embargo, como observa Nicholas Thompson, "tenemos que recordar que trabajó y escribió a medida que los límites del confesionario empezaban a endurecerse."[107] Él no dio por sentada la división protestante como lo hacemos hoy. Su teología única de la Cena, que ocupa una posición mediadora entre Lutero y Zuinglio, es significativa en sí misma y se caracteriza por varias cosas. Primero, Bucer tomó prestado el concepto de unión sacramental de Lutero sin adoptar la explicación completa de Lutero al respecto. Este concepto le permitió a Bucer enfocarse en la relación entre la Cena y la unión con Cristo.[108] Bucer también habló repetidamente de la "presentación" (*exhibitio*) del cuerpo y la sangre de Cristo con el pan y el vino. Con su uso de esta palabra, quiso "la entrega real de Cristo al creyente comulgante, y no simplemente el valor representativo del pan y el vino."[109]

De importancia central para la doctrina de la Cena de Bucer fue la idea de que existe una "conjunción temporal" entre los signos y acciones terrenales y las realidades celestiales que significaron. Al mismo tiempo que el creyente come el pan y el vino, él participa del cuerpo y la sangre de Cristo en la dimensión celestial.[110] Es posible que Bucer haya sido influenciado por Ecolampadio, quien también habló de un paralelismo entre la alimentación física y la alimentación espiritual en la Santa Cena. Independientemente de su origen, esta idea nos ayuda a entender a qué se refería cuando afirmó que el cuerpo y la sangre de Cristo están juntos "con" el pan y el vino. Bucer insistió en usar la palabra "con" porque le permitía afirmar que cuando se come el pan, se come el cuerpo de Cristo sin afirmar la inclusión local del cuerpo de Cristo en el pan mismo.[111] Este paralelismo dualista y la resultante "doble alimentación" fueron centrales para la teología eucarística de Bucer.[112]

Los incansables esfuerzos de Bucer para llegar a un acuerdo dieron sus frutos en octubre de 1535 cuando Lutero finalmente sugirió que todas las partes se reunieran en la ciudad de Eisenach para discutir sus diferencias doctrinales, particularmente con respecto a la Cena del Señor.[113] Sin embargo, a pesar de los mejores esfuerzos de Bucer para convencerlos de que estuvieran, los suizos decidieron no asistir. Bucer había esperado obtener más de ellos dado que la Primera Confesión Helvética, publicada en febrero de 1536 y fuertemente influenciada por su propia participación en su composición —había afirmado en el artículo 21 que los sacramentos "no son

---

Philips, Studies in Anabaptist and Mennonite History 33 (Waterloo, ON: Herald, 1993); Rempel, "Anabaptist Theologies of the Eucharist", en *Wandel, A Companion to the Eucharist*, 115–37.

[106] Hazlett, "Development of Martin Bucer's Thinking", 366.

[107] Nicholas Thompson, "Martin Bucer," en Wandel, *A Companion to the Eucharist*, 95.

[108] Wright, "Martin Bucer (1491–1551)," 35

[109] Ibid.

[110] Ibid.

[111] Jensen, "Luther and the Lord's Supper," 328–29.

[112] Hazlett, "Development of Martin Bucer's Thinking," 187–88.

[113] Greschat, *Martin Bucer*, 135–36

simples señales". Esta confesión suiza llegó incluso a decir que "como las señales se reciben por la boca del cuerpo, así también las cosas espirituales [son recibidas] por la fe."[114] A pesar de lo que Bucer vio como una oportunidad real, los suizos no pudieron ser persuadidos.

Debido a que Lutero estaba enfermo en el momento de la reunión, los delegados de Alemania del Sur viajaron a Wittenberg, llegando el 21 de mayo de 1536.[115] Lutero abrió la reunión interrogando a sus invitados sobre su doctrina. Cuando la reunión continuó al día siguiente, la discusión se centró en la pregunta de si los incrédulos reciben el cuerpo de Cristo en la Cena. Lutero afirmó esto, y Bucer lo negó. Uno de los delegados luteranos encontró una solución al sugerir una distinción que el mismo Bucer había utilizado en el pasado. Los participantes pudieron acordar que los "indignos" (cristianos imperfectos) participen de Cristo, pero dejaban sin respuesta la pregunta de los incrédulos.[116] Finalmente, se llegó a un acuerdo. Lutero reconoció públicamente su compañerismo como hermanos cristianos, y Melanchthon puso el acuerdo por escrito.

La Concordia de Wittenberg de 1536 fue un logro notable dada la naturaleza amarga del debate en los años anteriores. Fue un testimonio de la perseverancia de Bucer. Los luteranos basaron el acuerdo en el entendimiento de que los alemanes del sur creían que "con el pan y el vino, el cuerpo y la sangre de Cristo están real y sustancialmente presentes, ofrecidos y recibidos."[117] Además, la Concordia declaró que aunque los alemanes del sur no creían que el cuerpo de Cristo estaba incluido localmente en el pan, afirmaron que "por la unión sacramental, el pan es el cuerpo de Cristo; es decir, sostienen que cuando el pan se sostiene, el cuerpo de Cristo está al mismo tiempo presente y verdaderamente ofrecido."[118] Después de que se firmó la Concordia, Lutero alentó a Bucer a continuar sus intentos de llegar a un acuerdo con los suizos y hacerlo sobre la base de la Concordia de Wittenberg, pero los suizos nunca la aceptaron o rechazaron formalmente.[119]

Cese al Fuego en cuanto a la Cena del Señor (1536-1549)

La Concordia de Wittenberg marcó el final de la primera controversia eucarística. Los representantes de las diversas opiniones continuaron escribiendo sobre el tema, pero en comparación con la década anterior, los siguientes trece años estuvieron marcados por una calma relativa. El acontecimiento más importante relacionado con la doctrina de la Cena del Señor que tuvo lugar durante estos años fue la llegada a la escena del joven teólogo francés Juan Calvino. Como es cierto con casi todos los protestantes durante este período, la comprensión de Calvino de la Cena del Señor mostró un grado de desarrollo. Sus obras, que datan de su primera estancia en Ginebra (1536-1538), incluida la primera edición de su *Institución*, revelan un énfasis distintivamente simbólico. Su colega más viejo, el reformador ginebrino Guillermo Farel, también

---

[114] Dennison, *Reformed Confessions*, 1:349
[115] Greschat, *Martin Bucer*, 137.
[116] Ibid., 137–38.
[117] CCFCT 2:799.
[118] Ibid.
[119] Greschat, *Martin Bucer*, 139–42; ver también, Gordon A. Jensen, "Luther and Bucer on the Lord's Supper", LQ 27 (2013): 167–87. Me gustaría agradecer a Robert Kolb por traer este artículo a mi atención.

había adoptado una visión más simbólica de la Cena, pero parece que los dos alcanzaron un punto de vista similar por separado.[120]

En la primavera de 1538, Calvino y Farel fueron expulsados de Ginebra. Calvino eventualmente se estableció en Estrasburgo, donde trabajó junto a Martin Bucer. Como observa Bruce Gordon, "las influencias de Zuinglio detectables en la *Institución* de 1536 se evaporaron durante la estancia de Calvino en Estrasburgo entre 1538 y 1541."[121] Esto fue en gran medida el resultado de la influencia de Bucer en su colega más joven.[122] Con respecto a la doctrina de la Cena, Calvino siguió en gran medida los pasos de Bucer.[123] En 1541, cuando Calvino regresó a Ginebra, su doctrina de la Cena fue básicamente resuelta. Continuó clarificándolo y explicándolo por el resto de su vida, pero la doctrina se mantuvo sustancialmente igual.[124]

Al igual que Bucer, Calvino asoció directamente su doctrina de la Cena con su doctrina de unión con Cristo.[125] Calvino, sin embargo, concibió tres tipos de unión con Cristo. Esta triple unión se puede inferir en muchos de sus escritos, pero se explica con mayor claridad en su correspondencia de 1555 con Pedro Martyr Vermigli.[126] En esta correspondencia, Calvino describió lo que Duncan Rankin denomina una unión de encarnación, una unión mística y una unión espiritual.[127] La unión encarnada es la unión única entre la naturaleza divina y la naturaleza humana en la persona única de Jesucristo. La unión mística es la unión de una vez por todas con Cristo que ocurre cuando los creyentes son regenerados e injertados en su cuerpo. La unión espiritual es el efecto y el fruto de la unión mística. Es una unión que continua y progresa. Puede crecer y fortalecerse a lo largo de la vida del creyente.[128] Calvino asoció explícitamente

[120] Ver, *Farel's Summary* (1529), en Dennison, *Reformed Confessions*, 1:51–111; ver también, Bruce Gordon, *Calvin* (New Haven, CT: Yale University Press, 2009), 70.

[121] Gordon, *Calvin*, 167.

[122] Bucer no solo influyó en la comprensión teológica de Calvino, sino que también inspiró a Calvino con sus constantes esfuerzos por unir a los protestantes alemanes y suizos. Ver David C. Steinmetz, *Calvin in Context* (New York: Oxford University Press, 1995), 172; ver también, Joseph N. Tylenda, "The Ecumenical Intention of Calvin's Early Eucharistic Teaching," en *Reformatio Perennis: Essays on Calvin and the Reformation in Honor of Ford Lewis Battles*, ed. B. A. Gerrish (Pittsburgh: Pickwick, 1981), 27–28.

[123] La influencia de Melanchthon también es detectable, y algunos incluso sugieren que fue una influencia más fuerte que Bucer. Ver Richard A. Muller, "¿From Zurich or from Wittenberg? An Examination of Calvin's Early Eucharistic Thought", *CTJ* 45, no. 2 (2010): 255. Muller argumenta que Calvino a menudo usaba el lenguaje de la Apologia de Augsburgo de 1531 de Melanchthon y la Concordia de Wittenberg. Melanchthon y Bucer habían participado en numerosas discusiones teológicas en los años previos a la Concordia de Wittenberg y se habían influenciado mutuamente. No es sorprendente, por lo tanto, encontrar la influencia de Melanchthon en el trabajo de Calvino en la Cena del Señor, ya sea que consideremos que esa influencia sea directa o indirecta. Vale la pena señalar, sin embargo, que Calvino también influyó en las opiniones de Melanchthon. Ver, por ejemplo, Wim Janse, "Calvin's Doctrine of the Lord's Supper," *Perichoresis* 10, no. 2 (2012): 146–47. Para más información sobre la relación Calvino-Melanchthon, ver Timothy Wengert, "'We Will Feast Together in Heaven Forever': The Epistolary Friendship of John Calvin and Philip Melanchthon," en *Melanchthon in Europe: His Work and Influence beyond Wittenberg*, ed. Karin Maag, Texts and Studies in Reformation and Post-Reformation Thought (Grand Rapids, MI: Baker, 1999), 19–44

[124] Sugerir que su punto de vista siguió experimentando un cambio sustancial, como algunos han argumentado, parece exagerar el caso. El argumento más sólido para el desarrollo y el cambio sustantivo ha sido realizado por Thomas J. Davis en *The Clearest Promises of God: The Development of Calvin's Eucharistic Teaching*, AMS Studies in Religious Tradition 1 (New York: AMS, 1995); ver también, Wim Janse, "Calvin's Eucharistic Theology: Three Dogma-Historical Observations," en *Calvinus Sacrarum Literarum Interpres: Papers of the International Congress on Calvin Research*, ed. Herman J. Selderhuis (Göttingen: Vandenhoeck & Ruprecht, 2008), 39.

[125] Ver, B. A. Gerrish, *Grace and Gratitude: The Eucharistic Theology of John Calvin* (Minneapolis: Augsburg Fortress, 1993), 133.

[126] Una traducción al inglés de la porción relevante de la carta de Calvino se encuentra en Theodore Beza, *The Life of John Calvin*, trad. Francis Sibson (Philadelphia: J. Whetham, 1836), 309–11.

[127] W. Duncan Rankin, "Calvin's Correspondence on Our Threefold Union with Christ," en *The Hope Fulfilled: Essays in Honor of O. Palmer Robertson*, ed. Robert L. Penny (Phillipsburg, NJ: P&R, 2008), 250.

[128] "Letter to Peter Martyr," en Beza, *Life of John Calvin*, 311.

este tercer tipo de unión con la Cena del Señor, que se da para nutrirnos y fortalecer nuestra unión mística con Cristo.

Con respecto a las palabras de institución de Cristo, Calvino argumentó que las palabras "Este es mi cuerpo" deben entenderse figurativamente. El nombre de la realidad se da aquí al signo.[129] Por lo tanto, los cristianos deben distinguir el signo de la realidad. Pero el signo, aunque se distingue de la realidad, nunca debe separarse de ella. El signo y la realidad están conectados. Calvino escribió: "Considero que, más allá de toda controversia, la realidad está unida al signo."[130] Calvino, siguiendo a Bucer, también vio un paralelismo entre la acción sacramental terrenal y la acción celestial correspondiente. Como explicó, "si es verdad que se nos ofrece el signo visible para sellar el don de lo invisible, debemos tener la confianza indudable de que, al tomar el signo del cuerpo, también recibimos el cuerpo."[131]

Lo que esto significa, de acuerdo con Calvino, es que los creyentes realmente participan del cuerpo de Cristo: "Para tener nuestra vida en Cristo nuestras almas deben ser alimentadas con su cuerpo y su sangre, como su alimento apropiado."[132] Cristo es Aquel a quien estamos unidos y, por lo tanto, el objeto de nuestra participación. Pero, ¿qué significa realmente participar del cuerpo de Cristo? Según Calvino, "Comemos la carne [de Cristo], cuando, por medio de ella, recibimos vida."[133] La Cena, entonces, está asociada con nuestra unión espiritual con Cristo porque, mediante ella, los creyentes que ya están injertados en Cristo "crecen cada vez más junto con Él, hasta que Él se une perfectamente a nosotros con él en la vida celestial."[134] Por lo tanto, de acuerdo con Calvino, participamos (es decir, estamos unidos y recibimos vida) del verdadero cuerpo de Cristo. La visión de Calvino, como la de Bucer, debe por lo tanto distinguirse tanto de la visión de Lutero como de la de Zuinglio.[135]

Durante estos mismos años de relativa paz, el colega más joven de Zuinglio, Henry Bullinger, continuó defendiendo la doctrina de su mentor fallecido, pero también la

---

[129] Calvino, *Institución*, 4.17.20–25.

[130] Calvino, *Calvin's Commentaries*, vol. 20, *Commentary on the Epistles of Paul the Apostle to the Corinthians*, ed. John Pringle (Grand Rapids, MI: Baker, 2003), 378 (1 Cor. 11:24).

[131] Juan Calvino, *Institutes of the Christian Religion: 1541 French Edition*, trad. Elsie Anne McKee (Grand Rapids, MI: Eerdmans, 2009), 557.

[132] Juan Calvino, "Short Treatise on the Supper of Our Lord," en *Calvin: Theological Treatises*, ed. J. K. S. Reid, LCC 22 (Louisville: Westminster John Knox, 2006), 2:147.

[133] Calvino, *Calvin's Commentaries*, vol. 17, *Commentary on a Harmony of the Evangelists, Matthew, Mark, and Luke*, ed. William Pringle (Grand Rapids, MI: Baker, 1996), 210 (Matt. 26:26).

[134] Calvino, Institución, 4.17.33.

[135] Para una discusión más completa de la visión de Calvino de los sacramentos en general y de la Cena del Señor en particular, vea mi capítulo en *John Calvin: For a New Reformation*, ed. Derek Thomas y John Tweeddale (Wheaton, IL: Crossway, próximamente). La doctrina de Calvino de la Cena del Señor ocasionalmente ha sido fuente de controversia dentro de las iglesias reformadas. Un importante debate entre Charles Hodge y John Williamson Nevin ocurrió a mediados del siglo XIX. Nevin había escrito un libro titulado La presencia mística, en el que lamentaba el hecho de que la mayoría de las iglesias reformadas de su época habían adoptado una visión de la cena más zuingliana que calvinista. Hodge respondió argumentando que los aspectos de la doctrina de Calvino eran elementos extraños en el sistema de la teología reformada. He discutido este debate con cierto detalle en mi libro *Given for You: Reclaiming Calvin's Doctrine of the Lord's Supper* (Phillipsburg, NJ: P&R, 2002), 136–56. Creo que Nevin tenía una mejor comprensión de la doctrina de Calvino, pero debería observarse que leyó a Calvino a través de lentes idealistas alemanes y que eso afectó su interpretación. Hodge parece haber entendido mal a Calvino casi por completo. Todas las fuentes primarias en este debate han sido republicadas recientemente en Mercersburg Theology Study Series, editado por W. Bradford Littlejohn. Ver John Williamson Nevin, *The Mystical Presence and the Doctrine of the Reformed Church on the Lord's Supper*, ed. Linden J. DeBie, Mercersburg Theology Study Series 1 (Eugene, OR: Wipf & Stock, 2012), y John Williamson Nevin y Charles Hodge, *Coena Mystica: Debating Reformed Eucharistic Theology*, ed. Linden J. DeBie, Mercersburg Theology Study Series 2 (Eugene, OR: Wipf & Stock, 2013).

superó. Una de las presentaciones más extensas de sus puntos de vista se encuentra en sus *Décadas*, sermones publicados entre 1549 y 1551 a medida que se acercaba la segunda controversia eucarística. En las *Décadas*, Bullinger presentó una interpretación modificada de Zuinglio de la Cena. Él definió los sacramentos como "testigos y sellos de la predicación del Evangelio."[136] Haciéndose eco de Zuinglio, Bullinger argumentó que el signo y la cosa significados están unidos "por la contemplación fiel". Esto significaba que "los fieles tienen en sí mismos ambos acoplados, que de lo contrario en el signo o con el signo están unidos sin ningún vínculo."[137] Los signos dirigen nuestros ojos a las cosas espirituales, pero los signos no están conectados con esas cosas. Por lo tanto, su explicación de la Cena del Señor se hizo eco de la de Zuinglio en muchas de sus características esenciales.[138]

La Segunda Controversia Eucarística (1549-1561)

La segunda controversia eucarística se inició en 1549 cuando Calvino y Bullinger elaboraron una declaración de consenso sobre la Cena del Señor conocida como el Consenso de Zúrich (o Consenso Tigurinus).[139] Después de la firma de la Concordia de Wittenberg en 1536, Lutero había alentado a Bucer a continuar sus intentos de llegar a un acuerdo con los suizos. Calvino compartió el deseo de Bucer de llegar a un acuerdo, y después de mucha correspondencia y debates acalorados, él y Bullinger pudieron ponerse de acuerdo sobre el Consenso de Zúrich.[140]

El Consenso de Zúrich representa la teología de Bullinger y Calvino por completo. Cada uno hizo concesiones para producir una formulación que ambos lados pudieran firmar.[141] Al parecer, Calvino estaba dispuesto a omitir ciertas frases que usaba en todos lados, pero no estaba del todo contento con el resultado. En una carta a Bucer sobre el Consenso, dijo: "De hecho, no fue mi culpa que estos artículos no fueran más completos. Por lo tanto, demos un suspiro a lo que no se puede corregir."[142] A pesar de su desilusión con su forma final, Calvino defendería el Consenso en los años venideros al interpretarlo de acuerdo con su propia doctrina de la Cena. Se vio obligado a defenderlo porque su publicación encendió una segunda controversia eucarística. La voluntad de Calvino de omitir ciertas frases permitió a los suizos firmarlo, pero los luteranos interpretaron el acuerdo como una capitulación total del zuinglianismo.

JoachimWestphal, el pastor luterano en Hamburgo, disparó las primeras balas con tres libros publicados entre 1552 y 1555. En estos libros, defendió una versión de línea fuerte de la doctrina de Lutero. Los luteranos como Melanchthon que habían adoptado una versión modificada de la doctrina de Lutero no siempre estuvieron contentos con el lenguaje de Westphal. Calvino finalmente respondió con su *Defensa de la sana y*

---

[136] Heinrich Bullinger, *The Decades of Heinrich Bullinger*, ed. Thomas Harding (1849–1852; reimpr., Grand Rapids, MI: Reformation Heritage Books, 2004), 2:234.

[137] Ibid., 2:279, cursivas añadidas.

[138] Ibid., 2:401–78.

[139] Para el texto, ver CCFCT 2:802–15.

[140] Paul Rorem, *Calvin and Bullinger on the Lord's Supper* (Nottingham: Grove Books, 1989).

[141] Paul Rorem, "The Consensus Tigurinus (1549): Did Calvin Compromise?" *en Calvinus Sacrae Scripturae Professor: Calvin as Confessor of Holy Scripture; Die Referate Des Congrès International Des Recherches Calviniennes Vom 20. Bis 23. August 1990 in Grand Rapids*, ed. Wilhelm H. Neuser (Grand Rapids, MI: Eerdmans, 1994), 90.

[142] Citado en Rorem, *Calvin and Bullinger on the Lord's Supper*, 49.

ortodoxa doctrina de los sacramentos (1555).[143] Westphal y Calvino continuaron intercambiando fuego durante los siguientes años. Otros teólogos luteranos y reformados también contribuyeron al debate. Calvino contribuyó con su trabajo final sobre el tema cuando respondió a las críticas del luterano Tileman Heshusius en 1561.[144] Para cuando esta controversia se calmó, cualquier esperanza de reconciliación entre los luteranos y los reformados sobre la doctrina de la Cena casi había desaparecido.

Consolidación y Confesiones

Las confesiones de las iglesias ayudaron a consolidar las diversas doctrinas eucarísticas que se habían desarrollado en la primera mitad del siglo XVI. En el Concilio de Trento (1545-1563), la Iglesia Católica Romana respondió a las críticas de los protestantes y reafirmó su propia posición, defendiendo la transubstanciación, la adoración de la hostia y la doctrina del sacrificio de la Misa.[145] Se declararon anatemas solemnes contra quienes negaban la doctrina católica romana de la Cena.

Las confesiones reformadas del siglo XVI reflejan el rango de puntos de vista encontrados entre los teólogos de la época. Como observa B. A. Gerrish, algunos reflejan los puntos de vista de Zuinglio modificados de Bullinger. Aún otros enseñan una visión consistente con las enseñanzas de Bucer y Calvino.[146] Por ejemplo, la 1559 Confesión francesa, la Confesión escocesa de 1560 y la Confesión belga 1561, son bucerianas y calvinistas en su idioma sobre la Cena. La Segunda Confesión Helvética de 1566, por otro lado, refleja la doctrina eucarística de su autor, Henry Bullinger. Sin embargo, cuando Bullinger completó esta confesión, una influencia calvinista se volvió detectable. Vemos indicios de esta influencia cuando leemos las siguientes palabras en el capítulo 21 de la confesión: "Por eso, los fieles reciben lo que es dado por el ministro del Señor, y comen el pan de Señor, y beben de la copa del Señor. Pero, sin embargo, mediante la obra de Cristo, a través del Espíritu Santo, reciben también la carne y la sangre del Señor y se alimentan de ellos para la vida eterna."[147]

Los estándares confesionales de las iglesias luteranas están contenidos en el Libro de la Concordia (1580). Este trabajo fue compilado para terminar con los debates internos que preocupaban a las iglesias luteranas. Además del Credo de los Apóstoles, el Credo de Nicea y el Credo de Atanasio, el Libro de la Concordia también contiene la Confesión de Augsburgo y la Apología de la Confesión de Augsburgo de Melanchthon (una defensa contra las condenas hechas por Roma) y su *Tratado sobre el poder y primacía del Papa*. Contiene los Catecismos Menores y Mayores de Lutero, así como sus Artículos de Smalcald (1536). Finalmente, contiene la Fórmula de Concordia (1577), una reformulación y explicación de ciertas doctrinas que se han

---

[143] Ver, Joseph N. Tylenda, "The Calvin-Westphal Exchange: The Genesis of Calvin's Treatises against Westphal," CTJ 9, no. 2 (1974): 182–209; Steinmetz, Calvin in Context, 172–83; Wim Janse, "Joachim Westphal's Sacramentology," LQ 22, no. 2 (2008): 137–60; Esther Chung-Kim, "Use of the Fathers in the Eucharistic Debates between John Calvin and Joachim Westphal," Reformation 14, no. 1 (2009): 101–25.

[144] Las contribuciones de Calvino a este debate se encuentran en *Tracts, Part 2, vol. 2 of John Calvin: Tracts and Letters,* ed. Henry Beveridge y Jules Bonnet, trad. Henry Beveridge (1849; reimpr., Edinburgh: Banner of Truth, 2009).

[145] La decimotercera sesión (1551) se ocupó del sacramento de la Eucaristía, y la vigésima segunda sesión (1562) se ocupó del sacrificio de la Misa. Véase H. J. Schroeder, ed. y trad., *The Canons and Decrees of the Council of Trent* (Charlotte, NC: Tan Books, 1978), 72–80, 146–54.

[146] B. A. Gerrish, *The Old Protestantism and the New: Essays on the Reformation Heritage* (Edinburgh: T&T Clark, 1982), 118–30.

[147] Esta traducción se encuentra en Dennison, *Reformed Confessions*, 2:866.

convertido en una fuente de desacuerdo entre los luteranos. El Libro de la Concordia adopta la doctrina de la Cena de Lutero y adopta una postura firme contra la doctrina eucarística de Roma y las diversas opiniones sostenidas por aquellos en las iglesias reformadas.

Conclusión

Hay algo inherentemente trágico en el hecho de que el sacramento del que Calvino hablaba como un "lazo de amor" se convirtió en la fuente de tanta lucha y división en la iglesia.[148] Hubo una razón por la cual Bucer, Melanchthon, Calvino y otros trabajaron tan duro en un intento por llegar a un consenso. Que hayan fallado no significa que sus esfuerzos fueron erróneos. Hoy no parece probable que los desacuerdos se resuelvan hasta que Cristo regrese y todos los que confían en él se sienten en una mesa y disfruten juntos. Sin embargo, incluso si la resolución no es humanamente posible, quizás sea posible una mejor comprensión de los factores que llevaron a la división, y mi esperanza es que esta discusión haya contribuido de alguna manera a ese objetivo.

Recursos para un Estudio Adicional

FUENTESS PRIMARIAS

Bucer, Martin. *Apologia*. En *Common Places of Martin Bucer*, traducido y editado por David F. Wright, 313–53. Courtenay Library of Reformation Classics 4. Appleford: Sutton Courtenay, 1972.[149]

Calvino, Juan. *Institución de la Religion Cristiana*. Grand Rapids: Libros Desafío, 2012.

_____. "Short Treatise on the Supper of Our Lord." En *Calvin: Theological Treatises*, editado por J. K. S. Reid, 142–66. Library of Christian Classics 22. Louisville: Westminster John Knox, 2006.

Hoen, Cornelisz. "A Most Christian Letter." En *Forerunners of the Reformation: The Shape of Late Medieval Thought*, editado por Heiko Oberman y traducido por Paul L. Nyhus, 268–78. Library of Ecclesiastical History. Cambridge: James Clarke, 1967.

Karlstadt, Andreas Bodenstein von. *The Eucharistic Pamphlets of Andreas Bodenstein von Karlstadt*. Traducido y editado por Amy Nelson Burnett. Early Modern Studies 6. Kirksville, MO: Truman State University Press, 2011.

Luther, Martin. "Confession concerning Christ's Supper." En *Luther's Works*. Vol. 37, Word and Sacrament III, editadopor Robert H. Fischer, 151–372. Philadelphia: Fortress, 1961.

Schroeder, H. J., ed. y trad. *The Canons and Decrees of the Council of Trent*. Charlotte, NC: Tan Books, 1978.

Tappert, Theodore G., ed. y trad. *The Book of Concord: The Confessions of the Evangelical Lutheran Church*. Philadelphia: Fortress, 1959.

---

[148] Calvino, *Institución*, 4.17.38.

[149] Muchos de los trabajos eucarísticos de Bucer están en proceso de traducción al inglés por primera vez como parte de la próxima serie Bucer en la traducción inglesa de Truman State University Press.

Zuinglio, Huldrych. *Commentary on True and False Religion*. Editadopor Samuel Macauley Jackson y Clarence Nevin Heller. 1929. Reimpresión, Durham, NC: Labyrinth, 1981.

_____.*Writings*. Vol. 2, En *Search of True Religion: Reformation, Pastoral, and Eucharistic Writings*. Traducido por H. Wayne Pipkin. Allison Park, PA: Pickwick, 1984.

Fuentes Secundarias

Burnett, Amy Nelson. *Karlstadt and the Origins of the Eucharistic Controversy: A Study in the Circulation of Ideas*. Oxford Studies in Historical Theology. Oxford: Oxford University Press, 2011.

Davis, Thomas J. *The Clearest Promises of God: The Development of Calvin's Eucharistic Teaching*. AMS Studies in Religious Tradition 1. New York: AMS, 1995.

_____.*This Is My Body: The Presence of Christ in Reformation Thought*. Grand Rapids, MI: Baker Academic, 2008.

Gerrish, B. A. *Grace and Gratitude: The Eucharistic Theology of John Calvin*. Minneapolis: Augsburg Fortress, 1993.

Janse, Wim. "Calvin's Eucharistic Theology: Three Dogma-Historical Observations." En *Calvinus Sacrarum Literarum Interpres: Papers of the International Congress on Calvin Research*, editado por Herman J. Selderhuis, 37–69. Göttingen: Vandenhoeck & Ruprecht, 2008.

Jensen, Gordon A. "Luther and the Lord's Supper." En *The Oxford Handbook of Martin Luther's Theology*, ed. por Robert Kolb, Irene Dingel, y L'ubomír Batka, 322–32. Oxford: Oxford University Press, 2014.

McDonnell, Kilian. *John Calvin, the Church, and the Eucharist*. Princeton, NJ: Princeton University Press, 1967.

Sasse, Hermann. *This Is My Body: Luther's Contention for the Real Presence in the Sacrament of the Altar*. Minneapolis: Augsburg, 1959.

Thompson, Nicholas. *Eucharistic Sacrifice and Patristic Tradition in the Theology of Martin Bucer, 1534–1546*. Studies in the History of Christian Traditions 119. Leiden: Brill, 2005.

Wandel, Lee Palmer, ed. *A Companion to the Eucharist in the Reformation*. Brill's Companions to the Christian Tradition 46. Leiden: Brill, 2014.

_____.*The Eucharist in the Reformation: Incarnation and Liturgy*. Cambridge: Cambridge University Press, 2006.

La Relación Iglesia-Estado

Peter A. Lillback

RESUMEN

La iglesia y el estado en la Reforma fueron moldeados por el cesaropapismo y la primacía papal. La época medieval legó el conciliarismo, los populistas y los movimientos sociales, mientras que la teología de Lutero debilitó el poder de la iglesia. La Erastianismo, la soberanía de las esferas y las teorías de separación total se desarrollaron cuando los reformadores apelaron a las Escrituras, las teorías políticas clásicas y la experiencia. Impulsados por la persecución, los protestantes se apropiaron del pensamiento del pacto para ayudar a forjar teorías de resistencia a la tiranía. La resistencia del magistrado menor condujo a teorías de resistencia popular a la tiranía. Luteranos, calvinistas, hugonotes y católicos contribuyeron a este proceso. Rutherford, Altusio y Grocio expresaron una teoría madura de la resistencia popular, y la fusión de la ley natural y bíblica produjo un impacto permanente en el pensamiento occidental.

Introducción

En el siglo XVI, las luchas entre los poderes terrenales, los potentados, los papas y los pueblos protestantes crearon importantes problemas políticos, propuestas y promesas. De hecho, la era de la Reforma manifiesta que las creencias cristianas pueden influir mucho en el gobierno y la política.[1] John T. McNeill observa,

> Los nombres que abarrotan las historias de la teoría política no son los nombres de políticos o estadistas, sino de filósofos, eruditos de la ley y teólogos...Los contribuyentes a ella, de hecho, incluyeron prácticamente todas las figuras eminentes entre los Padres de la Iglesia, escolásticos y reformadores.[2]

---

[1] J. H. Burns, ed., *The Cambridge History of Political Thought*, 1450–1700, con la asistencia de Mark Goldie (Cambridge: Cambridge University Press, 1991), 159–253; Quentin Skinner, *The Foundations of Modern Political Thought*, 2 vols. (Cambridge: Cambridge University Press, 1978); Jean Touchard et al., *Histoire des idées politiques* (Paris: Presses Universitaires de France, 1959).

[2] John T. McNeill, "Calvinism and European Politics in Historical Perspective", en *Calvinism and the Political Order*, ed. George L. Hunt (Philadelphia: Westminster, 1965), 11.

Las instituciones de la iglesia y el estado son diferentes, pero a veces han compartido objetivos comunes.[3] Aun así, el gobierno humano se preocupa por el ejercicio del poder, mientras que la iglesia se preocupa por los destinos eternos cuando sonara la séptima trompeta y las voces en el cielo proclamara: "El reino del mundo se ha convertido en el reino de nuestro Señor y de su Cristo, y Él reinará por los siglos de los siglos" (Apocalipsis 11:15).

Hay una tensión inherente entre los dos, evidente en el nacimiento del cristianismo cuando Jesús distinguió los derechos legítimos de Dios y del César en Mateo 22:21 sin demarcar sus límites.[4] Los apóstoles enseñaron la subordinación al gobierno (Rom. 13:1-7, 1 Pe. 2:13-25), pero el Nuevo Testamento también muestra la tensión entre los reinos terrenales y el reino venidero (Mt. 6:10). La sumisión cristiana al estado tiene límites. Pedro declaró en Hechos 5:29 que el hombre debe obedecer a Dios antes que a los hombres. Pablo insistió en que el magistrado debe administrar justicia (Rom. 13:3-4). ¿Pero esto no prohíbe a un magistrado perseguir un programa político que conduzca a la tiranía?

Si Dios es obedecido por encima del hombre, entonces las preguntas confrontan a los cristianos y reyes terrenales, produciendo controversia. Y la era de la Reforma no fue la excepción.[5] A las cuestiones de política y religión en el cuadro público,[6] el debate de la Reforma ofreció diversas respuestas que continúan influyendo en la civilización occidental.[7] Las preocupaciones de la iglesia y el estado permanecen[8] y han llevado a una investigación llamada teología política.[9] Este campo es vasto.[10] Los temas abordados abarcan todo el espectro de preocupaciones gubernamentales, la religión y la fe cristiana.[11]

Algunas de las preguntas permanentes formuladas incluyen las siguientes: (1) ¿Qué forma de gobierno es la mejor? (2) ¿La iglesia sigue el estado, o el estado sigue a la iglesia, o son cuerpos separados que deben competir incesantemente por la autoridad y el control? (3) ¿Cómo pueden los gobernantes tiránicos, ya sea en el estado o en la iglesia, ser detenidos? (4) Y si la iglesia y el estado aprecian el reino de Dios, ¿puede

---

[3] Para ver encuestas útiles sobre la comprensión reformada de asuntos eclesiales y estatales, ver Paul Wells, "Le Dieu créateur et la politique (Romains 13.1–7)," "L'État et l'Église dans la perspective de la théologie reformée," y "Le calvinisme et la liberté politique," en *En toute occasion, favorable ou non: Positions et propositions évangéliques* (Aix-en-Provence: Kerygma, 2014), 56–66, 247–67, 450–64.

[4] Robert D. Linder, "Church and State," en *Evangelical Dictionary of Theology*, ed. Walter A. Elwell (Grand Rapids, MI: Baker, 1984), 233–38.

[5] John Eidsmoe, *Historical and Theological Foundation of Law*, 3 vols. (Powder Springs, GA: Tolle Lege, 2011).

[6] John Frame, "Toward a Theology of the State," *WTJ* 51, no. 2 (1989): 199–226; Richard John Neuhaus, *The Naked Public Square: Religion and Democracy in America* (Grand Rapids, MI: Eerdmans, 1984).

[7] Jacques Ellul, *Histoire des institutions* (Paris: Presses Universitaires de France, 1956); Gary Scott Smith, ed., *God and Politics: Four Views on the Reformation of Civil Government:* Theonomy, Principled Pluralism, Christian America, National Confessionalism (Phillipsburg, NJ: Presbyterian and Reformed, 1989); Derek H. Davis, ed., *The Oxford Handbook of Church and State in the United States* (New York: Oxford University Press, 2010).

[8] Robert L. Cord, *Separation of Church and State: Historical Fact and Current Fiction* (New York: Lambeth, 1982); Linder, "Church and State," 233–38; John Witte Jr., *The Reformation of Rights: Law, Religion, and Human Rights in Early Modern Calvinism* (Cambridge: Cambridge University Press, 2007).

[9] Peter J. Leithart, reseña a *The Desire of the Nations: Rediscovering the Roots of Political Theology*, por Oliver O'Donovan, WTJ 63, no. 1 (2001): 209–11.

[10] P. C. Kemeny, ed., *Church, State, and Public Justice: Five Views* (Downers Grove, IL: IVP Academic, 2007); Oliver O'Donovan y Joan Lockwood O'Donovan, eds., *From Irenaeus to Grotius: Sourcebook in Christian Political Thought*, 100–1625 (Grand Rapids, MI: Eerdmans, 1999); James W. Skillen, "Government," en *Elwell, Evangelical Dictionary of Theology*, 477–79.

[11] Richard Bauckham, *The Bible in Politics: How to Read the Bible Politically* (Louisville: Westminster John Knox, 1989); John Eidsmoe, *Christianity and the Constitution: The Faith of Our Founding Fathers* (Grand Rapids, MI: Baker, 1987); Eidsmoe, *God and Caesar: Biblical Faith and Political Action* (Westchester, IL: Crossway, 1984).

haber lugar para herejes, disidentes o incrédulos? Cómo la Reforma respondió a tales preguntas es la carga de este capítulo.

El Legado de la Iglesia y el Estado dado a la Reforma

Los reformadores bebieron de las tradiciones que heredaron.[12] En la iglesia primitiva, el cristianismo creció a pesar de las persecuciones. En 313, con el Edicto de Milán, la persecución terminó. Hasta entonces, la iglesia no tenía un papel directo en el gobierno civil.

¿QUIÉN DEBERÍA LIDERAR LA IGLESIA Y EL ESTADO? CESAROPAPISMO Y LA PRIMACÍA DEL PAPA

Con la conversión de Constantino I, la iglesia se convirtió en la religión oficial de Roma. Esto planteó preguntas acerca de cuánto poder podía ejercer la iglesia y cuánto poder tenía el César sobre la iglesia. En el Este, esto introdujo el *cesaropapismo*, lo que significa que César era el papa o cabeza de la iglesia. Esta visión se llevó a cabo en la esfera oriental del imperio, pero no en Occidente, donde la iglesia tenía una mayor libertad. Allí, la caída de Roma forzó un nuevo patrón social basado en la tierra llamado feudalismo.[13] En esta economía, el inquilino se convirtió en el siervo de su señor, que era el dueño de la tierra. Esta relación desarrolló connotaciones teológicas como la palabra *sacramentum* se utilizó para describirlo.[14]

Poco a poco, la lucha entre las esferas del poder espiritual y terrenal se hizo pronunciada. La ausencia de hegemonía romana aumentó el poder de la iglesia en la Europa medieval.[15] Con el ascenso de la iglesia, apareció la "cristiandad" —una sola sociedad con dos expresiones de poder. La coronación de Carlomagno por el Papa León III en el año 800 hizo que la cuestión de quién gobernaba la cristiandad fuera menos clara.

Por lo tanto, estalló un conflicto entre la iglesia y el estado conocido como la controversia de investidura. Los temas en juego eran el derecho del papado de deponer a los monarcas y los poderes de los reyes seculares para nombrar obispos y líderes de la iglesia de su agrado. La controversia vio la desaparición de ambos papas[16] y reyes.[17] El punto más bajo del poder real fue el penitente Enrique IV humillado ante el Papa Gregorio VII en Canossa (1077). Debido al interdicto papal, el reino de Enrique ya no podía celebrar misa. Gregorio perdonó al rey, pero más tarde, el ejército de Enrique derrotó a las tropas del Papa, y la corona secular volvió a dominar. La regla del Papa sobre el poder secular ha sido llamada *la primacía del Papa*, *la supremacía papal* y *el poder de las llaves* (basado en Mt. 16:19). Es una forma de teocracia, la regla de Dios sobre el estado a través de sus representantes.

---

[12] John N. Figgis, *Studies of Political Thought from Gerson to Grotius*, 1414–1625, 2da ed. (Cambridge: Cambridge University Press, 1931); R. W. Carlyle y A. J. Carlyle, *History of Medieval Political Theory in the West*, 6 vols. (Edinburgh: William Blackwood and Sons, 1962).

[13] *Encyclopedia Britannica*, 11va ed., 10:297–302, s.v., "Feudalism."

[14] Ibid., s.v., "Sacrament."

[15] Carlyle y Carlyle, *Medieval Political Theory*.

[16] Heinrich Geffcken, *Church and State: Their Relations Historically Developed*, trans. Edward F. Taylor (London: Longmans, 1877), 1:177.

[17] Figgis, *Studies of Political Thought*, 6.

EL DESARROLLO DEL PACTO POLÍTICO ANTES DE LA REFORMA

Los aspectos políticos del pensamiento medieval del pacto comenzaron con Agustín. Él vio la sociedad construida sobre un pacto de obediencia al rey, un contrato social.[18] Mientras que Agustín nunca definió con precisión su concepción de la ciudad de Dios con respecto al orden político, está claro que la relación entre los dos era íntima.[19] Además, este pacto de hombres y reyes, provocado en parte por los sacramentos, conllevaba responsabilidades mutuas,[20] porque ambos estaban sujetos a la iglesia.[21] Agustín prohibió la resistencia, enseñando que los tiranos deben ser obedecidos, ya que están ordenados divinamente para gobernar.[22]

La sociedad medieval utilizó ideas de pacto en muchos contextos.[23] Dentro del absolutismo papal del siglo XI, los pensadores políticos eclesiásticos identificaron un pacto bautismal de cristianos con el Papa. La falta de obedecer al Papa resultaba en una violación del pacto. Este pensamiento dio derecho al Papa a resistir incluso a los reyes y exigir que los súbditos hicieran lo mismo.

Por lo tanto, la ruptura del pacto era una base para resistir la autoridad política. Cuando los líderes eran declarados infieles a su pacto bautismal, eran vistos como quienes habían violado el pacto y como pecadores a ser excomulgados. En consecuencia, podrían ser resistidos o depuestos. El carácter del pacto de la teoría de la resistencia medieval se ilustra en Carlos el Calvo de Italia en 876[24] y en el enfrentamiento entre el Papa Gregorio VII y el Rey Enrique IV de 1075 a 1077.[25] Por lo tanto, la tiranía fue una base para disolver el pacto feudal entre los reyes y sus súbditos, permitiendo tanto la resistencia como la deposición.

EL SURGIMIENTO DEL CONCILIARISMO

El creciente nacionalismo, debido en parte a las Cruzadas, causó la disminución del poder papal. Esto fue exacerbado por el "cautiverio babilónico de la iglesia" en Aviñón entre 1309 y 1377 y por el Gran Cisma occidental de 1378 a 1417. Durante este tiempo, tres papas reivindicaban la legitimidad y se excomulgaban entre sí. Esto evocó el movimiento conciliar, en el que los líderes unidos de la iglesia determinaron que tenían poder para deponer a los papas por el bien de la iglesia.[26]

---

[18] Cf. Otto Gierke, *Political Theories of the Middle Ages*, trans. Frederic W. Maitland (Cambridge: Cambridge University Press, 1958), 187n306.

[19] Cf. Agustín, *Reply to Faustus* 19.11, NPNF, 1ra ser., vol. 4, ed. Philip Schaff (Grand Rapids, MI: Eerdmans, 1979), 243; PL 42:355.

[20] Cf. Agustín, "Letter 138 (AD 412): To Marcellinus," 2.15, *NPNF*, 1ra ser., vol. 1, 486; PL 33:531–32; yAgustín, *De civitate Dei* 2.19, NPNF, 1ra ser., vol. 2, 33–34; PL 41:64–65.

[21] Norman Hepburn Baynes, *The Political Ideas of St. Augustine's "De civitate Dei"* (London: Bell, 1936), 12–13.

[22] Cf. Fritz Kern, *Gottesgnadentum und Widerstandsrecht im früheren Mittelalter*, ed. Rudolf Buchner (Darmstadt: Wissenschaftliche Gesellschaft, 1967), 334n399.

[23] Derk Visser, "Discourse and Doctrine: The Covenant Concept in the Middle Ages," en *Calvin and the State: Papers and Responses Presented at the Seventh and Eighth Colloquia on Calvin and Calvin Studies, Sponsored by the Calvin Studies Society*, ed. Peter De Klerk (Grand Rapids, MI: Calvin Studies Society, 1993), 1–14.

[24] Carlyle y Carlyle, *Medieval Political Theory*, 1:242–43. Cf. Figgis, *Studies of Political Thought*, 197n12.

[25] Carlyle y Carlyle, *Medieval Political Theory*, 3:164–67; 4:188–210, 232–33; 5:99–101.

[26] A. J. Black, "The Political Ideas of Conciliarism and Papalism, 1430–1450," *JEH* 20, no. 1 (1969): 45–65; John T. McNeill, "The Emergence of Conciliarism," en *Medieval and Historiographical Essays in Honor of James Westfall Thompson*, ed. James L. Cate y Eugene N. Anderson (Chicago: University of Chicago Press, 1938), 269–301; Brian Tierney, "A Conciliar Theory of the Thirteenth Century," *CHR* 36, no. 4 (1951): 415–40; Michael J. Wilks, *The Problem of Sovereignty in the Later Middle Ages: The Papal Monarchy with Augustus Triumphus and the Publicists*, Cambridge Studies in Medieval Life and Thought, n.s., 9 (Cambridge: Cambridge University Press, 1963).

El movimiento conciliar fue propuesto por canonistas, o abogados eclesiásticos, quienes discutieron el problema de un papa convertido en tirano y si podría resistirse.[27] Los conciliadores llegaron a la conclusión de que un concilio podría forzar a un papa herético a abandonar el poder mediante la resistencia. El conciliarismo contrastaba con el curialismo, que defendía el poder absoluto y la primacía del Papa y que luego prevalecería. Los conciliadores afirmaron que el mayor poder en la tierra —el Papa— podría ser juzgado por aquellos que normalmente eran vistos como inferiores en el poder. Por medio de la fuerza colectiva en circunstancias extremas, podían asumir la autoridad sobre el ocupante del trono terrenal de Cristo, lo que obligó a un recalcitrante y herético Papa a dimitir. Por lo tanto, los concilios reformistas pusieron fin al cisma.

Tras la resolución, los esfuerzos para crear un papado constitucional bajo un consejo general fracasaron. El decreto del Concilio de Constanza (1414-1418) declaraba que se debía celebrar un concilio cada diez años, pero este fue derrotado por la intriga papal y refutado por la bula de 1459del Papa Pío II titulada *Execrabilis*, que condenaba todas las apelaciones a un futuro consejo general.[28]

Las ramificaciones del fracaso del conciliarismo fueron profundas. En esencia, ya no había ninguna posibilidad de reforma en la iglesia si el Papa no la aprobaba, a menos que uno asumiera la postura de un hereje.[29] Esto garantizó que un movimiento de reforma exitoso tendría que ocurrir fuera de la iglesia con el apoyo de los laicos y los magistrados temporales. Cuando un Papa legítimo finalmente llegaba al poder, no tenía interés en llamar a los concilios de la iglesia para evaluar su gobierno, por lo que el conciliarismo fracasó. Pero los pedidos de un concilio reformador nuevamente serían escuchados por Lutero y los primeros protestantes.[30]

EXPERIENCIA MEDIEVAL DE SOBERANÍA POPULAR

Los Publicistas

Otro enfoque para resistir al Papa provino de pensadores políticos llamados *publicistas*, llamados así porque vieron que todo el poder, incluido el de la iglesia, se derivaba del pueblo. El más famoso fue Marsilio de Padua. Afirmó que no solo se debía resistir y derrocar a un Papa herético, sino que *cada* Papa debía ser resistido y depuesto, porque el papado había usurpado el papel legítimo del gobierno temporal. El Papa era un usurpador que ocupaba el oficio de un tirano. En consecuencia, tanto el Papa como el papado tenían que ser abolidos.[31] Si había un origen divino de poder, y por lo tanto una teoría del gobierno de derecho divino, este derecho divino residía en el pueblo, no en el papado.

---

[27] Cf. Brian Tierney, *Origins of Papal Infallibility, 1150–1350: A Study on the Concepts of Infallibility, Sovereignty, and Tradition in the Middle Ages*, Studies in the History of Christian Thought 6 (Leiden: Brill, 1972), 50. Vease también Tierney, "Pope and Council: Some New Decretist Texts," Mediaeval Studies 19 (1957): 204; cf. Carlyle and Carlyle, Medieval Political Theory, 4:352; y Wilks, Sovereignty, 499–506.

[28] Oliver J. Thatcher and Edgar H. McNeal, *A Source Book for Mediaeval History: Selected Documents Illustrating the History of Europe in the Middle Ages* (New York: Scribner, 1905), 331–32.

[29] Cf. Earle E. Cairns, *Christianity through the Centuries: A History of the Christian Church*, rev. ed. (Grand Rapids, MI: Zondervan, 1977), 281–82.

[30] Hans Margull, ed., *The Councils of the Church: History and Analysis*, trad. Walter F. Bense (Philadelphia: Fortress, 1966); John Dillenberger, ed., *Martin Lutero* (New York: Anchor, 1961), 43–44.

[31] Marsilio de Padua, *The Defender of Peace*, vol. 2, *The Defensor Pacis*, ed. y trad. Alan Gewirth, Records of Civilization, Sources, and Studies 46 (New York: Columbia University Press, 1951–1956), 2:27–28, 87–89, 113–52; Thatcher y McNeal, *Source Book for Medieval History*, 318–24.

Movimientos de Pacto Social

La idea del pacto también apareció en el período medieval y dio fuerza a las ideas del gobierno popular. Las ciudades imperiales en el sur de Alemania desarrollaron el concepto de una "sociedad sacra."[32] Por lo tanto, la vida comunitaria estaba impregnada de un vínculo religioso común y puede explicar por qué el sur de Alemania aceptó la reforma de Zuinglio por sobre la de Lutero. La teología suiza enfatizó la dimensión social de la fe, mientras que Lutero enfatizó la justificación individual. El pacto apareció en los movimientos políticos radicales alemanes medievales,[33] como el apocalipticismo de Thomas Müntzer.[34] La lucha conciliar,[35] prácticas de bandas escocesas,[36] y la recuperación del derecho contractual romano[37] parece haber jugado un papel en las concepciones del papel del pueblo en el gobierno. Los movimientos sociales medievales afectaron el pensamiento reformado en términos de resistencia política.[38] Otros ejemplos de pactos o alianzas sociales medievales incluyen el *Gemeinde* suizo,[39] los alemanes *Bundshuh* y *Bundesgenossen*,[40] y órdenes religiosas como los franciscanos.[41]

PRECURSORES DEL RENACIMIENTO SOBRE PERSPECTIVAS DE IGLESIA Y ESTADO

Un subproducto del renovado interés en los estudios bíblicos durante el Renacimiento fue una reevaluación de las realidades políticas medievales. De este modo, los precursores de la Reforma abordaron los textos bíblicos, presentando cuestiones políticas al tiempo que pedían reformas eclesiásticas. Esto fue evidente en Wiclef,[42] Hus,[43] y Savonarola.[44] Sin embargo, el Renacimiento también dio expresión a la teoría

---

[32] Bernd Moeller, *Imperial Cities and the Reformation: Three Essays*, ed. y trad. H. C. Erik Midelfort y Mark U. Edwards Jr. (Philadelphia: Fortress, 1972), 90–103.

[33] George Huntston Williams, *The Radical Reformation*, Sixteenth Century Essays and Studies 15 (Kirksville, MO: Sixteenth Century Journal Publishers, 1992), 50–77.

[34] Jürgen Moltmann, "Föderaltheologie," en *Lexikon für Theologie und Kirche* (Freiburg: Herder, 1995), 4:190.

[35] Leonard J. Trinterud, "The Origins of Puritanism," *CH* 20, no. 1 (1951): 41.

[36] S. A. Burrell, "The Covenant Idea as a Revolutionary Symbol: Scotland, 1596–1637," *CH* 29 (1958): 338–50; J. F. Maclear, "Samuel Rutherford: The Law and the King," en Hunt, *Calvinism and the Political Order*, 69–70.

[37] Gottlob Schrenk, *Gottesreich und Bund im älteren Protestantismus vornehmlich bei Johannes Cocceius* (Gutersloh: Bertelsmann, 1923), 49n1, 62n4, 78n2.

[38] Lowell H. Zuck, "Anabaptist Revolution through the Covenant in Sixteenth-Century Continental Protestantism" (PhD diss., Yale University, 1954).

[39] George R. Potter, *Zwingli* (Cambridge: Cambridge University Press, 1976), 58.

[40] Williams, *Radical Reformation*, 60–63, 74, 77.

[41] Martin Greschat, "Der Bundesgedanke in der Theologie des späten Mittelalters," *ZeitschriftfürKirchengeschichte* 81 (1970): 46–48.

[42] Takashi Shogimen, "Wyclif's Ecclesiology and Political Thought," en *A Companion to John Wyclif: Late Medieval Theologian*, ed. Ian Christopher Levy, Brill's Companions to the Christian Tradition 4 (Leiden: Brill, 2006), 199–240; Lowrie John Daly, *The Political Theory of John Wyclif* (Chicago: Loyola University Press, 1962).

[43] Jan Hus, *The Church*, trad. David S. Schaff (1915; reimpr., Westport, CT: Greenwood, 1974); original latín en Harrison S. Thomson, ed. *Tractatus de ecclesia*, Studies and Texts in Medieval Thought (Boulder: University of Colorado Press, 1956). Vease también H. B. Workman y R. M. Pope, eds., *The Letters of John Hus* (London: Hodder and Stoughton, 1904); Thomas A. Fudge, "Hussite Theology and the Law of God," en *The Cambridge Companion to Reformation Theology*, ed. David Bagchi and David C. Steinmetz (New York: Cambridge University Press, 2004), 22–27; Fudge, *Jan Hus: Religious and Social Revolution in Bohemia*, International Library of Historical Studies 73 (New York: I. B. Tauris, 2010).

[44] Girolamo Savonarola, *Liberty and Tyranny in the Goverment* [sic] *of Men*, trad. C. M. Flumiani (Albuquerque, NM: American Classical College Press, 1982); Savonarola, *Selected Writings of Girolamo Savonarola: Religion and Politics, 1490–1498*, trad. y ed. Anne Borelli y Maria Pastore Passaro (New Haven, CT: Yale University Press, 2006); Stefano Dall'Aglio, *Savonarola and Savonarolism*, trans. John Gagné (Toronto: Center for Reformation and Renaissance Studies, 2010); Donald Weinstein, *Savonarola: The Rise and Fall of a Renaissance Prophet* (New Haven, CT: Yale University Press, 2011).

política de los fines que justifican los medios.[45] Para Maquiavelo, la victoria solo justificaba la política.[46] McNeill explica,

> Maquiavelo exonera y aplaude a los fundadores y defensores de los estados que han asegurado su poder mediante el fratricidio o la masacre. Un conquistador debería "acariciar o extinguir" a un pueblo conquistado. El único objetivo positivo de Maquiavelo fue la unificación de Italia. Ninguna acción que tienda a este fin, por mala o cruel que fuera, debía ser condenada.[47]

La Reforma fue testigo tanto del compromiso de principios como de la fuerza desenfrenada. Los poderes católicos fueron despiadados en sus esfuerzos por preservar el poder, empleando persecución, guerra e incluso masacres.

LAS TENSIONES EN EL LEGADO MEDIEVAL DE IGLESIA Y ESTADO

Cuando los reformadores se comprometieron en su tarea de reformar la cristiandad, tuvieron a su disposición un milenio medieval de arte para gobernar a su disposición. Como reformadores "magisteriales," recurrieron a conceptos como la relación de pacto en el feudalismo y el poder legítimo de los reyes. Pero los reformadores heredaron teorías políticas que favorecían a la monarquía. La época medieval creía que el poder gubernamental absoluto era esencial, ya sea ejercido por el estado o por la iglesia. Figgis explica,

> Desde 1450 en adelante le pareció a la mayoría de los estadistas prácticos, y a todos los soberanos, que "la tendencia del avance de la civilización es una tendencia hacia la monarquía pura"; y los movimientos populares en cada tierra fueron considerados… no solo como equivocados sino también estúpidos —obstrucciones ineficientes sobre las ruedas del gobierno, que retrasarían el progreso de la inteligencia y la iluminación. La monarquía pura fue la única forma caballeresca de gobierno.[48]

El Impacto de la Reforma de Lutero en la Autoridad de la Iglesia[49]

La reforma de Lutero comenzó con un retorno a la visión agustiniana de la naturaleza caída del hombre, dejando atrás la evaluación más optimista del tomismo. La gracia de

---

[45] F. J. C. Hearnshaw, *The Social and Political Ideas of Some Great Thinkers of the Renaissance and the Reformation* (New York: Barnes & Noble, 1942); Paul Oskar Kristeller, *Renaissance Thought: The Classic, Scholastic, and Humanistic Strains* (New York: Harper & Row, 1961).

[46] Niccolò Machiavelli, *The Prince and the Discourses* (New York: Modern Library, 1940).

[47] McNeill, "Calvinism and European Politics," 12.

[48] Figgis, *Studies of Political Thought*, 46. Cf. Carlyle y Carlyle, *Medieval Political Theory*; J. H. Burns, ed., *The Cambridge History of Medieval Political Thought, c. 350–c. 1450* (New York: Cambridge University Press, 1988), 46.

[49] Para recursos sobre los puntos de vista de Lutero y el luteranismo sobre la iglesia y el estado, vea "Martin Luther's Two Kingdoms, Law and Gospel, and the Created Order: Was There a Time When the Two Kingdoms Were Not?," *WTJ* 73, no. 2 (2011): 191-214; Frédéric Hartweg, "Autorité temporelle et droit de résistance: permanence et évolution chez Martin Luther," y Luise Schorne-Schütte (trans. Jean Clédière), "Luther et la politique," en *Luther et la Réforme, 1525–1555:Le temps de la consolidation religieuse et politique,* ed. Jean-Paul Cahn and Gérard Schneilin (Paris: Éditions du temps, 2001), 133–50, 162–70; Nicolaus von Amsdorff, *Bekentnis Unterricht vnd vermanung der Pfarrhern vnd Prediger der Christlichen Kirchen zu Magdeburgk: Anno 1550. Den 13. Aprilis.* Magdeburgk: Lotther, [1550]; John W. Allen, *A History of Political Thought in the Sixteenth Century* (1928; reimpr., London: Methuen, 1977), 15–34; James M. Estes, "The Role of Godly Magistrates in the Church: Melanchthon as Luther's Interpreter and Collaborator," *CH* 67, no. 3 (1998): 463–83; Lewis W. Spitz and Wenzel Lohff, eds., *Discord, Dialogue, and Concord: Studies in the Lutheran Reformation's Formula of Concord* (Philadelphia: Fortress, 1977).

Dios tenía que vencer la esclavitud de la humanidad con respecto al pecado, si el pecador debía ser salvado.[50]

LA TEOLOGÍA DE LUTERO REDUJO EL PODER DE LA IGLESIA VISIBLE

La salvación solo era posible a través de la justificación por la fe sola, y tal creencia alteró radicalmente la visión de Lutero sobre la iglesia. En lugar de ser la autoridad mediadora entre Dios y el cristiano, la iglesia se convirtió en la comunidad de creyentes. El sacerdocio del creyente —que todos los cristianos, no solo los miembros del clero, tienen acceso directo a Dios— significaba que la autoridad sacerdotal disminuía y la autoridad absoluta de la iglesia era rechazada.[51] Esto redujo el poder eclesiástico en relación con el estado. Skinner razona que Lutero,

> continúa hablando de los Dos Reinos (*Zwei Reiche*) a través del cual Dios ejerce su completo dominio sobre el mundo…Sin embargo, es generalmente claro que lo que él tiene en mente cuando habla de la regla del reino espiritual es una forma puramente interna de gobierno, "un gobierno del alma", que no tiene conexión con los asuntos temporales, y está enteramente dedicado a ayudar a los fieles a alcanzar su salvación.[52]

Así, Lutero abogó por un sistema donde los gobernantes seculares supervisaran la iglesia, reflejando la tradición primitiva de la iglesia bajo Constantino. También permitió la reforma de la iglesia romana, que no tenía ningún deseo de reformar o convocar a un concilio para considerar reclamos de abusos papales.

Lutero fue influenciado por las ideas políticas que surgieron de la Europa medieval. Era comprensivo con un principio de conciliarismo en el sentido de que llamaba al Papa para someterse a una revisión del consejo. Al mismo tiempo, el rechazo de Lutero del pacto del papado con todos los cristianos fue tan decisivo que algunos oponentes trataron de refutar a Marsilio, pensando que de ese modo refutaban a Lutero.[53]

Con respecto a la resistencia, Lutero, hasta 1530, se comprometió con la prohibición agustiniana de cualquier resistencia al rey. Él aceptó un juramento condicional a un líder secular, pero sin resistencia personal legal. Así Lutero ocupó la tradición del pacto medieval en términos de la relación de reyes y súbditos cristianos. La Guerra de los Campesinos en Alemania (1524-1525) manifestó los potentes impactos sociales de la Reforma Protestante desatada por las reformas de Lutero. El énfasis de Lutero en la libertad, visto especialmente en sus primeros escritos de 1520 (*A la nobleza cristiana de la Nación Alemana, La cautividad babilónica de la iglesia y La libertad del cristiano*), fue mal aplicado por los campesinos al orden político y social —para el horror de Lutero.[54] Él condenó el levantamiento y apoyó su supresión por parte del ejército de la Liga de Suabia. Esto fortaleció aún más su postura conservadora con respecto a la resistencia a los magistrados civiles.[55] Lutero más tarde

---

[50] Skinner, *Foundations*, 2:3–4.

[51] Ibid., 2:10–11.

[52] Ibid., 2:14.

[53] Gewirth, *The Defender of Peace*, vol. 1, *Marsilius of Padua and Medieval Political Philosophy*, 303.

[54] Cf. Martín Lutero, *Three Treatises*, 2da ed. (Philadelphia: Fortress, 1970).

[55] Ver Skinner, *Foundations*, 2: 9-18, y Witte, *Reformation of Rights*, 218. Después de la Guerra de los Campesinos, Lutero escribió el siguiente trabajo con el título revelador de *Against the Robbing and Murdering Hordes of Peasants* (1525), *LW* 46: 45-55.

llegó a la conclusión de que los poderes menores que resistían al poder superior estaban en consonancia con el evangelio si el príncipe estaba equivocado.[56]

NUEVAS PERSPECTIVAS DE LA REFORMA SOBRE LA RELACIÓN DE IGLESIA Y ESTADO

Las distinciones frecuentemente usadas entre las reformas radicales, magisteriales y contra-reformas o reformas católicas[57] sugieren que los problemas de iglesia y estado son especialmente preocupaciones de las reformas magisteriales y católicas.[58] La tradición reformada en general ha sido llamada "la Reforma Magisterial" ya que sus líderes trabajaron con el estado para reformar la iglesia.

Las naciones reformadoras a menudo declaraban su fe a través de confesiones que incluían artículos sobre la iglesia y el estado.[59] Por ejemplo, el primer documento oficial de las reformas ginebrinas fue escrito por Farel y Calvino durante noviembre de 1536 y tenía un artículo sobre "Magistrados."[60]

La reforma radical era "radical" porque abandonaba la historia y las tradiciones del cristianismo y regresaba a las Escrituras para un nuevo comienzo del cristianismo.[61] También era radical porque rechazaba cualquier papel del estado para restaurar la iglesia apostólica. La visión anabaptista de la separación total no jugó un papel dominante en la Reforma, pero tendría un gran impacto en el desarrollo de la libertad religiosa en el Nuevo Mundo.[62]

LA IDENTIFICACIÓN O SEPARACIÓN DE LA IGLESIA Y EL ESTADO EN LA EUROPA DE LA REFORMA

Por lo tanto, las perspectivas de iglesia y estado en la Reforma se dividen entre aquellos que buscaban identificar la iglesia y el estado, y aquellos que buscaban separarlos.[63] La posición de Lutero rechazaba la primacía del Papa sobre la iglesia y el estado. En cambio, abogaba por un estado que gobierne la iglesia, que más tarde se llamó *Erastianismo* y se identificó especialmente con las reformas de Zúrich de Zuinglio.[64] Inglaterra tomó la ruta erastiana, donde el rey Enrique VIII se convirtió en el "papa" de la iglesia de Inglaterra.

---

[56] Cf. Carlyle y Carlyle, *Medieval Political Theory*, 6:272–87; Ernst Troeltsch, *The Social Teaching of the Christian Churches*, trad. Olive Wyon (London: Allen and Unwin, 1961), 2:352n252.

[57] Williams, *Radical Reformation; Allen, History of Political Thought*.

[58] Allen, *History of Political Thought; William A. Mueller, Church and State in Luther and Calvin: A Comparative Study* (Nashville: Broadman, 1954).

[59] Philip Schaff, *The Creeds of Christendom: With a History and Critical Notes*, 3 vols. (1877; reimpr., Grand Rapids, MI: Baker, 1990).

[60] John T. McNeill, "John Calvin on Civil Government," en Hunt, *Calvinism and the Political Order*, 31.

[61] Allen, *History of Political Thought*, 49–72; "The Schleitheim Confession (1527)," y "The Dordrecht Confession (1632)," en *The Doctrines of the Mennonites*, ed. John Christian Wenger (Scottdale, PA: Mennonite Publishing House, 1950), 69–74, 75–85; Arnold Snyder, *Anabaptist History and Theology: An Introduction* (Kitchener, ON: Pandora, 1995); James M. Stayer, *Anabaptists and the Sword* (Lawrence, KS: Coronado, 1972); John D. Roth y James M. Stayer, eds., *A Companion to Anabaptism and Spiritualism, 1521–1700*, Brill's Companions to the Christian Tradition 6 (Leiden: Brill, 2007).

[62] William R. Estep, *Revolution within the Revolution: The First Amendment in Historical Context, 1612–1789* (Grand Rapids, MI: Eerdmans, 1990).

[63] Allen, *History of Political Thought*, 11.

[64] William Cunningham, *Discussions on Church Principles: Popish, Erastian, and Presbyterian* (Edinburgh: T. & T. Clark, 1863); Robert C. Walton, *Zwingli'sTheocracy* (Toronto: Toronto University Press, 1967).

Juan Calvino en Ginebra,[65] sin embargo, abogó por la independencia de las dos instituciones. Esto ha sido identificado como *soberanía de esfera*. Mientras separaba la iglesia y el estado, insistió en su cooperación recíproca y apoyo mutuo.[66] Los puntos de vista de Calvino sobre la iglesia fueron influenciados por Martin Bucer durante la estadía de tres años de Calvino en Estrasburgo, y más tarde Bucer también tuvo un impacto sustancial en el pensamiento puritano inglés.[67] En 1538, durante la primera estadía de Calvino en Ginebra, el consejo de la ciudad exigió que los ministros ginebrinos siguieran las directrices del concilio para la Cena del Señor, pero en reacción a la intromisión del estado en los asuntos de la iglesia, Calvino y Guillaume Farel se negaron a celebrar la Cena del Señor en Semana Santa. Esto llevó al consejo a expulsarlos de Ginebra. Ya entonces, su preocupación era preservar a la iglesia de la interferencia del estado. Cuando Calvino fue llamado a Ginebra después de su estancia en Estrasburgo (1541), estaba ansioso no solo de establecer un programa de instrucción cristiana con su Catecismo de Ginebra (1542), sino también de establecer correctamente el orden de la iglesia a través de sus *Ordenanzas eclesiásticas* (1541) Este documento buscaba comprometer la iglesia y el estado preservando la independencia de la iglesia y defendiendo que los ministros no deberían involucrarse en política.[68]

Los anabaptistas y otros en Inglaterra promovieron una separación total de la iglesia del estado, creyendo que la libertad religiosa requería tal separación. El compromiso anabaptista con la separación total se solidificó después del fallido intento militar de conquistar Münster, Alemania, y convertirla en la Nueva Jerusalén anabaptista en la tierra.[69] Una expresión menos violenta de la teología anabaptista se encuentra en la Confesión de Schleitheim (1527) de Miguel Sattler.[70] El sexto artículo trata del gobierno y el uso de la espada, haciendo una clara distinción entre el castigo civil, instituido para los incrédulos y la disciplina administrada en la iglesia. Además, los cristianos no deben ser magistrados, después del ejemplo de Cristo (por ejemplo, Juan 6:15) ni soldados. Esta dicotomía se basó en el siguiente principio: "El gobierno de las autoridades está de acuerdo con la carne, pero el de los cristianos está de acuerdo con

---

[65] André Biéler, *The Social Humanism of Calvin*, trad. Paul T. Fuhrmann (Richmond, VA: John Knox, 1964); Quirinus Breen, *John Calvin: A Study in French Humanism* (Grand Rapids, MI: Eerdmans, 1931); David W. Hall, "Calvin on Human Government and the State," en *A Theological Guide to Calvin's Institutes: Essays and Analysis*, ed. David W. Hall and Peter A. Lillback, Calvin 500 Series (Phillipsburg, NJ: P&R, 2008), 411–40; Peter A. Lillback, *The Binding of God: Calvin's Role in the Development of Covenant Theology*, Texts and Studies in Reformation and Post-Reformation Thought (Grand Rapids, MI: Baker, 2001); John T. McNeill, *John Calvin on God and Political Duty*, 2nd ed., The Library of Liberal Arts 23 (New York: Liberal Arts Press, 1956); Willem Nijenhuis, "The Limits of Civil Disobedience in Calvin's Last-Known Sermons: Development of His Ideas on the Right of Civil Resistance," en *Ecclesia Reformata: Studies on the Reformation* (New York: Brill, 1994), 2:73–97; W. Stanford Reid, ed., *John Calvin: His Influence in the Western World* (Grand Rapids, MI: Zondervan, 1982); Sheldon S. Wolin, "Calvin and the Reformation: The Political Education of Protestantism," *APSR* 51, no. 2 (1957): 428–53.

[66] McNeill, "John Calvin on Civil Government," 41–42.

[67] *Melanchthon and Bucer*, ed. Wilhelm Pauck, LCC 19 (Philadelphia: Westminster, 1969); Willem van 't Spijker, "The Kingdom of Christ according to Bucer and Calvin," en De Klerk, *Calvin and the State*, 109–32; Martin Greschat, "The Relation between Church and Civil Community in Bucer's Reforming Work," y Willem van 't Spijker, "Bucer's Influence on Calvin: Church and Community," en *Martin Bucer: Reforming Church and Community*, ed. David F. Wright (New York: Cambridge University Press, 1970), 17–31, 32–44; Hans Baron, "Calvinist Republicanism and Its Historical Roots," CH 8, no. 1 (1939): 30–42.

[68] Para estos aspectos del ministerio y la vida de Calvino en relación con Ginebra, ver, por ejemplo, T. H. L. Parker, *John Calvin: A Biography* (1975; reimpr., Louisville: Westminster John Knox, 2006), 90, 108–11.

[69] Williams, *Radical Reformation*, 553–74.

[70] Ibid., 288-313. Esta confesión dio lugar a respuestas tanto de Zuinglio como de Calvino. Para el texto de la confesión, ver Michael G. Baylor, ed., *The Radical Reformation,* Cambridge Texts in the History of Political Thought (Nueva York: Cambridge University Press, 1991), 172-80.

el espíritu...Su ciudadanía es de este mundo, pero la de los cristianos está en el cielo."[71] La distinción entre guerra carnal y espiritual (véase Ef. 6:12) se usó para argumentar en contra del servicio militar para los cristianos. El séptimo artículo, basado en el Sermón del Monte (Mt. 5:34-35), prohibió los juramentos para los cristianos; Williams, sin embargo, señala que bajo Martin Bucer en Estrasburgo, los anabaptistas fueron persuadidos de "tomar el juramento cívico."[72] Por lo tanto, los anabaptistas se aferraban a una variedad de puntos de vista y conceptos modernos anticipados de resistencia no violenta y separación de iglesia y estado. Esto fue hecho, sin embargo, por un dualismo que pocos cristianos hoy abrazarían.

El Uso de la Filosofía Política Clásica por parte de los Reformadores

Los reformadores poseían antiguas fuentes políticas. Filosofía política griega antigua,[73] la comprensión agustiniana de la ley romana,[74] y fuentes bíblicas de las épocas del Antiguo y Nuevo Testamento[75] estaban a la mano para los eruditos de la Reforma. Erasmo, el primer reformador humanista, escribió en parte para permitir la educación adecuada del príncipe.[76]

TEORÍA POLÍTICA EN ZÚRICH: ZUINGLIO Y BULLINGER

El interés de Zuinglio en la idea del pacto era mucho más fuerte que el de Lutero o Erasmo.[77] La estructura social de Suiza y su confederación sirvieron de ejemplo para su concepción de la promesa bautismal del cristiano.[78] El comienzo de lo que se convertiría en un elemento básico en la comprensión reformada de la teoría de la resistencia, sin embargo, aparece en el sermón de Zuinglio *Der Hirt*. Zuinglio, refiriéndose al mal político en la iglesia, declaró que, así como los espartanos tenían sus éforos, los romanos sus tribunos y las ciudades alemanas sus amos gremiales, con su autoridad para controlar a los gobernantes superiores, Dios les ha provisto pastores como oficiales para estar en guardia a favor del pueblo.[79] Esto era congruente con la conclusión a la que llegaron los conciliadores con respecto a los papas heréticos. Zuinglio, sin embargo, no aplicó este razonamiento a la política civil. Murió prematuramente en la batalla de Kappel (1531) defendiendo las reformas en Zúrich contra los cantones católicos vecinos. Sin embargo, su apelación a los éforos se aplicaría a la resistencia de la tiranía magisterial de Vermigli y Calvino.

---

[71] Baylor, *The Radical Reformation*, 178.

[72] Williams, *Radical Reformation*, 294.

[73] Aristóteles, *Politics* 4.6.3; Platón, *Republic* 8.2; cf. Calvino, *Institución*, 4.20.8; McNeill, "John Calvin on Civil Government", 37.

[74] F. Edward Cranz, "The Development of Augustine's Ideas on Society before the Donatist Controversy," *HTR* 47, no. 4 (1954): 255–316; Thomas M. Garrett, "St. Augustine and the Nature of Society," *The New Scholasticism* 30, no. 1 (1956): 16–36; Baynes, *Political Ideas of St. Augustine*.

[75] F. F. Bruce, "Render to Caesar," en *Jesus and the Politics of His Day*, ed. Ernst Bammel y C. F. D. Moule (Cambridge: Cambridge University Press, 1984), 249–63; C. E. B. Cranfield, "The Christian's Political Responsibility according to the New Testament," *SJT* 15, no. 2 (1962): 176–92; Oscar Cullmann, *The State in the New Testament* (New York: Scribner, 1956).

[76] Erasmo de Róterdam, *The Education of a Christian Prince* (New York: Columbia University Press, 1936).

[77] Ver Lillback, *Binding of God*, 81–109.

[78] Huldrych Zuinglio, "Of Baptism," *en Zwingli and Bullinger: Selected Translations with Introductions and Notes*, ed. G. W. Bromiley, LCC 24 (Philadelphia: Westminster, 1953), 131; ZSW 4:218.

[79] Huldrych Zuinglio, "The Shepherd," en Zuinglio, *Writings*, vol. 2, *In Search of True Religion*, trans. H. Wayne Pipkin (Allison Park, PA: Pickwick, 1984), 102; *Der Hirt*, en ZSW 3:36.

La visión de Bullinger del magistrado estaba basada en el Antiguo Testamento, donde los reyes son magistrados y los profetas son pastores.[80] Y así, esto produjo tensión en el pensamiento de Bullinger: si bien él prefería el republicanismo, la base de su pensamiento en el Antiguo Testamento lo impulsaba a ciertas tendencias autoritarias, ya que Israel tenía una monarquía.[81] Baker explica: "El elogio de Bullinger por el republicanismo tiene un sonido hueco…Si bien elogió el republicanismo y escribió sobre los límites divinos al poder político, su eliminación de controles efectivos del poder magisterial y su negación de un derecho a la resistencia tendieron a reforzar cierto autoritarismo."[82]

PEDRO MARTYR VERMIGLI Y LA FILOSOFÍA POLÍTICA GRIEGA CLÁSICA

Pedro Martyr Vermigli,[83] un reformador italiano primitivo que influyó tanto en Calvino como en la reforma inglesa, estaba bien versado en el pensamiento político clásico. Roberto Kingdon escribe,

> Otro conjunto obvio de fuentes para las ideas políticas de Vermigli se encuentra en los escritos de la antigüedad clásica. Depende en gran medida, como cabría esperar, de la Política de Aristóteles. Su uso más sorprendente de ese trabajo es su adopción del análisis de Aristóteles de los tipos de gobierno en seis categorías, de acuerdo con el locus de la soberanía en cada uno: tres buenos tipos —monarquía, aristocracia y política— emparejado por los tres tipos malos en los que tienden a degenerar —tiranía, oligarquía y democracia.[84]

Vermigli aplicó estas ideas en su discusión sobre la iglesia. La iglesia idealmente debería reflejar el valor clásico del gobierno mixto:

> Es monárquico en el sentido de que Cristo es su Rey y sigue siendo su legislador supremo, a pesar de que está en el Cielo. Es aristocrático, ya que está gobernado por "obispos, ancianos, doctores" y otros, elegidos por mérito más que por riqueza, favor o nacimiento. Es popular porque algunas de sus decisiones más importantes, por ejemplo, sobre si excomulgar a un pecador notorio, debe ser "referida a la gente".[85]

---

[80] J. Wayne Baker, "Covenant and Community in the Thought of Heinrich Bullinger," en *The Covenant Connection: From Federal Theology to Modern Federalism*, ed. Daniel J. Elazar y John Kincaid (Lanham, MD: Lexington Books, 2000), 18–20.

[81] Baker, "Covenant and Community," 22–23.

[82] Ibid., 23.

[83] John Patrick Donnelly, "Peter Martyr Vermigli's Political Ethics," Robert M. Kingdon, "Peter Martyr Vermigli on Church Discipline," y Giulio Orazio Bravi, "Über Die Intellektuellen Wurzeln Des Republikanismus von Petrus Martyr Vermigli," en *Peter Martyr Vermigli: Humanism, Republicanism, Reformation*, ed. Emidio Campi, Frank A. James III, y Peter Opitz, Travaux d'humanisme et Renaissance 365 (Ginebra: Droz, 2002), 60-65, 67-76, 119-41. Estos ensayos proporcionan información valiosa sobre las ideas de guerra de Vermigli, la disciplina de la iglesia y el pensamiento republicano.

[84] Robert M. Kingdon, *The Political Thought of Peter Martyr Vermigli: Selected Texts and Commentary*, Travaux d'humanisme et Renaissance 178 (Geneva: Droz, 1980), VII. [El término en inglés que se traduce como 'política'— también podría traducirse como Estado—es *polity*, el cual se refiere a una forma de gobierno que maximiza la buena vida para cada uno de los individuos del Estado (grupo social).**N. del T.**]

[85] Ibid., VII.

Vermigli también luchó con enseñanzas bíblicas como Gedeón en Jueces 8 para establecer cuál debería ser la mejor forma de gobierno político y para criticar el abuso papal del poder político.[86]

EL REPUBLICANISMO DE CALVINO

La erudición bíblica y los deberes pastorales de Calvino no eliminaron su preocupación por asuntos políticos,[87] como nos damos cuenta al ver que "sus escritos están llenos de comentarios penetrantes sobre las políticas de los gobernantes y de pasajes esclarecedores sobre los principios del gobierno."[88]

Calvino conocía el pensamiento del pacto desde la dimensión social de la Europa medieval, como la historia legal y sus diversos ejemplos de convenios políticos mutuos.[89] Estudió en París, la fortaleza conciliarista.[90] Y presentó su visión de los propósitos generales del gobierno en su *Institución*.[91] Después de distinguir el gobierno espiritual y el civil, Calvino explicó que un buen gobierno civil también tiene deberes religiosos.

Calvino encontró su trabajo en la República de Ginebra[92] conveniente, como lo demuestra una observación que apareció por primera vez en su edición de 1543 de la *Institución*:

> Porque si las tres formas de gobierno que los filósofos discuten se consideran en sí mismas, no negaré que la aristocracia, o un sistema compuesto de aristocracia y democracia [*vel aristocratian vel temperatum ex ipsa et politia statum*] es muy superior a todos los demás.[93]

El programa republicano de Calvino en Ginebra fue asistido por Pierre Viret, quien creía que el gobierno piadoso preservaba a la humanidad y evitaba el descenso del hombre a vivir como "bestias brutales". "El mantenimiento del estado era tan

---

[86] Torrance Kirby, "Political Theology: The Godly Prince," en *A Companion to Peter Martyr Vermigli*, ed. Torrance Kirby, Emidio Campi, and Frank A. James III, Brill's Companions to the Christian Tradition 16 (Leiden: Brill, 2009), 409–10.

[87] Hunt, *Calvinism and Political Order*; David W. Hall, *The Genevan Reformation and the American Founding* (Lanham, MD: Lexington Books, 2003); Douglas F. Kelly, *The Emergence of Liberty in the Modern World: The Influence of Calvin on Five Governments from the 16th through 18th Centuries* (Phillipsburg, NJ: P&R, 1992); Dominique A. Troilo, "L'oeuvre de Pierre Viret: Le problème des sources," BSHPF 144 (1998): 759–90.

[88] McNeill, "John Calvin on Civil Government," 24.

[89] Cf. Calvino sobre Ez. 17:9, en *Calvin's Commentaries* (1844–1856; repr., Grand Rapids, MI: Baker, 1979), 12:202–3; CO 40:413.

[90] Cf. John Major, "A Disputation of the Authority of a Council: Is the Pope Subject to Brotherly Correction by a General Council? (1529)," en *Advocates of Reform: From Wyclif to Erasmus*, ed. Matthew Spinka, LCC 14 (London: SCM, 1953), 175. En este pasaje, Major afirmó que la Universidad de París había ocupado el cargo conciliarista desde el Concilio de Constanza.

[91] "El gobierno civil tiene como fin designado, mientras vivamos entre los hombres, atesorar y proteger la adoración externa de Dios, defender la sana doctrina de la piedad y la posición de la iglesia, para ajustar nuestra vida a la sociedad de los hombres, para formar nuestro comportamiento social con la justicia civil, para reconciliarnos entre nosotros y para promover la paz y la tranquilidad en general". Calvino, *Institución*, 4.20.2.

[92] Jeong Koo Jeon, "Calvin and the Two Kingdoms: Calvin's Political Philosophy in Light of Contemporary Discussion," WTJ 72, no. 2 (2010): 299–320; John T. McNeill, *The History and Character of Calvinism* (New York: Oxford University Press, 1954); Reid, *John Calvin: His Influence*; McNeill, *John Calvin on God and Political Duty*; Jean-Marc Berthoud, *Pierre Viret: A Forgotten Giant of the Reformation: The Apologetics, Ethics, and Economics of the Bible* (Tallahassee, FL: Zurich, 2010); Robert D. Linder, "John Calvin, Pierre Viret, and the State",en De Klerk, *Calvin and the State*, 171–85; Menna Prestwich, ed., *International Calvinism: 1541–1715* (Oxford: Clarendon, 1985).

[93] Citado por McNeill, "John Calvin on Civil Government," 37. Cf. McNeill, "The Democratic Element in Calvin's Thought," *CH* 18, no. 3 (1949): 153–71.

necesario para una forma pública de religión y una sociedad humana ordenada como lo era la comida, el agua y el aire."[94]

Disciplina de la Iglesia: Un Indicador de la Teoría Política en la Reforma

Los puntos de vista políticos influyeron en las prácticas de disciplina de la Reforma. Específicamente, los reformadores desarrollaron enfoques variados de las palabras de disciplina de Jesús en Mateo 18:17, "Díselo a la iglesia."[95] Por ejemplo, el Erastianismo de Zuinglio dio forma a la disciplina de la iglesia en Zúrich.[96] Zuinglio insistió en que Jesús tenía la intención de informar al pecador a una comunidad, no a un individuo como un obispo. Pensó que, desde que se estableció el cristianismo, "Díselo a la iglesia" significaba "Díselo al gobierno cristiano". En Zúrich, el gobierno podría excomulgar, pero los ministros no podrían hacerlo. Después de la muerte de Zuinglio, Henry Bullinger lo reemplazó como líder de la iglesia de Zúrich. Aseguró el requisito de que los pastores rindan un juramento anual de lealtad a Zúrich y su consejo. La relación entre la iglesia y el gobierno de Zúrich era clara: el estado poseía todos los poderes de coacción, y los pastores estaban bajo el control final del concejo municipal.[97] Para Bullinger, entonces, la excomunión no pertenecía a la iglesia sino a los magistrados; las circunstancias encontradas en el Nuevo Testamento fueron temporales.[98] Bullinger razonó que si Jesús en la Última Cena le ofrecía los elementos a Judas, el discípulo que iba a traicionarlo, ¿cómo podía un clérigo negarse a servir a alguien, sin importar cuán pecaminoso fuera?

Pero muchos, como Ecolampadio, el reformador de Basilea, no estaban de acuerdo con el enfoque de Zúrich. Él dijo que en Mateo 18, Jesús no tenía la intención de un gobierno secular, sino una organización de la iglesia. Para los anabaptistas, las palabras de Jesús significaban colocar a alguien bajo una "prohibición" e instar a todos en la comunidad a "rechazar" a ese individuo, incluso dentro de una familia. Para los católicos, "Díselo a la iglesia" significaba "Díselo a un obispo".

Calvino explicó que no existía una iglesia cristiana cuando Jesús dijo estas palabras. Y como judío, se refería a una institución judía, probablemente el Sanedrín, un cuerpo que llamó "el consistorio judío."[99] Interpretó que la frase significaba "Díselo al consistorio". Por lo tanto, Bullinger no estuvo de acuerdo con Calvino sobre la naturaleza de la comunidad cristiana. Bullinger insistió en que la comunidad cristiana estaba bajo la magistratura cristiana. El énfasis de Bullinger en que el magistrado tuviera la última palabra sobre la disciplina de la iglesia era distinto de la separación de

---

[94] Robert Dean Linder, *The Political Ideas of Pierre Viret*, Travaux d'humanisme et Renaissance 64 (Geneva: Droz, 1964), 83–84.

[95] Robert M. Kingdon, "Ecclesiology: Exegesis and Discipline," en Kirby, Campi, y James, *A Companion to Peter Martyr Vermigli*, 382–85.

[96] Huldrych Zuinglio, *An Exposition of the Faith, in Zwingli and Bullinger*, 239–79; Pamela Biel, *Doorkeepers at the House of Righteousness: Heinrich Bullinger and the Zurich Clergy*, 1535–1575, Zürcher Beiträge zur Reformationsgeschichte 15 (Bern: Peter Lang, 1991); Charles S. McCoy y J. Wayne Baker, *Fountainhead of Federalism: Heinrich Bullinger and the Covenantal Tradition* (Louisville: Westminster John Knox, 1991); Jan Rohls, *Reformed Confessions: Theology from Zurich to Barmen*, trad. John Hoffmeyer, Columbia Series in Reformed Theology (Louisville: Westminster John Knox, 1998), 254–64; Andries Raath y Shaun de Freitas, "Theologico-Political Federalism: The Office of Magistracy and the Legacy of Heinrich Bullinger (1504–1575)," WTJ 63, no. 2 (2001): 285–304; Heinrich Bullinger, *The Decades of Henry Bullinger*, ed. Thomas Harding (1849–1852; reimpr., Grand Rapids, MI: Reformation Heritage Books, 2004); Baker, "Covenant and Community," 15–29.

[97] J. Wayne Baker, "Bullinger, Heinrich," *OER* 1:228.

[98] Baker, "Covenant and Community," 20.

[99] Calvino, *Institución*, 4.8.15. En el francés se lee, "au consistoire qui estoit establi entre les Iuifs." *CO* 4:740.

Calvino de las responsabilidades de las dos esferas.[100] Beza no quería que Génova emulara el gobierno erastiano de Zúrich, y se esforzó por mantener un equilibrio entre las autoridades eclesiásticas y cívicas.[101]

Pero Bullinger y Calvino estuvieron de acuerdo en que los herejes deberían enfrentar la disciplina de la iglesia y el estado. Bullinger declaró que el magistrado debe castigar y, si es necesario, ejecutar herejes incorregibles, como anabaptistas y falsos maestros. Apoyó la ejecución de Miguel Servet en 1553 y la oposición de Calvino a Sebastián Castellio, un defensor de la libertad religiosa.[102] Este evento trágico merece algunos comentarios en lo que se refiere a la disciplina de la iglesia y la relación de la iglesia y el estado. Cuando Servet llegó a Ginebra, huía de la Francia católica, donde ya había sido condenado a muerte por negar la Trinidad. El juicio de Servet fue llevado a cabo por las autoridades civiles, que en ese momento estaban algo en desacuerdo con Calvino. El papel de Calvino en el juicio fue como un testigo experto en cuestiones teológicas, pero no tuvo la última palabra. De hecho, se opuso a la ejecución de Servet por fuego, proponiendo una forma más humana de la pena capital, pero el consejo rechazó su recomendación. Además, la lucha contra Servet fue parte de un conflicto más grande entre los reformadores y los libertinos en Ginebra. Mientras que los herederos de Calvino condenan la ejecución de Servet, la mayoría rechaza su teología heterodoxa. Este evento ilustra tanto los distintos roles de la iglesia y el estado en Ginebra y al mismo tiempo la noción de que el estado debería combatir la herejía.[103]

Pensamiento de la Reforma Temprana sobre la Resistencia Política a la Tiranía

A medida que los líderes de la Reforma se enfrentaron a la oposición de los líderes católicos, surgieron cuestiones de desobediencia civil y resistencia, planteando un dilema ético. Jesús no había abogado por la resistencia militar. La enseñanza apostólica insistía en la sumisión a la autoridad, incluso si los magistrados trataban duramente a los cristianos. Por lo tanto, los primeros reformadores, siguiendo el ejemplo de Agustín, fueron reticentes a defender la resistencia.

HULDRYCH ZUINGLIO

El sermón de Zuinglio, *Der Hirt*, aplica la alusión de los éforos solo a los pastores. Pero como líder de la reforma de Zúrich, participó en la resistencia al catolicismo luchando y muriendo en la batalla contra los cantones católicos en Kappel en 1531.

---

[100] Baker, "Bullinger," *OER* 1:229.

[101] Jill Raitt, "Bèze, Théodore de," *OER* 1:149–50.

[102] Baker, "Bullinger", *REA* 1: 229. Teodoro Beza, no Calvino, respondió por escrito a Castellio. Mientras Castellio defendía la libertad religiosa, Beza en su *Treatises on the Authority of the Magistrates in the Punishment of Heretics* (1554) anticipó sus opiniones posteriores sobre la resistencia a los magistrados; Ver Robert M. Kingdon, "*Les idées politiques de Bèze d'après son Traitté de l'authorité du magistrat en la punition des hérétiques,*" *Bibliothèque d'Humanisme et Renaissance* 22, no. 3 (1960): 566–69.

[103] Esta función del estado no implicaba para Calvino que el estado estuviera a cargo de la disciplina de la iglesia. Para un relato más detallado de los eventos que rodearon la muerte de Servet, ver Parker, *John Calvin*, 146-57.

HENRY BULLINGER

Bullinger afirmó que el magistrado estaba obligado a gobernar con justicia en la fidelidad del pacto a Dios, pero no era responsable ante el pueblo y no podía ser controlado por sus súbditos. Bullinger enseñó que la tiranía a menudo era un castigo de Dios para su gente infiel. La única respuesta justa a un tirano era regresar al pacto de Dios a través del arrepentimiento y esperar la providencia de Dios para levantar jueces para liberarlos, como lo hizo Israel. Dios permitió solo la oposición pasiva a los gobernantes injustos.[104]

PEDRO MARTYR VERMIGLI

En un escolio bíblico, Vermigli preguntó: "¿Si es lícito que los dominados se levanten contra su Príncipe?" Su respuesta negó la resistencia privada, pero afirmó los ejemplos de los *ephoroi* y otros como argumentos para la resistencia a un tirano por parte de aquellos que son "poderes" inferiores. Estaba preocupado por la seguridad de toda realeza, dada la dificultad de satisfacer a los sujetos.[105] Ya sea influenciado por Zuinglio o no, Vermigli aplicó su dependencia eclesiástica a los *ephoroi* del contexto magisterial, al igual que Calvino.

JUAN CALVINO

Calvino primero escribió sobre la ética de la política en su comentario de 1532 sobre *De Clemencia de Séneca*, que ha sido caracterizado como "un bozal para el maquiavelismo."[106] Su defensa de la Reforma dirigida al rey Francisco I comenzó cada versión de su *Institución* para evitar que su movimiento fuera tildado de anarquista como los anabaptistas.

Calvino sabía que la ley romana permitía incluso a los ciudadanos privados resistir la fuerza con la fuerza. Era consciente de los argumentos del pacto de los teólogos escolásticos desarrollados durante la crisis conciliar para limitar los poderes reclamados por reyes y papas.[107] Por lo tanto, su concepción de la resistencia era congruente con el enfoque conciliarista de un pontífice tiránico: el magistrado menor corrige al tirano que rompe el pacto.[108] Pero el desarrollo de sus seguidores de la desobediencia pasiva a la resistencia *popular* justificada a la tiranía no fue aceptado por Calvino.[109]

Sin embargo, sus puntos de vista sobre la resistencia al clero católico sentaron las bases para posteriores teorías de resistencia política. Calvino observó que Malaquías 2:1-9 enseñaba que el pacto de Dios con Levi requería que el sacerdote hablara como intérprete de Dios. Cuando los descendientes de Levi no hablaron la Palabra de Dios, violaron el pacto y perdieron su derecho a ser respetados como siervos de Dios. De manera similar, los sacerdotes romanos rompieron el pacto,[110] y el rompimiento del pacto era garantía para la resistencia Reformada.

---

[104] Baker, "Covenant and Community," 23.

[105] Kingdon, *Political Thought of Vermigli*, 99–100.

[106] McNeill, "Calvinism and European Politics," 13.

[107] Ver Lillback, *Binding of God*, 27–28, 34–35.

[108] Cf. Calvino, *Institución*, 4.20.31; CO 2: 1116. McNeill señala la similitud de la posición de Calvino con el comentario de Zuinglio en *Der Hirt* y sugiere la dependencia de Calvin de él. "Elemento democrático", 163.

[109] Robert M. Kingdon, "Resistance Theory," *OER* 3:423–25.

[110] Calvino, *Institución*, 4.2.3; cf. CO 2: 770. Ver también la discusión de Calvino sobre las siguientes referencias sobre el pacto y el sacerdote: Dt. 33: 9 (*Calvin's Commentaries*, volumen 3, libro 4, 389, CO 25: 388 - 89); Heb. 7:11

El carácter revolucionario de las reformas de Calvino se hizo explícito en el entorno eclesiástico. Calvino insistió en que la ruptura del sacerdocio del pacto permite al cristiano "resistir" a los sacerdotes y "subvertir todo el papado". Esto está garantizado por las exigencias del pacto de Dios para un clero puro.[111] Calvino no aplicó esta doctrina a la resistencia popular en la esfera política.[112] Siguiendo a Agustín, rechazó la acción revolucionaria. Sin embargo, Calvino una vez casi implicó resistencia popular más que representativa, ¡declarando que un tirano debería ser escupido antes que obedecido![113]

Calvino extendió la apelación de Zuinglio a los éforos de Esparta desde el contexto eclesiástico a los magistrados. Así, él, al igual que Vermigli, reconoció la apelación a los magistrados menores por su resistencia al gobierno tiránico:

> Estoy hablando todo el tiempo de individuos privados. Porque si ahora hay algún magistrado del pueblo, designado para restringir la voluntariedad de los reyes (como en la antigüedad los éforos se enfrentaron contra los reyes espartanos, o los tribunos del pueblo contra los cónsules romanos, o los demarcos contra el senado de los atenienses; y tal vez, tal como están las cosas ahora, tal poder como los tres estados ejercen en cada reino cuando tienen sus asambleas principales), estoy tan lejos de prohibirles que resistan, de acuerdo con su deber, el feroz libertinaje de los reyes, que si pestañean a los reyes que atacan violentamente a la humilde gente común, declaro que su disimulo implica una perfidia nefasta, porque deshonestamente traicionan la libertad de las personas, de la cual saben que han sido nombrados protectores por la ordenanza de Dios.[114]

Aquí Calvino justificó la resistencia a la tiranía a través del "magistrado menor". Su disyunción entre "individuos privados" y "magistrados del pueblo" sería reconsiderada en las Guerras de Religión.

JOHN KNOX Y EL PRESBITERIANISMO ESCOCÉS[115]

John Knox estudió con Calvino. Las nociones de resistencia y el magistrado menor[116] aparecer en los esfuerzos de reforma de Knox en Escocia. La reforma escocesa tuvo éxito precisamente por su "audaz desobediencia de nobles, ministros y personas a María de Guisa y María Estuardo."[117] George Buchanan, autor de *La ley de la realeza escocesa* (1579), trató de limitar el poder real mediante el empleo de la apelación de Calvino a los antiguos éforos.[118] Knox jugó un papel iniciador al expresar la visión

---

(Calvin's Commentaries, 22:166; CO 40:88–89); Heb. 7:20 (*Calvin's Commentaries*, 22:173; CO 40:93); y Heb. 8:6 (*Calvin's Commentaries*, 22:184–85; CO 40:99–100).

[111] Calvino sobre Mal. 2:4, en *Calvin's Commentaries*, 15:520–21; *CO* 44:433.

[112] Calvino, *Institución*, 4.20.31.

[113] Calvino en Dan. 6:22, en *Calvin's Commentaries*, 12:382; CO 41:26; cf. Calvino, *Institutos*, 1519n54.

[114] Calvino, *Institución*, 4.20.31.

[115] J. H. Burns, "John Knox and Revolution, 1558," History Today 8, no. 8 (1958): 565–73; Burrell, "Covenant Idea as a Revolutionary Symbol," 338–50; Richard C. Gamble, "The Clash of King and Kirk: The 1690 Revolution Settlement in Presbyterian Scotland," en *The Practical Calvinist: An Introduction to the Presbyterian and Reformed Heritage in Honor of Dr. D. Clair Davis*, ed. Peter A. Lillback (Fearn, Ross-shire, Scotland: Christian Focus, 2002), 215–31; Richard L. Greaves, *Theology and Revolution in the Scottish Reformation: Studies in the Thought of John Knox* (Grand Rapids, MI: Christian University Press, 1980); W. Stanford Reid, "John Knox: The First of the Monarchomachs?," en Elazar and Kincaid, The Covenant Connection, 119–41.

[116] McNeill, "Calvinism and European Politics," 14–15.

[117] Ibid., 15.

[118] Ibid.

reformada de la resistencia popular a la tiranía. Era un enlace con los comienzos luteranos de resistencia popular a la tiranía. Knox fue más allá de Calvino y desarrolló una doctrina de resistencia en su *Sobre el monstruoso regimiento de mujeres* (1558). La reina Isabel I de Inglaterra subió al trono cuando apareció su panfleto, causando un odio inglés hacia Ginebra y un angustiando Calvino.[119] Knox también relató en su *Historia de la Reforma en Escocia* que, en un debate en 1564, apeló a la Confesión luterana de Magdeburgo, que "afirma el deber de resistencia armada a un gobernante que viola la ley de Dios."[120]

Apoyo Protestante Explícito a favor de la Resistencia Popular a la Tiranía

La maduración de la teoría de la resistencia magisterial se produjo en los acalorados conflictos de la Reforma europea que provocaron disturbios, guerras, asesinatos y masacres. Estas crisis provocaron una resistencia política popular a la múltiple tiranía de la persecución religiosa.[121]

MAGDEBURGO

Los luteranos resistieron los decretos de que su adoración era ilegal desde el momento en que Lutero fue puesto bajo la prohibición del Santo Imperio Romano en 1521 hasta la Paz de Augsburgo en 1555.[122] En 1550, apareció el primer manifiesto para legitimar la resistencia popular cristiana, titulado Confesión de Magdeburgo, firmado por Nicolás von Amsdorf y ocho clérigos.[123] La confesión "parece ser la primera enunciación formal de una teoría de resistencia forzosa legítima por parte de cualquier protestante que pueda llamarse ortodoxo."[124]

Los clérigos argumentaron que "la resistencia pasiva a un gobernante que busca destruir la verdadera religión no es suficiente para satisfacer a Dios. En ese caso, el sujeto está obligado a defenderlo 'mit Leib und Leben'. Para un gobernante que intenta tal cosa no representa a Dios, sino al diablo". Es imposible, argumentaron, creer que Dios ordena la no resistencia en todos los casos. Creer eso es creer que en algunos casos Dios desea el mantenimiento del mal y ordena la desobediencia a sí mismo. Solo puede ser el diablo quien inspira a los hombres con tal creencia.[125]

La Liga de protestantes Schmalkald argumentó que el emperador podría resistirse debido a la constitución del Santo Imperio Romano. Al emperador no se le dio el poder absoluto, ya que fue revisado por otros siete electores reales que lo votaban en el cargo. También había otros "magistrados inferiores" que tenían los derechos de otras potencias sobre una base local, incluida la provisión de culto religioso "verdadero". Si el emperador buscaba cambiar esto por el poder de la espada, estos otros líderes tenían el derecho de resistirlo por la fuerza. Estas nociones se pusieron en práctica en las Guerras Schmalkald. Después de una victoria católica decisiva en la primera guerra de

---

[119] Calvino, *Institución*, 4.20.31.
[120] Ibid.
[121] Kingdon, "Resistance Theory", *OER* 3:423–25.
[122] Ibid., 424.
[123] Allen, *History of Political Thought*, 103–6; David M. Whitford, *Tyranny and Resistance: The Magdeburg Confession and the Lutheran Tradition* (St. Louis, MO: Concordia, 2001); Amsdorff, *Bekentnis Unterricht*; Ludwig Cardauns, *Die Lehre vom Widerstandsrecht des Volks gegen die rechtmässige Obrigkeit im Luthertum und Calvinismus des16. Jahrhunderts* (1903; repr., Darmstadt: Wissenschaftliche Buchgesellschaft, 1973).
[124] Allen, *History of Political Thought*, 104.
[125] Ibid., 104–5.

1546-1547, el emperador hizo esfuerzos para hacer cumplir la adoración católica romana. Sin embargo, los luteranos comprometidos en Magdeburgo se negaron a cooperar, catalizando la segunda guerra de 1552-1555. Como resultado, la Paz de Augsburgo se firmó en 1555, permitiendo a los príncipes católicos y luteranos establecer cualquier forma de culto que prefirieran para sus dominios. Por lo tanto, la teoría de la resistencia ya no era una preocupación principal para los luteranos.[126]

LOS HUGUENOTS EN FRANCIA

Las noticias de la exitosa teoría luterana de la resistencia pronto se extendieron a las tierras calvinistas. La opinión de Vermigli y Calvino que justificaba la resistencia si la oposición al magistrado estaba dirigida por "magistrados inferiores" legalmente autorizados generalmente se abrazó. Sin embargo, como se señaló, John Knox había comenzado sus propios puntos de vista sobre la resistencia popular y citó abiertamente la Confesión de Magdeburgo. En general, prevaleció la perspectiva conservadora más moderada de Calvino.[127]

Los protestantes franceses, popularmente llamados hugonotes, eran seguidores de la teología de Calvino.[128] En 1562, las guerras de religión entre los católicos romanos y los hugonotes, explotaron en Francia. Los líderes hugonotes justificaron su resistencia al explicar que en realidad buscaban liberar a la familia real de asesores políticos malévolos. Sin embargo, tales justificaciones no podrían hacerse "después de la masacre del día de San Bartolomé... (1572), por el cual la familia real se atribuyó abiertamente la responsabilidad."[129] En consecuencia, nacieron las teorías de la resistencia hugonote, inspiradas en parte por la Confesión de Magdeburgo, cuando se reagruparon para defenderse de la embestida del poder real dirigido a la aniquilación del Calvinismo en Francia.[130]

Poco después de la muerte de Calvino, los autores y seguidores franceses de Calvino extendieron su perspectiva pactual al final lógico de la resistencia popular organizada a la tiranía. Él había enseñado que el papado, un poder político de inmensa fuerza, debía ser resistido, incluso subvertido, debido a su ruptura del pacto. ¿Cómo podría esta noción eclesiástica no penetrar en la esfera del estado en el medio de la tiranía política, especialmente porque había legitimado el llamado a los magistrados

---

[126] Kingdon, "Resistance Theory," *OER* 3:424.

[127] Myriam Yardeni, "French Calvinist Political Thought, 1534–1715," en Prestwich, *International Calvinism, 1541–1715*, 315.

[128] Philip Benedict, "Prophets in Arms? Ministers in War, Ministers on War: France, 1562–74," *Past and Present* 214, supplement 7 (2012): 163–96; Guy Howard Dodge, *The Political Theory of the Huguenots of the Dispersion with Special Reference to the Thought and Influence of Pierre Jurieu* (New York: Columbia University Press, 1947); William Farr Church, *Constitutional Thought in Sixteenth-Century France: A Study in the Evolution of Ideas*, Harvard Historical Studies 47 (1941; repr., New York: Octagon Books, 1969); Julian H. Franklin, ed. y trad., *Constitutionalism and Resistance in the Sixteenth Century: Three Treatises by Hotman, Beza, and Mornay* (New York: Pegasus, 1969); Paul F.-M. Méaly, *Les Publicistes de la Réforme sous François II et Charles IX: Origines des idées politiques libérales en France* (Paris: Librairie Fischbacher, 1903); J. H. M. Salmon, *The French Religious Wars in English Political Thought* (Oxford: Clarendon, 1959); Salmon, *Society in Crisis: France in the Sixteenth Century* (New York: St. Martin's, 1975); Salmon, "Wars of Religion," OER 4:258–63; Georges Weill, *Les théories sur le pouvoir royal en France pendant les guerres de religion* (1892; repr., Geneva: Slatkine Reprint, 1971).

[129] Kingdon, "Resistance Theory," *OER* 3:424.

[130] McNeill, "Calvinism and European Politics," 14.

menores reales? Después de la masacre del día de San Bartolomé, esta lógica era irresistible.[131]

LOS LÍDERES MONARCÓMACOS

Los teóricos de la resistencia francesa de la época han sido llamados los "monarcómacos", que significa "enemigos del monarca" o "luchadores contra el rey". Se unieron en la concepción medieval de que los magistrados fueron creados para las personas y no las personas para sus gobernantes. Tres grandes clásicos monarcómacos fueron producidos. El primero, *Franco-Gallia*, apareció en 1573 y fue escrito por Francois Hotman. El año siguiente, se publicó *Du droit des Magistrats sur leurs sujets de Theodore Beza*. Finalmente, en 1579, el *Vindicae contra Tyrannos* fue escrito por Felipe Du Plessis-Mornay.[132]

Francois Hotman

Hotman basó su teoría en *Franco-Gallia* en una historia de la constitución francesa. Afirmó que el poder real en Francia había dependido de un consejo de asesores de élite, precursores de los Estados Generales, que habían investido el poder en el rey y, por lo tanto, tenían la autoridad para eliminarlo en caso de convertirse en tirano.

Teodoro Beza[133]

Beza, el sucesor de Calvino, estaba comprometido con la teología de Calvino, pero la desarrolló de maneras distintivas. Las sutiles diferencias de la exégesis son evidentes en su comprensión de Romanos 13:1-7, el *locus classicus* de la relación de la iglesia y el estado en el Nuevo Testamento.[134] Pero sus diferentes puntos de vista se hicieron obvios en *Beza's Du droit des Magistrats sur leurs sujets*. Bajo la presión de la masacre del día de San Bartolomé, la posición de Beza fue más allá de la posición de resistencia pasiva y renuencia de Calvino a apelar al magistrado.

Du droit des Magistrats fue originalmente un curso que Beza dio en Ginebra. Afirmó que toda la autoridad de cada rey es dada por Dios, pero se imparte mediante la elección del pueblo. Los magistrados pueden requerir la sumisión de sus súbditos solo en la medida en que guarden la ley de Dios. Por lo tanto, la realeza siempre es responsable ante Dios por la gente, y si los reyes se vuelven tiranos, las personas tienen derecho a resistirlos, bajo la dirección de sus magistrados electos. Argumentó

---

[131] Ver los comentarios de Calvino sobre1 Pe. 2:15 en *Calvin's Commentaries*, 22:83; CO 55:246; ysobre Ez. 17:19 en *Calvin's Commentaries*, 12:203; CO 40:414.

[132] Yardeni, "French Calvinist Political Thought, 1534–1715," 320–24.

[133] Teodoro Beza, *Du droit des Magistrats*, ed. Robert M. Kingdon, Les Classiques de la pensée politique 7 (Geneva: Droz, 1970); Alfred Cartier, *Les idées politiques de Théodore de Bèze d'après le traité Du droit des Magistrats sur leurs sujets* (Geneva: Jullien, 1900); Robert M. Kingdon, "Calvinism and Resistance Theory, 1550–1580," en Burns, *Cambridge History of Political Thought, 1450–1700*, 193–218; Paul-Alexis Mellet, ed., *Et de sa bouche sortait un glaive: Les Monarchomaques au XVIe siècle: Actes de la Journée d'étude tenue à Tours en mai 2003* (Geneva: Droz, 2006); Richard C. Gamble, "The Christian and the Tyrant: Beza and Knox on Political Resistance Theory," WTJ 46, no. 1 (1984): 125–39; Robert M. Kingdon, "The First Expression of Theodore Beza's Political Ideas," *Archiv für Reformationsgeschichte* 46, no. 1 (1955): 88–100; Kingdon, "Les idées politiques de Bèze," 566–69; John F. Southworth Jr., "Theodore Beza, Covenantalism, and Resistance to Political Authority in the Sixteenth Century" (PhD diss., Westminster Theological Seminary, 2003).

[134] Richard A. Muller, "Calvin, Beza, and the Exegetical History of Romans 13:1–7," en *The Identity of Geneva: The Christian Commonwealth, 1564–1864*, ed. John B. Roney, Martin I. Klauber, Contributions to the Study of World History 59 (Westport, CT: Greenwood, 1998), 39–56.

que los abiertamente tiranos deberían ser castigados y que los Estados Generales tenían el derecho de deponer a un tirano.

Beza declaró que la resistencia no exigía un líder de sangre real;[135] un magistrado legítimo del pueblo podría organizar resistencia.[136] Él diferenció dos tipos de "magistrados inferiores", aquellos con derecho a asesorar al rey debido a su rango social y los encargados de administrar los gobiernos locales. Ambos tenían el derecho de desobedecer y resistir a un monarca convertido en tirano.[137] Así, Beza negó la opinión aceptada de que una rebelión legítima tenía que ser dirigida por príncipes con linaje real.[138]

Du Plessis-Mornay[139]

Mornay compuso el *Vindiciae contra Tyrannos*, el tratamiento más completo de las tres obras. Él respondió cuatro preguntas críticas de la época:

1. si los sujetos estaban obligados a obedecer a un príncipe que les ordenara transgredir la ley de Dios;
2. si podían resistirlo y de qué manera;
3. si podían resistir a un príncipe que violaba las leyes del estado; y
4. si en estos dos últimos casos los príncipes vecinos tenían el derecho o deber de intervenir.

Sus primeras dos preguntas fueron respondidas en que Dios es superior al rey y tenía que ser obedecido primero. Además, el derecho a resistir proviene de consideraciones terrenales, como las constituciones, pero pertenece solo a las comunidades, no a los individuos. Las comunidades y sus magistrados tenían el derecho a la autodefensa, especialmente contra el rey, ya que se suponía que debía proteger a sus súbditos.

Las dos últimas preguntas las explicó en términos de un pacto dual entre Dios, el rey, los magistrados menores y el pueblo. Dios estaba en pacto con el rey, pero también estaba en pacto con los magistrados menores y el pueblo. A la luz de esto, el rey estaba en pacto con sus súbditos. Era la obligación del pacto de los magistrados en su pacto compartido con Dios asegurarse de que el rey guardara los deberes del pacto para sus súbditos. "Visto en el contexto de las realidades de las Guerras de Religión, este es un sistema político coherente y nuevo que vincula el pasado feudal con una democracia que nacería unos siglos después."[140]

---

[135] Raitt, "Bèze," OER 1:149–50.

[136] Beza discutió la pregunta, "Si, estant persecuté pour la Religion, on se peut defendre par armes en bonne conscience," en *Du droit des Magistrats*, 63–68. Su respuesta permitió la resistencia a un tirano. Cf. también, du Plessis-Mornay o Hubert Languet, *A Defence of Liberty against Tyrants: A Translation of the "Vindiciae contra Tyrannos,"* ed. Harold J. Laski (1924; repr., Gloucester, MA: Peter Smith, 1963).

[137] Kingdon, "Resistance Theory," *OER* 3:424.

[138] Raitt, "Bèze," OER 1:149–50. Paul T. Fuhrmann, "Philip Mornay and the Huguenot Challenge to Absolutism," en Hunt, *Calvinism and the Political Order*, 47–48.

[139] Felipee Du Plessis-Mornay o Hubert Languet, *A Defence of Liberty against Tyrants;* Du Plessis-Mornay or Languet, *Vindiciae contra Tyrannos: Traduction française de 1581*, Les classiques de la pensée politique 11 (Geneva: Droz, 1979); Joachim Ambert, *Duplessis Mornay ou Études historiques et politiques sur la situation de la France de 1549 à 1623*, 2nd ed. (Paris: Comptoir des Imprimeurs-Unis, 1848); Raoul Patry, *Felipee du Plessis-Mornay: Un Huguenot homme d'État* (1549–1623) (Paris: Fischbacher, 1933).

[140] Yardeni, "French Calvinist Political Thought, 1534–1715," 324.

LOS PRINCIPALES ARGUMENTOS DE LAS TEORÍAS DE LOS MONARCÓMACOS SOBRE LA RESISTENCIA POPULAR A LA TIRANÍA

Las teorías de los hugonotes sobre la resistencia popular a un príncipe tiránico fueron respaldadas por varios argumentos clave. Lo que sigue son los ejemplos principales.

El Argumento Constitucional[141]

Los escritores intentaron operar dentro de los términos expresados y la estructura de la constitución que los regía.

Teoría de la Soberanía: La Gente Crea al Rey[142]

La soberanía política emerge de la gente. Incluso en las monarquías hereditarias, los magistrados son creados por la gente. El *Vindiciae* declara: "Nunca fue un hombre nacido con una corona en la cabeza y el cetro en la mano."[143]

Apelación a Magistrados Inferiores[144]

La resistencia no era fruto de la anarquía sino de una estructura gubernamental ordenada. Parte del deber de los magistrados inferiores era corregir al rey: "Sólo los magistrados subordinados podrían actuar en nombre del pueblo e incluso apelar a las potencias extranjeras para obtener ayuda contra un tirano."[145]

Perspectiva del Pacto Doble

McNeill declara: "El principio del pacto de la monarquía limitada tuvo mayor avance por el *Vindiciae contra tyrannos* (1579), escrito en parte por Felipe du Plessis-Mornay. Más explícitamente que en tratados anteriores, el pacto sagrado del gobernante y la gente aquí implica un pacto de ambos con Dios."[146] La delegación del poder del pueblo al monarca por su consentimiento es condicional porque es un pacto o contrato. "Magistrados inferiores", de ser necesario, podrían generar resistencia. Esto es porque todo el gobierno involucra dos pactos, uno entre Dios y la población general, que incluye tanto al rey como a sus súbditos, y un segundo entre el monarca y sus súbditos. Un rey que rompa estos pactos pierde el apoyo de Dios y la expectativa legítima de la obediencia humana.[147]

Perspectiva de Resistencia-Corporativa

Si bien el rey era un universo menor que las personas, todavía era un individuo más grande que cualquier persona solitaria. Por lo tanto, la resistencia a un monarca tenía que ser obra del pueblo, no de un simple individuo, que sería así una persona sediciosa.[148] Desde este punto de vista, la resistencia no era anárquica porque no legitimaba la resistencia de los individuos al rey ni permitía el asesinato o el tiranicidio. Esto se desprende del consentimiento popular, que da vida a un gobierno. La formación de un gobierno se lleva a cabo por las personas consideradas

---

[141] Kingdon, "Resistance Theory," *OER* 3:423–25.

[142] Fuhrmann, "Mornay and the Huguenot Challenge," 48–49.

[143] Ibid., 48.

[144] Kingdon, "Resistance Theory," *OER* 3:423–25.

[145] Yardeni, "French Calvinist Political Thought, 1534–1715," 323.

[146] McNeill, "Calvinism and European Politics," 16–17.

[147] Kingdon, "Resistance Theory," OER 3:423–25; Fuhrmann, "Mornay and the Huguenot Challenge," 47–49.

[148] Skinner, *Foundations*, 2:334.

colectivamente. Mornay argumentó que el gobernante es un *minor universis* ("un universo menor") cuando se compara con todas las personas que crean la monarquía, pero el rey es un *maior singulis* ("un individuo más grande"), ya que cualquier otro individuo, incluidos los magistrados, es menor que el rey como individuo. De modo que ningún ciudadano privado por sí solo puede tener derecho a resistirse a un monarca legítimamente entronizado. Por lo tanto, "la gente 'crea al príncipe no como individuos, sino como un todo'", y "sus derechos contra él son los derechos de una corporación, no los derechos" de un solo miembro. En consecuencia, "los individuos privados que 'desenvainan' la espada 'contra sus reyes son' sediciosos, no importa cuán justa sea la causa'."[149]

Dignidad Humana Universal

A raíz de la masacre del día de San Bartolomé,[150] una obra menos conocida, el *Reveille-matin*, pidió que "todos nuestros católicos, nuestros patriotas, nuestros buenos vecinos y el resto de los franceses, que son tratados peor que las bestias, se despierten esta vez para percibir su miseria y toma consejo juntos sobre cómo remediar sus desgracias."[151] Este fue un grito para que todos vean los límites necesarios en la autoridad del rey. Por la negación del rey de la humanidad de sus súbditos, él mismo ya no era una persona pública. Por lo tanto, ya no era una persona digna de respeto y de protección contra la rebelión, sino un tirano que usurpaba los atributos de Dios, el único que puede quitar la vida.

Separación de Poderes

Pablo Fuhrmann nos ofrece un resumen conciso de los puntos de vista de Mornay y los monarcómacos sobre la separación de poderes:

> Mornay vio el hecho de que, si el poder legislativo es el mismo que el ejecutivo, entonces no hay límites para el poder ejecutivo. La única salvaguardia de la libertad y seguridad de las personas se encuentra en la separación de los poderes políticos. Con una gravedad imponente, Mornay y los monarcómacos exponen los cuatro grandes principios: la soberanía de la nación, el contrato político, el gobierno representativo y la separación de poderes que realmente conforma todas nuestras constituciones modernas.[152]

Esta evaluación subraya la contribución sustantiva a menudo pasada por alto de los pensadores hugonotes al desarrollo de las teorías políticas modernas.

---

[149] Ibid.

[150] La masacre del día de San Bartolomé es un evento clave en la historia de Francia, que influyó en las opiniones políticas de los hugonotes. En la víspera del día de San Bartolomé, el 24 de agosto de 1572, el líder hugonote Gaspard de Coligny fue asesinado en París y miles de hugonotes fueron asesinados en toda Francia. Yardeni afirma: "Lo que caracterizó el pensamiento político calvinista francésentre la Conspiración de Amboise y la masacre de San Bartolomé fue un deslizamiento desde la *derecha* para resistir al *deber* de resistir". Yardeni, "French Calvinist Political Thought, 1534-1715," 319.

[151] Ibid., 321.

[152] Fuhrmann, "Mornay and the Huguenot Challenge," 64.

La Guerra Civil Inglesa: Los Covenanters Escoceses y los Puritanos Ingleses se resisten al Rey Anglicano

Los Covenanters[153] han sido identificados durante mucho tiempo con la resistencia presbiteriana a la corona británica en Escocia.[154] El rey del Reino Unido no era un rey en la Kirk escocesa, sino un simple miembro:

> Los partidarios presbiterianos adoptaron la teoría de los dos reinos de las relaciones entre la iglesia y el estado... Aunque esta doctrina también enseñó la libertad del magistrado cristiano del dictado clerical, su efecto práctico en Escocia fue promover la exclusión del rey como rey de la decisión eclesiástica. *"Thair is twa Kings and twa Kingdomes in Scotland"*, fue el famoso reproche de Melville. *"¡Thair is Chryst Jesus the King, and his kingdome the Kirk, whase subject King James the Saxt is, and of whase kingdome nocht a king, nor a lord, nor a heid, bot a member!"*[155]

El contexto inglés también produjo la independencia puritana[156] y los Estándares de Westminster[157] en el contexto de una guerra civil contra el rey británico que era el jefe de la iglesia de Inglaterra. Carlos I había continuado la política de su padre, Jacobo I, en la persecución de los puritanos en Inglaterra y los presbiterianos en Escocia. Pero cuando la iglesia de Inglaterra intentó imponer su culto a los calvinistas escoceses, respondieron firmando, en 1637, el Pacto Nacional Escocés, que abolía la forma episcopal anglicana de gobierno eclesiástico. Carlos se encontró con una oposición tan fuerte en la Escocia de Knox que tuvo que convocar a la elección de un Parlamento para reunir hombres y recursos para continuar la guerra.

Pero para sorpresa e ira del rey, el pueblo eligió un Parlamento con una mayoría de puritanos, que luego el rey disolvió, convocando a otra elección. El segundo Parlamento, sin embargo, tenía un número aún mayor de puritanos. Cuando Carlos ordenó que se disolviera, el Parlamento se negó, forzando a Carlos a desplegar un ejército para obligar a los miembros a obedecerlo. Pronto el Parlamento llamó a los presbiterianos escoceses a unirse a ellos. Su ejército, dirigido por Oliver Cromwell, derrotó a Carlos, que fue decapitado en 1649. La Mancomunidad se estableció, y finalmente, Cromwell se convirtió en Lord Protector de Inglaterra y Escocia. Cromwell gobernó desde 1653 hasta 1658. Pero con la muerte de Cromwell, no había nadie de su estatura para dirigir el Parlamento, y en 1660, Carlos II fue restaurado en el trono de su padre.

---

[153] Burns, "John Knox and Revolution, 1558," 565–73; Greaves, *Theology and Revolution in the Scottish Reformation*; John R. Gray, "The Political Theory of John Knox," *CH* 8, no. 2 (1939): 132–47; Richard L. Greaves, "John Knox and the Covenant Tradition," *JEH* 24, no. 1 (1973): 23–32.

[154] Burrell, "Covenant Idea as a Revolutionary Symbol," 338–50.

[155] Maclear, "Samuel Rutherford," 72–73.

[156] Allen, History of Political Thought, 210–30; Patrick Collinson, *The Elizabethan Puritan Movement* (Berkeley: University of California Press, 1967); William Haller, *Liberty and Reformation in the Puritan Revolution* (New York: Columbia University Press, 1955); Perry Miller y Thomas H. Johnson, eds., *The Puritans* (New York: American Book Company, 1938); *Richard Schlatter, ed., Richard Baxter and Puritan Politics* (New Brunswick, NJ: Rutgers University Press, 1957); A. Craig Troxel and Peter J. Wallace, "Men in Combat over the Civil Law: 'General Equity' en *WCF* 19.4," *WTJ* 64, no. 2 (2002): 307–18; L. John Van Til, *Liberty of Conscience: The History of a Puritan Idea* (Nutley, NJ: Craig, 1972).

[157] John W. Allen, *English Political Thought*, 1603–1660, 2 vols. (London: Methuen, 1938); Robley J. Johnston, "A Study in the Westminster Doctrine of the Relation of the Civil Magistrate to the Church," *WTJ* 12, no. 1 (1949): 13–29; Johnston, "A Study in the Westminster Doctrine of the Relation of the Civil Magistrate to the Church (Continued)," *WTJ* 12, no. 2 (1950): 121–35.

Durante los más de cinco años de guerra civil, la Asamblea de Westminster intentó reformar la iglesia de Inglaterra. Los delegados a la Asamblea incluyeron 121 ministros; todos, excepto dos, habían sido ordenados por un obispo en la iglesia de Inglaterra. Comenzaron su trabajo en la Abadía de Westminster en Londres el 1 de julio de 1643. Después de abandonar el intento de revisar los Treinta y Nueve Artículos de Religión, produjeron una nueva confesión, la Confesión de Fe de Westminster, completada en 1646. La confesión misma reconoce el derecho de los magistrados cristianos a convocar una asamblea religiosa como la Asamblea de Westminster: "Los magistrados pueden convocar legalmente a un sínodo de ministros y otras personas idóneas para consultar y asesorar sobre religión."[158] La revisión estadounidense de la Confesión de Westminster, sin embargo, especifica que los líderes de la iglesia deberían "nombrar tales asambleas".

Con respecto a la separación de la iglesia y el estado, la revisión estadounidense de la Confesión de Westminster avanzó hacia una separación mayor que la posición original de la Confesión de Westminster. Sin embargo, la confesión original decía que "el Señor Jesús, como rey y cabeza de su Iglesia, ha designado un gobierno en manos de oficiales de la Iglesia, distinto del magistrado civil."[159] Por lo tanto, el gobierno de la iglesia está separado del estado. Además, la disciplina de la iglesia le pertenece a los ministros: "A estos oficiales se han comprometido las llaves del reino de los cielos."[160] Sin embargo, el texto original de la confesión afirmaba que "el magistrado civil" debía asegurar "que se preserve la unidad y la paz en la Iglesia, que la verdad de Dios se mantenga pura y completa, que todas las blasfemias y herejías sean suprimidas."[161] Los presbiterianos estadounidenses revisaron la confesión en este punto de la siguiente manera: "Es deber de los magistrados civiles proteger a la Iglesia de nuestro Señor común, sin dar preferencia a ninguna denominación de cristianos por sobre el resto". La Confesión de Westminster fue compuesta en el contexto de la Reforma magistral, mientras que las revisiones americanas reflejan el contexto de una nación joven que había desestablecido la religión a nivel federal.

RESISTENCIA A LA REFORMA EN LOS PAÍSES BAJOS Y OTROS PAÍSES EUROPEOS

Muchos esfuerzos de resistencia basada en la religión en la época de la Reforma ocurrieron en toda Europa en Inglaterra,[162] el Palatinado y las iglesias reformadas alemanas,[163] Hungría y Polonia.[164] El Calvinismo holandés tuvo una larga lucha con la

---

[158] CFW 31.2.

[159] CFW 30.1.

[160] CFW 30.2. Cf. CFW 23.3: "El magistrado civil no puede asumir la administración de la Palabra y los Sacramentos, ni el poder de las llaves del reino de los cielos".

[161] CFW 23.3.

[162] Allen, *English Political Thought*, 1603–1660; Allen, *History of Political Thought*, 121–33; J. Wayne Baker, "John Owen, John Locke, and Calvin's Heirs in England," en De Klerk, *Calvin and the State*, 83–102.

[163] Zacharias Ursinus, *The Commentary of Dr. Zacharias Ursinus on the Heidelberg Catechism*, trad. G. W. Williard (1852; reimpr., Phillipsburg, NJ: Presbyterian and Reformed, n.d.), 285–303, 440–63; Charles D. Gunnoe, *Thomas Erastus and the Palatinate: A Renaissance Physician in the Second Reformation*, Brill's Series in Church History 48 (Leiden: Brill, 2011); Ruth Wesel-Roth, *Thomas Erastus: Ein Beitrag zur Geschichte der reformierten Kirche und zur Lehre von der Staatssouveränität* (Lahr: Schauenburg, 1954); Bard Thompson, "Historical Background of the Catechism," en *Essays on the Heidelberg Catechism* (Philadelphia: United Church Press, 1963), 8–30.

[164] Thomas Rees, ed. y trad., *The Racovian Catechism: With Notes and Illustrations, Translated from the Latin; to Which Is Prefixed a Sketch of the History of Unitarianism in Poland and the Adjacent Countries* (London: Longman, Hurst, Orme, and Brown, 1818); Dariusz M. Bryćko, *The Irenic Calvinism of Daniel Kalaj (d. 1681): A Study in the*

dominación española y la persecución católica romana.[165] Y el legado de Calvino se escuchó en la Apología de Guillermo de Orange en 1581 durante la revuelta de los Países Bajos contra el dominio español.[166]

Teorías de la Resistencia Católica Romana

La tradición católica está profundamente comprometida con una estructura autoritaria.[167] Sin embargo, cuando los príncipes católicos se dieron cuenta de que estarían bajo reyes protestantes, como en la Francia hugonota y la Inglaterra protestante, ellos también lucharon con argumentos para la resistencia. Los católicos reflejaron las teorías de los hugonotes cuando las mesas se voltearon.[168]

Pero sus argumentos tenían un carácter distintivamente católico para ellos, mientras luchaban con el papel del Papa en la resistencia legítima a la realeza. El Papa podría ser un árbitro supranacional y neutral en conflictos internacionales.[169] Además, ¿sobre qué base podría el Papa deponer una regla? El Cardenal Bellarmino razonó que como el Papa era un líder religioso y no un magistrado, tenía que usar el poder indirecto para eliminar a un líder al otorgar licencias a los "magistrados inferiores" católicos o los limítrofes de los gobernantes católicos para derrocar a un tirano.[170] Otros argumentos incluyeron las violaciones de los monarcas de sus juramentos de coronación para proteger la fe católica[171] o violación de promesas juradas.[172]

La Ley de la Naturaleza y la Ley de Dios en la Teoría Política de la Reforma

Varios escritores de la época de la Reforma compusieron tratados sustanciales sobre temas políticos que surgieron del fuego de las controversias de la Reforma. Estas obras elevaron e integraron nociones de la ley de la naturaleza en conjunción con la ley de Dios. De ese modo sentaron las bases para el pensamiento político occidental, proporcionando un plan para el gobierno que dio forma a las colonias protestantes en el Nuevo Mundo.

History and Theology of the Polish-Lithuanian Reformation, Refo500 Academic Studies 4 (Göttingen: Vandenhoeck & Ruprecht, 2012).

[165] P. S. Gerbrandy, *National and International Stability: Althusius, Grotius, van Vollenhoven* (London: Oxford University Press, 1944); W. Robert Godfrey, "Church and State in Dutch Calvinism," en *Through Christ's Word: A Festschrift for Dr. Philip E. Hughes*, ed. W. Robert Godfrey and Jesse L. Boyd III (Phillipsburg, NJ: Presbyterian and Reformed, 1985), 223–43; Nicolaas H. Gootjes, *The Belgic Confession: Its History and Sources*, Texts and Studies in Reformation and Post-Reformation Thought (Grand Rapids, MI: Baker, 2007), 127–31, 185–87; James W. Skillen, "From Covenant of Grace to Tolerant Public Pluralism: The Dutch Calvinist Contribution," en Elazar and Kincaid, *The Covenant Connection*, 71–99; John Christian Laursen and Cary J. Nederman, eds., *Beyond the Persecuting Society: Religious Toleration before the Enlightenment* (Philadelphia: University of Pennsylvania Press, 1988).

[166] McNeill, "Calvinism and European Politics," 17.

[167] Allen, *History of Political Thought*, 199–209; 445–501; Frederic J. Baumgartner, *Radical Reactionaries: The Political Thought of the French Catholic League*, Étude de philologie et d'histoire 29 (Geneva: Droz, 1975); A. Lynn Martin, *Henry III and the Jesuit Politicians*, Travaux d'humanisme et Renaissance 134 (Geneva: Droz, 1973); Victor Martin, *Le Gallicanisme et la Réforme catholique: Essai historique sur l'introduction en France des décrets du Concile de Trente* (1563–1615) (1919; repr., Geneva: Slatkine-Megariotis Reprints, 1975); J. H. M. Salmon, "Catholic Resistance Theory, Ultramontanism, and the Royalist Response, 1580–1620," en Burns, *Cambridge History of Political Thought, 1450–1700*, 219–53.

[168] Salmon, "Catholic Resistance Theory", 219–20.

[169] Kingdon, "Resistance Theory," *OER* 3:424.

[170] Ibid.

[171] Ibid.

[172] Irónicamente, los argumentos de la resistencia católica comenzaron a ser paralelos a algunos aspectos de la visión de Calvino; compárese Calvino, *Institución*, 4.20.31.

SAMUEL RUTHERFORD: EL ESTADO DE DERECHO

El tema principal de *Lex, Rex* es que toda autoridad legítima radica en la ley.[173] El rey es verdaderamente rey solo cuando se identifica con la ley. "*Rex est lex viva, animata, loquens lex*: el rey es una ley viviente, respira y habla". Él es necesario porque la naturaleza humana evita la sumisión a la ley. Cuanto más el rey personifica la ley, más rey es; "en su distancia más remota de la Ley y la Razón, él es un Tirano."[174]

Rutherford vio el origen del gobierno en Dios y en el inicio del pueblo de los sistemas políticos, independientemente de la forma. Él aceptó el esquema de pacto doble de Mornay del *Vindiciae*: tres partes en los convenios —Dios, el gobernante y el pueblo— y dos pactos, uno entre Dios y todos y el otro entre el gobernante y el pueblo.[175] Rutherford escribió:

El Señor y el pueblo dan una corona por una y la misma acción…viendo que la gente lo hace un rey en cuanto al pacto, y condicionalmente, así que él gobierna de acuerdo con la ley de Dios, y la gente renuncia a su poder por su seguridad…Es cierto que Dios da un rey de la misma manera por ese mismo acto del pueblo.[176]

Si el rey rompe el pacto con Dios, el pacto político se hace añicos, y el gobernante deja de ser un rey legítimo. Entonces la gente "se presume que no tiene rey…y…el poder en sí mismos, como si no hubieran nombrado ningún rey en absoluto".[177] Según Rutherford, el pacto escrito de la Biblia gobierna sobre la ley natural si no hay un convenio escrito formal para el rey y el pueblo:

Donde no hay un pacto vocal o escrito…entonces las cosas que son justas y correctas según la ley de Dios, y la regla de Dios al moldear al primer rey, se entiende que regulan tanto al rey como al pueblo, como si hubieran sido escritos; y aquí producimos nuestro pacto escrito, Dt. 17:15; Jos. 1.8, 9; 2 Cr. 32:32 [2 Crón. 31:21].[178]

Rutherford reconoció la resistencia popular legítima, ya que por injusticia el magistrado abandona su cargo y pierde el derecho a la obediencia de los hombres religiosos. Rutherford rechazó la noción de que la gente se rebelaría por infracciones menores, argumentando que la tiranía es obvia: "La gente tiene un trono natural de política en su conciencia para dar advertencia…contra el rey como un tirano…Donde la tiranía es más oscura…el rey guarda la posesión; pero niego que la tiranía puede ser oscura durante mucho tiempo". Sin embargo, tanto la gente como el rey están

---

[173] Samuel Rutherford, *A Free Disputation against Pretended Liberty of Conscience* (London: R. I. for Andrew Crook, 1649); Rutherford, *Lex, Rex, or the Law and the Prince* (1644; repr., Harrisonburg, VA: Sprinkle Publications, 1982); Crawford Gribben, "Samuel Rutherford and Liberty of Conscience," WTJ 71, no. 2 (2009): 355–73; John L. Marshall, "Natural Law and the Covenant: The Place of Natural Law in the Covenantal Framework of Samuel Rutherford's Lex, Rex" (PhD diss., Westminster Theological Seminary, 1995); Andries Raath and Shaun de Freitas, "Theologically United and Divided: The Political Covenantalism of Samuel Rutherford and John Milton," WTJ 67, no. 2 (2005): 301–21; John Coffey, *Politics, Religion and the British Revolutions: The Mind of Samuel Rutherford,* Cambridge Studies in Early Modern British History (New York: Cambridge University Press, 1997); Christopher Hill, *Intellectual Origins of the English Revolution* (Oxford: Clarendon, 1965).

[174] Maclear, "Samuel Rutherford," 77–78.

[175] Ibid., 75.

[176] Rutherford, *Lex, Rex, 57*; cf. Maclear, "Samuel Rutherford," 75.

[177] Rutherford, *Lex, Rex, 56*; cf. Maclear, "Samuel Rutherford," 76.

[178] Rutherford, *Lex, Rex, 59*; cf. Maclear, "Samuel Rutherford," 76, 202n26.

vinculados por el pacto, y el deber del rey es obligarlos a observar sus términos: "Cada uno puede obligar al otro a un rendimiento mutuo."[179]

EL CONSENTIMIENTO MUTUO EN EL PACTO POLÍTICO ENTRE LAS PERSONAS Y EL MAGISTRADO: JUAN ALTUSIO

Juan Altusio, un alemán formado en Ginebra y autor de *La política se establece metódicamente* (*Politica methodice digesta*, 1603), vivió en los Países Bajos.[180] Su estudio propuso un plan de gobierno en el que habría la cooperación más completa entre magistrados y personas.[181] Se lo ha llamado "la primera teoría política con cuerpo de la era moderna."[182] Altusio comenzó con una comunidad en pacto entre sí:

La política es el arte de *consociar* a los hombres con el propósito de establecer, cultivar y conservar la vida social entre ellos. De ahí que se llame "simbióticos". El tema de la política es, pues, la consociación, en la que los simbiotes se comprometen mutuamente, mediante un pacto explícito o tácito, a la *comunicación mutua* de lo que sea útil y necesario para el ejercicio armonioso de la vida social.[183]

La ley que debía gobernar esta comunidad eran las Escrituras. Al presentar la segunda edición, escribió:

Yo utilizo con más frecuencia ejemplos de las Escrituras Sagradas porque tiene a Dios o a los hombres piadosos como su autor, y porque considero que ninguna política del comienzo del mundo ha sido construida más sabia y perfectamente que la política de los judíos. Nos equivocamos, yo creo, siempre que en circunstancias similares nos alejamos de ella.[184]

Altusio llevó adelante la preocupación de los reformadores de que la ley del estado se basa en la ley de Dios:

Esta regla, que es únicamente la voluntad de Dios para los hombres que se manifiesta en su ley, se llama ley en el sentido general de que es un precepto para hacer las cosas que pertenecen a la vida de un ser piadoso, santo, justo y vida adecuada. Es decir, se refiere a los deberes que se deben realizar hacia Dios y hacia el prójimo, y hacia el amor de Dios y el prójimo.[185]

---

[179] Rutherford, *Lex, Rex*, 117, 190; cf. Maclear, "Samuel Rutherford," 77.

[180] Juan Altusio, *Politica Methodice Digesta of Johannes Althusius*, ed. Carl J. Friedrich, 3ra ed. (1614; reimpr., Cambridge, MA: Harvard University Press, 1932); Carl J. Friedrich, *Johannes Althusius und sein Werk im Rahmen der Entwicklung der Theorie von der Politik* (Berlin: Duncker und Humblot, 1975); Otto von Gierke, *The Development of Political Theory*, trans. Bernard Freyd (New York: Fertig, 1966); Thomas O. Hueglin, *Early Modern Concepts for a Late Modern World: Althusius on Community and Federalism* (Waterloo, ON: Wilfrid Laurier University Press, 1999); Hueglin, "Covenant and Federalism in the Politics of Althusius," en Elazar y Kincaid, *The Covenant Connection*, 31–54; James Skillen, "The Political Theory of Johannes Althusius," *Philosophia Reformata* 39, nos. 3–4 (1974): 170–90.

[181] McNeill, "Calvinism and European Politics," 17–18.

[182] Hueglin, "Covenant and Federalism," 31.

[183] Citado en ibid., 31–32.

[184] Citado en ibid., 34.

[185] Citado por Skillen, "From Covenant of Grace to Tolerant Public Pluralism," 77.

LA AUTORIDAD Y LOS DERECHOS DE LA LEY DE LA NATURALEZA: JUAN BODINO, HUGO GROCIO, JOHN PONET

Otros teóricos políticos importantes incluyen a Juan Bodino,[186] Hugo Grocio,[187] y John Ponet.[188] Juan Bodino escribió *De la république* (1576). Habiendo vivido en Ginebra y en Francia, su pensamiento se movió en la dirección del absolutismo al tiempo que insistía en la importancia fundamental de la ley de la naturaleza y la ley de Dios. Creía que las diversas formas de gobierno reflejaban el carácter y las circunstancias de diversas poblaciones en diferentes naciones.[189]

El trabajo principal de Hugo Grocio fue *Derecho de guerra y paz* (*Dejurebelli et pacis*, 1625). Muchos lo consideran el fundador del derecho internacional moderno. Generalmente arminiano en teología más que calvinista, su concepción básica era que la ley natural es esencialmente la ley de Dios y tan divinamente establecida que ni siquiera Dios puede cambiarla. Es innato e inseparable de la naturaleza humana. La violación magisterial de la ley de la naturaleza requiere desobediencia y puede conducir a la deposición o ejecución del gobernante.[190]

John Ponet, el obispo de Winchester, fue el más radical. Su *ShorteTreatise of Politike Power* (1556) buscaba establecer el derecho al tiranicidio. Escribió en el contexto de su vuelo por seguridad de "Bloody Mary" — María Tudor de Inglaterra.[191] De acuerdo con la ley de la naturaleza y las Escrituras, razonó que los pueblos perseguidos tienen la autoridad de expulsar y juzgar a sus perseguidores.[192]

Teología y Política Estadounidenses Después de la Reforma

Al concluir nuestra encuesta sobre la relación entre la iglesia y el estado en la época de la Reforma, debemos reconocer que los conceptos teológicos de esta época siguen siendo parte de nuestro discurso teológico. Uno escucha ecos de la Reforma en discusiones sobre la soberanía de la esfera,[193] dos reinos,[194] y el equilibrio apropiado entre el activismo político y social en la iglesia.[195]

---

[186] Juan Bodino, *The Six Bookes of a Commonweale. A Facsimile Reprint of the English Translation of 1606Corrected and Supplemented in the Light of a New Comparison with the French and Latin Texts*, ed. Kenneth Douglas McRae, Harvard Political Classics (Cambridge, MA: Harvard University Press, 1962); Allen, *History of Political Thought*, 394–444; Julian H. Franklin, *Jean Bodin and the Sixteenth-Century Revolution in the Methodology of Law and History* (New York: Columbia University Press, 1963); Beatrice Reynolds, *Proponents of Limited Monarchy in Sixteenth-Century France: Francis Hotman and Jean Bodin* (New York: Columbia University Press, 1931); Henri Chevreul, Étude sur le XVIe siècle: Hubert Languet, 1518–1581 (Paris: L. Potier, 1852).

[187] Hugo Grocio, *The Rights of War and Peace*, ed. Richard Tuck de la edición por Jean Barbeyrac, 3 vols. (Indianapolis, IN: Liberty Fund, 2005), originalmente publicado como *Dejure belli ac pacis libri tres* (1625); E. Dumbauld, *The Life and Legal Writings of Hugo Grotius* (Norman, OK: University of Oklahoma Press, 1969); W. S. M. Knight, *The Life and Works of Hugo Grotius* (1925; repr., New York: Oceana Publications, 1962).

[188] John Ponet, *A Short Treatise of Politic Power* (1556; repr., Menston, Yorkshire: Scolar, 1970); Allen, *History of Political Thought*, 118–20; Winthrop S. Hudson, *John Ponet* (1516? –1556): *Advocate of Limited Monarchy* (Chicago: University of Chicago Press, 1942).

[189] McNeill, "Calvinism and European Politics," 15–16

[190] Ibid., 18.

[191] Kingdon, "Resistance Theory," *OER* 3:423–25.

[192] McNeill, "Calvinism and European Politics," 14.

[193] William Edgar, reseña de*Creating a Christian Worldview: Abraham Kuyper's Lectures on Calvinism*, por Peter S. Heslam, *WTJ* 60, no. 2 (1998): 355–58; McKendree R. Langley, "Emancipation and Apologetics: The Formation of Abraham Kuyper's Anti-Revolutionary Party in the Netherlands, 1872–1880" (PhD diss., Westminster Theological Seminary, 1995); Paul Woolley, *Family, State, and Church*: God's Institutions (Grand Rapids, MI: Baker, 1965).

[194] Robert G. Clouse, Richard V. Pierard, y Edwin M. Yamauchi, *Two Kingdoms: The Church and Culture through the Ages* (Chicago: Moody Press, 1993); Edmund P. Clowney, "The Politics of the Kingdom," *WTJ* 41, no. 2 (1979): 291–310; Charles W. Colson, *Kingdoms in Conflict* (Grand Rapids, MI: Zondervan, 1987); Jacques Ellul, *The False*

Después de la Reforma y basándose en sus contribuciones y luchas, teóricos políticos, filósofos y teólogos hicieron avances en las áreas importantes de la libertad religiosa y la libertad de conciencia.[196] Por lo tanto, se ha debatido, ¿es la libertad estadounidense el fruto de la Reforma?[197] Esto ha generado debates sobre el pluralismo de principios,[198] teonomía,[199] confesionalismo nacional,[200] y la tesis de la "América cristiana."[201] El historiador católico E. Jarry enfatiza que "en el dominio *político*, las ideas calvinistas están en el origen de la revolución que desde el siglo XVIII hasta el siglo XIX dio nacimiento y crecimiento a las democracias parlamentarias de tipo anglosajón."[202] Kingdon observa,

> Las teorías constitucionales de resistencia del período de la Reforma persistieron durante siglos. Se adaptaron para un uso importante en Alemania del siglo XVII (por ejemplo, Altusio) e Inglaterra (por ejemplo, John Locke). Las versiones de ellos ayudaron a apoyar las revoluciones americana y francesa del siglo dieciocho. Las huellas de ellos permanecen hasta el presente.[203]

Presence of the Kingdom (New York: Seabury, 1972); John H. Frame, *The Escondido Theology: A Reformed Response to Two Kingdom Theology* (Lakeland, FL: Whitefield Media Productions, 2011); Ryan C. McIlhenny, ed., *Kingdoms Apart: Engaging the Two Kingdoms Perspective* (Phillipsburg, NJ: P&R, 2012); J. Marcellus Kik, *Church and State:The Story of Two Kingdoms* (New York: Nelson, 1963); David VanDrunen, "The Two Kingdoms and the Ordo Salutis: Life Beyond Judgment and the Question of a Dual Ethic," WTJ 70, no. 2 (2008): 207–24; VanDrunen, *Living in God's Two Kingdoms: A Biblical Vision for Christianity and Culture* (Wheaton, IL: Crossway, 2010); VanDrunen, "The Two Kingdoms Doctrine and the Relationship of Church and State in Early Reformed Tradition," JChSt 49, no. 4 (2007): 743–63.

[195] D. A. Carson, *Christ and Culture Revisited* (Grand Rapids, MI: Eerdmans, 2008).

[196] Charles James Butler, "Covenant Theology and the Development of Religious Liberty," en Elazar y Kincaid, The Covenant Connection, 101–17; Estep, *Revolution within the Revolution*; Paul T. Fuhrmann, *Extraordinary Christianity: The Life and Thought of Alexander Vinet* (Philadelphia: Westminster, 1964); Peter Lillback, *Proclaim Liberty: A Broken Bell Rings Freedom to the World* (Bryn Mawr, PA: Providence Forum, 2001); Perry Miller, Robert L. Calhoun, Nathan M. Pusey, y Reinhold Niebuhr, *Religion and Freedom of Thought* (New York: Doubleday, 1954); Otto Erich Strasser, *Alexandre Vinet: Sein Kampf um ein Leben der Freiheit* (Erlenbach-Zurich: Rotapfel, 1946).

[197] Eidsmoe, *Christianity and the Constitution*; Hall, *Genevan Reformation*; H. Wayne House, ed., *The Christian and American Law: Christianity's Impact on America's Founding Documents and Future Direction* (Grand Rapids, MI: Kregel, 1998); Martyn P. Thompson, "The History of Fundamental Law in Political Thought from the French Wars of Religion to the American Revolution," *AHR* 91, no. 5 (1986): 1103–28.

[198] Phillip E. Hammond, "Pluralism and Law in the Formation of American Civil Religion," en *America, Christian or Secular? Readings in American Christian History and Civil Religion*, ed. Jerry S. Herbert (Portland, OR: Multnomah, 1984), 205–29; Robert T. Handy, ed., *Religion in the American Experience: The Pluralistic Style* (Columbia: University of South Carolina Press, 1972); Franklin H. Littell, *From State Church to Pluralism: A Protestant Interpretation of Religion in American History* (New York: Macmillan, 1971); James W. Skillen y Rockne M. McCarthy, eds., *Political Order and the Plural Structure of Society*, Emory University Studies in Law and Religion 2 (Atlanta, GA: Scholars Press, 1991); James W. Skillen, *Recharging the American Experiment: Principled Pluralism for Genuine Civic Community* (Grand Rapids, MI: Baker, 1994); Kathryn J. Pulley, "The Constitution and Religious Pluralism Today," En *Liberty and Law: Reflections on the Constitution in American Life and Thought*, ed. Ronald A. Wells y Thomas A. Askew (Grand Rapids, MI: Eerdmans, 1987), 143–55.

[199] Greg L. Bahnsen, *Theonomy in Christian Ethics* (Nutley, NJ: Craig, 1977); T. David Gordon, "Critique of Theonomy: A Taxonomy," *WTJ* 56, no. 1 (1994): 23–43; John H. Frame, "*The Institutes of Biblical Law:* A Review Article," *WTJ* 38, no. 2 (1976): 195–217; Meredith G. Kline, "Comments on an Old-New Error," *WTJ* 41, no. 1 (1978): 172–89; William S. Barker and W. Robert Godfrey, eds., *Theonomy: A Reformed Critique* (Grand Rapids, MI: Academie Books, 1990); Douglas A. Oss, "The Influence of Hermeneutical Frameworks in the Theonomy Debate," WTJ 51, no. 2 (1989): 227–58; Vern S. Poythress, *The Shadow of Christ in the Law of Moses* (Phillipsburg, NJ: P&R, 1991); Rousas John Rushdoony, *The Institutes of Biblical Law*, vol. 1 (Nutley, NJ: Craig, 1973).

[200] Smith, *God and Politics*.

[201] Richard John Neuhaus y Michael Cromartie, eds., *Piety and Politics: Evangelicals and Fundamentalists Confront the World* (Washington, DC: Ethics and Public Policy Center, 1987); Gary S. Smith, "Tracing the Roots of Modern Morality: Calvinists and Ethical Foundations," *WTJ* 44, no. 2 (1982): 327–51.

[202] Fuhrmann, "Mornay and the Huguenot Challenge," 50.

[203] Kingdon, "Resistance Theory," *OER* 3:425.

Ya sea que uno esté de acuerdo con ellos o no, eminentes eruditos, como J. Marcellus Kik ha observado, han atribuido la fundación de Estados Unidos al reformador de Ginebra:

El historiador alemán Leopoldo von Ranke dijo: "Juan Calvino fue el fundador virtual de América".

El historiador estadounidense George Bancroft dijo: "El que no honrará la memoria y respetará la influencia de Calvino, sabe muy poco del origen de la libertad estadounidense... El genio de Calvino infundió elementos duraderos en las instituciones de Ginebra y convirtió para el mundo moderno la fortaleza inexpugnable de la libertad popular, el semillero fértil de la democracia".

El historiador de la Iglesia PhilipSchaff: "Los principios de la República de los Estados Unidos se pueden rastrear a través del vínculo intermedio del puritanismo con el Calvinismo, que, con todo su rigor teológico, ha sido el principal educador del carácter varonil y el promotor de la libertad constitucional en los tiempos modernos".[204]

Más recientemente, John Witte Jr. ha mostrado cómo la lucha de la Reforma calvinista con los derechos humanos en términos de ley y religión influyó en Europa y eventualmente en América.[205] No es insignificante que el único clérigo que firmó la Declaración de Independencia, John Witherspoon, fue un clérigo presbiteriano y descendiente directo de John Knox.[206]

Conclusión

La Reforma moldeó profunda y permanentemente el debate sobre la relación entre la iglesia y el estado. Al basarse en un antiguo legado cristiano de cómo interactúan las dos instituciones, en una época volátil de cambio, la Reforma legó ideas y teorías a las generaciones posteriores en Occidente que continúan en todo el mundo, incluso hoy en día.

Además, hay un valor duradero para las ideas políticas de Calvino.[207] Un ejemplo importante de un pensador reformista que influyó en el gobierno europeo y estadounidense fue el teólogo y estadista calvinista Abraham Kuyper.[208] Sin embargo, uno puede lamentar la falta contemporánea de aprecio por los fundamentos históricos

---

[204] Kik, *Church and State*, 71. D. G. Hart, en su libro sobre el calvinismo, es más reservado acerca de la influencia del calvinismo. Él reconoce que las teorías políticas modernas se vieron afectadas por el calvinismo de Ginebra, pero también deja espacio para otras influencias. También afirma que "el calvinismo fue tanto un agente de autoritarismo e intolerancia como de libertad y soberanía popular". D. G. Hart, Calvinism: A History (New Haven, CT: Yale University Press, 2013), 304.

[205] Witte, *Reformation of Rights*.

[206] Sobre Witherspoon, véase Martha L. L. Stohlman, *JohnWitherspoon: Parson, Politician, Patriot* (Philadelphia: Westminster, 1976), y James Hastings Nichols, "John Witherspoon on Church and State," en Hunt, *Calvinism and the Political Order*, 130–39.

[207] McNeill, *John Calvin on God and Political Duty*.

[208] Abraham Kuyper, *Christianity and the Class Struggle*, trans. Dirk Jellema (Grand Rapids, MI: Piet Hein, 1950); Kuyper, *Lectures on Calvinism* (Grand Rapids, MI: Eerdmans, 1953); Edgar, reseña de *Creating a Christian Worldview*, 355–58; and Mark J. Larson, *Abraham Kuyper, Conservatism and Church and State* (Eugene, OR: Wipf & Stock, 2015).

de los derechos humanos, incluidas las contribuciones hechas por la tradición protestante:

> Hoy, el pensamiento moderno de los derechos humanos… en gran medida se encuentra desprovisto de una base crítica…. Las grandes narrativas teológicas de la Reforma protestante también son invisibles en las declaraciones y convenciones de derechos humanos de las últimas décadas…. Se requiere una nueva base crítica para los derechos humanos si toda la tradición no va a explotar en decenas de necesidades subjetivas conflictivas que no tienen una autoridad real y, en realidad, nunca se pueden implementar.[209]

De hecho, Witte hace el controversial reclamo,

> Las normas de derechos humanos necesitan narrativas religiosas para fundamentarlas de manera crítica…. La religión es una condición indestructible de vidas humanas y de comunidades humanas…. Por lo tanto, las religiones deben verse como aliadas indispensables en la lucha moderna por los derechos humanos. Excluirlos de la lucha es imposible, de hecho, catastrófico.[210]

Con las asignaciones históricas apropiadas, los reformadores habrían estado de acuerdo.

Recursos para un Estudio Adicional

Fuentes Primarias

Althusius, Johannes. *Politica Methodice Digesta of Johannes Althusius*. Editado por Carl J. Friedrich. 3ra ed. 1614. Reimpresión, Cambridge, MA: Harvard University Press, 1932.

Baylor, Michael G., ed. *The Radical Reformation*. Cambridge Texts in the History of Political Thought. New York: Cambridge University Press, 1991.

Bromiley, G. W., ed. *Zwingli and Bullinger: Selected Translations with Introductions and Notes*. Library of Christian Classics 24. Philadelphia: Westminster, 1953.

Bullinger, Henry. "Of the One and Eternal Testament or Covenant of God: A Brief Exposition." En *Thy Word Is Still Truth: Essential Writings on the Doctrine of Scripture from the Reformation to Today*. Traducido por Peter A. Lillback. Editado por Peter A. Lillback y Richard B. Gaffin Jr. Phillipsburg, NJ: P&R, 2013.

Calvino, Juan. *Calvin's Commentary on Seneca's "De Clementia."* Traducido y editado por Ford Lewis Battles and André Malan Hugo. Renaissance Text Series 3. Leiden: Brill, 1969.

_____. *Institucion de la Religion Cristiana*. Grand Rapids: Libros Desafío, 2012.

Du Plessis-Mornay, Philippe, or Hubert Languet. *A Defence of Liberty against Tyrants: A Translation of the "Vindiciae contra Tyrannos."* Editado por Harold J. Laski. 1924. Reprint, Gloucester, MA: Peter Smith, 1963.

---

[209] Don S. Browning, "The United Nations Convention on the Rights of the Child: Should It Be Ratified and Why?" *EILR* 20, no. 1 (2006): 172–73.

[210] Witte, *Reformation of Rights*, 334–36.

Grocio, Hugo. *The Rights of War and Peace*. Editado por Richard Tuck de la edición de Jean Barbeyrac. 3 vols. Indianapolis, IN: Liberty Fund, 2005. Originalmente publicado como *De jure belli ac pacis libri tres* (1625).

Kingdon, Robert M. *The Political Thought of Peter Martyr Vermigli: Selected Texts and Commentary*. Travaux d'humanisme et Renaissance 178. Geneva: Droz, 1980.

O'Donovan, Oliver, y Joan Lockwood O'Donovan, eds. *From Irenaeus to Grotius: Sourcebook in Christian Political Thought*, 100–1625. Grand Rapids, MI: Eerdmans, 1999.

Pauck, Wilhelm, ed. *Melanchthon and Bucer*. Library of Christian Classics 19. Philadelphia: Westminster, 1969.

Rutherford, Samuel. *Lex, Rex, or the Law and the Prince*. 1644. Reimpresión, Harrisonburg, VA: Sprinkle Publications, 1982.

Schaff, Philip, ed. *The Creeds of Christendom*. Revisado por David S. Schaff. 3 vols. 1931. Reimpresión, Grand Rapids, MI: Baker, 1990.

Spinka, Matthew, ed. *Advocates of Reform: From Wyclif to Erasmus*. Library of Christian Classics 14. London: SCM, 1953.

Zuinglio, Huldrych. "The Shepherd." In Huldrych Zwingli. *Writings*. Vol. 2, *In Search of True Religion.* Translated by H. Wayne Pipkin. Allison Park, PA: Pickwick, 1984.

Fuentes Secundarias

Allen, John William. *A History of Political Thought in the Sixteenth Century*. 1928. Reprint, London: Methuen, 1977.

Burns, J. H., ed. *The Cambridge History of Political Thought, 1450–1700*. Con la asistencia de Mark Goldie. Cambridge: Cambridge University Press, 1991.

Carlyle, R. W., y A. J. Carlyle. *History of Medieval Political Theory in the West*. 6 vols. Edinburgh: William Blackwood and Sons, 1962.

Elazar, Daniel J., y John Kincaid, eds. *The Covenant Connection: From Federal Theology to Modern Federalism*. Lanham, MD: Lexington Books, 2000.

Figgis, John N. *Studies of Political Thought from Gerson to Grotius*, 1414–1625. 2da ed. Cambridge: Cambridge University Press, 1931.

Hunt, George L., ed. *Calvinism and the Political Order*. Philadelphia: Westminster, 1965.

Kik, J. Marcellus. *Church and State: The Story of Two Kingdoms*. New York: Nelson, 1963.

Kingdon, Robert M. "Resistance Theory." In *The Oxford Encyclopedia of the Reformation*, editado por Hans J. Hillerbrand, 3:423–25. Oxford: Oxford University Press, 1996.

McNeill, John T. "Calvinism and European Politics in Historical Perspective." In *Calvinism and the Political Order*, editado por George L. Hunt, 11–22. Philadelphia: Westminster, 1965.

Raitt, Jill. "Bèze, Théodore de." In *The Oxford Encyclopedia of the Reformation*, editado por Hans J. Hillerbrand, 1:149–51. Oxford: Oxford University Press, 1996.

Skinner, Quentin. *The Foundations of Modern Political Thought*. 2 vols. Cambridge: Cambridge University Press, 1978.

Williams, George Huntston. *The Radical Reformation*. Sixteenth Century Essays and Studies 15. Kirksville, MO: Sixteenth Century Journal Publishers, 1992.

Witte, John, Jr. *The Reformation of Rights: Law, Religion, and Human Rights in Early Modern Calvinism*. Cambridge: Cambridge University Press, 2007.

_____. *Religion and the American Constitutional Experiment: Essential Rights and Liberties*. Boulder, CO: Westview, 2000.

Escatología

Kim Riddlebarger

RESUMEN

Martín Lutero y Juan Calvino afirmaron la enseñanza tradicional de la iglesia con respecto a las últimas cosas: Jesucristo ascendió al cielo y prometió volver físicamente el último día para resucitar a los muertos, juzgar al mundo y luego crear un cielo nuevo y una nueva tierra. Centrándose en el drama que se desarrolla de la historia redentora, ambos fueron completamente escatológicos en su pensamiento. Aunque ni Lutero ni Calvino trataron de hacer ajustes importantes a las categorías escatológicas de la iglesia cristiana, ambos creían que la muerte y la resurrección de Jesús eran los eventos centrales en la revelación bíblica y proporcionaban el marco para comprender el curso de la historia humana hasta el regreso del Señor. Esto les permitió discutir la segunda venida de Jesucristo en los términos no apocalípticos de una escatología semi realizada (ya/todavía no). Los dos reformadores se opusieron con vehemencia a los anabaptistas radicales y a todas las formas de establecimiento de fechas especulativas y milenarismo asociadas con ellos. Ambos hombres también estaban convencidos de que el papado se había convertido en el Anticristo, un claro signo bíblico del fin, y ambos creían que Dios tendría piedad de su pueblo y aceleraría el regreso de Cristo para preservar a sus elegidos perseguidos en la tierra.

Introducción

Cuando consideramos el alcance de la Reforma Protestante en términos de debate teológico, los principios formales y materiales de la Reforma rápidamente vienen a la mente —la autoridad de la Escritura y la doctrina de la justificación *sola fide* (es decir, la manera en que los pecadores se consideran justos ante el Dios santo). Uno puede agregar a los principios formales y materiales los importantes debates sobre el gobierno y la autoridad de la iglesia, así como el extenso debate sobre la naturaleza y eficacia de los sacramentos. Pero como señala Richard Muller, "Vale la pena reconocer desde el principio que la Reforma alteró comparativamente pocos de los principales lugares de la teología."[1] Los reformadores tenían mucho en común con la

---

[1] Richard A. Muller, *The Unaccommodated Calvin: Studies in the Foundation of a Theological Tradition, Oxford Studies in Historical Theology* (New York: Oxford University Press, 2000), 39.

iglesia romana, y la escatología es uno de los *loci* relativamente inalterados a los que se refiere Muller.

A primera vista, la escatología no fue un punto significativo de disputa entre el floreciente movimiento protestante y la iglesia romana porque los puntos de vista de los reformadores sobre los asuntos centrales con los que se refiere la escatología son sustancialmente los del cristianismo católico: doctrinas tales como el segundo advenimiento de Jesucristo, la resurrección de los muertos y el juicio final. Dicho esto, los reformadores discreparon con Roma sobre ciertos aspectos del estado intermedio (especialmente la doctrina del purgatorio de Roma), y rechazaron el énfasis de Roma en que Cristo regresara como un juez severo y amenazante, no como el clemente Salvador de los elegidos de Dios.[2] Tanto Lutero como Calvino identificaron el papado con el Anticristo, y Lutero incluso llegó a identificar su propia época como "el fin de los tiempos". Aunque los reformadores dejaron el lugar de la escatología en gran parte intacto, sería un error suponer que la escatología fue completamente ignorada, especialmente en el contexto del deseo de los reformadores de devolver las enseñanzas de la iglesia a un terreno más bíblico.

Los historiadores sugieren una serie de razones de por qué los reformadores no se preocuparon demasiado por la escatología. Una de las razones es que ninguno de los reformadores magisteriales produjo un comentario sobre el libro de Apocalipsis ni predicó extensamente a partir de él.[3] Sin embargo, Martín Lutero produjo dos prefacios al Apocalipsis de San Juan (1522, 1542), en el primero cuestionando la canonicidad de Apocalipsis, mientras que en el segundo la afirmó.[4] Lutero también aplicó imágenes apocalípticas de Apocalipsis —las de la bestia y el dragón— al papado.[5] Junan Calvino apeló dos veces a la visión de Juan en puntos críticos en su polémica de 1534 contra el "sueño del alma", *Psychopannychia*,[6] y citó Apocalipsis más de veinte veces en su *Institución de la religión cristiana*, incluso en su discusión de la resurrección.[7] Aunque nunca se produce ninguna fuente, a menudo se cita a Calvino diciendo que no produjo un comentario sobre Apocalipsis porque no lo entendió lo suficientemente bien como para comentarlo. La razón más probable por la cual Calvino no escribió un comentario o predicó sobre Apocalipsis, puede ser que no vivió lo suficiente como para emprender un estudio detallado de Apocalipsis, algo que puede haber querido después de completar los estudios de dos libros proféticos/apocalípticos del Antiguo Testamento, Daniel y Ezequiel.[8]

---

[2] Heinrich Quistorp, *Calvin's Doctrine of the Last Things, trans. Harold Knight* (1955; repr., Eugene, OR: Wipf & Stock, 2009), 12.

[3] T. H. L. Parker, *Calvin's New Testament Commentaries*, 2da ed. (Louisville: Westminster John Knox, 1993), 116–19

[4] Martín Lutero, "Preface to the Revelation of Saint John," en *Works of Martin Luther with Introductions and Notes*, ed. Adolph Spaeth, Philadelphia ed. (1932; reimpr., Grand Rapids, MI: Baker, 1982), 6:479–91. En su primer prefacio, Lutero descartó el Apocalipsis de Juan como canónico porque pensó que estaba preocupado por la profecía, a diferencia de las escrituras canónicas de Pedro y Pablo y los dichos de Jesús. Lutero moderó mucho sus puntos de vista en el segundo prefacio de 1545.

[5] Martín Lutero, *Lectures on Galatians* (1535), LW 26:219–26.

[6] Juan Calvino, *Psychopannychia*, en *Selected Works of John Calvin: Tracts and Letters*, ed. Henry Beveridge y Jules Bonnet, trad. Henry Beveridge (1851; reimpr., Grand Rapids, MI: Baker, 1983), 3:413–90

[7] Calvino, *Institución*, 3.25.5.

[8] Para una discusión sobre este tema, vea Cornelis P. Venema, "Calvin's Doctrine of the Last Things: The Resurrection of the Body and the Life Everlasting," en *A Theological Guide to Calvin's Institutes: Essays and Analysis*, ed. David W. Hall y Peter A. Lillback, Calvin 500 Series (Phillipsburg, NJ: P&R, 2008), 454–55.

Apocalipticismo Tardo Medieval y los Reformadores Radicales

Otra razón por la cual los reformadores no se enfocaron extensamente en la escatología es que ellos estaban tan desconcertados por el apocalipticismo extremo del período medieval tardío o Baja Edad Media,[9] así como también lo encontrado entre sus contemporáneos anabaptistas, que evitaron el tema.[10] Si bien los puntos de vista escatológicos de los anabaptistas radicales eran de hecho altamente especulativos, los reformadores no los ignoraron. Lutero ciertamente fue influenciado por ideas y suposiciones proféticas tardo medievales, incluyendo la sensación de que el juicio final estaba a la mano como la culminación de la larga lucha entre Dios y el diablo. Mientras Lutero desarrollaba esta expectativa a lo largo de su carrera, llegó a ver la recuperación del Evangelio como el punto de inflexión crítico en esta guerra cósmica que lo abarca todo.[11]

La concepción de que la historia estaba entrando en una tercera y última fase —la edad del Espíritu Santo— también se extendió a finales de la Edad Media, en la que las expectativas escatológicas se intensificaron y los cálculos proféticos especulativos fueron comunes. La "búsqueda del milenio" (típica del apocalipticismo) vivió en la época de la Reforma, pero especialmente entre los llamados "reformadores radicales" que fueron influenciados en diversos grados por Joachimde Fiore (1135-1202) y los franciscanos espirituales.[12] Aunque cada vez estaba más convencido de que el final estaba cerca, Lutero rechazó los elementos especulativos en estos movimientos, incluida la "tercera dispensación" de Joaquín.[13] Sin embargo, en 1541, Lutero publicó su *Suppatio Annorum Mundi* (*Cronología del mundo*), en la que argumentó que el año 1540 era el año 5.500 después de la creación, y aunque calculó que faltaban otros quinientos años hasta que comenzara el sábado eterno, marcando el año 6.000 de la creación, razonó que el Señor prometió acortar la días por el bien de los elegidos y podrían regresar antes.[14]

Aunque Lutero rechazó los elementos radicales del apocalipticismo medieval, fue completamente escatológico en su perspectiva teológica, viendo la escatología entrelazada con el desarrollo de la historia humana. El enfoque de Lutero en el *solus Christus* en la doctrina de la justificación por la fe proporcionó la orientación para toda su teología, incluida su visión del fin de los tiempos.[15] Debido a que el pecador justificado es liberado de la ira de Dios y del castigo eterno, la doctrina de la justificación, que estaba en el corazón del Evangelio recién recuperado, conduce a toda la historia hacia su objetivo final. Es la predicación continua de la ley y del Evangelio,

---

[9] El *apocalipticismo* se define como la creencia de que Dios ha revelado que el final de la historia humana es inminente, lo que implica una serie de eventos catastróficos anunciados en las Escrituras, todo lo cual conduce al regreso del Señor. Ver Bernard J. McGinn, John J. Collins, y Stephen J. Stein, eds., *The Continuum History of Apocalypticism* (New York: Continuum, 2003), ix.

[10] Parker, *Calvin's New Testament Commentaries*, 119. Como señala Oberman, esta suposición puede ser incorrecta: "Jaroslav Pelikan ha rastreado 'algunos usos de Apocalipsis en los reformadores magisteriales'. Bernd Moeller ha reunido más evidencia de la orientación escatológica en la predicación de la Reforma temprana". Ver, Heiko A. Oberman, *The Impact of the Reformation: Essays* (Grand Rapids, MI: Eerdmans, 1994), 57.

[11] Robin Barnes, "Images of Hope and Despair: Western Apocalypticism ca. 1500–1800," en McGinn, Collins y Stein, *The Continuum History of Apocalypticism*, 329.

[12] Timothy George, *Theology of the Reformers* (Nashville: Broadman, 1988), 38.

[13] Barnes, "Images of Hope and Despair," 330.

[14] T. F. Torrance, "The Eschatology of the Reformation," en *Eschatology: Four Papers Read to the Society for the Study of Theology*, ed. T. F. Torrance y J. K. S. Reid, (Edinburgh: Oliver and Boyd, 1957), 43.

[15] Jane E. Strohl, "Luther's Eschatology: The Last Times and the Last Things" (PhD diss., University of Chicago Divinity School, 1989), 9–10.

enemiga de los ciegos a la verdad, lo que provoca gran parte de la agitación y el conflicto que el pueblo de Dios enfrentará hasta el fin de la historia por parte del diablo y de aquellos a quienes ha cegado. Solo entonces la victoria de Jesucristo sobre el pecado, la muerte, el diablo, la ley y la ira de Dios se manifestará gloriosamente.[16]

Los "Últimos Días" y la Reforma de la Iglesia

En contraste, por lo tanto, con la suposición generalizada de que los reformadores no se preocuparon por la escatología, su trabajo de reforma estuvo profundamente influenciado por su comprensión de la época en que vivían. De acuerdo con Timothy George,

> A pesar de todo su énfasis en regresar a la iglesia primitiva del Nuevo Testamento y la era patrística, la Reforma fue esencialmente un movimiento de desarrollo. Fue un movimiento de los "últimos días" que vivió de una intensa tensión escatológica entre el "ya no" de la antigua dispensación y el "todavía no" del reino consumado de Dios. Ninguno de los reformadores... fue muy influenciado con las escatologías apocalípticas radicales que florecieron en el siglo dieciséis.... Cada uno de ellos estaba convencido de que el reino de Dios estaba entrando en la historia en los eventos en los que se lo llevó a participar. Imbuido de este sentido de urgencia escatológica, Calvino escribió en 1543 al Santo Emperador Romano Carlos V: "La Reforma de la iglesia es obra de Dios, y es tan independiente de la vida y el pensamiento humanos como la resurrección de los muertos, o cualquier obra de este tipo".[17]

Los reformadores se vieron a sí mismos como participantes en una obra vital de Dios: la reforma de la iglesia. Debido a que creían que eran meros instrumentos en los propósitos soberanos de Dios, entendieron el fin de los tiempos como "ahora", desplegándose ante sus propios ojos. Lutero se quejó de que la iglesia romana y sus líderes estaban contentos de esperar el juicio final para la reforma de la iglesia. Lutero planteó el asunto como solo él pudo: "En Roma se necesitan dos hombres para una reforma, 'uno para ordeñar el macho cabrío, el otro para sostener el colador'."[18]

En un comentario sobre Gálatas 4:6, Lutero describió su sentido de concentración en la obra que Dios le había dado: "Hemos comenzado a demoler el reino del Anticristo. Pero provocarán a Cristo para apresurar el día de su venida gloriosa, cuando él abolirá todos los principados, potestades y fuerzas, y pondrá a todos sus enemigos debajo de sus pies."[19] En la estimación de Lutero, "estos últimos días ya han comenzado, y.... por lo tanto, las 'últimas cosas' han comenzado en nuestro tiempo histórico, de modo que el reloj escatológico ha comenzado a funcionar."[20] La escatología no es algo que se pueda llevar a un futuro distante, ya que la obra de redención de Dios nos sitúa en los tiempos del fin, que se desarrollan hasta el regreso del Señor.

Si los reformadores no reescribieron el dogma establecido de la iglesia con respecto al fin de los tiempos, que Jesús regresaría al final de la era para juzgar al mundo,

---

[16] Philip S. Watson, *Let God Be God! An Interpretation of the Theology of Martin Luther* (London: Epworth, 1947), 116–17.

[17] George, *Theology of the Reformers*, 323.

[18] Martín Lutero, "Borrede, Rachwort, und Marginalglossen," *WA* 50:362.7, citado en Heiko A. Oberman, *Luther: Man between God and the Devil* (New York: Image Books, 1992), 64.

[19] Lutero, *Lectures on Galatians* (1535), LW 26:383.

[20] Citado en Oberman, *Impact of the Reformation*, 196.

resucitar a los muertos y establecer un cielo nuevo y una tierra nueva, ciertamente lo modificaron un poco, e incorporaron su marco escatológico en sus polémicas y teología pastoral, así como en sus escritos dogmáticos.

Lutero y Calvino como Figuras Claves

Antes de considerar los respectivos puntos de vista escatológicos de Martín Lutero y Juan Calvino, es importante ofrecer una explicación para limitar el alcance de este capítulo a Lutero y Calvino como representantes de "la escatología de los reformadores."[21] Hay tres razones para hacerlo. Primero, Martín Lutero (nacido el 10 de noviembre de 1483) y Juan Calvino (nacido el 10 de julio de 1509) son representantes de las primeras dos generaciones de reformadores. Lutero era veintiséis años mayor que Calvino y representa la primera generación de aquellos involucrados en la reforma (incluidos Felipe Melanchthon, Huldrych Zuinglio y Martin Bucer), mientras que la vida y la obra de Calvino se llevaron a cabo a la sombra del avance evangélico de Lutero de octubre de 1517.

Segundo, los dos hombres tenían temperamentos completamente diferentes y trabajaban bajo diferentes circunstancias. Lutero fue un reformador en el verdadero sentido del término, dedicando su vida a la predicación, la enseñanza y la escritura.[22] Lutero luchó con un profundo conflicto interno (*Anfechtungen*) en una vida atrapada entre el miedo existencial a la ira eterna de Dios y las benditas buenas nuevas del Evangelio a través de las cuales el Espíritu Santo unió a los creyentes con Jesucristo, cuya victoria sobre el pecado y la tumba en su cruz y resurrección fue la única esperanza verdadera tanto en esta vida como en la siguiente.[23] Lutero escribió,

> Cuanto más tiempo permanece el mundo, peor se vuelve.... Mientras más predicamos, menos atención presta la gente,... empeñándose en aumentar la maldad y el desenfreno a una velocidad abrumadora. Gritamos y predicamos en contra de esto.... Pero, ¿de qué sirve? Sin embargo, es bueno porque podemos esperar el último día antes. Entonces los ateos serán arrojados al infierno, pero obtendremos la salvación eterna en ese Día.... Así que podemos esperar con confianza que el Último Día no esté muy lejos.[24]

El pastor Calvino también luchó con una profunda desesperación que sintió en esta vida, expresada en una sección notable en su *Institución* dedicada a la "meditación en la vida futura."[25] Exhortó a los cristianos a abandonar todos los apegos indebidos a las cosas de este mundo, que palidecen a la luz del siguiente. Al mismo tiempo, las luchas asociadas con la vida en un mundo caído también deben considerarse a la luz de la inquebrantable esperanza dada por Dios a los creyentes que luchan por la resurrección

---

[21] Este capítulo no dejará de interactuar con los puntos de vista de Roma y los reformadores radicales, pero lo hará a través de la lente polémica de Lutero y Calvino.

[22] Como señala Oberman, "Lutero nunca se autodenominó un 'reformador'. Sin embargo, no se apartó de ser visto como un profeta; él quería difundir el Evangelio como un "evangelista". Se llamaba a sí mismo predicador, doctor o profesor, y era todo esto. Sin embargo, nunca presumió ser un reformador, ni nunca afirmó que su movimiento fuera la 'Reforma'". Oberman, *Luther: Man between God and the Devil*, 79.

[23] Fred P. Hall, "Martin Luther's Theology of Last Things," en *Looking into the Future: Evangelical Studies in Eschatology*, ed. David W. Baker (Grand Rapids, MI: Baker Academic, 2001), 141.

[24] Del sermón de Lutero de 1532 sobre Lucas 21:25-33 en *WA* 47:623, citado en Ewald M. Plass, *What Luther Says: An Anthology* (St. Louis, MO: Concordia, 1959), 689.

[25] Calvino, *Institución*, 3.9.1–6.

de Jesucristo de los muertos y su ascensión a la diestra del Padre.[26] Calvino dijo: "Cuando, por lo tanto, con nuestros ojos fijos en Cristo esperamos en el cielo, y nada en la tierra les impide llevarnos a la bendición prometida, la declaración se cumple verdaderamente 'que donde está nuestro tesoro, nuestro corazón está' [Mateo 6:21]."[27] Calvino escribió que los creyentes deben esperar pacientemente la restauración final de todas las cosas al regreso de Cristo, así como un centinela custodia fielmente su puesto hasta que lo recuerda su comandante.[28] Él describió esta lucha como la de una vida vivida en el exilio lejos de la amada patria de uno:

> Que el objetivo de los creyentes en juzgar la vida mortal sea, entonces, que, si bien entienden que no es en sí mismo otra cosa que miseria, con mayor afán y entrega se vuelven a meditar en la vida eterna por venir. Cuando se trata de una comparación con la vida venidera, la vida presente no solo puede descuidarse con seguridad, sino que, en comparación con la primera, debe ser totalmente despreciada y aborrecida. Porque, si el cielo es nuestra patria, ¿qué otra cosa es la tierra sino nuestro lugar de exilio?[29]

En su comentario sobre la primera carta de Pablo a Timoteo, Calvino agregó: "El único remedio para todas estas dificultades es esperar la aparición de Cristo y confiar siempre en él."[30] Los exiliados soportan su peregrinaje manteniendo la alegría de regresar a casa ante sus ojos.

Tercero, estos dos reformadores son las figuras seminales en las dos tradiciones más grandes de la Reforma —Luterana y Reformada. Si bien ciertamente ha habido desarrollos teológicos en ambas tradiciones, como la tradición luterana que modifica la visión de Lutero del estado intermedio como uno de "sueño",[31] ambos reformadores están parados en (o en el caso de Calvino, cerca) de las cabeceras de las tradiciones dogmáticas, confesionales y eclesiásticas de casi quinientos años identificadas con ellos. Lutero y Calvino sirven como representantes aptos de la escatología de los reformadores.

Escatología según Huldrych Zuinglio y Martin Bucer

Aunque finalmente eclipsado dentro de la tradición reformada por Calvino, la primera generación de reformadores Huldrych Zuinglioo de Zúrich (1484-1531) y Martin Bucer de Estrasburgo (1491-1551) merecen una breve mención. Como el primitivo Lutero, Zuinglio dudaba de la canonicidad de Apocalipsis,[32] y con Lutero y Calvino, rechazaba categóricamente la doctrina romana del purgatorio, calificándola de "invención sin fundamento."[33] Con Calvino, Zuinglio afirmó que la doctrina anabaptista del sueño del alma era contraria a las Escrituras y "contradice toda razón."[34] Y en el artículo 12 de su *Fidei Ratio* (1530), Zuinglio afirmó la existencia del

---

[26] Ibid., 3.25.1–12.

[27] Ibid., 3.25.1.

[28] Ibid., 3.9.4.

[29] Ibid.

[30] Calvino sobre 1 Tim. 6:14, en *CNTC* 10:279.

[31] Francis Pieper, *Christian Dogmatics* (St. Louis, MO: Concordia, 1953), 3:511–15; Paul Althaus, *The Theology of Martin Luther*, trad. Robert C. Schultz (Philadelphia: Fortress, 1966), 417.

[32] W. P. Stephens, *The Theology of Huldrych Zwingli* (Oxford: Clarendon, 1986), 56, citando ZSW 2:208.33–209.5.

[33] Zuinglio, *Fides Expositio* (1531), en James T. Dennison Jr., ed., *Reformed Confessions of the 16th and 17th Centuries in English Translation*, vol. 1, 1523–1552 (Grand Rapids, MI: Reformation Heritage Books, 2008), 185–86.

[34] Zwingli, *Fides Expositio*, 205–7.

infierno como un lugar de castigo eterno, tanto contra la visión romana del purgatorio como contra la enseñanza de varios grupos anabaptistas de que Dios concedería el perdón universal en el momento del fin.[35]

Martin Bucer publicó el texto más importante de la época de la Reforma sobre teología política, pero uno con importantes implicaciones escatológicas, su 1550 *De Regno Christi* (*El Reino de Cristo*). En este volumen, Bucer definió el reino de Cristo de la siguiente manera:

> El Reino de nuestro Salvador Jesucristo es esa administración y cuidado de la vida eterna de los elegidos de Dios, por la cual este mismo Señor y Rey del Cielo por su doctrina y disciplina, administrados por ministros idóneos elegidos para este mismo propósito, se reúne a sí mismo a sus elegidos, aquellos dispersos por todo el mundo que son suyos, pero a quienes, no obstante, desea someterse a los poderes de este mundo. Los incorpora a sí mismo y a su iglesia, y así los gobierna en ella, que purgaron más completamente día a día de los pecados, viven bien y felices tanto aquí como en el tiempo venidero.[36]

La distinción de Bucer entre el reino de Cristo y los poderes del mundo guarda un fuerte parecido formal con la distinción de los "dos reinos" de Lutero entre el reino de la gracia (el reino de Cristo) y el reino del poder (el reino civil). Sin embargo, según Bucer, estos dos reinos están unidos como el cuerpo de Cristo a través de la Palabra y el Espíritu. Como tal, el reino de Cristo es "visible y realmente realizado en la iglesia en la tierra, y mediante la obediencia al testimonio de la iglesia, también en el estado."[37] Como los elegidos de Dios son incorporados en el cuerpo de Cristo, su elección para la salvación será evidente en el desarrollo continuo de la historia en medio de los poderes mundanos mientras "viven bien y felices" hasta ese momento cuando Jesucristo regrese para consumar su reino que se despliega. Para Lutero, por otro lado, este reino viene a través del acto de proclamar el Evangelio, no a través de sus efectos.[38]

Bucer estaba en el exilio en Inglaterra en ese momento —se había convertido en Profesor Regio de Divinidad en Cambridge en 1549 por invitación de Thomas Cranmer (1489-1556) cuando el primero se exilió de Estrasburgo— y su *De Regno* pretendía ser un plan para reforma en Inglaterra. El libro de Bucer fue presentado al joven rey Eduardo VI en su publicación en 1551, pero ambos hombres murieron poco después —Bucer en 1551 y Eduardo en 1553. Sin duda, la muerte temprana de Eduardo afectó negativamente la intención inicial de Bucer de proporcionar una base teológica para el trabajo en curso de la reforma cívica en Inglaterra.

Aunque no es una obra de escatología per se, *De Regno* de Bucer, ilustra el pensamiento anti-apocalíptico de gran parte de la antigua tradición reformada, como el próximo reino de Jesucristo se realiza en la actividad continua de Dios a través de la iglesia y su misión divinamente designada de predicar, administrar los sacramentos y disciplinar a sus miembros. Tal fidelidad, a su vez, conduce a la transformación consecuente de esa sociedad donde la iglesia es fiel a su misión. Cuando el reino de

---

[35] Zuinglio, *Fides Ratio* (1530), in Dennison, *Reformed Confessions of the 16th and 17th Centuries*, 133–36.

[36] Martin Bucer, *De Regno Christi*, en *Melanchthon and Bucer*, ed. Wilhelm Pauck, LCC 19 (Philadelphia: Westminster, 1969), 225.

[37] Torrance, "Eschatology of the Reformation", 54.

[38] Ibid.

Cristo se define en estos términos (o similares), la escatología se convierte en una preocupación presente además de una esperanza futura.[39] Este sentimiento se hizo eco de Calvino, quien señaló: "El primer efecto de su Reino es domar los deseos de nuestra carne. Y ahora, a medida que el Reino de Dios aumenta, etapa tras etapa, hasta el fin del mundo, debemos orar todos los días por su venida."[40]

Al pasar ahora a los puntos de vista escatológicos distintivos de Lutero y Calvino, no debemos perder de vista el hecho de que los puntos de vista de los dos reformadores sobre estos asuntos son sustancialmente los mismos. Ambos encajan dentro de la designación moderna *amilenial* (es decir, que los mil años de Apocalipsis 20 son una descripción de la era actual hasta que el Señor regrese, no una futura esperanza escatológica, como en el *pre* y *postmilenalismo*), y ambos miraron hacia el segundo advenimiento de Jesucristo, la resurrección corporal al final de la era, y la liberación de los creyentes del juicio escatológico final de Dios como la única esperanza segura y cierta del cristiano en medio de las luchas de esta vida. Es a la luz de una gran medida de acuerdo que podemos discutir sus distintivos escatológicos.

Si bien reconoce que la "línea [entre ellos] no debe ser demasiado marcada", Torrance observa que sus diferencias surgen en parte debido a circunstancias históricas y porque se basan en diferentes fuentes dentro de la tradición cristiana. El enfoque escatológico de Lutero, dice Torrance, se centró en el juicio final al tiempo que se basaba en ciertos Padres de la Iglesia latina como Cipriano, quienes estaban preocupados con "la decadencia y el colapso del mundo". El énfasis de Calvino recayó más en la resurrección del cuerpo y en la reordenación del mundo al inspirarse en el énfasis de los Padres Griegos en la encarnación como la base para la renovación de todas las cosas.[41] Si bien la afirmación de Torrance de discernibles genealogías intelectuales greco-latinas para Lutero y Calvino es debatible, entiendo que el sentido de Torrance de la diferencia de énfasis entre los dos reformadores sea generalmente correcto.

Distintivos Escatológicos de Lutero

HISTORIA REDENTORA, JUSTIFICACIÓN Y UN FINAL CERCANO

La iglesia que Lutero trató de reformar estaba dominada en muchos sentidos por la visión medieval de que la gracia perfecciona la naturaleza y que el reino de Dios se manifestaba esencialmente en las instituciones de la iglesia romana. La manifestación del reino de Dios, en efecto, se encontraba en el dogma de la iglesia y en la obra

---

[39] Según Oberman, la "diferencia de Calvino con Lutero se puede notar en muchos puntos, pero ninguno tan fundamentalmente como la visión de Calvino de Dios como 'leislatuer et roy', mientras que uno de los reformadores más perspicaces, Ambrosius Catharinus Politus OP, había indicado que el corazón del "error luterano" fue la negación de que Cristo es tanto "redentor" como "legislador". El tema de Calvino a lo largo de [sus sermones de 1564 sobre el segundo libro de Samuel] es la regla de Dios que nombró a Cristo como Rey, su fiel virrey. La Reforma es el reordenamiento de las vidas de los fieles. La confusión y la dispersión son el socavamiento del orden pretendido por Dios por parte de Satanás y sus instrumentos malvados. Por la gracia y el poder de Dios, este nuevo orden se restaura aquí y allá en las iglesias locales y en la vida pública de algunas ciudades y regiones. La verdadera restauración, reensamblaje y establecimiento final de la ley y el orden, sin embargo, es esperado con paciencia por los fieles como el acto escatológico de Dios". Bucer en su *De Regno Christi*. Heiko A. Oberman, *TheDawn of the Reformation: Essays in Late Medieval and Early Reformation Thought* (Edinburgh: T&T Clark, 1986), 237.

[40] Calvino sobre Mat. 6:10, en *CNTC* 1:208.

[41] Torrance, "Eschatology of the Reformation," 40. Quistorp no está de acuerdo: "La escatología de Lutero se rige más que la de Calvino por el pensamiento de la resurrección de los muertos." Quistorp, *Calvin's Doctrine of the Last Things*, 97.

continua de Dios en las oficios y concilios de la iglesia. Tal iglesia necesariamente estuvo por encima y más allá de toda necesidad de una reforma radical. Si la iglesia y su magisterio infalible poseían el poder único para atar y desatar, entonces cualquier desarrollo histórico de la iglesia en el futuro tenía que estar ligado a las decisiones dogmáticas y conciliares del pasado. En este entendimiento, la escatología estaba principalmente relacionada con el futuro de la relación de Cristo con su iglesia, y la idea misma de que la escatología estaba ligada a la historia era "totalmente ajena."[42]

La concepción de que el reino de Dios se manifiesta en su iglesia explica la reacción negativa hacia aquellos como Joachimde Fiore, que buscaban enfocarse en las cosas últimas a la luz de la historia, no de la eclesiología. Para contrarrestar tales perturbaciones aberrantes, Tomás de Aquino (1225-1274) no solo criticó la escatología especulativa de Joachim, sino que incluso llegó a argumentar que cuando la gracia perfecciona la naturaleza en el momento del fin, aquellas plantas y animales incapaces de tal perfección dejarán de existir.[43] Incluso la naturaleza humana se transformará radicalmente.[44] En la estimación de Torrance, "En última instancia, la naturaleza se transforma en super naturaleza, lo terrenal en una realidad celestial."[45]

En gran medida, entonces, el pensamiento escatológico de los reformadores se encuentra en su regreso a un énfasis en la historia redentora como leído a través del lente de la suficiencia de la Escritura como la corte final de apelación en todos los asuntos de doctrina. La revelación de la obra redentora de Cristo en la Palabra es esencialmente de naturaleza histórica. Este renovado interés en la historia redentora empujó a los reformadores a mirar más allá de la síntesis de Tomás de Aquino para obtener antecedentes teológicos previos en la iglesia primitiva a fin de ayudarlos a recuperar y enmarcar su comprensión del mandato misionero de la iglesia. En contraste con la visión de Roma, los reformadores creían que el reino de Dios se manifestaba a través de la predicación del Evangelio, con los ministros enfocados en la muerte de Jesús como su centro y la resurrección del cuerpo como la esperanza cristiana. Este enfoque también se oponía a los enfoques especulativos de la escatología del período que estaban preocupados por los signos del fin y con interpretaciones extravagantes de textos bíblicos proféticos y apocalípticos.

Tanto Lutero como Calvino sostenían que, en la persona y la obra de Cristo, la nueva creación ya había amanecido y se revelaría progresivamente hasta el último día, cuando un nuevo cielo y la tierra se convertirían en el hogar eterno de la rectitud. En palabras de Torrance, en contra de la "interpretación docética de la redención y la escatología de Roma, los reformadores estaban en plena revuelta."[46] La implicación de esta concepción "reformada" de la misión de la iglesia y su mensaje evangélico fue que Dios obra en y a través de la historia en el presente hasta que Cristo regrese. La Palabra correctamente predicaba y los sacramentos administrados apropiadamente eran los medios del Espíritu Santo para producir la nueva creación, la cual incluso ahora irrumpe en el presente. Como consecuencia, el reino de Dios fue visto como dinámico

---

[42] Ernest Lee Tuveson, *Millennium and Utopia: A Study in the Background of the Idea of Progress* (New York: Harper Torchbooks, 1964), 19.

[43] Aquino, *Summa Theologiae Supplementum* 91.5.

[44] Aquino, *Scriptum super Sententiis* 4.48.11.1.

[45] Torrance, "Eschatology of the Reformation," 38.

[46] Ibid., 39.

y provocado por el Espíritu a través de la Palabra, no estático y atado a los concilios, tradiciones e instituciones de la iglesia romana.

Como el pensamiento de Lutero se desarrolló en este contexto, vemos una cristalización de su distinción entre el cielo y la tierra, junto con la correspondiente antítesis entre dos reinos divinamente ordenados —el de "gracia" (el reino de Cristo) y el de "poder" (el reino civil)— sobre el cual Jesús gobierna. La antítesis de Lutero entre la ley y el Evangelio, así como la del pecado y la gracia, fueron completamente escatológicas. La gracia no transforma la naturaleza en esta vida, algo que Lutero conocía muy bien de sus propias luchas con las pasiones pecaminosas de la carne. La transformación necesaria de su alma no ocurriría lo suficientemente pronto —Lutero entendió que moriría antes de que se completara— y aun así, cualquier transformación que se hubiera logrado no podía ayudarlo a ser lo suficientemente justo ante Dios para resistir el juicio de Dios —algo que Lutero temía mucho.

La solución a este último problema es revelada por Dios en el Evangelio cuando el pecador es declarado justo delante de Dios mediante la fe en los méritos de Cristo, para que él o ella sea liberado de la ira escatológica de Dios en el último día. La justificación equivale a un veredicto de "no culpable" en la corte celestial, proclamado al pecador a través de la Palabra mucho antes del regreso de Jesucristo en el día del juicio (suponiendo que el regreso del Señor se retrase mucho después de la muerte del pecador), cuando el veredicto de "no culpable" finalmente se realice en la resurrección del cuerpo y en la vida eterna de los justificados. Esto no es mera ficción legal, como Roma había acusado a Lutero de fabricar. La justicia que justifica a los pecadores en el presente es la del propio Jesús, imputada al pecador a través del instrumento de la fe, pero hecha así en anticipación del veredicto final "no culpable" dado en el día del juicio.

La máxima de Lutero de que un pecador es pecaminoso al mismo tiempo, pero considerado justo por la fe en Jesucristo es inseparable de una comprensión adecuada de la historia de la redención. La antítesis entre la ley y el Evangelio significa que el pecador justificado vive en dos "tiempos" o "edades":

> Por lo tanto, el cristiano se divide de esta manera en dos tiempos. En la medida en que es carne, está bajo la ley; en la medida en que es espíritu, está bajo el Evangelio. A su carne siempre se aferra la lujuria, la codicia, la ambición, el orgullo, etc. Lo mismo ocurre con la ignorancia de Dios, la impaciencia, el gruñido y la ira contra Dios porque obstruye nuestros planes y esfuerzos, y porque no castiga de inmediato a los malvados que lo desprecian. Estos pecados se adhieren a la carne de los santos. Por lo tanto, si no miras nada más allá de la carne, permaneces permanentemente en el tiempo de la Ley. Pero esos días se han acortado, porque de lo contrario ningún ser humano sería salvo (Mateo 24:22). Se debe establecer un final para la Ley, donde se detendrá. Por lo tanto, el tiempo de la Ley no es para siempre; pero tiene un fin, que es Cristo. Pero el tiempo de la gracia es para siempre; porque Cristo habiendo muerto de una vez por todas, nunca más morirá (Romanos 6:9-10). Él es eterno, por lo tanto, el tiempo de gracia también es eterno.[47]

Por un lado, Lutero pudo señalar que la venida de Jesucristo marca una ruptura fundamental con el antiguo pacto. Sin embargo, por otro lado, el creyente permanece en la carne, sujeto a las demandas constantes de la ley, exponiendo el hecho de que

---

[47] Lutero, *Lectures on Galatians* (1535), LW 26:342.

incluso aquellos que abrazan a Cristo y están justificados en el presente todavía permanecen pecadores. Es porque los justificados siguen siendo "carne", creía Lutero, que Dios amablemente acortará los días de lucha hasta que Jesucristo regrese para poner fin a la existencia humana carnal, anunciando la era eterna de la gracia. Es en este sentido, entonces, que la comprensión de Lutero de la salvación fue completamente escatológica y fue el fundamento de su expectativa de que el regreso de Cristo estaba cerca.

La estructura escatológica de Lutero de la doctrina de la justificación también militó contra el apocalipsis popular de su tiempo. Aunque Lutero anticipó que el regreso de Jesucristo estaría cerca de tiempo, él era muy consciente de la fecha de sus contemporáneos anabaptistas, muchos de los cuales eventualmente renunciaron a Lutero porque no lo consideraban lo suficientemente radical. Lutero no estaba interesado en exterminar a los impíos de la tierra para llevar a cabo una reforma. Muchos de los que se desilusionaron con Lutero recurrieron al más radical Thomas Müntzer (1489-1525), quien, junto con su compañía de "profetas", fue expulsado de Zuicao y finalmente fue arrestado por denunciar a la aristocracia terrateniente y llevar a sus seguidores a la batalla al concluir la llamada revuelta campesina. Müntzer fue decapitado posteriormente.[48]

Un antiguo discípulo de Müntzer, Hans Hut, predijo que Jesús regresaría a la tierra el domingo de Pentecostés de 1528. Hut buscó reunir a 144,000 santos elegidos "a quienes él 'selló' bautizándolos en la frente con la señal de la cruz". Hut murió en 1528 y su "cuerpo carbonizado (había prendido fuego a su celda en un inútil esfuerzo por escapar) fue condenado póstumamente". Melchior Hoffman estableció de manera similar un lugar y una fecha para el regreso del Señor (Estrasburgo en 1534), y esto tampoco se cumplió.[49]

Aceptando la interpretación de Agustín de Apocalipsis 20, Lutero creyó que poco antes del tiempo del fin, Satanás sería desatado por un breve período antes de que el Señor regresara para destruirlo y arrojarlo al lago de fuego (Apocalipsis 20:7-10). Cuando, en 1523, Lutero se enteró de que los primeros dos mártires de la Reforma fueron quemados en Bruselas, no se sorprendió y entendió esto como una manifestación de la desaparición definitiva de Satanás. Lutero incluso expresó su tristeza por el hecho de que tal martirio no se le había otorgado porque se oponía al diablo tan apasionadamente.[50]

ANTICRISTO, SUEÑO DEL ALMA Y RESURRECCIÓN

A la luz de la visión general de Lutero de la historia redentora, la recuperación del Evangelio y el sentido de la cercanía del fin, podemos notar tres puntos adicionales de énfasis en el pensamiento escatológico de Lutero. Primero, consideraremos la identificación de Lutero del papado como Anticristo. En segundo lugar, examinaremos su opinión de que después de la muerte el alma "duerme" hasta la resurrección. Tercero, discutiremos el marco único de Lutero de la resurrección y el segundo advenimiento de Jesucristo como la esperanza del cristiano para escapar de la ira escatológica de Dios en el día del juicio.

---

[48] Oberman, *Luther: Man between God and the Devil*, 61.
[49] George, *Theology of the Reformers*, 256.
[50] Oberman, *Impact of the Reformation*, 196.

Aunque muchos en el período medieval habían identificado papas individuales como el Anticristo, una de las contribuciones más significativas de Lutero al pensamiento escatológico protestante posterior fue la identificación de la oficio del papado como la sede del Anticristo, asegurando que el Papa sentado es el principal secuaz del diablo y la fuente de muchos de los innumerables males que plagan a los fieles. Al hacer esta identificación, Lutero afirmó que lo que había estado oculto en el antiguo conflicto entre Dios y el Diablo ahora se puso de manifiesto con el surgimiento del Anticristo, cuya derrota eventual marcaría la etapa final de la historia humana. En los Artículos de Smalcald de 1537, Lutero hizo su punto de vista muy claro:

> El Papa no es la cabeza de toda la cristiandad por derecho divino o según la palabra de Dios.... [Más bien] el Papa es el verdadero Anticristo que se ha levantado y se ha puesto contra Cristo, porque el Papa no permitirá que las personas se salven sino por su propio poder, que no es nada, ya que Dios no lo ha establecido ni ordenado. Esto es en realidad lo que San Pablo llama exaltarse a uno mismo y en contra de Dios.[51]

En otro lugar, Lutero agregó: "¿Por qué el Papa está tan lleno de herejías y ha introducido una tras otra al mundo?... Él es y sigue siendo el mayor enemigo de Cristo. Él es y sigue siendo el verdadero Anticristo."[52] Una vez más, Lutero declaró: "Cristo dice que sí, pero el Papa dice que no. Como son tan opuestos entre sí, uno de ellos ciertamente debe estar mintiendo. Pero Cristo no miente. Por lo tanto, concluyo que el Papa es un mentiroso y además el verdadero Anticristo."[53] Como señala Paul Althaus, para Lutero, "los eventos escatológicos ocurren en medio del presente. Debido a que el anticristo ya está presente, Lutero espera que el final llegue en un futuro cercano." Lo que, es más, Lutero lo "desea", porque la venida de Jesús "terminará con el anticristo y traerá la redención. Lutero puede llamarlo 'el día más feliz'."[54]

Sin duda, el énfasis escatológico más innovador de Lutero fue el "sueño de la muerte". Incontables personas de la época de Lutero estaban preocupadas por la muerte y con preguntas relacionadas sobre la naturaleza del estado intermedio y el paraíso, cuestiones planteadas por la doctrina romana del purgatorio. ¿Quién fue al purgatorio en vez del infierno? ¿Cuánto tiempo permanecerían las personas allí antes de purificarse lo suficiente? ¿Cómo podrían los fieles vivos acortar el tiempo que sus seres queridos pasaron en el purgatorio? Incluso había mapas topográficos disponibles para proporcionar respuestas, y estos eran conocidos por Lutero.[55]

La respuesta de Lutero a este inquietante miedo y duda fue contrarrestar con la certeza de que aquellos que mueren en Cristo tienen asegurada la vida eterna y la liberación futura de la ira de Dios. Pero si un creyente muere antes del regreso del Señor, Lutero enseñó que "descansan en el seno de Cristo", no en un limbo.[56] Usando la muerte de Abraham como ilustración, Lutero escribió:

---

[51] Theodore G. Tappert, ed. y trad., *The Book of Concord: The Confessions of the Evangelical Lutheran Church* (Philadelphia: Fortress, 1959), 298–301.

[52] Citado en Plass, *What Luther Says*, 631

[53] Citado en ibid., 1071.

[54] Althaus, *Theology of Martin Luther*, 420–21. Althaus cita una carta que Lutero le escribió a su esposa en 1540, en WABr 9: 175.

[55] Althaus, *Theology of Martin Luther*, 412.

[56] Martín Lutero, *Lectures on Genesis* 21–25, LW 4:314.

La muerte de los santos es más pacífica y preciosa a la vista de Dios (Salmos 116:15) y.... los santos no prueban la muerte, sino que se duermen agradablemente (véase Isaías 57:1-2; 26:20)... A los ojos del mundo, los justos son despreciados, rechazados y arrojados a un lado. Su muerte parece extremadamente triste. Pero están durmiendo un sueño más agradable. Cuando se acuestan en la cama y exhalan el último suspiro, mueren como si el sueño cayera gradualmente sobre sus extremidades y sentidos.[57]

Según Köstlin, "el asunto de mayor importancia es, y siempre permanece para [Lutero], que las almas de los piadosos aún viven, están libres de toda angustia y tentación, y tienen, en la presencia de Dios y en la mano de Cristo, descanso seguro y bendito."[58]

Pero, ¿qué hay de los que duermen en Cristo? ¿Qué les sucede el último día? Esto conduce al tercer distintivo escatológico en Lutero, su enseñanza sobre la resurrección y el segundo advenimiento de Jesucristo como la esperanza del cristiano de escapar de la ira de Dios en el día del juicio.

En cuanto a los que duermen en Cristo, Lutero dijo: "Así como un hombre que se duerme y duerme profundamente hasta la mañana no sabe lo que le sucedió cuando se despierta, así nos levantaremos de repente en el último día; y no sabremos cómo ha sido la muerte o cómo hemos pasado por ella."[59] El último día, como Lutero lo vio, tuvo que llegar pronto porque el Anticristo había sido revelado y el Evangelio había sido predicado a la mayor parte de la tierra. Sin embargo, la maldad también aumentaría, a pesar del hecho de que la "disolución del mundo está a la puerta."[60] Aquellos en Cristo se despertarán cuando sus cuerpos sean resucitados, y entrarán en la vida eterna y la bendición que el Señor ha preparado para ellos, mientras que los hombres y ángeles malvados, junto con el diablo y sus ángeles, entrarán en la muerte eterna.[61]

La base para que el creyente se despierte del sueño cuando Jesús regrese se encuentra en el bautismo: "El nacimiento espiritual toma su lugar en el Bautismo, procede y aumenta, pero solo en los últimos días se cumple su significado. Solo en la muerte somos sacados del bautismo por los ángeles a la vida eterna."[62] Desde que Lutero entendió el bautismo en agua como un bautismo en la muerte de Jesús y en el entierro con Jesús, el acto de la nueva creación dado en el bautismo se realiza progresivamente hasta el regreso del Señor. La nueva creación ha amanecido en la tumba de Cristo y, a través de la fe, en la fuente, y se consumará en el último día. Unidos a Cristo en su muerte y resurrección implica la participación plena en Cristo y la vida eterna en la forma de la resurrección del cuerpo en el último día. "Cristo nos espera en la muerte y en el fin del mundo."[63]

Para Lutero, entonces, el día del juicio fue ese día cuando "habrá gran destrucción. Entonces los elementos se reducirán a cenizas, y todo el mundo volverá a su caos primordial. Entonces se formarán un nuevo cielo y una tierra y seremos

---

[57] Ibid., LW 4:309.

[58] Julius Köstlin, *The Theology of Luther*, trad. Charles E. Hay (Philadelphia: Lutheran Publication Society, 1897), 2:578.

[59] Martín Lutero, "Luthers Faftenpoftille: Begonnen von G. Theile, vollendet von G. Buchwald," WA 17:11.235.

[60] Plass, *What Luther Says*, 696–97.

[61] Althaus, *Theology of Martin Luther*, 417.

[62] Martín Lutero, "Sermon on the Sacrament of Baptism" (1518), citado en Torrance, "Eschatology of the Reformation," 49.

[63] Citado en Althaus, *Theology of Martin Luther*, 413.

transformados."[64] Debido a que Lutero entendió que un cielo y una tierra recreados están vinculados al regreso de Cristo, esto no dejó lugar para un futuro reino de Cristo de mil años en la tierra en algún momento después de que regrese aún antes de un día de juicio final cuando el llamado milenio el reinado terminara (es decir, premilenialismo).

En el último día, "Cristo aparecerá y se revelará a sí mismo de tal manera que todas las criaturas sabrán y verán que Él tiene poder sobre Sus enemigos.... Pero tenía la intención de esconderse de esta manera para revelarse a sí mismo en el momento de su elección". Esta es la razón por la cual los creyentes deben "aferrarse a la Palabra y fortalecerse en fe, paciencia y esperanza hasta que llegue la hora de su gloria y poder y de nuestra redención."[65] Entonces, dijo Lutero, citando de Apocalipsis 22:20, "que nuestro Señor Jesucristo venga a perfeccionar su obra que ha comenzado en nosotros, y apresure el día de nuestra redención por el cual, por la gracia de Dios, anhelamos con las manos levantadas y por lo cual suspiramos y esperamos con fe pura y con buena conciencia."[66]

Mientras los cristianos luchan bajo el *Anfechtungen* de esta vida y temen los horrores de la venida de la ira de Dios en el día del juicio, el Evangelio nos recuerda que simultáneamente somos justificados, aunque permanezcamos pecadores. Nos hemos unido a la muerte y resurrección de Cristo en nuestro bautismo y a través de nuestra fe en su promesa de que ya ha vencido al mundo, a la carne y al diablo. Si Cristo es nuestro Juez, entonces vivimos sabiendo que Él ha juzgado sobre sí mismo.

Distintivos Escatológicos de Calvino

De acuerdo con David Holwerda, Calvino nunca ha sido muy conocido por sus puntos de vista escatológicos, pero ha despertado un gran interés entre los historiadores políticos y económicos. Por ejemplo, un historiador considera que Calvino y Karl Marx son ¡los dos revolucionarios más influyentes del mundo moderno![67] Estoy seguro de que Calvino se sorprendería de que se lo considere un "revolucionario" en la escala de Marx. Más concretamente, es la astuta observación de Holwerda de que un teólogo cristiano de la estatura de Calvino no puede tener una visión de la historia tan robusta (sino revolucionaria) sin que al mismo tiempo posea un marco escatológico significativo subyacente.[68]

EL DECRETO ETERNO DE DIOS: EL MARCO PARA LA HISTORIA REDENTORA

Muchos de los intérpretes de Calvino ubican el centro del pensamiento de Calvino en sus puntos de vista sobre la divina providencia y la predestinación. Si bien hay alguna justificación para hacerlo, el énfasis de Calvino en la soberanía de Dios no elimina la escatología de su pensamiento, ni tampoco hace que la escatología sea incidental. Más bien, el énfasis de Calvino en la soberanía divina asegura que la escatología desempeña un papel importante en su teología.

---

[64] Lutero, sobre Tito 2:13 en un sermón de 1531, citado en Plass, *What Luther Says*, 700.
[65] Citado en ibid., 700–701.
[66] Citado en ibid., 701.
[67] David E. Holwerda, "Eschatology and History: A Look at Calvin's Eschatological Vision," en *Exploring the Heritage of John Calvin: Essays in Honor of John Bratt*, ed. David E. Holwerda (Grand Rapids, MI: Baker, 1976), 110.
[68] Ibid., 110.

Al igual que Lutero, la teología de Calvino es completamente escatológica por la forma en que concibió la redención de Dios de los pecadores. Mientras Lutero enfatizaba la dialéctica del Dios oculto versus la voluntad revelada dentro del contexto de la justificación del pecador (que se declara justo antes del juicio final), Calvino enfatizó el decreto eterno de Dios y su ejecución en el tiempo. En su *Comentario sobre la armonía de los evangelios Mateo, Marcos y Lucas*, Calvino afirmó que "la voluntad de Dios, en lo que concierne a Él mismo, es una y simple, pero se presenta ante nosotros en las Escrituras como doble. Se dice que el placer de Dios se hace cuando ejecuta los decretos ocultos de su providencia."[69] El decreto de Dios es simple y por lo tanto uno, pero los cristianos deben distinguir entre ese decreto (que permanece oculto) y la ejecución de ese decreto en el tiempo (en el que se revela la voluntad de Dios). Esta es la lente teológica a través de la cual debemos interpretar las enseñanzas de Calvino con respecto al regreso de Jesucristo, la resurrección, el juicio final y la restauración de todas las cosas.

Debido a que Calvino veía la historia redentora como el despliegue progresivo del decreto eterno de Dios, la historia redentora tiene, por lo tanto, un *telos* divinamente ordenado. Es precisamente porque hay un resultado divinamente ordenado en la historia humana que la revelación bíblica es escatológica tanto en su orientación próxima como última. Cuando se ve en esta luz, la escatología semi-realizada de Calvino se vuelve aparente. Para Calvino, la encarnación de Jesucristo y el primer advenimiento deben culminar en la restauración final de todas las cosas y en la resurrección de los muertos en el día del regreso de nuestro Señor, porque este es el *telos* divinamente decretado. Reflexionando sobre la soberanía de Dios en Romanos 8, Calvino relacionó el decreto de Dios con el resultado final, la resurrección:

> El eterno decreto de Dios habría sido nulo a menos que la resurrección prometida, que es el efecto de ese decreto, también fuera cierta. Por este decreto Dios nos ha escogido como Sus hijos antes de la fundación del mundo, Él nos da testimonio acerca de ello por medio del Evangelio, y él sella su Fe en nuestros corazones por el Espíritu Santo.[70]

El decreto de Dios no solo asegura una resurrección final, sino que también asegura que la obra salvadora de Jesús se aplica para elegir a los creyentes por medio del Espíritu Santo.

ESCATOLOGÍA "YA, PERO TODAVÍA NO" DE CALVINO

Podemos ver esta tensión entre el "ya" y el "todavía no" (para usar una expresión contemporánea) donde Calvino trazó el curso amplio de la historia redentora en la *Institución*:

> Porque, como Cristo, nuestro Redentor, apareció una vez, así en su venida final mostrará el fruto de la salvación producida por Él. De esta manera, Él dispersa todas las seducciones que nos envuelven y nos impiden aspirar como deberíamos a la gloria celestial. No, él nos enseña a viajar como peregrinos en este mundo para que nuestra herencia celestial no perezca ni desaparezca.[71]

---

[69] Calvino sobre Mateo 6:10, en *CNTC* 1:208.
[70] Calvino sobre Rom. 8:23, en *CNTC* 8:175.
[71] Calvino, *Institución*, 3.7.3.

Calvino fundamentó este viaje de peregrinación con la cierta esperanza del regreso del Señor porque Jesús ya ha logrado nuestra salvación y ha asegurado nuestra herencia celestial. A la luz del cierto telos (la restauración de todas las cosas y la resurrección corporal al final de la era), Calvino sostuvo que la restauración de todas las cosas comenzó cuando Jesús murió en la cruz, triunfando sobre el pecado y asegurando la salvación de su pueblo. En su comentario sobre el Evangelio de Juan, Calvino afirmó:

> Porque en la cruz de Cristo, como en un espléndido teatro, la incomparable bondad de Dios se establece ante todo el mundo. La gloria de Dios brilla, en todas las criaturas en lo alto y en lo bajo, pero nunca más brillantemente que en la cruz, en la cual hay un cambio maravilloso de las cosas —se manifestó la condena de todos los hombres, se borró el pecado, se restauró la salvación hombre; en resumen, el mundo entero fue renovado y todas las cosas restauradas al orden.[72]

Anteriormente en el mismo comentario, Calvino había escrito: "Aunque Cristo ya había comenzado a establecer el reino de Dios, fue su muerte el verdadero comienzo de un estado ordenado propiamente y la restauración completa del mundo."[73] Cuando Jesucristo entra en su reino y derrota al pecado y la tumba, está iniciando el proceso de restauración que se completará a su regreso.

En su *Comentario sobre la Epístola de Pablo el apóstol a los Hebreos*, Calvino también relacionó el avance progresivo del reino de Dios con la eventual renovación de todas las cosas:

> A lo que el apóstol se refiere expresamente como "el mundo por venir" tiene relevancia aquí; porque él asimila el sentido del mundo renovado. Para hacerlo más claro, imaginemos un mundo doble —primero el viejo, que fue corrompido por el pecado de Adán; en segundo lugar, el de más tarde en el tiempo, ya que se renueva por medio de Cristo. El estado de la primera creación se ha descompuesto, y ha caído con el hombre en cuanto al hombre mismo. Hasta que no haya una nueva restauración a través de Cristo, este Salmo 110, no tiene lugar. Por lo tanto, ahora está claro que el mundo por venir se describe así, no solo como lo que esperamos después de la resurrección, sino como lo que comienza desde el nacimiento del reino de Cristo, y encontrará su cumplimiento en la redención final.[74]

Como peregrinos que vivieron entre el tiempo de la muerte, resurrección y ascensión de Cristo y el tiempo de su segunda venida, los cristianos deben esforzarse, creía Calvino, por mantener una perspectiva adecuada de las cosas terrenales y celestiales. Como se mencionó anteriormente, en su "meditación sobre la vida futura",[75] Calvino podía escribir sobre la miseria de esta vida (en el viejo mundo), mientras que al mismo tiempo exhortaba a su lector a vivir con la esperanza del regreso del Señor (cuando el mundo se renueva). En su discusión sobre la resurrección de Jesús en la *Institución*, Calvino alentó a los cristianos a mantener la mirada fija en el resultado final del decreto oculto de Dios, porque el final —la resurrección— es el *telos*.[76]

---

[72] Calvino sobre Juan 13:31, en *CNTC* 5:68.
[73] Calvino sobre Juan 12:31, en *CNTC* 5:42.
[74] Calvino sobre Heb. 2:5, en *CNTC* 12:22
[75] Calvino, *Institución*, 3.9.1–6.
[76] Ibid., 3.25.

A la enorme masa de miserias que casi nos abruma se agregan las bromas de los hombres profanos, que atacan nuestra inocencia cuando, renunciando voluntariamente a las seducciones de los beneficios presentes, parecen esforzarse por una bendición oculta de nosotros como si fuera una sombra fugaz. Finalmente, arriba y abajo de nosotros, delante y detrás de nosotros, nos sitúan las tentaciones violentas, que nuestras mentes serían completamente incapaces de sostener, si no fueran liberadas de las cosas terrenales y atadas a la vida celestial, que parece estar muy lejos. En consecuencia, solo Él se ha beneficiado plenamente en el Evangelio, que se ha acostumbrado a la meditación continua sobre la bendita resurrección.[77]

El objetivo final puede parecer lejano para los peregrinos, por lo que deben darse cuenta de que el objetivo se realiza parcialmente en el presente a través de la expansión continua del reino de Dios. La comprensión de Calvino sobre la naturaleza de la historia redentora, entonces, se convirtió en la base de su aversión al apocalipticismo y la escatología especulativa típica de su época. Lo que está oculto ahora será revelado en el tiempo perfecto de Dios, no antes. Lo que se revela, sin embargo, es cierto. No hay nada que ganar tratando de discernir el decreto oculto de Dios. Centrándose en el *telos* de la historia, en lugar de estar preocupado con los "signos del fin", evitará que el pueblo de Dios se vea abrumado por las luchas de la vida en un mundo caído.

Teniendo en cuenta este gran panorama, los creyentes deben esforzarse por vivir a la luz de la cruz y la tumba vacía mientras avanzan a tientas en la oscuridad de la era actual. Para los peregrinos cristianos que luchan en esta vida, Calvino sostuvo esta promesa: "[Jesús] reina, aun, incluso ahora, cuando oramos para que venga su reino. Él reina, de hecho, mientras realiza milagros en sus siervos, y da la ley.... Pero su reino vendrá adecuadamente cuando se complete." El reino "se completará cuando manifieste claramente la gloria de su majestad a sus elegidos para salvación, y a los réprobos para confusión."[78] La consumación final solo se produce cuando el eterno decreto de Dios para salvar a sus elegidos, se ha cumplido a tiempo. Es suficiente, dijo Calvino, que sepamos que el Señor regresará, no cuando regrese.

Por lo tanto, la comprensión de Calvino del curso de la edad interadvental deriva de su creencia de que el decreto soberano y misericordioso de Dios para salvar a sus elegidos no puede separarse de los fines por los cuales Dios predestinó a aquellos a quienes intenta salvar. Si la predestinación se relaciona con lo primero (el decreto de Dios), entonces la escatología trata con lo último (el final al que los elegidos han sido predestinados, la resurrección de los muertos). En este sentido, la predestinación y la escatología funcionan como promesa y cumplimiento.[79] Debido a su concepción de la redención como un drama en desarrollo con una meta divinamente designada, Calvino se mantuvo firme en su creencia de que Cristo volvería a resucitar a los muertos y restauraría este mundo caído.

Calvino insistió en que los cristianos no especulan sobre el fin de los tiempos. Al comentar sobre las palabras de Jesús en el Discurso de los Olivos, Calvino escribió, "La gloria y la majestad del reino de Cristo solo aparecerán en su venida final,... el cumplimiento de aquellas cosas que comenzaron en la resurrección, de las cuales Dios

---

[77] Ibid., 3.25.1.
[78] Calvino, *Psychopannychia*, 465.
[79] Torrance, "Eschatology of the Reformation," 49.

dio a su pueblo solo un gusto, para guiarlos más por el camino de la esperanza y paciencia."[80] Calvino dijo: "[El Señor] quiere que sus discípulos caminen a la luz de la fe y, sin conocer los tiempos con certeza, esperen la revelación con paciencia. Tenga cuidado, entonces, de no preocuparse más de lo que el Señor permite por los detalles del tiempo."[81] Dios no quiere que sepamos cuando Cristo regrese, para que caminemos con fe.

Podemos ver que, al hacer este punto, Calvino usó un tono al hablar de esperanza escatológica que difería de la de Lutero en su énfasis en la inminencia del regreso del Señor. La varianza entre los dos hombres es probable debido a sus diferentes temperamentos. La evaluación de Holwerda sobre la negativa de Calvino a especular es sin duda correcta:

> No hay nada especulativo sobre la escatología de Calvino. "No era un prestidigitador en cálculos numéricos". Números específicos en Daniel y Apocalipsis tuvieron que ser interpretados figurativamente. A través de ellos, Dios promete a sus elegidos cierta moderación, algo de acortamiento de los días; pero el punto preciso de terminación permanece oculto en el consejo secreto de Dios.[82]

Mientras Lutero hablaba abiertamente sobre la vida en los últimos tiempos y estaba bastante dispuesto a afirmar la cercanía del fin, Calvino se negó a hacerlo porque el decreto oculto de Dios no puede conocerse hasta que Dios lo revele.

RECHAZO DE CALVINO AL SUEÑO DEL ALMA

Hay dos énfasis adicionales en la escatología de Calvino que merecen discusión. La primera es la oposición de Calvino a la doctrina del "sueño del alma" sostenida por los anabaptistas radicales de su época, que creían que el alma no tiene conciencia aparte del cuerpo. Sostuvieron que al morir el alma "duerme" hasta la resurrección general al final de la era, cuando la persona despierta a la vida eterna. Calvino discrepó con vehemencia con la doctrina romana del purgatorio y lo abordó deliberadamente,[83] pero dedicó un esfuerzo considerable en el transcurso de su carrera a refutar el sueño del alma, incluso resumiendo sus argumentos en contra de él en su capítulo sobre la resurrección en la *Institución*.[84]

La primera obra de teología publicada de Calvino fue *Psychopannychia* (*Sobre el sueño del alma*), publicada en 1542, aunque el primer borrador del manuscrito fue escrito ya en 1534, y Calvino lo revisó varias veces antes de la publicación.[85] Irónicamente, incluso cuando Calvino tuvo problemas con los anabaptistas que sostenían que el alma se ve privada de la conciencia después de la muerte, esta visión era bastante similar al "sueño del alma" de Lutero. Calvino nunca mencionó el punto de vista de Lutero, y tanto Martin Bucer como Wolfgang Capito (1478-1541) le pidieron a Calvino que no publicara la *Psychopannychia* para evitar exponer cualquier

---

[80] Calvino sobre Mateo 24:29, en *CNTC* 3:93

[81] Calvino sobre Mateo 24:36, en *CNTC* 3:98.

[82] Holwerda, "Eschatology and History," 133, Citando de el comentario de Calvino sobre Dan. 7:25.

[83] Calvino, *Institución*, 3.5.6–10.

[84] Ibid., 3.25.

[85] Para una discusión sobre el contacto temprano de Calvino con los anabaptistas y una historia literaria de la *Psychopannychia*, ver Willem Balke, *Calvin and the Anabaptist Radicals*, trad. William J. Heynen (Grand Rapids, MI: Eerdmans, 1981), 17–38; ver también Quistorp, *Calvin's Doctrine of the Last Things*, 55–107.

diferencia entre los reformados y los luteranos y así evitar que los críticos anabaptistas o romanos se abalanzaran.[86]

En su crítica de la doctrina del sueño del alma, Calvino comenzó con la filología. Señaló que las Escrituras usan las palabras "espíritu" y "alma" de diferentes maneras, mientras que el relato de la creación en Génesis 1 afirma claramente que la imagen de Dios en el hombre debe identificarse con el espíritu humano. Además, si uno sigue el curso establecido por los padres de la iglesia, argumentó Calvin, el intérprete de las Escrituras debe distinguir entre el alma y el cuerpo, algo que los escritores anabaptistas podían confundir.[87] Calvino afirmó: "Nosotros, siguiendo toda la doctrina de Dios, mantendremos con certeza que el hombre está compuesto y consiste en dos partes, es decir, cuerpo y alma". Continuó, y agregó: "¿Cuál es el estado de las almas después de la separación de sus cuerpos? Los anabaptistas creen que están dormidos como muertos. Decimos que tienen vida y sentimiento."[88]

La gran ironía es que la doctrina del sueño del alma afirma lo mismo que Pablo menosprecia: "Porque el apóstol [Pablo] mismo dice que somos miserables si tenemos a Cristo en esta vida solamente". Calvino agregó, "Es cierto, existe la declaración de Pablo, de que somos más miserables que todos los hombres si no hay Resurrección; y no hay repugnancia en estas palabras al dogma, que los espíritus de los justos son bendecidos antes de la Resurrección, ya que es a causa de la Resurrección."[89] El alma es creada inmortal y vive después de la muerte, pero el cuerpo es mortal y debe ser levantado imperecedero para deshacer las consecuencias de la maldición.

Para Calvino, la sola idea de que el alma "duerme" hasta la resurrección no tiene sentido, dadas las propiedades únicas del alma humana. Como creacionista, Calvino afirmó que el alma humana no es eterna, sino que fue creada por Dios en el momento de la concepción y posee una existencia independiente e inmortal aparte del cuerpo. Aunque el alma es la ubicación principal de la imagen divina en la humanidad, sin embargo, "el estado del hombre no se perfeccionó en la persona de Adán; pero es un beneficio peculiar conferido por Cristo, que podamos renovarnos a una vida que es celestial, mientras que antes de la caída de Adán, la vida del hombre era solo terrenal."[90] Aunque creado inocente, la naturaleza humana debe ser perfeccionada. Esto tiene perfecto sentido a la luz del hecho de que la historia redentora culmina en la resurrección del cuerpo y la renovación de los cielos y la tierra, porque esto es lo que Dios había decretado y luego había revelado en la persona y la obra de Cristo.

La redención del pecado y el vuelco de las consecuencias de la caída sobre la naturaleza humana (muerte) son, por lo tanto, necesariamente escatológicas en su orientación. Al alma redimida se le ha dado la vida eterna a través de la obra de Cristo, por el Espíritu Santo, quien es el "ferviente de nuestra herencia, es decir, de la vida eterna, hasta la redención, es decir, hasta que venga el día de esta redención".... Y nosotros que hemos recibido las primicias del Espíritu... lo disfrutará en realidad, cuando Cristo comparecerá en juicio."[91] La naturaleza del alma y el propósito divino

---

[86] Balke, *Calvin and the Anabaptist Radicals*, 31.

[87] Ibid., 304.

[88] Juan Calvino, *A Short Instruction for to Arm All Good Christian People against the Pestiferous Errors of the Common Sect of Anabaptists* (London, 1549), 113–14, citado en Balke, *Calvin and the Anabaptist Radicals*, 305.

[89] Calvino, *Psychopannychia*, 471, 472.

[90] Calvino sobre Gen. 2:7, en *Calvin, Commentary on the First Book of Moses Called Genesis*, trad. John King (Edinburgh: Banner of Truth, 1984), 112–13.

[91] Calvino sobre Efesios 1:14, en *CNTC* 11:132.

en la resurrección significan que "la vida terrenal desde el principio está destinada a la eternidad" y que "el alma liberada que está consciente después de la muerte espera su consumación del día del juicio."[92] Según Balke, en contraste con los anabaptistas,

> Calvino sostuvo que el alma en su esencia es inmortal. El resto después de la muerte consiste en una completa comunión con Dios.... La Biblia nos asegura que ya tenemos vida eterna aquí en la tierra y que no puede ser interrumpida. Decir que el alma duerme equivale a decir que Dios abandona su obra.[93]

Mientras que Calvino consoló a los cristianos con el recordatorio de que "cualquier dificultad que nos angustia, permita que esta 'redención' nos sostenga hasta su finalización",[94] también advirtió a sus lectores al final de la *Psychopannychia* que los anabaptistas radicales de su época habían construido "una fragua que ya ha fabricado, y está fabricando a diario, tantos monstruos."[95]

EL RECHAZO DE CALVINO DEL QUILIASMO (MILENALISMO)

También es necesario considerar el vehemente rechazo de Calvino al quiliasmo (milenalismo), una doctrina asociada con el apocalipsis de la época y una doctrina que Calvino consideró "infantil" y "horrible". Calvino siguió a Lutero en el rechazo del milenalismo como cuando este último rechazó el "sueño" milenial anabaptista en términos claros:

> Que antes del Último Día todos los enemigos de la Iglesia serán exterminados físicamente y se reunirá una Iglesia que consistirá únicamente en cristianos piadosos; gobernarán en paz, sin oposición ni ataque. Pero este texto [Salmo 110] dice clara y poderosamente que siempre habrá enemigos mientras este Cristo reine en la tierra. Y también es cierto que la muerte no será abolida hasta el último día, cuando todos sus enemigos serán exterminados de un solo golpe.[96]

Calvino también quedó consternado por los radicales anabaptistas que declararon que la ciudad de Münster era la nueva Sion, especialmente cuando estaba conectada con el resurgimiento del quiliasmo vinculado a las expectativas mesiánicas y la reforma social radical.[97] El pastor ginebrino pensó que esta doctrina era muy problemática en varios aspectos. Secularizó el reinado de Cristo y justificó todo tipo de especulaciones fantasiosas. La gente acepta este error, Calvino afirmó: "Cuando aplicamos [al reino de Dios] la medida de nuestra propia comprensión, ¿qué podemos concebir que no sea grosero y terrenal? Entonces sucede que, al igual que las bestias, nuestros sentidos nos atraen a lo que apela a nuestra carne". Calvino concluyó, "Vemos que los quiliasistas [es decir, aquellos que creen que Cristo reinaría en la tierra por mil años] cayeron en un error similar y tomaron todas las profecías que describen el Reino de Cristo figuradamente en el patrón de los reinos terrenales."[98]

---

[92] Quistorp, *Calvin's Doctrine of the Last Things*, 67, 87.
[93] Balke, *Calvin and the Anabaptist Radicals*, 307
[94] Calvino, *Institución*, 3.25.2
[95] Calvino, *Psychopannychia*, 490
[96] Martín Lutero, "Sermon on Psalm 110" (1535), *LW* 13:263–64.
[97] Balke, *Calvin and the Anabaptist Radicals*, 295.
[98] Calvino sobreHch. 1:7, en *CNTC* 6:32.

Partiendo de la errónea hermenéutica de interpretar las cosas celestiales a través de los ojos carnales, Calvino concluyó que tales formas de quiliasmo son una ficción infantil:

> Pero Satanás no solo ha confundido los sentidos de los hombres para hacer que entierren con los cadáveres el recuerdo de la resurrección; él también ha intentado corromper esta parte de la doctrina con varias falsificaciones que él podría finalmente destruirlo. Paso por alto el hecho de que en los días de Pablo comenzó a derrocarlo [1 Cor. 15:12 ss.]. Pero un poco más tarde siguieron los quiliasistas, quienes limitaron el reinado de Cristo a mil años. Ahora su ficción es demasiado infantil para necesitarla o para valer una refutación. Y el Apocalipsis, del cual indudablemente sacaron un pretexto para su error, no los apoya. Para el número "mil" [Ap. 20:4] no se aplica a la bendición eterna de la iglesia, sino solo a los diversos disturbios que aguardaban a la iglesia, mientras todavía trabajaban en la tierra. Por el contrario, toda la Escritura proclama que no habrá fin para la bienaventuranza de los elegidos o el castigo de los malvados [Mt. 25:41, 46].[99]

Además, al comentar las palabras de Pablo en 1 Tesalonicenses 4:17 ("para que siempre estemos con el Señor"), Calvino describió la consecuencia del milenalismo —el reinado de Cristo limitado a mil años— como algo demasiado horrible para pronunciarlo:

> Estas palabras [de Pablo] refutan más que suficientemente las aberraciones de los quiliasistas. Cuando los creyentes se hayan reunido en un solo reino, su vida no tendrá fin más que la de Cristo. Atribuir a Cristo mil años, para que luego Él dejara de reinar, es demasiado horrible de lo que hablar.[100]

Tomando la opinión de Agustín de que los mil años de Apocalipsis 20 se refieren a la edad de la iglesia, no un período de tiempo después del regreso del Señor, Calvino agregó:

> En consecuencia, en el mismo libro, Juan ha descrito una Resurrección doble, así como una muerte doble; a saber, uno del alma antes del juicio, y otro cuando el cuerpo se levantará, y cuando el alma también se elevará a la gloria. "Bienaventurados", dice él, "son los que tienen parte en la primera Resurrección; en ellos, la segunda muerte no tiene efecto". (Apocalipsis 20:6). Bien, entonces, tengas miedo de negarte a reconocer esa primera Resurrección, que, sin embargo, es la única entrada a la gloria beatífica.[101]

Junto con Lutero, Calvino se mantuvo firme en la tradición agustiniana. Estaba completamente familiarizado con las escrituras de milenaristas contemporáneos como Müntzer y Hofmann, y Calvino "no quería formar parte de esto."[102]

El Papado como Anticristo y los Últimos Días

En relación con el desprecio de Calvino por el quiliasmo de su época y las especulaciones escatológicas que lo acompañaron, es importante considerar que

---

[99] Calvino, *Institución*, 3.25.5.
[100] Calvino sobre 1 Tes. 4:17, en *CNTC* 8:366.
[101] Calvino, *Psychopannychia*, 446.
[102] Balke, *Calvin and the Anabaptist Radicals*, 295.

cuando Lutero identificó el papado como la sede del Anticristo, consideró la presencia de este enemigo como una señal de que los cristianos están viviendo en los últimos días. Como hemos visto, Lutero creía que Dios podría acortar el tiempo hasta el regreso del Señor para salvar a su pueblo de sus sufrimientos a manos del Anticristo. Esto significaba que la venida del Señor era inminente.

Calvino tomó un camino diferente. Siguió a Lutero al identificar el papado con el Anticristo cuando afirmó: "Daniel [Dan. 9:27] y Pablo [2 Ts. 2:4] predijo que el Anticristo se sentaría en el Templo de Dios. Con nosotros, es el Pontífice Romano que hacemos el líder y el abanderado de ese reino malvado y abominable."[103] Calvino también estuvo de acuerdo con Lutero en que "el nombre del Anticristo no designa a un solo individuo, sino un solo reino que se extiende a lo largo de muchas generaciones."[104]

Pero en su análisis más detallado del Anticristo en su comentario sobre 2 Tesalonicenses, se hizo evidente que Calvino era mucho más reticente que Lutero al afirmar que la presencia del Anticristo es una indicación de que el regreso de Cristo es inminente. Según Calvino, los últimos días de Cristo no pueden venir hasta que se produzca una gran apostasía y el Anticristo —que es diametralmente opuesto al reino de Cristo y toma para sí las cosas que pertenecen correctamente a nuestro Señor— se haya revelado. El Anticristo ya apareció en la forma del papado. Sin embargo, Calvino notó que el reinado del Anticristo será temporario, y el tiempo de su final será determinado por Dios. El Anticristo será destruido por la Palabra de Cristo en la aparición de nuestro Señor cuando la restauración final de todas las cosas suceda.

Calvino estuvo en gran medida de acuerdo con Lutero, pero se contentó con interpretar las palabras de Pablo sin decir nada sobre cuándo sucedería esto.[105] Al hacerlo, Calvino intentaba seguir su propia metodología teológica expuesta en otra parte: "En toda doctrina religiosa... debemos mantener la regla de la modestia y la sobriedad; no hablar ni adivinar, o incluso tratar de saber, sobre asuntos oscuros, excepto cualquier cosa que nos haya sido impartida por la palabra de Dios."[106] Dios permita que todos los teólogos y pastores cristianos trataran de seguir la sabia máxima de Calvino, especialmente aquellos que escriben en el campo de la escatología.

Conclusión

Con una buena dosis de justificación histórica, podemos decir que ni Martín Lutero ni Juan Calvino fueron innovadores escatológicos. Ambos reformadores creyeron en las enseñanzas tradicionales de la iglesia con respecto a las últimas cosas —cuando Jesucristo ascendió al cielo, prometió regresar físicamente el último día para resucitar a los muertos, juzgar al mundo y luego crear un cielo nuevo y una tierra nueva. Ambos hombres encajan fácilmente en la designación moderna *amilenial* porque ambos siguieron a Agustín en la creencia de que los eventos representados en Apocalipsis 20 son simbólicos de la edad de la iglesia, no un período de tiempo después del regreso de Cristo.

Sin embargo, es un error concluir que, como ni Lutero ni Calvino fueron innovadores, no estaban interesados en la escatología. Por el contrario, colocando a la

---

[103] Calvino, *Institución*, 4.2.12.
[104] Calvino sobre 2 Ts. 2:7, en *CNTC* 8:404.
[105] Calvino sobre 2 Ts. 2:2–12, en *CNTC* 8:397–408.
[106] Calvino, *Institución*, 1.14.4.

persona y obra de Jesucristo en el centro de su teología, ambos reformadores se centraron en el drama de la historia redentora, a diferencia de los teólogos católicos romanos, que tendían a ver el progreso de la redención desde la perspectiva de la eclesiología. La consecuencia de este movimiento intelectual fue que, aunque ni Lutero ni Calvino trataron de hacer ajustes importantes a las categorías escatológicas recibidas de la iglesia cristiana, fueron completamente escatológicos en su pensamiento. Henry Quistorp enmarca el asunto correctamente cuando escribe,

> La teología de los reformadores no se ocupa principalmente de cuestiones de escatología (estamos pensando especialmente en Lutero y Calvino). Su principal preocupación es con el problema de la justificación y los asuntos inmediatamente relevantes para ella.... Sin embargo, toda su teología está orientada escatológicamente en la medida en que es, en el sentido bíblico-paulino, una *theologia crucis* que exige fe absoluta en la gloria oculta de Cristo y su reino y, al mismo tiempo, una viva esperanza de su futura manifestación.[107]

Tanto Lutero como Calvino creían que la muerte y la resurrección de Jesús eran los eventos centrales en la revelación bíblica —predichos en todo el Antiguo Testamento y, a su vez, proporcionaban el marco para comprender el curso de la historia humana hasta que el Señor regrese. Esto les permitió discutir la segunda venida de Jesucristo en los términos no apocalípticos de una escatología semirealizada (ya/todavía no).

Debido a que los méritos de Cristo fueron suficientes para salvar a los pecadores (cuando se recibieron solo por medio de la fe), Jesús mismo brindó a los cristianos la segura y cierta esperanza de la resurrección del cuerpo el último día cuando regrese. Mientras Lutero y Calvino no estaban de acuerdo sobre la naturaleza del estado intermedio, ambos anclaron la esperanza y seguridad del cristiano en la victoria de Jesucristo para siempre sobre el pecado, la muerte y la tumba. Esta vida puede ser una lucha constante —como lo describieron ambos hombres— pero no hay ninguna razón para que el pueblo de Dios viva en la desesperación. Tan cierto como que Jesús murió por nuestros pecados y resucitó para nuestra justificación (Romanos 4:25), así también Él vendrá nuevamente en su propio tiempo designado para impartir juicio a los enemigos del Evangelio y para asegurar que el pueblo de Dios esté seguro el día del juicio. El día del juicio es un día de terror para aquellos que no conocen a Cristo sino buenas nuevas para aquellos que mueren en el Señor y esperan el regreso del Señor en la fe.

Al rechazar la noción de Roma de que la escatología debía ser entendida a la luz de la eventual perfección de la iglesia romana, ninguno de los dos estaba dispuesto a abrazar el apocalipticismo radical de la época. De hecho, tanto Lutero como Calvino se opusieron vehementemente a los anabaptistas radicales y a todas las formas de establecimiento de fechas especulativas y milenarismo con tanto vigor como se opusieron a la doctrina romana del purgatorio. Lutero y Calvino estaban convencidos de que el papado se había convertido en el Anticristo —un claro signo bíblico del fin— y ambos creían que Dios tendría piedad de su pueblo y aceleraría el regreso de Cristo para preservar a sus elegidos perseguidos en la tierra. Lutero habló abiertamente sobre su creencia de que el regreso del Señor estaba cerca, mientras que Calvino se

---

[107] Quistorp, *Calvin's Doctrine of the Last Things*, 11.

contentó con citar las Escrituras y no decir más. Es aquí, quizás, donde vemos más claramente las diferencias temperamentales entre los dos hombres.

Tanto Lutero como Calvino —si nos aconsejaran hoy— regañarían a aquellos que usan la escatología como un trampolín para las predicciones fantasiosas y que ofrecen interpretaciones infundadas del lenguaje escatológico en las Escrituras. Ambos nos exhortarían a buscar consuelo en la segunda venida de Jesucristo, como Pablo nos recuerda que hagamos:

> Porque todas las promesas de Dios encuentran su Sí en Él. Por eso es por medio de Él que expresamos nuestro Amén a Dios para su gloria. Y es Dios quien nos establece con ustedes en Cristo, nos ha ungido y nos ha sellado y nos ha dado su Espíritu en nuestros corazones como garantía. (2 Corintios 1:20-22).

Recursos para un Estudio Adicional

FUENTES PRIMARIAS

Bucer, Martin. *De Regno Christi*. En *Melanchthon and Bucer*, editadopor Wilhelm Pauck, 174–394. Library of Christian Classics 19. Philadelphia: Westminster, 1969.

Calvino, Juan. *Institución de la Religion Cristiana*. Grand Rapids: Libros Desafío, 2012.

_____.*Psychopannychia*. En Selected Works of John Calvin: Tracts and Letters, editadopor Henry Beveridge y Jules Bonnet, traducido por Henry Beveridge, 3:413–90. 1851. Reimpresión, Grand Rapids, MI: Baker, 1983.

_____.*A Short Instruction for to Arm All Good Christian People against the Pestiferous Errors of the Common Sect of Anabaptists*. London, 1549.

Lutero, Martín. "Preface to the Revelation of Saint John". En *Works of Martin Luther with Introductions and Notes*, editadopor Adolph Spaeth, 6:479–91. Philadelphia ed. 1932. Reimpresión, Grand Rapids, MI: Baker, 1982.

_____."Sermon on Psalm 110" (1535). En *Luther's Works*. Vol. 13, Selected Psalms II, editadopor Jaroslav Pelikan, 263–64. Philadelphia: Fortress, 1972.

Zuinglio, Huldrych. *Fides Expositio* (1531). En *Reformed Confessions of the 16th and 17th Centuries in English Translation*. Vol. 1, 1523–1552, editadopor James T. Dennison Jr., 176–225. Grand Rapids, MI: Reformation Heritage Books, 2008.

_____.*Fides Ratio* (1530). En *Reformed Confessions of the 16th and 17th Centuries in English Translation*. Vol. 1, 1523–1552, editado por James T. Dennison Jr., 112–36. Grand Rapids, MI: Reformation Heritage Books, 2008.

FUENTES SECUNDARIAS

Balke, Willem. *Calvin and the Anabaptist Radicals*. Traducido por William J. Heynen. Grand Rapids, MI: Eerdmans, 1981.

Hall, Fred P. "Martin Luther's Theology of Last Things". En *Looking into the Future: Evangelical Studies in Eschatology*, editadopor David W. Baker, 124–43. Grand Rapids, MI: Baker Academic, 2001.

Holwerda, David E. "Eschatology and History: A Look at Calvin's Eschatological Vision". En *Exploring the Heritage of John Calvin: Essays in Honor of John Bratt*, editadopor David E. Holwerda, 110–39. Grand Rapids, MI: Baker, 1976.

Quistorp, Heinrich. *Calvin's Doctrine of the Last Things*. Traducido por Harold Knight. 1955. Reimpresión, Eugene, OR: Wipf & Stock, 2009.

Strohl, Jane E. "Luther's Eschatology: The Last Times and the Last Things". PhD diss., University of Chicago Divinity School, 1989.

Torrance, T. F. "The Eschatology of the Reformation". En *Eschatology: Four Papers Read to the Society for the Study of Theology*, editado por T. F. Torrance y J. K. S. Reid, 36–62. Scottish Journal of Theology Occasional Papers 2. Edinburgh: Oliver and Boyd, 1957.

Colaboradores

Michael Allen (PhD, Wheaton College) es profesor de teología sistemática e histórica en el Seminario Teológico Reformado en Orlando, Florida. Él es el autor de *Justification and the Gospel: Understanding the Contexts and Controversies; Reformed Theology; Christ's Faith: A Dogmatic Account; and Reformed Catholicity: The Promise of Retrieval for Theology and Biblical Interpretation* (con Scott Swain). También es el editor de *Theological Commentary: Evangelical Perspectives; Reformation Readings of Paul: Explorations in History and Exegesis* (con Jonathan A. Linebaugh); y *Christian Dogmatics: Reformed Theology for the Church Catholic* (con Scott Swain).

Matthew Barrett (PhD, The Southern Baptist Theological Seminary) es tutor de teología sistemática e historia de la iglesia en Oak Hill Theological College en Londres. El editor ejecutivo de *Credo Magazine*, él es también el editor de *5 Solas Series* y el autor de *God's Word Alone: The Authority of Scripture; Owen on the Christian Life: Living for the Glory of God in Christ (with Michael A. G. Haykin); Salvation by Grace: The Case for Effectual Calling and Regeneration; The Grace of Godliness: An Introduction to Doctrine and Piety in the Canons of Dort.*

Gerald Bray (DLitt, Universidad de París-Sorbonne) es profesor de investigación de teología en Beeson Divinity School, Samford University, en Birmingham, Alabama. Es el editor de *Galatians, Ephesians* en el comentario de la Reforma sobre la serie de Escrituras y el autor de *Biblical Interpretation: Past & Present; The Doctrine of God; God is Love: A Biblical and Systematic Theology; God Has Spoken: A History of Christian Theology; Augustine on the Christian Life: Transformed by the Power of God; and The Church: A Theological and Historical Account.*

Graham A. Cole (ThD, Australian College of Theology) es decano y profesor de teología bíblica y sistemática en Trinity Evangelical Divinity School en Deerfield, Illinois. Es el autor de *He Who Gives Life: The Doctrine of the Holy Spirit; Engaging With the Holy Spirit: Real Questions, Practical Answers; God the Peacemaker: How Atonement Brings Shalom; and The God Who Became Human: A Biblical Theology of Incarnation.*

Aaron Clay Denlinger (PhD, Universidad de Aberdeen) es profesor de historia de la iglesia y teología histórica en Reformation Bible College en Sanford, Florida. Es el editor de *Reformed Orthodoxy in Scotland: Essays on Scottish Theology, 1560–1775*, y el autor de *Omnes in Adam ex pacto Dei: Ambrogio Catarino's Doctrine of Covenantal Solidarity and Its Influence on Post-Reformation Reformed Theologians*.

J. V. Fesko (PhD, King's College, Universidad de Aberdeen, Escocia) es decano académico y profesor de teología sistemática y teología histórica en Westminster Seminary California en Escondido, California. Es el autor de *Justification: Understanding the Classic Reformed Doctrine; Beyond Calvin: Union with Christ and Justification in Early Modern Reformed Theology (1517–1700);* y *The Theology of the Westminster Standards: Historical Context and Theological Insights*.

Douglas F. Kelly (PhD, Universidad de Edimburgo) es profesor de teología emérito en el Seminario Teológico Reformado en Charlotte, Carolina del Norte. Es el autor del multivolumen *Systematic Theology: Grounded in Holy Scripture and Understood in the Light of the Church, and of Creation and Change: Genesis 1:1–2:4 in the Light of Changing Scientific Paradigms; The Emergence of Liberty in the Modern World: The Influence of Calvin on Five Governments from the 16th through 18th Centuries; If God Already Knows, ¿Why Pray?* (con Caroline S. Kelly); *and Revelation: A Mentor Expository Commentary*.

Eunjin Kim es candidata a doctorado en la historia de la iglesia en el Seminario Teológico de Westminster en Glenside, Pensilvania. Tiene un MDiv del Hapdong Theological Seminary en Corea del Sur y un ThM de Duke Divinity School. Sus intereses incluyen la teología reformada de los siglos XVI y XVII y la historia de la interpretación bíblica en la época de la Reforma.

Robert Kolb (PhD, Universidad de Wisconsin-Madison) es profesor emérito de teología sistemática en Concordia Seminary en St. Louis, Missouri. Es el autor de *The Genius of Luther's Theology: A Guttenberg Way of Thinking for the Contemporary Church; Luther and the Stories of God: Biblical Narratives as a Foundation for Christian Living; Martin Luther: Confessor of the Faith; Bound Choice, Election, and Guttenberg Theological Method: From Martin Luther to the Formula of Concord; Martin Luther as Prophet, Teacher, and Hero: Images of the Reformer, 1520–1620; and Martin Luther and the Enduring Word of God: The Guttenberg School and Its Scripture-Centered Proclamation*.

Robert Letham (PhD, Universidad de Aberdeen) es profesor de teología sistemática e histórica y supervisa títulos de investigación en la Union School of Theology, con sede en Oxford, Inglaterra. Es el autor de *Union with Christ: In Scripture, History, and Theology; The Westminster Assembly:*

Reading Its Theology in Historical Context; The Holy Trinity: In Scripture, History, Theology, and Worship; and The Work of Christ.

Peter A. Lillback (PhD, Westminster Theological Seminary) es presidente y profesor de teología histórica e historia de la iglesia en el Seminario Teológico de Westminster en Glenside, Pensilvania. Es el autor de *George Washington's Sacred Fire and The Binding of God: Calvin's Role in the Development of Covenant Theology.* Él es editor de *Thy Word Is Still Truth: Essential Writings on the Doctrine of Scripture from the Reformation to Today (with Richard B. Gaffin Jr.),* y *A Theological Guide to Calvin's Institutes: Essays and Analysis (with David W. Hall).*

Korey D. Maas (DPhil, Universidad de Oxford) es profesor asistente de historia en Hillsdale College en Hillsdale, Michigan. Es el autor de *The Reformation and Robert Barnes: History, Theology, and Polemic in Early Modern England and is a contributor to volume 60 of Luther's Works.*

Donald Macleod (DD, Westminster Theological Seminary) fue profesor de teología sistemática en el Free Church of Scotland College en Edimburgo y también fue el director de la escuela desde 1999 hasta 2011. Es el autor de *Christ Crucified: Understanding the Atonement; The Person of Christ; A Faith to Live By: Understanding Christian Doctrine; From Glory to Golgotha: Controversial Issues in the Life of Christ; Jesus Is Lord: Christology Yesterday and Today.*

Keith A. Mathison (PhD, Whitefield Theological Seminary) es profesor de teología sistemática en Reformation Bible College en Sanford, Florida. Es el autor de *Given For You: Reclaiming Calvin's Doctrine of the Lord's Supper; From Age to Age: The Unfolding of Biblical Eschatology;* y *The Shape of Sola Scriptura.* También se desempeñó como editor asociado de *The Reformation Study Bible.*

Michael Reeves (PhD, King's College, Londres) es presidente y profesor de teología en Union School of Theology, con sede en Oxford, Inglaterra. Anteriormente, se desempeñó como jefe de teología de las Universidades y Colegios Christian Fellowship. Es el autor de *The Unquenchable Flame: Discovering the Heart of the Reformation; Delighting in the Trinity: An Introduction to the Christian Faith; Rejoicing in Christ; and Why the Reformation Still Matters* (con Tim Chester). Él es también el coeditor de *Adam, the Fall, and Original Sin: Theological, Biblical, and Scientific Perspectives* (con Hans Madueme).

Kim Riddlebarger (PhD, Fuller Theological Seminary) es pastor principal de Christ Reformed Church en Anaheim, California, y es coautor del programa de radio White Horse Inn. Es el autor de *A Case for Amillennialism: Understanding the End Times; The Man of Sin: Uncovering* *the Truth about the Antichrist; First Corinthians;* y *The Lion of Princeton: B. B. Warfield as Apologist and Theologian.*

Scott R. Swain (PhD, Trinity Evangelical Divinity School) es decano académico y profesor de teología sistemática en el Seminario Teológico Reformado en Orlando, Florida. Es el coeditor de *Christian Dogmatics: Reformed Theology for the Church Catholic* (con Michael Allen), y el autor de *Reformed Catholicity: The Promise of Retrieval for Theology and Biblical Interpretation* (con Michael Allen); *The God of the Gospel: Robert Jenson's Trinitarian Theology; Trinity, Revelation, and Reading: A Theological Introduction to the Bible and Its Interpretation; and Father, Son and Spirit: The Trinity and John's Gospel* (con Andreas Köstenberger).

Mark D. Thompson (DPhil, Universidad de Oxford) es el director y el jefe del departamento de teología, filosofía y ética en Moore Theological College en Sydney, Australia. Es el autor de *A Clear and Present Word: The Clarity of Scripture, and A Sure Ground on Which to Stand: The Relation of Authority and Interpretive Method in Luther's Approach to Scripture.*

Carl R. Trueman (PhD, Universidad de Aberdeen) es el catedrático Paul Woolley de Historia de la Iglesia en el Seminario Teológico de Westminster en Glenside, Pensilvania. Es el autor de *Luther on the Christian Life: Cross and Freedom; The Creedal Imperative; Histories and Fallacies: Problems Faced in the Writing of History; Reformation: Yesterday, Today, and Tomorrow; John Owen: Reformed Catholic, Renaissance Man; and Luther's Legacy: Salvation and English Reformers, 1525–1556.*

Cornelis P. Venema (PhD, Princeton Theological Seminary) es presidente y profesor de estudios doctrinales en Mid-America Reformed Seminary en Dyer, Indiana. Es el autor de *The Promise of the Future; Heinrich Bullinger and the Doctrine of Predestination: Author of "the Other Reformed Tradition?" The Gospel of Free Acceptance in Christ: An Assessment of the Reformation and New Perspectives on Paul; Accepted and Renewed in Christ: The "Twofold Grace of God" and the Interpretation of Calvin's Theology; and Christ and the Future: The Bible's Teaching about the Last Things.*

Made in United States
Orlando, FL
14 April 2023

32045335R00304